DIE RENAISSANCE IM DEUTSCHEN SÜDWESTEN

Badisches Landesmuseum Karlsruhe

Die Renaissance
im deutschen Südwesten
zwischen Reformation
und Dreißigjährigem Krieg

Eine Ausstellung
des Landes Baden-Württemberg
unter der Schirmherrschaft
von Ministerpräsident Lothar Späth

Band 1

Heidelberger Schloß
21. Juni bis 19. Oktober 1986
täglich von 9 bis 18 Uhr

Printed in Germany

Layout und Umschlagentwurf:
Annelis Schwarzmann
Reproduktionen:
Riegger Reprotechnik GmbH, Karlsruhe
Satz und Druck:
Engelhardt & Bauer, Druck- und Verlags-
gesellschaft mbH, Karlsruhe
Bindung: Josef Spinner,
Großbuchbinderei GmbH, Ottersweier

ISBN 3-923132-08-5

Grußwort

Der Ministerpräsident
des Landes Baden-Württemberg

Ich begrüße es, daß es nunmehr auch möglich ist, einen umfassenden Überblick über die Kunst und Kultur in unseren Landen zwischen 1520 und 1630 zu bieten: die Landesausstellung „Die Renaissance im deutschen Südwesten". Nicht zufällig findet diese in dem bedeutendsten Bauwerk jener Zeit statt, dem Heidelberger Schloß, und innerhalb dessen wiederum zu einem beträchtlichen Teil in dem eigens für Ausstellungszwecke wieder instandgesetzten Ottheinrichsbau, jenem Juwel der deutschen Renaissance, in dem sich italienische und niederländische Anregungen zu einem nunmehr eigenständigen deutschen Bau verbinden.

Nicht zufällig steht die Ausstellung auch in Beziehung zum Jubiläum der Universität Heidelberg, deren Gründung vor nunmehr 600 Jahren zwar noch ins 14. Jahrhundert reicht, die aber in den Jahren des Kurfürsten Otto Heinrich, also in den fünfziger Jahren des 16. Jahrhunderts, einer bedeutsamen Reform unterzogen wurde: eine Folge des Umstandes, daß sich die Pfälzer Kurfürsten der Reformation angeschlossen hatten, aber auch der Grund für das nun, im Zeitalter des Humanismus, mächtig aufstrebende geistige Leben in Heidelberg.

Humanismus, Renaissance, Reformation – da haben wir denn schon einige Stichworte für diese kulturell ungeheuer bewegte, geistlich erregte und politisch spannungsreiche Zeit, in der sich gleichwohl ein beträchtlicher Wohlstand vor allem in den Städten entfaltete. Sie reicht von den Bauernkriegen bis in den Dreißigjährigen Krieg hinein, umspannt den Aufstieg der Habsburger zur europäischen Großmacht ebenso wie die Augsburger Konfession, jenes erste Dokument konfessioneller Toleranz, zwar noch nicht zwischen den Individuen, aber doch unter den verschiedenen herrschaftlichen Territorien.

Dabei nimmt die Kunst der Renaissance im deutschen Südwesten wie in deutschen Landen überhaupt insofern eine Sonderstellung ein, als sie eigentlich erst einsetzt, als die Renaissance in ihrem Ursprungsland Italien schon fast vorüber war. Zudem wirken bei uns sowohl spätgotische Traditionen spürbar und vielfach nach, wie andererseits die Trennungslinie zum heraufkommenden Barock keineswegs scharf zu ziehen ist, mancherorts Spätgotik und Frühbarock fast fließend ineinander übergehen.
Alles das aber – vor allem an Plastik, Malerei und Kunstgewerbe dargetan – kann und soll den besonderen kulturgeschichtlichen Rang und Reiz dieser Ausstellung ausmachen, die in der Farbigkeit und Vielfalt ihrer Erscheinungen einen Spaziergang durch eine Zeit anbietet, die uns in manchem sehr fremd anmuten mag, die aber wie kaum eine andere Auswirkungen bis in unsere Gegenwart behalten hat. Mit besonderer Freude erfüllt es mich in diesem Zusammenhang, daß zu ihrem Zustandekommen auch das Elsaß und die Schweiz, insbesondere Straßburg, Basel und Schaffhausen, gern und freundlich Wesentliches beigetragen haben, wie denn das hier behandelte Gebiet in der angesprochenen Zeit trotz aller politischen Grenzen eine vielfältige und mannigfache wirtschaftliche, kulturelle und geistige Verbundenheit aufzuweisen hat, die wieder anzustreben uns Heutigen gerade auch durch Unternehmungen wie diese Ausstellung als Verpflichtung und Aufgabe bewußt zu werden vermag.

Dr. Lothar Späth

Aus konservatorischen Gründen konnten einige Leihgaben, deren genaue Zahl bei Drucklegung des Katalogs noch nicht feststand, nicht zur Verfügung gestellt werden. Wir bitten unsere Besucher um Verständnis.

Leihgeber

Aalen-Wasseralfingen, Schwäbische Hüttenwerke
Amberg, Staatsarchiv
Ambras → Wien
Amsterdam, Rijksmuseum
Antwerpen, Museum Mayer van den Bergh
Aschaffenburg, Schloßmuseum
Augsburg, Staats- und Stadtbibliothek
Baden/AG, Kath. Kirchengemeinde
Baden-Baden, Zähringermuseum → Salem
Baden-Baden, Zisterzienserinnenabtei Lichtenthal
Balingen, Ev. Kirchengemeinde
Basel, Gewerbemuseum/Museum für Gestaltung
Basel, Historisches Museum
Basel, Öffentliche Kunstsammlung, Kupferstichkabinett
Basel, Universitätsbibliothek
Berlichingen (Schöntal), Kath. Kirchengemeinde St. Sebastian
Berlin, Staatliche Museen Preußischer Kulturbesitz, Kunstgewerbemuseum
Berlin, Staatliche Museen Preußischer Kulturbesitz, Kupferstichkabinett
Bern, Bernisches Historisches Museum
Bern, Botanisches Institut der Universität
Bleibach → Gutach
Bopfingen, Evang. Stadtkirche
Braunschweig, Herzog Anton Ulrich-Museum
Bregenz, Vorarlberger Landesmuseum
Breisach, Münstergemeinde St. Stephan
Bremen, Kunsthalle, Kupferstichkabinett
Bruxelles, Musée Instrumental
Budapest, Szépmüvészeti Muzeum
Cambridge/MA., Harvard University Art Museums, Fogg Art Museum
Coburg, Kupferstichkabinett der Kunstsammlungen der Veste Coburg
Colmar, Bibliothèque de la ville
Colmar, Musée d'Unterlinden
Darmstadt, Hessisches Landesmuseum
Darmstadt, Schloßmuseum
Dijon, Musée des Beaux Arts
Donaueschingen, Fürstl. Fürstenbergische Sammlungen
Donaueschingen, Hofbibliothek
Düsseldorf, Kunstmuseum
Ellwangen, Staatliches Liegenschaftsamt
Elzach, Kath. Kirchengemeinde St. Nikolaus
Endingen, Stadtverwaltung
Engen, Heimatmuseum der Stadt Engen im Hegau
Engen, Kath. Pfarramt Mariae Himmelfahrt
Erlangen, Graphische Sammlungen der Universität Erlangen-Nürnberg
Esslingen, Stadtmuseum (Geschichts-und Altertumsverein)
Ettlingen, Albgaumuseum
Frankfurt, Museum für Kunsthandwerk
Freiburg, Augustinermuseum
Freiburg, Münsterpfarramt
Freiburg, Universitätsbibliothek
Friedrichshafen, Bodenseemuseum
Furtwangen, Uhrenmuseum
Gaasbeek/NL, Kasteel van Gaasbeek
Gengenbach, Städtisches Museum Haus Löwenberg
Gengenbach, Stadtverwaltung
Göttingen, Kunstsammlungen der Universität
Gutach-Bleibach, Pfarrei St. Georg
Hamburg, Kunsthalle, Kupferstichkabinett
Hamburg, Museum für Kunst und Gewerbe
Heidelberg, Kurpfälzisches Museum
Heidelberg, Universitätsbibliothek
Heiligenberg → Donaueschingen
Heinfels → Sillian
Innsbruck, Tiroler Landesmuseum Ferdinandeum
Jungingen (Hohenzollern), Pfarr- und Wallfahrtskirche
Karlsruhe, Badische Landesbibliothek
Karlsruhe, Badisches Landesmuseum
Karlsruhe, Generallandesarchiv
Karlsruhe, Pfinzgaumuseum
Karlsruhe, Staatliche Kunsthalle
Kassel, Landesmuseum, Staatliche Kunstsammlungen
København, Nationalmuseet
København, De Danske Kongers Kronologiske Samling På Rosenborg
Köln, Kunstgewerbemuseum der Stadt Köln
Köln, Schnütgen-Museum
Köln, Wallraf-Richartz-Museum
Konstanz, Pfarrei St. Stephan
Konstanz, Rosgartenmuseum
Konstanz, Staatliches Liegenschaftsamt
Liège, Musée de l'Art religieux
London, The British Library
London, The British Museum
London, Mrs. Angela Krahé
London, Victoria & Albert Museum
Malibu, The J. Paul Getty Museum
Mannheim, Städtisches Reiß-Museum
Meersburg, Kath. Kirchengemeinde Mariae Heimsuchung
Meßkirch, Pfarrei St. Martin
Mönchengladbach, Museum Schloß Rheydt
München, Bayerisches Nationalmuseum
München, Bayerische Staatsbibliothek
München, Bayerische Staatsgemäldesammlungen
München, Bayerische Verwaltung der Staatlichen Schlösser, Gärten und Seen
München, Staatliche Graphische Sammlung
München, Staatliche Münzsammlung
München, Wittelsbacher Ausgleichsfonds
Mulhouse, Musée Historique de Mulhouse
Muri, Katholische Kirchenpflege
Neuburg a.d. Donau, Schloßmuseum, Heimatverein – Historischer Verein Neuburg a.d. Donau e.V.

Neuenstein, Hohenlohe-Zentralarchiv
Nürnberg, Germanisches National-museum
Nürnberg, Stadtbibliothek
Nürtingen, Evang. Kirchenpflege
Obernai, Musée Historique de la ville d'Obernai
Öhringen, Dekanats- und Pfarramt I
Offenburg, Stadtmuseum
Old Bennington/Vt., Prof. Dr. Julius S. Held
Ostrach, Pfarrei St. Pankratius
Oxford, Oxford University, Museum of the History of Science
Paris, Musée de l'Armée
Paris, Musée du Louvre, Dept. des Sculptures
Pforzheim, Schmuckmuseum
Pfullendorf, Stadt Pfullendorf
Pfullingen, Evang. Kirchengemeinde Martinskirche
Radolfzell, Münsterpfarrei Unserer Lieben Frau
Ravensburg, Rathaus
Ravensburg, Städt. Museum im Vogtshaus
Reutlingen, Heimatmuseum
Riedlingen, Pfarrei St. Georg
Rottenburg a.N., Dompfarramt St. Martin
Rotterdam, Museum Boymans-van Beuningen
Rottweil, Stadtverwaltung
Salem, S.K.H. Max Markgraf von Baden
Salzburg, Salzburger Landessammlungen, Residenzgalerie
Salzburg, Salzburger Museum Carolino Augusteum
Salzburg, Universitätsbibliothek
St. Gallen, Historisches Museum
St. Gallen, Kunstmuseum
Saverne, Commune de Saint-Jean-Saverne
Schaffhausen, Familien-Archiv Peyer im Stadtarchiv
Schaffhausen, Museum zu Allerheiligen
Schaffhausen, Staatsarchiv
Schorndorf, Evang. Stadtkirchengemeinde
Schwäbisch Gmünd, Kath. Kirchengemeinde Hl. Kreuz
Schwäbisch Gmünd, Städtisches Museum
Schwäbisch Hall, Evang. Dekanatsamt
Schwäbisch Hall, Evang. Kirchengemeinde St. Katharina
Schwaigern, Evang. Kirchengemeinde, Kirchenbezirk Brackenheim
Sélestat, Bibliothèque Humaniste
Sigmaringen, Fürstl. Hohenzollernsche Sammlungen
Sillian-Heinfels, Kath. Expositur St. Peter
Speyer, Historisches Museum der Pfalz
Stein a.Rh., Bürgerliche Museumsstiftung
Stockholm, Nationalmuseet
Stockholm, Nordiska Museet
Strasbourg, Fondation St. Thomas
Strasbourg, Gymnase Jean Sturm
Strasbourg, Musée Alsacien
Strasbourg, Musée des Arts Décoratifs
Strasbourg, Musée des Beaux Arts, Cabinet des Estampes
Strasbourg, Musée Historique
Strasbourg, Musée de l'Oeuvre Notre Dame
Stuttgart, Hauptstaatsarchiv
Stuttgart, Landesdenkmalamt Baden-Württemberg, Archäologie d. Mittelalters
Stuttgart, Staatsgalerie
Stuttgart, Staatsgalerie, Graphische Sammlung
Stuttgart, Stadtarchiv
Stuttgart, Württembergische Landesbibliothek
Stuttgart, Württembergisches Landesmuseum
Tiefenbronn, Pfarrei St. Maria Magdalena
Toledo/Ohio, The Toledo Museum of Art, Gift of Florence Scott Libbey
Tübingen, Bürgermeisteramt
Tübingen, Staatliches Liegenschaftsamt
Tübingen, Städtische Sammlungen
Tübingen, Stiftskirche
Tübingen, Universität Tübingen, Institut für Biologie I
Tübingen, Universität Tübingen, Zentrale Universitätsverwaltung, Professorengalerie
Tübingen, Universitätsbibliothek
Überlingen, Münsterpfarramt
Überlingen, Städtisches Museum
Ulm, Evang. Gesamtkirchengemeinde
Ulm, Liegenschaftsamt
Ulm, Ulmer Museum
Urach → Stuttgart, Württembergisches Landesmuseum
Villingen, Museum Altes Rathaus
Villingen, Münsterpfarramt Unserer Lieben Frau
Wachendorf, Freiherr v. Ow-Wachendorf
Waldenburg, Evang. Kirchengemeinde
Waldkirch, Elztäler Heimatmuseum
Waldkirch, Pfarrei St. Margarita
Wangen, Pfarrei St. Martinus
Wertheim, Historisches Museum für Stadt und Grafschaft Wertheim
Wien, Gemäldegalerie der Akademie der bildenden Künste
Wien, Kupferstichkabinett der Akademie der bildenden Künste
Wien, Graphische Sammlung Albertina
Wien, Schatzkammer des Deutschen Ordens
Wien, Kunsthistorisches Museum, Gemäldegalerie
Wien, Kunsthistorisches Museum, Sammlung für Plastik und Kunstgewerbe
Wien, Kunsthistorisches Museum, Sammlungen Schloß Ambras
Wien, Österreichisches Museum für angewandte Kunst
Wien, Österreichische Nationalbibliothek, Druckschriftensammlung
Wien, Österreichische Nationalbibliothek, Handschriften- und Inkunabelsammlung
Wiesentheid, Dr. Karl Graf von Schönborn
Wolfenbüttel, Herzog August Bibliothek
Worms, Museum der Stadt Worms
Zeil, Kath. Kirchengemeinde Schloß Zeil
Zürich, Privatbesitz
Zürich, Schweizerisches Landesmuseum
Zürich, Zentralbibliothek
Zug, Museum in der Burg
Zweibrücken, Bibliotheca Bipontina

Das Badische Landesmuseum dankt allen nachstehend Genannten für die Hilfe und Unterstützung bei der Vorbereitung der Ausstellung

Dir. Dr. Hans Christoph Ackermann, Basel
Dir. Dr. Manfred Akermann, Schwäbisch Hall
Cons. en chef Daniel Alcouffe, Paris
Pfarrer A. Allgaier, Meersburg
Arch. Dir. Max Ambühl, Stein a. Rhein
Dr. Peter Amelung, Stuttgart
Edith Ammann, Karlsruhe
Dir. Dr. Gert Ammann, Innsbruck
Dr. Klaus Ammann, Bern
Hortense Anda-Bührle, Zürich
Hkons. Prof. Dr. Peter Anstett, Karlsruhe
D. M. Archer, London
Dr. Grit Arnscheidt, Mannheim
Rektor Winfried Aßfalg, Riedlingen
Dr. Alfred Auer, Innsbruck
Gen. Dir. Prof. Dr. Manfred Bachmann, Dresden
Dr. Monika Bachmayer, Oberstdorf
Dir. Roseline Bacou, Paris
S.K.H. Max Markgraf von Baden, Salem
Dr. Franz Bächtiger, Bern
Dir. Dr. Wolfram Baer, Augsburg
Dir. Dr. Jörn Bahns, Heidelberg
Malcolm Baker, London
StAD Hermann Bannasch, Karlsruhe
Heinz Bardua, Stuttgart
Archivrat Albert Bartelmeß, Nürnberg
Frank Bastian, Karlsruhe
Dr. Ingolf Bauer, München
Siegfried Bauer, Tübingen
Dr. Christian Beaufort-Spontin, Wien
Domkapitular Dr. Otto Bechtold, Freiburg i.Br.
Dominikus Beck, Zeil
OStR. Rudolf Beck, Zeil
Prof. Dr. Rüdiger Becksmann, Freiburg i.Br.
Dir. Dr. Wolfgang Beeh, Darmstadt
Dir. Dr. W. A. L. Beeren, Rotterdam
Pfarrer Eugen Bellert, Gutach-Bleibach
Dir. i. R. Dr. Josef Bellot, Augsburg
M. Bernard, Ribeauvillé
Ruth Bertsch, Stuttgart
Dir. Prof. Dr. Peter Beye, Stuttgart
Mara Freifrau Marschall v. Bieberstein, Waldkirch-Buchholz
Annette Bierenbreier, Karlsruhe
Pfarrer Rudolf Birkhäuser, Konstanz
Dir. Dr. Per Bjurström, Stockholm
Stellv. Gen. Dir. Dr. A. L. den Blaauwen, Amsterdam
Sigrid von Blanckenhagen, Konstanz
Dir. HR Dr. Edmund Blechinger, Salzburg
Gudula Bock, Oberopfingen
Dir. Prof. Dr. Henning Bock, Berlin
Dr. Paul Boerlin, Basel
Dr. Johann Eckart von Borries, Karlsruhe
Gen. Dir. Dr. Gerhard Bott, Nürnberg
Architekt Rudolf Brändle, Münsingen
Dr. Günther Bräutigam, Nürnberg
Ursula Braun, Heidelberg
Dekan Willi Braun, Breisach
Dekan Ernst Brennberger, Schwäbisch Hall
Ob. Bibl. Rat, Dr. Gerd Brinkhus, Tübingen
Edeltraud Brockmüller M.A., Albstadt
Dir. Dr. Eva Brües, Mönchengladbach
AR Gert Brüny, Heidelberg
Lic. Guntram Brummer, Überlingen
Dir. Dr. Rainer Budde, Köln
Dekan Paul Büttner, Brackenheim
Dr. Margareta Bull-Reichenmiller, Stuttgart
Cons. Pierre Burger, Colmar
Hugh Cobbe, London
Cur. Teje Colling, Stockholm
Pfarrer Philipp Dangelmaier, Drackenstein
M.le Maire Albert Debus, St. Jean-Saverne
Prof. Dr. Hansmartin Decker-Hauff, Stuttgart
P. Dr. Bernhard Demel, O.T., Wien
Dr. Klaus Demus, Wien
Maxime Destremeau, Strasbourg
Robert Didier, Bruxelles
Dr. Kurt Diemer, Biberach
Bgm. Dr. Hans-Helmut Dieterich, Ellwangen
Bgm. Hartmuth Dinter, Pfullendorf
Dr. Rudolf Distelberger, Wien
Dr. Klaus Dobat, Tübingen
Dr. Ludwig Baron Döry, Frankfurt
Pfarrer Josef Dosch, Waldkirch
Axel Graf Douglas, Langenstein-Orsingen
Dir. Prof. Dr. Franz Adrian Dreier, Berlin
Gen. Dir. Prof. Dr. Wolf-Dieter Dube, Berlin
Dir. Walter Dürr, Schwäbisch Gmünd
Dr. Saskia Durian-Ress, München
Münsterpfarrer Fridolin Dutzi, Überlingen
Peter Eberhard, Baden-Baden
HR Dr. Erich Egg, Innsbruck
OR Dr. Hanna Egger, Wien
Bgm. Jürgen Eggs, Gengenbach
Reg. Dir. Dr. Hansjörg Ehret, Tübingen
Dekan Bernhard Eichkorn, Meßkirch
Dir. Dr. Peter Eitel, Ravensburg
Bgm. Helmut Eitenbenz, Endingen
Reinhard End, Gengenbach
Franz Graf zu Erbach-Erbach, Erbach
Dr. Saskia Esser, Stuttgart
Dir. R. Faitot, Strasbourg
Dr. Beate Falk, Ravensburg
Dir. Dr. Fritz Falk, Pforzheim
Dir. Dr. Tilman Falk, Augsburg
Dir. Jean Favière, Strasbourg
Dr. Peter Felder, Aarau
Ilse Feller, Altshausen
Heinrich Feyerlein, Neuburg a.d. Donau
Dir. Dr. Gisela Fiedler-Bender, Kaiserslautern
Gen. Dir. Univ. Prof. Dr. Hermann Fillitz, Wien
Prof. Dr. Werner Fleischhauer, Stuttgart
Dir. Dr. Hans-Joachim Fliedner, Offenburg
Dir. Dr. Evelyn Flögel, Waldkirch
Pfarrer Karl Fluhrer, Schwäbisch Hall
Herbert Focke, Heidelberg
Univ. Prof. HR Dr. Karl Forstner, Salzburg
Franz Frank, Mannheim
Ulrike Franz, Tübingen
Dir. Dr. Max Freivogel, Schaffhausen
Dr. Gottfried Frenzel, Nürnberg
Polizeirat Peter Friedrich, Heidelberg
Prof. Dr. Johann Michael Fritz, Heidelberg
Dir. Dr. Robert Fritzsch, Nürnberg
AOR Dr. Achim Fuchs, Amberg
Dir. Dr. Josef Fuchs, Villingen
Dr. Karl-Ludwig Fuchs, Heidelberg
S.D. Joachim Fürst zu Fürstenberg, Donaueschingen
Cons. en chef Jean-René Gaborit, Paris
Eleonore Gärtner, Waldkirch
Stadtpräsident Rolf Gafner, Stein a. Rh.
Dir. i. R. Dr. Ortwin Gamber, Wien
Dr. Klára Garas, Budapest
Dr. Ulrike Gauß, Stuttgart
Pfarrer Georg Gawaz, Aitrach
Dir. Dr. Christian Geelhaar, Basel
Dr. Hans-Peter Geh, Stuttgart
Dipl. Bibl. Annette Geisler, Heilbronn
Dr. Heinrich Geissler, Stuttgart
Alwin Gellert, Tübingen
MR Dr. Helmut Gerber, Stuttgart
Dir. Dr. Georg Germann, Bern
Dr. Teréz Gerszi, Budapest
Dir. Dr. Helmut Gier, Augsburg
Dr. Svend Gissel, København
Elisabeth von Gleichenstein, Konstanz
Lt. RBauDir. Gerhard Glockner, Mannheim
Dr. Nina Gockerell, München
Dr. Ing. Joachim Göricke, Heidelberg
Georg Goerlipp, Donaueschingen
Ernest Goetz, Strasbourg
Dr. Gisela Goldberg, München
Dir. Dr. F. Gröbli, Basel
Dir. Dr. Erich Gropengießer, Mannheim
Anne Groß, Stuttgart
Liselotte Grosser, Berchtesgaden
Jochen Großhans, Tübingen
Alfred Grün, Biberach
Dir. Dr. Mathilde Grünewald, Worms
Dr. Johannes Günther, Stuttgart
Dekan Alois Güter, Zwiefalten
Dir. Francis Güth, Colmar
Cons. Sophie Guillot de Suduiraut, Paris
Pfarrer Alfred Haas, Ostrach
Dr. Hans Haase, Wolfenbüttel
Dir. Hanno Hafner, Ettlingen
Werner Hahn, Karlsruhe
Pfarrer Hans-Dieter Haller, Waldenburg
Dir. Rudolf Hanhart, St. Gallen
Mme. Hamm, Strasbourg
Dr. H. Hannessen, Berlin
Maureen O'Hanlon B.A., Freiburg
Dr. Jürgen Harnisch, Aalen-Wasseralfingen
Lt. Bibl. Dir. H. Harthausen, Speyer
Dr. Hugues Hartleyb, Obernai
Dir. Hans Hartmann, Basel

Dir. Dr. Idis Hartmann, Biberach
Dekan Patriz Hauser, Ellwangen
Dr. Tjark Hausmann, Berlin
Martin Haussmann, Stuttgart
Daniel Hechinger, Guebwiller
Dr. Winfried Hecht, Rottweil
Dir. Christian Heck, Colmar
Dompfarrer Gerhard Heck, Freiburg i. Br.
Lutz Hecker, Karlsruhe
Dr. Friedrich W. Heckmanns, Düsseldorf
Eva Elisabeth Heim, Langenstein-Orsingen
Helmut Hein, Heidelberg
Kons. Jorgen Hein, København
Heike Heinrich, Karlsruhe
Dr. Felix Heinzer, Karlsruhe
Pfarrer Franz Heinzmann, Tiefenbronn
Dr. Bernhard Heitmann, Hamburg
Prof. Dr. Julius S. Held, Old Bennington/Vt.
Dr. Helmut Hell, Reutlingen
Dr. Carl Benno Heller, Darmstadt
Klaus Henning, Stuttgart
Frieder Hepp, Heidelberg
Dr. Karl-Bernd Heppe, Düsseldorf
Dir. Dr. Helmut Herbst, Schwäbisch Hall
Reg. Dir. Eberhard Herdeg, Stuttgart
Dekan Reinhard Hermann, Tübingen
Niklaus Hess, Basel
Dr. Wolfgang Heß, München
Dr. Sabine Hesse, Stuttgart
I.K.H. Margret Prinzessin von Hessen und bei Rhein, Egelsbach
Dr. Christian v. Heusinger, Braunschweig
Mme. Hickel, Barr
Dr. Frank Hieronymus, Basel
Kreisarchivar Bernhard Hildebrandt, Aalen-Wasseralfingen
Dr. Georg Himmelheber, München
Dr. Susanne Himmelheber, Heidelberg
Beat Hirschi, Stein a. Rh.
Hasso Hoffmann, Konstanz
Pfarrer Horst Hoffmann-Richter, Pfullingen
Dipl.-Ing. Jörg Hofmann, Stuttgart
Dir. Prof. Dr. Werner Hofmann, Hamburg
Dir. Dr. Hans H. Hofstätter, Freiburg i. Br.
I. D. Charlotte Fürstin zu Hohenlohe-Langenburg, Langenburg
I. D. Katharina Fürstin zu Hohenlohe-Öhringen, Neuenstein
S. D. Krafft Fürst zu Hohenlohe-Öhringen, Neuenstein
Gen. Dir. Dr. Johann Georg Prinz von Hohenzollern, München
S.K.H. Friedrich Wilhelm Fürst von Hohenzollern-Sigmaringen
Dir. Dr. Gerhard Hojer, München
Dr. Hildegard Hoos, Frankfurt
Archiv-Insp. Katrin Hopstock, Speyer
Pfarrer Erhard Hucht, Konstanz
Dr. Hans Huth, Karlsruhe
Dir. Dr. Heribert Hutter, Wien
OVwR Dieter Ihle, Esslingen
Dir. Dr. Volker Ilgen, Darmstadt
Dir. J.A.S. Ingamells, London
Dr. Wolfgang Irtenkauf, Stuttgart
Catherine Jacobs, Ettlingen
Pfarrer Dr. Hermann Jantzen, Tübingen
Dr. Gerald Jasbar, Ulm
Manfred Jauslin, Basel
Dir. Dr. Ingrid Jenderko-Sichelschmidt, Aschaffenburg
Dekan Erhard John, Ulm
Prof. Dr. Rainer Jooß, Esslingen
Theodor Jost, Stein a. Rh.
Dir. Dr. Roswitha Juffinger, Salzburg
Reg. Dir. Dr. Reinhard Jussli, Heidelberg
Dr. Rainer Kahsnitz, Nürnberg
Dir. Dr. Franz Georg Kaltwasser, München
Prof. Dr. Karl Keim, Reutlingen
Dir. Dr. Rolf Keller, Zug
Peter Kempf, Sigmaringen
Dr. Georg Ritter von Kern, Ingolstadt
Dr. Anne Dore Ketelsen, Boll
Sabine Kicherer-Schüle, Stuttgart
Mariann Kindler, Basel
Pfarrer Willi Kirchmann, Haigerloch
Prof. Dr. Hermann Kissling, Schwäbisch Gmünd
Cons. Georges Klein, Strasbourg
Cons. Jean-Pièrre Klein, Strasbourg
Dr. Ulrich Klein, Stuttgart
Dir. Prof. Dr. Brigitte Klesse, Köln
Dir. Dr. Rüdiger Klessmann, Braunschweig
Dr. Gerda Koberg, Überlingen
Dr. Michael Koch, München
AR Helmut Köhler, Heidelberg
Generalintendant Günter Könemann, Karlsruhe
Dir. Dr. Dieter Koepplin, Basel
Dir. Hans Koestler, Zürich
Pfarrer Günter Kolender, Jungingen
Dr. Björn Kommer, Konstanz
Dir. HR Prof. Dr. Walter Koschatzky, Wien
Hans-Joachim Kreher, Heidelberg
AR Ingeborg Krekler, Stuttgart
Wolfgang Kremsler, Wangen
Ursula Kretschmaier, Stuttgart
Markus Kretz, Engen
Cons. Marcel Krieg, Barr
Dr. Ingeborg Krummer-Schroth, Freiburg i. Br.
Dir. Dr. Joachim Kruse, Coburg
Ludwina Kudlich, Neuburg a. d. Donau
O. Ter Kuelen, 's-Gravenhage
Brigitte Kühn, Ulm
HR Dr. Georg Kugler, Wien
Dr. Wilfried Kuhn, Salem
Dir. Dr. Dieter Kuhrmann, München
Erich Kurz, Haigerloch
Klara Kurz, Ellwangen
Dr. Edm. Lamalle S. J., Roma
Dir. Prof. Dr. G. Lang, Bern
Dr. Hanspeter Lanz, Zürich
Volker Lauer, Karlsruhe
Prof. Dr. Jan Lauts, Karlsruhe
Dir. Prof. Dr. Anton Legner, Köln
Dr. Barbara Lehne-Degle, Neuburg a. d. Donau
Roger Lehni, Strasbourg
Dir. Dr. Kurt Leipner, Stuttgart
Dir. Dr. Manfred Leithe-Jasper, Wien
Cons. A. Lemeunier, Liège
Arch. Dir. Dr. Hans Lieb, Schaffhausen
Kustos Niels-Knud Liebgott, København
Dir. Dr. Kurt Löcher, Nürnberg
Lena Löfstrand, Stockholm
Münsterbaumeister Gerhard Lorenz, Ulm
Curator Kurt Luckner, Toledo/Ohio
Cons. Jean-Daniel Ludmann, Strasbourg
Dr. Dietmar Lüdke, Karlsruhe
Dr. Dietrich Lutz, Karlsruhe
S.D. Dr. Ernst Wilhelm Graf zu Lynar, Donaueschingen
Oberkust. Prof. Dr. Ludolf von Mackensen, Kassel
Francis R. Maddison, Oxford
Dr. Minni Maedebach, Coburg
Dir. Roger Mandle, Toledo/Ohio
Cons. Etienne Martin, Colmar
Pfarrer Wolfgang Martin, Biberach
Dr. Günther Mattern, Liestal
Dekan Josef Mattes, Bad Waldsee
Sabine Maucher, Biberach
Dr. Hermann Maué, Nürnberg
Pfarrer Bernhard Maurer, Radolfzell
Ltd. StADir. Prof. Dr. Hans-Martin Maurer, Stuttgart
Prof. Dr. Helmut Maurer, Konstanz
Josef Mayer, Rottweil
Cons. René de Maeyer, Bruxelles
Dir. HR Univ. Prof. Dr. Otto Mazal, Wien
Dir. Dr. Carl Gregor Herzog zu Mecklenburg, Rottenburg
OAR Bernd Meissner, Mannheim
Wolfram Meixner, Öhringen
Regierungsbaumeister Günter Memmert, Stuttgart
Dr. Matthias Mende, Nürnberg
Dr. Ursula Mende, Nürnberg
Richard Menges, Kaiserslautern
Am. Dorothee Menrath, Speyer
Gen. Dir. Dr. Ferenc Merényi, Budapest
Pfarrer Hugo Merkel, Konstanz
Rudolf Merkel, Hechingen
Dr. Klaus Merten, Stuttgart
Dr. Heribert Meurer, Stuttgart
Dir. Hubert Meyer, Sélestat
Dir. Dr. Elmar Mittler, Heidelberg
Dir. J.R. ter Molen, Rotterdam
Stadtammann Richard Molinari, Rheinfelden
Doris Montagne, Strasbourg
Dr. A. F. Moosbrugger, Aarau
S. E. Bischof Dr. Georg Moser, Rottenburg
Prof. Dr. Richard Mühe, Furtwangen
Pfarrer Berthold Müller, Orsingen-Nenzingen
Dr. Hannelore Müller, Augsburg
Dr. Helga Müller, Stuttgart
Münsterpfarrer Kurt Müller, Villingen
Dr. Marga Müller, Basel
Prof. Dr. Hans-Jürgen Müller-Beck, Tübingen
Dr. Robert Münster, München
Rosemarie Münzenmaier, Reichenbach

Christine Muller, Obernai
Dr. Heiner Must, Heidelberg
Wolfgang Nagel, Ellwangen
Dr. Alois Niederstätter, Bregenz
Konservator H. Nieuwdorp, Antwerpen
Peter Noever, Wien
Dir. Dr. Annaliese Ohm, Frankfurt
Prof. Olaf Olsen, København
Dir. Torkil Olsen, København
Max Oppel, München
S. E. Aurel Graf zu Ortenburg, Marolds-weisach
Sigurd Freiherr von Ow-Wachendorf, Starzach-Wachendorf
Jean Pachod, Molsheim
Dir. Dr. Jörg Paczkowski, Wertheim
Dir. HR Dr. Oliver Paget, Wien
E. Paglino, Basel
Sigrid Pallmert, Zürich
Elisabeth Paltzer, Basel
Prof. Dr. Jürgen Paul, Tübingen
P. Ildefons Pauler O.T., Wien
Dr. Irmgard Peter-Müller, Basel
Dr. Hanna Peter-Raupp, Köln
Dir. Dr. Hans Albert Peters, Düsseldorf
Prof. Dr. Ernst Petrasch, Karlsruhe
Dr. Bernhard Peyer, Schaffhausen
Prof. Dr. Hans C. Peyer-Hefeli, Zürich
Prof. Dr. Hans Pfeifer, Ellwangen
Dr. Andreas Pfeiffer, Heilbronn
Gerda Pfennig, Villingen
Dipl. Bibl. Annette Philipp, Heidelberg
Dr. Franz Xaver Portenlänger, Speyer
Seine Magnifizenz Rektor Prof. Dr. Gisbert zu Putlitz, Heidelberg
Joachim Quade, Waldkirch
OAR Hans-Peter Radolko, Stuttgart
Albert Ratzer, Colmar
S. E. Albert Germanus Graf von Rechberg und Rothenlöwen zu Hohen-rechberg, Donzdorf
Prof. Dr. Roland Recht, Strasbourg
ORBauR Heinz Reichard, Heidelberg
OKons. Helmut Reichwald, Stuttgart
Dr. Gisela Reineking von Bock, Köln
Dr. Gert Reising, Karlsruhe
Äbtissin Dr. Lucia Reiss, Baden-Baden
HKons. Dr. Edeltraut Rettich, Stuttgart
Dr. Anneliese Reuter-Rautenberg, Karls-ruhe
Jean-Pierre Réverseau, Paris
Dr. Helmut Ricke, Düsseldorf
Fritz Rieber, Blaubeuren
Rektor Willi Rieger, Ostrach
Dr. Norbert Ring, Konstanz
Dr. Burkhard von Roda, Basel
Dekan Edgar Röhrig, Aschaffenburg
Dir. Dr. Gerhard Römer, Karlsruhe
Dr. Alice Rössler, Erlangen
Dr. Anne Röver, Bremen
Dir. StR. Dr. Albin Rohrmoser, Salzburg
Dir. Dr. Otto Roller, Speyer
Prof. John M. Rosenfield, Cambridge/Ma.
Oberdirektor Gyula Rózsa, Budapest
Bgm. Hans Ruck, Pfullendorf
Helga Rudolph, Tübingen
Dr. Elisabeth Rücker, Nürnberg
Siegfried Rusitschka, Rottenburg
S. E. Erzbischof Oskar Saier, Freiburg i. Br.
M. le Général Saint Macary, Paris
Dr. Marie Salaba, Karlsruhe
Dir. Prof. Dr. Axel v. Saldern, Hamburg
Dr. Ingeburg Salzbrunn, Augsburg
Dir. Dr. Siegfried Salzmann, Bremen
Hildegard Sattler, Donaueschingen
Dr. Eckhard Schaar, Hamburg
Arch. Dir. Dr. Dr. Gerhard Schäfer, Stuttgart
Dr. Hartmut Schäfer, Stuttgart
Lic. phil. Beatrice Schärli, Basel
Dekan Rolf Scheffbuch, Schorndorf
Pfarrer Wolfgang Scheffold, Wangen
Prof. Dr. Max Schefold, Stuttgart
Dr. Elisabeth Scheicher, Innsbruck
Dr. Wolfgang Schepers, Düsseldorf
OStR. Matthias Schieber, Neuburg a. d. Donau
Monsignore Anton Schirmer, Weikers-heim
Pfarrer Otto Schlichte, Biberach
Renate Schlösser, Berlin
Am. Christa Schmeißer, München
OB Dr. Eugen Schmid, Tübingen
Anna Katharina Schmidt, Karlsruhe
Erhard Schmidt, Tübingen
Dr. Ronald Schmidt, Heidelberg
Dir. Dr. Ulrich Schmidt, Kassel
OKons. Dr. Peter Schmidt-Thomé, Freiburg
Volker Schmitt, Braunschweig
Dir. Dipl. phil. Werner Schmitt, Dresden
Pfarrer Winfried Schmitt, Riedlingen
Dir. Dr. Helmut Schmolz, Heilbronn
Ewald Schneider, Köln
Gerd Schneider, Konstanz
Hans Ewald Schneider, Köln
Dir. Dr. Jenny Schneider, Zürich
Dr. Ursula Schneider, Tübingen
Dr. Rainer Schoch, Nürnberg
Pfarrer Dr. Werner Schock, Geislingen
Dr. Karl Graf von Schönborn, Wiesent-heid
Werner Scholder, Nürtingen
Eckhardt Schreiner, Konstanz
Dr. Heike Schröder, Stuttgart
Prof. Dr. Hans Schubart, Karlsruhe
Kons. Lic. phil. Bernhard Schüle, Zürich
Dr. Maria Schüly, Freiburg i. Br.
Dr. Karl Schütz, Wien
M. Schuler, Weikersheim
Dipl.-Ing. Hans Jürgen Schulz, Salem
Domkapitular Josef Schupp, Rottenburg
Dekan Dagobert Schwarz, Leutkirch
Helmut Schwarz, Schloß Weikersheim
Dr. Michael Schwarz, Heidelberg
Dr. Hansmartin Schwarzmaier, Stuttgart
Pfarrer Josef Schweder, Schöntal
Cons. Roger Schweitzer, Mulhouse
Dr. Ellen Schwinzer, Mönchengladbach
Bruno Schwitter, Zürich
Pfarrer Dr. Theodor Seeger, Hechingen
Dr. Lorenz Seelig, München
Dr. Christa Seifert, Dresden
Dir. Dr. Gérard Seiterle, Schaffhausen
Hermann Josef Seitz, Lauingen
Arch. Dir. Dr. Reinhard H. Seitz, Neuburg a. d. Donau
Cons. en chef Maurice Serullaz, Paris
Dr. Wilfried Setzler, Tübingen
Dir. Silve Seymour, Cambridge/Ma.
Dr. Harald Siebenmorgen, Schwäbisch Hall
Dr. Ulrich Sieber, Stuttgart
Dr. Friedrich-Wilhelm Sieburg, Freiburg i. Br.
Dr. Reinhard Siemer, Eichenzell
Dr. Katrin Simons-Kockel, Karlsruhe
Dir. Dr. Dr. B. Sinogowitz, Erlangen
Hans Speck, Karlsruhe
Arch. Dir. Prof. Dr. Hans E. Specker, Ulm
Dir. Dr. Louis Specker, St. Gallen
Christine Speroni, Strasbourg
Dr. Harald Spilling, Stuttgart
Dieter Staab, Kisslegg-Bärenweiler
Pfarrer Siegfried Stadali, Bopfingen
Dir. Martine Stahl-Weber, Mulhouse
Michael Stanske, Heidelberg
Dr. Kurt H. Staub, Darmstadt
Prof. Dr. Günther Stein, Speyer
Gen. Dir. Prof. Dr. Erich Steingräber, München
Dekan Albert Steinringer, Sillian-Heinfels
Dr. Marie-Luise Sternath-Schuppanz, Wien
Dr. Horst Stierhof, München
Hans Stingl, Konstanz
Julien Stock, London
Angela Stock-Krahé, London
Intendant Dr. Peter Stoltzenberg, Heidel-berg
HKons. Prof. Dr. Wolfgang Stopfel, Freiburg i. Br.
Prof. Dr. Gerhard Stradner, Wien
Dr. H. M. Strebel, Muri
Anneliese Streiter, Nürnberg
Prof. Dr. Wolfgang Freiherr Stromer von Reichenbach, Altdorf
Dir. Sir Roy Strong FSA, London
Dr. Franz Swoboda, Mannheim
Dr. Miklós Szabó, Budapest
Dr. Ingrid Szeiklies-Weber, München
Cons. Elisabeth Tabureau-Delahaye, Paris
OArchRat Dr. Gerhard Taddey, Neuen-stein
Dep.Keeper Hugh Tait, London
Dr. M. Kirby Talley Jr., 's-Gravenhage
Dr. Paul Tanner, Basel
Heinz Tannhausen, Ellwangen
Dr. Rudolf Theilmann, Karlsruhe
Dr. Christian Theuerkauff, Berlin
Ulrich Thiesies, Karlsruhe
Dr. Günther Thomann, Nürnberg
Dr. Lutz Tittel, Friedrichshafen
Dr. Walter Trachsler, Zürich
Dir. Dr. Erwin Treu, Ulm
Dr. H.-P. Trenschel, Würzburg
Erzb. OBaudir. Heinz Triller, Freiburg
Dr. Helmut Trnek, Wien
Dr. Vera Trost, Heidelberg
Carl Ulmer, Schaffhausen
Dr. Gerd Unverfehrt, Göttingen
Anselm Herzog zu Urach, Niederaichbach

OAR Erich Urbanek, Salzburg
Dr. Christian Väterlein, Stuttgart
Dr. H. Vandormael, Gaasbeek
Dir. Prof. Dr. Horst Vey, Karlsruhe
Heinz Vogelmann, Stuttgart
Dr. Peter Volk, München
Dir. Univ. Prof. Dr. Elmar Vonbank, Bregenz
Bibl. Dir. Dr. Jürgen Vordestemann, Speyer
Manfred Wälder, Lichtenstein
Dr. Gretel Wagner, Berlin
Dr. Hugo Wagner, Bern
Dir. Dr. Robert Wagner, Wien
Dir. Wirkl. HR Dr. Friedrich Waidacher, Graz
S. E. Franz Josef Graf zu Waldburg-Zeil, Hohenems
S. D. Georg Fürst von Waldburg zu Zeil und Trauchburg, Leutkirch
S. E. Max Willibald Erbgraf von Waldburg zu Wolfegg, Wolfegg
Dekan Dr. Rolf Walker, Nürtingen
Dir. Dr. John Walsh, Malibu/Ca.
Dir. Dr. Helga Walter-Dressler, Karlsruhe
Pfarrer Anton Weber, Burladingen
Dr. Bruno Weber, Zürich
Hildegard Weber, Freiburg i.Br.
Prov. Jean-Paul Weber, Strasbourg
Dr. Sigrid Wechssler, Heidelberg
Erika Weiland, Nürnberg
Pfarrer Clemens Weiss, Baden-Baden
Münsterpfarrer Alfons Weisser, Mittenzell
Sabine Weizsäcker, Reutlingen
Theodor Welzing, Heidelberg
Münsterpfarrer Alfons Wenger, Schwäbisch Gmünd
OStR. Kurt Werling, Zweibrücken
Hans Westhoff, Stuttgart
Patricia J. Whitesides, Toledo/Ohio
Dekan Paul Wik, Elzach
Dr. Leonie von Wilckens, Nürnberg
Siegfried Wild, Oppenau
Dr. Johannes Willers, Nürnberg
Sir David Wilson, London
Pfarrer T. Winkler, Engen
Dir. Dr. Hans Ulrich Wipf, Schaffhausen
Prof. Dr. Karl-August Wirth, München
Dr. Klaus Wolbert, Darmstadt
Anton Wolf, Hechingen
S.K.H. Carl Herzog von Württemberg, Altshausen
Dr. Lucas Wüthrich, Zürich
Dir. Dr. Hans Georg Zier, Karlsruhe
Dr. Detlef Zinke, Freiburg i.Br.
Dipl.-Ing. Gundula Zitzlaff, Heidelberg
Dir. Prof. Dr. Claus Zoege von Manteuffel, Stuttgart
Cons. Dr. Hans Zumstein, Strasbourg

Mitarbeiter der Ausstellung

Gesamtleitung:
Prof. Dr. Volker Himmelein

Wissenschaftliches Sekretariat:
Dr. Sibylle Appuhn-Radtke
Dr. Kai Budde

Wissenschaftliche Arbeitsgruppe des Badischen Landesmuseums zur Vorbereitung der Ausstellung und des Kataloges:
Dr. Sibylle Appuhn-Radtke
Dr. Kai Budde
Dr. Walther Franzius
Prof. Dr. Volker Himmelein
Dr. Peter-Hugo Martin
Dr. Wolfram Metzger
Dr. Dietrich Rentsch
Dr. Reinhard Sänger
Dr. Rosemarie Stratmann-Döhler
Dr. Alfred Walz
Dr. Annette Weber
Dr. Eva Zimmermann
Dr. Gertraud Zull

Texte in der Ausstellung:
Dr. Sibylle Appuhn-Radtke
Dr. Kai Budde
Dr. Peter-Hugo Martin
Dr. Dietrich Rentsch
Dr. Reinhard Sänger
Dr. Rosemarie Stratmann-Döhler
Dr. Alfred Walz
Dr. Annette Weber
Dr. Gertraud Zull

Ausstellungsarchitektur und Gestaltung:
Atelier Lohrer, Stuttgart mit
Theodor Grasberger
Marina von Jacobs
Paul Koncza
Holger Scheel
Wolfram Weese

Graphische Gestaltung:
Cornelia Frank, Stuttgart
Kurt Hahn, Stuttgart
Kurt Ranger, Stuttgart
Hartmut Gampp, Karlsruhe

Aufbau:
Mitarbeiter des Badischen Landesmuseums:
Christoph Adler
Willi Brandner
Dieter Decker
Otto Kiesel
Wolfgang Knobloch
Bettina Landgrebe
Anton Mayer
Herbert Neidig
Helmut Ramm
Hans-Dieter Rink
Sabine Schwab
Barbara Staudacher
Klaus-Peter Stief
Gebhard Vey
Mitarbeiter des Ateliers Lohrer:
Theodor Grasberger
Wolfram Weese
Knut Lohrer

Konservatorische Betreuung:
Christoph Adler
Willi Brandner
Dieter Decker
Iris Hellenkamp
Otto Kiesel
Wolfgang Knobloch
Bettina Landgrebe
Hans-Dieter Rink
Sabine Schwab
Barbara Staudacher
Klaus-Peter Stief
Gebhard Vey

Gloria Benner, Baden-Baden
Hans Volker Dursy, Ladenburg
Corina Herzberg-Rebel, Ebersbach
Rudolf Hiller von Gaertringen, Gärtringen
Paul Keim, Obernai
Regina Kratt, Karlsruhe
Heinrich Krauss, Tübingen
Helmut Reichwald, Stuttgart
Ulrich Thiesies, Karlsruhe
Judith Waldorf, Teningen
Karin Weber, Wiesbaden

Mitwirkung bei der Redaktion des Kataloges:
Karin Hafner
Annelis Schwarzmann
Dr. Alfred Walz

Graphische Gestaltung des Kataloges:
Annelis Schwarzmann

Photos:
Landesbildstelle Baden:
Frank Bastian
Lutz Hecker
Badisches Landesmuseum:
Ursula Grether
Joachim Jung
Anita Kühn
Sandor Nadj

Sekretariat:
Doris Zimmermann
unter zeitweiliger Mitarbeit von
Heidi Bodier
Elfriede Bohmüller
Erika Dolch
Beate Heppner
Angelika Hildenbrand
Helene Schultz
Gerda Wolf

Öffentlichkeitsarbeit:
Dr. Irmela Franzke
Dr. Otfried Schroeder

Bibliothek
Sabine Müller-Wirth
Karin Johann
Anni Kübler-Kiesel

Verwaltung:
Elisabeth Glaser
Josef Neugart
Michael Obermeier
Aurelia Schittkowski
Marlene Schneider
Ilona Siegele
Ina Twelker
Gabriele Zobeley

Bei der Vorbereitung der Ausstellung, bei den Transporten und bei der örtlichen Organisation haben außerdem mitgewirkt:
Dr. Bernhard Cämmerer
Paul Gelb
Gisela Kirsch
Peter Lemler
Anton Mayer
Paula Mössinger
Walter Mußgnug
Christa Ruppender
Edwin Schwerdle
Margarete Ulrich

Hans Speck, Fahrbereitschaft OFD mit Werner Gegenheimer und Günther Weiß

Beteiligte Firmen

Lichtbildwerkstätte Alpenland, Wien
Fotoatelier Jörg Anders, Berlin
Privat- und Wirtschaftsdetektei Argus, Heidelberg
Becker Büroeinrichtungen, Karlsruhe
Beuroner Kunstverlag GmbH, Beuron
Metallbau GmbH Böhm, Stuttgart
Günter Bonsch u. Adam Niedermayer, Ludwigshafen
Foto Braun, Inh. Schuler, Weikersheim
Maison Chenue, Paris
Kunstwerkstätte Hans Volker Dursy, Ladenburg
EGA-Elektrotechnik, Dannstadt
Druck- und Verlagsgesellschaft Engelhardt & Bauer, Karlsruhe
Graphic + product design, Stuttgart-Feuerbach
Fotoatelier Marianne Haller, Südstadt
Hansa Regalbau GmbH, Oberstenfeld
Hanseatische Assekuranz-Vermittlungs-Aktiengesellschaft, Hamburg/Stuttgart
Hasenkamp Kunsttransporte, Köln
Gg. Heinzelmann GmbH + Co. KG, Mühlacker
Verlag Herder GmbH & Co. KG, Freiburg
Fotokunstanstalt Heudorfer GmbH + Co, Kirchheim/Teck
Fotoatelier Joachim Hiltmann, Hamburg
Colorphoto Hinz SWB, Allschwil
Ingenieurbüro Hofmann, Stuttgart
ICW GmbH, Ladenburg
Institut für Glasgemäldeforschung und Restaurierung, Dr. Gottfried Frenzel, Nürnberg-Fischbach
Arthur Jaschek KG, Esslingen-Berkheim
Bildhauerei Heinrich Krauss, Tübingen
Fotoatelier Lennart Larsen, København
Fotoatelier Peter Lauri, Bern
Atelier Knut Lohrer, Stuttgart
Foto-Fach-Labor S. Möller, Esslingen
Grafisches Atelier Reinwald Neuner, Karlsruhe
Oidtmann, Werkstätten für Glasmalerei, Linnich
Fotostudio Otto, Wien
Nordstern Versicherungs-Aktiengesellschaft, Wien
Fotoatelier Gert Renz, Waldenbuch
Rheinelektra AG, Mannheim
Wilhelm Riegger Reprotechnik GmbH, Karlsruhe
Fotoatelier Ingeborg Schmatz, Ulm
Foto Walter Schmidt, Karlsruhe
Volker Schmitt, Modellbau, Braunschweig
Photo Schweitzer, Sélestat
Fotohaus Seiberth-Daiker, Bad Mergentheim
Fotoatelier Skowronek, Karlsruhe
Fotoatelier Hans Peter Vieser, Freiburg
Fotoatelier Rolf Wessendorf, Schaffhausen

Autoren des Katalogs

Dr. Horst Appuhn, Lüneburg (H.A.)
Dr. Sibylle Appuhn-Radtke, Karlsruhe (S.A-R.)
Dr. Kai Budde, Karlsruhe (K.B.)
P. Dr. Bernhard Demel, Wien (B.D.)
Dr. Heinrich Geissler, Stuttgart (Ge.)
Dr. Ruth Grönwoldt, Stuttgart (R.G.)
Dr. Uwe Gross, Heidelberg (U.G.)
Dr. Felix Heinzer, Karlsruhe (F.H.)
Prof. Dr. Volker Himmelein, Karlsruhe (V.H.)
Eva Kayser, Radolfzell (E.K.)
Dr. Monika Kopplin, Stuttgart (M.Ko.)
Dr. Margaretha Krämer. Augsburg (M.Kr.)
Dr. Lotte Kurras, Lauf (L.K.)
Dr. Peter-Hugo Martin, Karlsruhe (P-H.M.)
Dr. Klaus Merten, Stuttgart (K.M.)
Sabine Müller-Wirth, Karlsruhe (S.M-W.)
Dr. Renate Neumüllers-Klauser, Heidelberg (R.N-K.)
Prof. Dr. Ruthardt Oehme, Freiburg (R.Oe.)
Otto Pannewitz M.A., Stuttgart (O.P.)
Dr. Hans-Peter Post, St. Leon (H.P.P.)
Prof. Dr. Volker Press, Tübingen (V.P.)
Dr. Dietrich Rentsch, Karlsruhe (D.R.)
Wiebke Schaub, Tübingen (W.S.)
Dr. Reinhard Sänger, Karlsruhe (R.S.)
Dr. Lorenz Seelig, München (L.S.)
Dr. Helge Siefert, München (H.S.)
Margret Skalitzky-Wagner M.A., Pforzheim (M.S-W.)
Dr. Gerhard Stamm, Karlsruhe (G.St.)
Dr. Rosemarie Stratmann-Döhler, Karlsruhe (R.S-D.)
Dr. Alfred Walz, Karlsruhe (A.Wa.)
Dr. Annette Weber, Karlsruhe (A.We.)
Dr. Klaus Weschenfelder, Offenburg (K.W.)
Dr. Eva Zimmermann, Karlsruhe (E.Z.)
Dr. Gertraud Zull, Karlsruhe (G.Z.)

Zur Ausstellung

Volker Himmelein

„Die Renaissance im deutschen Südwesten" – dieser Ausstellungstitel ist Programm und Problem zugleich, bedarf der Erläuterung und Rechtfertigung. Denn mancher mag sich fragen, was das eigentlich sei und wie sich diese Epochenbezeichnung zu dem im Untertitel definierten Zeitraum „zwischen Reformation und Dreißigjährigem Krieg" verhalte.

Nun, der Titel einer Ausstellung ist kein wissenschaftliches Programm, sondern soll Assoziationen wecken und in knappster Form Absichten und Inhalte des Unternehmens umreißen. Im vorliegenden Fall signalisiert die Verwendung einer Stilbezeichnung, daß es sich, den Möglichkeiten einer Ausstellung entsprechend, vor allem um die Ausbreitung der künstlerischen Hinterlassenschaft einer Epoche handelt, zwar vor deren historischem Hintergrund, aber nicht im Sinne einer historischen Ausstellung.

Freilich hat „Renaissance" anders als Epochenbezeichnungen wie „Spätgotik" oder „Barock", auf die heimische Kunstgeschichte angewandt, keineswegs einen festen Platz im Bewußtsein des Publikums. Denn die Epoche wird vermutlich mehr durch die herausragenden historischen Ereignisse zusammengehalten, die sie begrenzen, als durch die Einheitlichkeit des künstlerischen Wollens und Gestaltens. Wie auf anderen Gebieten ist das 16. Jahrhundert auch in künstlerischer Hinsicht eine Zeit des Übergangs, die anfangs noch ausgesprochen mittelalterliche, spätgotische Züge aufweist und über Renaissance und Manierismus schließlich in die Formen des Frühbarock mündet. Andererseits braucht man sich nur im Hof des Heidelberger Schlosses umzusehen, um eine Rechtfertigung für die zeitliche Abgrenzung der Ausstellung zu finden: Man sieht sich von Bauten umgeben, die vom Gläsernen Saalbau (1547 ff.) über den Ottheinrichsbau (1556 ff.) und Friedrichsbau (1601 – 04) bis hin zum Englischen Bau von 1612 – 1615 „Renaissanceformen" zeigen, wenn auch in höchst unterschiedlicher Ausprägung. Entgegen dem weit verbreiteten Eindruck, der sich wahrscheinlich auch dadurch einstellt, daß aus dieser Zeit nur wenige allgemein bekannte Künstlernamen zu nennen sind, ist die Zahl der im Lande erhaltenen Bauten und Kunstwerke überraschend hoch. Mögen auch, bedingt durch die Reformation, kaum mehr Kirchen gebaut worden sein, so doch mehr Schlösser als jemals zuvor und danach. Kurfürst Ottheinrich von der Pfalz, Herzog Christoph von Württemberg oder die badischen Markgrafen stehen als Bauherren hinter ihren Nachfahren im 18. Jahrhundert nicht zurück, ganz zu schweigen von den gräflichen Familien Hohenlohe und Zollern, Fürstenberg, Waldburg und Zimmern, deren kulturelle Bedeutung aufs engste mit ihren Renaissanceschlössern verbunden ist. Aber auch die Schlösser des ritterschaftlichen Adels und die meisten Prunkstücke im Bild unserer Dörfer und Städte, die schmuckreichsten Fachwerkbauten, Rathäuser und Brunnen stammen aus jener Epoche, die das 19. Jahrhundert „altdeutsch" nannte und die das romantische Bild der deutschen Vergangenheit so nachhaltig geprägt hat. Goethes „Faust" und „Götz von Berlichingen" spielen ebenso in dieser Zeit und Welt wie Kleists „Käthchen von Heilbronn" und Richard Wagners „Meistersinger"!

Die Zeit zwischen Reformation und Dreißigjährigem Krieg ist aber vor allem auch eine Zeit des Umbruchs. Soziale Unruhen und die Bedrängung durch die Türken stehen am Anfang. Die Glaubensspaltung teilte Europa in zwei Lager, die sich mißtrauisch und bald auch feindselig gegenüberstanden, sie schwächte das Reich und förderte die Territorialisierung der sich emanzipierenden Landesfürstentümer. Auswärtige Staaten, Frankreich und Spanien vor allem, aber auch England und die Niederlande gewannen an Einfluß und veränderten das politische wie das geistige und kulturelle Klima nachhaltig.

Faszinierend in der Vielfalt seiner künstlerischen und kulturellen Äußerungen, ist dieses so wenig bekannte Jahrhundert gerade für den südwestdeutschen Raum ein entscheidender Abschnitt seiner Geschichte, so daß es wohl gerechtfertigt ist, mit einer großen Ausstellung die Aufmerksamkeit auf ihn zu lenken.

Landesregierung und Landtag von Baden-Württemberg haben daher diese Ausstellung auf Vorschlag des Badischen Landesmuseums als Beitrag des Landes zur 600-Jahrfeier der Universität Heidelberg beschlossen, die erforderlichen Gelder bereitgestellt und das Badische Landesmuseum mit der Durchführung beauftragt. Ihnen und besonders dem Herrn Ministerpräsidenten Dr. Lothar Späth, der die Schirmherrschaft übernommen hat, gilt unser besonderer Dank.

Das Badische Landesmuseum hat sich der gestellten Aufgabe gerne unterzogen, schließt doch eine Renaissanceausstellung die zeitliche Lücke zwischen früheren Ausstellungen des Hauses, die sich mit der „Spätgotik am Oberrhein" (Karlsruhe 1970) und „Barock in Baden-Württemberg" (Bruchsal 1981) beschäftigten.

Die Durchführung der Ausstellung in Räumen des Heidelberger Schlosses brachte bei der knapp bemessenen Vorbereitungszeit – die erforderlichen Haushaltsmittel standen erst ab Sommer 1984 zur Verfügung – allerdings beträchtliche Probleme und zahlreiche organisatorische Komplikationen mit sich. Zusätzlichen Zeitaufwand erforderte nicht zuletzt der ständig notwendige Reiseverkehr zwischen Karlsruhe und Heidelberg, erschwerend kamen die begrenzten Zufahrtsmöglichkeiten zum Schloßhof hinzu. Hier leistete die Polizeidirektion Heidelberg, die sich auch um die Sicherheitsprobleme kümmerte, dankbar angenommene Hilfe. Umfangreiche bauliche Maßnahmen waren notwendig, um vor allem den Ottheinrichsbau für die Zwecke der Ausstellung nutzbar zu machen. Daß dies in einer Weise geschah, die auch zukünftigen Ausstellungen im Heidelberger Schloß zugute kommen wird, mag als bleibender Gewinn verbucht werden und ist dem Entgegenkommen und der guten Zusammenarbeit mit der Hochbauabteilung der Oberfinanzdirektion Karlsruhe und dem Bauamt Heidelberg zu danken.

Die gebotene Rücksichtnahme auf andere Nutzer des Schlosses, auf den Führungsbetrieb und die sommerlichen Theaterveranstaltungen im Schloßhof komplizierten die Durchführung der Ausstellung nicht wenig und machten die Bereitstellung aufwendiger Ersatzbauten nötig. Aber auch hier kam es dank dem Entgegenkommen der Liegenschaftsverwaltung und des Leiters des Liegenschaftsamtes Heidelberg, Herrn Dr. Reinhard Jussli, zu einvernehmlichen Lösungen.

Die gestalterische Konzeption war dem Atelier Knut Lohrer, Stuttgart, anvertraut. Der ganz unterschiedliche Charakter der Räume im Ruprechtsbau, im Ottheinrichsbau und in der Kapelle des Friedrichsbaus und deren starkes Eigenleben gestalteten diese Aufgabe besonders schwierig. Die konservatorischen und sicherheitstechnischen Anforderungen, Licht und Klima, Ästhetik und Didaktik, machten bei der Vielzahl und Vielfalt der Objekte eine Fülle von Einbauten, Stellwänden, Vitrinen und Sockeln nötig. Dem Atelier Lohrer und den beteiligten Firmen und Handwerkern danken wir für die dabei geleistete Arbeit und für die ausgezeichnete Zusammenarbeit.

Anders als bei der Bruchsaler Barockausstellung, mit der wir zwar keinen „baden-württembergischen Barock" suggerieren, aber eben „Barock in Baden-Württemberg" darstellen wollten, haben wir für diese Ausstellung bewußt als räumlichen Bezugsrahmen den deutschsprachigen Südwesten gewählt und uns damit die Möglichkeit eröffnet, auch das Elsaß, das im 16. Jahrhundert ja noch unbestritten zum Reichsverband gehörte, die Nordschweiz und im geringerem Umfang auch Vorarlberg einzubeziehen. So wurde es möglich, die herausragende Rolle Straßburgs für die Kunst am Oberrhein, aber auch für Innerschwaben und die Pfalz sichtbar werden zu lassen und die vielfältigen Beziehungen zwischen Basel und Freiburg. zwischen Schaffhausen und Straßburg aufzuzeigen. Daß die Kollegen in Österreich, in Frankreich und in der Schweiz unsere Ausstellung bereitwillig und ohne Ressentiments gefördert haben, verdient besonders und dankbar hervorgehoben zu werden.

Eine Ausstellung wie die hier gezeigte ist die Gemeinschaftsleistung vieler. Ein Blick in die voranstehenden Namenslisten macht deutlich, wieviele Mitarbeiter innerhalb und außerhalb des Badischen Landesmuseums am Zustandekommen von Ausstellung und Katalog beteiligt waren, wieviele Leihgeber, auf deren Wohlwollen eine solche Ausstellung ja in allererster Linie angewiesen ist, uns ihre Kostbarkeiten anvertraut haben und wieviele geistliche und weltliche Behörden und Ämter, Kollegen und Freunde unser Unternehmen mit Rat und Tat gefördert haben. Ihnen allen schulde ich herzlichen Dank und, soweit es sich um Mitarbeiter aus dem eigenen Hause handelt, Lob und Anerkennung. Ganz besonders gilt dies für Frau Dr. Sibylle Appuhn-Radtke und Herrn Dr. Kai Budde, die als Ausstellungssekretäre die größte Last der Vorbereitungsarbeit zu tragen hatten, sowie Frau Annelis Schwarzmann und Herrn Peter Schmitt M. A., denen das Hauptverdienst bei der Gestaltung und rechtzeitigen Fertigstellung des Katalogs zukommt, der von der Druckerei Engelhardt & Bauer, Karlsruhe, in gewohnter Zuverlässigkeit und Qualität hergestellt wurde.

Die territoriale Welt Südwestdeutschlands 1450–1650

Volker Press

Es waren drei Ereignisse, die zu Ende des 15. Jahrhunderts der Geschichte des südwestdeutschen Raumes einen neuen Akzent gaben: der Regierungsantritt Maximilians I. (Römischer König seit 1486) 1493, die damit zusammenhängende Sicherung der habsburgischen Erbfolge in den österreichischen Vorlanden 1490 und die Gründung des Schwäbischen Bundes 1488. Damit hat das Haus Österreich noch einmal angesetzt zu einem energischen Ausgreifen nach Südwestdeutschland – in einen Raum, dem es seit seinem Aufstieg aufs engste verbunden gewesen war.

Das Haus Österreich in Schwaben

Danach hatte es noch 1476, etwa beim Tode des bedeutenden Pfälzer Kurfürsten Friedrich des Siegreichen, nicht ausgesehen. Schon mit dem ersten habsburgischen König Rudolf I. (1273 – 1291) hatte sich der habsburgische Schwerpunkt aus dem Stammland Schwaben heraus verlagert, oder besser: zu ihm war mit dem Erwerb Österreichs nach der Niederlage Ottokars von Böhmen bei Dürnkrut (1278) ein zweites Hauptgebiet getreten. Unter den Bedingungen des späten Mittelalters bedeutete dies eine ungeheure Anspannung der Kräfte – immer wieder hat das Haus Österreich daher seine Lande geteilt und seine Position in Schwaben von der österreichischen getrennt.

Freilich war die schwäbische Stellung eine wichtige Voraussetzung des habsburgischen Königtums. Aber die Dynastie konnte die von Rudolf errungene Königswürde auf Dauer nicht halten. Die Großen des Reiches zielten auf Abwechslung, damit keine Familie allzusehr ihre Position mit Hilfe der Königswürde stabilisieren konnte. Auf Rudolf folgte bereits Adolf von Nassau; der ihm nachfolgende Habsburger Albrecht I. (seit 1298) wurde 1308 ermordet; danach scheiterte Friedrich der Schöne nach der Doppelwahl von 1314 im Konflikt mit Ludwig dem Bayern, obgleich die Mehrzahl der schwäbischen Großen an dem angestammten Habsburger festgehalten hatte. Dadurch aber war dem Haus Österreich für mehr als ein Jahrhundert die Königswürde entzogen; freilich blieb es neben den Wittelsbachern und den Luxemburgern die dritte königsfähige Dynastie des Reiches (Moraw).

Das nach den Staufern etablierte Wahlkönigtum, das mehrere Phasen durchlief, brachte gerade in das traditionell dem König verbundene Schwaben ein Element der Instabilität – das Erbe der Staufer blieb nicht beisammen, die Tendenz zur Reichsunmittelbarkeit der kleineren Gewalten wurde kräftig gefördert. Der wiederholte Wechsel des Thrones unter unterschiedlichen Häusern schließlich führte zu einer schwankenden Intensität königlicher Einwirkung in den schwäbischen Raum. Die Kleinsplitterung aber brachte einen zusätzlichen Faktor der Labilität, ein Hineindrängen der Randmächte, die das Schicksal Schwabens erheblich beeinflußten. Das Erzhaus Österreich aber geriet durch den lang anhaltenden Verlust der Königswürde selbst in Gefahr, zu einer Randmacht zu werden.

Ein geschlossenes Territorium haben die Habsburger in Schwaben und im Elsaß nicht schaffen können – ihr Besitz streute sich vom Burgau bis ins Elsaß. Dies hatte zunächst zwar den Vorteil, daß man die kleinen Gewalten zu Satelliten machen konnte – die territoriale Verfestigung des Reichsverbandes wandte sich aber in der frühen Neuzeit gegen Österreich.

Ein wichtiges Hindernis der habsburgischen Expansion bildete die Grafschaft Württemberg, ein sehr aufstrebendes und aggressives Territorium; immerhin gelang dem Erzhaus 1381 der Erwerb der Grafschaft Hohenberg mit den Zentren Rottenburg und Spaichingen. Im Westen und im Osten ballte sich der habsburgische Besitz um den Breisgau und Sundgau zu beiden Seiten des Rheines sowie um den Burgau.

Die habsburgischen Herren der Vorlande traten an Bedeutung hinter die österreichischen Habsburger zurück, die sich ihrerseits in die Auseinandersetzungen Ostmitteleuropas verwickelten, die vor allem um die Schwerpunkte Österreich, Böhmen-Mähren-Schlesien, Ungarn und Polen kreisten. Auch hatten sie es mit einem mächtigen und selbstbewußten Adel zu tun, der in Österreich, Kärnten, Steiermark und Krain den habsburgischen Landesherren erhebliche Schwierigkeiten zu machen verstand. Der bedeutendste spätmittelalterliche Landesherr des eigentlichen Österreich, Rudolf IV. der Stifter, der allerdings nur kurz, von 1358 bis 1365, in den österreichischen Vorlanden regierte, suchte die Verdrängung aus der Königswürde zu kompensieren mit einer konsequenten territorialen Ausbaupolitik, mit der Gründung der Universität Wien 1365 und der Fälschung des Privilegium Majus, das die entgangene Kurwürde ersetzen sollte.

Der Aufstieg der Eidgenossenschaft

Zur Gewichtsverschiebung Habsburgs nach Südosten trug allerdings auch das Zerbröckeln seiner Ausgangsposition bei. In zähen und erbitterten Auseinandersetzungen mit ihren habsburgischen Landesherren haben die drei Orte Schwyz, Uri und Unterwalden unter Berufung auf eine teils echte, teils usurpierte königliche Freiheit nicht nur ihre Autonomie von der habsburgischen Landesherrschaft errungen. Es gelang ihnen der Aufbau der Eidgenossenschaft, die bald so bedeutende Orte wie Bern, Solothurn und schließlich auch Zürich einbeziehen konnte. Die Eidgenossenschaft, die „Obere Einung", verband bäuerlich bestimmte Landschaften mit Reichsstädten, die ihrerseits Untertanengebiete beherrschten. Gerade der bäuerliche Ursprung von Gemeindegebilden wie den drei Urkantonen ließ die Schweiz als eine alternative Herrschaftsbildung zu dem feudalen Landesstaat erscheinen; ihr agrarischer Charakter machte sie zum Ziel utopischer Vorstellungen von Bürgern und Bauern in Schwaben, obgleich auch die Eidgenossenschaft durchaus herrschaftliche Züge trug. Zürich, Solothurn und vor allem Bern verstanden es, ihre eigenen Untertanengebiete mit harter Hand zu regieren. Aber in den langjährigen Kämpfen gegen das Haus Österreich war ein kampfgestähltes Volk erwachsen, das scheinbar unangreifbar die Position westlich und südlich der Rheinlinie zwischen Graubünden und Basel bezog. Am Kampfgeist der Eidgenossen brach sich bei Morgarten 1315 und Sempach 1386 nicht nur der Unterwerfungswille des Hauses Österreich – bei St. Jakob an der Birs (nahe Basel) scheiterte 1444 auch die expansive Kraft des Burgunderreiches. Aus diesen Auseinandersetzungen waren die Eidgenossen als eine gefürchtete Macht hervorgegangen.

Die Behauptung der Eidgenossenschaft hatte das habsburgische Herrschaftsgefüge im Westen erheblich geschwächt. Friedrich mit der leeren Tasche (1402/6–1439) und Siegmund der Münzreiche (1439 – 1490) konnten zwar über den Metallreichtum der Tiroler Bergwerke verfügen, die Tiroler und Vorarlberger Pässe kontrollieren, das Herrschaftssystem vom Burgau bis in den elsässischen Sundgau behaupten, aber sie spielten doch eine eher reagierende Rolle. Die Distanz zu den österreichischen Habsburgern war überdeutlich. Die kurzfristige Regierung von Kaiser Friedrichs III. Bruder Albrecht VI. in den schwäbischen Vorlanden und im Breisgau änderte daran wenig – er stand zu Friedrich in einer harten Gegnerschaft. Diesen aber banden längst die Kräfte des Südostens.

1438 hatte König Albrecht II. dort das Erbe der Luxemburger angetreten, die mit Kaiser Siegmund 1437 ausgestorben waren; Albrecht II. trat sowohl in den luxemburgischen Anspruch auf die Kronen von Ungarn und Böhmen wie auf die Römische Kaiserwürde ein – 1438 setzte er sich tatsächlich gegen eine bayrische Gegenkandidatur durch.

Kaiser Friedrich III. (1440–1493)

Aber der Habsburger starb schon 1439, und nun traten die Würden des Reiches undder Erblande wieder auseinander. Der Sohn Albrechts II., Ladislaus, wurde erst nach dem Tode des Vaters geboren – einer längeren Vormundschaft folgte 1457 ein früher Tod und der Zusammenbruch der habsburgischen Herrschaft in Ungarn und Böhmen. In beiden Ländern hatte der Adel aus seinen Reihen einen nationalen König erhoben, in Ungarn 1456 Matthias Corvinus, den Sohn des Reichsverwesers Johann Hunyady, in Böhmen 1458 Georg von Podiebrad, der den hussitischen Traditionen des Landes verbunden war. Die Kurfürsten aber wählten einen anderen Habsburger zum König, den Landesherrn von Kärnten, Steiermark und Krain, Friedrich III. Er erlangte 1452 in Rom die Kaiserkrönung und erreichte von 1440 bis 1493 die längste Regierungszeit eines Kaisers oder Königs.

Aber Friedrich III. wurde in Auseinandersetzungen mit seinen Landständen, zugleich auch in die Konflikte Ostmitteleuropas hineingezogen und damit von den Zentren des Reiches ferngehalten. Zwar suchte er immer wieder die kaiserlichen Rechte geltend zu machen, zwar gab er kaum Positionen des Reiches auf, aber die lang andauernde Abwesenheit des Kaisers, die bereits die Regierungszeit Siegmunds, des gleichzeitigen Königs von Ungarn, gekennzeichnet hatte, prägte die Entwicklungen im Reich und vor allem in einer dem Kaiser gegenüber so sensiblen Zone wie Schwaben. Die territorialen Gewalten entfalteten und stabilisierten sich, neue Kräfte drangen vor, die Fürsten gewannen einen immer stärkeren Vorsprung vor Städten und Rittern.

Diese Entwicklung galt vor allem für den südwestdeutschen Raum. Nicht nur, daß die Eidgenossen ihre Positionen nach Norden absicherten, daß Städte wie Basel, Rottweil und das elsässische Mühlhausen in den Sog der ausgreifenden Schweizer Politik gerieten. Vor allem konnte die verbleibende und mit den Habsburgern konkurrierende Königsdynastie, die Wittelsbacher, einen beträchtlichen Aufschwung verzeichnen. In Bayern waren seit 1447 nur noch zwei Linien übrig, unter denen die „reichen" Herzöge von Bayern-Landshut dominierten; sie drängten nun in den schwäbischen Raum, gestützt auf ihre gut konsolidierten Finanzen, konnten sie eine beachtliche Stellung erringen.

Die Kurpfalz – Hegemonialpolitik an der Peripherie

Wichtiger noch war für den südwestdeutschen Raum die Rolle der Kurpfalz. Noch zu Beginn des Jahrhunderts hatten sie mit Kurfürst Ruprecht III. (1400–1410) den Herrscher des Reiches gestellt. Die Heidelberger Kurfürsten verfügten über ein ähnlich zerstreutes Territorium wie die Habsburger, aber ihren Reichtum machten die Rheinzölle aus; sie kontrollierten ein ausgedehntes Satellitensystem aus geistlichen und weltlichen Herren, Rittern und Städten, darunter die Bischöfe von Worms und Speyer sowie die Deutschmeister. Hinzu kam die Reichslandvogtei im Elsaß und in der Ortenau, die der Pfalzgraf seit den Tagen Ruprechts, seit 1408 bzw. 1405, in Händen hatte. Es war eine Rolle, die der des Königs recht nahe kam; jedoch sollte sich auch das überterritoriale pfälzische Satellitensystem im Zeichen der Durchsetzung des Territorialitätsprinzips als verhängnisvoll für die Pfalz erweisen – doch davon war um die Mitte des 15. Jahrhunderts noch keine Rede.
1451 setzte sich Pfalzgraf Friedrich I. durch die sogenannte Arrogation mit Zustimmung der wichtigsten Vasallen auf Lebenszeit auf den Stuhl des Kurfürsten und ließ den minderjährigen Neffen Philipp gleichsam in den Wartestand treten. Die Förderung der Universität Heidelberg, der Ausbau von Verwaltungs-und Gerichtsorganisation des Territoriums weisen Friedrich als einen der bedeutendsten deutschen Landesherren aus; mit harter Hand hielt er die innerterritoriale Opposition nieder, er erwies sich bald als der Schrecken seiner Feinde und Nachbarn. Am spektakulärsten war sein Sieg bei Seckenheim 1462 über eine Fürstenkoalition, bei dem der Markgraf Karl I. von Baden, Graf Ulrich V. der Vielgeliebte von Württemberg und Bischof Georg von Metz in seine Gefangenschaft fielen. Friedrich konnte damals seine Besitzungen erweitern, die Pfandschaft über die kurmainzische Bergstraße erringen, die Pfälzer Position gegen den mittleren Neckar vorschieben, immer im Zusammenspiel mit den Landshuter Wittelsbachern. Mit dem bedeutenden Mainzer Erzbischof Graf Dieter von Isenburg stand der „böse Fritz", wie ihn seine Gegner nannten, in wechselnden Verhältnissen. Friedrich war ein für seine Zeit moderner und tatkräftiger Herrscher, der die Pfalz auf die Höhe ihrer Macht führte; Heidelberg wurde unter ihm zu einer der glanzvollsten Residenzen des deutschen Südwestens.
Unter Friedrich dem Siegreichen drängte die Pfalz mächtig in den südwestdeutschen Raum vor – die Stoßrichtung der wittelsbachischen Fürsten gegen Kaiser Friedrich III. und das Haus Österreich war unverkennbar. Sie waren eng gegen den auch im Osten bedrohten Kaiser verbunden – die Niederlage der verbündeten Fürsten bei Seckenheim war auch eine indirekte Niederlage des Kaisers, in dessen Namen sie gefochten hatten. Der brandenburgische Kurfürst Albrecht Achilles stieß von seinen fränkischen Herrschaften um Ansbach und Kulmbach aus ebenfalls in den schwäbischen Raum hinein vor – er vereinte sich gegen das drohende Übergewicht der Wittelsbacher mit den Habsburgern.

Die burgundische Gefahr

Gefährlicher war der burgundische Druck. Eine Nebenlinie der französischen Könige hatte aus der Krise der Krone im Hundertjährigen Krieg, ausgehend vom Herzogtum Burgund, einem französischen Lehen, seit 1361 eine Herrschaft ausbilden können, die schließlich die gesamten Niederlande einbezog. In einer Abfolge bedeutender Herrscher, von Philipp dem Kühnen (1361–1404), Johann ohne Furcht (1404–1419), Philipp dem Guten (1419–1467) bis zu Karl dem Kühnen (1467–1477), entstand hier ein sehr modernes, aber auch expansives Staatswesen, gestützt auf eine reiche städtische Wirtschaft, vor allem in den Niederlanden, auf eine moderne Administration und auf eine kampfbereite Ritterschaft. Als das Königreich Frankreich wieder erstarkte, richtete sich der ganze Druck der Burgunder gegen die westlichen Grenzgebiete des Reiches bis in die Niederlande sowie die Eidgenossenschaft. Die burgundische Gefahr führte im Westen des Reiches eine außerordentlich kritische Situation herbei; die Burgunder setzten sich im Elsaß fest, und der linksrheinische Adelige Peter von Hagenbach führte dort sein hartes Regiment. Die habsburgischen Gebiete um den Rhein lagen dem bur-

gundischen Zugriff offen; die Koalitionsbestrebungen Siegmunds von Tirol mit den Burgundern beschworen eine gefährliche Konstellation herauf. Die Mobilisierung der Abwehrkräfte des Reiches bewirkte wenig; es war dann mehr dem diplomatischen Geschick Friedrichs III. zu danken, daß die Situation entschärft und durch die geplante Ehe des habsburgischen Erben Maximilian mit der Burgunderin Maria ein dynastischer Bund geschlossen wurde. Aber erst die Tatsache, daß Karl der Kühne von Burgund 1477, ein Jahr nach dem Tode Friedrichs des Siegreichen von der Pfalz, bei der Belagerung von Nancy den Tod fand, hat die Situation für die Habsburger zum Vorteil gewendet.
Der südwestdeutsche Raum, in den dergestalt die Flügelmächte vordrängten, war von seiner inneren Zersplitterung gekennzeichnet. Die Fürstbistümer Speyer, Worms und teilweise Straßburg standen unter dem dominierenden Pfälzer Einfluß, Konstanz mit seiner schwachen territorialen Basis unter dem Österreichs, Augsburg lag an der östlichen Peripherie; im Norden allerdings hatten Würzburg und vor allem das Erzbistum Mainz eine ausgeprägtere Position.

Die Markgrafen von Baden

Von den eingesessenen schwäbischen weltlichen Fürsten war das Haus Baden nächst den Habsburgern das älteste; aber die jüngeren Zähringer hatten zwar mit Markgraf Karl I. einen bedeutenden Fürsten hervorgebracht; doch gerade Baden unterlag dem doppelten Druck der Pfalz und Vorderösterreichs, zu denen zeitweilig auch noch Burgund stieß, und behielt somit nur einen relativ kleinen Spielraum; es erstreckte sich mit mehreren Herrschaftsschwerpunkten von den Toren Basels bis nach Durlach im Norden; dazu gehörten die eigentliche Markgrafschaft mit Pforzheim und Durlach, Ettlingen und Baden, die Herrschaften Rötteln-Sausenberg, Badenweiler und Hochberg sowie die mit Hanau gemeinsamen Herrschaften Lahr und Mahlberg; mit der Pfalz hatte Baden die Grafschaft Sponheim im Gemeinbesitz.
1391 hatte Bernhard I. die markgräflichen Positionen in einer Hand zusammengefaßt; erbittert wehrte er sich gegen das Pfälzer Übergewicht – seine konzentrierte Expansionspolitik griff vor allem nach Osten aus. Die bedrängte Situation Badens legte indessen eine besondere Anlehnung an den König nahe, die zur Maxime der markgräflichen Politik wurde; sie wurde auch von den Nachfolgern Bernhards I. befolgt. Schon 1458 konnte Karl I. die Teilung von 1453 wieder aufheben; er schickte sich an, in die Fußstapfen seines Vaters zu treten, aber die Seckenheimer Niederlage von 1462 machte alles zunichte; der kaiserliche Rückhalt erwies sich als zu schwach. Dies änderte sich jedoch unter Christoph I. (1475–1527), der in ungebrochener Kontinuität die Ansätze seines Vaters wieder aufnahm – er engagierte sich für die ausgreifende Reichspolitik Maximilians I., dessen Vetter er war; dies ging so weit, daß er im Gefolge des Reichsoberhauptes auch Besitzungen in den Niederlanden erwarb. Zugleich suchte er den Ausgleich mit der Pfalz, die Lage Badens legte eine Balancepolitik nahe. Aber 1515 kam es zu einer Dreiteilung des Landes, die sein Zurückfallen endgültig besiegelte.

Der Aufstieg Württembergs und Herzog Eberhard I. im Bart

Umso wichtiger war, daß gleichzeitig der staatliche Konsolidierungsprozeß einschließlich der Landeseinheit in Württemberg vollendet wurde – ein Vorgang, der sich mit dem Namen des Uracher Grafen Eberhard V. im Bart verbindet. Das Herrschaftsvakuum im niederschwäbischen Raum und die Schwäche Habsburgs ausnützend, hatte Württemberg seit dem hohen Mittelalter einen ganz erheblichen Anteil des staufischen Erbes in Schwaben vereinnahmen können. Es war eine zähe, konsequente Territorialpolitik, die zum Erfolg führte. Sie sammelte Herrschaftsrechte über Städte, Vogteien über Klöster, unterschiedliche Besitztitel ein – eine der bemerkenswertesten politischen Leistungen einer deutschen Dynastie im Spätmittelalter. Zu Beginn des 15. Jahrhunderts hatte das gräfliche Haus Württemberg längst eine fürstengleiche Stellung errungen. Es war aber für die kleinen Gewalten Schwabens auch ein gefährlicher Nachbar, vor dessen Gefräßigkeit sie sich fürchteten. Gestützt war die württembergische Landesherrschaft durch ein geschlossenes Territorium, eine ungewöhnlich dichte Städtelandschaft und durch eine sehr früh ausgebildete, relativ moderne Verwaltungsorganisation; die grundherrliche Unterfangung – also die Ausstattung des Grafenhauses mit eigenen Ländereien – war sehr solide; die Grafen aber hielten Ausschau nach der äußerlichen Unterstreichung ihrer Stellung. Ob freilich die Ehe Graf Eberhards IV. (1417–1419) mit Henriette von Mömpelgard, die dem Haus mit den Hirschstangen im

Wappen die gleichnamige Herrschaft und das elsässische Reichenweier eintrugen, ein Vorteil war, muß dahingestellt bleiben: Württemberg wurde aus einer sehr geschlossenen Position herausgelockt und in die Konflikte an der Westgrenze des Reiches hineingezogen.

Aber der württembergische Landesstaat geriet durch die Krisen des 15. Jahrhunderts ohnehin in eine prekäre Lage, vor allem durch die Landesteilung von 1442; der frühe Tod Graf Ludwigs 1450 führte zu vormundschaftlichen Auseinandersetzungen zwischen seiner bedeutenden Witwe Mechthild, der Schwester Friedrichs des Siegreichen von der Pfalz, und dem Stuttgarter Grafen Ulrich V. dem Vielgeliebten (1433 bis 1480).

Metchhild war aber nicht umsonst die Schwester des bedeutendsten Pfälzer Kurfürsten; sie heiratete in zweiter Ehe den Herrn Vorderösterreichs, Albrecht VI., den Bruder Kaiser Friedrichs III. Die Ehe ging nicht gut; nach Albrechts frühem Tod 1463 nahm Mechthild ihren Witwensitz in Rottenburg; ihr dortiger Musenhof war ein Mittelpunkt von Kunst und Literatur, sie blieb in der unteren Grafschaft Hohenberg als Landesmutter in bleibender Erinnerung. Zunächst aber bedeutete sie für ihren unmündigen Sohn Eberhard einen wichtigen Rückhalt; er wich vor dem Druck des Stuttgarter Vetters nach Rottenburg zur Mutter aus und fand durch sie Rückhalt am Pfalzgrafen-Kurfürsten, der 1452 in die Vormundschaft mit eintrat.

Das Spiel Eberhards war ein riskantes: denn praktisch manövrierte er sich, um von der Stuttgarter Linie frei zu werden, in ein Abhängigkeitsverhältnis zu der vordringenden Pfälzer Macht; Friedrich der Siegreiche hätte Eberhard gern in sein Satellitensystem eingebaut. Dagegen aber hielt Eberhard stets loyale Beziehungen zu Kaiser Friedrich III. Der nüchterne Graf erkannte frühzeitig nicht nur die Chancen einer Balancepolitik, sondern auch die Bedeutung der reichspolitischen Legitimität, die ein Rückhalt am Kaiserhof gewähren konnte. Obgleich Eberhard beim Triumph Friedrichs des Siegreichen 1462 im Lager der Verlierer stand, hatte er doch nicht die Probleme Graf Ulrichs V., der sich durch ein Lösegeld aus Pfälzer Gefangenschaft befreien mußte – dadurch blieben seinen Landen schwere Lasten. So gewann der Uracher Vetter Eberhard ein Übergewicht, das er zu seinem Lebenswerk, der Herbeiführung der Einheit des Landes Württemberg nützen sollte; die Tatsache, daß Eberhard aus seiner glänzenden Ehe mit der Mantuanerin Barbara Gonzaga keine Kinder hatte, erleichterte diese Politik ebenso wie das Zerwürfnis Ulrichs V. mit seinen problematischen Söhnen; letztere freilich sollten zu einer Hypothek für Eberhards V. württembergische Einigungspolitik werden. Aber er vollendete sie doch mit konsequenten Schritten. Der Uracher Vertrag von 1473 setzte die wechselseitige Sukzession beider Linien fest, der Münsinger Vertrag von 1482 führte die Vereinigung beider Landeshälften herbei, wobei der kinderlose Eberhard vor seinem gleichnamigen Vetter aus der Stuttgarter Linie die Regierung antrat – vielleicht hat hier das Pfälzer Beispiel Friedrichs des Siegreichen gewirkt. Der Stuttgarter Vertrag von 1485 und der Esslinger Vertrag von 1492 vollendeten die Politik einer Unteilbarkeit des Landes.

Eberhard, sonst ein vorsichtiger und abwägender Herr, hat dieses Ziel fast mit Besessenheit verfolgt. Er verstand es, den Adel an seinen Hof zu binden, darunter auch wichtige Familien Oberschwabens, wie die Fürstenberg und die Werdenberg. Wichtiger jedoch war, daß der Graf erkannte, welche Bedeutung die Rückversicherung bei den Repräsentanten der Untertanen hatte – damit förderte er die aufkommende württembergische Landschaft in beiden Landesteilen Stuttgart und Urach, unter denen die Städte und Prälaten ein besonderes Gewicht erwarben. Sie wurden ein wichtiger Rückhalt Eberhards im Bart im innerdynastischen Tauziehen.

Eberhard war in vieler Hinsicht ein bemerkenswerter Fürst – Repräsentant einer praktischen Form der Frömmigkeit, wie sie die von ihm geförderten Brüder zum Gemeinsamen Leben vertraten, machte er eine Pilgerreise nach Jerusalem. Auch den Papst suchte er persönlich auf, nicht ohne die Ziele eines territorialen Kirchenregiments zu verfolgen. Daran knüpften sich die Kontakte mit italienischen Humanisten, wie Marsilius Ficinus, der ihm eine Schrift widmete. Dem Humanismus gegenüber war er offen, auch wenn er die Werke seiner führenden Vertreter mangels Kenntnissen in den klassischen Sprachen nicht zu lesen vermochte – man hatte in seiner Jugend verabsäumt, ihn Latein zu lehren. Der Repräsentation des Landes nach außen, der Bildung der württembergischen Pfarrer und Diener sollte die 1477 gegründete Universität Tübingen dienen – Eberhard verstand es auch, bedeutende Ratgeber an sich zu

ziehen. Dabei spielte eine konsequente Kirchen- und Klosterpolitik eine beträchtliche Rolle.
Im Reich vermochte er die Position Württembergs durch eine geschickte Schaukelpolitik zu halten; Kriegszüge unternahm er nur, wenn das Risiko kalkulierbar blieb. Die gefährlichen Auseinandersetzungen im Konstanzer Bistumsstreit 1474–1480, die ihn mit Erzherzog Siegmund von Tirol zu verfeinden drohten, legte er mit Schirmverträgen bei. Das Ringen um die Unabhängigkeit Württembergs führte auch zu einer Abkühlung seiner Beziehungen zu Heidelberg; sie verschlechterten sich vollends, als 1476 Kurfürst Philipp dem Onkel Friedrich nachgefolgt war; Eberhard hat diese Entwicklung sichtlich in Kauf genommen, um die Unabhängigkeit zu gewinnen. Der Pfälzer begriff sehr gut, wie sich mit dem erstarkten Württemberg eine Barriere vor seine Expansionspläne legte. Es waren zwei ganz unterschiedlich strukturierte Territorien, die sich hier entfremdeten – auf der einen Seite die Pfalz mit ihrem überterritorialen Satellitensystem, auf der anderen Württemberg als Territorialstaat klassischen Zuschnitts. Noch gegen Ende des 15. Jahrhunderts war der Vorsprung der Pfalz ganz deutlich; aber Eberhard im Bart trug wesentlich dazu bei, daß er sich verringerte – dies war nicht nur eine Folge der Landesvereinigung, sondern auch der Erhebung Württembergs zum Herzogtum 1495.

Die Sicherung Tirols und der Vorlande für das Haus Österreich

Nach dem Tode Friedrichs des Siegreichen und Karls des Kühnen entspannte sich die Situation für die Habsburger im Westen, was Kaiser Friedrich III. durchaus zu nutzen verstand – das starke ungarische Königtum des Matthias Corvinus wurde jedoch zum existenziellen Problem Friedrichs III. im Osten. 1485 nahm der Ungarnkönig sogar Wien ein, was dem Kaiser im Westen endgültig die Hände band. In dieser Situation setzte eine dramatische Entwicklung ein. In Distanz zu den österreichischen Vettern, unterstützt von einer Gruppe adeliger Räte, ließ sich der alternde und kinderlose Herzog Siegmund für einen Plan gewinnen, seine Lande, also Tirol und Vorderösterreich nebst Breisgau und Sundgau, Ludwig dem Reichen von Bayern-Landshut gegen eine Pension zu überlassen. Angesichts des Zusammenhalts der Landshuter und der Heidelberger Wittelsbacher wäre mit einem Ausgreifen Bayerns eine Revolution der Kräftekonstellation im Südwesten vonstatten gegangen, die sicher bedeutende Spuren in der deutschen Geschichte hinterlassen hätte. Zunächst wären bei einer solchen Entwicklung vor allem die kleineren Gewalten Südwestdeutschlands einschließlich Badens und Württembergs unter den unausweichlichen Druck der Wittelsbacher geraten, wäre die Balancepolitik Graf Eberhards im Bart sinnlos geworden.
Hier aber trat der junge Römische König Maximilian auf die Bühne; er hatte seine niederländische Lehrzeit an der Seite seiner Gemahlin Maria von Burgund hinter sich, die alles andere als ruhmvoll gewesen war, zumal nachdem mit dem tragischen tödlichen Sturz der Maria vom Pferde 1482 der dynastische Rückhalt entfallen war; Maximilian geriet in Auseinandersetzungen mit den Städten der Niederlande, wurde sogar zeitweilig festgesetzt. Die Erfahrung mit den Städten, mit Ständen und mit einer Behördenorganisation, die zu den modernsten Europas zählten, ließen ihn doch politisch gereift ins Reich zurückkehren. Er eilte nach Innsbruck – und seinem Verhandlungstalent gelang es, Siegmund dem bayrischen Projekt abspenstig zu machen und ihn auf eine habsburgische Nachfolge festzulegen. Das Zusammenspiel Maximilians mit den Tiroler Ständen wurde eine wichtige Komponente dieser Entscheidung – die prowittelsbachischen Kräfte wurden als „böse Räte“ verfemt. 1490 konnte Maximilian seine Herrschaft in Innsbruck antreten, dem er stets verbunden blieb.

Der Schwäbische Bund von 1488

Nicht Maximilian, sondern noch der alte Kaiser Friedrich III. war schon vorher, 1488, der Initiator des Schwäbischen Bundes gewesen. Der bayrische Druck hatte als auslösendes Moment gewirkt. Die kleinen Herren Schwabens, Prälaten, Grafen, Ritter und Städte, hatten sich aus dem Erbe der Staufer ihre eigene Freiheit behauptet. Sie waren jedoch Mächte minderen Ranges und konnten sich nur durch Zusammenschluß absichern – frühzeitig hatte dies der Adel praktiziert. Die Turniergesellschaften förderten seinen sozialen Zusammenhalt, aber die Rittergesellschaft zum St.-Jörgenschild in Schwaben war eine gut funktionierende Einung von Grafen, Herren und Rittern. Ihre Aufteilung in vier Viertel nahm die spätere Gliederung der Reichsritterschaft in Schwaben vorweg. Die Verfassung der Gesellschaft bot wechselseitige Schutzverpflichtungen, aber auch Schiedsverfahren und andere Konfliktlösungen. Dadurch sollten die

Chancen der mächtigeren Herren reduziert werden, sich als Schiedsrichter in die Probleme der Kleineren einzumischen.
Die Städte hatten zunächst durch ihre wirtschaftliche Sonderstellung eine beachtliche Rolle spielen können. Aber es zeigte sich, daß ihre politische und wirtschaftliche Kraft auf Dauer den Territorialfürsten nicht standhalten konnte. Die weit ausgreifenden Städtebünde konnten sich gegen die überlegene Konkurrenz der Landesfürsten schließlich nicht behaupten – auch im Südwesten nicht. Schon im 15. Jahrhundert zeigte sich, daß Württemberg die von seinem Territorium umschlossenen Reichsstädte, wie Esslingen, Reutlingen, Weil der Stadt, kräftig unter Druck setzen konnte. Der letzte große Städtekrieg 1449/50 endete mit der katastrophalen Niederlage der Städte; der Kaiser selbst war zu sehr der adeligen, feudal-ständischen Welt verpflichtet, als daß er zugunsten der Städte hätte intervenieren können. Damit waren diese isoliert und suchten ihrerseits Anschluß; sie fanden ihn im Schwäbischen Bund.
Dessen Architekt war der Graf Hugo von Werdenberg, dem württembergischen Hof traditionell eng verbunden – zugleich aber auch Vertrauensmann des Kaisers. Unverkennbar war die Furcht der minder mächtigen Stände Schwabens, statt eines sich ausbalancierenden Systems im Südwesten dem harten Zugriff des bayrischen Landesstaates ausgesetzt zu sein, der an Geschlossenheit dem württembergischen ähnlich, an Größe und politischer Bedeutung aber weit überlegen war. Das Zusammengehen mit dem Kaiser und mit dem Herrn Vorderösterreichs erschien somit als kleineres Übel. Man bediente sich des im St.-Jörgenschild gegebenen Kerns und baute darüber den Schwäbischen Bund, dem sich auch eine Vielzahl von Reichsstädten anschloß.
Der Schwäbische Bund war zunächst eine Vereinigung der kleinen Stände, aber durch seine Geschlossenheit erlangte er rasch eine erhebliche politische Bedeutung – ein Reich im Reich, mit einer großen Effektivität. Er war geeignet, den zersplitterten deutschen Südwesten zu stabilisieren, ein System der kollektiven Sicherheit zu schaffen, das den Landfrieden wahrte, eine eigene Gerichtsorganisation aufbaute, um die Konflikte friedlich zu regeln – zugleich aber auch ein Gebilde mit effektiven militärischen Exekutionsmöglichkeiten, dank eines eigenen Bundesheeres. Die Finanzkraft der oberdeutschen Städte speiste die Bundeskasse. Die Bedeutung des Bundes als politische Klammer Schwabens, aber auch als Modell eines befriedeten Reiches ist kaum zu unterschätzen. Der Bund wurde auch ein wichtiges Instrument habsburgischer Reichspolitik. Bereits die Bundesabsprachen von 1487/88 und der Anfall Tirols und der Vorlande haben den Römischen König Maximilian und Graf Eberhard im Bart zusammengeführt, Repräsentanten zweier unterschiedlicher Generationen von Politikern.
Sich vorsichtig absichernd, begab sich Eberhard in den Bund – suchte er den Ausgleich mit den Habsburgern, den Maximilian ihm großzügig zu gewähren bereit war. Die Schlußschritte seines württembergischen Einigungswerkes sanktionierte Maximilian bereitwillig. Es enstand eine wichtige Partnerschaft – sie war freilich nicht unproblematisch. Die fortwährende Feindschaft zwischen dem älteren Eberhard und seinem gleichnamigen Stuttgarter Vetter, der seinen zeitweiligen Thronverzicht wieder umzustoßen trachtete, zwangen den alten Eberhard, Rückhalt am König zu suchen – während dieser durchaus hoffen konnte, einmal politisch daraus Kapital zu schlagen, nämlich den Anfall Württembergs an Habsburg zu erreichen. Unter diesen Umständen trug auch die württembergische Herzogserhebung 1495, die den territorialen Konsolidierungsprozeß dieses mittlerweile wichtigsten schwäbischen Territoriums abschloß, durchaus ambivalente Züge. Die Herstellung der Einheit des Landes, die Standeserhebung, aber auch die starke Position der Landschaft, die in der Herzogsurkunde festgeschrieben wurde, standen durchaus in der Tradition Eberhards, aber gleichzeitig zeichneten sich Maximilians Anwartschaftspläne ab – suchte der König an einer künftigen österreichischen Herrschaft in Württemberg zu basteln. Herzog Eberhard hat die Standeserhöhung nicht lange überlebt – stets kränklich, starb der Vater des modernen Württemberg bereits 1496, erst 50jährig.

Der Schatten Maximilians I. über Schwaben

Der Anfall Württembergs hätte in der Tat die neuen politischen Wirksamkeiten Maximilians gekrönt – die Rückkehr des Reichsoberhauptes nach Schwaben und ins Reich. Anders als sein Vater war Maximilian der Landesherr Tirols und Vorderösterreichs; damit stand der Kaiser vor den Toren der Reichsstädte Augsburg, Ulm, Überlingen, Rottweil, Basel, Straßburg, aber auch der württembergischen Städte Urach und Tübingen, der bischöflichen Residenzen in Dillingen, Meersburg und Molsheim. Mit den Edelmetall- und Salzbergwerken Tirols hatte er eine gute finanzielle Basis gewonnen; durch die Präsenz in Oberschwaben fiel der Schatten des Reichsoberhauptes über die Kleinwelt der Prälaten, Grafen und Adeligen. Der Hof Maximilians spiegelte sehr deutlich die neuen schwäbisch-elsässischen Beziehungen: welcher Unterschied zu Friedrich III., der an die Peripherie des Reiches abgedrängt und von innerösterreichischen Adeligen umgeben war!

Die neuerliche Präsenz des Kaisers veränderte den deutschen Südwesten grundlegend; Maximilian war allerdings auch in besonderem Maße geeignet, die königliche Autorität geltend zu machen. Gewiß, er war sprunghaft, vermochte das Geld nicht zu halten, aber er trug doch – anders als in seiner niederländischen Zeit – fast charismatische Züge. Ein sehr leutseliger Herr, hatte er die Sympathie der Adeligen und der Bürger, vermochte er mit ständischen Körperschaften umzugehen, besaß er offensichtlich eine hohe Fähigkeit, Eindruck zu machen. Nicht nur als Landesherr Vorderösterreichs war der Kaiser im Südwesten präsent, sondern er besuchte auch gern die Reichsstädte, vergnügte sich mit ihren Bürgern und nicht zuletzt mit ihren Töchtern – so galt er als der heimliche Bürgermeister Augsburgs. Maximilian verstand es, in die verschiedensten Masken zu schlüpfen, in die des Bräutigams, des Ritters, des Humanisten, des Jägers. Dabei verfehlte er seinen Eindruck nicht.

So bewußt der Kaiser Traditionen aufrecht erhielt, so hat er doch auch auf die Moderne gezielt – nicht nur die Künste, sondern auch den neuen Geist des Humanismus hat er gefördert, Staatszusammenhalt, Verwaltungsorganisation modernisiert. Auch wenn ihm seine Sprunghaftigkeit manchen Streich spielte, so bedeutete Maximilian doch für den Südwesten eine völlig neue Herausforderung.

Das Instrument des Schwäbischen Bundes fiel ihm nach dem Tode Friedrichs III. und Eberhards im Bart vollends zu – der Bund begann das Gesicht Südwestdeutschlands völlig zu verändern; er war eng mit der habsburgischen Politik verknüpft; das hing auch damit zusammen, daß nun die kleineren Herrschaften ihre natürlichen Verbindungen mit dem Kaiser wieder aktivierten. Maximilian förderte später den Ausbau eines parallelen Bundes im Elsaß, der sogenannten „Niederen Vereinigung" (im Gegensatz zur „Oberen Vereinigung", der Eidgenossenschaft) von ca. 1474 bzw. 1493, die aber niemals die Bedeutung und Schlagkraft des Schwäbischen Bundes erreichte. Andererseits formierten sich auch allmählich die Gegenkräfte – vor allem die Pfalz erwies sich als hartnäckiger Opponent gegen den Bund; sie wurde zum Bestandteil eines Kontrabundes. Wichtiger aber war die Attraktion, die der Schwäbische Bund für den Fürstenstand gewann. Bei der Erneuerung von 1500 traten ihm nicht nur, wie 1487, Vorderösterreich und Württemberg bei, sondern auch einige weitere Fürsten. Sie zogen es offenbar vor, dem Bund beizutreten, um ihn so besser unter Kontrolle halten zu können.

So entstand die typische Bundesverfassung mit den drei Bänken der Fürsten, der Prälaten, Grafen, Ritter und der Städte. Anders als der sich gleichzeitig ausformende Reichstag bot der Bund so auch den kleineren Reichsständen sichtbaren politischen Rückhalt und Schutz. Allerdings bedeutete die Hereinnahme der Fürsten doch eine Verwässerung – es war nicht mehr das Zusammengehen des Kaisers mit den Kleinen; mit den Fürsten kamen deren Eigeninteressen ins Spiel; vor allem die Ritter sollten sich allmählich vereinsamt fühlen und nahmen an Zahl immer mehr ab. Dennoch blieb der Bund ein machtvolles Instrument kaiserlicher Politik. Er blieb es um so mehr, als der Kaiser in ein erbittertes Ringen vor allem mit den Kurfürsten des Reiches um dessen zukünftige Gestalt geraten war; dafür hat sich nicht ganz richtig der Name der „Reichsreform" eingebürgert. Als Maximilian in Italien einzugreifen gedachte, um dort dem französischen König Karl VII. entgegenzutreten, forderte er die Hilfe des Reiches. Demgegenüber wollten auf dem Reichstag zu Worms 1495 vor allem die Kurfürsten eine Erneuerung der Reichsorganisation, freilich ohne maßgeblichen Einfluß des Königs. Dagegen setzte sich Maximilian erbittert zur Wehr. Das Ringen endete schließlich mit einem Unentschieden, aber zugleich war doch die Organisation des Reiches und auch der Reichskörper erheblich verfestigt worden. Der Reichstag erfuhr seine Ausbildung als zentrale Plattform des Reichsverbandes. Um so wichtiger war für Maximilian der Rückhalt im Schwäbischen Bund.

„Reichsreform" und Schweizerkrieg

Die Folgen des Wormser Reichstags von 1495 bestanden nicht nur in der Erhebung des württembergischen Grafen zum Herzog; mit der Durchsetzung des Landfriedens und der Errichtung des Reichskammergerichts wurden weitere wichtige Entscheidungen getroffen; das Kammergericht erwuchs aus unruhigen Anfängen zu einem der beiden obersten Reichsgerichte – im Gegenzug gegen seine stark ständische Ausrichtung baute der Kaiser die Position seines Reichshofrates so aus, daß er dem Kammergericht zunehmend Konkurrenz machte. Diese Entwicklung brachte das Rottweiler Hofgericht unter erheblichen Druck. Hervorgegangen aus dem alten niederschwäbischen Landgerichtssprengel, hatte es seine Jurisdiktion weit über die Grenzen Schwabens hinaus ausgedehnt, so daß es eine überregionale Bedeutung hatte, wenn es unter dem Vorsitz des Grafen von Sulz tagte. Aber die organisatorische und juristische Unterlegenheit gegenüber dem Reichskammergericht, auch kaiserliche Verordnungen ließen bis zum Ende des 17. Jahrhunderts das Rottweiler Hofgericht zur Bedeutungslosigkeit schrumpfen, auch wenn es formal bis zum Ende des Alten Reiches zu den obersten Reichsgerichten zählte.

Maximilians südwestdeutsche Politik war durch drei wichtige Schwerpunkte gekennzeichnet:

1. Der Griff nach der Eidgenossenschaft,
2. Der Endkampf mit den Wittelsbachern und
3. Die Auseinandersetzungen um Württemberg.

Die Eidgenossen hatten sich immer mehr dem Reichsverband entzogen; sie erschienen nicht mehr auf dem Reichstag, ignorierten die Reichsgesetze und die Reichssteuern. Als ihnen aber in Maximilian an ihren östlichen und nördlichen Grenzen erneut König und Landesfürst in einer Person gegenüberstanden, verstärkte sich der Druck. Die Anerkennung der Wormser Reichstagsbeschlüsse von 1495 hätte die Autonomie der Schweizer erheblich relativiert; 1498 erklärte Maximilian St. Gallen in die Reichsacht und zwang Konstanz in den Schwäbischen Bund. An der gesamten Grenzlinie flammte nun der Krieg empor, begleitet von Parolen der wechselseitigen Beschimpfungen von „Sauschwaben" und „Kuhschweizern". Sie waren begleitet von drohenden Reden gegen die feudale Gesellschaftsordnung. Der Kampf endete wie die vorigen Auseinandersetzungen Habsburgs mit den Schweizern: mit einer katastrophalen Niederlage Maximilians und des Schwäbischen Bundes. Im Frieden von Basel muße man das Konstanz zugehörige Landgericht im Thurgau an die Eidgenossen abtreten und auch sonst auf alle Ansprüche verzichten; 1501 schlossen sich dann die Städte Basel und Schaffhausen der Eidgenossenschaft an. Der Baseler Friede von 1499 errichtete eine feste Barriere zwischen Schwaben und der Eidgenossenschaft, die als Grenzlinie im wesentlichen bis heute bestehen blieb. Es sollte sich zeigen, daß die Eidgenossenschaft darüber hinaus nicht ausgreifen wollte, daß aber auch Kaiser und Reich keine Kontrolle über sie mehr erzwingen konnten. Freilich hat sich die Eidgenossenschaft nie vom Reich formal gelöst, berief sie sich über die Jahrhunderte auf kaiserliche Privilegien – es war ein Verhältnis, das die Unabhängigkeit der Eidgenossenschaft durch Ausklammerung aller Konflikte wahrte. Doch die Eidgenossen erschienen weder insgesamt noch einzeln auf dem Reichstag, dafür aber kam der kaiserliche Gesandte auf die Badener Tagsatzung der Eidgenossenschaft.

Maximilians I. Triumph über die Wittelsbacher

Sehr viel erfolgreicher war Maximilian im Endkampf mit den Wittelsbachern. Der Pfalzgraf hatte im Westen des Reiches eine quasi-königliche Stellung inne; unter Friedrichs I. Nachfolger Philipp hatte diese etwas gelitten, aber Philipps Söhne saßen auf einer ganzen Kette von Bischofsstühlen von Regensburg und Freising über Speyer und Worms bis Utrecht und Naumburg. Der Kaiser tat sich dagegen angesichts der etablierten Position der Dynastien, vor allem des Hauses Bayern, schwer, mit seiner Bischofspolitik Erfolge zu erzielen. Als aber das Haus Bayern-Landshut mit Herzog Georg dem Reichen auszusterben drohte, kam es zu einer schweren innerwittelsbachischen Auseinandersetzung, die dem Kaiser entscheidenden Nutzen zu bringen vermochte. Entgegen den Hausverträgen suchte Georg der Reiche von Bayern-Landshut den Münchner Vetter zu übergehen und seine Lande dem Pfalzgrafen Ruprecht, seinem Schwiegersohn, zuzuwenden in Verfolgung der alten Achse Landshut-Heidelberg, die schon Kaiser Friedrich III. so bedrohlich gewesen war. Es wäre eine bayerische Sekundogenitur der Pfälzer entstanden, die der neu gewonnenen Position Maximilians erhebliche Schwierigkeiten hätte machen können. So stellte sich

Maximilian, auch in Einklang mit dem Reichslehensrecht, auf die Seite der Münchner Wittelsbacher, als Ruprecht 1503 mit einem Gewaltstreich gegen Landshut und Burghausen die Feindseligkeiten eröffnete.
Der nachfolgende Krieg erfaßte auch Südwestdeutschland, als der blutjunge Herzog Ulrich von Württemberg mit dem Kaiser gegen den Kurfürsten Philipp von der Pfalz zog. Sowohl auf dem bayerischen als auch auf dem südwestdeutschen Kriegsschauplatz unterlag die Pfälzer Partei, zumal es Maximilian gelungen war, den Pfalzgrafen vom König von Frankreich zu isolieren. Die Veränderungen waren beträchtlich; die Pfälzer Katastrophe verstärkte sich noch, als 1504 der Prätendent Ruprecht und seine Frau kurz hintereinander starben. Zwar hatten die Kinder Ruprechts, die minderjährigen Pfalzgrafen Philipp und Ottheinrich, ein Erbe aus dem bayern-landshutischen Territorium herausgeschnitten bekommen, das Fürstentum Pfalz-Neuburg, die sogenannte junge Pfalz, mit den Zentren Neuburg-Lauingen und Burglengenfeld, ein Territorium, das für den südwestdeutschen Raum nicht ohne Bedeutung sein sollte. Wichtiger aber waren die nachteiligen Folgen für die Pfalz, die erhebliche territoriale Verluste erlitt. Nicht nur, daß ihre gegen den mittleren Neckar vorgeschobenen Positionen zusammenbrachen, sondern auch die Landvogtei im Elsaß und in der Ortenau gingen verloren; das überterritoriale Pfälzer Satellitensystem hatte einen schweren Stoß erlitten – die historische Entwicklung des Heidelberger Kurstaates war aus den Bahnen geworfen, zugleich war damit die quasi-königliche Position der Pfälzer zerstört, der Druck auf Schwaben gelockert – vor allem dadurch, daß gemeinsame Aktionen des Pfalzgrafen und des bayerischen Herzogs im schwäbischen Raum nun nicht mehr möglich waren. Die Ausgliederung von Pfalz-Neuburg wiederum hatte Bayern-München erheblich geschwächt und auch schwäbische Ambitionen relativiert.
Der Kölner Friede von 1505 war somit ein gut errungener Erfolg König Maximilians; die gefährliche Konkurrenz der Wittelsbacher war fürs erste ausgeschaltet, die in der Konstellation der Königswahl von 1519 erhebliche Folgen hätte haben können. Ein weiterer Ansatzpunkt der kaiserlichen Politik war Württemberg. Maximilian hatte schon bei den Auseinandersetzungen Eberhards im Bart mit Eberhard II. eine beträchtliche Rolle gespielt; unter der unglücklichen Regierung des schwachen Eberhard II. war der Kaiser immer mehr in die Rolle eines Schiedsrichters gerückt, der es auch bald verstand, die durch die Staatskunst des ersten württembergischen Herzogs formierte Landschaft für sich auszunützen; es war, sozialgeschichtlich gesehen, ein Zusammengehen Maximilians mit den Oberschichten der württembergischen Städte, der sogenannten Ehrbarkeit. Dies verschärfte die Herrschaftskrise Eberhards II., der 1498 durch die Landstände mit kaiserlicher Rückendeckung abgesetzt wurde.

Herzog Ulrich von Württemberg und sein Aufbegehren gegen den Kaiser

Maximilian setzte nun endgültig auf den minderjährigen Erben Herzog Ulrich, den er stark hofierte, dem er auch mit Sabine, einer Münchner Prinzessin, eine bayrische Braut offerierte. Ulrich, bis heute einer der unter den Historikern umstrittensten Fürsten Württembergs, hatte unter einer problematischen Jugend zu leiden gehabt, er war jähzornig, gewalttätig und mißtrauisch, aber auch von einem unbändigen Freiheitsdrang. So wurde nicht nur die ihm aufgenötigte Ehe unglücklich, sondern er begann auch mehr und mehr am habsburgischen Einfluß zu rütteln. Nachdem er im Landshuter Krieg für Württemberg die früheren Pfälzer Eroberungen zurückgeholt hatte, opponierte er offen gegen den Schwäbischen Bund, dem er 1512 nicht mehr beitrat – da er in ihm zu stark den Handlanger Österreichs sah. Freilich geriet Württemberg im stürmischen Jahr 1513, das vielerorts, gerade in den Reichsstädten, soziale Auseinandersetzungen sah, in eine schwere territoriale Krise, als im Lande, vor allem aber im Remstal, bäuerliche Unruhen ausbrachen.
Ulrichs Steuer- und Maßmanipulationen stießen auf eine entschieden oppositionelle Stimmung im Lande; so kam es zum Aufstand des Armen Konrad, einem der bedeutendsten Vorläufer des Bauernkriegs. Die Situation war für Ulrich so bedrohlich, daß er den Kaiser als wichtigsten Lehensherrn und Patron des Herzogtums, aber auch die Landschaft Württembergs um Hilfe anrufen mußte. So kam der berühmte Tübinger Vertrag vom 8. Juli 1514 zustande. Er war ein Sieg der Landschaft und damit vor allem der „Ehrbarkeit". Zwar übernahm die Landschaft 900.000 Gulden Schulden des Herzogs; aber sie erreichte eine ganze Reihe weitgehender Konzessionen – Krieg konnte der Herzog künftig ohne Konsens der Landschaft nicht mehr führen. Partner war freilich die Landschaft, also die städtische Oberschicht Württembergs, die Bauern tagten

in Stuttgart auf einem eigenen „Bauernlandtag", aber sie wurden überspielt – der Adel stand abseits und hatte damit einen weiteren Schritt zur Ablösung vom Lande Württemberg getan; zugleich vermochte der Kaiser seinen Einfluß weiter zu befestigen. Ulrich war freilich nicht der Mann, um auf Dauer nachzugeben. Er begriff die gefährliche Koalition zwischen Kaiser und Ehrbarkeit – so warb er mit Erfolg um den gemeinen Mann und opponierte gegen die kaiserliche Politik. 1516 verfiel er der Reichsacht, aber mit dem Prozeß gegen den ständefreundlichen Vogt Konrad Breuning und seine Genossen demonstrierte der Herzog Härte bis zur Grausamkeit gegen die Ansprüche der Ehrbarkeit. Gewalttätigkeit spiegelte auch der Totschlag am Hofmeister Hans von Hutten, nachdem dieser die Ansprüche des Herzogs auf seine Frau zurückgewiesen hatte. Der Herzog zeigte sich frühzeitig als ein selbstbewußter, beharrlicher und harter Politiker, dem die Selbständigkeit Württembergs über alles ging. So stand die Frage Württemberg am Ende der Regierungszeit Maximilians unentschieden.
Als der Kaiser am 12. Januar 1519 starb, hatte sich die habsburgische Position in Südwestdeutschland beträchtlich verfestigt. Der Kaiser war erneut Landesherr Vorderösterreichs geworden; er war gleichsam ins Reich zurückgekehrt, der Reichsverband hatte sich institutionell weiter verfestigt – all dieses mußte Südwestdeutschland als das Kernland des Reiches in hohem Maße beeinflussen. Der Schwäbische Bund bot der kaiserlichen Politik einen wichtigen Rückhalt. Manches allerdings blieb in den Ansätzen stecken, so der Versuch einer Reaktivierung der Bindungen des niederen Adels an den Kaiser 1517. Maximilian hatte die politische Potenz eines Fehdeunternehmers, wie Franz von Sickingen, erfahren müssen, der sich von seinem pfalzgräflichen Lehensherrn gelöst und seit 1512/13 zu einer politischen Größe ersten Ranges in Süddeutschland aufgestiegen war. Durch eine geschickte Politik gelangte er in eine Schlüsselrolle im Kräftespiel des Südwestens und stieg zum Idol des niederen Adels auf, ein Phänomen, das wohl auch mit der Krise des Pfälzer Satellitensystems zusammenhing; der Kaiser verstand es schließlich, sich Sickingens zu versichern, was wiederum dessen Autorität erhöhte.

Der Humanismus in Südwestdeutschland

Freilich war durch Maximilian auch ein ganz neuer Zug der Zeit gefördert worden: Humanismus und Renaissance hielten ihren Einzug, begünstigt durch die aufkommende Buchdruckkunst. Ausgehend von Mainz trat sie rasch ihren Siegeszug auch nach Südwestdeutschland an – Basel, Straßburg und Augsburg vor allem wurden wichtige Druckorte. Kunst und Wissenschaft erhielten neue Akzente. Neben Heidelberg, Stuttgart bzw. Urach wurde auch der Musenhof der Gräfin Mechthild in Rottenburg von den neuen Bewegungen erfaßt. Mit Michael Beheim von Sulzbach und Hermann von Sachsenheim gingen die Traditionen von Minnesang und Ritterdichtung zu Ende. Fürsten wie Friedrich der Siegreiche von der Pfalz und Eberhard im Barte von Württemberg wurden schnell Förderer des Humanismus.
Um 1480 erreichte der Humanismus seinen ersten Höhepunkt; dabei spielte zunächst Basel mit den Druckern Johann Amerbach und Johann Froben eine zentrale Rolle. Der Jurist Sebastian Brant, Verfasser des „Narrenschiffs" (1494), ging 1501 als Stadtsyndikus nach Straßburg. Dort trat der Schlettstädter Jakob Wimpheling als Exponent einer neuen Beschäftigung mit den alten Sprachen hervor. Er gedachte die klassischen Autoren nutzbar zu machen, ohne christliche Positionen aufzugeben. Wimpheling wurde auch zum Exponenten eines neuen Selbstverständnisses der Deutschen, das gerade aus der Grenzlage des Elsaß verständlich wird – dieses wurde seither zu einem der wichtigsten Zentren des deutschen Humanismus. Beatus Rhenanus hat als Geschichtsschreiber die humanistische Tradition im Elsaß fortgeführt, wo Schlettstadt neben Straßburg zu einem Mittelpunkt wurde. Der große Humanist Desiderius Erasmus von Rotterdam lebte lange genug in Basel, daß der Einfluß seines Wirkens auch im deutschen Südwesten zum Tragen kam. Die Werke der philologisch ausgerichteten Humanisten, des Erasmus, des Tübinger Professors Johannes Reuchlin aus Pforzheim begannen bald die Entwicklung der Theologie zu beeinflussen. So brachte der Humanismus nicht nur wichtige Impulse für ein erneuertes Frömmigkeitsverständnis; er lieferte auch den Reformatoren die Grundlage zu ihrem radikalen Biblizismus. Freilich hat sich Reuchlin niemals der Reformation angeschlossen; Erasmus bekämpfte Luther schließlich in einer erbitterten Auseinandersetzung.
Starke Impulse erhielt der Humanismus, nicht zuletzt der elsässische, durch Kaiser Maximilian, der Künstler und Gelehrte mit großem Engagement unterstützte. Der

Kaiser war einer der ersten, der begriff, wie sehr die Schriften der Humanisten die öffentliche Meinung für seine Politik zu gewinnen vermochten. Seine Umgebung war also ein günstiges Feld für humanistische Regungen.
Das Pfälzer Landeskind Philipp Melanchthon ging von Tübingen nach Wittenberg und trug von dort entscheidend zur Wirkungsmächtigkeit des Humanismus für die Reformation bei. Seine reformerische Tätigkeit im Bereich des Schulwesens verschaffte dort humanistischen Prinzipien Eingang – sein Wirken beeinflußte auch das Schulwesen des deutschen Südwesten. Der Straßburger Johann Sturm, der Schulreformer Südwestdeutschlands, suchte die humanistische Bildung mit einem ausgeprägten Praxisbezug seiner Schule zu verbinden (Anton Schindling). Gerade das Straßburger Gymnasium des Johann Sturm gewann hohe Attraktion für bürgerliche und adelige Studenten aus ganz Deutschland; aus ihm erwuchs das Projekt einer Hochschulgründung eigener Prägung, der Straßburger Akademie – der Gedanke, sie deutlich von den herkömmlichen Universitäten abzuheben, sollte freilich keinen Bestand haben. 1621 erbat sich auch Straßburg das herkömmliche Universitätsprivileg, nachdem es 1566 ein Akademieprivileg erhalten hatte.
Die Universitäten mit ihrem sehr stark traditionalen Lehrbetrieb hatten ein unterschiedliches Verhältnis zum Humanismus. Heidelberg zog, unterstützt vom Hof Kurfürst Philipps, um 1500 zahlreiche Humanisten an – so Rudolf Agricola, den „Erzhumanisten“ Konrad Celtes, Reuchlin, Trithemius, Wimpheling. Dieser Kreis zerfiel jedoch bald wieder, bis unter Kurfürst Ottheinrich (1556–1559) der Humanismus endgültig an der Rupertina Fuß faßte und ein Grundbestandteil universitären Lehrens während der Glanzzeit Heidelbergs gegen Ende des 16. Jahrhunderts wurde. In der Frühzeit der von Eberhart im Barte 1477 gegründeten Universität Tübingen fand der Humanismus mit Bebel, Reuchlin und Melanchthon prominente Vertreter. Die habsburgische Universität Freiburg stand Heidelberg und Tübingen nur wenig nach; mit Ulrich Zasius wirkte an ihr der führende humanistisch geprägte Jurist. Die Stadt Basel war durch die Gestalt des Erasmus geprägt – unter dem Eindruck der Baseler Reformation verließ der große Niederländer 1529 die Stadt. Aber die im evangelischen Geist reformierte Hochschule glänzte dann erneut durch humanistisch geprägte Gelehrte, wie den Kosmographen Sebastian Münster oder den Mediziner Felix Platter. Nach der Mitte des 16. Jahrhunderts hatte der Humanismus nahezu alle Hochschulen erobert; auch das Schulwesen war bis in die Einzelheiten schließlich späthumanistisch geprägt.

Kaiserwahl Karls V. und österreichischer Erwerb Württembergs

Als Kaiser Maximilian I. völlig verbraucht gestorben war, hatte er die Nachfolgefrage nicht lösen können, so sehr sich der alternde Kaiser darum bemüht hatte, zumal bei seinem letzten Reichstag in Augsburg 1518. Die Frage war gewiß nicht einfach. Der einzige habsburgische Kandidat, Karl von Spanien, Herr von Burgund, hatte seine Herrschaftszentren außerhalb des Reiches. Wenn Maximilian hier nun den ersten Wechsel einer überaus erfolgreichen Heiratspolitik einzulösen bereit war, hatte er immer wieder daran gedacht, den älteren Habsburger durch eine politische Juniorposition in Gestalt seines Bruders Ferdinand abzustützen. Nach dem Tode Maximilians entbrannte eine heftige Auseinandersetzung um die Wahl, denn König Franz I. von Frankreich suchte die drohende habsburgische Umklammerung durch eine eigene Kandidatur zu durchkreuzen. Die dritte Lösung, die Wahl eines erfahrenen Reichsfürsten, des Sachsen Friedrich des Weisen, vom Papst gewünscht, hatte dabei keine Chance.
Karl V. setzte sich durch, gestützt auf das noch funktionierende politische System Maximilians – das Kapital des Augsburger Handelshauses Fugger und die Reiter Sickingens standen ihm zu Diensten. Nun aber war die Situation eingetreten, daß der neue Herrscher seinen Schwerpunkt deutlich außerhalb des Reiches hatte. Das mußte eine so sehr im Bannkreis der königlichen Macht gelegene Landschaft wie Schwaben auf das ernsteste tangieren. Schon der Tod Maximilians hatte Krisenerscheinungen ausgelöst – so holte Herzog Ulrich von Württemberg zur Unterwerfung der Reichsstadt Reutlingen aus, welche für ihn ein Dorn im Fleische des württembergischen Territoriums war. Noch aber funktionierte der Schwäbische Bund; unter dem Kommando Herzog Wilhelms IV. von Bayern zogen die Bundestruppen gegen Württemberg und vertrieben Ulrich, froh, den unruhigen Herzog los zu werden. Der Bund überließ die Beute, das Land Württemberg, dem Kaiser, aber Karl V. gab sie 1522 an seinen Bruder Ferdinand weiter, der schon mit den oberdeutschen Landen des

Erzhauses bedacht worden war – später kam das Elsaß hinzu. Die Vereinbarung wurde zunächst geheimgehalten
Sehr schnell zeigte sich, daß der jüngere Enkel Maximilians kein vollgültiger Ersatz für den abwesenden Kaiser war. Der politisch zunächst sehr unerfahrene Ferdinand vermochte diese Rolle noch nicht zu spielen; die bayerische Politik gewann dagegen erheblich an Boden, sogar im Schwäbischen Bund. Württemberg, auf den ersten Blick eine geradezu ideale Arrondierung des habsburgischen Besitzes, blieb instabil und eher eine Belastung. Die Ferne des Kaisers wirkte sich hier besonders gravierend aus, da die sich rasch ausbreitende reformatorische Bewegung ihre Wirkungen zeigte; sie drang auch nach Südwesten vor und wirkte katalysatorisch auf Stadtunruhen, Ritterkrise und Bauernkrieg. Doch sei zunächst der Blick auf die kirchliche Entwicklung gerichtet.

Die südwestdeutsche Kirche vor der Reformation

Der gesamte deutsche Südwesten gehörte zum Metropolitanbereich der Erzdiözese Mainz. „Am größten war das Bistum Konstanz, das von der Iller bis zum Rhein im Westen reichte und nördlich von Stuttgart endete. Lediglich die Ortenau gehörte zum Bistum Straßburg. Im Nordwesten schloß sich das Bistum Speyer an, das seinerseits durch den im Neckartal bis nach Wimpfen reichenden Teil des Bistums Worms begrenzt wurde. Das Taubertal bis Tauberbischofsheim gehörte zum Erzbistum Mainz. Das nördliche Württemberg und Franken waren Teile der Diözese Würzburg. Für das östliche Württemberg, das obere Remstal, das Brenztal und das Ries war der Augsburger Bischof zuständig." (Brecht/Ehmer). Die Bischöfe des Südwestens waren im Durchschnitt keine schlechten geistlichen Fürsten, manche haben sogar eine bedeutende Rolle gespielt. Dies galt auch für den Kardinal Albrecht von Mainz, der zwar auch ein glänzender Renaissancefürst und Förderer der Humanisten war, aber durchaus auch Sinn für kirchliche Anliegen hatte. Auch in den Domkapiteln fehlte es nicht an Frömmigkeit und gelehrten Neigungen. Aber gerade gegen ihren adeligen Charakter richtete sich die Kirchenkritik, ebenso wie gegen den stark verweltlichten und verrechtlichten Charakter der Kirche – sie geriet immer mehr unter den Druck der weltlichen Obrigkeiten, die ihrerseits Reformationsrechte gegenüber ihren Landeskirchen beanspruchten, nicht zuletzt die Grafen und Herzöge von Württemberg. Vor allem das Patronat wurde von den Landesherren ausgenützt; andererseits wurden vielfach, besonders vom päpstlichen Hof, Pfründen an Nutznießer vergeben, die ihrerseits schlecht bezahlte und noch schlechter gebildete Vikare einsetzten, sehr zum Ärgernis der Gläubigen. Daß sich der Papst hieran beteiligte und seine kirchliche Stellung für eine rigide Finanzpolitik ausnützte, schädigte seine Autorität. Hinzu kam der Ärger über die Sonderstellung der Geistlichkeit, über die weltliche Herrschaft der Kirche, die laxe Handhabung der kirchlichen Disziplin.
Der Klerus spielte im Leben der Städte und Dörfer eine beträchtliche Rolle. Es war schon Ausdruck eines veränderten Frömmigkeitsbedürfnisses, daß vielfach Bürger Predigerpfründen stifteten – bereits 1415 in Riedlingen. Freilich stand das unelastische System der Pfründen einer besseren Bezahlung der Pfarrer im Wege, so daß zuweilen Geistliche andere Aufgaben wahrnehmen mußten. Die Bildung war vielfach noch nicht universitär – aber man forcierte sie zunehmend, vornehmlich bei den Prädikanten. Die schärfste Kritik rief das Verhalten der Geistlichen gegenüber dem Zölibat hervor, aber auch weltliche Gewalthändel kamen vor, wenn auch die quantitative Zahl der Mißbräuche nicht der allgemeinen Mißstimmung entsprach.
Der Reichtum Südwestdeutschlands an Klöstern war ganz beachtlich – bekanntlich betrug ihr Areal sogar ein Drittel des württembergischen Territoriums. Neben den bedeutenden Prälaten standen die Niederlassungen der Bettelorden, der Franziskaner, Dominikaner, Augustiner-Eremiten. Die Klöster waren wichtige wirtschaftliche und politische Faktoren, aber sie gerieten öfter in Konflikt mit dem Weltklerus. Die Entscheidung für eine Reform lag im 15. Jahrhundert in der Luft; auch die weltlichen Obrigkeiten förderten sie nach Kräften – sie, besonders die Grafen von Württemberg, haben damit aber auch eine Intensivierung ihrer Kirchenherrschaft verbunden. Die städtischen Magistrate standen den Landesherren nur wenig nach. Die Reformbestrebungen in den Klöstern zielten auf Verwissenschaftlichung und auf eine stärkere Spiritualität – Hand in Hand damit ging eine Verbürgerlichung, die Verdrängung des Adels, der auch im Kloster oder Stift gern an seinem gewohnten Lebensstil festhalten wollte. Den umgekehrten Weg gingen die Klöster Ellwangen und Comburg, die sich in weltliche Chorherrenstifte verwandelten. Es waren ganz unterschiedliche Situationen, die

sich in den süddeutschen und elsässischen Klöstern zeigten. Neben manchen zweifellos verrotteten Konventen stand eine ganze Reihe reformierter Stifte, eine nicht unbeachtliche Zahl hervorragender Ordenskleriker. Der Einbruch der Reformation läßt sich aus dem Niedergang der Klöster allein nicht erklären.
Auch blieb die Bereitschaft zu Stiftungen, wie der Reichtum süddeutscher Kirchen auch heute noch zeigt – die Intensität spätgotischer Frömmigkeit war noch lange stark; sie drückte sich in Pfründen-, Kapellen- und Altarstiftungen aus; vielerorts läßt sich eine lebendige altkirchliche Frömmigkeit feststellen, Ausdruck verwurzelter Religiosität. Es ist schwer, die Einfallstraßen der Reformation auszumachen. Offenkundig aber spielte ein verändertes Frömmigkeitsbedürfnis eine bedeutende Rolle, das dem Wandel kirchlicher Anschauung Rechnung trug. Bernd Moeller hat beobachtet, daß sich ein Nachlassen traditioneller Frömmigkeit überall im Vorfeld der Reformation feststellen ließ. Die Dynamik der reformatorischen Predigt brach sich sehr schnell Bahn, aber nur ein verändertes Frömmigkeitsbedürfnis konnte der radikalen Kirchenkritik, den alten Angriffen auf Papsttum und Adelskirche jetzt zum Erfolg verhelfen.

Das Vordringen der Reformation

Der Anstoß zur Reformation kam nicht aus Südwestdeutschland. Martin Luther hatte im kursächsischen Landesstaat gewirkt, war hervorgegangen aus einem reformierten Zweig des Augustiner-Eremiten-Ordens. Der schnelle Durchbruch seiner Lehre ist hier nicht zu betrachten. Bei einem Kapitel der Augustiner-Provinz, das Luthers Mentor, der Ordens-Provinzial Johannes von Staupitz einberufen hatte, trat Luther bereits im April 1518 in Heidelberg – auch vor Professoren und Studenten der Universität – auf und verkündete seine Rechtfertigungslehre. Mehrere nachmals führende Reformatoren Südwestdeutschlands schlossen sich damals Luther an, ohne gleich sein Anliegen voll zu begreifen: Martin Butzer, Johannes Brenz, Theobald Gerlacher (Billicanus) und Martin Frecht. Die lutherische Bewegung sollte bald weitergreifen; aus Tübingen ging 1518 der Humanist Philipp Melanchthon nach Wittenberg, um dort zum unentbehrlichen Partner des Reformators zu werden. Theologen wie Johann Oekolampad und Urban Rhegius folgten Luther ebenfalls. Süddeutsche Studenten kamen nach Wittenberg und lernten dort die Reformation kennen, allen voran die Brüder Blarer aus Konstanzer Patriziergeschlecht.
Mehr noch als persönliche Kontakte haben die Flugschriften die Reformation in Südwestdeutschland gefördert. Die Ideen Martin Luthers fanden eine starke Aufnahmebereitschaft – sie wanderten mit den Studenten, den Buchführern, den Handelsleuten zu Adel und Klerikern, zu Bürgern und Bauern; der frühe Luther hatte Attraktivität für viele, der Ablauf des reformatorischen Geschehens verschaffte ihm eine breite Öffentlichkeit – zuletzt vor allem das Auftreten des Reformators auf dem Wormser Reichstag von 1521. Aber damit verband sich zugleich das Wormser Edikt, die Formel der Reichsacht gegen den Ketzer Luther. Die habsburgischen und die geistlichen Obrigkeiten Südwestdeutschlands folgten dem Edikt sehr schnell, die Reichsstädte eher zögernd. Die Kräfte der alten Kirche zeigten durchaus Widerstände, vor allem die reformierten Klöster – teils waren es auch Männer, die anfänglich von Luther begeistert waren, die sich ihm dann widersetzten, weil sie Teile seiner Forderungen, vor allem die Radikalität seiner Abgrenzung von Papst und alter Kirche, von traditioneller Theologie und auch vom Humanismus, für zu hart befanden: Männer, wie Erasmus von Rotterdam, wie der Konstanzer Theologe Johann Fabri. Sie waren nicht der geringste Teil jener Front, die sich gegen Luther formierte. Für Luther aber stellte sich das Problem einer dauernden Abgrenzung, einer Dogmatisierung, einer Verkirchlichung.
Zunächst aber blieben die spontanen Kräfte der Reformation stark. Daran änderte auch nichts, daß sich die führenden Landesherren Süddeutschlands frühzeitig für die alte Kirche entschieden – das lag beim Hause Österreich sehr nahe. Die Reformation Martin Luthers war in hohem Maße eine deutsche Bewegung. Karls V. Tradition und Selbstverständnis, aber auch Pläne und Schwerpunkte seiner Unternehmungen lagen in den Niederlanden wie im mediterranen Raum – die Distanz zu Luthers Anliegen war zeitlebens unüberbrückbar. Schon von da war für Martin Luthers Predigt eine geringe Hoffnung auf Verständnis beim Kaiser – dies galt auch für dessen Bruder Ferdinand. Nicht nur die Rücksicht auf Karl, sondern auch eigene Überzeugung haben Ferdinand zum Gegner der Reformation gemacht. Er sah, in seiner Herrschaft noch wenig gefestigt, in der Reformation eine Quelle des Aufruhrs. Dies galt auch für die bayrischen Herzöge, die 1522 ihre historische Entscheidung für die alte Kirche getroffen

hatten. Sicher gab es in den Bistümern und Domkapiteln, in den Stiften und Klöstern, im Regular- und im Säkularklerus viele entschiedene und wichtige Anhänger der alten Kirche, aber der frühzeitig formierte habsburgisch-wittelsbachische Sperriegel hat doch ihre Abwehrkräfte entschieden verstärkt.

Erste Erfolge der Reformation

Dennoch hat die Reformation bereits in ihrer Frühphase weite Teile des deutschen Südwestens erfaßt. Es waren vor allem die Reichsstädte, die sie zunächst erreichte und in denen sie auch bedeutende Vorkämpfer fand. So verband sich die Reformation in Konstanz mit den Brüdern Thomas und Ambrosius Blarer, in Reutlingen mit Matthäus Alber, in Schwäbisch Hall mit Johannes Brenz, in Memmingen mit Christoph Schappeler, in Nördlingen mit Theobald Gerlacher genannt Billicanus, in Ulm mit Martin Frecht. In allen diesen Städten war die Situation am Anfang geprägt von spontanen Bewegungen, oft von diffusen Auseinandersetzungen und von unentschiedenen Kräfteverhältnissen. Es zeigte sich aber bald eine starke Affinität zum Anliegen der Reformatoren.
Ferner brach sich frühzeitig die Reformation Bahn in den Markgrafschaften Brandenburg-Ansbach und Brandenburg-Kulmbach. Ansätze gab es auch in der Grafschaft Wertheim, mit erstaunlicher Energie engagierten sich einige Kraichgauer und Odenwälder Ritter, vor allem Dietrich von Gemmingen und Hans Landschad von Steinach. Zu einem evangelischen Kirchenwesen, wie es als einer der ersten Franz von Sickingen in seinen Pfälzer Herrschaften organisierte, ist es freilich hier noch nicht gekommen. Die Kurpfalz und mit ihr die Stifte Speyer und Worms und auch die Markgrafschaft Baden blieben zunächst auf eine zurückhaltende Art altgläubig und gaben damit den vorwärtsdrängenden Kräften der Reformation manchen Freiraum. Der badische Kanzler Hieronymus Vehus spielte in der frühen Reformationsgeschichte eine vermittelnde Rolle, ohne sich von der alten Kirche abzuwenden. Markgraf Philipp I. zeigte sich sogar zeitweilig der Reformation geneigt. Dagegen waren die österreichischen Abwehrmaßnahmen gegen die Reformation von Anfang an entschieden und hart – energisch ging man gegen sie vor, weil man als Folge Aufruhr fürchtete. Den Habsburgern folgten ihre wichtigsten süddeutschen Parteigänger, vor allen anderen die Bischöfe von Augsburg, Konstanz und der Fürstabt von Kempten. In Vorderösterreich, auch im von Österreich beherrschten Württemberg und in den Territorien der mit Österreich verbundenen kleinen Herrschaften wirkte gleichwohl die Predigt Martin Luthers. Der Laienprediger Johann Maurer, genannt Karsthans, trat in Horb auf. Dort, in Rottenburg, Rheinfelden, Waldshut kam es zu evangelischen Tendenzen. Der radikale Prediger Balthasar Hubmaier, einst treibende Kraft der Wallfahrt zur Schönen Maria in Regensburg und des damit verbundenen Judenpogroms, nachmals einer der Wortführer der Täufer, hatte in Waldshut bereits Kontakte mit den Schweizer Reformatoren. Zu Bewegungen kam es auch in Riedlingen und Munderkingen, die damals den Truchsessen von Waldburg verpfändet waren.
Bevor sich jedoch die habsburgischen Gegenkräfte sammelten, verbanden sich gerade in Südwestdeutschland die Anliegen der Reformation mit den elementaren sozialen Bewegungen. Dies zeigte sich vor allem in den Städten. Hier faßten sie zuerst Fuß – der städtische Charakter der Reformation ist gerade in den letzten Jahren zunehmend ins Blickfeld gekommen. Aber nicht nur für die Städte, sondern auch für adelige Verbände und für die bäuerliche Bevölkerung lieferte die Reformation den Rahmen für starke Umbrüche. Sie hingen alle mehr oder minder zusammen mit der Konsolidierung der Landesstaaten und ihrer Herrschaftsverdichtung. Die gelehrten Räte der Fürsten drängten den Adel zurück und relativierten seine Bedeutung; die Finanzbeamten waren Wegbereiter einer neuen finanziellen Erfassung der Untertanen. Allenthalben drang die Landesherrschaft vor, auch gegen die kleineren reichsunmittelbaren Gewalten sowie gegen die Ritterschaft und die Reichsstädte.

Stadt und Reformation

In den letzten Jahren ist immer deutlicher geworden, daß der Landesstaat gerade im territorial zersplitterten deutschen Südwesten auf gemeindliche Positionen stieß. Offenbar wurden den Gemeinden ihre Freiräume bewußt; sie sträubten sich nicht selten gegen den Zugriff der Landesfürsten; es war ein komplexer, vielfach verästelter Prozeß, der hier im einzelnen nicht nachgezeichnet werden kann. Aber auch kleine Herren haben ihren Druck auf die Untertanen verstärkt, Grafen und Ritter, nicht zuletzt die Prälaten.

In den Städten, ob reichsfrei oder landsässig, herrschte ein relatives Gleichgewicht zwischen Rat und Bügergemeinde; die städtische Oberschicht, ihr sozialer Charakter, war je nach Größe der Stadt unterschiedlich und tendierte stets dazu, sich oligarchisch auszuformen; die familiären Beziehungsgeflechte waren die wichtigste Bindung der damaligen Gesellschaft. Die Familien der Stadt kontrollierten die Ämter; durch ihre „Abkömmlichkeit" waren sie in der Lage, die Stadt nach außen zu vertreten. Die Oberschichten konnten sich aus kaufmännischen Familien zusammensetzen, ja sogar adeligen Charakter tragen, wie in Straßburg oder Ulm, sie konnten aber auch aus den Zünften zusammengesetzt sein, wobei freilich oft hinter der zünftischen Maske wiederum die Handelsleute standen, auch Handelszünfte mit an der Regierung waren. Natürlich war es auch ein Unterschied, ob es sich um die Oberschicht von wichtigen Zentren wie Augsburg, Ulm, Konstanz oder Straßburg handelte oder von Städten mit eher agrarischem Charakter wie Bopfingen oder Buchau.

In den Städten aber herrschte stets ein instabiles Gleichgewicht; das Spätmittelalter hatte eine Fülle von blutigen Zunftrevolten gesehen, noch 1513 hatten einige Reichsstädte stürmische Bewegungen erfahren. So waren die führenden „Familien" in ihrem Handeln niemals völlig frei – sie hatten durchaus Rücksicht zu nehmen auf die Strömungen der Gemeinde, die sich kräftig artikulieren konnten. So war es oft ein Gebot der Stunde, sich an die Spitze einer Bewegung zu setzen, um von ihr nicht verschlungen zu werden, sondern sie zu kanalisieren. Andererseits hatten die städtischen Räte Rückhalt an den Landesherren bzw. bei den Reichsstädten am Reichsoberhaupt; diese legitimierten die Position der Magistrate, hatten den Respekt der Bürger und konnten regulierend in das städtische Gefüge eingreifen – ein naher Landesherr war naturgemäß schneller als der ferne Kaiser. Die städtischen Räte standen gleichsam zwischen kaiserlichem oder fürstlichem Stadtherrn und der Gemeinde – sie waren so ein mäßigendes und regulierendes Element in der Stadtverfassung gegenüber den in der Regel radikaleren Tendenzen der Gemeinde. Diese haben zuweilen das scheinbare Schweizer Vorbild beschworen. Der Kaiser bedeutete aber auch für die Reichsstädte den notwendigen Schutz gegenüber dem drohenden Druck der angrenzenden Landesfürsten. Insgesamt waren die Städte Gebilde voller Widersprüche und Konflikte – ausgedrückt auch im Spannungsfeld zwischen dem sich obrigkeitlich gebärdenden Rat und der republikanischen Stadtsymbolik.

So traf die Reformation hier auf ein komplexes Gefüge. Es war zuerst meist die Gemeinde, die sich der spontanen Bewegung annahm; sie begrüßte die Stoßrichtung gegen die verhaßte Sonderstellung der Kleriker, gegen veraltete Bräuche; neben der Begeisterung für das zündende Schlagwort des reinen Schriftprinzips war es auch der Appell an die Gemeinde in der evangelischen Predigt, der die Bürger begeisterte; in vielen Städten richteten sich ihre Forderungen an einen zögernden Rat. Es war die Rücksicht auf das Reichsoberhaupt, das sich so offensichtlich zu der alten Kirche hielt, welche die Stadtpolitiker zögern ließ. Aber vielerorts sollte sich schließlich die Reformation doch durchsetzen, nahmen die Räte die Bewegungen in die Hand, steuerten und regulierten sie. Dabei ist festzuhalten, daß sie stets Rücksicht auf den Kaiser zu nehmen trachteten, auch wenn sie den Schritt zur Reformation wagten. Die städtische Welt blieb insgesamt stabil, selbst als einzelne Städte in die große Bewegung des Bauernkriegs hineingezogen wurden.

Die Adelskrise von 1523

Auch wenn sich der niedere Adel ebenfalls gegen den Zugriff des Fürstenstaates wandte, handelte es sich bei der Adelskrise von 1523 nicht um eine soziale Revolte, nicht einmal um eine Ritterverschwörung. Der niedere Adel erkannte, wie sehr die Landfriedensordnung nach 1495 den Landesstaat begünstigte – er betrachtete die Fehde als legitimes Instrument adeligen Rechtsfindens, wandte sie aber reichlich zu Gewinn- und Machtstreben an, wie die Namen Götz von Berlichingen und Franz von Sickingen bezeugen. Sickingen, seit 1520 eng mit dem Humanisten und Flugschriftenschreiber Ulrich von Hutten, aus fuldischem Adel, verbunden, hatte sich frühzeitig der Reformation geöffnet und sogar in seinen Herrschaften ein evangelisches Kirchenwesen eingerichtet. 1522 trat er an die Spitze der Landauer Einung von mehreren hundert Adeligen, aber im Kampf gegen Kurtrier und seine Verbündeten starb das Idol des niederen Adels 1523 fast einsam auf seiner Burg Landstuhl; der gleichzeitige Kriegszug des Schwäbischen Bundes brach die Raubnester des fehdelustigen fränkischen Adels mit dem rosenbergischen Boxberg an der Spitze. Auch wenn es keine allgemeine Adelsbewegung war, war doch das Resultat wichtig – der ritterschaftlichen Auflehnung gegen die landesstaatliche Ordnung war ein Ende gesetzt, der Adel mußte sich unterwerfen oder sich quasi-territorial organisieren. Dabei erhielt die Rolle des schwäbischen Adels, der sich in den Schwäbischen Bund und seine Organisation eingefügt hatte, geradezu modellhafte Züge.

Der Bauernkrieg

Die Auseinandersetzungen um den niederen Adel vollzogen sich schon im Zeichen schwerer sozialer Konflikte in Stadt und Land. Vor allem im agrarischen Bereich waren die Krisenzeichen unverkennbar: 1476 die gesellschaftsumstürzenden Forderungen in den Predigten des Pfeifers Hans Böhm im fränkischen Niklashausen, 1493, 1502, 1513 und 1517 entlang dem Oberrhein jene verschwörerischen Bewegungen, die nach dem bäuerlichen „Bundschuh“ genannt wurden, 1514 die Revolte des Armen Konrad im württembergischen Remstal. Es gärte unter den Bauern gegen den zunehmenden Druck der Herrschaften, der aus dem säkularen Verdichtungsprozeß resultierte. Die reformatorische Predigt, ihre Kritik an den geistlichen Herrschaften verband sich mit den älteren Forderungen der Bauern; neben das „alte Recht“ trat nun auch das aus der Bibel abgeleitete „göttliche Recht“. Franz Irsigler hat gezeigt, daß es vor allem die spezialisierteren Bauern waren, die sich erhoben, die Winzer, die Anbauer von Spezialgewächsen.
Die Bewegung begann unter den Bauern des Klosters St. Blasien im Südschwarzwald am 24. Mai 1524; sie griff auf die Landgrafschaft Stühlingen über – bald verband sich die bäuerliche Bewegung mit der evangelischen in Waldshut. Rasch stand der ganze Südschwarzwald in Aufruhr. Anfang 1525 breitete sich die Revolte weiter aus. Das Stift Kempten war ein traditionelles Krisengebiet – im Februar 1525 erhoben sich die Bauern und verbanden sich als „Landschaft“; die Bewegung griff ins Unterallgäu über und formierte sich als „Seehaufen“. Schon vorher hatten sich die Bauern im Raume südlich von Ulm erhoben und bildeten den „Baltringer Haufen“. Als der Schwäbische Bund zu vermitteln suchte, sammelten die Haufen die bäuerlichen Beschwerden; in Memmingen erwuchs aus ihnen die zündende Schrift des Bauernkriegs, die „12 Artikel“. Biblisch fundiert und scheinbar maßvoll, waren ihre Forderungen doch geeignet, die ständische Ordnung aus den Angeln zu heben. Unverkennbar war die Einwirkung der Reformation, nun zunehmend in ihrer Schweizer Ausprägung. Während sich das Programm der 12 Artikel durchsetzte, bildeten sich im Umkreis weitere Haufen.
Gleichzeitig vereinigten sich die Bauern im Schwarzwald zur „Christlichen Vereinigung“. Bald stand der ganze Oberrhein im Aufruhr. Auch im Elsaß kam es zu Erhebungen. Zugleich geriet Ende März auch Franken in Bewegung. Hier bildeten sich zunächst der Neckartaler und der Odenwälder Haufe; sie zwangen die weltlichen Herren zum Anschluß – freilich hat bald die Ermordung des Grafen von Helfenstein, des Verteidigers von Weinsberg, durch radikale Wortführer der Sache der Bauern schwer geschadet. Dennoch gab es in Franken die stärksten Impulse, den niederen Adel zu gewinnen, die sich in der Hauptmannschaft des Götz von Berlichingen und im Heilbronner Reformprogramm des Friedrich Weigand niederschlugen. Weitere Bewegungen sahen Rothenburg, das Deutsch-Ordens-Gebiet um Mergentheim, Schwäbisch Gmünd, Schwäbisch Hall, das Stift Ellwangen und das Ries. Die fränkische Bewegung trug zuletzt recht radikale Züge.
Der württembergische Bauernkrieg erhielt sein besonderes Element durch die fortwirkenden Bestrebungen des exilierten Herzogs Ulrich, der die Krise zur Rückgewinnung seiner Lande zu nutzen trachtete. Auch wenn es schließlich zu keiner unmittelbaren Verbindung mit den Bauern kam, stand der exilierte Herzog im Hintergrund der Unruhen; demgegenüber setzte der maßvolle und altgläubige Großbottwarer Wirt Matern Feuerbach auf Österreich – er suchte die Bewegung zu organisieren, und sie verstand sich als Landschaft. Auch in der Kurpfalz, im Bistum Speyer und in der Markgrafschaft Baden kam es zu Unruhen.
Die bäuerliche Bewegung hatte innerhalb der ständischen Gesellschaft von Anfang an wohl keine Chance, obgleich sie beachtliche Anfangserfolge errang und manche Obrigkeiten, darunter den Erzherzog Ferdinand, sichtlich überrumpelte. In Franken rannten sich die Bauern an der würzburgischen Feste Marienberg über Würzburg fest, in Schwaben konnte der schwäbische Bundesfeldherr Georg Truchseß von Waldburg die Bauern aufspalten, den Seehaufen im Weingartener Vertrag binden und dann nach und

nach die einzelnen Bauernhaufen einzeln besiegen. Dies besorgte in Franken Markgraf Kasimir, in der Pfalz der Kurfürst selbst, im Elsaß Herzog Anton von Lothringen. Allenthalben folgten blutige Strafgerichte, aber es gab auch, vor allem durch den weitsichtigen Truchsessen Georg von Waldburg, Maßnahmen nicht zur Veränderung der feudalen Gesellschaft, wohl aber zu künftiger Konfliktregulierung, die dann doch den Bauern zugute kam; der Weg wurde beschritten zu einer stark rechtlichen Regelung der Auseinandersetzungen. Die Reformation freilich war erheblich beeinträchtigt – Luther hatte wie andere evangelische Prediger die bäuerlichen Forderungen in ihrer Legitimität bestritten und schließlich sogar mit grellen Tönen radikal gegen sie Stellung genommen. Die Stabilisierung der überkommenen Gewalten in Südwestdeutschland aber bedeutete doch eine Erholung der alten Kirche. Schwer getroffen war die gemeindliche Autonomie, welche die bäuerliche Bewegung so sehr auf ihre Fahnen geschrieben hatte. Der Sieg der feudalen Gewalten bedeutete insgesamt eine Verfestigung der überkommenen Herrschaftsstrukturen und auch den endgültigen Sieg der Magistrate auf dem Weg zur Obrigkeit in den Städten. Andererseits war bedeutsam, daß nicht der Erzherzog Ferdinand, sondern der Schwäbische Bund die treibende Kraft zur Besiegung der Bauern gewesen war – und der Bund stand nicht mehr unter habsburgischer Kontrolle. Der bayerische Rat Leonhard von Eck, einer der bedeutendsten Staatsmänner der Reformationszeit, darf als die entscheidende Figur der Bundespolitik angesehen werden, als der Organisator des Sieges über die Bauern.

Täufer, Schwenckfeldianer und Schweizer Reformation

Aber nicht nur die Bauern dachten die Forderungen der Reformation radikal weiter – die Täufer wollten nur eine Kirche der Gläubigen und stellten daher die Kindertaufe entschieden in Frage; so sonderten sie sich von der Gesellschaft ab. In Waldshut war es unter Balthasar Hubmaier bereits zu einer frühen Täufergemeinde gekommen; Hubmaier, der sich vor der österreichischen Obrigkeit nach Südmähren hatte retten können, wurde schließlich doch 1528 in Wien verbrannt. Nun wurde Straßburg, wo die Reformation den Täufern gegenüber milder war, ein Zentrum – geprägt durch den Kürschnermeister Melchior Hoffmann, der schließlich um 1543 im Gefängnis starb. Von Straßburg erfaßte die täuferische Bewegung Horb, Rottenburg, Esslingen, Heilbronn, Schwäbisch Gmünd und mehrere württembergische Landesstädte. Vielerorts floß täuferisches Märtyrerblut; darin standen die evangelischen Obrigkeiten den katholischen kaum nach; nur wenige Reformatoren, neben den Straßburgern vor allem der Württemberger Johannes Brenz, waren hier maßvoller. In Mähren schien sich den Täufern eine Zuflucht zu bieten, aber die Verfolgung ging weiter – auch wenn bis zum Ende des Jahrhunderts ihr blutiger Charakter ein wenig nachließ.

Einer anderen Bewegung, den Schwenckfeldianern, boten schwäbische Adelige wie die Thumb von Neuburg und die Freyberg einen Rückhalt. Der schlesische Adelige Kaspar von Schwenckfeld verkündigte ein Christentum der Verinnerlichung und hatte, ursprünglich von Luther kommend, gerade beim Adelsstand darin beträchtlichen Beifall. Zunächst als Anhänger der Reformation angesehen, geriet er bald mit ihren Vertretern in Konflikt – 1539 verdrängte ihn die Geistlichkeit aus Ulm. Er fand Zuflucht bei den Herren von Freyberg, deren Herrschaft Justingen ein Zentrum der Schwenckfeldianer wurde, bis diese dort im Dreißigjährigen Krieg ausgerottet wurden.

Weit wichtiger freilich wurde die Schweizer Entwicklung. Auf Huldrych Zwingli in Zürich hatten humanistischer Geist und wohl auch das Wirken des Erasmus stärker gewirkt als auf Luther. So kam es zu einer radikalen Vereinfachung des Gottesdienstes und zu einer stark symbolhaften Ausformung der Abendmahlslehre. Auch setzten sich die Vorstellungen einer Gemeindekirche, den städtischen Verfassungsstrukturen entsprechend, bei dem Hauptprediger des Züricher Großmünsters stärker durch als bei Martin Luther, der schließlich zum Vorkämpfer der sächsischen Landeskirche wurde. Seit 1524 wirkten Zwinglis Lehren im Südwesten. Peter Blickle hat betont, daß sie in Oberschwaben offenkundig vor jenen Luthers dominierten. Während die Schweizer Reformation mit Johannes Oekolampad in Basel und mit Zwingli an der Spitze über die Straßburger Theologen unter Martin Butzer auf einen Großteil der südwestdeutschen Reichsstädte einwirkte, formierte sich gegen sie eine Gruppe von schwäbischen Theologen, unter ihnen Johannes Brenz, Johann Lachmann und Dietrich Schnepf, mit dem *Syngramma Suevicum* (Schwäbische Schrift) – Zwingli sprach von „14 Bischöfen". Die Straßburger unter Martin Butzer suchten eine vermittelnde Position einzunehmen, aber sie bewegten sich zunehmend auf die Schweizer zu; diese gewannen Einfluß auf

Konstanz (Ambrosius und Thomas Blarer), Ulm, Augsburg, Lindau, Isny, Memmingen, Kempten und Esslingen. Die Stadtreformation Schweizer Observanz begann gegen das Luthertum vorzudringen. Der Hauptschwerpunkt der Auseinandersetzungen lag in den südwestdeutschen Reichsstädten, unter denen vor allem Reutlingen und Schwäbisch Hall sich sperrten. Es kam in der Folge zu Ansätzen einer eigenen „oberdeutschen Reformation“, einer Brücke zur Schweiz, deren theologischer Gehalt noch einer differenzierten Untersuchung bedarf. Sie erreichte gegen Ende der 1520er Jahre ihren Höhepunkt; Zwingli war ein durchaus politischer Kopf, der sich nicht scheute, auch in die weltlichen Bereiche einzugreifen.

Kaiser, Reich und Reformation 1526–1530.

Indessen veränderte sich die politische Szene grundlegend. Nach 1525 wirkte die Bauernkriegsfurcht noch lange nach; der Schwäbische Bund ließ fortan seine „streifenden Rotten“ über das Land ziehen, um aufständische Regungen unter Kontrolle zu bringen. Der exilierte, im Lande jedoch hochpopuläre Herzog Ulrich von Württemberg, bildete weiterhin einen Faktor der Unruhe. Für das Reich blieb die Frage, wie das Wormser Edikt gegen Luther befolgt werden sollte. Zunächst suchte das Reichsregiment mit Erzherzog Ferdinand als königlichem Statthalter am Prinzip der Katholizität festzuhalten; aber 1526 mußte Ferdinand auf dem Speyerer Reichstag zugestehen, daß sich eine jede Obrigkeit in der Konfessionsfrage nach ihrem Gewissen verhalten konnte. Der Druck des Schwäbischen Bundes zugunsten der alten Kirche stieß immer mehr ins Leere, obgleich die Städte nach wie vor Rücksicht auf den Kaiser nehmen mußten. Als 1529 Erzherzog Ferdinand im Einvernehmen mit dem kaiserlichen Bruder Karl V. und der altgläubigen Mehrheit auf dem Reichstag das Steuer erneut herumwarf und das Wormser Edikt wieder einschärfte, protestierten neben fünf Fürsten, darunter auch Brandenburg-Ansbach, 14 meist südwestdeutsche Reichsstädte, nämlich Straßburg, Nürnberg, Ulm, Konstanz, Lindau, Memmingen, Kempten, Biberach, Nördlingen, Heilbronn, Isny, St. Gallen, Weißenburg und Windsheim; seither bezeichnete man sie als „Protestanten“. Dagegen hielten sich Augsburg, Wimpfen, Rothenburg, Reutlingen, Schwäbisch Hall, Worms, Schweinfurt, Dinkelsbühl, Aalen und Bopfingen unter dem deutlichen Druck der Habsburger zurück.

Die Städte waren in der Tat immer noch Einsprengsel in einem durchweg altgläubigen Territorialblock; viele von ihnen hatten jedoch die Situation nach dem ersten Speyerer Reichstag 1526 genützt – wobei es niemals an taktischen Schwankungen und Rücksichtnahmen auf die Habsburger fehlte. In einzelnen Städten freilich entschied sich der Rat auch deutlich für die alte Kirche. Rottweil, dessen Bindungen an die Eidgenossenschaft formal bestehen blieben, lehnte sich immer stärker an das Haus Österreich an. In der Stadt gab es erbitterte konfessionelle Auseinandersetzungen – schließlich aber wies der Rat etwa hundert evangelische Familien aus, zerschlug damit diese Minderheit und sicherte den altkirchlichen Charakter der Stadt. Der Rückhalt am Kaiser, wohl auch die Furcht vor dem Verlust des Rottweiler Hofgerichts spielten hier eine Rolle. Auch Städte wie Überlingen, Wangen, Pfullendorf und Buchau verharrten bei der alten Kirche. In Ravensburg setzte sehr spät die Schwenkung zur Reformation ein. Damit aber stand dem gänzlich territorial bestimmten System der Reformation im Norden ein nahezu rein städtisches im Süden gegenüber, das überdies teilweise zur Schweizer Reformation tendierte.

Mit dem verschärften kaiserlichen Kurs auf dem speyerischen Reichstag von 1529 wuchs jedoch die Furcht vor einer katholischen Bedrohung. Der agile hessische Landgraf Philipp und der Straßburger Stettmeister Jakob Sturm, zwei kongeniale Politiker, haben den Versuch unternommen, unter diesen Voraussetzungen die beiden Systeme der Reformation politisch zusammenzubinden. Ihm standen aber die auseinanderstrebenden theologischen Kräfte gegenüber; ein Versuch Philipps von Hessen, Luther und Zwingli in seiner Residenz Marburg zum Ausgleich zu bringen, scheiterte noch im Jahr 1529. In Marburg standen die Straßburger Butzer und Hedio auf der Seite Zwinglis und Oekolampads, der Schwäbisch Haller Brenz und der Nürnberger Osiander auf der Seite Luthers und Melanchthons. Aber auch städtische Rücksichtnahmen auf die kaiserliche Obrigkeit hemmten die Bündnispläne des hessischen Landgrafen und des Straßburger Stettmeisters.

Während die Lutheraner aus Reserve gegen die „Sakramentierer“ im Süden, die Städte aber aus Rücksicht auf den Kaiser zögerten, kehrte Karl V. nach achtjähriger Abwesenheit 1530 zum Augsburger Reichstag ins Reich zurück. Seine Ferne war eine entschei-

dende Voraussetzung für die Ausbildung der Reformation in Süddeutschland gewesen. Der Kaiser aber hatte erkannt, daß trotz seiner politischen Schwerpunktsetzungen in West- und Südeuropa eine Lösung der Probleme im Reich Voraussetzung eines ungehinderten Operierens war. Er mußte aber einsehen, daß die Entwicklung weit fortgeschritten war. Der Ausgang der Augsburger Religionsverhandlungen, die der Kaiser einleitete, war klar. Als beide Seiten ihre Bekenntnisschriften vorgelegt hatten, entschied sich der Kaiser für die Position der alten Kirche. Es wurde aber wichtig, daß die Evangelischen mit der „Augsburger Konfession" ihr Bekenntnis präsentiert, es gleichsam vor Kaiser und Reich zu Protokoll gegeben haben. Aber nicht nur die Altgläubigen sollten ihre „Confutatio" dagegensetzen, sondern auch die Städte Straßburg, Konstanz, Memmingen und Lindau präsentierten die eigene oberdeutsche Auffassung in der „Tetrapolitana". Butzers Hoffnungen, mit dieser vermittelnden Schrift doch noch eine Brücke zwischen Luther und Zwingli zu schlagen, erfüllten sich nicht.
Es zeigt sich aber nicht nur die Spaltung der städtischen Reformation, sondern auch der Bekennermut der meisten Städte – zumal es Karl V. an Druck und Drohungen nicht fehlen ließ und die altgläubigen Kommunen Überlingen, Rottweil, Ravensburg und Kaufbeuren eindeutig bevorzugte. Auch gab es eine Reihe von südwestdeutschen Städten, die sich angesichts der gefährlichen Haltung des Kaisers zurückhielten, darunter Augsburg, Schwäbisch Hall, selbst Ulm. Aber Karl V. ließ seinem Auftritt keine Taten folgen; so bewirkte das Ereignis von Augsburg schließlich das Gegenteil seiner Pläne. Die evangelischen Städte beschleunigten ihre Reformationen und zugleich erhöhte sich angesichts der Gefahr ihre Bereitschaft zum konfessionellen Bündnis, wie es vom Landgrafen Philipp und vom Stettmeister Sturm betrieben wurde. So kam es bereits Ende Dezember 1530 zum Schmalkaldischen Bund, dem eine ganze Reihe schwäbischer Reichsstädte beitrat. Auch wenn der Lehrvergleich nur ein Programm blieb, bedeutete der Schmalkaldische Bund letztlich doch eine Weichenstellung für die sächsische und gegen die Schweizer Reformation.
Als überdies 1531 Zwingli im Kampf gegen die katholischen Orte der Eidgenossenschaft bei Kappel fiel, mußte Zürich seine ausgreifende Bündnispolitik aufgeben, die den Landgrafen so fasziniert hatte. Die theologische Wechselwirkung zwischen oberdeutscher und Schweizer Reformation hatte einen Augenblick die Grenzziehung von 1499 zu überschreiten begonnen. Aber die Opposition der altgläubigen Schweizer Kantone gegen die Bestrebungen Zwinglis paralysierte jegliches Ausgreifen der evangelischen Schweizer; so wenig wie das Reich war die Eidgenossenschaft in der Reformationsfrage einig, ein Faktor, der schließlich die Grenzlinie von 1499 befestigen half. Die Schweiz als Utopie hat gewiß eine erhebliche Rolle in den kirchlichen und sozialen Bewegungen gespielt, und die oberdeutsche Reformation hat lange nachgewirkt. Aber es war doch eine grundlegende Entscheidung, als die süddeutschen Städte unter dem Druck einer überstarken katholischen territorialen Umgebung sich nicht an die Schweiz, sondern an die evangelischen norddeutschen Reichsfürsten anschlossen.
Unter dem Druck des Schmalkaldischen Bundes und der Türkengefahr mußte der Kaiser 1532 den Nürnberger Anstand gewähren, der die Befestigung des evangelischen Kirchenwesens ermöglichte. In einzelnen Reichsstädten, wie Kempten, geschah dies noch einmal im Sinne Zwinglis.
Ein Epochenjahr der südwestdeutschen territorialen und konfessionellen Entwicklung sollte dann 1534 werden, in einer Zeit der erneuten Abwesenheit des Kaisers. Allerdings war 1531 die römische Königswahl Ferdinands I. gelungen, der damit endlich zum voll legitimierten Vertreter Karls wurde – aus dem relativ unerfahrenen jungen Herrn war nun ein Reichsfürst geworden, der zunehmend sein eigenes politisches Profil gewann. Allerdings hatten sich die Voraussetzungen seiner Position grundlegend geändert. Dies hing sowohl von der Reformation, wie von den Veränderungen im europäischen Südwesten ab.
1534 konnte der Schwäbische Bund nicht mehr verlängert werden; die Ferne des Kaisers, wittelsbachische Opposition, aber auch die divergierenden Interessen der evangelisch gewordenen Städte ließen den Bund nicht mehr lebensfähig erscheinen – die Städte waren in ein heilloses Dilemma zwischen Schwäbischem und Schmalkaldischem Bund geraten. So sehr sich die Habsburger bemühten – die Zeit des Schwäbischen Bundes war zu Ende. Zwar boten fortwirkende Probleme, wie die Abwicklung der Bundesfehde mit den Rittern von Rosenberg, noch lange Zeit Gelegenheit zu Tagungen eines Bundestorsos, aber Nachfolgeprojekte mißlangen oder waren wenig lebens-

fähig – demgegenüber bedeutete der Schmalkaldische Bund trotz auch hier schwelender Konflikte die stabilere Konstellation. Es war überdies deutlich, daß – wenn auch mit Schmerzen – die südwestdeutschen Städte im Begriff standen, aus der habsburgischen Klientel auszuscheren.

Aufstieg des Schmalkaldischen und Ende des Schwäbischen Bundes

Noch wichtiger war in seinen Auswirkungen der Griff Ferdinands nach den Königskronen von Ungarn und Böhmen, die 1526 nach der militärischen Katastrophe und dem Tod des Königs Ludwig II. von Ungarn vakant geworden waren. Die Folge der sofort geltend gemachten habsburgischen Erbansprüche waren nicht nur die unmittelbaren Konflikte mit den Türken, die diese bereits 1529 vor Wien führten, sondern auch die Ausdünnung der habsburgischen Präsenz in Südwestdeutschland, das Zurücktreten unmittelbarer Herrschaftspolitik und der Tendenz zur Verstärkung eines Satellitensystems, wie es im Schwäbischen Bund verkörpert gewesen war. Zugleich aber verlor Württemberg an Bedeutung für das Gesamtgefüge der habsburgischen Politik. Auf den ersten Blick hatte es eine vorzügliche Arrondierung der südwestdeutschen Position Österreichs bedeutet; Stuttgart war eine wichtige Zentrale der ferdinandeischen Reichspolitik. Aber Österreichs Herrschaft blieb labil. Die übrigen habsburgischen Lande wollten keine Verteidigungsgarantie gegenüber dem durch die Ansprüche Herzog Ulrichs gefährdeten Territorium Württemberg abgeben; dieses Problem hatte auch sprengend auf den Schwäbischen Bund gewirkt; viele Reichsfürsten, vor allem Bayern, mißbilligten die sich abzeichnende Entsetzung nicht nur des unruhigen Ulrich, sondern auch seiner ganzen unschuldigen Familie.
Nicht zuletzt war der gemeine Mann im Lande nicht bereit, sich mit der Herrschaft Österreichs abzufinden. Ferdinand hatte zwar nicht nur dem Land eine vorzügliche Verwaltungsorganisation gegeben, sondern auch auf kunstvolle Weise sein Herrschaftssystem auf den umliegenden Adel und auf die württembergische Ehrbarkeit abgestellt; wie auch in den habsburgischen Landen war den Ständen ein bedeutender Anteil an der Regierung eingeräumt worden. Es war ein geschickt arrangiertes Herrschaftssystem, aber gerade seine Bindung an die Ehrbarkeit schürte die Aversionen des einfachen Mannes, der ihm den vertriebenen Herzog Ulrich als Idol entgegensetzte. In den Berichten des österreichischen Statthalters in Stuttgart wurde immer wieder deutlich, wie schwer es ihm fallen würde, bei einem gewaltsamen Angriff das Land zu verteidigen. Die neue Orientierung der österreichischen Politik und die Bindung seiner Kräfte im Südosten aber ließen für das Problem Württembergs wenig Raum.

Rückkehr Herzog Ulrichs nach Württemberg

So gewann nach 1526 eine Rückführung Herzog Ulrichs eine beträchtliche Chance. Der Herzog hatte von 1519 bis 1526 im württembergischen Mömpelgard geweilt und dort 1524 die Reformation eingeführt, wobei er sich der Schweizer Richtung geöffnet hatte – 1526 ging Ulrich nach Hessen, weiterhin zäh seine Rückkehr betreibend. Die bayerische Politik begriff, daß die Stellung Habsburgs in Württemberg immer unhaltbarer wurde, und suchte den damals wohl noch altgläubigen Prinzen Christoph zu favorisieren. Um dem zuvorzukommen, griffen Philipp von Hessen und Ulrich im Frühjahr 1534 mit französischer Rückendeckung Württemberg an und eroberten in raschem Siegeszug das Land; sie bedrohten sogar die kaiserliche Position in Oberschwaben. Die österreichische Herrschaft brach wie ein Kartenhaus zusammen. Der Straßburger Stettmeister Jakob Sturm und eine ganze Reihe süddeutscher Städte hatten den Vorstoß unterstützt. Im Vertrag von Kaaden vom 14. Juni 1534 wurde der Sieg Herzog Ulrichs von König Ferdinand anerkannt; der Württemberger mußte allerdings ein Afterlehensverhältnis zum Hause Österreich anerkennen, mit der lehensrechtlichen Treueverpflichtung und dem Verbot von „Schwärmerei und Sakramentiererei", also der Schweizer Reformation, der der Herzog noch nahestand.
Ulrich ging mit großer Härte gegen die alten Habsburger Parteigänger vor, soweit er ihrer habhaft wurde; es zeigten sich die alten Züge der Gewalttätigkeit, der Rachsucht und des Mißtrauens. Aber das ändert nichts daran, daß der Herzog ein bedeutender Reichsfürst war, der in der Folge nicht nur für Württemberg entscheidende Weichenstellungen vornahm. Der Austausch von kompromittierten Teilen der Ehrbarkeit gegen weniger Belastete und die praktische Lahmlegung des Stuttgarter Landtags durch Ulrich beeinträchtigte nicht die Tatsache, daß der Herzog die Kontinuität zu jener vorzüglichen Verwaltung suchte, die die Österreicher im Lande ausgebaut hatten; mit dem Oberrat schuf der Herzog ein zentrales Gremium, das für andere deutsche Terri-

torien vorbildhaft werden sollte. Sein Regiment trug stark autokratische Züge, war trotz des Einflusses der Räte unverkennbar durch seine Person bestimmt, aber auch von seinem immerwährenden Mißtrauen.

Die württembergische Reformation

Es war keine Frage, daß die Rückkehr Ulrichs auch die Reformation Württembergs bedeuten würde. Der Herzog setzte sie mit harter Hand durch, zog das Kirchengut ein. Die Mönche und Nonnen, die sich der neuen Ordnung nicht fügten und den Bekehrungsmaßnahmen widersetzten, mußten außer Landes gehen. Auch die Universität mußte erst unter den Zugriff des Landesherrn gebeugt werden – 1536 errichtete Ulrich dort einen Vorläufer des Stifts. Das Kirchengut wurde von herzoglichen Beamten verwaltet und diente der Versorgung der nun evangelischen Pfarrer; die Überschüsse wurden vom Landesherrn zur Deckung seiner immensen Schulden verwendet. Diese Politik Ulrichs wurde auch von Evangelischen kritisiert. Aber der Herzog hatte wohl keine andere Wahl. Durch die Verfügung über das Kirchengut mußte er die katastrophale, aus seiner früheren Politik in seinem Exil erwachsene immense Schuldenlast reduzieren und die Landesherrschaft sichern; die Beseitigung der katholischen Prälaten traf eine Gruppe natürlicher habsburgischer Parteigänger, die eine ständige Gefahr für die Stabilität des Landes gewesen wären. Mit der finanziellen Absicherung der Reformation schließlich gab der Herzog ihr erst ein Fundament.
Herzog Ulrich schien der geeignete Mittler zwischen der Schweizer und der norddeutschen Reformation – durch seine Biographie und seine Nähe zum Landgrafen Philipp. Man dachte daran, Jakob Sturm als württembergischen Landhofmeister nach Stuttgart zu holen. In der Tat suchte man zunächst durch die Berufung des Konstanzers Ambrosius Blarer und des Marburger Professors Dietrich Schnepf je einen gemäßigten Vertreter der Schweizer und der norddeutschen Richtung zu gewinnen. Ulrich selbst machte sich also das Versöhnungsprogramm Philipps und Sturms zu eigen; die Amtssprengel zwischen Blarer, der in Tübingen, und Schnepf, der in Stuttgart residierte, wurden entlang der Weinsteige geteilt. Blarer setzte zunächst im oberdeutschen Sinne die Entfernung der Bilder durch, was eine eigentümliche Tradition der württembergischen Kirche begründete. Aber auf Dauer konnten doch Schnepf und das Luthertum am Hofe Ulrichs die Oberhand behalten. Immer stärker gewann dahinter die Gestalt des Schwäbisch Haller Reformators Johannes Brenz an Gewicht, der so zur Zentralfigur der württembergischen Reformation wurde. 1536 schloß sich Württemberg dem Schmalkaldischen Bund an, 1536 wurde die Wittenberger Konkordie formuliert, die formal den Oberdeutschen entgegenkam, aber doch das Übergewicht der norddeutschen Reformation im Schmalkaldischen Bunde befestigte. Ihrem Sog konnte sich Herzog Ulrich nicht entziehen, zumal die Rechtslage des Kaadener Vertrags in die gleiche Richtung wies – 1538 schied Ambrosius Blarer resignierend aus württembergischen Diensten; Württemberg war ein lutherisches Land geworden.
Man wird die Bedeutung der Entscheidungen von 1534 schwerlich unterschätzen können. Durch den Sieg der Reformation in Württemberg gab es das erste größere evangelische Territorium in Südwestdeutschland, das den geschlossenen katholischen territorialen Sperriegel aufbrach. Die verstreuten evangelischen Reichsstädte konnten sich nun anlehnen, obgleich einige von ihnen, wie Reutlingen oder Esslingen, weiterhin in die traditionellen territorialen Gegensätze zum Herzogtum verstrickt waren, ebenso wie die altgläubigen Weil der Stadt und Rottweil. Die Konflikte Ulrichs mit diesen Städten belasteten sogar den Schmalkaldischen Bund erheblich. Unter diesen Umständen hatte die Hinwendung Württembergs zum Luthertum weitgehende Konsequenzen. Nach dem Ende Zwinglis und der Ruhigstellung der evangelischen Schweiz hatte die oberdeutsche Stadtkirche mit Württemberg einen mächtigen, lutherisch gewordenen Partner – damit war der Niedergang der Schweizer Beziehungen gleichsam vorherbestimmt.

Der Südwesten zwischen 1535 und 1545

Aber auch König Ferdinand und seine Räte mußten an eine Neuorientierung ihres schwäbischen Besitzes gehen. Obgleich fast unvermeidbar, war doch der Zusammenbruch der österreichischen Herrschaft in Württemberg eine Katastrophe für Habsburgs Position im Südwesten. Dank der Forschungen Franz Quarthals wird die habsburgische Reaktion sehr deutlich. Zunächst machte sich Ferdinand an die Herrschaftskonsolidierung der verbliebenen Besitzungen in Schwäbisch-Österreich zwischen Tirol und dem Breisgau-Sundgau; die Behördenorganisation wurde verbessert, durch Einberufung eines Landtags der Rückhalt an den Untertanen gesucht. Die Landstände hatten nur wenige Adelsherrschaften und stützten sich vornehmlich auf die Klöster und die Vertretung der vorderösterreichischen Städte und ihre Untertanen. Hierin spiegelte sich eine weitere Folge der Ausdünnung der habsburgischen Position in Südwestdeutschland, denn es scheint, daß man eine Tendenz zur Unterwerfung der kleineren Stände unter die österreichische Herrschaft nicht mehr ernsthaft verfolgte, auch wenn ihre Reibereien mit der habsburgischen Landvogtei in Schwaben die Begleitmusik zur Territorialpolitik bis zum Ende des alten Reiches lieferten. Dies führte zur Konsolidierung ihrer Reichsunmittelbarkeit; der Weg war damit endgültig frei zur Entstehung einer unmittelbaren Reichsritterschaft, von der noch zu reden sein wird. Neben den Klöstern blieb eine ganze Reihe von Reichsgrafen in der habsburgischen Klientel verankert; deshalb verharrten sie bei der alten Kirche und dies wiederum festigte die Bindung – Familien wie die Fugger, Königsegg, Zollern, Montfort, Fürstenberg blieben bis zum Ende des 18. Jahrhunderts neben der gesamten oberschwäbischen Ritterschaft wichtige Parteigänger des Hauses Österreich, während die Zahl der Städte unter ihnen geringer wurde. Eine große Rolle spielten indessen die Prälaten, unter denen in jenen Jahren der Weingartener Abt Gerwig Blarer ein Eckpfeiler der alten Kirche in Oberschwaben und wichtiger Vertrauensmann des Hauses Österreich war. Allerdings stand das österreichische Satellitensystem stets unter der Herausforderung des mächtigen Nachbarn Bayern.

Die Kurpfalz und die badischen Markgrafschaften verharrten zunächst auf einer gemäßigt altkirchlichen Position – Kurfürst Ludwig V. hatte immer wieder maßgeblichen Anteil an allen Ansätzen zu einer dritten vermittelnden Partei im Reich. Als Preis für die Unterstützung der Königswahl Karls V. 1519 hatte die Pfalz noch einmal die Landvogtei im Elsaß erhalten und damit ihre alten oberdeutschen Beziehungen aktiviert. Baden hatte zwar unter Markgraf Philipp gewissen reformatorischen Sympathien zugeneigt, aber doch unter dem Einfluß des Kanzlers Vehus das Tischtuch mit der alten Kirche und den Habsburgern nicht zerschnitten – ein Kurs, der dem nachmaligen Interim nicht unähnlich war. 1535 kam es zur Landesteilung zwischen Bernhard III. von Baden-Baden und Ernst von Baden-Pforzheim. Die baden-badische Vormundschaftsregierung unter bayerischer Regie steuerte einen entschieden altkirchlichen Kurs, auch Pforzheim wandte sich zunächst noch nicht der Reformation zu – die Teilungen und die dann in der Folge aufkommenden konfessionellen Gegensätze haben die Kräfte Badens in sich gebunden und das starke Aufkommen Württembergs in Südwestdeutschland wesentlich begünstigt. Die Pfalz wandte sich unter dem neuen Kurfürsten Friedrich II., einem alten, aber enttäuschten Partner der Habsburger, 1546 der Reformation zu – aber nur, um sogleich in den Strudel des Schmalkaldischen Krieges zu geraten.

Der Triumph Kaiser Karls V.

Seit Ende der 1530er Jahre hatte sich Kaiser Karl V. verstärkt den deutschen Problemen gewidmet. Er hatte begriffen, daß sich auch eine westeuropäisch-mediterran ausgerichtete Politik nicht ohne die Konsolidierung Deutschlands treiben ließ, zumal sich die reformatorische Bewegung nicht nur den südwestdeutschen, sondern auch den niederländischen Erblanden der Habsburger bedrohlich näherte. Die Pläne eines kaiserlichen katholischen Gegenbundes gegen den Schmalkaldischen waren nur wenig erfolgreich; 1538 mußte der Kaiser den Frankfurter Anstand gewähren. Es kam in der Folge zu spektakulären Religionsgesprächen, an denen mit den Straßburgern Butzer und Capito (mit ihnen der junge, damals in Straßburg weilende Johannes Calvin), den Württembergern Schnepf und Brenz und dem Ulmer Frecht süddeutsche Theologen maßgeblich beteiligt waren; durch die formal noch katholischen Vertreter der Kurpfalz drohte zeitweilig sogar eine evangelische Mehrheit; aber die Religionsgespräche konnten trotz bemerkenswerter Ergebnisse der Diskussionen keinen Erfolg bringen – sie scheiterten in Hagenau 1540, in Worms 1540/41 und in Regensburg 1541. Infolgedessen dachte der Kaiser zunehmend an eine militärische Entscheidung, vor allem, nachdem er den politischen Kopf des Schmalkaldischen Bundes, den Landgrafen Philipp von Hessen, wegen seiner Doppelehe politisch hatte paralysieren können. Aber erst, nachdem man die westeuropäischen Konflikte mit Frankreich im Frieden von Crépy 1544 hatte bereinigen können, konnte der Kaiser ans Handeln denken.

Der Herzog Ulrich hatte die Paralysierung des Landgrafen Philipp zunehmend mit Sorgen gesehen. Sein Mißtrauen führte auch zur Befestigung des Landes – die

württembergischen Landesfestungen Urach, Hohenneuffen, Hohenasperg, Schorndorf und Kirchheim/Teck wurden ausgebaut. Als der Krieg ausbrach, stießen Herzog Ulrichs Truppen im Verband der Schmalkaldener gegen die Pforte nach Tirol, die Ehrenberger Klause bei Füssen, vor – aber das militärische, politische und diplomatische Geschick des Kaisers führte einen raschen Zusammenbruch des Schmalkaldischen Bundes herbei. Die süddeutschen Stände wurden im Sommer 1546 durch den gemeinsamen Vorstoß König Ferdinands aus Böhmen und des Herzogs Moritz von Sachsen gegen Kursachsen isoliert und ließen den Kaiser schließlich zu einem leichten Erfolg kommen. Der Erbe von Pfalz-Neuburg, Ottheinrich, seit 1542 evangelisch, mußte ins pfälzische Exil; Ulrich von Württemberg und Kurfürst Friedrich II. von der Pfalz mußten sich dem Kaiser unterwerfen, Ulrich unter besonders demütigenden Umständen. Karl V., der offenbar den Bruder nicht zu mächtig werden lassen wollte, stimmte den Wünschen Ferdinands nach einer sofortigen Entsetzung Ulrichs nicht zu, leitete aber einen lehensrechtlichen Prozeß wegen Treubruch und Tyrannei gegen ihn ein, der sowohl Ulrichs Verhalten von 1534 wie den Vorstoß gegen Tirol aufgriff. Damit schwebte über dem Württemberger erneut die drohende Entsetzung; spanische Besatzungen wurden in die wichtigsten Festungen des Landes gelegt.
Es war ein siegreicher Kaiser, der 1547 auf dem sogenannten „Geharnischten Reichstag“ in Augsburg dem Reich seine künftige Gestalt diktieren wollte. Wesentliche Bestandteile dieser Politik waren die Verstärkung der kaiserlichen Stellung und die Überwindung der Glaubensspaltung im altkirchlichen Sinne; ein „Kaiserlicher Bund“ (immer noch fälschlich als „Reichsbund” bezeichnet), die Rückführung der kleineren Stände in die kaiserliche Klientel und die Einsetzung zuverlässigerer Magistrate in den Reichsstädten sollten dem ersten, das Interim dem zweiten Ziel dienen, das letztlich ebenfalls eine Stütze der kaiserlichen Reichspolitik bedeutete. Der Verstärkung der kaiserlichen Klientel sollte der „Kaiserliche Bund“ zugute kommen, eine Art Nachfolgeorganisation des „Schwäbischen“, den er bewußt nachahmte mit seiner relativ starken Vertretung der kleineren Reichsstände, also potentieller Partner des Kaisers. Der „Kaiserliche Bund“ sollte schließlich gleichermaßen am Widerstand der Großen und am Zögern der Kleinen scheitern.
Aber der Kaiser hatte Grafen, Ritter und Städte seine Ungnade deutlich spüren lassen; ihnen wurde beigebracht, daß es nun nicht mehr helfe, sich traditionsgemäß bei einer Rebellion gegen das Reichsoberhaupt auf den Lehensherrn zu berufen – schon dadurch wurde ein neues Treueband zum Kaiser geschaffen. Das „Interim“ war eine Art kaiserlicher Zwischenreligion, das der Rückführung der Protestanten zur alten Kirche dienen sollte. Zwar wurden Priesterehe und Laienkirche zugestanden, aber sonst wurde nicht nur an der katholischen Lehre, sondern auch am katholischen Zeremionell festgehalten. Ein Sieg des Interims hätte die evangelische Lehre ins Mark getroffen – daß die Katholiken auf bayerisches Betreiben ausgenommen wurden, machte das Interim für die Protestanten noch diskreditierender.

Interim und „Hasenräte“

In Württemberg mußte das Interim gegen den Widerstand des Herzogs angenommen werden, während es der wendigere Pfalzgraf Friedrich II. leichter zugestand. Ulrich gab nur nach, um härteren Zwangsmaßnahmen zu entgehen – 300 bis 400 Geistliche, die das Interim nicht akzeptieren wollten, wurden entlassen. Der Herzog suchte freilich ihr Schicksal mit allen Mitteln zu lindern, wie auch das flüchtiger lutherischer Prediger aus anderen Territorien – so hatte er sich des vertriebenen Schwäbisch Haller Reformators Johannes Brenz angenommen. Diese Politik eines passiven Widerstandes zeichnete sich auch bei der Restitution der Klöster ab, wogegen der Herzog nicht nur die Landeshoheit festhielt, sondern auch immer wieder evangelische Tendenzen zu stützen suchte. Dennoch zeigte sich in seinen Auseinandersetzungen um die restituierten Klöster bereits der Geist einer erneuerten Katholizität, der von den zurückgekehrten Exilkonventen getragen wurde.
Die evangelischen Reichsstädte wurden sowohl mit dem Interim wie mit politischen Veränderungen konfrontiert. Der Kaiser setzte in Augsburg und Ulm das Interim persönlich durch, ging in Ulm gegen die opponierenden Geistlichen vor. Allenthalben zeigte sich die relative Schwäche der Reichsstädte, die nahezu überall – so auch in Straßburg – das Interim annehmen mußten. Die Wortführer der Reformation wurden entlassen und mußten ins Exil gehen – so starb der Straßburger Reformator Martin Butzer 1551 in Oxford. „Das Interim insgesamt bedeutete für die Religionsausübung

gerade in den Reichsstädten eine enorme Krise. Die evangelischen Prediger, das Zentrum eines etwaigen Widerstands, waren weithin vertrieben. Um des Friedens willen mußten sich die städtischen Obrigkeiten dem Kaiser fügen, dem damit beinahe die Unterdrückung der Reformation doch noch gelang." (Brecht-Ehmer). Mehr noch: die Zwistigkeiten um das Interim hinterließen tiefe Risse in den städtischen Gesellschaften, zumal es gerade in den Unterschichten immer noch eine starke Begeisterung zugunsten der Reformation gab.
Gerade deshalb aber hatte Karl V. den Umsturz der reichsstädtischen Verfassung ins Auge gefaßt. Wie beim Interim stellte auch hier der Weingartener Abt Gerwig Blarer eine Schlüsselfigur unter den kaiserlichen Ratgebern dar; hinzu kamen die zur habsburgischen Klientel zählenden Wortführer der städtischen Oberschichten, vor allem in Augsburg. Hinter den Plänen stand die Vorstellung, daß der Einfluß der radikaleren, konfessionell entschiedeneren Zünfte und Handwerker zurückgedrängt werden sollte zugunsten der großen Familien, die aufgrund ihrer politischen Einsichten und auch ihrer Interessen eher gewillt waren, auf Kaiser und alte Kirche Rücksicht zu nehmen. Karl V. selbst hatte in Ulm den Anfang gemacht; dann ließ er durch seinen Kommissar Heinrich Haß aus Lauffen bei Basel, einen Kenner des Südwestens, nacheinander die Ratsverfassungen der südwestdeutschen Reichsstädte umstoßen und nach Möglichkeiten katholische Räte etablieren; in jedem Fall wurden die Zünfte ausgeschaltet, selbst in katholischen Städten wie Überlingen, Wangen, Buchau, Buchhorn, Pfullendorf, Schwäbisch Gmünd und Aalen. Die sogenannten „Hasenräte" sollten die Garantie für eine vorsichtigere Politik der Städte bieten und die Vorkämpfer der Reformation zurückdrängen. So bedeuteten die Hasenräte eine Rückführung der Städte in die kaiserliche Klientel – daß diese Überlegung richtig war, sollte das Verhalten der evangelischen Reichsstädte in der zweiten Hälfte des Jahrhunderts zeigen.

Der Augsburger Religionsfrieden von 1555 und der deutsche Südwesten

Die dominierende Rolle Karls V. dauerte nur kurz. Die Fürstenrevolte von 1552 unter Moritz von Sachsen, an der auch Pfalzgraf Ottheinrich maßgeblichen Anteil hatte, führte zum Ende der kaiserlichen Maximalpläne. Nun schob sich mehr und mehr der Römische König Ferdinand in den Vordergrund, der zusammen mit dem neuen Herzog Albrecht V. von Bayern den Passauer Vertrag von 1552 zwischen Karl und Moritz vermittelte. Dieser wurde zum Fundament des Augsburger Religionsfriedens von 1555, den aber Karl V. nicht mehr vollziehen wollte – im Eingeständnis des Scheiterns seiner kaiserlichen Reichspolitik dankte er endgültig 1556 ab. Nun bildete sich eine Gruppierung von Fürsten heraus, die den Augsburger Religionsfrieden trugen und versuchten, eine konfessionelle Befriedung des Reiches zu bewerkstelligen. Sie wurde beherrscht von Ferdinand, Kursachsen, Bayern und auch Württemberg – freilich wäre die Konstellation nicht denkbar gewesen ohne die Stabilisierung der kaiserlichen Position, die ein entscheidendes Verdienst Karls V. bleibt und auf die dann Ferdinands ausgleichende Politik zurückgreifen konnte.
Im Augsburger Religionsfrieden tauschten die Evangelischen, nach wie vor die dynamischere Kraft, die Rechtssicherheit gegen die Aufgabe der ungehinderten Ausbreitung ein. Denn nun wurde das Reformationsrecht der Fürsten festgeschrieben, von dem aber die Geistlichen ausdrücklich ausgenommen wurden – der geistliche Vorbehalt bedeutete eine Existenzgarantie der geistlichen Staaten als katholische Territorien, die angesichts des bayerisch-österreichischen Sperriegels von den Evangelischen in Süddeutschland auch nicht mehr unterlaufen werden konnte, wie es im Norden geschah. Die Stifte, die vor dem Passauer Vertrag säkularisiert worden waren, verblieben den Territorien, die noch vorhandenen aber erhielten eine Bestandsgarantie. Ähnliches galt für katholische Gruppierungen in evangelischen Reichsstädten. Damit bekamen gerade im Südwesten die Restitution nach dem Schmalkadischen Krieg und das Interim eine weiterwirkende Bedeutung. Schließlich wurde die Augsburgische Konfession als alleinige Norm des evangelischen Bekenntnisses zugelassen – mit dem deutlichen Ziel, die Reformierten von den Schutzgarantien des Religionsfriedens auszuschließen. Die katholischen Positionen konnten sich nun wieder verfestigen, andererseits hatten auch die evangelischen Stände eine ruhige Phase der Konsolidierung vor sich, denn das System des Religionsfriedens sicherte dem Reich wie dem deutschen Südwesten eine 60jährige Ruhephase, trotz regionaler Konflikte.
Wie sehr sich die kaiserliche Position verstärkt hatte, sollte allerdings die Entwicklung in den Reichsstädten zeigen. Allenthalben behaupteten sich die „Hasenräte" im Amt.

In der Regel kehrten die einzelnen Städte zu ihrer ursprünglichen Konfession zurück, meist nach dem Fürstenaufstand von 1552, der auch Teile der oberdeutschen Städte erfaßt hatte. In Schwäbisch Hall, Heilbronn, Esslingen, Ulm wurde das Interim freilich sehr spät, teils erst zu Beginn der 1560er Jahre, rückgängig gemacht. Erst in den 1570er Jahren setzte sich die Reformation in Wimpfen und Aalen durch, während in Schwäbisch Gmünd und Weil der Stadt der Rat die alte Kirche gegen eine starke evangelische Minderheit mit Erfolg verteidigte. In Augsburg, Biberach, Ravensburg und Dinkelsbühl kam es zu konfessioneller Parität – wobei die katholischen Minderheiten durch ihre Position in den „Hasenräten" eine relativ dominierende Rolle behaupten konnten. In den evangelischen Städten war freilich angesichts einer solchen Rückführung unter die kaiserliche Observanz von einer Hinwendung zur Schweiz keine Rede mehr – allenthalben, selbst in Straßburg, setzte sich nun das orthodoxe Luthertum durch. In Lindau gab es sogar bereits innerlutherische Lehrstreitigkeiten.
Konstanz, das sich im Schmalkaldischen Kriege lange gegen den Kaiser gewehrt hatte, wurde nach Belagerung und Eroberung nicht nur katholisch, sondern auch eine vorderösterreichische Landstadt; alle Versuche des Schwäbischen Kreises, die Unabhängigkeit und vor allem die Steuern von Konstanz zurückzugewinnen, mißlangen. Eine weitere Folge der obrigkeitlichen Konsolidierung der Reichsstädte war in den evangelischen Kommunen die Ausbildung eines starken städtischen Kirchenregiments; seit der zweiten Hälfte des 16. Jahrhunderts bauten die Räte ihre kirchenregimentlichen Funktionen kräftig aus und machten sie zu Stützen der städtischen Obrigkeit – was fast allenthalben als eine Bewegung der Gemeinde begonnen hatte, mündete am Ende in eine Verstärkung der Magistrate, damit der Unterbauung des Territorialstaats durch das landesfürstliche Kirchenregiment nicht unähnlich.

Herzog Christoph von Württemberg

Eine besondere, wenn auch unterschiedliche Rolle sollten in Südwestdeutschland unter dem Schutz des Religionsfriedens erneut Württemberg und die Kurpfalz spielen. Der alte Herzog Ulrich war nicht nur der Vater der württembergischen Reformation, sondern er hatte auch mit Zähigkeit unter kritischen Bedingungen an seiner Schöpfung festgehalten. Dennoch war es eine Entlastung für das Herzogtum, als Ulrich 1550 starb. Der neue Fürst, Herzog Christoph, hatte lange Zeit die Hoffnungen der Altgläubigen getragen, zumal als das notorische Mißtrauen des Vaters auch vor der Person des Sohnes nicht Halt machte. Zunächst im Gefolge Karls V., hatte sich Christoph 1532 vom Kaiser gelöst und 1542 dem Vater Ulrich die evangelische Ausrichtung Württembergs garantiert. Als Statthalter in Mömpelgard hatte er, nach gängiger Meinung zu Zeiten des Interims, nicht nur eine entschiedene Hinwendung zur Reformation vollzogen, sondern auch profunde theologische Kenntnisse erworben.
Christoph begriff, daß reichspolitische Kontinuität und Vermeidung von militärischen Abenteuern angesichts der exponierten Lage Württembergs entscheidende Voraussetzungen jeglicher territorialer Politik waren. Afterlehensverhältnis und Felonieprozeß erwiesen sich als wichtige Determinanten. So entzog sich Christoph 1552 der Fürstenrevolte und gehörte zu den stärksten Verfechtern des Augsburger Religionsfriedens. Selbst als er zum Wortführer des deutschen Luthertums geworden war, vermied es Christoph strikt, den evangelischen Untertanen katholischer Fürsten mehr als einen Gewissensrat zu geben – das territoriale Prinzip des Religionsfriedens war ihm heilig.
Christophs beträchtliche reichspolitische Bedeutung aber ruhte auf seiner Rolle als Landesfürst, die teils die Traditionen seines Vaters fortsetzte, sie aber auch auf neue Grundlagen stellte. 1552 bereits hob Christoph das Interim auf, in der großen Kirchenordnung von 1559 erhielt die württembergische Kirche ihr Grundgesetz. Der Herzog faßte das Kirchengut im Gemeinen Kirchenkasten zusammen; darunter blieben allerdings die großen Mannsklöster als Verwaltungseinheiten bestehen. Dies ermöglichte, daß nunmehr die Pfarrerbesoldungen und die Versorgung der geistlichen Einrichtungen abgesichert waren – in anderen Territorien sollte die württembergische Vorgehensweise als vorbildlich nachgeahmt werden. Die Mannsklöster wurden zu Landesschulen, die von den Partikular- oder Lateinschulen der Städte gespeist wurden. Für die Theologen wurde das Tübinger Stift 1557 als Stipendienanstalt erweitert. Folgerichtig wurden die schulischen und die universitären Studien geregelt, durch Examina abgeschlossen. Damit aber wurde ein beachtlicher Bildungsstand und die Beständigkeit des evangelischen Bekenntnisses sichergestellt.
Aber Herzog Christoph nahm seine Kirche unter strenge organisatorische und

dogmatische Kontrolle; der Kirchenrat hatte sich des Kirchenwesens anzunehmen, regelmäßige Visitationen sollten für seine Vereinheitlichung sorgen – 1552 wurde die Gliederung in Dekanate für ein oder mehrere Ämter unter jeweils einem Superintendenten festgelegt; über den Dekanaten wirkten vier Generalsuperintendenten. Die Confessio Virtembergica von 1552 wurde zum Maßstab des evangelischen Bekenntnisses; sie hatte ursprünglich als Vorlage vor dem Konzil von Trient gedient, das Christoph 1552 in seiner vorsichtigen Art noch beschickt hatte. Mit der Kirchenreformation verband sich der Name des Dr. Johannes Brenz, der damit den Höhepunkt seines Wirkens als geistiger Inspirator der württembergischen Kirche erreichte. Aber auch die weltliche Organisation des Landes wurde von Christoph einer Erneuerung unterzogen. 1552 erließ Christoph das württembergische Landrecht, 1555 die württembergische Landesordnung, aber auch die Landesbehörden erfuhren durch ihn eine neuerliche organisatorische Durchgliederung – die Anstellung qualifizierter Juristen und Theologen machte das Land zu einem der bestorganisierten Territorien des Reiches. Dies verband sich mit der Neubelebung der Landschaft, mit der Christoph den autoritären Kurs seines Vaters Ulrich verließ und zur Herrscherkunst Eberhards im Bart zurückkehrte. Mit den Landständen band Christoph sozusagen das Land in sein politisches und religiöses Werk ein, angesichts der Erfahrungen der Vergangenheit und des fortbestehenden österreichischen Druckes eine wohlüberlegte Vorsichtsmaßnahme. Mit den Vertretern der Männerklöster, den nunmehr evangelischen Prälaten, rückten Repräsentanten der gleichen Schicht in den Landtag ein, die auch die Führungsrolle in den Städten spielte und diese in den Ständen vertrat: der Ehrbarkeit. Gemeinsam verfochten sie das lutherische Bekenntnis, in enger Verbindung mit dem Landesherrn – 1565 übernahm der Landtag nicht nur die Landesschulden, sondern Herzog und Stände vereinbarten sich auch über den Erhalt der württembergischen Landeskirche und der Ordnungen Herzog Christophs. Staatliche, kirchliche und ständische Ordnung waren dadurch eng verknüpft, obgleich der Herzog Bedenken hatte, eine so weitgehende Bindung des Landesherrn gemeinsam mit den Ständen festzulegen: er fürchtete eine Einschränkung der fürstlichen Prärogrativen. Das System Herzog Christophs machte Württemberg zu einem geschlossenen lutherischen Landesstaat, getragen vom Vertrauen der Untertanen, in enger Zusammenarbeit von Landständen, Beamtentum und Geistlichkeit – ein politisches und kirchliches Meisterwerk, dessen Stabilität und Ausstrahlungskraft den Tod des Herzogs überdauerte. Dabei erwies es sich freilich als günstig, daß der Adel endgültig aus dem Landesstaat ausgeschieden und in die Reichsritterschaft hineingewachsen war, auch wenn sich Herzog Christoph durchaus bemühte, diese Entwicklung noch einmal zu korrigieren.

Reichsritter, Reichsgrafen, Reichsprälaten und Reichsstädte

Die Reichsritterschaft hatte nach 1542 begonnen, sich endgültig zu organisieren; so fügte sie sich in das territoriale Gefüge des Reichsverbandes. Ihre Organisation beruhte auf den vier Ritterorten Donau, Hegau-Allgäu-Bodensee, Neckar-Schwarzwald (einschließlich der Ritterschaft in der Ortenau) und Kocher, aus denen sich der Schwäbische Ritterkreis zusammensetzte. Dies waren die alten Bausteine der Gesellschaft mit St.-Jörgenschild und des Schwäbischen Bundes. 1545 trat der Ritterort Kraichgau hinzu, während die Odenwaldritter zu den sechs Orten Frankens gehörten. Das Gefüge der Reichsritterschaft war im 16. Jahrhundert noch recht locker; erst nach dem Dreißigjährigen Krieg setzte ein verstärkter Bürokratisierungsprozeß ein. Der Adel stützte sich auf den Kaiser als Gegengewicht gegen die landesfürstlichen Ansprüche; 1561 bestätigte Maximilian II. die 1560 geschaffene schwäbische Ritterordnung; weitere kaiserliche Privilegien suchten der Reichsritterschaft Rückhalt zu geben.
Die Fürsten waren nicht gewillt, diesen Prozeß hinzunehmen. Als anläßlich der Händel um den fränkischen Ritter Grumbach in den 1560er Jahren auch in Schwaben die Furcht vor einer großen Adelsrevolte umging, suchten sich Friedrich III. von der Pfalz, Christoph von Württemberg, Karl II. von Baden-Durlach und andere Herren 1563 in Maulbronn über ein gemeinsames Vorgehen gegen die Ritter zu verständigen – aber an den konfessionellen Gegensätzen zerbrach die Fürstenfront, und die Ritter konnten sich weiterhin einer autonomen Existenz erfreuen. Sie schufen seit 1575 eine Generalkorrespondenz der drei Ritterkreise Schwaben, Franken und Rheinstrom, für die jährliche Tagungen vorgesehen waren. Nach wie vor aber blieben ihre Mitglieder den traditionellen Bezugshöfen verbunden, deren konfessionelle und kulturelle Einflüsse auf die reichsritterschaftlichen Vasallen deutlich waren.

Weit lockerer war der Zusammenschluß des Schwäbischen Prälatenkollegiums, an dessen Formierung der Weingartener Abt Gerwig Blarer entscheidenden Anteil hatte. Das Schwäbische Grafenkollegium wirkte stärker zusammen – es umspannte einen Kreis in der Regel entschieden katholischer und prohabsburgischer Herren, die in immer engerem Kontakt zum Wiener bzw. Prager Hof standen, wie die Fürstenberg, Montfort oder Königsegg. Aus den Bestrebungen der überwiegend evangelischen Grafen Frankens, nicht bloß ein Anhängsel des katholischen Schwäbischen Grafenkollegs zu sein, entstand das Fränkische Kollegium, das 1641 neben den Schwaben tatsächlich eine weitere gemeinsame (Kuriat-) Stimme erhielt. Die korporative Verfassung der Städte, der Städtetag, zunächst das Vorbild für die Organisation der Reichsritter und der Grafen, bestand zwar bis zur Konsolidierung des immerwährenden Reichstag, bis 1672, weiter, verlor aber zugleich mit dem Gewicht der Städte immer mehr an politischer Bedeutung. Die schwäbischen Städte trafen sich zuweilen zu eigenen schwäbischen Städtetagen.

Der Schwäbische Reichskreis

Deren Bedeutungsverlust lag an der Entfaltung des Schwäbischen Kreises, so wie die Abgrenzung gegen den Kreis die Ausformung der Reichsritterschaft begünstigt hatte. Zunächst waren sechs Kreise, darunter der Schwäbische, zur Benennung der Beisitzer am Reichskammergericht geschaffen worden. Seit 1512 gab es dann die Einteilung in zehn Reichskreise mit Kompetenzen für die Wahrung des Landfriedens. Zunehmend übernahm der Schwäbische Kreis koordinierende Funktionen für Südwestdeutschland; dabei hatte ihm der Schwäbische Bund vorgearbeitet (Laufs); eine solche übergeordnete Organisation war gerade für eine so zersplitterte Region wie den deutschen Südwesten von größter Bedeutung. Durch seine Organisation mit fünf Bänken der weltlichen und der geistlichen Fürsten, der Prälaten, der Grafen und Herren sowie der Städte konnten sich auch die Kleinen hinreichend repräsentiert fühlen. Der Kreis entfaltete eine immer weiter ausgreifende Tätigkeit und wurde so für die politische, wirtschaftliche und soziale Gestalt Schwabens immer unentbehrlicher – bis zur Koordination des Münzwesens auf den Münzprobationstagen und zur militärischen Exekution gegen Landfriedensbrecher.

Da die österreichischen Lande einem eigenen Kreis, dem Österreichischen, zugewiesen wurden, weil sich offensichtlich das Reichsoberhaupt nicht gerne in seine Territorien hineinreden lassen wollte, standen sie außerhalb des Schwäbischen Kreises – ebenso wie die Kurpfalz. So war der Weg frei zum Aufstieg Württembergs zur Hegemonialmacht des Schwäbischen Kreises, das dabei die badischen Ansprüche überflügelte. Der zweite ausschreibende Fürst, der Bischof von Konstanz, war ein kleiner Territorialherr und durch die Reformation weiter geschwächt, so daß er keine echte Konkurrenz darstellte. Württemberg hatte nicht nur die Leitung als Direktor und Kreisoberst, sondern verfügte auch über Kanzlei und Archiv des Kreises. Es war wichtig gewesen, daß die entscheidenden Ausformungen des Kreises in die Regierungszeit Herzog Christophs fielen, der 1563 auch die Exekutionsordnung des Schwäbischen Kreises prägte. So konnte er den Aufstieg Württembergs zum dominierenden Reichsstand Schwabens entscheidend fördern; auch das war ein Teil seines politischen Systems – es brachte Württemberg manche Vorteile gegenüber Österreich. Das nichthabsburgische Elsaß und die nichtkurfürstlichen pfälzischen Lande gehörten dem Oberrheinischen Kreis an, die brandenburgischen Markgraftümer und das Bistum Würzburg waren ebenso wie die hohenlohischen Territorien Teile des Fränkischen Reichskreises.

Der Pfälzer Weg zum reformierten Bekenntnis

Der Herzog von Württemberg kombinierte seine Führungsrolle im Schwäbischen Kreis mit einer strikten reichspolitischen Loyalität, die das Land auch zu einem der Hauptträger des Religionsfriedens machte. Einen alternativen Weg hat die Kurpfalz eingeschlagen. Am Vorabend des Schmalkaldischen Krieges hatte sich Friedrich II. der Reformation zugewandt, um sogleich den Rückschlag des Interims hinnehmen zu müssen. Aber in jenen Jahren vermehrte er die Zahl seiner Juristen ganz erheblich, zu großen Teilen aus dem alten Einzugsbereich der oberdeutschen Reformation, in den ja noch seine Position als Landvogt im Elsaß hineinragte. Der Regierungsantritt Kurfürst Ottheinrichs 1556 brachte dann den Durchbruch der Reformation; in seinen wenigen Regierungsjahren kam es zu einer Abfolge organisatorischer Maßnahmen, die den kirchlichen und weltlichen Bereich in breiter Front erfaßten – neben dem unverkennbaren württembergischen Einfluß standen aber auch eigene Pfälzer Traditionen und die

Initiativen des Kurfürsten. Aber die Jahre des kunstsinnigen und eigenwilligen Kurfürsten bedeuteten nur eine Übergangszeit; die Pfalz wurde einem raschen konfessionellen Wandlungsprozeß unterworfen, der durch den Kurfürsten Friedrich III. aus dem Hause Simmern nach 1559 eine neue Wende erhielt. Mit dem zweiten Pfälzer Generalsuperintendenten Tileman Heßhusen stand ein militanter Vertreter des orthodoxen Luthertums den Traditionen des Landes gegenüber, die aus oberdeutschen Elementen, aber auch dem fortwirkenden Einfluß des Pfälzer Landeskindes Philipp Melanchthon aus Bretten gespeist waren und der Schweizer und den westeuropäischen Reformationen gegenüber offen waren.

Nach anfänglichem Zögern entließ Friedrich III. den streitbaren Heßhusen und schritt auf dem Weg zum reformierten Bekenntnis immer konsequenter fort, zunächst beraten von den Grafen Georg und Eberhard von Erbach. Außer ihnen gewann der Jurist Christoph Ehem aus Augsburg neben den Professoren Petrus Bocquinus und Thomas Erast eine zentrale Bedeutung. Die reformierten Akzente verstärkten sich immer mehr, vor allem durch die Kirchenordnung von 1563 und den in sie eingefügten Heidelberger Katechismus. Dieser war das Werk einer Autorengruppe, unter der die Landfremden eindeutig dominierten; auf den Katechismus wirkten Ideen Melanchthons, Zwinglis und Calvins. Das Bild der leidenden, reformiert geprägten westeuropäischen Kirchen beflügelte den Heidelberger Kurfürsten und seine Räte, auf dem Weg fortzuschreiten und die gemäßigteren Elemente immer mehr hinter sich zu lassen.

Zugleich wurde die Kirchenverfassung erneuert; die Visitationen wurden durch Synoden ergänzt; unterhalb der Superintendenten wurden die Pfarrer zu „Klassen“ zusammengefaßt. Westeuropäische Exulanten kamen in die Pfalz; ihre Gemeinden in Frankenthal, St. Lambrecht oder Schönau erhielten religiösen Vorbildcharakter; ein radikaler Verfechter der flämischen reformierten Bewegung, Petrus Dathenus, wurde Hofprediger und Kirchenrat. Der Kurfürst schritt fort zur Einführung einer strikten Kirchenzuchtordnung nach Genfer Vorbild, eine Entwicklung, die eine ganze Reihe von früheren Vorkämpfern des reformierten Bekenntnisses, wie Erast, ein Exponent des Staatskirchentums, und viele Juristen nicht mehr mitzumachen bereit waren. Freilich erwies sich die Einfügung reformierter gemeindlicher Elemente in eine deutsche Landeskirche auch in der Pfalz als nicht ganz einfach; zu stark waren dort die herrschaftlichen Elemente. Aber mit dem Sieg des reformierten Bekenntnisses in der Pfalz hatte die oberdeutsche Reformation ihren letzten großen Triumph errungen. Dieser führte freilich zu schweren Auseinandersetzungen mit dem bayerischen Landesteil der Pfalz, der Oberpfalz, und ihren lutherischen Traditionen.

Mit dieser Entwicklung war die Kurpfalz aus dem System des Religionsfriedens herausgetreten – dies war weniger überraschend, als es auf den ersten Blick scheinen mag. Es hatte eine alte Tradition quasi-königlicher Pfälzer Politik (Moraw) gegeben; sie hatte auf einem überterritorialen Satellitensystem beruht; dieses hatte durch die Katastrophe des Landshuter Krieges einen schweren Stoß erlitten und brach unter der Reformation und dem geistlichen Vorbehalt vollends zusammen – nach dem Religionsfrieden wurde klar, daß der Adel lutherisch bleiben, die Stifte aber bei der alten Kirche verharren würden. Das Territorialitätsprinzip des Religionsfriedens widersprach den Prinzipien des Pfälzer Herrschaftssystems. Daraus folgte, daß die Pfalz, einmal evangelisch geworden, ein fast natürlicher Gegner des Religionsfriedens sein mußte. Schon 1555 hatte sie um die Freistellung des Bekenntnisses und gegen den geistlichen Vorbehalt gekämpft. Der Pfälzer Revisionismus gegen das System des Religionsfriedens war also älter als die Hinwendung Friedrichs III. zum reformierten Bekenntnis; diese aber stellte nun auch die Konfessionsklausel von 1555 in Frage, bedeutete nicht nur eine geistige Verbundenheit mit den bedrängten evangelischen Kirchen Westeuropas, sondern auch eine zunehmende Verwicklung in die Probleme der westeuropäischen Politik. Mit der Pfälzer Konfessionsentscheidung erhielt für zahlreiche südwestdeutsche Stände Württemberg eine erhöhte Attraktion, so sehr sich konfessionelle Mittel und Organisationsformen in Württemberg und in der Pfalz ähnelten.

Die Stabilisierung der südwestdeutschen Reichskirche

Der Religionsfriede hatte allerdings auch die altkirchlichen Positionen verfestigt – von den Vorteilen für die katholischen Minderheiten in den Reichsstädten war schon die Rede. Der österreichisch-bayerische Sperriegel funktionierte; die katholischen Stifte konnten sich nun einer rechtlich gesicherten Existenz erfreuen. Politisch trat nun eine dritte Kraft auf, die als Mitglied des schwäbischen Reichskreises eigenes Gewicht erlangte. Kardinal Otto Truchseß von Waldburg war 1543 Bischof von Augsburg geworden und machte sein Bistum zum Partner von Wittelsbachern und Habsburgern. Über eine bewußt rekatholisierende Politik im engeren Umkreis von Diözese und Hochstift verstand es der Bischof auch, reichspolitisch der allmählich erstarkenden alten Kirche einen wichtigen Rückhalt zu geben. Die Ansiedlung der Jesuiten und die Gründung der Universität Dillingen waren der äußere Ausdruck dieser Politik. Auch seine Nachfolger fuhren auf dieser Linie fort, ohne die reichspolitische Bedeutung des Kardinals ganz zu erreichen.

Auch sonst erfuhren die südwestdeutschen Bistümer eine erhebliche Stabilisierung. Von Worms und Speyer wich die drohende Gefahr des Pfälzer Zugriffs, die unter den pfalzgräflichen Bischöfen Georg in Speyer und Heinrich in Worms durchaus gegeben war. Daß Sickingens Schwager, der entschieden altgläubige Philipp von Flersheim, 1530 in Speyer dem Pfalzgrafen Georg nachfolgte, war ein Glücksfall für die alte Kirche, während die Stabilisierung des Bistums Worms einiges länger dauerte. Der Mainzer Kardinal Albrecht (Erzbischof 1514–1545), der sich nach dem Zusammenbruch seiner mitteldeutschen Stellung gegen Ende seines Lebens zunehmend in seine Mainzer Gebiete zurückgezogen hatte, hatte trotz mancher recht weltlicher Züge stets an der alten Kirche festgehalten – er begegnete noch den ersten Jesuiten im Reich. Mit seinen Nachfolgern Sebastian von Heusenstamm (1545–1555) und Daniel Brendel von Homburg (1555–1582) gelangte die altkirchliche Position in Mainz ans sichere Ufer.

Das Bistum Konstanz, durch die enormen Verluste, welche die Reformation seinem Diözesanbereich zugefügt hatte, finanziell erheblich geschwächt, mußte 1535 durch die Inkorporation der Klöster Reichenau und Petershausen stabilisiert werden. Aber gestützt auf den Rückhalt Vorderösterreichs war Konstanz eines der unangefochtensten südwestdeutschen Bistümer – auch wenn gelegentlich wittelsbachische Einflüsse nach Konstanz wirkten, war es doch ein geborener Satellit der österreichischen Politik. Was die Beseitigung der Reichsstadt Konstanz für das Bistum bedeutete, machte der Fall Straßburgs klar, wo die Stadt ein mächtiges Zentrum der Reformation geblieben war, auch wenn in der zweiten Hälfte des 16. Jahrhunderts die lutherischen Kräfte immer stärker die oberdeutschen verdrängten. Die Stellung des Bischofs war relativ schwach; das Münster war in evangelischer Hand. Der Bischof residierte in Zabern, in Molsheim oder auch gelegentlich in Oberkirch. Im Gegensatz zu allen anderen süddeutschen Diözesen, wo die Domherren niederadelig waren, hatte Straßburg ein reichsgräflich besetztes Kapitel, ebenso wie Köln. Von dort wurde der konfessionelle Konflikt auch nach Straßburg getragen; im Zusammenhang mit den Auseinandersetzungen um Kurköln, die freilich im „Kölner Krieg“ 1582/84 mit einer Niederlage der Evangelischen endete, versuchte man auch, das Bistum Straßburg der Reformation zuzuführen. Daraus entsprang der „Straßburger Kapitelstreit“, der in ganz Südwestdeutschland die konfessionellen Fronten in Bewegung setzte, aber auch hier nach langem Hin und Her schließlich mit einer Niederlage der evangelischen Seite endete.

In Südwestdeutschland ließ sich der Religionsfriede schwer umstoßen. Unangefochten blieb die katholische Position in Würzburg; in der langen Regierungszeit des Bischofs Julius Echter von Mespelbrunn (1563–1617), eines entschiedenen Vorkämpfers von Gegenreformation und katholischer Reform, wurde die Diözese am Untermain sogar zu einem Vorposten der katholischen Erneuerung – davon zeugte auch die Ansiedlung der Jesuiten 1567.

Die Stabilisierung der katholischen Parteien war allenthalben deutlich. Noch unter Karl V. konnten die Deutschmeister Walter von Cronberg und Wolfgang Schutzbar gen. Milchling, die Erschütterungen bewältigen, die der Übergang des Hochmeisters des Deutschen Ordens in Preußen, Albrechts von Brandenburg, zur Reformation (1525) ausgelöst hatte. Der Deutsche Orden lenkte in der Folge wieder zurück in die traditionelle Gefolgschaft des Reichsoberhauptes – er wurde zu einem wichtigen Rückhalt für den katholischen niederen Adel, der dort weiterhin seine Positionen behauptete. Der Versuch Schutzbars, unter dem Protektorat Karls V. das Fürststift Ellwangen dem Deutschen Orden zu inkorporieren, scheiterte am Widerstand König Ferdinands I. Es war bezeichnend für die politische Situation, daß Truppen des Herzogs Christoph von Württemberg den Protagonisten der Gegenreformation, den Augsburger Kardinalbischof Otto Truchseß von Waldburg, 1553 als Fürstpropst in Ellwangen gegen eine Gewaltaktion des Deutschmeisters sicherten – in getreuer Vollziehung des Systems des Augsburger Religionsfriedens. Seither stand ein konfessioneller Umsturz in Ellwangen außer Diskussion; die nachfolgenden Fürstpröpste hielten an der alten Kirche fest. Eingebettet in das bayerisch-österreichische System Süddeutschlands, stand auch die Katholizität der Fürstabtei Kempten niemals zur Disposition, ebenso wie es den oberschwäbischen Klöstern unter dem Schutz des Religionsfriedens doppelt leicht fiel, an der alten Kirche festzuhalten. Dies galt auch für die adelige habsburgische Klientel in Schwaben – sie wurde zur entschiedenen Anhängerschaft einer sich verfestigenden und erneuernden katholischen Kirche, schickte auch bald ihre nachgeborenen Söhne auf das Collegium Germanicum in Rom, wobei sich eine erneuerte Katholizität mit dem traditionellen Bestreben verband, sich die Pfründen der Stifte als Versorgungsstätten zu sichern. Um das Ende des Jahrhunderts wurde der Sog der Chancen in den Domkapiteln, verbunden mit einer erneuerten intellektuellen und spirituellen Attraktivität der katholischen Kirche, so groß, daß zunehmend auch Söhne evangelisch gewordener Familien wieder den Weg zur alten Kirche und in die Stifte fanden – immer deutlicher wurde beim katholischen Adel das Bewußtsein, welchen Vorteil man gegenüber den protestantischen Standesgenossen beim Wettbewerb um die Domherrenstellen durch den geistlichen Vorbehalt hatte.

Von je her hatten die Bezugshöfe eine wichtige Rolle für die Konfessionsentscheidung gespielt – für die schwäbischen adeligen Häuser wurde es wichtig, ob man dem habsburgischen oder dem bayerischen oder einem stiftischen Hof durch Dienste, Lehensverhältnisse und Patronate verbunden war oder aber dem kurpfälzischen, württembergischen, brandenburg-ansbachischen. Dies hatte schon die Konfessionsentscheidungen maßgeblich geprägt – die Entwicklungen von Reformation und Gegenreformation verschoben zwar die Gewichte, setzten aber die traditionellen Verhaltensweisen keineswegs außer Kraft.

Katholische Erneuerung

Die alte Kirche hatte zwar stets durchaus reformwillige und opferbereite Kräfte besessen, aber sie hatte doch über weite Strecken der Dynamik der reformatorischen Bewegung hilflos gegenübergestanden. Im Konzil von Trient (1545–1563) fand sie wieder zu sich selbst – aus dem „Bewußtsein, daß die Kirche Christi nur eine sei, daß diese die sichtbare römische Kirche sei und als solche gültige Vollmacht besitze, im Namen Christi zu lehren". (E.W. Zeeden). Hinzu kam die europäische Stellung der römischen Kirche; Trient entzog letztlich allen Kräften des Kompromißkatholizismus, auch dem Kaiser Maximilian II., die Grundlagen ihres Handelns – selbst wenn es noch bis in die 1560er Jahre Überlegungen gab, die Protestanten durch Reformen und Entgegenkommen zu gewinnen. Vielfach waren die katholischen Landesherren wie Bayern energischer in ihrem Reformbemühen als die Diözesanbischöfe – es war ein langer und harter Prozeß, in dem es nicht an obrigkeitlichem Druck fehlte, dennoch hätte er nicht für die alte Kirche gewonnen werden können, wenn nicht mit den Orden wie den Kapuzinern oder den 1534/40 gegründeten Jesuiten die Kräfte bereit gestanden hätten, um einer katholischen Erneuerung Bahn zu brechen. Die Jesuiten kamen sehr bald nach Deutschland; gefördert von altkirchlichen Fürsten wurden sie auf hohem intellektuellem Niveau die Vorkämpfer einer erneuerten Katholizität. Es gab allerdings auch Kräfte im Weltklerus, die zunehmend reformwillig waren, aber die Jesuiten haben doch in Seelsorge und Lehre, mit moderner Wissenschaftlichkeit und der Wiederbelebung fast abgestorbener mittelalterlicher Frömmigkeitstraditionen die Richtung gewiesen. Als Theologen nahmen sie die Auseinandersetzung mit den Evangelischen offensiv auf. Auch im Südwesten sind die Spuren der Jesuiten unübersehbar. Sie wurden von den Protagonisten der alten Kirche in Süddeutschland gestützt, den bayerischen Wittelsbachern und den Habsburgern. Neben einer einflußreichen Tätigkeit an den Fürstenhöfen konzentrierten sich die Jesuiten auf das Schulwesen – damit konnte die alte Kirche erstmals der hohen Qualität der evangelischen Schulen Gleichwertiges, teilweise Besseres entgegensetzen. Die Jesuiten hatten dabei durchaus von den evangelischen Reformen gelernt; natürlich fußten auch sie auf der späthumanistischen Bildung. Kardinal Otto von Augsburg hatte zuerst die Jesuiten nach Dillingen geholt. Seine planmäßige Ausbreitung nahm der Orden jedoch von seinem traditionellen Zentrum Köln, von wo die Jesuiten ihre Kollegien auch nach Südwestdeutschland vorschoben, nach Speyer (1566), Würzburg (1567), Molsheim/Elsaß (1580). Zur oberdeutschen Ordensprovinz gehörten Dillingen (1563), Augsburg (1582), das bischöflich-baselische Pruntrut (1591). Die Mission der Jesuiten in Baden-Baden (seit 1570) wurde von Herzog Albrecht V. von Bayern angeregt; sie diente der Stabilisierung des neu gewonnenen katholischen Territoriums und leitete dort unmittelbar die Gegenreformation ein. In Konstanz entstand 1592 eine Niederlassung. Die Tätigkeit der Jesuiten reichte weit in die Bereiche der Seelsorge und der Wissenschaft hinein; aber auch das Schultheater, die Einrichtung marianischer Studentenkongregationen, sogar die Reform der älteren Orden war das Werk der Jesuiten. Die große Anspannung der Kräfte führte 1626 zur Aufteilung der rheinischen Ordensprovinz in eine ober- und eine niederrheinische. Im Gefolge der katholischen Waffen sollte sich den Jesuiten dann während des Dreißigjährigen Krieges auch Gelegenheit bieten, in bislang evangelischem Territorien Fuß zu fassen.

Kaiser Maximilian II. und die konfessionellen Kräfte

Der bedeutendste katholische Landesherr Südwestdeutschlands war nach wie vor das Haus Österreich; hinzu kam der weiterhin bedeutende bayerische Einfluß, der freilich von der Peripherie aus wirkte. Dieser wurde umso wichtiger, als Tendenzen, welche sich schon durch die Ostorientierung Österreichs 1526 und den Verlust Württembergs 1534 abgezeichnet hatten, nun vollends virulent wurden. In der Länderteilung von 1564 erhielt Ferdinands I. ältester Sohn Maximilian II. neben Ungarn und Böhmen die österreichischen Kernlande. Daneben wurden für die jüngeren Söhne eigene Territorien geschaffen. So bekam Erzherzog Ferdinand Tirol mit den Vorlanden, Erzherzog Karl Innerösterreich. Während aber in den Landen Maximilians II. und Karls, getragen von Adel und Städten, eine starke protestantische Ständekirche entstand, spielte in den Ländern Erzherzog Ferdinands die Reformation keine Rolle mehr; die konfessionelle Opposition bildeten die Täufer. Die Wiederkehr einer eigenen Dynastie in Innsbruck bedeutete einerseits Verdichtung und Intensivierung der Herrschaft – sie trennte jedoch andererseits das Reichsoberhaupt erneut vom deutschen Südwesten. Dies wurde umso wichtiger, als in Innsbruck ein entschiedener Anhänger der Gegenreformation saß, Kaiser Maximilian II. selbst aber eine eigentümliche Rolle spielte.
In seiner Jugend evangelischen Neigungen weit offen, hatte er sich dem Druck des Vaters und den dynastischen Bindungen an Spanien gefügt; er war wohl zeitlebens nie ganz für eine tridentinische Katholizität gewonnen und blieb engagierter Anhänger kirchlicher Reformen und wahrscheinlich sogar einer Konvergenz durch Reform. Aber es war doch für das Reichsoberhaupt schwierig, die prinzipiell altkirchliche Position zu verlassen, so sehr es auch im katholischen Lager auf Erneuerung drängte – der religiöse Druck seiner Jugendjahre hatte ihn wohl auch die zeitgenössische Kunst des „Dissimulierens“ (Heckel) gelehrt. Mit Christoph von Württemberg verband ihn eine alte Bekanntschaft. Seinen Regierungsantritt begleiteten evangelische Hoffnungen – auch wenn er sie nicht erfüllen sollte, war er doch mit seinem Entgegenkommen gegen die Protestanten, seiner Reformfreudigkeit und seiner Offenheit der eigentliche Kaiser des Religionsfriedens.
Die Sonderentwicklung der Kurpfalz aber mußte für das System des Religionsfriedens die erste große Feuerprobe werden. Dynastische Rivalität bei Pfalzgraf Wolfgang von Zweibrücken und lutherische Entschiedenheit bei Christoph von Württemberg trafen sich zu gemeinsamem Vorgehen gegen den Pfälzer; ein Gespräch württembergischer und pfälzischer Theologen in Maulbronn scheiterte ebenso wie die gleichzeitigen Verhandlungen über gemeinsame Maßnahmen gegen die schwäbische Reichsritterschaft. Im Zeichen des Religionsfriedens fanden sich die beiden lutherischen Fürsten mit Kaiser Maximilian II. zum Plan eines Vorgehens gegen den Pfälzer, dessen Schauplatz der Augsburger Reichstag von 1566 sein sollte. Es erwies sich schnell, daß diese Linie unter den Evangelischen keine Mehrheit fand, daß die altgläubigen Stände die Situation ihrerseits ausnützten, um den unsicheren Maximilian II. auf ihre Linie zu bringen. Friedrich III. verteidigte sich nicht nur mit persönlicher Frömmigkeit, sondern auch mit taktischem Geschick und erstaunlicher Härte. Am Ende hatte er eine de-facto-Anerkennung des reformierten Bekenntnisses durchgesetzt. Das Ergebnis war vielfältig. Die Pfälzer konnten von ihrer konfessionellen Entscheidung nicht mehr abgebracht werden, der Religionsfriede hatte den ersten schweren Stoß erlitten. Maximilian II. war in eine Front mit den entschieden altkirchlichen Kräften gedrängt worden – die Lutheraner mußten ihre konfessionellen Auseinandersetzungen mit den Reformierten vornehmlich auf der theologischen Ebene austragen.

Württemberg als Vormacht des deutschen Luthertums

Diese wurden zwischen Pfälzern und Württembergern hart, unversöhnlich und beleidigend geführt – aber es sollte sich zeigen, daß unter den südwestdeutschen

Protestanten sich unter württembergischer Regie das Luthertum durchsetzte, zu dessen politischem und intellektuellem Mittelpunkt Stuttgart bzw. Tübingen wurde. Dabei konnte sich Württemberg stützen auf Pfalz-Neuburg, wo 1568 mit Wolfgangs Sohn Philipp Ludwig ein ausgesprochener „Betefürst" nachgefolgt war, ein umsichtiger Landesherr vom Schlage Herzog Christophs, der die württembergische Ausstrahlung nach Schwaben und Franken stützte. Rückhalt bot auch Brandenburg-Ansbach-Kulmbach, dessen Landesfürst Georg Friedrich in seiner langen Regierungszeit ein ebenfalls betontes Luthertum mit einem ausgeprägten Sinn für politische Dimensionen verband. Württembergischer Einfluß wurde weiter wirksam in den evangelisch gewordenen Reichsgrafschaften Hohenlohe, Oettingen, Löwenstein und Wertheim sowie in der Herrschaft Limpurg. Die Grafen von Helfenstein in Wiesensteig wandten sich nach anfänglicher Anlehnung an Württemberg 1567 der alten Kirche zu. Die Konfessionspolitik der oberrheinischen Grafen von Eberstein und Hanau-Lichtenberg dürfte ebenso wie jene der Herrschaft Geroldseck unter Straßburger Einfluß gestanden haben. Die politische Prägekraft des Religionsfriedens bewiesen die Reichsritter, die in den Kantonen Neckar-Schwarzwald und Kocher zu guten Teilen, im Kraichgau und im fränkischen Odenwald nahezu ganz evangelisch waren. Gerade im Kraichgau und im Odenwald hatte vielfach die Konfessionsentscheidung der Heidelberger Kurfürsten zum Ende der alten Beziehungen geführt; der konfessionelle Zwist paarte sich schnell mit den Unterwerfungstendenzen der Pfalzgrafen. Die südwestdeutsche Konfessionsentwicklung zeigte die relative Isolierung Heidelbergs. Nicht einmal die Grafen von Erbach folgten letztlich der Hinwendung zum reformierten Bekenntnis – eine Generation nach dessen Heidelberger Protagonisten schwenkten die Grafen auf das lutherische Bekenntnis der fränkischen Standesgenossen ein.
Die dominierende konfessionelle Bedeutung Württembergs verband sich mit seiner Hegemonierolle im Schwäbischen Kreis. Dagegen waren die Pfälzer relativ isoliert; ihre Antwort war die verstärkte Orientierung auf Westeuropa, in dessen Auseinandersetzungen sie sich immer mehr verstrickten, vor allem durch die Unterstützung der Hugenotten in Frankreich und der aufständischen Niederländer.
Die Ausstrahlung Württembergs war ganz anderer Art; sie verband sich vornehmlich mit den Namen Brenz, Vergerio und Andreae. Der alternde Brenz war das unumstrittene geistliche Haupt der württembergischen Kirche. Pier Paolo Vergerio, einst päpstlicher Nuntius im Reich, setzte nach seinem Übergang zum Luthertum seine weitgespannten Beziehungen für die Reformation ein. Einer jüngeren Theologengeneration gehörte bereits Dr. Jakob Andreae aus Weinsberg an, dessen Stellung im Kirchenrat durch jene als erster Theologieprofessor und Stiftspropst in Tübingen flankiert wurde. Die Tübinger Theologische Fakultät gewann durch ihn, seine Kollegen Heerbrand und den jüngeren Brenz eine zentrale Geltung im deutschen Luthertum. Gestützt auf einen verfestigten Landesstaat – Württemberg galt als „lutherisches Spanien" – konnten Stuttgart und Tübingen wichtige Impulse zu einer „zweiten lutherischen Reformation" (Rudersdorf) geben. Andreae, vehementer Verfechter eines orthodoxen Luthertums, erwies sich als glänzender Organisator und Erneuerer zahlreicher Kirchen im Umfeld, aber auch als scharfer Disputationsgegner der Reformierten. Weit über den Südwesten hinaus wirkte er bis ins Elsaß, nach Braunschweig-Wolfenbüttel und in die österreichischen Erblande hinein, wo zahlreiche württembergische Theologen tätig wurden. Herzog Christoph selbst engagierte sich für die evangelische Sache in Frankreich und England.
Der Antagonismus zur benachbarten Pfalz war hart, zumal als Johannes Brenz im Abendmahlsstreit die Lehre von der „Ubiquität Christi" formulierte. Es war Württemberg, das nun mit deutlicher Stoßrichtung gegen die Reformierten die deutschen Protestanten zusammenzufassen suchte; zur treibenden Kraft wurde abermals Jakob Andreae. Die Entwicklung führte über mehrere Zwischenstufen 1577 zur Konkordienformel, für die Andreae die nachhaltige Unterstützung des Kurfürsten August von Sachsen erreicht hatte. 1580 kam es dann zum Konkordienbuch, dessen Annahme vor allem durch das Fürstentrio Ludwig von Württemberg, Christophs Sohn, Georg Friedrich von Brandenburg-Ansbach und Philipp Ludwig von Pfalz-Neuburg im Südwesten propagiert wurde. Ihnen gelang es, nahezu alle evangelischen Stände und Städte zu gewinnen, vom Norden Deutschlands ganz zu schweigen. Einige Reserven rührten von der deutlichen Distanzierung nicht nur von den Reformierten, sondern auch von den Philippisten, den unmittelbaren Anhängern Melanchthons. Die Führungsrolle Württem-

bergs im deutschen Luthertum ging allerdings unter dem schwächeren Sohn Christophs ein wenig zurück.

Kurpfalz und die badischen Markgrafschaften

Dennoch erschienen die Erfolge groß. Vor allem gelang es 1582 sogar, die Kurpfalz für das Konkordienbuch zu gewinnen. Mit dem Regierungsantritt von Friedrichs III. lutherischem Sohn, Ludwig VI., kam es in Heidelberg zu einem Umschwung, zum Umsturz der reformierten Einrichtungen, zum Exodus von Pfarrern, Lehrern und Studenten. Freilich blieb auch Ludwigs VI. Politik militanter als die württembergische, löste er sich nicht ganz aus den revisionistischen Traditionen des Kurstaates – den Bruch mit den Philippisten, den das Konkordienbuch von 1580 bedeutete, hat er wohl nachträglich bedauert. Aber die Pfälzer Entwicklung ließ sich durch Ludwig VI. nicht aufhalten. Nach seinem frühen Tod riß der reformierte Bruder Johann Casimir 1583 die Macht an sich und kehrte die Entwicklung erneut um; diesmal waren es lutherische Pfarrer, Lehrer und Studenten, die aus dem Lande weichen mußten. Weder 1583/84 noch 1592, beim Tode Johann Casimirs, konnten die testamentarisch eingesetzten Vormünder Württemberg, Brandenburg-Ansbach und Hessen-Marburg die Vormundschaftsregierung an sich bringen.
Hinter der Kurpfalz und Württemberg fielen die badischen Markgrafschaften erheblich zurück, geschwächt durch die Landesteilung – die konfessionellen Entscheidungen zogen sich noch lange hin. Der Pforzheimer Markgraf Karl II. und sein Kanzler Martin Achtsynit führten in den Kernlanden mit württembergischer, im Markgräflerland mit Städtisch-Baseler Unterstützung die Reformation ein. Daß Baden-Baden nach einigem Schwanken den Weg der alten Kirche beschritt, unterstrich die dynastische Rivalität mit einem zunehmend erbitterten konfessionellen Gegensatz. Baden-Baden öffnete sich weit dem bayerischen Einfluß und fand auch zunehmend Rückhalt am Kaiser – Karl II., der bedeutende badische Landesfürst, der seine Residenz 1565 nach Durlach verlegte, suchte Anschluß an die evangelischen Gruppierungen, vor allem an Herzog Christoph von Württemberg. Nach dem Tod Markgraf Karls II. kam es zu einer Dreiteilung Baden-Durlachs, die konfessionelle Erschütterungen auslöste.

Zunehmende konfessionelle und reichspolitische Polarisierung

Die innerbadischen Gegensätze entsprachen der zunehmenden Polarisierung im Reich. Dazu trug nicht wenig die Persönlichkeit von Maximilians II. Nachfolger Rudolf II. bei – der depressive Einzelgänger, hochbegabt und kunstsinnig, schwankte zwischen gegenreformatorischem Engagement und zögerndem Laufenlassen. Eine solche Politik konnte die ansteigenden Auseinandersetzungen nicht schlichten, sondern nur noch verschärfen. Die Sorge um den konfessionellen Ausgleich trat zurück; die Verlegung der Residenz nach Prag entfremdete den Kaiser noch mehr vom schwäbischen Raum und verstärkte die 1564 festgelegte Distanzierung. Rudolfs II. Türkenkriege zwangen ihn zu immer neuen Reichstagen, aber zugleich setzte eine galoppierende Krise der Reichsverfassung ein, die vor allem durch die Heidelberger Politik verstärkt wurde; die Pfälzer fühlten sich durch die einseitigere konfessionelle Haltung Rudolfs II. benachteiligt, vor allem durch die immer stärker hervortretende, den Religionsfrieden im katholischen Sinne interpretierende Rechtsprechung des Reichshofrats. So geriet die Reichsverfassung, nachdem der Religionsfriede auch dem Südwesten eine lange Phase der Ruhe beschert hatte, immer mehr in die Krise – die offen ausbrach, als der solidarisierende Druck des Türkenkrieges mit dem Frieden von Zsitva-Torok 1606 zu Ende ging. Die Ferne des Reichsoberhauptes begünstigte den Zerfall des Religionsfriedens weiter. Gleichzeitig fiel die österreichische Position im Südwesten völlig aus – der Erbe der Vorlande und Tirols, Erzherzog Ferdinand, gestorben 1595, hatte durch seine Ehe mit der schönen Philippine Welser keine ebenbürtigen Nachkommen; der Sohn Karl wurde mit der Markgrafschaft Burgau abgefunden, sein Bruder Andreas stieg zum Bischof von Konstanz und zum Kardinal der römischen Kirche auf. Die Habsburger konnten sich über die Regierungsnachfolge in Innsbruck nicht einigen; erst mit der Statthalterschaft des Erzherzogs Maximilian (III.), eines Bruders Rudolfs II., kam erneut Kontinuität in die Tiroler und vorderösterreichische Politik. Daß der Erzherzog zugleich Hoch- und Deutschmeister war, gab ihm einen beträchtlichen reichspolitischen Einfluß; er wurde gewissermaßen das Bindeglied der Habsburger zum Reich, ein Mann, der die Verhältnisse kannte und gleichwohl eine entschieden katholische Politik zu treiben verstand. Maximilian hatte mehr reformerische als gegenreformatorische Züge – von seinen Zentren in Innsbruck und Mergentheim her wurde er ein wichtiger Faktor der

südwestdeutschen Reichspolitik; gegenüber dem übermächtigen Bayern suchte er zu Beginn des 17. Jahrhunderts immer wieder die österreichischen Interessen zu verfechten, ausgleichend wirkte er im diffusen Spiel seiner habsburgischen Verwandtschaft. Allerdings machte die Lösung der kaiserlichen Position von der Territorialherrschaft Vorderösterreichs auch deutlich, was die erstere bedeutet hatte – das Reichsoberhaupt war stets zu einer gewissen Vorsicht gezwungen, die Innsbrucker Habsburger haben nun sehr viel rabiater die Ansprüche der Landvogtei in Schwaben verfochten, was wiederholt zu Reibereien mit den kleineren Landesherren führte. Im besonderen Maß galt dies für den Markgrafen Karl von Burgau.
Der Bruderzwist in Habsburg und der rapide Machtverfall Kaiser Rudolfs II. begünstigte im neuen Jahrhundert einen immer stärkeren Aufstieg Bayerns zur katholischen Vormacht. Die altgläubigen Reichsstände Schwabens blickten zunehmend nach München, auch wenn Erzherzog Maximilian ein habsburgisches Gegengewicht zu setzen versuchte.
So lebte der alte bayerische Einfluß wieder auf, den einst Kaiser Maximilian I. zurückgedrängt hatte. Bayerische Bischofspläne kamen allerdings in Südwestdeutschland nicht zum Tragen. Gestützt auf einen stabilen Landesstaat aber erhielt die bayerische Politik einen großen Zuschnitt.

Pfälzer Bündnispolitik

Der Zerfall des reichspolitischen Systems des Augsburger Religionsfriedens sah aber auch die reformierte Pfalz aktiv. Unter dem Kuradministrator Johann Casimir wurden die Verbindungen zu Westeuropa wieder enger – zu Heinrich IV. von Frankreich, zu England. Das Verhältnis zu Wilhelm von Oranien allerdings war gebrochen, so daß erst unter Kurfürst Friedrich IV. Verbindungen zu dessen Sohn Moritz geknüpft wurden. So stützte sich der Pfälzer Revisionismus verstärkt auf die Kräfte Westeuropas, auch wenn es nach der Krise von 1592 die Heidelberger Räte für geraten hielten, die Konflikte mit den benachbarten Reichsrittern zu bereinigen. Aber diese gelangten nicht mehr zu ihrem alten Einfluß; in eine beherrschende Position am Heidelberger Hof traten nun Wetterauische Grafen, die nahe Verwandte der Oranier waren, sie paßten besser zum reformierten Charakter des Pfälzer Hofes. Dieser erhielt unter Friedrich IV. (1592–1610), der sich vom strengen Stil des Großvaters immer weiter entfernte, einen internationalen Glanz und war nicht nur ein politisches, sondern auch ein kulturelles Zentrum von hoher Attraktion – im Zeichen eines „Calvinismus aulicus“ geprägt vom Stil der späten Renaissance und vom späten Humanismus. Dies wiederum beeinflußte auch die Universität, die in jenen Jahren ebenfalls einem bedeutenden Höhepunkt zustrebte. Heidelberger Juristen und Theologen zählten zur Spitze ihrer Zeit, letztere wirkten in den konfessionellen Diskussionen der Reformierten an maßgebender Stelle mit. Der schwache Kurfürst Friedrich IV. stand unter dem Einfluß bedeutender Räte, unter denen vor allem der hochgebildete Statthalter in Amberg, Fürst Christian I. von Anhalt, die Führung der Außenpolitik übernahm.
Noch unter Johann Casimir hatte die Pfalz nicht nur 1587 und 1591 in die französischen Religions- und Bürgerkriege eingegriffen, sondern auch eine intensive Bündnispolitik aufgenommen. Sie schien zum Erfolg zu kommen, als sich ihr sogar Kursachsen, die traditionelle lutherische Vormacht, anschloß und Kurfürst Christian I. zum reformierten Bekenntnis überging. Der nahezu gleichzeitige Tod Kurfürst Christians I. und Johann Casimirs 1591/92 gab aber der Reichspolitik nur eine Ruhepause. Die Pfälzer Administrationskrise von 1592 wurde überwunden, und sehr schnell schwenkte die Pfalz wieder auf ihre alte Bündispolitik ein, die kombiniert war mit revisionistischen Zielen gegen den Religionsfrieden.

Die Krise der Reichsverfassung

Zusammen mit der zunehmend deutlich werdenden Schwäche Kaiser Rudolfs II. wurden die Konflikte innerhalb des Reichsverbandes immer schärfer, wobei es meist um die rechte Auslegung des Religionsfriedens ging. Dabei waren es nicht zuletzt die Probleme des deutschen Südwestens, die sich als schwer lösbar erwiesen. Zu bewaffneten Auseinandersetzungen schien es allein beim Straßburger Kapitelstreit von 1583 bis 1604 zu kommen, als der evangelische Teil des gräflichen Straßburger Domkapitels, gestützt auf die lutherische Reichsstadt und auf lutherische Reichsstände, die Wahl eines evangelischen Bischofs durchzusetzen trachtete. Aber auch jene Fälle, die schließlich zur Lahmlegung der Reichsjustiz führten, kamen aus dem konfessionell zersplitter-

ten Südwesten. Der Markgraf von Baden-Durlach, der Graf von Oettingen, die Reichsstadt Straßburg und die Reichsritter von Hirschhorn waren in Auseinandersetzungen um eingezogenen Klosterbesitz verwickelt, die zur Paralysierung des Reichskammergerichts führten; stets ging es um die Interpretation des Religionsfriedens. Bei der Opposition gegen die Reichsjustiz spielte die Heidelberger Regierung eine führende Rolle. 1603 lehnte sie es ab, sich den Mehrheitsbeschlüssen des Reichstags in Steuerfragen zu unterwerfen. Als die scheinbar ruhige schwäbische Reichsstadt Donauwörth einen Gewaltakt der evangelischen Mehrheit gegen eine legale Prozession der katholischen Minderheit sah, sprach der Prager Reichshofrat die Reichsacht aus und beauftragte nicht den zuständigen Schwäbischen Reichskreis, d.h. Württemberg, mit der Exekution, sondern setzte Bayern in Marsch. Maximilian I. unterwarf 1607 die Stadt, hielt sie mit der Forderung nach Erstattung der Unkosten weiterhin besetzt und führte schließlich eine Rekatholisierung durch. Das Ereignis von Donauwörth löste bei den kleineren Reichsständen ein Gefühl der Bedrohung aus, das in die allgemeine Krisenstimmung einmündete. Die Antwort der evangelischen Stände auf Donauwörth war, daß die Aktionspartei unter Pfälzer Führung 1608 auch den Regensburger Reichstag sprengte. Die Krise im Hause Österreich hatte diese Entwicklung durchaus begünstigt.
Nach der Lahmlegung des Reichstags von 1608 fand zwar 1613 noch ein weiterer statt, aber auch er scheiterte praktisch, so daß der Zerfall in konkurrierende konfessionelle Lager unaufhaltsam war. Bayern und die Pfalz wurden zu den Exponenten der Gegner, die sich wechselseitig bedroht fühlten. Beide sammelten um sich die Gesinnungsgenossen, die Pfalz in der Evangelischen Union von 1608, Bayern in der Katholischen Liga 1609. Die katholischen Reichsstände Südwestdeutschlands schlossen sich der Liga an: die Bistümer Augsburg, Konstanz, Speyer und Worms, Würzburg und die gesamte Klerisei Schwabens sowie eine ganze Reihe von Grafen und Herren. Dagegen verbanden sich der Kurpfalz die evangelischen Stände wie Württemberg, Baden-Durlach, Brandenburg-Ansbach, ebenso wie die Reichsstädte Ulm, Straßburg, Nürnberg und Kempten. In der kleingesplitterten Welt Schwabens machte sich die konfessionelle Polarisierung in Deutschland besonders bemerkbar. Die Krise um Jülich und Berg 1610 hatte bereits die Gefahr eines europäischen Krieges heraufbeschworen, der nur durch die Ermordung Heinrichs IV. von Frankreich abgewendet wurde. Am Niederrhein und im Elsaß war es bereits zu Kampfhandlungen gekommen.

Eine neue Fürstengeneration

Es war eine neue Generation von Fürsten, die hier aktiv wurde, geprägt vom konfessionellen Gegeneinander, aber auch von einem intensivierten Herrscherwillen nach innen. Herzog Friedrich I. von Württemberg (1593–1608) verließ die Linie seiner Vorgänger Christoph und Ludwig und ihr reichspolitisch ausgleichendes Konzept; er war nicht mehr der patriarchalische Landesherr; mit harter Hand setzte er sein Regiment nach innen durch; eine planmäßige Wirtschaftspolitik sollte ihn zu einer reichspolitischen Rolle führen. So forcierte er etwa das Leinengewerbe in Urach, seine Städtegründung in Freudenstadt wurde das Ziel zahlreicher europäischer Emigranten – eine erfolgreichere Gründung zunächst als die pfälzische Parallele in Mannheim. Die Klosterschulen, von Herzog Ludwig bereits auf zehn reduziert, verringerte er auf nur noch vier. Er löste Württemberg entschlossen aus dem österreichischen Afterlehensverhältnis. Über die Widerstände der Landstände setzte er sich oft genug hinweg. Vor allem verließ der energische Fürst die bisherige Linie reichspolitischer Loyalität und schloß sich der pfälzischen Bündnispolitik teilweise an. Wie die Pfälzer suchte er in einem Landesdefensionswesen die Untertanen für den bewaffneten Kampf zu schulen. Der Nachfolger Johann Friedrich (1608–1628) war nicht aus gleichem Holz geschnitzt – mit dem Beitritt zur evangelischen Union freilich setzte er die Linie des Vaters fort. Nach innen allerdings opferte er die Exponenten von dessen absolutistischer Politik den Landständen. Der Kanzler Matthäus Entzlin wurde 1613 in Urach enthauptet.
Der Persönlichkeit Friedrichs I. war vergleichbar der Markgraf Ernst Friedrich von Baden-Durlach (1577–1604). Im Kontrast zu katholisierenden Tendenzen seines früh verstorbenen Bruders Jakob III. kam mit ihm ein Reformierter an die Regierung, der sich nicht nur eng an die Pfalz anlehnte, sondern auch die Sorge um die katastrophale Mißwirtschaft der Baden-Badener Linie unter Markgraf Eduard Fortunat mit evangelischem Expansionswillen verband. So marschierte der Markgraf 1594 in die obere Markgrafschaft ein und okkupierte sie mit Gewalt, ein Handstreich, der wiederum die katholischen Reichsstände aufs äußerste verbitterte. Aber der rastlose Fürst suchte

auch nach innen den konfessionellen Absolutismus durchzusetzen – das Land wurde unruhig in Sorge um das überkommene Luthertum. Die alte Hauptstadt Pforzheim lehnte sich auf. Als Ernst Friedrich gegen sie mit Gewalt vorging, ereilte ihn der Schlag. Als Toter zog er 1604 in Pforzheim ein. Sein Bruder Georg Friedrich (1604 bis 1622, gest. 1636) war ein entschiedener Lutheraner, doch er hielt an der aktiven Bündispolitik des Bruders fest. Aber auch kleinere Herren, wie die Grafen von Hohenlohe, exponierten sich konfessionell. Graf Philipp hatte in niederländischen Diensten gestanden und im Heer der Oranier gefochten; die Grafen Georg Friedrich und Kraft sollten sich bereits am Vorabend des Dreißigjährigen Krieges aktiv für die evangelische Union engagieren. Noch bemerkenswerter war, daß die seit dem Schmalkaldischen Krieg ängstlich auf Loyalität zu Kaiser und Reich bedachten Reichsstädte aus ihrer Reserve heraustraten und sich der evangelischen Union anschlossen. Die allzeit vorsichtigen Reichsritter gingen so weit nicht, aber auch sie verzweifelten am Funktionieren der Reichsverfassung – sie sympathisierten gemäß ihren konfessionspolitischen Optionen: die Odenwälder und Kraichgauer mit den Protestanten, die Oberschwaben mit den Katholiken. Die Korrespondenz der schwäbischen Ritter spiegelte über alle konfessionellen Grenzen hinweg die schwer definierbare Furcht vor den unkalkulierbaren Risiken der Zeit; die Furcht wurde vermehrt durch allerlei äußere Zeichen, Prophezeiungen und auch Gerüchte.

Unter den Fahnen der Liga sammelte sich die traditionelle Klientel Österreichs. Es zeigte sich nun, daß eine neue Generation katholischer Bischöfe herangewachsen war, die sich ganz entschieden für die tridentinischen Reformen einsetzte. Ihr profiliertester Exponent war der Würzburger Bischof Julius Echter von Mespelbrunn (1573–1617). Er wurde zum eigentlichen Gründer der Würzburger Universität 1582, zum Organisator des Theologiestudiums und zum Förderer der Jesuiten. Mit harter Hand setzte er eine Reform des Klerus und der Frömmigkeit durch; mit gleicher Härte aber verfocht er auch die Ansprüche des würzburgischen Landesstaats. Heinrich von Knöringen (1598 bis 1646), der fast ein halbes Jahrhundert auf dem Augsburger Bischofsstuhl saß, setzte sich ebenfalls energisch für die katholische Erneuerung ein. Eng verbunden mit der Position Vorderösterreichs war das Bistum Konstanz, das finanziell durch die Verluste der Reformationszeit schwer geschädigt wurde. Auf den prunkliebenden Kardinal Andreas von Österreich (1589–1600) folgten mit Georg von Hallwiel (1600–1604) und Jakob Fugger (1604–1626) zwei entschiedene Reformer. Schon gegen Ende des 16. Jahrhunderts war Konstanz, wie Georg Wieland gezeigt hat, imstande, der einsetzenden Gegenreformation in Innerösterreich entscheidende Impulse zu geben. In Speyer folgten auf den konfessionell zwiespältigen Marquard von Hattstein (1560 bis 1581) dezidiert katholische Bischöfe, wobei hier besonders starke Impulse aus dem Domkapitel kamen. Eine neue Zeit zog herauf mit dem jungen Bischof Philipp Christoph von Soetern (1610–1652), der sich konsequent und hart gegen die Pfalz wehrte, neben entschiedenem katholischem Reformgeist auch einen kräftigen machtpolitischen Instinkt hatte – Soetern sollte zu einer der Zentralfiguren des Dreißigjährigen Krieges werden. Nach dem Sieg der katholischen Partei im Straßburger Kapitelstreit war auch in dem bischöflichen Territorium der Weg zur katholischen Reform frei. Aber auch andere geistliche Herren, wie der Deutschmeister Erzherzog Maximilian (III.), nahmen sich einer erneuerten Katholizität an und förderten die erstarkenden Kräfte des Katholizismus in ihrem Territorium. Maximilian III. wurde sogar zu einem Gegenspieler seines bayerischen Namensvetters innerhalb der katholischen Liga.

Der Anfang des Dreißigjährigen Krieges und die Pfälzer Katastrophe

Die zugespitzte Situation zeigte sich, als der militante Philipp Christoph von Soetern, Bischof von Speyer, der 1623 auch Erzbischof von Trier wurde, mit dem Ausbau des alten Udenheim zur Festung Philippsburg offen den Pfälzer Machtansprüchen entgegentrat – die gewalttätige Zerstörung Philippsburgs durch die Pfälzer 1618 war ein weiteres, bedrohendes Wetterleuchten. So nahmen die Auseinandersetzungen immer schroffere Formen an. Die entschiedene Gegenreformation in den katholischen Territorien stieß mit den Kräften der Reformation zusammen – der 1582 von Papst Gregor XV. eingeführte gregorianische Kalender ließ die Zeitrechnung des katholischen und des evangelischen Deutschland auseinandertreten und führte in Augsburg zu heftigen Auseinandersetzungen; die Zeitverschiebungen gaben immer wieder Anlaß zu provokanten Unternehmungen, etwa wenn Lutheraner mit ihrer Fasnacht die katholische Fastenzeit störten. Dennoch war die kriegerische Auseinandersetzung nicht unaus-

weichlich. Es gab immer wieder Hoffnungsschimmer, die kritische Situation zu bereinigen. Die Versuche des Konvertiten, Wien-Neustädter Bischofs und Kardinals Melchior Klesl, die konfessionellen Gegensätze noch einmal zu überbrücken, scheiterten. Andererseits hat der Reichsvizekanzler des neuen Kaisers Matthias (1612–1619), der Schwabe Johann Ludwig von Ulm zu Mittelbiberach und Erbach, zu den Verfechtern eines harten Kurses gezählt, ein Mann, der nicht mehr an eine friedliche Beilegung der Konflikte glaubte.
Der Aufstieg des entschieden katholischen Erzherzogs Ferdinand zur Führungsrolle im Hause Österreich, nach außen symbolisiert durch die Erhebung zum König von Böhmen 1617, war nicht dazu angetan, die Ängste der Protestanten zu zerstreuen; noch vor dem Tode des Kaisers Matthias war das Erzhaus mit seiner größten Krise in den Erblanden konfrontiert. 1618 setzten die böhmischen Stände Ferdinand förmlich ab und riefen den Führer der evangelischen Union, Kurfürst Friedrich V. von der Pfalz, 1619 als neuen König ins Land. Nun zeigte sich rasch, daß der Heidelberger Kurfürst trotz allen höfischen Glanzes nicht die militärische und finanzielle Macht hatte, das Abenteuer durchzuhalten; die Mitglieder der Union wie etwa der schwache württembergische Herzog Johann Friedrich und die südwestdeutschen Reichsstände haben mit gutem Grund dem Pfälzer in sein böhmisches Abenteuer nicht folgen wollen. Auf der anderen Seite warf Maximilian I. von Bayern die Kräfte des stärksten und konsolidiertesten deutschen Landesstaates und der von ihm kontrollierten katholischen Liga in die Waagschale des bedrängten Ferdinand, der am 28. August 1619 zum Kaiser gewählt wurde.
Mit der Schlacht am Weißen Berg vor Prag (8. November 1620) – erfochten vor allem durch das bayrische Ligaheer – brach das „Winterkönigtum“ des Pfälzers zusammen; Friedrich flüchtete in das holländische Exil. Bald wurde der Krieg nach Südwestdeutschland gezogen; die evangelische Union löste sich auf. Der Pfalzgraf mußte sich auf Söldnerführer stützen; allein der gläubige und konsequente Markgraf Georg Friedrich von Baden-Durlach, Ernst Friedrichs lutherischer Bruder, focht weiter für die Pfälzer – daß er freilich 1619 zugunsten seines Sohnes Friedrich V. abdankte, um sein Territorium nicht zu gefährden, war im Grunde ein schlechtes Omen. Nach der Eroberung der Oberpfalz stießen die Truppen Bayerns und der Liga gegen die Kernlande der Pfalz vor; in der Schlacht bei Wimpfen am 6. Mai 1622 unterlag Markgraf Georg Friedrich gegen Tilly, der sich damit den Weg in die rheinische Pfalz öffnete, während links des Rheines spanische Truppen vordrangen. Die letzten befestigten Plätze der Pfalz wurden meist von Ausländern verteidigt, sie ließen sich nun nicht mehr halten. In Heidelberg, das Zentrum des reformierten Bekenntnisses in Deutschland, drangen am 19. September 1622 die bayerischen und kaiserlichen Truppen ein, am 2. November fiel Mannheim, die 1606 von der Pfalz gegründete Festung, die bald nach ihrer Eroberung von den Bayern geschleift wurde, im März 1623 Frankenthal. Die rechtsrheinische Pfalz um Heidelberg wurde unter die Verwaltung der Wittelsbacher Vettern gestellt; in Kreuznach zog die spanische Administrationsregierung für die linksrheinische Pfalz ein. Die Exponenten der Heidelberger Politik und des reformierten Bekenntnisses mußten ins Exil gehen; vor allem Bayern nahm nun die Gegenreformation des Landes in Angriff – die Universität Heidelberg wurde 1629 als Jesuitenuniversität wieder eröffnet. Damals hatten die Bayern kurze Zeit auf eine Neugestaltung der Pfalz gesetzt – 1623 hatte der Kaiser Maximilian I. als Preis für seine entscheidende Unterstützung die Kurwürde und die Oberpfalz verliehen. Dies wurde 1628 festgeschrieben. Die Entscheidung bedeutete nicht nur eine erhebliche Schwergewichtsverlagerung im Reich; sie machte überdies die Konflikte immer schwerer lösbar, da die Pfälzer Exilregierung Rückhalt an der ausländischen Verwandtschaft des Kurfürsten suchte.

Kaiserlich-katholisches Übergewicht und Restitutionsedikt von 1629

Der Zusammenbruch der Kurpfalz verschob das gesamte Gleichgewicht in Südwestdeutschland, das nun im Schatten der bayerischen Militärmacht lag. Die einstigen Glieder der Union wie Württemberg oder die Reichsstädte mußten starke Einquartierungen hinnehmen, die sich zu einer erheblichen Belastung auswuchsen. Heidelberg wurde zu einer Art logistischen Zentrums der katholischen Kriegsführung, die sich immer weiter nach Norddeutschland vorschob. Nur allmählich konnte der Kaiser dem Ligageneral Tilly mit Albrecht von Wallenstein einen gleichwertigen Kommandeur an die Seite stellen. Die Verschiebung des militärischen Schwerpunkts nach dem Norden

entlastete Süddeutschland zwar für einige Jahre von unmittelbaren Kriegseinwirkungen, aber schwere finanzielle Belastungen blieben ihm nicht erspart.
Der Kaiser suchte nun, auch mit bayerischer Rückendeckung, die schwebenden konfessionsbedingten Verfahren zu entscheiden – stets zugunsten der Katholiken. Der katholische Markgraf Wilhelm (1622–1677) von Baden-Baden wurde restituiert und für die oberbadische Okkupation von 1594 mit durlachischen Ämtern entschädigt. Für Württemberg schien sich zunächst die Neutralitätspolitik auszuzahlen, aber mit dem Restitutionsedikt von 1629 holte der Wiener Hof auch hier zum entscheidenden Schlage aus. Alles Kirchengut, das 1552 noch in katholischer Hand war, war zu restituieren – gemäß den Buchstaben des Religionsfriedens; das bedeutete, daß jedes seinerzeit bestehende Kloster wieder herzustellen war, daß in gemischt konfessionellen Reichsstädten die Evangelischen in die Defensive gedrängt wurden, in Augsburg, Biberach, Kaufbeuren, Dinkelsbühl und Ravensburg schien die Stunde der Rekatholisierung zu schlagen. Besonders arg kam das Herzogtum Württemberg unter die Räder; durch die Klosteraufhebungen Herzog Ulrichs bestand Württembergs grundherrschaftliche Basis zu einem Drittel aus ehemaligen Klosterherrschaften. Deren kurzfristige Wiederbelebung nach dem Schmalkaldischen Krieg gab nun den Rechtstitel zur abermaligen Restitution. Damit aber war der württembergische Landesstaat in seiner Existenz getroffen. Die württembergische Position wurde dadurch weiter geschwächt, daß 1628 Herzog Johann Friedrich gestorben war und für den minderjährigen Eberhard III. seine Brüder Ludwig Friedrich (1628–1631) und Julius Friedrich (1631–1633) die Vormundschaft führten. Aus dieser schwachen Position war ihre Opposition vergebens. Der ehemalige Tübinger und jetzige Ingolstädter Professor Christoph Besold, ein Konvertit, unterstützte die Restitutionspolitik nach Kräften.
Um 1630 schien sich die Waage endgültig gegen die Protestanten zu neigen. Mit der Wiederherstellung der Klöster kamen die reformierten Orden ins Land, beseelt von der Entschlossenheit, die Häretiker dem wahren Glauben zuzuführen; Niederlassungen der Jesuiten breiteten sich aus; Bayern plante, Heidelberg zu einem katholischen Zentrum auszubauen. Der Druck auf die evangelischen Reichsstände und Reichsstädte war stark, zumal in der Einquartierungspolitik des Ligaheeres konfessionelle Bevorzugungen nicht selten waren. Aber die Entwicklungen hatten auch politische Bedeutung – der Kaiser suchte seine Klientel in Schwaben durch die Wiederherstellung der Klöster zu stärken. Die Güter geächteter Protestanten gingen an kaiserliche Parteigänger, verstärkt nach dem kaiserlich-spanischen Sieg bei Nördlingen 1634. So wurde der kaiserliche Staatsmann Maximilian Graf Trauttmannsdorff mit dem württembergischen Weinsberg und dem neippergischen Schwaigern ausgestattet. Die Besitzverschiebungen zugunsten katholischer Parteigänger – unverkennbar nach dem Muster der böhmischen Konfiskationspolitik gegen die protestantischen Rebellen – löste beim Adel große Ängste aus; er sah in einem Mann wie Wallenstein den Protagonisten sozialer Umwälzungen in der Oberschicht.
Politisch bedeutete das Restitutionsedikt einen schweren Schlag für die protestantischen Territorien; Kaisertreue und Neutralitätspolitik hatten sich keineswegs gelohnt. Die finanzielle Basis und die konfessionelle Einheit ihrer Lande waren in Frage gestellt. Auch die Innsbrucker Habsburger suchten im Sog der kaiserlichen Erfolge ihre Interessen mit harter Hand durchzusetzen; die Landvogtei in Schwaben ging massiver denn je gegen die Mindermächtigen vor; der Erzherzog Leopold, Bischof von Straßburg und Passau, suchte mit dem Erwerb des pfälzischen Germersheim auf eigene Faust Politik zu treiben. Bayern, das schon mit den Erwerbungen von Mindelheim und Wiesensteig nach Schwaben vorgedrungen war, holte sich 1635 seinen früheren Besitz Heidenheim zurück. Aber die Politik des Restitutionsedikts hatte die kaiserlichen Möglichkeiten doch beträchtlich überzogen; zunehmend sahen sich die evangelischen Stände mit dem Rücken an der Wand. Noch war es vergebens, wenn sich die Stuttgarter Regierung immer wieder verzweifelt bei Sachsen, dem vornehmsten evangelischen Verbündeten des Kaisers, um Hilfe bemühte. Aber die kaiserliche Politik hatte doch in einer Phase, in der ihre Stellung unangreifbar schien, diese so unterminiert, daß der Rückschlag bald folgte.

Der schwedische Siegeszug

Die Gelegenheit dazu kam, als 1630 König Gustav Adolf von Schweden in Pommern landete und in einem überraschenden Siegeszug nach Süden vordrang – die schwedischen Ostseeinteressen und die Sache der deutschen Protestanten gleichermaßen im

Auge. Der Sieg über Tillys Ligaheer bei Breitenfeld am 17. November 1631 öffnete dem Schwedenkönig den Weg nach Süden – er stieß an Schwaben vorbei rasch ins Zentrum der bayrischen Macht nach München vor. Gustav Adolf fiel zwar am 16. November 1632 bei Lützen. Auf Dauer sollte sich dies als ein verheerender Verlust für die Schweden darstellen, aber zunächst hat der Einsturz der kaiserlichen Position im Reich ein erstaunlich rückhaltloses Zutrauen zu den Schweden bei einer Vielzahl von evangelischen Ständen provoziert.
Dies zeigte sich selbst bei den sonst so vorsichtigen Reichsstädten. Zahlreiche evangelische Adelige, auch schwäbische Reichsritter, hatten Dienste bei den Schweden gesucht – eine besondere Rolle spielten die gräflichen Brüder Georg Friedrich und Kraft von Hohenlohe, die sich schon bei der evangelischen Union engagiert hatten. Es wurde deutlich: die Enttäuschungen über Restitutionsedikt und Rekatholisierungspolitik trieben nun die süddeutschen evangelischen Reichsstände scharenweise in die Arme der Schweden, die in dem bedeutenden Reichskanzler Axel Oxenstjerna auch den politischen Organisator für ihre künftigen Neugliederungspläne hatten. Anknüpfend an frühere Bundesorganisationen, wie die des Schwäbischen oder des Schmalkaldischen Bundes, suchte Oxenstjerna die evangelischen Stände Südwestdeutschlands zu einem Bündnis zusammenzufassen; er tat dies freilich auch unter dem Druck des schwedischen Reichstages, der die Deutschen an der Finanzierung des kostspieligen Krieges beteiligen wollte.
Diese geschickte Konstruktion ruhte auf einer schwedischen Donationspolitik, die gleichsam spiegelverkehrt die kaiserlichen Konfiskations- und Schenkungsmaßnahmen aufnahm. Das Prinzip war die Enteignung katholischen, meist geistlichen Besitzes und seine Überstellung an die evangelischen Parteigänger Schwedens. Diese sollten damit auf Dauer mit Kaiser und Katholiken verfeindet und an die Krone Schwedens gebunden werden. Die Stunde der Revanche für das Restitutionsedikt schien zu schlagen – die konfessionellen Haßgefühle eskalierten erneut. Natürlich wurde die Kurpfalz wieder an die Heidelberger Wittelsbacher zurückgegeben; als Vormund regierte Pfalzgraf Ludwig Philipp von Simmern, der freilich unter schwedischem Druck zu seinem Leidwesen die Gleichberechtigung der Lutheraner anerkennen mußte. Markgraf Friedrich V. von Baden-Durlach erhielt erneut die baden-badischen Lande, dazu die Ortenau, den Breisgau und die habsburgischen Waldstädte, also einen Besitz, der fast den gesamten Oberrhein zwischen Basel und Durlach umfaßte. In Würzburg und Bamberg zog Herzog Bernhard von Sachsen-Weimar ein, der sich fortan Herzog von Franken nannte und mit den Ansprüchen des schwedischen Statthalters Graf Kraft von Hohenlohe kollidierte. Dieser hatte das Stift Ellwangen als Fürstentum erhalten, während das Deutsch-Ordens-Gebiet um Mergentheim als Fürstentum an den schwedisch-finnischen Feldmarschall Graf Horn kam. Evangelische Reichsstädte griffen nach den katholischen Ordensniederlassungen; in Württemberg suchte sich der Administrator Julius Friedrich aus der Propstei Nellingen, dem Kloster Zwiefalten, der Deutsch-Ordens-Kommende Winnenden, der Grafschaft Sigmaringen, der halben Baar und der Herrschaft Hohenberg ein eigenes Territorium zu zimmern – im Interesse des württembergischen Landesstaates erhielt Eberhard III. dann doch noch die geistlichen Güter und Hohenberg, während der Administrator mit Haigerloch, der Landgrafschaft Nellenburg und dem Amt Oberndorf recht gut bedient wurde. Die Schweden richteten sich Buchhorn als Stützpunkt einer Bodenseeflotte ein; ihre Grenzen zeigten sich freilich bei der vergeblichen Belagerung Überlingens durch den tüchtigen württembergischen Obersten Georg Friedrich vom Holtz. Dennoch lag das katholische Süddeutschland darnieder, schien die Position Habsburgs und seiner Klientel zusammengebrochen.

Der kaiserliche Gegenstoß

Zu großen Opfern für die schwedische Sache waren die evangelischen Stände indessen nicht bereit – waren sie doch ihrerseits vom Krieg erheblich in Mitleidenschaft gezogen. Keiner von ihnen freilich hatte die katastrophale Wende, die durch die Schlacht bei Nördlingen am 6. September 1634 eintrat, erwartet. Den vereinigten Heeren des Kaisersohnes und Königs von Ungarn, Ferdinands (III.), und des gleichnamigen Kardinal-Infanten von Spanien gelang ein glänzender Sieg über die schwedische Armee, die nahezu völlig zersprengt wurde. Zahllose württembergische Bauern aus dem Landesdefensionsaufgebot blieben tot auf dem Schlachtfeld. Feldmarschall Horn geriet in Kriegsgefangenschaft, Herzog Bernhard von Weimar wurde ins Elsaß abge-

drängt. Der Heilbronner Bund löste sich auf, viele seiner Exponenten gingen ins Exil, vornehmlich nach Straßburg, das zu einem Zentrum der evangelischen Flüchtlinge aus Südwestdeutschland wurde. Zu ihnen zählte auch der junge Herzog Eberhard III. von Württemberg, der seine Lande überstürzt im Stiche ließ.
Nun setzte der kaiserliche Gegenstoß ein. Zwar gab es 1635 im Prager Frieden ein Abrücken von der konfessionellen Ausschließlichkeitspolitik des Kaisers. Aber die Acht gegen die Pfalz blieb, auch Württemberg und Baden-Durlach wurden nicht amnestiert. Die Flucht Eberhards III. lieferte das Land schutzlos dem Zugriff der kaiserlichen und bayerischen Truppen aus; Wien und München, aber auch ein Stift wie Ellwangen, bedienten sich nun ungeniert aus dem herzoglichen Archiv. So wie sein Urgroßvater Ferdinand I. machte der junge Ferdinand (III.) zeitweilig Stuttgart zum Mittelpunkt seiner Politik; die Konfiskationen wurden erneuert und ausgedehnt. Die Entspannung des Prager Friedens machte sich in Süddeutschland nur bedingt bemerkbar.
Die konfessionellen Gegensätze wurden durch die doppelten Umschwünge von 1631/32 und 1634 zu wilden Flammen entfacht, viele alte Bande schienen zerschnitten. Der schwäbische Reichskreis funktionierte nicht mehr, aber auch in der Reichsritterschaft standen sich katholische und protestantische Ritter unversöhnlich gegenüber, die Zusammenarbeit hörte auf – die katholische Seite nützte die gewonnenen Vorteile, auch wenn sich deutlich Tendenzen des Wiener Hofes abzeichneten, zumal unter dem neuen Kaiser Ferdinand III., eine gemäßigtere Linie einzuschlagen. So kam unter drückenden Bedingungen 1638 auch die Rückkehr Herzog Eberhards III. nach Württemberg zustande; im Einvernehmen mit dem Herzog freilich suchte sein treuer Oberst Wiederholt den Hohentwiel zu halten, um ein Faustpfand für die Friedensverhandlungen zu sichern.

Zunehmende Verwüstungen und Bevölkerungsverluste

Man begann nun zu erkennen, daß nur noch ein Kompromißfriede möglich war. Die verheerenden Folgen des Krieges standen allen vor Augen; nicht nur, daß nach 1635, nach der Nördlinger Schlacht, in Südwestdeutschland die völlig zerrütteten Kreditverhältnisse vollends zusammenbrachen. Weit schlimmer war noch, daß 1634/35, verschleppt durch die Soldaten, eine verheerende Pestwelle durch die Lande ging; die von Wallenstein eingeführte und bald von anderen übernommene Methode der Kriegsfinanzierung aus dem Lande führte zu allgemeinem Ruin, auch wenn weit mehr Menschen durch Seuchen und Hunger starben als durch unmittelbare Gewalteinwirkung. Die Kriegsvölker nahmen längst keine Rücksicht mehr auf die Konfessionen. Von einem Neuenstetter Schulmeister wird berichtet, daß er nicht weniger als dreißigmal in den Schutz der Stadt Ulm flüchtete. Viele Oberschwaben emigrierten in die neutrale Schweiz; die Weingartener Mönche trieb es bis in die Steiermark und nach Kärnten. Mehrfache Plünderungen ruinierten Städte und Dörfer, Klöster und Schlösser; die Bauern rächten sich, indem sie bandenweise versprengte Soldaten erschlugen.
So erstaunt es nicht, daß gerade Südwestdeutschland Bevölkerungseinbußen hinnehmen mußte, die Günther Franz zusammengestellt hat. Im Oberelsaß wurden 20 Dörfer durch den Krieg auf Dauer wüst; in der badischen Markgrafschaft Hochberg gab es nach dem Krieg angeblich nur noch 24 unzertrennte Ehen. In neun Orten des ritterschaftlichen Kraichgaus enthielten die Huldigungslisten 1649 nur noch ein gutes Viertel der Namen von 1610; in der Rheinebene zwischen Durlach und Speyer ging die Bevölkerung um zwei Drittel zurück. Besonders gut sind die Informationen über die katastrophale Entwicklung in Württemberg. Von 450000 Einwohnern vor dem Krieg schrumpfte die Bevölkerung auf 100000 im Jahre 1645 – dieser Rückgang war erst um 1740 aufgeholt. Etwa die Hälfte der Häuser war zerstört, 1652 lag ein Drittel der Anbaufläche brach; die Bevölkerung mußte sich enorm verschulden. Dabei war das flache Land stärker mitgenommen, als die Städte, deren Mauern immerhin einigen Schutz bot. Die schlechten hygienischen Verhältnisse dort freilich haben dem Tod wieder zusätzlich reiche Ernte geliefert. Daß in Straßburg die Bevölkerung nur von 22–23000 auf 18–19000 zurückging, zeigte die bessere Lage im Elsaß; es illustriert, warum Straßburg als Zufluchtsort so berühmt war. Schlimmer sah die Situation in oberschwäbischen Reichsstädten aus: Ulm schrumpfte von 20000 auf 13500, Ravensburg von 4500 auf 2300, Biberach von 5000 auf 2000 bis 2500, Isny von 605 Bürgern auf 280, Heilbronn von 6000 auf 3200 – und es gab noch schlimmere Beispiele.

Das Eingreifen Frankreichs

Die verheerenden Bevölkerungseinbrüche setzten in Schwaben erst nach 1630 ein. Sie wurden verschärft durch den Kriegseintritt Frankreichs, als sich die Waage noch einmal zugunsten des Kaisers zu neigen begonnen hatte. Schon 1610 hatte nur die Ermordung des französischen Königs Heinrich IV. einen europäischen Krieg verhindert; nach 1618 hatte Frankreich mit eigenen Problemen zu tun, nur langsam gelang dem Kardinal Richelieu die Konsolidierung der Monarchie. Damit waren die Kräfte frei zum Kampf gegen Spanien – letzteres war auf die „spanische Straße" angewiesen, auf der die Truppen von Genua über die Bündener Pässe und das Rheintal zur flandrischen Armee stießen. Deshalb hatte König Ferdinand II. bereits 1617 im Vertrag mit dem spanischen Gesandten Oñate zugestehen müssen, daß er dem spanischen König für die Aufgabe von dessen Ansprüchen das Elsaß und die Ortenau abtrat. Als daher die Schweden ihren Keil nach Süddeutschland vortrieben, schob hinter ihrem Rücken Richelieu mit Schutzverträgen die französische Position vor, vor allem mit Philipp Christoph von Soetern, dem Erzbischof von Trier und Bischof von Speyer, verständigte er sich; mit dessen Nachfolge suchte der Kardinal selbst Fuß im Reich zu fassen. Die Stellung des katholischen Frankreich zum protestantischen Schweden machte es zur Hoffnung katholischer Reichsstände.

Als nach der Nördlinger Schlacht die Truppen Bernhards von Weimar ins Elsaß zogen, als sich die kaiserliche Macht weiter entfaltete, Schweden ins Wanken geraten war, trat Richelieu selbst auf den Plan. 1634 annektierte er das kaiserfreundliche Lothringen, besetzte er das württembergische Mömpelgard und die Reichsstadt Hagenau. Unmittelbar nach der Nördlinger Schlacht rückten französische Truppen an den Rhein vor, 1635 trat Bernhard von Weimar in französische Dienste – der Plan, mit Hilfe des Erzbischofs von Trier in den Besitz der starken Festung Philippsburg zu kommen, mißlang zunächst, weil der triererische Oberst Kaspar Bamberger zum Kaiser überging. Zwar trat eine Reihe süddeutscher Fürsten unter französischen Schutz, aber eine Kontrolle Südwestdeutschlands gelang auch dem französischen König nicht.

Die französische Intervention führte zu immer neuen Vorstößen ins Reich. Sie machten den deutschen Südwesten endgültig zum Kriegsschauplatz – immer wieder mußte er ohnmächtig die Durchzüge der Heere erleben, die plündernd, brandschatzend und mordend ins Land fielen. Was sich schon zuvor abgezeichnet hatte, vollendete sich nun – katastrophale demographische Einbrüche mit unabsehbaren wirtschaftlichen und politischen Folgen setzten nun ein. Die Entwicklung führte auch zur Krise zwischen Grundherren und Bauern – im Ritterort Kraichgau haben die durchziehenden Obersten mit den Dorfgemeinden direkt verhandelt, vorbei an den Rittern. Herrschaftliche und soziale Strukturen lösten sich auf.

Dies setzte sich von oben nach unten fort, begleitet von den kriegerischen Ereignissen. Sie standen im Zeichen der wechselnden Erfolge der französischen Militärmacht in Süddeutschland. Der Herzog Bernhard von Weimar war zunächst der erfolgreichste Heerführer Frankreichs – er starb 1639, und damit entfiel die letzte Bremse für die unmittelbare Einflußnahme Frankreichs im Elsaß. Der Marschall Guébriant trat das Erbe Bernhards an, freilich nur mit wechselnden Erfolgen – 1643 bei dem kläglich gescheiterten Versuch, sich mit den Schweden zu vereinigen, wurde er in den Südwesten zurückgeworfen und starb am 24. November 1643, bei der Eroberung Rottweils tödlich verwundet. Seine Armee wurde am gleichen Tage bei Tuttlingen von kaiserlich-bayerischen Truppen vernichtend geschlagen. Aber nun übernahm mit dem jungen Marschall Heinrich Graf Turenne eine der glänzendsten militärischen Begabungen Frankreichs das Kommando; mit den Schlachten von Mergentheim und Alerheim nahe Nördlingen 1645 kehrte Turenne die Ergebnisse von Tuttlingen um. Französische und schwedische Truppen drangen in Bayern vor; dessen Kurfürst Maximilian I. bequemte sich 1647 zum Waffenstillstand von Ulm; aber der Krieg ging zunächst noch weiter.

Westfälischer Friede (1648) und Ergebnisse des Dreißigjährigen Krieges

Der Zerfall der politischen und sozialen Ordnungen wirkte immer erschreckender. Seit den 1640er Jahren kam es zu den ersten Versuchen, das zerborstene Gefüge wieder zu reparieren. Der Schwäbische Kreis, die Schwäbische Reichsritterschaft, begannen sich langsam wieder zusammenzufinden. Aber die mehrfachen Wechsel der politischen Lage hatten gerade in Südwestdeutschland eine äußerst erbitterte Atmosphäre hinterlassen – Folge enttäuschter Hoffnungen, angestauter Aggressionen, zumal man die jeweils gegnerische Konfession häufig in der Gestalt plündernder und mordender

Heerhaufen erlebt hatte.
Dies alles belastete die Friedensfühler, die seit den 1640er Jahren ausgestreckt wurden, ganz erheblich; seit 1645 verhandelte man in Münster und Osnabrück über eine dauerhafte Friedenslösung. Immer deutlicher wurde, daß kein anderer Kompromiß möglich war als die Wiederherstellung der Zustände vor dem Krieg. Davon aber waren jene katholischen Kräfte besonders betroffen, die nach der Restauration von 1629 und der erneuten Wiederherstellung von 1634 wieder Fuß gefaßt hatten – vor allem die restituierten Klöster und die katholischen Minderheiten der Reichsstädte, sowie insgesamt die kaiserliche Klientel in Südwestdeutschland. Während Bayern längst kompromißbereit geworden war, kämpfte der oberschwäbische Katholizismus um seine neu gewonnene Ausdehnung. So zählten der Abt Adam Adami von Murrhardt als Repräsentant der schwäbischen Klöster und der Augsburger Syndikus Dr. Johannes Leuchselring als Repräsentant der katholischen Städte Oberschwabens und der katholischen Teile der Reichsritterschaft zu den erbittertsten Gegnern des Kompromißkurses auf dem Westfälischen Friedenskongreß.
Schon vor Abschluß des Friedens hatte sich abgezeichnet, daß im Zeichen des Kompromisses die Stunde der restituierten Klöster in Württemberg geschlagen hatte. Sukzessive hatte Eberhard III. ihre Positionen aufgehoben. Die rechtliche Fixierung erfolgte mit dem Normaljahr von 1624, auf das der neue Konfessionsstand ausgerichtet werden sollte – außer für die arg gezauste Kurpfalz, für die 1618 galt. In den bikonfessionellen Reichsstädten Ravensburg, Biberach, Leutkirch, Augsburg, Kaufbeuren wurden komplizierte Lösungen der Parität geschaffen, in der mühselig ausbalancierte rechtlich eingefrorene Verhältnisse die Situation bis zum Ende des alten Reiches bestimmten. Die Landesfürsten wurden in den alten Grenzen wieder hergestellt, nur die Kurpfalz in einem stark verkleinerten Territorium, denn sie verlor außer der Oberpfalz auch die alte kurmainzische Pfandschaft an der Bergstraße. Vor allem mußte Österreich das Elsaß an Frankreich abtreten, unter nicht ganz klaren rechtlichen Regelungen, wodurch eine weitere expansive Politik Frankreichs in der Folge ermöglicht wurde. Damit aber war Frankreich nicht nur eine Garantiemacht des Friedens geworden, sondern auch an den Rhein vorgerückt – infolgedessen haben die nachfolgenden Kämpfe um die europäische Hegemonie Schwaben in hohem Maße in Mitleidenschaft gezogen. Der Kaiser dagegen wurde in seiner Autorität stark beschnitten; gemäß dem Frieden sollte das Reich ein Reich der Fürsten sein.
Das zerschundene Land, die geplagte Bevölkerung, begrüßten den Friedensschluß, auch wenn es noch einige Zeit dauern sollte, bis alle Garnisonen und Regimenter abgefunden worden waren; die Festungen Frankenthal und Philippsburg blieben noch lange ein Pfahl im Fleische des Umlandes. Das Trauma des Krieges war jedoch ungeheuerlich – erst durch die Schrecken dieses Jahrhunderts wurde es aus dem Bewußtsein der Menschen verdrängt. Wirtschaftliche Krisenerscheinungen hatten sich schon am Vorabend des Krieges gehäuft; sie traten nun in der Deflations- und Depressionsphase der Nachkriegszeit scharf hervor und verursachten viele Probleme. Der Adel war verarmt, abgesehen von einigen Kriegsunternehmern, die sich immens bereichern hatten können – die finanziell stabilen Klöster haben es verstanden, wenn auch nicht ohne Belastung ihrer Untertanen, ihren Besitz auszubauen und zu stabilisieren. Sie wurden freilich auch von den Kräften einer erneuerten Katholizität getragen. Vielfach war die Bevölkerung ausgetauscht worden – ein erheblicher Zustrom kam aus der neutralen Schweiz, die ihrerseits unter Übervölkerungsproblemen litt. Selbst Mennoniten (Täufer) konnten nun eine Bleibe finden. In den Notzeiten des Krieges hatte aber auch der autoritäre Regierungsstil der Fürsten eine deutliche Verstärkung erfahren; die Voraussetzung für ihr absolutistisches Regiment war freilich schon durch den bürokratischen Ausbau vor 1618 geschaffen worden – im Krieg war rasches Handeln gefragt und dies stärkte die Position der Landesherren.
Das Trauma des Krieges aber hat immerhin dazu geführt, daß man versuchte, rechtliche Konfliktregelungen zu schaffen, die gerade im territorial und konfessionell bunt gewürfelten Südwestdeutschland von größter Bedeutung waren. Dadurch wurde aber auch die Entwicklung des Schwäbischen Kreises gefördert, der nun auf den Höhepunkt seiner Bedeutung trat und damit die Stellung seiner Vormacht Württemberg weiter untermauerte. Dennoch vollzog sich gerade durch die Verrechtlichung des Reiches, ebenso wie durch die Abwehr von Franzosen und Türken, der Wiederaufstieg des Kaisers. Die Erfahrungen des nahen Todes aber haben allenthalben ein neues Verhält-

nis zu Gott und zum Leben gebracht. Die barocke katholische Frömmigkeit wurzelt ebenso darin wie der württembergische Pietismus.
Das Gesicht des deutschen Südwestens hat sich zwischen 1450 und 1650 erheblich verändert. Die territorialen Grenzen waren befestigt, die Strukturen stärker unterbaut, die Autorität der Landesfürsten gehoben. Die kleinen Gewalten waren dagegen zurückgetreten: Reichsritter, Reichsstädte, Reichsprälaten. Die Konfessionsspaltung hatte diese Entwicklungen überlagert, bestärkt und gehemmt. Freilich sollte ihre Dynamik nach dem großen Kriege nicht stillstehen. Sie brachte auch dem deutschen Südwesten neue Bewegungen und neue Perspektiven.

Weiterführende Literatur (Auswahl)

W. Bernhardt, Die Zentralbehörden des Herzogtums Württemberg und ihre Beamten 1520–1629, 2 Bde, 1972.
K. S. Bader, Der deutsche Südwesten in seiner territorialstaatlichen Entwicklung, [2]1978.
P. Blickle, Die Revolution von 1525, [2]1981.
P. Blickle, Landschaften im Alten Reich. Die staatliche Funktion des Gemeinen Mannes in Oberdeutschland, 1973.
G. Bradler, F. Quarthal (Bearb.), Von der Ständeversammlung zum demokratischen Parlament. Die Geschichte der Volksvertretungen in Baden-Württemberg, 1982.
Th. A. Brady jr., Ruling Class, Regime and Reformation at Strasbourg 1520–1555. (Studies in Medieval and Reformation Thought, 22) 1978.
Th. A. Brady jr., Turning Swiss. Cities and Empire, 1450–1550, 1985.
M. Brecht, H. Ehmer, Südwestdeutsche Reformationsgeschichte, 1984.
M. Brecht, R. Schwarz, (Hgg.), Bekenntnis und Einheit der Kirche. Studien zum Konkordienbuch, 1980.
C.-P. Clasen, Anabaptism. A Social History, 1525–1618. Switzerland, Austria, Moravia, South and Central Germany, 1972.
K. Deppermann, Melchior Hoffman. Soziale Unruhe und apokalyptische Visionen im Zeitalter der Reformation, 1979.
O. Feger, Geschichte des Bodenseeraums, Bd. 3, 1963.
A. Fischer, Geschichte des Hauses Hohenlohe, 2 Teile, 1866/71
G. Franz, Der deutsche Bauernkrieg, [10]1975.
G. Franz, Der Dreißigjährige Krieg und das deutsche Volk, [4]1979.
G. Franz, Die Kirchenleitung in Hohenlohe in den Jahrzehnten nach der Reformation, 1971.
E. Gothein, Wirtschaftsgeschichte des Schwarzwaldes und der angrenzenden Landschaften, 1892.
W. Grube, Der Stuttgarter Landtag 1457–1957. Von den Landständen zum demokratischen Parlament, 1957.
H. Günter, Das Restitutionsedikt von 1629 und die katholische Restauration Altwirtembergs, 1901.
L. Haeusser, Geschichte der Rheinischen Pfalz, 2 Bde, 1845, ND 1978.
H. Hermelink, Geschichte der evangelischen Kirche in Württemberg von der Reformation bis zur Gegenwart, 1949.
W. v. Hippel, Bevölkerung und Wirtschaft im Zeitalter des Dreißigjährigen Krieges. Das Beispiel Württembergs, in: Zeitschr. f. Hist. Forschung 5, 1978, S. 413–448.
E. Isenmann, Reichsstadt und Reich an der Wende vom späten Mittelalter zur frühen Neuzeit, in: J. Engel (Hg.), Mittel und Wege früher Verfassungsgeschichte, Spätmittelalter und Frühe Neuzeit 9, 1979, S. 9–223.
H. Jänichen, Beiträge zur Wirtschaftsgeschichte des schwäbischen Dorfes, 1970.
J. Knepper, Jakob Wimpfeling (1450–1528). Sein Leben und seine Werke, 1902. ND 1965.
A. Laufs, Der Schwäbische Kreis, 1971.
G. W. Locher, Die Zwinglische Reformation im Rahmen der europäischen Kirchengeschichte, 1979.
A. Ludwig, Geschichte der evangelischen Kirche in Baden, [2]1927.
E. Marquardt, Geschichte Württembergs, [3]1984.
H.-M. Maurer, K. Ulshöfer, Johann Brenz und die Reformation in Württemberg, 1971.
D. Mertens, Maximilian I. und das Elsaß, in: O. Herding und R. Stupperich (Hgg.), Die Humanisten in ihrer gelehrten und sozialen Umwelt, 1976, S. 177–201.
F. Metz (Hg.), Vorderösterreich. Eine geschichtliche Landeskunde, [2]1967.
B. Moeller, Reichsstadt und Reformation, 1962.
B. Moeller (Hg.), Der Konstanzer Reformator Ambrosius Blarer 1492–1564. Gedenkschrift zu seinem 400. Todestag, 1964.
E. Naujoks, Obrigkeitsgedanke, Zunftverfassung und Reformation. Studien zur Verfassungsgeschichte von Ulm, Esslingen und Schwäbisch Gmünd, 1958.
G. Parker, The Thirty Years' War, 1984.
V. Press, Calvinismus und Territorialstaat. Regierung und Zentralbehörden der Kurpfalz 1559–1619, 1970.
V. Press, Die Ritterschaft im Kraichgau zwischen Reich und Territorium 1500–1623, in: ZGO 122, 1974, S. 35–98.
V. Press, Herrschaft, Landschaft und „Gemeiner Mann" in Oberdeutschland vom 15. bis zum frühen 19. Jahrhundert, in: ZGO 123, 1975, S. 169–214.
V. Press, Kaiser Karl V., König Ferdinand und die Entstehung der Reichsritterschaft, [2]1980.
V. Press, Schwaben zwischen Bayern, Österreich und dem Reich 1486–1805, in: P. Fried (Hg.), Probleme der Integration Ostschwabens in den bayerischen Staat. Bayern und Wittelsbach in Ostschwaben, 1982, S. 17–78.
F. Quarthal, Landstände und landständisches Steuerwesen in Schwäbisch-Österreich, 1980.
F. Rapp, Réformes et Réformation à Strasbourg, 1974.
F. X. Remling, Geschichte der Bischöfe zu Speyer, 2 Bde, 1852/54.
H.-Chr. Rublack, Eine bürgerliche Reformation: Nördlingen, 1982.
A. Schindling, Humanistische Hochschule und freie Reichsstadt. Gymnasium und Akademie in Straßburg 1538–1621, 1977.
G. Schmidt, Der Städtetag in der Reichsverfassung. Eine Studie zur korporativen Politik der Freien und Reichsstädte in der ersten Hälfte des 16. Jahrhunderts, 1984.
E. Schneider, Württembergische Geschichte, 1896, Nachdruck 1981.
H. E. Specker, Ulm. Stadtgeschichte, 1977.
Ch. F. Stälin, Wirtembergische Geschichte 1–4, 1841/73.
H. Tüchle, Von der Reformation bis zur Säkularisation. Geschichte der katholischen Kirche im Raum des späteren Bistums Rottenburg-Stuttgart, 1981.
G. Tumbült, Das Fürstentum Fürstenberg von seinen Anfängen bis zur Mediatisierung im Jahre 1806, 1908.
R. Uhland (Hg.), 900 Jahre Haus Württemberg. Leben und Leistung für Land und Volk, [3]1985.
K. F. Vierordt, Geschichte der evangelischen Kirche in dem Großherzogtum Baden, 2 Bde, 1847/56.
J. Vochezer, Geschichte des fürstlichen Hauses Waldburg in Schwaben, 3 Bde, 1888/1907.

P. Warmbrunn, Zwei Konfessionen in einer Stadt. Das Zusammenleben von Katholiken und Protestanten in den paritätischen Reichsstädten Augsburg, Biberach, Ravensburg und Dinkelsbühl von 1548 bis 1648, 1983.
F. M. Weber, Kaspar Schwenckfeld und seine Anhänger in den Freybergischen Herrschaften Justingen und Öpfingen, 1962.
F. v. Weech, Badische Geschichte, 1890.
K. Weller/A. Weller, Württembergische Geschichte im Südwestdeutschen Raum, [6]1971.
A. Wendehorst, Das Bistum Würzburg. Teil 3. Die Bischofsreihe von 1455 - 1617, Germania Sacra NF 13, 1978.
G. Wunder, Die Bürger von Hall. Sozialgeschichte einer Reichsstadt 1216–1802, 1980.
E. W. Zeeden, Kleine Reformationsgeschichte von Baden und Kurpfalz, 1956.
F. Zoepfl. Das Bistum Augsburg und seine Bischöfe im Reformationsjahrhundert, Geschichte des Bistums Augsburg und seiner Bischöfe, Bd. 2, 1969.

Die Entwicklung der Kartographie Süddeutschlands in der Renaissancezeit

Ruthardt Oehme

Die Anfänge der modernen Kartographie sind im 15. Jahrhundert zu suchen, teils auf italienischem, teils auf deutschem Boden. Ihre wichtigste Basis ist in der *Geographia* des alexandrinischen Gelehrten Ptolemaeus zu sehen. Handschriften dieses Werkes waren Anfang des Jahrhunderts nach Italien gelangt und wurden aus dem Griechischen ins Lateinische übertragen und damit der Welt der Gelehrten zugänglich gemacht.

Unabhängig vom Vorbild der Geographie des Ptolemaeus entwickelten etwa im dritten Jahrzehnt des Jahrhunderts in Wien und Klosterneuburg Wissenschaftler mit der sogenannten *Fridericuskarte* einen eigenen Kartentyp. Leider ging diese Karte verloren. Zwar haben sich die mathematischen Grundlagen in einer Handschrift der Bayerischen Staatsbibliothek (Clm 14583) erhalten. Doch blieben dieser kartographischen Neuschöpfung größere Ausstrahlungen versagt. Sie geriet angesichts der aufblühenden Ptolemaeuskartographie in Vergessenheit.

Das Werk des Alexandriners wurde in Italien abgeschrieben, redigiert und gedruckt. An der Bearbeitung und Drucklegung der Manuskripte haben Deutsche einen wesentlichen Anteil. Die ersten Drucke auf deutschem Boden erfolgten in Ulm 1482 und 1486. Lienhard Holle erstellte nach einer Handschrift, die ihm der Graf von Waldburg-Wolfegg zur Verfügung gestellt hatte, die erste Ausgabe. Johann Schnitzer von Arnheim schnitt die Karten in Holz. Diesem ersten Druck war kein Erfolg beschieden. Von der zweiten Ausgabe, die vier Jahre später Johann Reger besorgte, geht die Entwicklung der deutschen Ptolemaeuskartographie aus[1].

Die folgenden Ausgaben wurden durch weitere moderne Karten ergänzt. Der Atlas des Jahres 1513, den Martin Waldseemüller bearbeitete, enthält 20 neue Karten; die von Willibald Pirkheimer redigierte Straßburger Ausgabe von 1525 ist um 23 Karten erweitert. Sebastian Münster stattete seine Ausgabe von 1540 mit 21 und die von 1552 mit 27 neuen Karten aus. Gerhard Mercator veröffentlichte 1578 die Geographie des Ptolemaeus ohne Beigabe moderner Karten. Diese faßte er in einem eigenen „Atlas“ zusammen.

Die deutsche Gelehrtenkartographie und ihre Zentren

Etwa ein Jahrhundert lang waren Gelehrte, vorwiegend Theologen, schöpferisch kartographisch tätig. Neben sie traten Künstler (Maler), Verwaltungsbeamte und Techniker. Bis über die Mitte des Jahrhunderts wurden die Karten vorzüglich in Holzschnitt reproduziert.

Die erste Blüte der Kartographie auf deutschem Boden verknüpft sich mit den Städten Basel, Freiburg, Ingolstadt, Nürnberg, Straßburg, Tübingen und Zürich.

In Freiburg lehrte seit 1489 Gregor Reisch und förderte Geographie und Kartographie im Unterricht und mit seiner *Margarita philosophica,* einem 1503 erstmals erschienenen enzyklopädischen Werk. Zu seinen Schülern zählten Johannes Eck, Konrad Pellikan, Matthias Ringmann (Philesius), Johann Schott, Martin Waldseemüller und vielleicht auch Sebastian Münster. Den ersten Ausgaben seiner Margarita fügte Reisch eine einfache Weltkarte nach dem Ulmer Ptolemaeus bei. Dem Straßburger Druck von 1515 ist ein Kärtchen der Welt nach dem Straßburger Ptolemaeus 1513 beigegeben, wohl eine Arbeits Waldseemüllers (Abb. A 1). Mit diesem bescheidenen Holzschnitt wurde die Entdeckung der Neuen Welt weithin bekannt gemacht.

Martin Waldseemüller, einer der fähigsten Schüler Reischs, erlernte nach dem Studium bei Johann Amerbach in Basel das Formschneiden und die Druckkunst. Der Lothringer Herzog René II. berief ihn nach St. Dié, wo in seinem Auftrag eine Gelehrtengruppe sich mit geographischen und kartographischen Studien befaßte. Zu ihr zählten die Elsässer Nikolaus und Walter Lud sowie Matthias Ringmann. Hier schuf Waldseemüller, z.T. in engster Zusammenarbeit mit Ringmann, seine bahnbrechenden Arbeiten, die Weltkarte [2] und die Globuszweiecke des Jahres 1507 und die *Carta Itineraria Europae* 1511[3]. Auch die Vorarbeiten zur großen Ptolemaeusausgabe erfolgten in Zusammenarbeit mit Ringmann in dem Vogesenstädtchen. In der Ausgabe des Werkes, das 1513 in Straßburg bei Schott erschien, ist zwar Ringmann erwähnt, Waldseemüllers Name jedoch verschwiegen. Als Autoren sind die Straßburger Juristen Jacob Aeßler und Georg Uebelin genannt.

Waldseemüller stellte in diesem Band den Ptolemaeuskarten als eigenen Teil mit besonderem Titel und einem Kartenverzeichnis zwanzig *Tabulas modernas,* ebenfalls Holzschnitte, gegenüber. Die drei chorographischen Karten am Ende des Bandes sind von besonderer Bedeutung: Die Karte Lothringens, ein Dreifarbendruck zu Ehren des

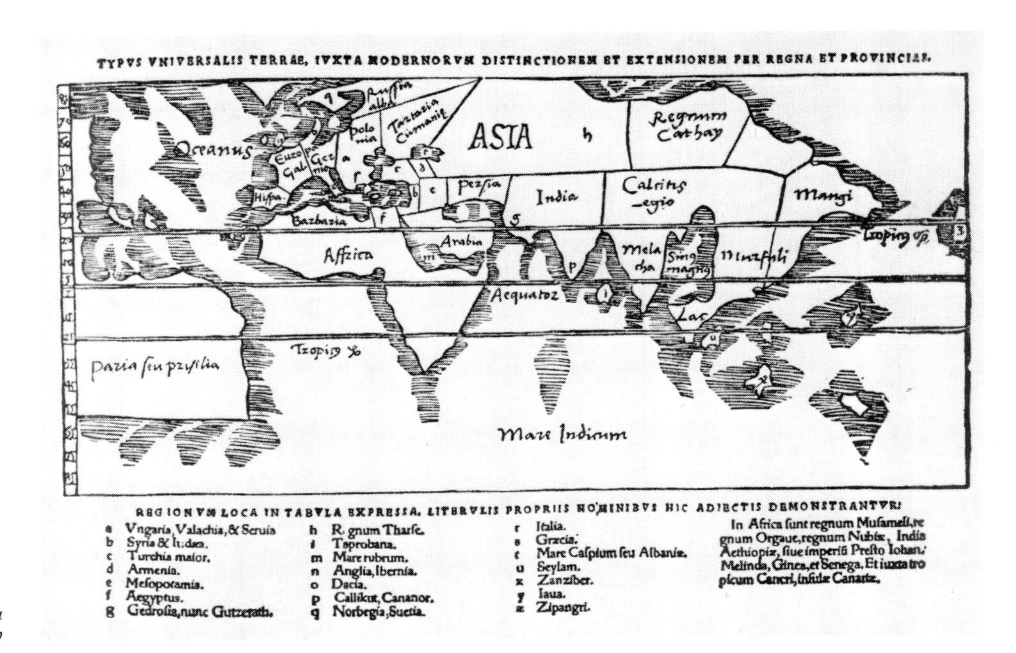

Abb. A 1 Weltkarte aus der Margarita Philosophica des Gregor Reisch

Herzogs, gilt als Novum im Holzschnittdruck. Mit der Karte des Oberrheingebietes (Abb. A 2) bot der Autor eine der ersten Karten einer größeren deutschen naturräumlichen Einheit. Die Karte der Schweiz, meisterhaft nach dem Original des Konrad Türst geschnitten, ist das Werk eines unbekannten Künstlers.

Die *Carta Marina Navigatoria ...*, 1516, beruht neben dem Ptolemaeus auf der Weltkarte des Portugiesen Nicolai de Caveri, genannt Canerio, 1502.

Mit seinen Kartenwerken übte Waldseemüller einen großen Einfluß auf die weitere Entwicklung der Kartographie aus, auch wenn er keine unmittelbaren Schüler hatte. Auf Gregor Reisch und ihn stützten sich Johann Stöffler, Henricus Glareanus, Peter Apian und vor allem Sebastian Münster. Im Auftrag des Straßburger Buchdruckers Johannes Grieninger gab der elsässische Arzt Lorenz Fries die Weltkarte 1507, 1520 und die Carta marina, zu der er auch eine *Yslegung der Mercarthen* verfaßte, in mehreren Ausgaben seit 1525 heraus. Auch den Ptolemaeus veröffentlichte er 1522, Vorlagen Waldseemüllers verwertend.

Wenn auch keine unmittelbaren Beziehungen von Sebastian Münster zu Waldseemüller nachzuweisen sind, so muß der berühmte Kosmograph doch als dessen bedeutendster Schüler gewertet werden.

Münster war von Haus aus Hebraist. Wie er zur Kosmographie, Geographie und Kartographie kam? Erste Anregungen mögen in seiner Rufacher Zeit von Konrad Pellikan ausgegangen sein. Den stärksten Einfluß dürfte auf ihn in dieser Hinsicht Johann Stöffler in Tübingen ausgeübt haben. Dank des sogannten *Kollegienbuches* von Münster, der Handschrift Clm 10691 der Bayerischen Staatsbibliothek, die August Wolkenhauer erschlossen hat, sind wir über den Einfluß des Tübinger Gelehrten auf den jungen Franziskaner gut unterrichtet. In Heidelberg, wohin später Münster als Hebraist berufen worden war, trat er mit dem Plan an die Öffentlichkeit, ein großes kosmographisches Werk über Deutschland verfassen zu wollen. Er forderte Fürsten, Städte, Gelehrte auf, ihm dazu Material zu liefern. Da er Kartenbeigaben für sehr wichtig erachtete, gab er dem Aufruf eine Anleitung bei, wie man eine Stadt und ihre Umgebung kartographisch aufnehmen solle. Als Muster entwarf er ein Kärtchen des *Heydelberger becircks* aufgrund eigener Vermessungen und Beobachtungen. Es ist dies die älteste Karte der Heidelberger Landschaft (Abb. A 3). Auch seine Weltkarte des Jahres 1532 und die Europas 1536[4] waren als Vorbilder gedacht. Dem Bändchen gab er erneut die Karte der Heidelberger Landschaft und eine Beschreibung des Rheinstroms von Basel bis Mainz bei. Er wiederholte außerdem seine Anleitung zur Kartenaufnahme. In Basel, wohin er ebenfalls als Hebraist berufen worden war, setzte er die kartographischen Arbeiten fort, 1537 erschien die schöne Hegaukarte, 1538 das Kärtchen des Donauquellgebietes [5], beide Arbeiten als Ergebnis einer Studienreise. Er verkleinerte 1538 Tschudis Karte *Rhaetia* und schuf im gleichen Jahr den großen Holz-

Abb. A 3 Sebastian Münster, Heydelberger becirck auff sechs meilen beschrieben, aus: Erklerung des newen Instrument der Sonnen, Oppenheym 1528

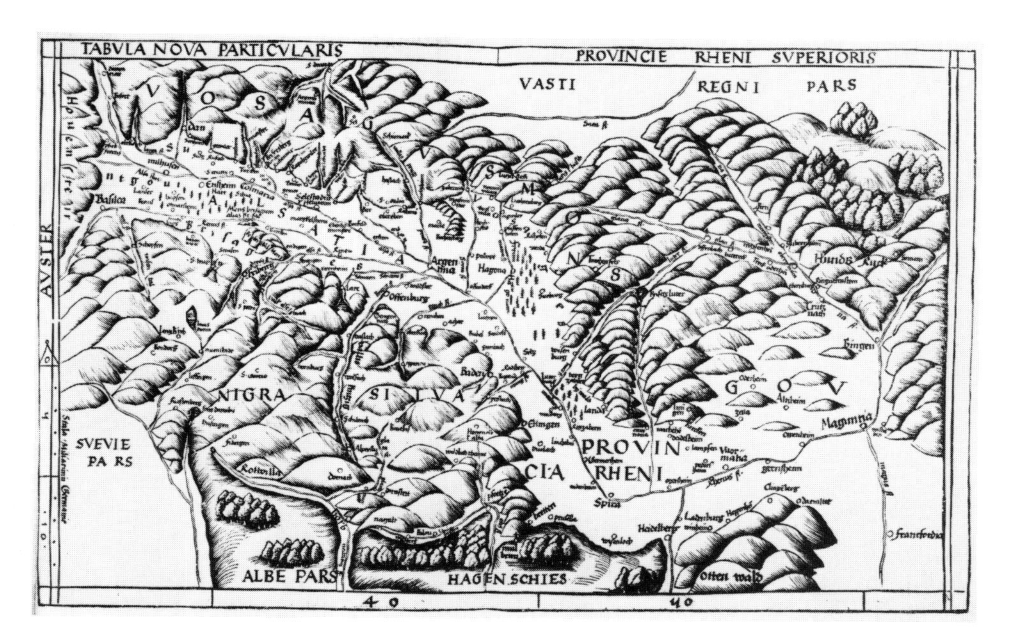

Abb. A 2 Martin Waldseemüller, Tabvla nova particvlaris Provincie Rheni Svperioris, aus: Claudii Ptolomei ... Geographie opus ... Straßburg 1513

schnitt *Das rauracher Land samt der Stadt Basel* aufgrund eigener Aufnahmen. Basel, ein Zentrum der Druckkunst, bot ihm die Möglichkeit der Veröffentlichung größerer Werke mit reichen Kartenbeigaben. Der ersten Ausgabe des Ptolemaeus 1540 folgte 1544 die der Kosmographie, die Münsters Namen unsterblich gemacht hat[6)].
Mit seiner Kosmographie hat Sebastian Münster weit mehr als andere Gelehrten der Zeit das Verständnis für die Karte als Darstellungsmittel erdräumlicher Situationen in die gebildeten Schichten des Volkes getragen. Auch wurden seine Karten Vorbild und Anregung für andere Gelehrte, ihre Heimat entsprechend abzubilden.
Mit den beiden großen Werken Münsters, der Ptolemaeusausgabe und der Kosmographie, erreichte die deutsche Holzschnittkartographie quantitativ ihren Höhepunkt. Qualitativ war sie schon im Abstieg. Münster überforderte mit der Menge der Karten, die er seinen Werken beigab, die Formschneider und Drucker. Die für die Beschriftung angewandte Stereotypie[7)] bewirkte eine gewisse Disharmonie des Kartenbildes.
Mit dem Tode Münsters 1552 verlagerte sich die Führung in der Kartographie in den niederrheinischen Raum. Basels Bedeutung als Zentrum der Kartenproduktion ging zurück. Mit der Übersiedlung Gerhard Mercators von Löwen nach Duisburg entstand dort ein neuer Mittelpunkt der Kartenherstellung. Bald folgte Antwerpen. Gleichzeitig verlor der Holzschnitt an Bedeutung, und der Kupferstich setzte sich im deutschen wie im niederländischen Raum als Reproduktionsmethode durch.
Jedoch ging mit dem Übergang der Führung in der Kartographie auf den niederrheinischen, niederländischen, flandrischen Raum kein Verfall im Süden und Südwesten Deutschlands Hand in Hand. Technik und Kunst der Kartenherstellung blühten auch hier weiter.

Nürnberg als Pflegestätte der Kartographie

Nürnberg als führende Handelsstadt, als Zentrum hochentwickelter Gewerbe, als Sitz berühmter Gelehrter und Künstler, nahm auch in der Entwicklung der Kartographie eine eigene Stellung ein. Möglicherweise befaßte man sich dort schon Mitte des 15. Jahrhunderts mit kartographischen Arbeiten. Das sogenannte *Koblenzer Fragment* könnte im Nürnberger Raum entstanden sein[8)]. Auch die *Fridericuskarte* könnte über Reinhard Gensfelder von Nürnberg aus beeinflußt worden sein. 1471 ließ sich Regiomontan in Nürnberg nieder. Ob er auf Martin Behaim einwirkte, der den berühmten „Erdapfel" schuf, ist zweifelhaft. Sicher aber ist, daß er enge Beziehungen zu dem Kaufherren und Liebhaberastronomen Bernhard Walther hatte, der seinerseits Wissen und Anregungen an Johannes Werner und Johannes Schöner weitergegeben haben könnte.
An der Wende zum 16. Jahrhundert gewann Nürnberg überregionale Bedeutung für die Kartographie dank der Arbeiten des Kompaßmachers, Feinmechanikers und Kartographen Erhart Etzlaub. Seine Sonnenkompasse dienten der Zeitmessung auf Handelsreisen und Pilgerfahrten. Aus Itineraren, Reiseberichten und Karten (auch Portulankarten) erarbeitete der Nürnberger Meister ohne Vorbild Straßenkarten mit

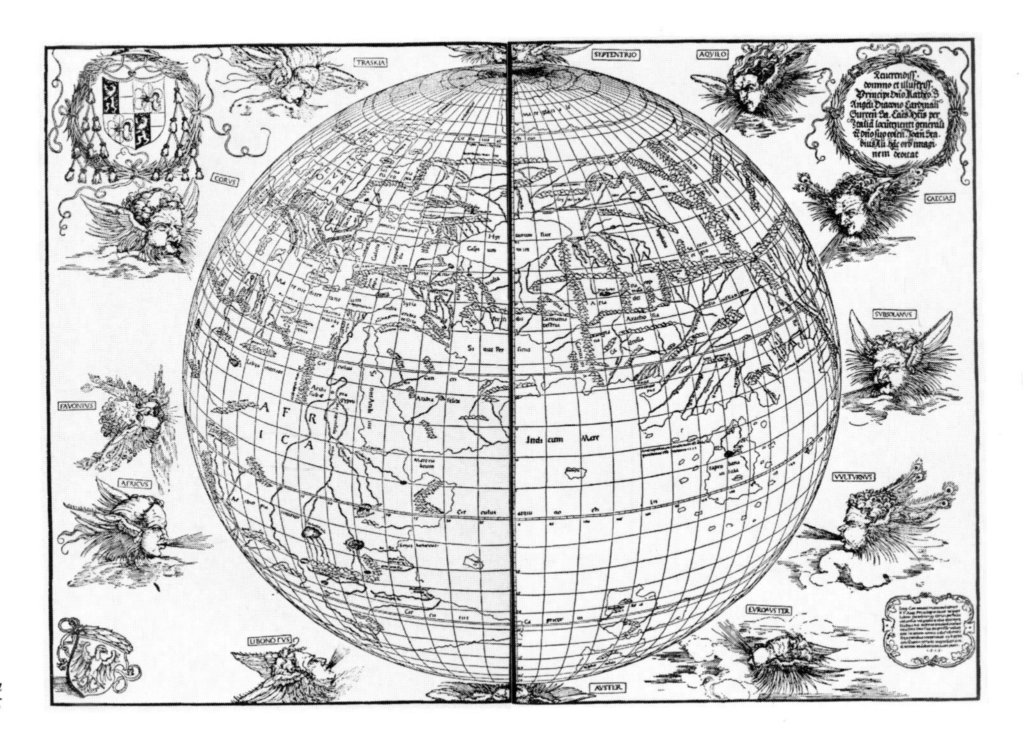

Abb. A 4 Johann Stabius, Die Osthälfte der Erde in Globusform, Holzschnitt von Albrecht Dürer, 1515

Entfernungsangaben, so seine Romwegkarte, um 1500, und seine Karte der Landstraßen durch das Römische Reich, 1501. Seine Karten boten ein besseres Bild Deutschlands, als es die herkömmlichen auf ptolemaeischer Basis gezeichneten zeigten. Martin Waldseemüller verwertete die Etzlaubkarten für seine *Carta Itinerariae Europae.*
Die Blüte der wissenschaftlichen Kartographie in Nürnberg verband sich seit den ersten Jahrzehnten des 16. Jahrhunderts mit Johannes Schöner und Johannes Werner. Schöner diente mit seinen Globen und Erläuterungsschriften der Länderkunde. Als wichtigste Grundlage für die Konstruktion guter Karten galten ihm, wie Johann Stöffler, eine große Zahl zuverlässiger geographischer Koordinaten. Sein Zeitgenosse Johannes Werner, ein Vertreter der astronomisch-geographischen Schule, nahm die Traditionen Regiomontans auf. Er verbesserte den Jakobsstab, erarbeitete neue Tabellen zu seinem Gebrauch, und er verbesserte die Methoden der Polhöhenbestimmung. Selbst Wetterbeobachtungen stellte er an. Seiner Übersetzung des ersten Buches der Geographie des Ptolemaeus gab er den Anhang *Libellus de quatuor terrarum orbis in plano figurationibus* bei, in dessen Fußnoten er wichtige Gedanken zur wissenschaftlichen Kartographie niederlegte.
In jenen Jahren hielt sich der Österreicher Johannes Stabius, ein Freund Werners, zeitweise in Nürnberg auf. Er pflegte auch gute Beziehungen zu Konrad Heinfogel und Albrecht Dürer. Der große Künstler schuf für ihn 1515 zwei Himmelskarten und eine Karte der östlichen Halbkugel (Abb. A 4). Das Haupt des Nürnberger Humanismus, Willibald Pirckheimer, gab eine der besten Ptolemaeusausgaben der Zeit 1525 in Straßburg bei Grieninger heraus und verfaßte mit seiner *Germaniae ex variis scriptoribus perbrevis explicatio* eine wertvolle Arbeit.
Nach dem Tode dieser Gelehrten ruhte für Jahrzehnte in Nürnberg das Interesse an kartographischen Studien. Eine neue Blüte verbindet sich Ende des Jahrhunderts vorzüglich mit den Arbeiten des Ratsherren Paul Pfinzing.
Daß auch an den süddeutschen Universitäten Geographie und Kartographie betrieben wurden, bezeugen die Namen Gregor Reisch, Freiburg, und Johann Stöffler, Tübingen. In Ingolstadt kopierte und gestaltete Peter Apian Karten nach Vorlagen anderer. Er machte sich einen Namen mit seiner Weltkarte in Herzform, 1530. Zu Werners *Libellus* (s. o.) verfaßte 1533 er eine *Introductio geographica …* Außerdem berechnete er geographische Koordinaten.
Johann Stöffler las in Tübingen über die Geographie des Ptolemaeus. Ein Teil seines Kollegmanuskriptes hat sich erhalten. Für den *Abacus Regionum* seines *Calendarium Romanum,* 1518, berechnete er die geographischen Koordinaten von 400 Orten, überwiegend deutschen. Seine Karte des Herzogtums Württemberg ging verloren.

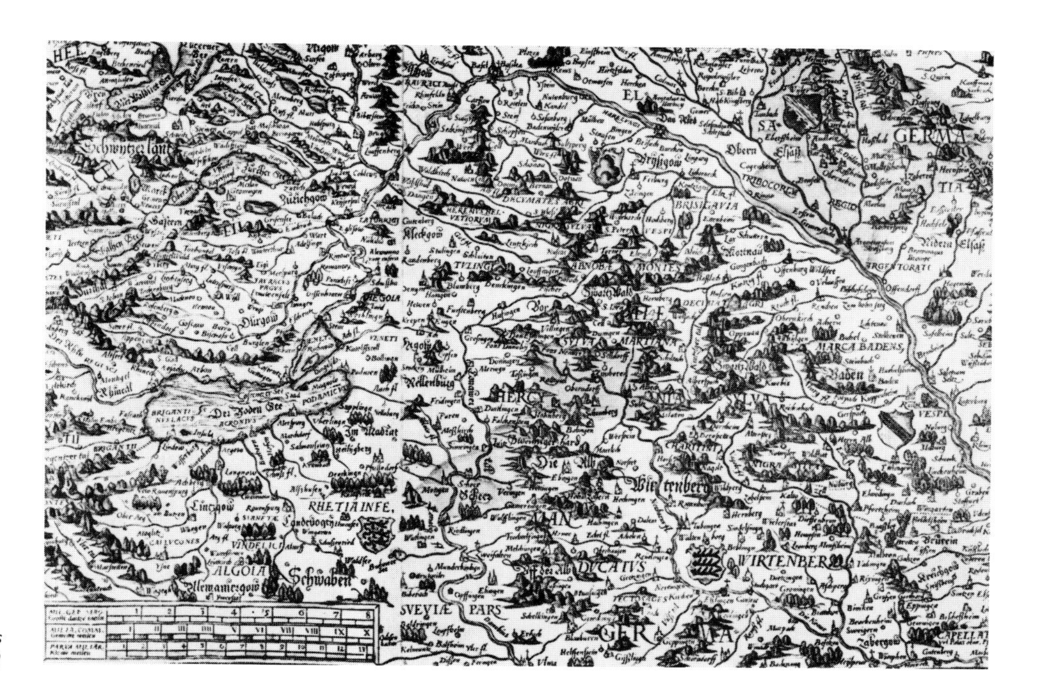

Abb. A 5 Kaspar Vopel, Recens et Germani bicornis ac vvidi Rheni ... descriptio ..., 1556 (Ausschnitt)

Die Kartographie deutscher Landschaften und Territorien

Etwa vom dritten Jahrzehnt des 16. Jahrhunderts an läßt sich die Entwicklung einer weiteren Kartengruppe feststellen. Vorwiegend von Gelehrtenhand werden im Süden des Reiches Karten von den Territorien und Landschaften entworfen, in vielen Fällen ohne genaue Kenntnis von Land und Leuten.

In einer zweiten Phase geht man zum kartographischen Entwurf größerer Räume über unter Verwertung eigener und fremder Landeskenntnis. Am Ende dieser Entwicklung stehen Kartenwerke, denen echte Geländeaufnahmen zugrunde liegen. In ähnlicher Weise entfaltete sich die Kartographie in Mittel- und Ostdeutschland, wohl dem süddeutschen Vorbild folgend. Der deutsche Westen und Nordwesten stand stärker unter Einflüssen, die von den Niederlanden ausgingen, wo in der zweiten Hälfte des Jahrhunderts die Kartographie aufblühte.

Wenn wir von den Pionierarbeiten Waldseemüllers und Sebastian Münsters absehen, so kommt der Karte Aventins *Obern und Nidern Bairn bey den alten im Latein vnd Kriechischen Vindelicia* ... 1523, als einer der ältesten Länderkarten Bedeutung zu. Sie ist relativ genau, da Aventin seine Heimat aufgrund eigener Reisen gut kannte. 1533 folgte Sebastian von Rothenhan mit der Karte *Das Francken-Landt. Chorographi Franciae Orientalis* ... Die Oberpfalz fand 1540 eine inhaltsreiche Darstellung durch Erhard Reych: *Die pfaltz in Bayern*... Den krönenden Abschluß der Kartographie des heute bayerischen Raumes bilden die *Bairischen Landtaflen* des Philipp Apian. *Die Wahrhafftige und gründtliche Abconterpheung des loblichen Fürstenthums Würtemberg* des Johann Scheubel von 1559 dürfte den Karten Aventins und Rotenhans gleichzustellen sein.

Etwa eineinhalb Jahrzehnte später, 1572, schuf der Ulmer David Seltzlin mit der Karte *Däs Hailigen Roemischen Reichs Schwaebischer Krais,* das erste Blatt zu Gliederung des Reiches in Verwaltungsräume. Der kräftige Holzschnitt des Ulmer Schulmeisters fand dank des schönen Nachstiches, den Abraham Ortelius 1573 in seinem *Theatrum orbis terrarum* veröffentlichte, weltweite Verbreitung. Während Seltzlins Holzschnittkarte viermal aufgelegt werden konnte, blieb seiner zweiten Kreiskarte *Däs Hailigen Römischen Reichs Fränkischer Krais* ..., 1576, der gleiche Erfolg versagt; sie erlebte nur eine Auflage.

Eng verquickt mit der Kartographie der Länder ist die der Landschaften. Ein beliebter Vorwurf war der Bodensee und seine Umgebung. Als erste größere Karte dieses Raumes ist der Kupferstich des Meisters PPW vom Schweizer Krieg, 1505 (Abb. A 6), zu werten. Die Konstanzer Thomas Blaurer und Johann Zwick entwarfen Jahrzehnte später eine schöne Karte des Sees für Münsters Ptolemaeusausgabe 1540 (Abbb. A 7). Aus der Folge der Bodenseekarten ragt die des Johann Georg Schinbain, genannt Tibianus, die *Wahre Abconterfethung des weitberümbten Bodensee* ..., 1578, heraus. David Seltzlin brachte sie ins Holz. Dank der Fülle einigermaßen getreuer Siedlungs-

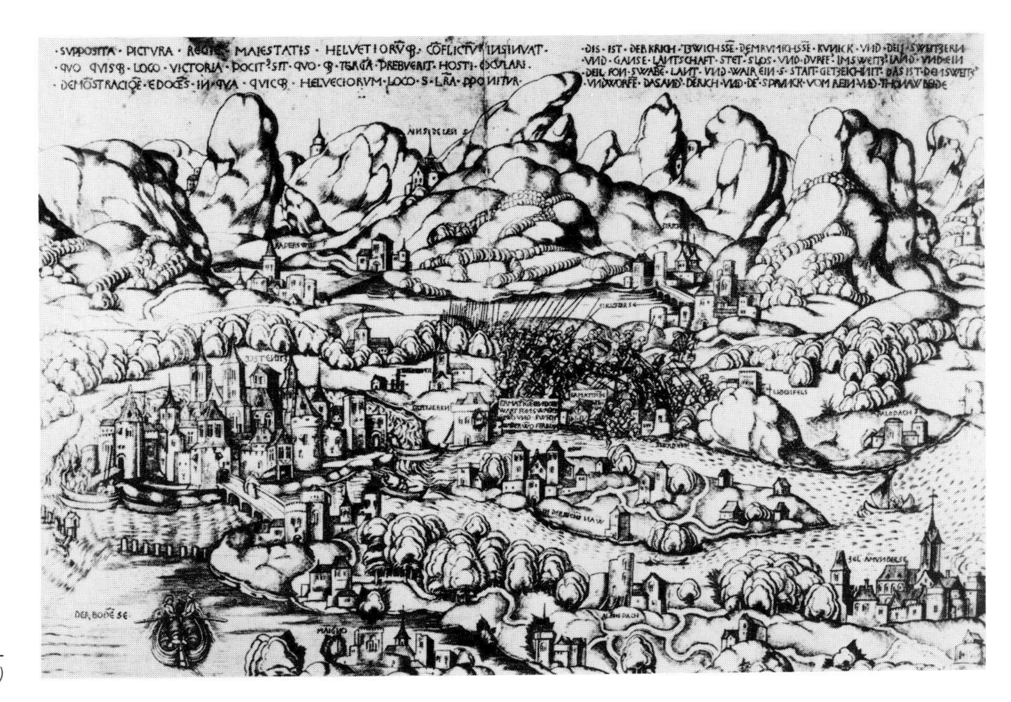

Abb. A 6 Aus Meister PPW, Karte des Schwabenkrieges (1499), 1505 (Ausschnitt)

ansichten kommt ihr, wie der zweiten Karte Schinbains der *Wahren Abconterfethung deß weitberümbten Schwartzwaldes ...*, 1603, Bedeutung zu.
Anfänglich stand auch der rheinische Raum unter dem Einfluß der süddeutschen kartographischen Entwicklung. Sebastian Münsters Karte des Rheinlaufes in fünf Blättern, die für den mittel- und niederrheinischen Raum wenig befriedigte, dürfte Kaspar Vopel angeregt haben, ein besseres Kartenwerk zu schaffen. Seine Rheinkarte, 1555 (Abb. A 5), bestimmte das Kartenbild des Stromes für Jahrhunderte. Mit Vopel begann eine Blütezeit der Kartographie auf dem Boden Kölns. Es waren vorwiegend flämische Flüchtlinge, Künstler und Gelehrte, die hier tätig wurden.
Die westdeutschen Gebiete, die Rheinpfalz, Trier und Luxemburg wurden erst durch die Arbeiten Gerhard Mercators kartographisch besser erschlossen.

Die ersten Landesaufnahmen und ihre Vorläufer

Etwa von der Mitte des 16. Jahrhunderts an gewinnt die Kartographie größere Bedeutung für die staatlichen Verwaltungen. Die deutschen Fürsten haben mehr und mehr Interesse daran, von ihren Ländern eine zusammenhängende, über Lage und Ausdehnung orientierende Vorstellung, also eine einigermaßen gute Karte zu erhalten. Das führte zu den ersten umfassenden Aufnahmen von Karten größeren Maßstabes. Daneben aber lief die überwiegend von Gelehrten getragene Bearbeitung von Länder- und Landschaftskarten weiter.
Die Grenze zwischen Länderkarten und kartographischen Landesaufnahmen läßt sich nicht scharf ziehen. Man kann eine Übergangsgruppe ausgliedern, Karten, die auf besserer Landeskenntnis beruhen, denen jedoch keine das ganze Gebiet erfassende Vermessung zugrunde liegt. Man kann zu dieser Gruppe der Vorläufer der Landesaufnahme schon die Schweizer Landtafeln des Christoph Froschauer rechnen, Kartenholzschnitte aus der Schweizer Chronik des Johannes Stumpf, eines gebürtigen Bruchsalers, die 1548 bei dem genannten Drucker in Zürich erschien (Abb. A 8). Froschauer faßte 1552 die Karten als eigenen Atlas zusammen. Ohne Zweifel sind hierzu die *Typi chorographici Prov. Austriae* des Wiener Arztes und Historikers Wolfgang Lazius, 1545–1556, zu zählen. Dieser hat alle ihm erreichbaren Tatsachen zusammengetragen, gedruckte und ungedruckte Karten ausgewertet, die dargestellten Räume zum Teil bereist, aber keine Vermessungen ausgeführt. Lazius' *Typi* sind das erste größere Kartenwerk, das mit dem schönen Elsaßblatt auch einen größeren südwestdeutschen Raum im Kupferstich darstellt.
Obwohl nur handschriftlich vorhanden, ist unter die Vorläufer einer Landesaufnahme deutscher Gebiete der Brüsseler Atlas des Christian s'Grooten, 1573, einzureihen. Dieser hat im heimatlichen niederrheinischen Raum echte Vermessungen, wahrscheinlich graphische Vorwärtseinschnitte, ausgeführt. Für Gegenden, die er nicht bereisen

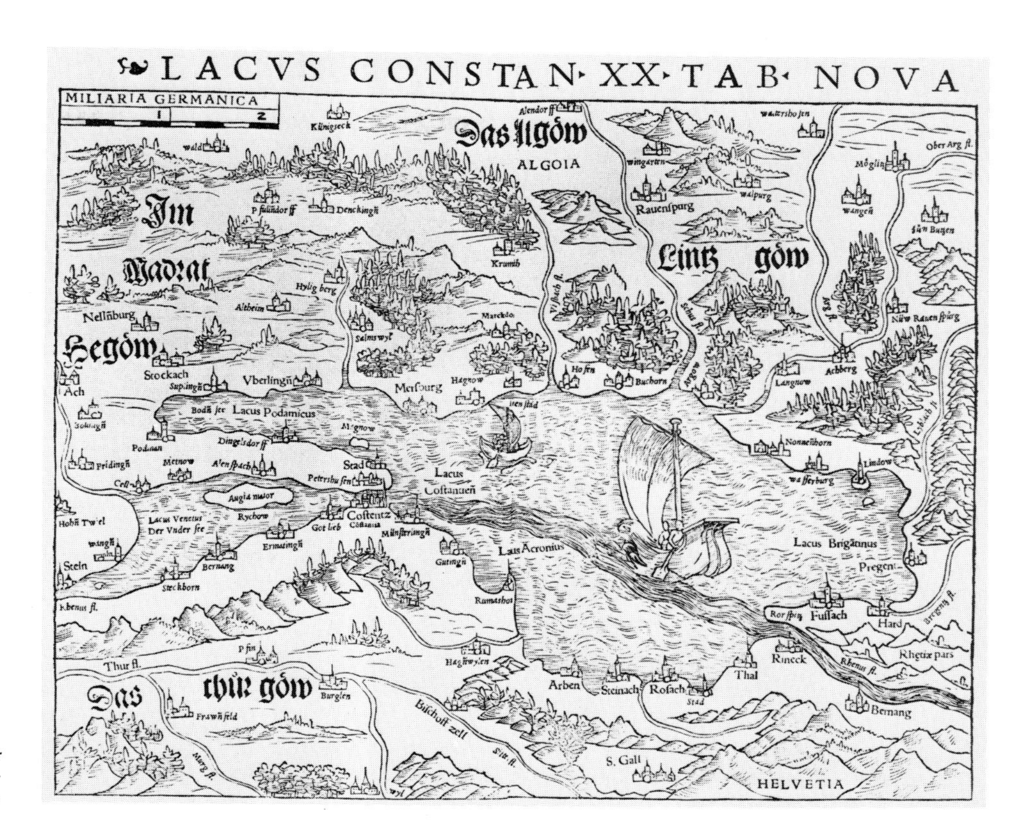

Abb. A 7 Karte des Bodensees von Thomas Blaurer und Johann Zwick, aus: Sebastian Münster, Kosmographie, 1540.

konnte, so auch für die Zeichnung süddeutscher Gebiete, stützte er sich auf älteres Quellenmaterial, Karten und Itinerare. Leider hat s'Grooten hin und wieder mehr Wert auf das Künstlerisch-Ästhetische als auf eine kritisch abwägende kartographische Darstellung gelegt.
In der Reihe der Vorläufer echter Landesaufnahmen ist die Elsaßkarte, *Elsaß ist der vier Provintzen eine ...,* des Straßburger Festungsbaumeisters Daniel Speckle (Speckel, Specklin) von 1576 zu stellen. Der vorderösterreichische Statthalter, Erzherzog Ferdinand von Habsburg, wünschte aus strategischen Gründen eine Karte des Landes. Speckle, der sie schuf, hat keine Angaben über die Methode seiner Aufnahme gemacht. Der Basler Kartenhistoriker Franz Grenacher nahm an, daß der Kartograph die Strecken eher schätzte als maß, und daß er damit sparsame Azimutnahme und Winkelmessungen verband. Die Ortsnamen erfragte er von den Einwohnern und erfaßte damit leidlich gut die Topographie.
In die gleiche Folge der vorläufigen Landesaufnahmen können die Gemarkungspläne kurmainzischer Ämter gestellt werden, die Gottfried Maschop zwischen 1574 und 1577 aufnahm.

Die Landesaufnahmen

Als echte Landesaufnahmen sind kartographische Darstellungen größerer Gebiete aufzufassen, die so exakt wie möglich nach zeitüblichen Methoden und mit zeitüblichen Instrumenten aufgenommen worden sind. Pionier auf deutschem Boden ist hier Philipp Apian, der das Herzogtum Bayern im Auftrag des Herzogs Albrecht V. von 1556–1561 in Einzelblättern, im Maßstab etwa 1:45.000, kartierte. Auf Wunsch des Fürsten ließ er eine Reduktion der Karten auf ein Drittel des Ausgangsmaßstabes durch Jost Ammann in Holz schneiden. Diese künstlerisch gestalteten *Bairischen Landtaflen* erschienen 1568 im Maßstab 1:135.000 (Abb. A 9); sie wurden zum Vorbild für die kartographische Aufnahme anderer deutscher Territorien. Deshalb muß man gerade auf Apians Kartenwerk, obwohl es außerhalb des südwestdeutschen Raumes liegt, näher eingehen. Apian hat, zeitüblich, über die Methoden seiner Vermessung keine Angaben gemacht. Nachprüfungen auf den Karten ergaben, daß er zahlreiche Orte astronomisch-geographisch bestimmte; die Räume zwischen ihnen erfaßte er durch Triangulierung und Bussolenzüge. Außerdem schaltete er auch Entfernungsbestimmungen durch Abreiten ein. Doch verwertete er auch Auskünfte von Einwohnern. Er erreichte eine Genauigkeit,

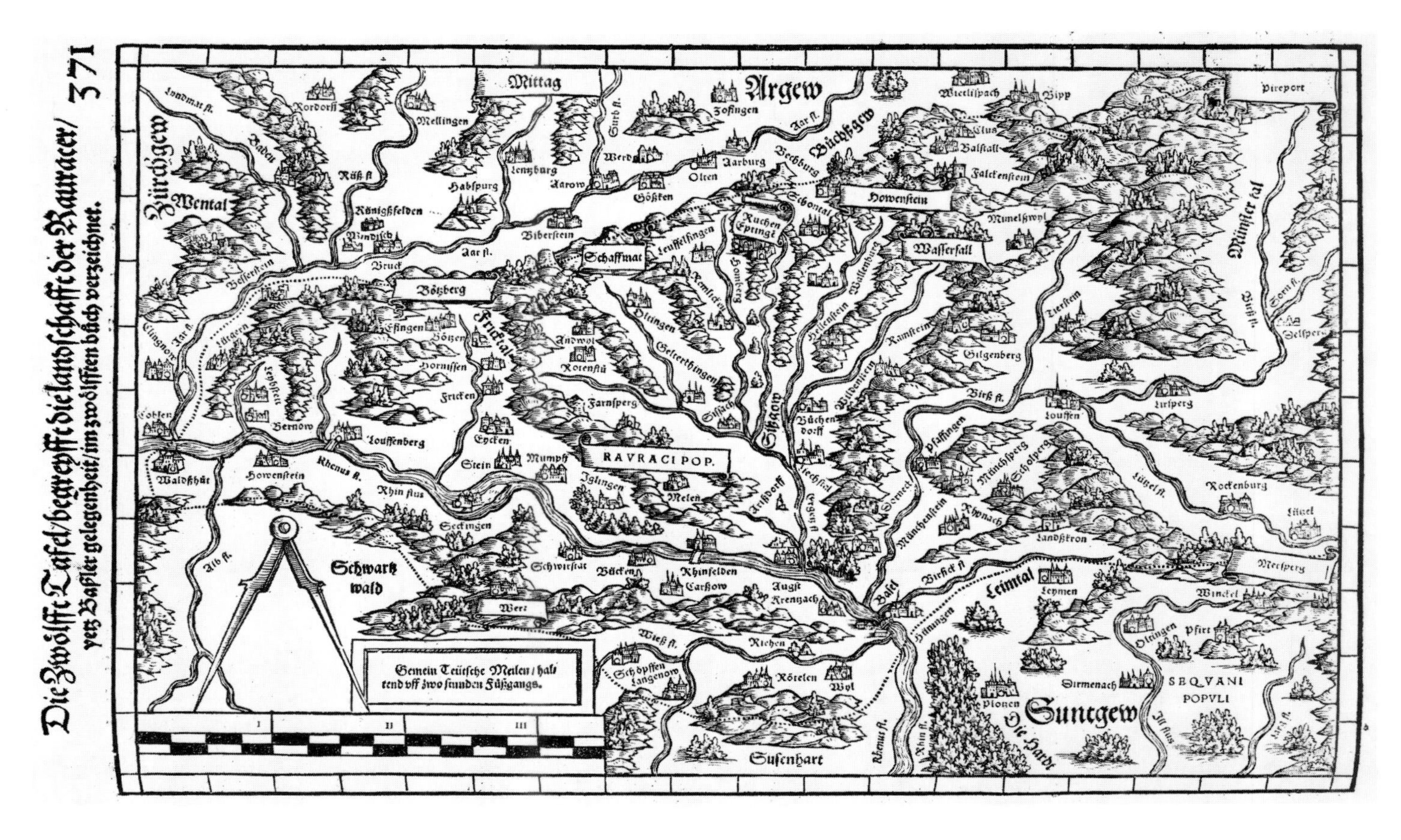

wie sie, wenn man von den Arbeiten des Sachsen Oeder absieht, für Jahrhunderte von keinem anderen deutschen Kartographen erreicht wurde.
In der Kartensprache ist Apian weitgehend bildhaft. Für die Wälder wählte er Tannenbilder. Moore und Moose sind etwa in der noch heute üblichen Weise gezeichnet. Die Gebirge sind aus der Ansicht und, wie sich nachprüfen läßt, in vielen Fällen einigermaßen naturgetreu wiedergegeben. Auch die Städte und Märkte sind in kleinen Ansichten dargestellt, die z.T. auf das damalige Aussehen schließen lassen. Zur besonderen Charakterisierung dienten Apian die Dächer der Kirchtürme, die er nach Spitzturm, Satteldach und Kuppel unterschied. Andere Kartographen sind ihm darin gefolgt. Sein reiches landeskundliches Material verarbeitete er in Tübingen zu einer Landesbeschreibung, der *Declaratio tabulae sive descriptionis Bavariae,* die erst 1880 durch E. von Oefele dem Druck zugeführt werden konnte.
Der Bedarf an den Landtafeln war so groß, daß noch zu Lebzeiten Apians auf Geheiß des Herzogs 1579 ein Nachstich durch Peter Weiner hergestellt wurde.
Der Aufnahme Apians kam, was die Genauigkeit angeht, wohl am nächsten die Kartierung der Ämter Zweibrücken und Kirkel der Grafschaft Pfalz-Zweibrücken durch Tilemann Stella, die im Jahr 1563 durchgeführt wurde. Die Zeichnung der Karten, eine Übersichtskarte, etwa 1:100.000, und 16 Teilkarten, etwa 1:25.000, konnte vermutlich erst nach 1564 abgeschlossen werden. Tilemann Stella (Stoltz, Stolz), aus Siegen gebürtig, hatte sich bereits durch mehrere kartographische Arbeiten, darunter eine Karte der Grafschaft Mansfeld und eine Deutschlandkarte, einen Namen gemacht. Im Dienste des Herzogs Johann Albrecht von Mecklenburg unternahm er eine Studienreise, die er in Zweibrücken unterbrach, um für den Grafen Johann Wolfgang die beiden Ämter aufzunehmen. Auch er hat über die Methoden seiner Aufnahme keine Angaben gemacht. Keinesfalls hat er ein trigonometrisches Netz zugrundegelegt. Da er in seiner Beschreibung mehrfach Orte mit weiter Fernsicht herausgestellt hat, könnte man annehmen, daß er hin und wieder mit Peilungen arbeitete und die zugehörigen Entfernungen von seinen landeskundigen Begleitern erfragte. Nach seiner Beschreibung [9] hat er als erstes die Grenzen der Ämter sowie der inliegenden Herrschaften anderer Herren in genauen Routenaufnahmen mit dem Kompaß aufgenommen. Dann dürfte er entlang der Gewässer kartiert haben. Dabei ließ er durch seine Hilfskräfte alle Nebentälchen erfassen. Es wurden die Quellen und alle wasserbautechnischen Einrich-

Abb. A 8 Johannes Stumpf, Die zwölfte Tafel, begreyfft die landschafft der Rauracer yetz Basler gelegenheit, aus: Johannes Stumpf, Gemeiner loblicher Eydgnoschafft ... Chronick ... Zürich 1548.

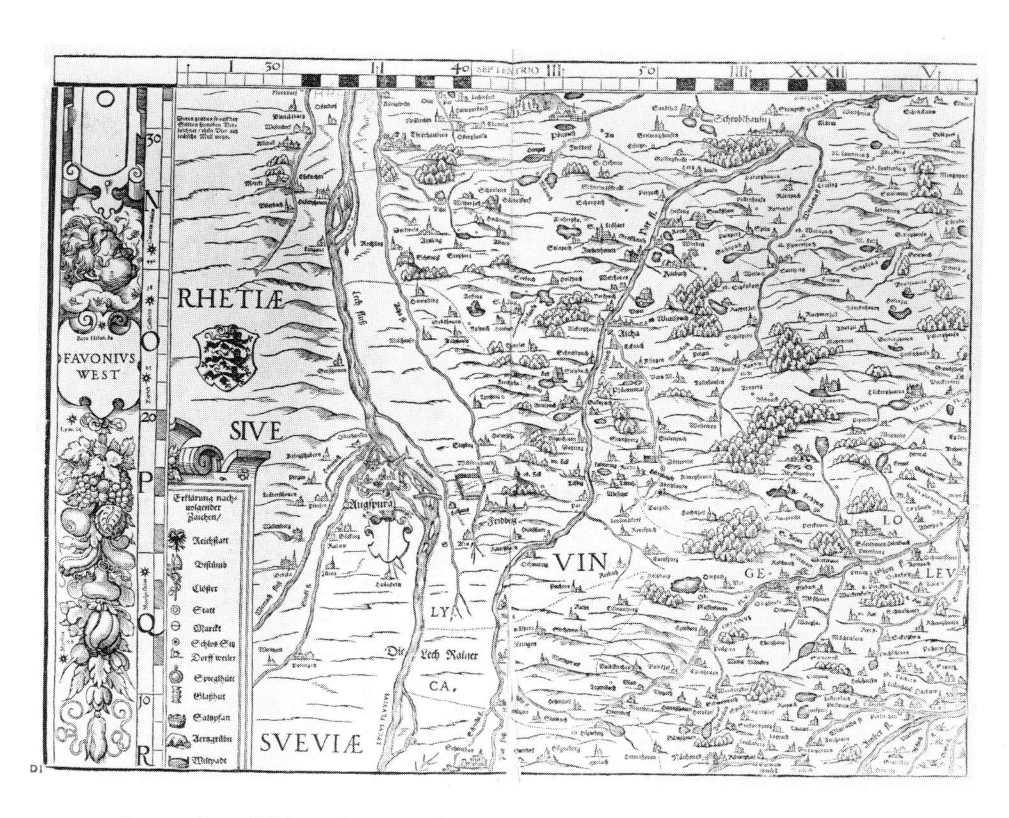

Abb. A 9   Philipp Apian, Bairische Landtaflen, 1568 (Ausschnitt)

tungen, Stauweiher, Wehre, Brunnen kartiert. Dann folgte die Aufnahme der Hochflächen mit den Dörfern. Wie Philipp Apian bediente auch er sich der Form der Turmhauben der Kirchen zur besonderen Kennzeichnung der ländlichen Siedlungen. Nur bei größeren – man vergleiche das Bildchen von Zweibrücken – zeichnete er eine Ansicht aus der Vogelschau, wobei er sich bemühte, wichtige Baulichkeiten anzudeuten. Er maß die Waldflächen. Sie wurden umschritten, wenn sie nicht zu klein waren. Von den Wäldern unterschied er die Reutberge, die er landesüblich Rodbösche nannte. Mit der Zeichnung des Straßennetzes, der Fülle der Flur- und Waldnamen, ging er weit über Apians Landtafeln hinaus. Sein Aufnahmegebiet war wesentlich kleiner, umfaßte nur zwei bescheidene Ämter. Wie der bayerische Gelehrte, kennzeichnete er fremden Landbesitz durch die entsprechenden Wappen.

Ob, wie E.W. Dahlgren 1914 vermutete, unmittelbare Beziehungen zwischen Apian und Stella bestanden haben, ist fraglich. Stella hat auf seiner Studienreise Bayern nicht berührt[10]. Während Apians Kartenwerk dank der Drucklegung eine weite Verbreitung fand und die Entwicklung der mitteleuropäischen Kartographie stark beeinflussen konnte, verschwanden die auf Papier aquarellierten Karten Stellas im Archiv. Sie gelangten in den Besitz des schwedischen Königshauses und wurden erst durch Dahlgren 1914 der Altkartographie und den Pfälzer Heimatforschern erschlossen.

Sieben Jahre nach Erscheinen der Landtafeln Philipp Apians überreichte Heinrich Schweickher aus Sulz am Neckar dem Herzog Ludwig von Württemberg einen handgezeichneten Atlas der Ämter des Landes. Das Werk ist nicht einheitlich gestaltet. Von den Blättern 28, 29 an ist die farbige Zeichnung vereinfacht. Im Gegensatz zu den Karten Apians und Stellas zeichnete Schweickher die Ämter südorientiert, also gleichsam von Norden aus gesehen. Die Maßstäbe seiner Karten schwanken zwischen 1:110.000 und 1:180.000, die Generalkarte hat etwa einen Maßstab von 1:700.000. Leider hat auch Schweickher keine Angaben über seine Aufnahmemethoden gemacht. Irtenkauf (1979) ist der Meinung, daß Schweickher zeitgemäß nach geographischer Art gearbeitet habe, etwa wie Philipp Apian. Doch steht eine entsprechende genaue Untersuchung noch aus. Die Karten sind in ihrer Grundrißtreue nicht gleichwertig. Guten Blättern, dazu dürften die der Ämter Bebenhausen und Stuttgart zählen, stehen weniger genaue gegenüber, wie beispielsweise die der Ämter Großbottwar und Wildbad. Einige sind fehlerhaft aus verschiedenen Aufnahmen kombiniert, wie die der Klosterämter Herrenalb und Maulbronn. Bei der Mehrzahl der Karten dürfte Schweickher Peilungen von erhöhten Standpunkten im oder nahe des Amtsmittelpunktes ausgeführt und die Entfernungen zu den eingemessenen Punkten von den Einwohnern erfragt haben. Auch eigene Routenaufnahmen dürfte er verwertet haben. Daß er auch die exakteren Aufnahmemethoden kannte, beweisen seine hohenlohischen Arbeiten (vgl. Kat.Nr. G 19), die er in größerem Maßstab mit „circulo et angulo“ nach geographischer Art aufgenommen hat. Nur erste Versuche haben sich erhalten, denn er starb sehr bald.

Ob zwischen Schweickher und Philipp Apian, der damals schon in Tübingen lebte, Beziehungen bestanden haben, ist nicht erwiesen, aber auch nicht auszuschließen, zumal auch Schweickhers Sohn Salomon in Tübingen studierte[11].

Ohne Zweifel jedoch bestanden engere Verbindungen zwischen Philipp Apian und Georg Gadner, dem Schweickher folgenden bedeutenden Kartographen Württembergs. Er war Landsmann Apians und hatte wie jener in Ingolstadt studiert. Nach seinen Wanderjahren war er in den Dienst des württembergischen Herzogs getreten. Seine kartographischen Fähigkeiten hatte er sich wahrscheinlich in militärischen Diensten erworben.

Der Herzog Christoph beauftragte ihn mit der Aufnahme der Forste des Landes. Auch Gadner sagt an keiner Stelle seiner *Chorographia. Beschreybung des löblichen Fürstentums Wirtenberg* ... etwas über die Methoden seiner Aufnahmen aus. Auf den Karten ist nur notiert, er habe das Land durchwandert (perlustravit), aufgenommen (descripsit), gezeichnet (delineavit) und die Aufnahme vollendet (absolvit). Für Gadners wichtigste Aufgabe, in begrenzter Zeit die Grenzen der Forste festzulegen, genügten Kompaßmessungen und Routenaufnahmen mit Schrittzählungen. Zweifellos hat er, wo es das Gelände zuließ, auch Aufnahmen zu Pferde durchgeführt. Leider steht eine genauere kartographische Untersuchung der einzelnen Blätter seiner Forstkartierung noch aus, von wenigen Ausnahmen abgesehen (Oehme 1978).

Die Landtafeln, mit denen Gadner das Lusthaus in Stuttgart ausgestattet hat (vgl. Kat.Nr. B 18), sind leider mit dem Bau zerstört worden. Allein das erhaltene Landtafelgemälde des Stuttgarter Amtes, 1589, bezeugt deren hohe kartographische Qualität. Gadner war wie Apian ein Könner. Das zeigen auch die kunstvoll auf Pergament farbig ausgeführten Karten der Chorographia.

Nach dem Tode Gadners machten territoriale Veränderungen des Herzogtums einige Neuaufnahmen erforderlich. Damit wurde der Registrator und Geograph Johannes Oettinger beauftragt. Er stammte aus Nürnberg. Nach dem Studium in Wittenberg und einer kurzen Wanderzeit trat er in den Dienst des württembergischen Kammerherrn Gut von Sulz. Nach seiner Überwechslung in eine herzogliche Beamtung, wurde ihm, der sich als interessiert und zeichnerisch begabt erwiesen hatte, die Aufnahme der neuen Blätter übertragen. Anscheinend als Probearbeit hat er dem Herzog die Karte des Liebenzeller Forstes vorgelegt. Das Blatt erweist ihn nach der Beschriftung und nach der Zeichnung von Wäldern und Siedlungen als einen Kartographen von künstlerischem Rang. Er begann die weiteren Aufnahmen 1609 und schloß sie 1612 mit der Kartierung des Tuttlinger Amtes und des Hohentwieles ab. Seine ersten Karten sind, wie auch die Gadnerschen Aufnahmen, Inselkarten und stellen innerhalb der Grenzen nur den Forst oder das Amt dar, nur an wenigen Stellen greift die Zeichnung auf benachbarte Territorien über. Oettinger hat sich im zeichnerischen Stil den Arbeiten Gadners angepaßt, zeigt aber in der Zeichnung des Waldes, der Berge und den kleinen Siedlungsbildchen eine eigene Note. Von besonderem Interesse ist das Blatt Tuttlingen und der Hohentwiel. Bereits Gadner hatte dieses Amt zusammen mit den kleineren Sulz, Rosenfeld und Balingen aufgenommen, doch dürfte diese Karte, die einige auffällige Fehler aufweist, den Erwartungen des Herzogs nicht entsprochen haben[12]. Außerdem fehlte in dem Atlas Gadners eine Karte, die in maßstabsgerechter Lage die Stadt Tuttlingen mit ihren Verbindungswegen zur württembergischen Festung zeigte. Oettinger kartierte auf seinem Blatt über die Landesgrenzen hinaus und erfaßte damit Teile der Baar, der südwestlichen Alb und des Hegaus[13].

Oettinger hat ebenfalls Routenaufnahmen durchgeführt. Auch er sagt nur, daß er das Land durchwandert und die Karte gezeichnet habe. Doch spricht die relativ gute Darstellung des Hohentwieles und der weithin sichtbaren Hegauberge dafür, daß er von der Feste aus gut sichtbare Ziele winkelmäßig eingemessen hat. Die Entfernungen dagegen dürfte er von Landeskennern erfragt haben.

Wie die Karten Gadners zeigen auch die Oettingers manche verwandte Züge zu denen Apians. Auch Oettinger bemühte sich, die kleinen Siedlungsveduten der Natur ähnlich zu gestalten und mit einfachen Bildchen der Kirchturmhhauben, ob gotischer Spitz-

turm oder Satteldach, die Siedlungssignatur etwas zu individualisieren.
Es ist noch manches bei den Karten Gadners und Oettingers ungeklärt. Sind zumindest die Hauptorte nach ihren geographischen Koordinaten eingetragen worden? Abgesehen vom „Probeblatt“ *Vorst Liebenzell* hat Oettinger im Gegensatz zu Gadner auf seinen Karten am Rand die Längen und Breiten eingetragen[14].
Als Ergänzung zum Gadner-Oettingerschen Kartenwerk kann das Landbuch gewertet werden, das Oettinger 1624 dem Herzog überreichte, ein topographisch-geographisches Handbuch für die Staatsverwaltung. Das Material dazu hat er auf Dienstreisen, aber auch bei seinen kartographischen Arbeiten gesammelt. Leider konnte die Handschrift nicht dem Druck zugeführt werden.
Während Gadner und Oettinger, was ihre Vermessungsmethoden anging, das Vorbild Philipp Apian nicht erreichten, erschloß der den beiden folgende kartographisch tätige schwäbische Gelehrte, der Astronom, Mathematiker, Orientalist und Theologe Wilhelm Schickard, vermessungstechnisch gesehen, Neuland. Er legte seiner Aufnahme Württembergs ein graphisch konstruiertes Dreiecksnetz zugrunde, das er von einer Basis im Tübinger Raum ausgehend entwickelte. Im Gegensatz zu seinen Vorgängern, die über ihre Aufnahmetechniken keine wesentlichen Angaben gemacht haben, schuf er mit der *Kurzen Anweisung, wie künstliche Landtafeln auß rechtem Grund zu machen / vnd die biß her begangne Irrthumb zu verbessern / Sampt etlich new erfunen Vörtheln / die Polus höhin auffs leichtest / vnd doch scharpff gnug / zu forschen,* 1629 eine Anleitung für künftige Geodäten, wie Karten aufgrund einer trigonometrischen Vermessung zu erarbeiten seien. Mit seiner kartographischen Aufnahme und seinem Büchlein leitet Wilhelm Schickard für Württemberg eine neue Periode in der Entwicklung der Kartographie ein.
Ende des 16. und Anfang des 17. Jahrhunderts wurden auch in anderen Bereichen des deutschen Südwestens und Südens interessante und vorbildliche Kartierungen ausgeführt. Nur wenige Beispiele seien ausgewählt. Der Pfarrer Christoph Vogel und der Maler Matthaeus Stand schufen dem Vorbild Apians folgend großmaßstäbliche Kartenaufnahmen des Fürstentums Pfalz-Neuburg und des Teilfürstentums Sulzbach-Hipoltstein.
Ende des Jahrhunderts erblühte erneut in der Freien Reichsstadt Nürnberg die Kartographie. Sie verfügte in dem Patrizier Paul Pfinzing über einen Kartographen von technischer Fertigkeit und künstlerischer Begabung. Seine ersten Arbeiten sind in großen Maßstäben gehalten, 1:15.000 und etwa 1:5.000. Mit seinen späteren Arbeiten vollzog Pfinzing den Übergang zur Spezialkarte, die die wichtigen topographischen Daten des Landes erfaßte und versuchte, ein wirklichkeitsnahes Relief zu gestalten. Er arbeitete mit selbstkonstruiertem Marschkompaß, maß Strecken durch Schrittzählung zu Fuß und zu Pferd und benutzte auch die Umdrehung des Wagenrades zur Entfernungsbestimmung. Als Spitzenleistung seiner Aufnahmetätigkeit ist die Kartierung des Amtes Hersbruck, 1595, zu werten.
Etwa gleichzeitig wie Pfinzing in Nürnberg begann in Hessen Wilhelm Dilich mit Aufnahmen. Vor ihm hatten schon Arnold und Johannes Mercator im Lande gearbeitet. Die Mercatorsche Karte des hessischen Niederfürstentums, 1592, zeigt eine glückliche Verbindung von Exaktheit und hoher künstlerischer Darstellungsgabe.
Der den Mercators folgende Wilhelm Dilich verfaßte aufgrund von Geländeskizzen bildhafte Karten großen Maßstabes. Er legte Punkte nach Winkel und Entfernung fest. Außerdem benutzte er Grenzbeschreibungen, verwertete er Akten und stützte sich auf Auskünfte von Landeseinwohnern.
Von Philipp Apian abgesehen, dessen Kartenwerk glücklicherweise dem Druck zugeführt werden konnte, war der Mehrzahl der angeführten Kartographen ein Einfluß auf die Weiterentwicklung der Kartographie versagt, da ihre Arbeiten unveröffentlicht bleiben mußten. Das gilt vor allem für die verschiedenen geglückten Versuche einer formengetreuen Geländedarstellung, wie wir sie bei Pfinzing und Dilich finden. Ein Meister der wirklichkeitsnahen formenplastischen Wiedergabe des Geländes ist der Wangener Stadtmaler Johann Andreas Rauch. Seine Wangener Landtafel, 1617/1618, ein prachtvolles Gemälde, unterscheidet eindrucksvoll die morphologischen Einheiten dieser voralpinen Landschaft und stellt das Gewässernetz, Wälder und Wege sowie die Siedlungen und bei diesen wiederum wichtige Bauelemente getreu dar. Die Landtafel, die der Wangener Meister wohl in gleicher Weise von Lindau im Bodensee gestaltet hatte, ging verloren.

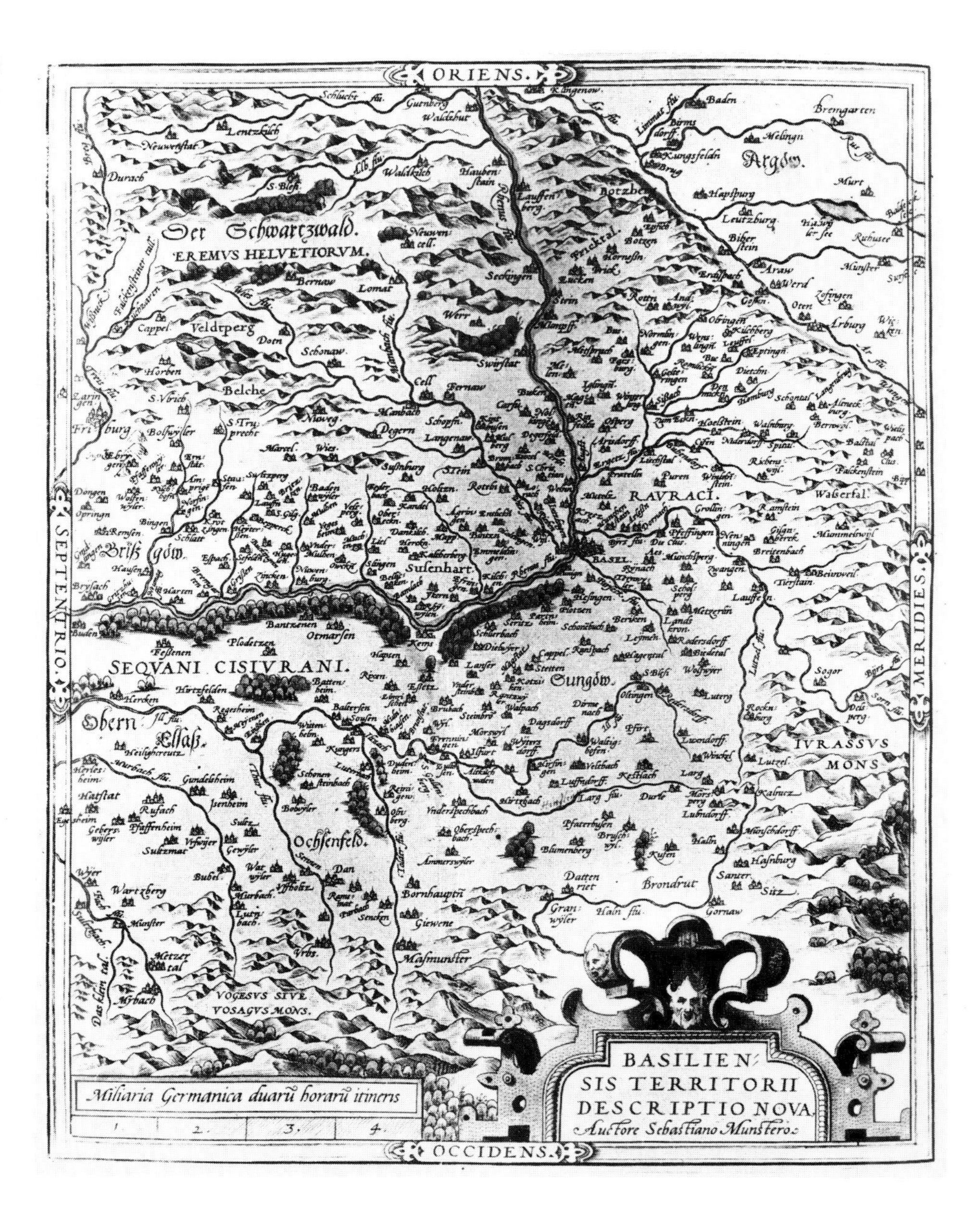

Abb. A 10 *Sebastian Münster, Basiliensis Territorii Descripto Nova/Nachstich aus: Abraham Ortelius, Theatrum/orbis terrarum. Ausgabe Antwerpen 1573*

Abraham Ortelius und Gerhard Mercator

Man kann darüber verschiedener Meinung sein, ob den beiden großen gelehrten Kartographen Ortelius und Mercator ein Platz auch in einem Überblick über die Geschichte der Kartographie des deutschen Südwesten zuzuweisen sei. Beide Persönlichkeiten sind in erster Linie der nordwestdeutschen und flämischen Wissenschaftsgeschichte zuzuzählen. Sie sind die großen Vermittler des kartographischen Bildes der Welt, der Erdteile, der Länder und Landschaften, soweit es im Laufe des 16. Jahrhunderts erarbeitet worden ist.

Abraham Ortelius wurde in Antwerpen geboren, wo sein Vater die Interessen der Fugger vertrat. Er war vielseitig, Kaufmann, Kartensammler, Kartograph, Kartenverleger und Historiker. Er faßte in seinem *Theatrum orbis terrarum,* 1570ff., gute Karten der verschiedensten Autoren des Jahrhunderts zusammen. Nachdem er sie überprüft, gelegentlich auch verbessert und ergänzt hatte, ließ er sie in einheitlichen Formaten neu stechen. Er gab auch neue Karten für sein Werk in Auftrag. Vor allem späteren Ausgaben gab er eigene Arbeiten, vorwiegend historischen Inhaltes, bei. Als besonderer Verdienst ist ihm anzurechnen, daß er seinem Theatrum ein Verzeichnis der Kartographen anfügte, den *Catalogvs avctorvm tabvlarvm geographicarvm qvotqvot ad nostram cognitionem hactenvs pervenere, qvibvs adidimvs, vbi locorvm, qvando et a qvibvs excvsi svnt*[15]. Den Namen der Kartographen folgen in verkürzter Form Angaben über Kartenthema und soweit bekannt Namen der Stecher, Drucker und Verleger, Erscheinungsort und Erscheinungsjahr.

Das Theatrum erwies sich als ein „Bestseller“. Es erlebte, in verschiedenen Sprachen herausgegeben, weit über 30 Ausgaben. Damit wurden auch die Arbeiten süddeutscher Kartographen, wenn auch im Nachstich, weltweit bekannt gemacht. Es sind: David Seltzlin (Schwäbischer Kreis), Sebastian Münster (Karte der Basler Landschaft), Georg Gadner (Herzogtum Württemberg), um die wichtigsten zu nennen (Abb. A 10).

Gerhard Mercator war in erster Linie ein wissenschaftlicher Kartograph. Gewiß, auch er hat Karten gesammelt. Aber er sah seine Hauptaufgabe in der kritischen wissenschaftlichen Erarbeitung neuer Karten. Er hat auch im Gelände gearbeitet; leider ist seine Aufnahme Lothringens verloren gegangen. Die von ihm erarbeiteten Karten wurden in seiner Offizin, zum Teil von ihm selbst, gestochen und gedruckt. Er begann seine kartographische Tätigkeit, dem Beispiel seines akademischen Lehrers in Löwen, Gemma Frisius, folgend, mit der Herstellung von Globen und mathematischer Instrumente. Seinen ersten Karten, die das Heilige Land zum Gegenstand hatten, folgten eine Flandernkarte und weitere Globen, zu denen er auch eine Gebrauchsanweisung schrieb. Die Europakarte von 1554 und die große Weltkarte *Ad vsvm nauigantium emendate accomodata,* 1569, gelten noch heute als Meisterleistungen. Der verbesserten und ergänzten Europakarte von 1572 schloß er die Bearbeitung des Ptolemaeus an. Den 27 nach dem Text umgearbeiteten Karten fügte er eine Karte des Nildeltas bei. Gleichzeitig bereitete er ein großes Kartensammelwerk vor. Die ersten beiden Teilbände, 1585 die Karten von Frankreich, Belgien und Deutschland und 1589 die Karten Italiens und der Balkanhalbinsel, konnte er noch selbst herausgeben. Die Edition der Gesamtausgabe 1595 erlebte er nicht mehr. Er starb 1594. Den *Atlas,* einen Namen, den Mercator nach einem sagenhaften lybischen König gewählt hat, gab sein Sohn Rumold heraus.

Wie das Theatrum des Ortelius erlebte auch der Atlas, die von dem Niederländer Hondius z.T. erweiterten Ausgaben eingeschlossen, über 40 Ausgaben, von den über 20 Editionen des *Atlas minor* abgesehen. Mercator und Ortelius haben das Kartenbild der Kontinente, Landschaften und Länder und damit auch das Südwestdeutschlands bis tief in das 17. Jahrhundert hinein bestimmt, und sie wirkten über andere Stecher und Verleger, die ihre Werke nachgestalteten, zeitlich noch wesentlich weiter.

Pläne und Karten großen Maßstabes

Hand in Hand mit der Entwicklung der Gelehrtenkartographie, der Kartographie der Länder und Landschaften, verlief eine andere Entwicklung, oft mit jener gleichlaufend, oft sich mit ihr überschneidend, die der großmaßstäblichen Karten, der Pläne und Ansichten. Auch diese Entwicklung reicht in das späte Mittelalter. Am Anfang der Renaissance stehen Übergangsformen zwischen Karte und Ansicht, wie sie sich beispielsweise in Hartmann Schedels Weltchronik 1493 finden. Über ein halbes Jahrhundert später finden wir in der Kosmographie Sebastian Münsters neben Bildern aus der Vogelschau auch Ansichten, die so steil von oben gesehen sind, daß man sie als Pläne oder Karten auffassen kann, wie beispielsweise die von Basel.

Alles, was an Werken mit Ansichten bis zum 7. Jahrzehnt des 16. Jahrhunderts erschienen ist, wird überragt von den Bildern der *Civitates orbis terrarum* des Georg Braun und Frans Hogenberg, 1572. Neben vielen eigenen Entwürfen wurde auch älteres Material übernommen, Ansichten aus Münsters Kosmographie, auch verschollene Vorlagen aus anderen Händen. Bei der Wiedergabe deutscher Städte überwiegen Ansichten; die niederländischen sind meist als Pläne aus steiler Vogelschau gezeichnet.

Diesem großen Werk folgten kleine Städtebücher, die überwiegend Nachstiche brachten. Erst mit dem *Theatrum Europaeum* und den Topographien des Matthaeus Merian begann in der Mitte des 17. Jahrhunderts eine neue Blüte der Darstellung von Ansichten und Plänen von Städten. Damit wurde Frankfurt zu einem Mittelpunkt auch des Kartenstiches, denn sowohl den Topographien als auch dem *Theatrum Europaeum* sind Karten beigegeben. Die des Theatrum stellen vielfach kriegerische Geschehen des Dreißigjährigen Krieges in dem landschaftlichen Rahmen dar.

Die Fülle der Karten großen Maßstabes und Pläne, die im 16. und im ersten Drittel des 17. Jahrhunderts in den verschiedenen deutschen Territorien aufgenommen worden sind, verdankt überwiegend Grenzzwisten ihre Entstehung. Im Zuge der Konsolidierung der deutschen Territorien kam es im 16. Jahrhundert zu vielfältigen Differenzen um Hoheitsrechte und Gebietsgrenzen. Neben Streit um Landbesitz ging es um Nutzungsrechte in Forst und Landwirtschaft, in Fischerei, Bergbau- und Salinenwesen, in Geleit-, Zoll(Maut)wesen und bei schiffbaren Gewässern auch um Schiffahrts- und

Stapelrechte. Um den Richtern, die weitab von den strittigen Gebieten saßen und die Situation vor Ort nicht aus eigener Anschauung kennenlernen konnten, ein zuverlässiges Bild der Geländeverhältnisse geben zu können, wurde den Protokollen ein „Augenschein", also eine Karte oder ein kartenähnliches Dokument beigegeben. Zu den Geländeaufnahmen wurden in vielen Fällen auch namhafte Maler herangezogen. Aus dem südwestdeutschen Raume seien nur Wilhelm Besserer – aus Speyer, Johann Andreas Rauch aus Wangen und Philipp Rehlin aus Ulm genannt. Die großen Landtafelmaler beschränkten sich nicht auf eine schlichte Zeichnung des strittigen Grenzzuges und des unmittelbar anrainenden Gebietes. Sie erfaßten mit ihrem Bild die ganze umgebende Landschaft und boten dabei relativ getreue Ansichten von Städten, Schlössern, Burgen und Dörfern. Sie belebten es mit friedlichen und kriegerischen Szenen. Mit ihrer Beschriftung hielten sie wertvolles altes Namensgut fest. Sie dienen damit nicht nur der Rechtsgeschichte des Landes. Sie sind in gleicher Weise wertvolle Quelle für Landschafts- und Siedlungsgeschichte, Kunst- und Kulturgeschichte. Die Ausstellung bezeugt dies mit drei verschiedenartigen, aber im Inhalt gleichwertigen Landtafeln aus dem Jahr 1589: der Landtafel des Stuttgarter Amtes von Georg Gadner, der des Schrotzberger Jagens von Wilhelm Besserer und der Karte des oberen Donaugebietes von Philipp Rehlin. Nur wenige dieser Darstellungen konnten samt den Protokollen dem Druck zugeführt werden. Das meiste verschwand in Archiven. Einige wenige dienten als repräsentativer Schmuck in einem Schloß oder Rathaus.

Im Rahmen dieser Kartengruppe kommt den Gewässerkarten eine besondere Bedeutung zu. Die noch nicht von Menschenhand gebannten Ströme und Flüsse veränderten nach jedem Hochwasser ihren Lauf. Uferpartien wurden abgetragen, und das abgeschwemmte Erdreich konnte an Ufern, die einem anderen Regiment unterstanden, angelandet werden. Inseln verlagerten sich oder wurden ganz zerstört. Das führte, vor allem an den großen Strömen, zu vielen Streitigkeiten. Zur Klärung strombedingter Grenzveränderungen erfolgten schon im 16. Jahrhundert Rheinbefahrungen, deren Ergebnis auch in Karten festgehalten wurde (Musall 1969, S. 50ff.). Das Badische Generallandesarchiv Karlsruhe besitzt eine Rheinstromkarte des Jahres 1595 aus der Werkstatt des Speyerer Malers Wilhelm Besserer.

Die stehenden Gewässer, Seen und Weiher, bargen mit den Nutzfischen eine wichtige Nahrungsquelle für die Bevölkerung. Tilemann Stella kartierte 1563 bei seiner Aufnahme der Ämter Zweibrücken und Kirkel nicht nur die größeren Seen und Weiher, sondern auch die kleinsten Stauweiher. Im Herzogtum Württemberg legte Jakob Ramminger in dem farbenprächtigen *Seehbuch* die Seen und Weiher des Landes 1596 auf Pergamentblättern fest.

Karten zu Wirtschaft und Verkehr

Für die Landesherren waren die Wälder von großer Bedeutung. Sie waren eine der wichtigsten Einnahmequellen. Sie lieferten Bauholz, Brennholz und Kohlholz, d.i. Holz zur Herstellung von Holzkohle. Außerdem stand die Jagd den hohen Herren zu. Die Kartenaufnahmen Gadners und Oettingers in Württemberg galten in erster Linie der Erfassung der Flächen der Forste. Tilemann Stella maß bei seiner Aufnahme der Ämter Zweibrücken und Kirkel nicht nur die Waldgebiete relativ genau ein, sondern er stellte sie in seiner Landesbeschreibung mit der Angabe der Flächengrößen in Listen zusammen.

Die Aufnahme von Bergbauplänen und Bergbaukarten geht mindestens bis in die Mitte des 16. Jahrhunderts zurück. Die ältesten aus mitteleuropäischen Gebieten sind bisher aus den österreichischen Ländern nachgewiesen, so Grubenrisse (auf Papier) aus den Salzbergwerken von Hall/Tirol aus den Jahren 1531 und 1534. Der älteste erhaltene sächsische Bergriß ist 1574 datiert.

Wohl die älteste gedruckte Karte eines Bergbaugebietes verdanken wir Sebastian Münster. Er veröffentlichte in der Ausgabe seiner Kosmographie von 1550 eine Karte des Bergbaugebietes des Lebertales in den Vogesen, die ihm der Landrichter Johann Hubinsack samt Begleittext zugeschickt hatte (Abb. A 11). Wir verdanken Hubinsack einen kurzen Hinweis auf die Aufnahmen unter Tage: *In den gruben müssen sie nach den Compassen vnnd andern instrumenten bauwenn vnnd faren wie die schiffleut auff dem Möre.*

Frühe Straßenkarten sind selten, wenn wir von den Karten Erhart Etzlaubs (s.o.) absehen. Auf vielen Länder- und Landschaftskarten fehlen die Straßen. Die Kartographen des 16. und 17. Jahrhunderts kartierten vielfach nur die Übergänge über die Gewässer,

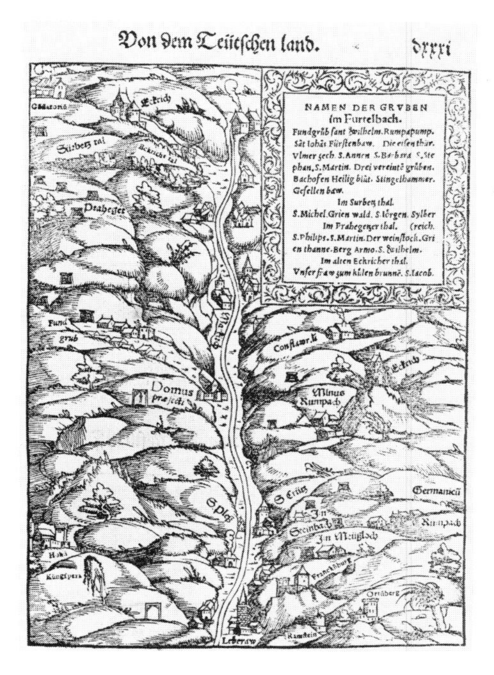

Abb. A 11 Das Bergbaurevier im Lebertal, aus: Sebastian Münster, Kosmographie, 1550

die Brücken, so in der *Chorographia* von Gadner-Oettinger. Straßen wurden kartiert, wenn sich damit rechtliche Auseinandersetzungen der verschiedenen Herrschaften verbanden. Als ältestes bayerisches Dokument verzeichnet E. Krausen (1976) eine Landschaftsskizze der durch das Hochstift Passau führenden Salzstraßen, etwa 1515. Brücken, Gewässer, stellenweise auch Verlauf der Straßen zeigt ein meisterhaftes Aquarell, das anläßlich eines Geleitstreites zwischen dem Herzogtum Württemberg und der Freien Reichsstadt Ulm um 1535 von unbekannter Hand geschaffen wurde. Das in der Darstellung der Landschaft und der Siedlungen sehr getreue Bild erinnert an die fränkischen Landschaften Albrecht Dürers (Akermann 1960).
Eine systematische Aufnahme von Gemarkungen, von Feldern und Wäldern, um zuverlässige Grundlagen für die Besteuerung des Grundbesitzes zu erhalten, setzte in weiterer Verbreitung erst nach dem Dreißigjährigen Krieg ein. Als älteste „Flurkarte" Süddeutschlands kann eine primitive Zeichnung des Landbesitzes des Klosters Honau, unterhalb Straßburg, gewertet werden, die in den Archives du Bas-Rhin zu Straßburg liegt (Grenacher 1964). Der Landbesitz der Abtei und seine Nutzung sind schematisch dargestellt. Die Zeichnung, die nicht maßstabsgerecht ist, stammt aus der Mitte des 15. Jahrhunderts. Die ältesten einigermaßen maßstabsgerechten Flurpläne aus dem süddeutschen Raum entstammen dem Ende des 16. und Anfang des 17. Jahrhunderts. Paul Pfinzing kartierte 1592 Flur und Dorf Henfenfeld bei Nürnberg. Wilhelm Dilich nahm 1624 die Zehntkarte von Niederzwehren bei Kassel auf. Johann Andreas Rauch ist ein Plan des Dorfes Rickenbach bei Lindau zu verdanken. Rauchs und Pfinzings Pläne sind trotz ihrer bildhaften Gestaltung relativ grundrißtreu. Während Pfinzing nur bei den Gehöften die Besitzer angibt, vermerkte sie Rauch z.T. auch bei den einzelnen Grundstücken (Abb. A 12).

Abschließend noch ein paar Betrachtungen allgemeinerer Art. Die kartographische Darstellung einer Landschaft bot auch fähigen Künstlern schwierige Aufgaben. Bei der Wiedergabe enger, umgrenzter Räume genügte ein erhöhter Standpunkt. So stellte der Augsburger Christoph Amberger das Lechgebiet bei Füssen von einem erhöhten Blickpunkt „in souverainer Weise" dar (E. Krausen 1973). Der unbekannte Meister der Karte des Filstales zeichnete den größten Teil der Tafel in Ansicht von verschiedenen Standpunkten auf der linken (südlichen) Seite des Tales, Siedlungen dieser Talseite mit

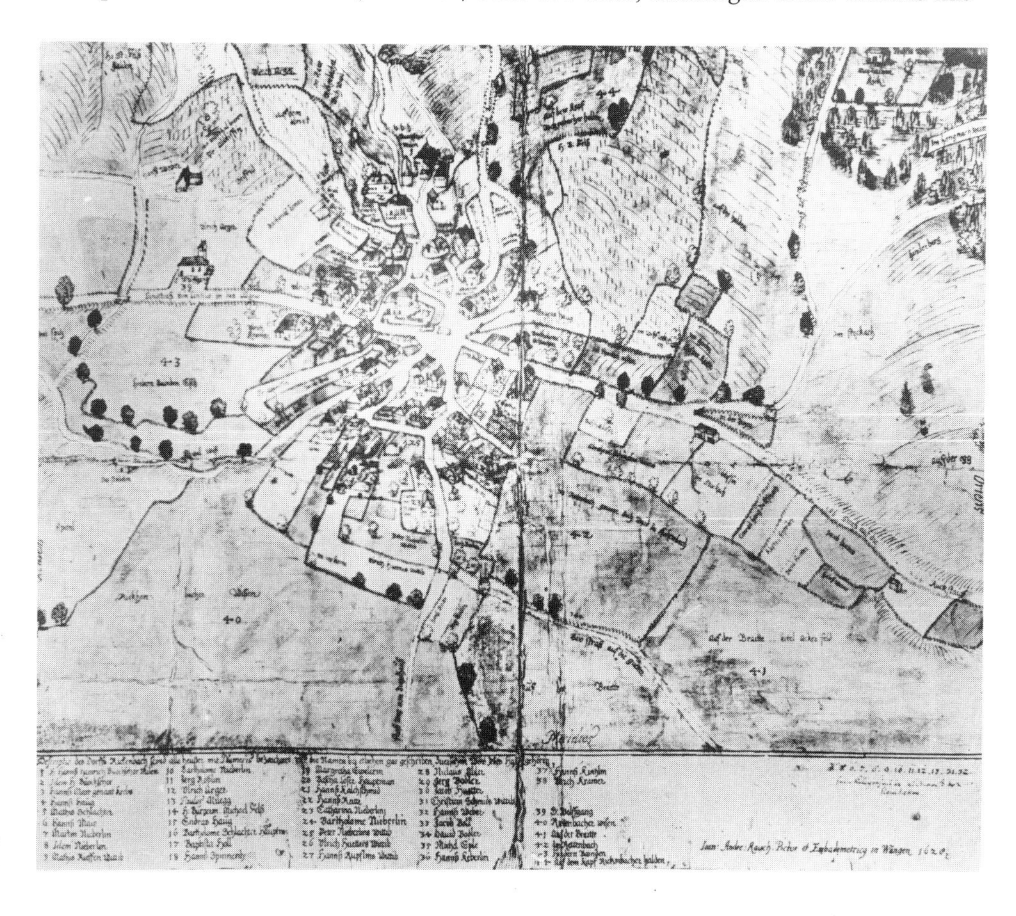

Abb. A 12 Johann Andreas Rauch, Plan von Rickenbach (bei Lindau), 1628.

Abb. A 13 David Rötlin, Rottweiler Pürschgerichtskarte, 1564 (Ausschnitt)

einbegriffen. Die Landschaft bzw. den Landschaftshintergrund der linken Talseite zeichnet er von Norden gesehen.
Viele Maler wählten die Darstellung aus der Vogelschau, die meist aus sehr steiler Sicht genommen wurde wie die Landtafel des Stuttgarter Amtes von Georg Gadner 1589 oder die Wangener Landtafel des Johann Andreas Rauch. Der Ulmer Maler Philipp Rehlin vereinigte auf seiner großen Landtafel des oberen Donaugebietes die Vogelschau, aus verschiedener Höhe genommen, mit der Zeichnung in Ansicht. Während er das Land um den Bussen aus steiler Vogelschau abbildete, malte er den Bussen und seine Bauten aus einem flacheren Blickwinkel. Für den Abschluß des Bildes, den Albrand, wählte er die Ansichtszeichnung. In ähnlicher Weise, nur etwas primitiver, gestaltete Wilhelm Ziegler seine Karte des Territoriums der Reichsstadt Rothenburg o.d.T., 1537. Panoramahaft brachte ein unbekannter Nürnberger Maler in der zweiten Hälfte des 16. Jahrhunderts die Umgebung von Nürnberg ins Holz[16]. Der Rottweiler Maler David Rötlin nahm 1564 den Pürschgerichtsbezirk der Stadt auf einer Scheibe von 2 m Durchmesser von einem fingiertem Standpunkt, gleichsam über dem Mittelpunkt der Karte schwebend, auf (Abb. A 13).
Was die grundrißtreue Darstellung handschriftlicher, aber auch gedruckter Karten und Pläne aus dem 16. und Anfang des 17. Jahrhunderts angeht, so ist vielfach nur das unmittelbar interessierende oder strittige Gebiet einigermaßen maßstabsgetreu gezeichnet. Was ferner lag, wurde oft nur „grob orientierungsmäßig“ eingetragen. Das gilt vor allem für Grenzkarten. Man scheute sich nicht, Siedlungen, die zu weit abgesetzt, maßstabsmäßig außerhalb des Kartenrahmens lagen, in das Kartenbild hereinzuholen. Der Ämteratlas des Herzogtums Württemberg von Heinrich Schweickher liefert dafür Beispiele. Man darf an die Karten und Pläne der Renaissancezeit nicht die Genauigkeitsforderungen der modernen Topographie und Kartographie stellen.
Aus der Fülle des überkommenen alten, handschriftlichen Kartenmaterials läßt sich ohne Schwierigkeit die Entwicklung der Darstellungsmethoden von der anfänglich primitiven Ansicht über die Vogelschau bis zur Grundrißzeichnung senkrecht von oben gesehen aufzeigen. Damit ist eng die Entwicklung der Geländezeichnung verknüpft, schematische, primitive, atypische Bergbilder stehen am Anfang. Meister wie Philipp Apian skizzierten im Gelände naturgetreue Ansichten und fügen sie in das Kartenbild ein. Eine spätere Generation von z.T. künstlerisch sehr begabten Kartographen – es sind wieder Besserer, Pfinzing und Rauch stellvertretend für andere zu nennen – vermochte die Landschaft fast formentreu wiederzugeben. Da die Karten nicht dem Druck zugeführt werden konnten, hatten sie keinen Einfluß auf die weitere Entwicklung der Geländedarstellung. Eine farbig gleichwertige Wiedergabe war damals drucktechnisch nicht möglich[17]. Eine befriedigende Umsetzung des Kartenbildes gelang nur selten. Der Ravensburger Ratsherr Johann Morell brachte 1642 die Wangener und

1647 die Lindauer Landtafel Rauchs verkleinert auf die Kupferplatte. Das Gelände arbeitete er in meisterhafter Weise in Schraffenzeichnung heraus. Die Karte Lindaus, das *Territorium Lindaviense,* fand samt Plan der Stadt Aufnahme in den *Atlas Major* von Johannes Blaeu, 1662, wenn auch unter dem etwas entstellten Namen Johann Andreas Rauhen, und erfuhr damit weltweite Verbreitung.
Zum Abschluß sei die Frage gestellt, welche Bedeutung kommt der deutschen Kartographie des 16. Jahrhunderts, der Zeit des Humanismus und der Renaissance, im Rahmen der kartographischen Gesamtentwicklung zu.
In wenigen Sätzen zusammengefaßt: Ende des 15. Jahrhunderts übernehmen mit den Editionen der Geographie des Ptolemaeus deutsche Gelehrte die Führung. Die Arbeiten der Wien-Klosterneuburger kartographischen Schule stellen eine wissenschaftliche deutsche Leistung dar, wenn sie auch nur eine Episode blieb. Die deutsche Gelehrtenkartographie erreicht ihren Höhepunkt mit den Werken Sebastian Münsters. Dann aber lösen Niederländer und Flamen die Deutschen ab. Keine Persönlichkeit kennzeichnet diese Wende besser als Gerhard Mercator, der große deutsche und flämische Meister, der 1552, im Todesjahr Sebastian Münsters, nach Duisburg übersiedelte und dort seine Offizin des Kartenkupferstichs aufbaute, der von nun an die Kartenreproduktion beherrschte.
Wenn auch die Führung in der Kartographie auf das Niederrheingebiet und dann auf die Niederlande überging, Kunst und Technik der Kartenherstellung entwickelten sich auch im süddeutschen, vor allem auch südwestdeutschen Raum weiter. Das bezeugen zahlreiche wertvolle Karten, viele von künstlerischer Qualität, wie sie uns aus der zweiten Hälfte des 16. und dem ersten Drittel des 17. Jahrhunderts überkommen sind. Philipp Apian schuf mit seinen Bairischen Landtafeln ein Jahrhundertwerk. Tilemann Stella, Georg Gadner, Paul Pfinzing, Johann Andreas Rauch, um einige Namen herauszustellen, sind Kartographen von überregionaler Bedeutung.
Wie für den größeren Teil des deutschen Raumes nahm auch für den deutschen Südwesten eine vielseitige und fortschrittliche kartographische Entwicklung mit den Wirren des Dreißigjährigen Krieges ihr Ende.

1 Reger übernahm aus dem Nachlaß Holles die Drucktypen, die Kartenformen und noch vorhandene angedruckte Blätter. Er setzte der Einleitung ein „Registrum“ vor und fügte einen Absatz „De locis“ bei. Die dem Druck beigegebenen neuen Karten von Spanien, Frankreich, Nordeuropa, Italien und Palästina gehen schon auf die Redaktion des Donnus Nikolaus Germanus zurück.
2 In diese Weltkarte übernahm Waldseemüller, wohl auf Anregung seines Freundes Matthias Ringmann, den Namen „America“ für das neu entdeckte Land. Von den 1000 Exemplaren, die gedruckt worden sein sollen, ist nur eines erhalten geblieben. Es befindet sich im Besitz des Fürsten Waldburg-Wolfegg auf Schloß Wolfegg in Oberschwaben. Jos. Fischer und Fr. v. Wieser haben 1903 in Innsbruck eine Faksimileausgabe in Orginalgröße veröffentlicht.
3 Er wertete dafür die Straßenkarten Etzlaubs aus. Ringmann schrieb dazu die *Descriptio Europae.*
4 Der begleitende Text stellt nach Bagrow, 1930, S. 23, bereits eine kleine Kosmographie dar.
5 In: C. Jvlii Solini Polyhistor, rervm toto orbe memorabilium thesaurus locupletissismus, 1538.
6 Auf die verschiedenen Ausgaben, vor allem der Kosmographie, kann nicht näher eingegangen werden.
7 Die Beschriftung wird in Lettern gesetzt und in den Holzstock eingekittet.
8 Eine Federzeichnung auf Pergament, die auf der Vorderseite Norddeutschland und die Niederlande, auf der Rückseite das Land zwischen Ostsee und Schwarzem Meer zeigt.
9 Das Original der Beschreibung liegt in der Bayerischen Staatsbibliothek in München. Eine gute Abschrift aus dem 18. Jahrhundert befindet sich im Besitz des Pfälzischen Landesarchives in Speyer.
10 Merkwürdigerweise besteht in der Umrahmung des fürstlichen Wappens auf dem vierten Blatt der Aufnahme Stellas eine weitgehende Übereinstimmung mit der des herzoglich bayerischen Wappens auf der fünften Tafel des Apianschen Kartenwerkes. Man könnte daraus schließen, daß die Zeichnung der Karten Stellas erst nach 1568, nach Erscheinen der Bairischen Landtafeln abgeschlossen wurde.
11 Vielleicht war Salomon sogar an den Aufnahmearbeiten seines Vaters beteiligt. Die Aufnahmen der Ämter im Bereich Tübingens könnten seiner Hand entstammen.
12 Nur zwei Beispiele: Rottweil und Rottenmünster sind rechts des Neckars eingetragen.
13 Das Blatt ist aus zwei verschiedenen Aufnahmen zusammengesetzt. Der nördliche Teil, anscheinend zeitlich eine ältere Aufnahme ist nach NNO, der südliche Teil, wohl die jüngere Kartierung nach geographisch Nord orientiert.
14 Die Längen sind anscheinend von den Kanarischen Inseln aus gezählt.
15 Er nahm auch Kartographen auf, deren Arbeit er nicht in seinen Atlas übernommen hatte.
16 Fritz Schnelbögl, Zur Geschichte der älteren Nürnberger Kartographie, III. (Mitteilungen des Vereins f. d. Geschichte d. Stadt Nürnberg, 51, 1962).
17 Das gestatten erst die Drucktechniken unserer Zeit.

Schrifttum (Auswahl)

Manfred Akermann, Ein Grenzstreit im Filstal. Beschreibung und Entstehung der ältesten Darstellung der Landschaft zwischen Göppingen und Geislinger Steige, Göppingen 1960 (Veröffentlichungen des Stadtarchivs Göppingen. 1)
Philipp Apian, XXIII Bairische Landtaflen. Ingolstadt 1568, erl. v. Alois Fauser und Gertrud Stetter, München 1966
Ernst Bernleithner, Die Klosterneuburger Fridericuskarte von etwa 1521, in: Kartengeschichte und Kartenbearbeitung, Festschrift zum 80. Geb. von Wilhelm Bonacker, Bad Godesberg 1968, S. 41–44
Karl Heinz Burmeister, Sebastian Münster. Versuch eines biographischen Gesamtbildes, Basel, Stuttgart 1963 (Basler Beiträge zur Geschichtswissenschaft. 91)
Karl Heinz Burmeister, Sebastian Münster. Eine Bibliographie, Wiesbaden 1964
E. W. Dahlgren, Gamla tyska kartor i Kungl. Biblioteket, in: Nordisk Tidskrift för bok- och biblioteksväsen 1 (1914), S. 102–132

Wilhelm Dilich, Landtafeln hessischer Ämter zwischen Rhein und Weser, hrsg. v. Edmund E. Stengel, Marburg 1927 (Marburger Studien zur älteren deutschen Geschichte, R. 1, St. 5)
Arthur Duerst und Ugo Bonaconsa, Der Bodensee mit den angrenzenden Gebieten ... in alten Kartendarstellungen, T. 1, 2, Konstanz 1975
Dana Bennett Durand, The Vienna-Klosterneuburg Map Corpus of the Fifteenth Century, Leiden 1952
Georg Gadner und Johannes Oettinger, Chorographia Ducatus Wirtembergici (Nachdr.) Stuttgart 1936
Ernst Gagel unter Mitarbeit von Fritz Schnelbögl, Pfinzing, der Kartograph der Reichsstadt Nürnberg, Hersbruck 1957 (Schriftenreihe der Altnürnberger Landschaft. 4)
Franz Grenacher, Die Anfänge der Militärkartographie am Oberrhein, in: Basler Zeitschrift für Geschichte und Altertumskunde 56 (1957), S. 67–118; 57 (1958), S. 89–131
Franz Grenacher, Current Knowledge of Alsatian Cartography, in: Imago mundi 18 (1964), S. 60–77
Fritz Hellwig, Wolfgang Reiniger und Klaus Stopp, Landkarten der Pfalz am Rhein. Bad Kreuznach 1984
Die Karten deutscher Länder im Brüsseler Atlas des Christian s'Grooten (1573). Hrsg. v. Hans Mortensen und Arend Lang, 2 Bde., Göttingen 1959
Edgar Krausen, Die handgezeichneten Karten im Bayerischen Hauptstaatsarchiv sowie in den Staatsarchiven Amberg und Neuburg a. d. Donau bis 1650, Neustadt a. d. Aisch 1973 (Bayerische Archivinventare. 37)
Karl-Heinz Meine, Die Ulmer Geographia des Ptolemaeus von 1482 (Ausst. Ulm 1982), Weißenhorn 1982 (Ausst.kat.)
Heinz Musall, Die Entwicklung der Kulturlandschaft der Rheinniederung zwischen Karlsruhe und Speyer vom Ende des 16. bis zum Ende des 19. Jahrhunderts, Heidelberg 1969 (Heidelberger Geographische Arbeiten. 22)
E. v. Oefele, Philipp Apians Topographie von Bayern, 1880 (Oberbayerisches Archiv für vaterländische Geschichte. 39)
Ruthardt Oehme, Die Arbeiten älterer schwäbischer Kartographen im mittelbadischen Raum, in: ZGO 126 (1978), S. 223–238
Ruthardt Oehme, Geschichte der Kartographie des deutschen Südwestens, Konstanz 1961 (Arbeiten zum Historischen Atlas von Südwestdeutschland. 3)
Ruthardt Oehme, Johannes Oettinger, 1577–1633, Stuttgart 1982 (Veröffentlichungen der Kommission für geschichtliche Landeskunde in Baden-Württemberg, Reihe B, Bd. 3)
Abrahamus Ortelius, Catalogus cartographorum, bearb. von Leo Bagrow, 2 Bde., Gotha 1928, 1930 (Dr. A. Petermanns Mitteilungen aus Justus Perthes' geographischer Anstalt. Erg.h. 199 und 210)
Claudius Ptolemaeus. Geographia. Nova translatio primi libri ... Joanne Vernero, Nurembergae (Nürnberg) 1514
Fritz Schnelbögl, Dokumente zur Nürnberger Kartographie mit Katalog der Ausst. anläßlich des 15. Kartographentages, Nürnberg 1966 (Beiträge zur Geschichte und Kultur der Stadt Nürnberg. 10)
Heinrich Schweickher, Der Atlas des Herzogtums Württemberg vom Jahre 1575 (Faks. ausg.), Einf. v. Wolfgang Irtenkauf, Stuttgart 1979
Gerald Strauss, Sixteenth Century Germany. Madison 1959
August Wolkenhauer, Sebastian Münsters handschriftliches Kollegienbuch aus den Jahren 1515–1518 und seine Karten, Berlin 1909 (Abhandlungen der Königl. Gesellschaft der Wissenschaften zu Göttingen, Phil.-Hist. Klasse NF 11,3)

A 1

Landtafel des oberen Donaugebietes

Philipp Rehlin, Stuttgart, 1589

Maßstab: 1 : 7 000 – 10 000
Papier, auf Leinen aufgezogen, aquarellierte Federzeichnung
H. 116 cm, B. 268 cm

Stuttgart, Württembergisches Landesmuseum, Inv.Nr. E 1234

Rehlins Landtafel ist mehr Gemälde als Landkarte. Er verknüpft Vogelschau, das Land im Vordergrund bis zur Donau, den Bussen aus flacherem Winkel gesehen mit dem Land jenseits der Donau, das er in reiner Ansicht darstellt.
Seine Landtafel kann nur als Vorstufe einer Karte aufgefaßt werden. Trotzdem vermag er die großen Einheiten der Landschaft, das ackerbaulich genutzte Land, mit schematischer Feldereinteilung im Vorder- und Mittelgrund, die Auen von Donau und Kanzach und Wälder und Waldinseln, eindrucksvoll wiederzugeben.
Besonderen Wert legte er auf die Zeichnung der Siedlungen, die er auffällig groß gestaltet hat und die, was die wichtigen Bauten, Kirchen und Schlösser (Burgen) angeht, relativ getreu dargestellt sind.

R.Oe.

A 1

A 2

A 2

Landtafel des Stuttgarter Amtes

Georg Gadner, Ausführung: Hans Steiner, Stuttgart, 1589
Maßstab 1 : 15 000 – 1 : 17 000
Öl auf Leinwand
H. 225 cm, B. 148 cm

Stuttgart, Württembergisches Landesmuseum, Inv.Nr. E 750

Diese in zarten Farben in Öl von dem Maler Hans Steiner ausgeführte Landtafel ist als eine der besten kartographischen Aufnahmen Georg Gadners zu werten. Er hat nicht nur die Grenzen des Amtes vermessen, sondern er hat auch im Amt selbst mit Kompaß und Schrittmaß gearbeitet. Dafür spricht die verhältnismäßig gute Darstellung des Gewässernetzes. Die Karte ist im übrigen nicht genau nach Norden orientiert, sondern sie ist etwas im Uhrzeigersinn gegen Osten verschwenkt. Landschaft und Siedlungen sind aus der Vogelschau bildhaft dargestellt. Die stärkere Formung des Geländes um Stuttgart und entlang des Neckars ist deutlich herausgearbeitet. Die Verteilung von Rebland, Ackerland und den Wäldern ist fast ausmeßbar wiedergegeben. Wichtigere Bauten in den Städten, sowie die Kirchen auf den Dörfern sind naturähnlich gestaltet.

Schefold 1957, S. 565, Nr. 7775 a; Ruthardt Oehme, Heimat im Bild alter Karten, Konstanz 1960, S. 12

R.Oe.

A 3

Karte des Stuttgarter Forsts

Georg Gadner (1522–1605)
Stuttgart 1589

Pergament, aquarellierte Federzeichnung
H. 53 cm, B. 40 cm

Stuttgart, Hauptstaatsarchiv, Inv.Nr. N 3, Nr. 14

Die Karte *Stvetgarder Vorst. Sambt dem gantzen Stuetgarder Ambt,* zugleich Blatt 14 der *Chorographia. Beschreibung des löblichen Fürstentums Wirtenberg ...,* ist aufgrund der gleichen Geländeaufnahme erarbeitet worden wie das schöne Landtafelgemälde des Amtes. Sie ist, dem kleineren Maßstab entsprechend, etwa 1 : 70 000 – 1 : 80 000, stärker generalisiert und nicht so inhaltsreich. Die kleinen Siedlungsansichten sind mehr als Signatur zu werten. Die „getreue" Darstellung der Kirchtürme ist dem Kartographen nicht so geglückt wie dem Maler der Landtafel.
Gadner hat die Geländeaufnahmen hauptsächlich zu Pferd ausgeführt, wie es seine Legende aussagt: *Beriten, in den Augenschein genom̄en, vnd mit aigner Hand gerissen.*

M. Bull-Reichenmiller, Schwäbisches Land in alten Karten und Plänen, Stuttgart 1971, S. 12 *R.Oe.*

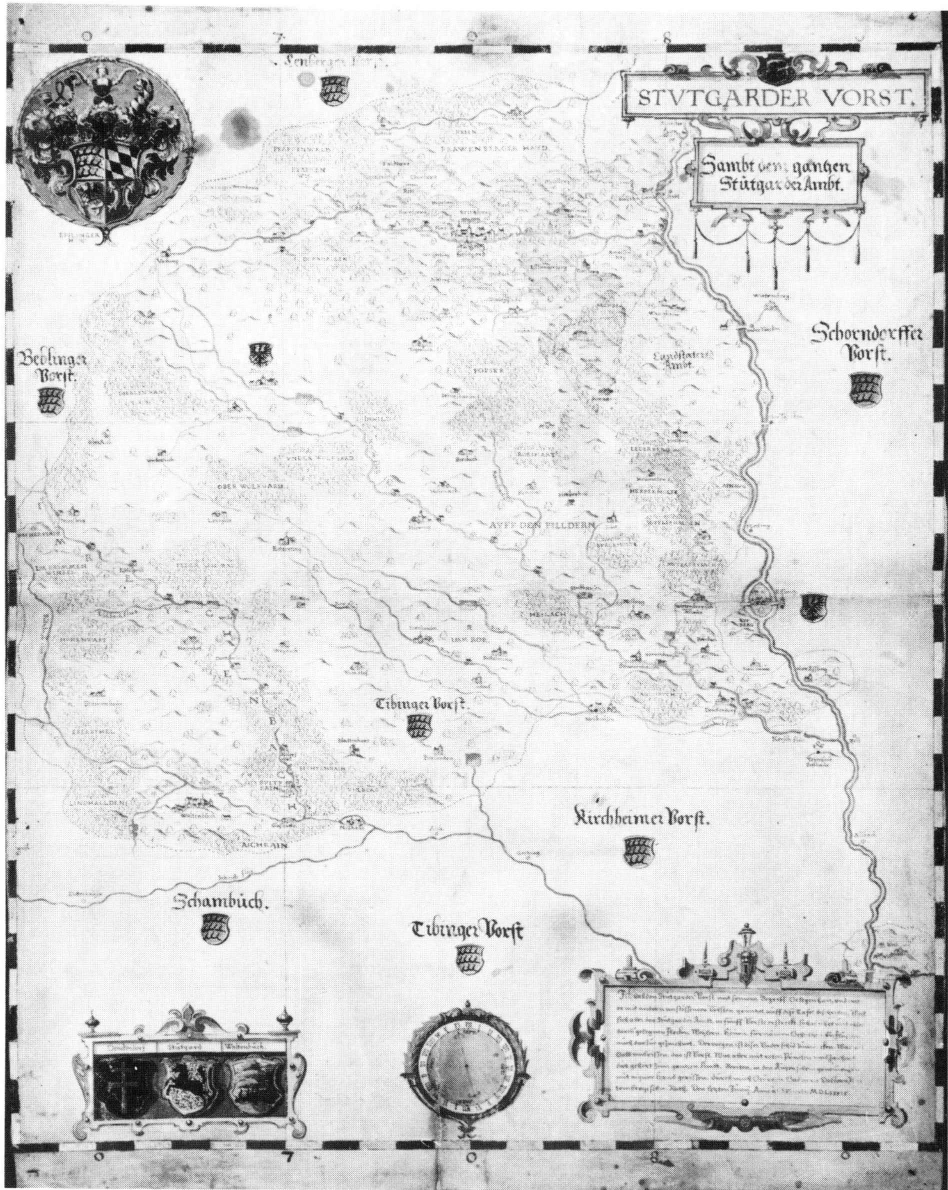

A 3

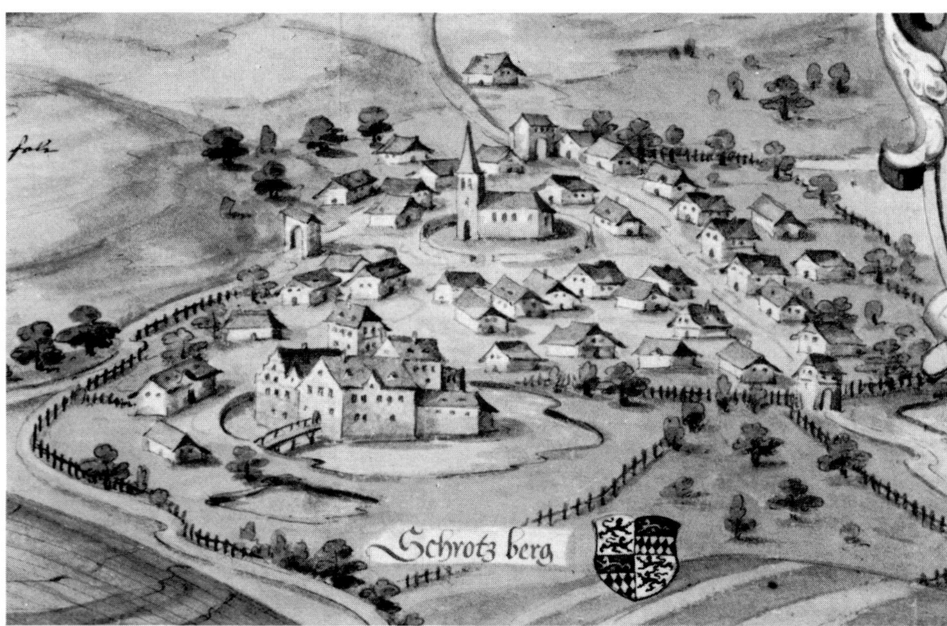

A 4

A 4

Karte der Jagdgrenzen um Schrozberg

Wilhelm Besserer, Speyer, 1589

Papier auf Leinen aufgezogen,
aquarellierte Federzeichnung
H. 78, B. 120 cm

Neuenstein, Hohenlohe-Zentralarchiv

Nach den Untersuchungen von G. Taddey entstand die Karte aus Anlaß eines Rechtsstreits zwischen den Inhabern des Amtes Schrozberg (Hohenlohe und Berlichingen) und den Markgrafen von Brandenburg-Ansbach um die Grenzen der Jagdgerechtigkeit zwischen Blaufelden und Schrozberg vor dem Reichskammergericht in Speyer.
Bei einem „Augenschein" im April 1589 nahm der Speyrer Maler Wilhelm Besserer das Gelände auf und zeichnete die von den beiden Parteien beanspruchten Grenzen ein.
Die aus steiler Vogelschau von Norden aufgenommene Ansicht zeigt das Gebiet zwischen Schrozberg (r. u.), Leuterbach (r. o.), Blaufelden (o. m.) und Wiesenbach (li.). Süden liegt also oben. Ortschaften und Wälder sind ansichtsmäßig wiedergegeben, und die sorgfältige Ausführung bestätigt die Angabe der Akten, daß Besserer „ein geschickter und in Entwerfung und Abmalung der Augenschein ganz geübter Maler" sei.
Die erste Ausfertigung der Karte befindet sich bei den Reichskammergerichtsakten im Bayerischen Hauptstaatsarchiv. Das ausgestellte Exemplar wurde 1590 an Graf Wolfgang von Hohenlohe geschickt, der auf seine Kosten zwei Kopien bestellt hatte. Michael Hospin fertigte 1613 eine weitere Kopie an.

Gerhard Taddey, Michael Hospin, Korrekturen an einer Biographie, in: ZWLG 38 (1979), S. 141–163

V.H.

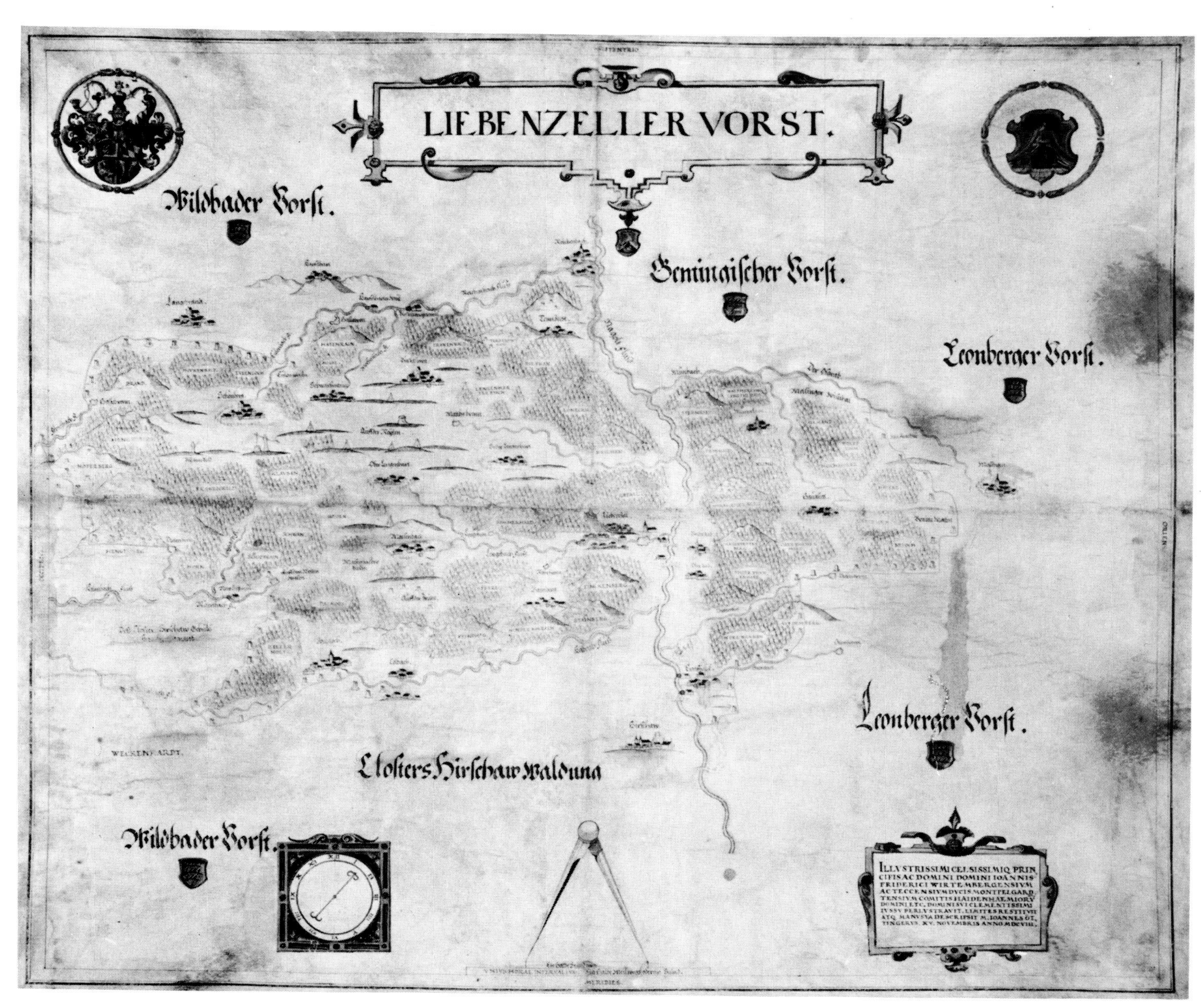

A 5

A 5

Karte des Liebenzeller Forsts

Johannes Oettinger (1577–1633)
Stuttgart, 1608

Pergament, aquarellierte Federzeichnung
H. 59,5 cm, B. 68 cm

Stuttgart, Hauptstaatsarchiv

Johannes Oettinger, ein gebürtiger Nürnberger in herzoglich-württembergischen Diensten, schuf diese Karte des Liebenzeller Forstes als Probearbeit, bevor ihm die Vollendung der *Chorographia. Beschreibung des löblichen Fürstentums Wirtenberg* ... übertragen wurde. Oettinger erweist sich mit diesem Blatt als ein Kartograph, der diese Kunst fast noch besser beherrschte als sein Vorgänger Georg Gadner. Die gute Wiedergabe des Gewässernetzes spricht für einen nur geringen Verzerrungsgrad der Aufnahme. Die Zeichnung der Siedlungen mit den getreu wiedergegebenen Kirchturmbildchen, die Zeichnung der Wappen und die kunstvolle Beschriftung bestätigen die Meisterhand Oettingers.

M. Bull-Reichenmiller, Schwäbisches Land in alten Karten und Plänen, Stuttgart 1971, S. 13, Kat.Nr. 31; Ruthardt Oehme, Johannes Oettinger, Stuttgart 1982; Der Liebenzeller Forst von Johannes Oettinger 1608. Erläuterungen von Ruthardt Oehme. (Reproduktionen alter Karten. Hrsg. vom Landesvermessungsamt Baden-Württemberg) Stuttgart 1982

R.Oe.

IOANNES
CASIMIRVS.
MDXCII.

Die Architektur im deutschen Südwesten zwischen 1530 und 1634

Kai Budde/Klaus Merten

Der für den Ausstellungstitel: „Die Renaissance im deutschen Südwesten" gesetzte topographische Rahmen beschreibt im wesentlichen die Staatsgrenzen des heutigen Baden-Württemberg. Diese Eingrenzung kann nicht so eingehalten werden, will man nicht Gefahr laufen, gewisse Entwicklungen in der Architektur isoliert und ohne die dazugehörige Tradition und Entwicklungsgeschichte zu betrachten. Es ist deshalb unerläßlich und wegen der im 16. Jahrhundert bestehenden wechselseitigen Kultur- und Wirtschaftsbeziehungen nur legitim, Teile des heutigen Landes Rheinland-Pfalz, des Elsasses, der Nordschweiz und des Vorarlberger Raumes mit in diese Betrachtungen zur Architektur einzubeziehen. Das Staatsgebiet Baden-Württemberg zerfiel in der fraglichen Epoche zwischen Reformation und Dreißigjährigem Krieg in eine Vielzahl kleinerer und größerer Grafschaften, Herzogtümer und Fürstentümer, von denen das Herzogtum Württemberg das an Fläche größte war. Neben kleineren Grafschaften wie Baden-Durlach oder Baden-Baden, gab es die Besitztümer der vierzig freien Reichsstädte, die der Bistümer und der Klöster. Daß in diesen feudalen, geistlichen und städtischen Grundherrschaften die Entwicklung der Architektur nicht einheitlich sein konnte, ist verständlich. Zu verschieden waren die kulturellen und wirtschaftlichen Beziehungen dieser Länder untereinander und zu den Ländern außerhalb des südwestdeutschen Raumes. Besonders seit Durchführung der Reformation und der darauf folgenden Gegenreformation suchten die kleineren Fürstenhöfe sich dem jeweils mächtigsten Vertreter ihres Glaubensbekenntnisses anzuschließen und von dieser Allianz auch kulturell zu profitieren. Man versuchte, Vorbilder zu rezipieren oder in abgewandelter, den eigenen Stilvorstellungen entsprechender Form zu übernehmen. So orientierte sich der Baden-Badener Hof am bayrischen, der Durlacher am württembergischen Hof, der wiederum Beziehungen zu Frankreich und England unterhielt und sich in der Baukunst an Frankreich und natürlich an der italienischen Renaissance orientierte. Ebenso vielschichtig waren die Beziehungen der freien Reichsstädte zu den italienischen Stadtrepubliken oder zu den im Südwesten bestehenden Schweizer, Elsässer oder schwäbischen Städtebünden.

Im ersten Viertel des 16. Jahrhunderts ist in der südwestdeutschen Architektur noch wenig von den Einflüssen der Renaissance zu spüren. Sie äußern sich seit den zwanziger Jahren, dann aber immer noch in Verbindung mit spätgotischen Stilformen, zuerst in der Innendekoration und im Detail: einmal als Steinmetzarbeit an einem Türsturz in Form einer blumengefüllten Raute oder eines gotischen Profilstabes, der in einer Schnecke endet, eines Medaillons, das mit einem Profilkopf gefüllt ist.

Vorbereiter des neuen, zunächst nur als Ornament verstandenen Architekturstils, waren neben den Formen- und Kunstbüchlein die in Italien verfaßten architekturtheoretischen Schriften, die insgesamt auf eine gemeinsame, bereits in der Spätantike erschienene, im Mittelalter wiederentdeckte und erstmals 1486 in lateinischer Sprache wiederveröffentlichte Quelle zurückzuführen sind, die „De architectura decem libri" des Vitruv. Diese zehn Bücher über die Architektur beinhalteten im wesentlichen die Architekturvorstellungen, Gebäudetypen und griechischen Säulenordnungen des Hellenismus, sowie Beschreibungen der Baumaterialien und verschiedener, im militärischen Bereich anzuwendender Maschinen. Diese Texte wurden im Zeitalter des Humanismus mit Abbildungen, zunächst in Form von Holzschnitten, dann mit Kupferstichen illustriert. Nachdem bereits Cesare Cesarino 1521 den lateinischen Text ins Italienische übersetzt hatte, löste Sebastiano Serlio in seiner 1537 veröffentlichten Schrift „Regole Generali Di Architettura Sopra le Cinque Manire De Gliedefia" die griechischen Säulenordnungen aus dem Kontext und stellte sie als eigenständige, auf Bauten verschiedener Präferenz nach einer bestimmten hierarchischen Ordnung anzuwendende Dekorationsformen vor. Die Architekturtraktate Serlios wurden zum großen Vorbild und Ideal humanistisch geprägter Architekten und fanden sich in jeder humanistischen Bibliothek. Obwohl schon 1514 eine deutsche Ausgabe des Vitruv in Basel vorlag, war es das Verdienst des humanistisch gebildeten Arztes Walter Ryff (der 1543 auch eine lateinische Ausgabe veröffentlicht hatte), mit seiner 1547 erschienenen Übersetzung den vielen der lateinischen oder italienischen Sprache unkundigen Steinmetzen, Schreinern, Bauleuten und Bürgern den Zugang zum Vitruv eröffnet zu haben. Ähnlich verfuhr Hans Blum aus Lohr am Main, der, auf dem Erfolg der Serlioschen „Regole" aufbauend diese 1567 in deutscher Sprache als „Von den fünff Seulen" in Zürich erscheinen ließ, wobei er teilweise die Bildvorlagen Serlios übernahm.

Zum Wesen der Renaissancekunst gehört die Perspektivlehre, die in Deutschland erst-

Detail aus der Hoffassade des Friedrichbaues (vollendet 1605), mit Darstellung des Pfalzgrafen Johann Casimir, Schloß Heidelberg

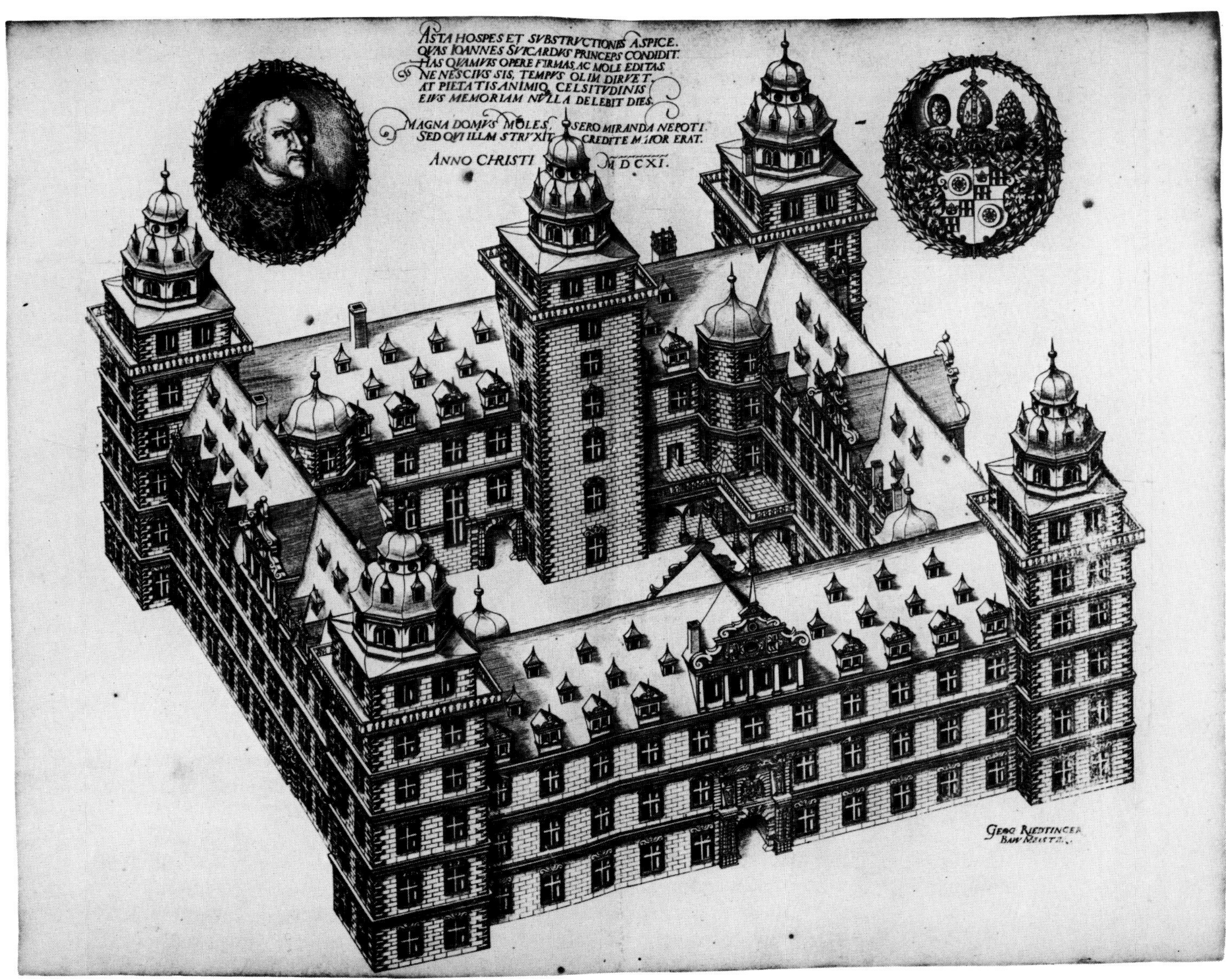

Abb. B 1

mals durch Dürer 1525 in seiner „Unterweisung der Messung" vorgestellt worden war. Sechs Jahre später veröffentlichte Hieronymus Rodler ein kleines Büchlein über die Kunst der Perspektive, das sich in Abbildungen und Erklärungen vornehmlich an Vertreter des Kunstgewerbes richtete. Besonders in Nürnberg erschienen bis Ende des Jahrhunderts zahlreiche Abhandlungen über die Perspektive und Geometrie.
Daneben verbreiteten in Anlehnung an die fünf Säulenordnungen Entwurfs- und Musterbücher die neuen Stilformen. Unter diesen sind besonders die Vorlagenbücher der Straßburger Schreiner Jakob Guckeisen, Veit Eck und Johann Jakob Ebelmann zu nennen. Mehrere zwischen 1550 und 1600 in Straßburg ansässige Künstler bestimmten durch ihre Schriften und ihre Bauten innerhalb und außerhalb Straßburgs die Entwicklung der südwestdeutschen Architektur entscheidend: Wendel Dietterlin, Tobias Stimmer, Daniel Specklin, Hans Schoch, Paul Murer und Georg Riedinger.
Besonders im Bereich des Festungswesens, das durch die sich schnell entwickelnde Technik der Feuerwaffen neuen Herausforderungen angepaßt werden mußte, leistete der im Festungsbau geschulte spätere Stadtbaumeister von Straßburg, Daniel Specklin, Pionierarbeit. Die noch von Albrecht Dürer Mitte der zwanziger Jahre des 16. Jahrhunderts empfohlene Verteidigungsform eines wallbewehrten Vierecks mit Rundtürmen ist Ende des Jahrhunderts passé. Die in der „Architektur von Vestungen" von Daniel Specklin veröffentlichten Wehrbauten gleichen denen Italiens, Frankreichs und der Niederlande. Sternartige Festungsringe, gebildet durch die spitzwinkelig angelegten Basteien und die verbindenden Kurtinen, durch zusätzliche Wassergräben geschützt,

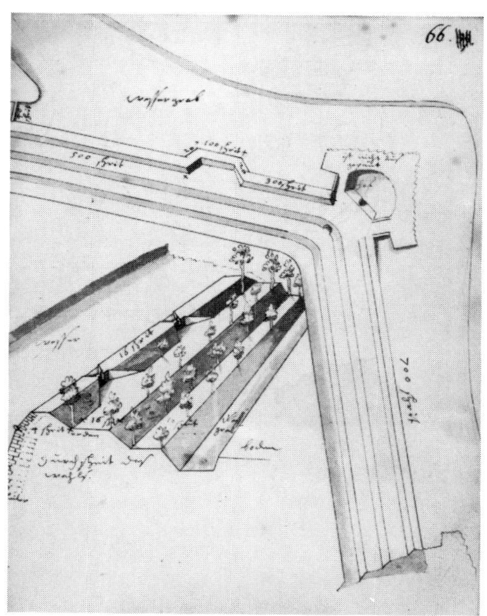

Abb. B 2

umgeben die Städte. Neue Städte und Vorstädte werden nach einem strengen geometrischen Muster sich rechtwinkelig schneidender oder strahlenförmig von einem Mittelpunkt ausgehender Straßen angelegt. Eigentlicher Zweck war eine schnelle und effektive Verteidigung der Stadtfestung.
1616 veröffentlichte der mittlerweile für den Mainzer Hof tätige Baumeister Georg Riedinger ein Kupferstichwerk mit Aufrissen, Grundrissen und perspektivischen Ansichten des nach seinen Plänen zwischen 1604 und 1614 erbauten Aschaffenburger Schlosses. Das als regelmäßige Vierflügelanlage ausgeführte Schloß ist als die vollkommenste Version des französisch beeinflußten Schloßtyps auf deutschem Boden anzusehen (Abb. B 1). Vorbild ist hier – wie bei vielen späteren Schloßbauten – der Grundriss des Schlosses Ancy-le-Franc, das am reinsten die Forderungen der französischen Renaissancebaukunst realisierte. Das Ideal eines vollkommenen Vierflügelbaues mit ausgeprägten Ecktürmen war durch die Publikationen Perrets (die deutsche Ausgabe seiner „bastiments de France" erschien 1602) und die Bücher Ducerceaus weit verbreitet und dürfte zweifelsohne auch Riedinger bekannt gewesen sein. Welchen Wert man der Veröffentlichung Riedingers beimaß, mag die Tatsache belegen, daß sich dieser Architekturprachtband in der Bibliothek Herzog Friedrichs von Württemberg befand.
Unter den Architekten der Zeit, die zu Studien erstmals nach Italien reisten, ist neben Joseph Furttenbach aus Ulm der Architekt und Baumeister Heinrich Schickhardt (1558–1635) zu nennen, der in Begleitung Herzog Friedrichs 1599 Italien bereiste, das er ein Jahre zuvor schon allein besucht hatte. Wie sehr sich Schickhardt mit der italienischen Architektur eines Andrea Palladio oder den Festungswerken der italienischen Städte auseinandersetzte, zeigen seine Aufzeichnungen, so etwa ein Detail der Festung Ferrara (Abb. B 2), die er auf seiner zweiten Italienreise besucht hatte. Im Gegensatz zu Wendel Dietterlin, Daniel Specklin oder Joseph Furttenbach hat Heinrich Schickhardt keine Architektur- oder Säulenlehre verfaßt. Inwieweit sich seine in Italien aufgenommenen Eindrücke auf die südwestdeutsche Architektur im Herzogtum Württemberg auswirkten, soll noch untersucht werden.
Zum Bild einer Residenz dieser Epoche gehören die Lustgärten, die der Erheiterung und der Abwechslung des Hofes dienten. Sie lagen entweder nahe der Residenz (Heidelberg, Baden-Baden, Durlach, Neufra) oder waren außerhalb der eigentlichen Stadtgrenze angesiedelt (Hechingen, Stuttgart). Vorbilder waren auch hier die Gärten Italiens und Frankreichs. Von diesen erfährt man zunächst aus Reisebeschreibungen. So berichtet der Tübinger Gelehrte Johannes Reuchlin in seiner „Ars Cabbalistica" von der Reise Herzog Eberhards nach Italien, an der er im Gefolge des Fürsten teilnahm. In Florenz wurden sie von Lorenzo Medici empfangen, der ihnen voller Stolz seine Gärten zeigte. Humanistische Gelehrte, meist Ärzte, waren es auch, die sich aus Interesse an Arzneipflanzen als Botaniker betätigten und die Pflanzen, die sie in Italien oder Frankreich kennengelernt hatten, zu Hause in Gärten zu züchten versuchten. Da es sich meist um wohlhabende Bürger handelte, statteten sie ihre Gärten mit der in Italien kennengelernten Zierde aus und machten sie zu Sehenswürdigkeiten in den reichen Handelsstätten, etwa in Augsburg. In Ulm legte der Architekt Joseph Furttenbach, nach zehnjährigem Aufenthalt in Italien sich einen kleinen Garten an, den er 1638 in seiner „Architectura privata" beschrieben hat. Wichtige Anregungen zur Anlage fürstlicher Gärten lieferte das Werk des Architekturmalers Vredemann de Vries, der zwischen 1568 und 1583 eine Stichfolge unter dem Titel „Hortorum viridariorumque formae" veröffentlichte. Die Entwürfe für Gartenanlagen in Joseph Furttenbachs 1628 erschienener „Architectura civilis" zeigen eine Neigung zu festungsartiger Umrahmung. Den Höhepunkt der Gartenbücher bildete aber 1619 die von Salomon de Caus herausgegebene und Friedrich V. von der Kurpfalz gewidmete Beschreibung des „Hortus Palatinus" in Heidelberg.

K.B.

Schlösser und Gärten

Kurpfalz

Das in mehreren Jahrhunderten erbaute Heidelberger Schloß (1689 zerstört) steht als Beispiel für die verschiedenen Ansprüche, die Zeit und Bauherr an die Architektur einer Schloßanlage innerhalb eines Zeitraums von fast vierhundert Jahren stellten. Das Schloß, urkundlich nicht vor 1225 genannt, entspricht in seiner Grundform und Funktion einer Höhenburg, die in der Folgezeit erweitert, verstärkt und schließlich durch

Abb. B 3

palastähnliche Wohnbauten bereichert und umgewandelt wurde. Abgesehen von geringen Resten des 13. Jahrhunderts haben sich die ältesten Teile in den Untergeschossen der östlichen Rundtürme erhalten. Die heutige Gestalt des festen Schlosses geht im wesentlichen auf die Bautätigkeiten des Kurfürsten Ludwig V. (1508–1544) zurück, der den mittelalterlichen Wehrbau in den aufkommenden kriegerischen Zeiten der modernen Kriegstechnik mit Kanonen und Feuerwaffen anpaßte. Der künstlerisch bedeutendste Abschnitt der Baugeschichte ist die Umgestaltung der Wehranlage zum repräsentativen Höhenschloß mit dem Charakter einer fürstlichen Residenz unter den Kurfürsten Friedrich I. (1544–56), Ottheinrich (1556–1559), Friedrich IV. (1592–1610) und Friedrich V. (1610–1632).

Unter Ludwig V. entstanden die noch spätgotisch geprägten Trakte des Ludwigsbaus, Frauenzimmerbaus und des Bibliotheksbaus mit seinem hübschen, dem Hof zugewandten polygonalen Erker. Durch die wallmäßige Befestigung des Schlosses war Mitte des 16. Jahrhunderts ein Umfang erreicht worden, der auch durch die Folgebauten nicht überschritten wurde. Der erste Renaissancebau des Schlosses ist der unter Friedrich II. entstandene, heute zwischen Ottheinrichs- und Friedrichsbau gelegene, wegen seiner ehemals mit Spiegelglas geschmückten Wände „gläserner Saalbau" genannte Palast. Zum Hof öffnet er sich dreigeschossig mit Arkaden auf Säulen, die zum ersten Mal den neuen Stil zum Ausdruck bringen. Die Gesamtausdehnung der Hoffront ist durch den später erfolgten Anbau des Ottheinrichsbaues nicht ganz erkennbar. Zur Errichtung des einflügeligen Ottheinrichsbaues, der sich mit großartiger Renaissancefassade zum Hof aufbaut, mußte der nördliche Flügel des älteren Ludwigbaues abgetragen werden. Deshalb erstreckt sich die dreigeschossige, mit einem humanistischen Figurenprogramm geschmückte Fassade zwischen zwei älteren, spätgotisch

wirkenden Treppentürmen. Der Palast wurde 1577 für den Kurfürsten Ottheinrich begonnen als dieser 1556 die Kurwürde geerbt hatte. An seiner früheren Residenz Neuburg an der Donau hatte er ebenfalls einen prunkvollen, mit Arkaden geschmückten Wohnbau errichten lassen. Man vermutet, daß der humanistisch gebildete Fürst zumindest das Fassadenprogramm selbst entworfen hatte, eine symbolische Darstellung der Planeten, Tugenden, antiker und christlicher Heroen sowie der vier Temperamente, die von dem aus Mecheln stammenden Künstler Alexander Colin und seinen Gehilfen ausgeführt wurden. Die prunkvolle Fassade täuscht über die Mängel der Innenaufteilung hinweg, unter denen besonders die mißlungene Treppenanlage auffällt. Durch die Aufteilung der Räume und die Anlage des Hauptportals in der Mittelachse des Baues fehlte der Platz für ein repräsentatives Treppenhaus. Als Notbehelf begnügte man sich mit den Treppentürmen des Saal- und Ludwigsbaues. Noch vor Vollendung des Palastes starb Ottheinrich 1559. Sein Nachfolger Friedrich III. (1559–1576) schloß den Bau mit der Errichtung zweier großer Doppelgiebel ab. (Abb. B 3).
Nach dem Faßbau, erbaut 1583 unter Pfalzgraf Johann Casimir, folgte unter Friedrich IV. 1601 der Friedrichsbau. Auch dieser ist, wie alle anderen Schloßbauten, als Einflügelanlage neben die bereits bestehenden Bauten gestellt worden. Geschickt ist hier die Verbindung von Wohn- und Kirchenbau gelöst. Das ganze Erdgeschoß wird von der Kapelle eingenommen, die beiden Obergeschosse enthalten die fürstlichen Wohnräume. Im Gegensatz zum Ottheinrichsbau zeigt der unter dem Straßburger Hans Schoch und dem Graubündener Steinmetz Sebastian Götz ausgeführte Bau bereits deutlich die Formensprache des Manierismus. Die durch scharfkantige, auf Licht- und Schattenwirkung berechnete, in den Niveauunterschieden des Reliefs wechselnde Bearbeitung der Fassade stellt innerhalb der Abfolge bestimmter Architektureinheiten (Travéen) ein Figurenprogramm 16 berühmter, mit dem kurpfälzischen Hause verbundener Fürsten vor, die sich vom Bauherrn bis auf Karl den Großen zurückverfolgen lassen. Dahinter steht kein humanistisches Programm wie beim Ottheinrichsbau, sondern der Wille, eine durch die Jahrhunderte legitimierte Tradition zum Ausdruck zu bringen. 1607 ist der Friedrichsbau vollendet.
Nach dem Tode Friedrich IV. folgte 1610 dessen Sohn Friedrich V. (1610–1632), der erst 1614 die Herrschaft von seinem Oheim Johann von Zweibrücken übertragen bekam. Für seine junge Gattin, Elisabeth Stuart, ließ Friedrich V. den „Englischen Bau" als Wohnbau errichten. Die bestmögliche Baustelle innerhalb des mit Wohnbauten besetzten Schloßareals war der alte Nordwall Ludwigs V., dessen gewaltige Mauern die nötige Sicherheit für den Aufbau eines mehrstöckigen Palastes boten. In das Bauprogramm miteinbezogen wurde der Dicke Turm des Westwalls, dessen Obergeschoß zu einem Festsaal umgestaltet wurde. Der Englische Bau ist wahrscheinlich noch vor Fortgang des fürstlichen Paares nach Prag, 1619, vollendet worden. Als Baumeister muß ein englischer oder niederländischer Architekt angenommen werden. Mit seiner der Stadt zugewandten nachpalladianischen Fassade geht der Palast vielleicht auf Entwürfe des Inigo Jones zurück.
Die größte Berühmtheit erlangte das Heidelberger Schloß durch die Anlage des Hortus Palatinus, der nie vollendet wurde und ein Torso geblieben ist. Der aus England herbeigerufene junge Architekt und Ingenieur Salomon de Caus, der am englischen Hof den frühverstorbenen Bruder Elisabeths unterrichtet hatte, wurde 1614 in kurpfälzische Dienste übernommen. Der durch Italien und Belgien Gereiste begann 1616 mit den Arbeiten, die 1619 durch den Wegzug der „Pfalz" nach Böhmen eingestellt wurden. (Die prächtige Anlage wird unter Katalog Nr. B 36 eingehender erläutert).
Unter der Regierung Friedrichs III., des Verfechters der calvinistischen Lehre, hatten viele Hugenotten aus Frankreich in der Kurpfalz und in Heidelberg Zuflucht gefunden. Unter ihnen befand sich auch der aus Tournai stammende Tuchhändler Charles Belier, der in Heidelberg ein beim Markt und an der Heiliggeistkirche gelegenes Grundstück erwarb, um dort im Jahre 1592 sein Wohnhaus zu erbauen. Das mit einer reichen, steinernen Renaissancefassade geschmückte Haus, das in Stil und Ornament Anklänge an den Ottheinrichs- und Friedrichsbau zeigt, überstand den Dreißigjährigen Krieg unversehrt. Vor dem Ausbruch des Orléanischen Erbfolgekrieges muß das Patrizierhaus in eine Wirtschaft umgewandelt worden sein, denn ab 1681 wird es als Gasthaus „Zum Ritter" erwähnt. Die reich nach dem Prinzip der Abfolge der Säulenordnungen gegliederte Fassade ist mit zwei zweigeschossigen Erkern und einem Volutengiebel geschmückt. Weitere Baudenkmale der Renaissance in Heidelberg sind das wohl kurz

Abb. B 4

nach 1610 entstandene Portal am ehemaligen „Wormser Hof" sowie der heute innerhalb des Triplex-Komplexes gelegene restaurierte Gartenpavillon. Auch er ist stilistisch der Zeit zwischen 1600 und 1610 zuzurechnen.
Das alte Wasserschloß der Grafen von Pfalz-Zweibrücken in Bad Bergzabern wurde 1525 während des Bauernkrieges zerstört und niedergebrannt. 1527 wurde mit einem Neubau begonnen, der unter den Herzögen Wolfgang und Johann I. zu einer ausgedehnten dreigeschossigen Vierflügelanlage (53 x 31 m) um einen rechteckigen Binnenhof erweitert wurde. Daran schlossen sich im Norden drei niedrigere Flügel in U-Form an. Der älteste, heute erhaltene Teil der Anlage ist der Südflügel, der an den Schmalseiten von zwei Rundtürmen flankiert wird und an dessen Hofseite sich ein fünfseitiger Treppenturm befindet. Die West-, Nord- und Ostflügel sind jüngeren Datums und stammen aus der Zeit zwischen 1561 und 1579. Die Pläne für die Erweiterung des Schlosses zu einer Vierflügelanlage mit Rundtürmen an den Ecken wurden wahrscheinlich von dem württembergischen Baumeister Aberlin Tretsch entworfen, die Ausführung lag bei den Steinmetzen und Baumeistern Martin Berwart, Hans Becht aus Bergzabern und Michael Henckell. Ungewöhnlichen Schmuck trägt der Westflügel, dessen Mittelachse von einem wuchtigen Portal gerahmt ist, das zwei gerüstete Giganten tragen. Hofseitig schmückte eine Kunstuhr nach Straßburger Vorbild von Rudolf Brendauer den Westflügel. In die Regierungszeit Johanns I. fällt auch der Bau des steinernen Herzoglich-Zweibrückischen Amtshauses (1579), heute als Gasthof „Zum Engel" geführt. Dem eigentlichen Amtshaus mit den zwei Volutengiebeln und den an den Ecken angebrachten, ebenfalls mit Volutengiebeln geschmückten Erkern sind zwei weitere Bauten angeschlossen, wodurch eine unregelmäßige Anlage um einen verwinkelten Hof entsteht.
In Neustadt, das wie Kaiserslautern unter der Regierung Pfalzgraf Johann Casimirs von der übrigen Kurpfalz abgetrennt war, gründete Johann Casimir 1579 eine Hochschule für calvinistisch-reformierte Studenten, die von der inzwischen lutherisch gewordenen Heidelberger Universität ausgeschlossen worden waren. Das nach ihm benannte „Casimireum" ist ein einfacher dreigeschossiger Rechteckbau mit Walmdach, der zum Speyerbach leicht abgeschrägt ist. Regelmäßig angeordnete, gekuppelte Rechteckfenster sowie ein runder Treppenturm mit welscher Haube und einem schönen Renaissanceportal schmücken den Bau, der schon 1585 in ein Gymnasium umgewandelt wurde.

K.B.

Baden-Durlach

1565 verlegte der Markgraf Karl von Baden seine Residenz von Pforzheim nach Durlach. Der Neubau der „Karlsburg" gründete sich zum Teil auf den Fundamenten des älteren Jagdschlosses. Mit dem Schloßbau wurde 1563 begonnen. Von dem um 1568 vollendeten Bau ist heute nur noch das südliche Tor der Karlsburg, der sogenannte

Abb. B 5

„Prinzessinenbau" erhalten. Einen Eindruck des ehemaligen Aussehens der Karlsburg vermitteln zwei Innenhofansichten von J. J. Arhardt, die die Karlsburg als eine vielgliedrige, spätgotische Burganlage mit mehreren Flügelbauten charakterisieren. Die Putzflächen der Flügel waren mit illusionistischen Architekturmalereien im Stil der Renaissance geschmückt. (Abb. B 4)
Für den bei der Residenz liegenden Lustgarten war noch 1569 Land erworben worden. Besondere Berühmtheit erhielt der Garten unter der Regierung Ernst Friedrichs von Baden, als er mit Pomeranzen- und Zitronenbäumen aus dem Stuttgarter Lustgarten bestückt worden war und Heinrich Schickhardt 1602 eine Grottenanlage entwarf. Überhaupt waren der Baden-Badener und der Stuttgarter Hof Vorbild für Durlach geworden. Der Schwager Ernst Friedrichs, Herzog Ludwig, hatte unter seiner Regierung das Neue Lusthaus und Schloß Hirsau erbauen lassen, die beide für ihre Ausstattung berühmt waren. Das Durlach'sche Lustschloß sollte in Gottesau auf altem Klostergelände entstehen. Mit den Visierungen für den Schloßbau beauftragt wurde der in Straßburg lebende Hans Schoch, der von 1583–1585 das Amt eines badischen Baumeisters innehatte. Dieser gab aus Termingründen den Auftrag an den Polier und Baumeister Paul Murer (Maurer) weiter, der 1589 in badische Dienste übernommen wurde. Von 1588 bis zum Tode Paul Murers 1594 wurde an Schloß Gottesau gebaut. Ob es in seiner Innenausstattung jemals vollendet wurde, bleibt fraglich. Der Renaissancebau wurde 1689 zerstört, im 18. Jahrhundert restauriert und wird heute, nach Zerstörungen des Zweiten Weltkrieges, wieder aufgebaut.
Der 14 x 88 m große, dreigeschossige Bau war an den Ecken und an der Westfassade mit einem Turm geschmückt. Wie die Fassade ursprünglich geplant war, gibt ein Fassadenriß ohne Einbeziehung der Türme im Stromerschen Baumeisterbuch wieder: Eine reiche, sehr wahrscheinlich von Malereien begleitete Putzarchitektur unterstützte die steinernen Architekturgliederungen der Geschosse, die sich wiederum nach Säulenordnungen unterschieden. Die über den Pilasterstellungen aufgelegten Korbbögen enthielten dreiteilige Fenster (Abb. B 5). Eine mit Statuen besetzte Galerie schloß das dritte Geschoß ab. Die Bildhauerarbeiten stammten größtenteils von Matthias Kraus, der auch an der Ausschmückung des Stuttgarter Lusthauses mitgewirkt hatte. Stilistisch steht das Gottesauer Schloß zwischen dem „Neuen Bau" in Straßburg und dem Friedrichsbau des Heidelberger Schlosses, die beide nach Plänen Hans Schochs vollendet wurden. Dem Typ nach entspricht Schoß Gottesau weniger einem Lusthaus als vielmehr einem französischen Landschlößchen (Manoir). *K.B.*

Baden-Baden

Die Umwandlung und Erweiterung des „Neuen Schlosses" in Baden-Baden (Abb. B 6) erfolgte hauptsächlich unter der Regierung Markgraf Philipps II., der in München und Ingolstadt eine jesuitische Erziehung genossen hatte und nach seiner Mündigkeitserklärung 1571 an die Regierung kam. Zuvor hatte sein Onkel, Albrecht V. von Bayern, die Regierungsgeschäfte für Baden-Baden wahrgenommen. Philipp II. begann 1572 mit der Umwandlung des alten Baues zu einem Renaissancebau. Die Bauarbeiten leitete der aus Benediktbeuren gebürtige Baumeister und Steinmetz Caspar Weinhart, der zuvor am Hofe Albrechts V. in München tätig gewesen war. Der an der östlichen Schmalseite des Schloßareals gelegene dreistöckige Bau zeigt schon im Grundriß das Wesen der Renaissance: eine symmetrische und nach rationellen Gesichtspunkten erfolgte Aufteilung des Innern durch lange Korridore und ein in der Mitte liegendes Treppenhaus mit geraden Läufen. Im Nordwesten schließt der loggiengeschmückte „Küchenbau" an, der zwischen 1575 und 1577 entstanden sein dürfte. Das Motiv der Arkaden wiederholt sich an den im Süden liegenden Remisenbau (1584), dessen Mittelachse ein Brunnen mit Aktäonsfigur schmückt. Nach Südosten war dem Schloß ein Altan vorgelagert, der mit einem kleinen, vielleicht noch 1592 von Caspar Weinhart entworfenen, jedoch wohl von einem anderen Steinmetz ausgeführten Gartenpavillon bestückt war. Dieser sehr französisch wirkende, reich mit zarten Reliefs geschmückte Gartenpavillon mit Kuppel und Laterne wurde im letzten Krieg zerstört. Berühmt war das Schloß durch seinen mit Deckengemälden geschmückten großen Saal im Hauptbau (Kat.Nr. B 19), dessen Vorbild in einem von Weinhart 1563 geschaffenen Lusthaus im Münchner Hofgarten gelegen haben mag, das ähnliche Proportion und Eingangssituationen aufwies. Zu dem über der Stadt liegenden Schloß gehörten prächtige Gartenanlagen im Stil des Manierismus, die sich nach Osten auf einer großen Terrasse erstreckten. Die dem Schloß vorgelagerte Südterrasse entstand erst zwischen 1657 und 1680. Das Schloß wurde 1689 gebrandschatzt und zerstört.

Das „Neue Schloß" in Ettlingen wurde unter der Regierung Markgraf Philiberts von Baden (gest. 1569) zwischen 1558 und 1561 erbaut. Aus dieser Zeit stammen der Süd- und Nordflügel. Der dominierende Südflügel mit flankierenden Rundtürmen und zwei Treppentürmen waren wahrscheinlich von dem Baumeister Hans Seuter entworfen. Der einstmals mit einer vorgeblendeten Arkadenzone ausgestattete, reichere Westflügel wurde unter Philipp II. angeschlossen. Das schönste Denkmal aus der Renaissance ist der monumentale Wandbrunnen mit der Gestalt eines Delphins, umgeben von reichem Rollwerk. Der 1612 datierte Brunnen ist ein Werk von Johannes Schoch. *K.B.*

Abb. B 6

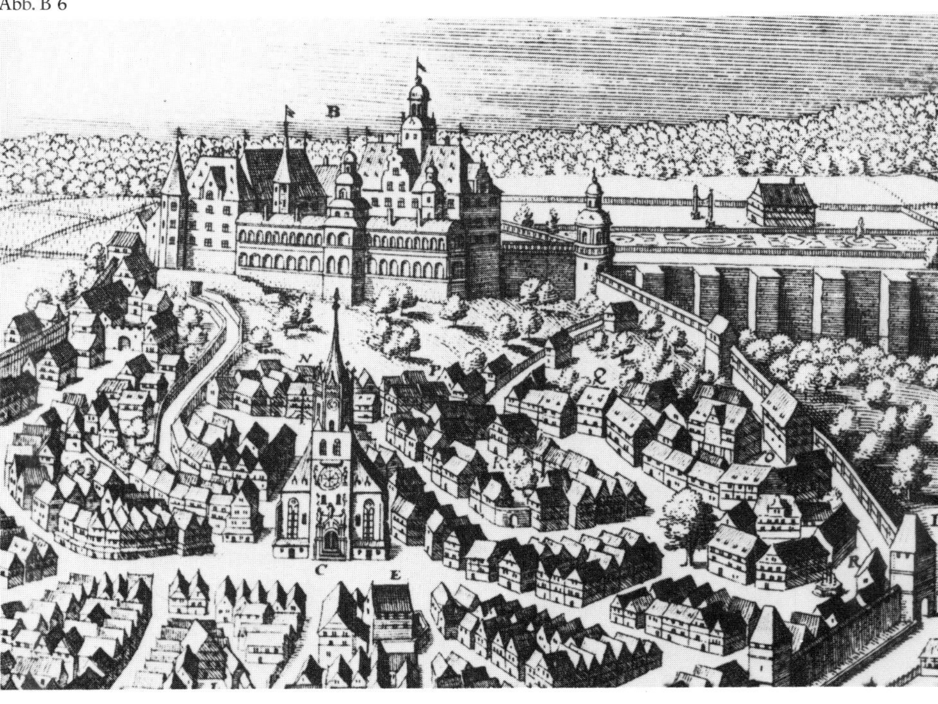

Württemberg

Zwölf Jahre nach der Erhebung Württembergs zum Herzogtum, nach einer Periode vielfältiger Wirrnisse, begann im Jahre 1507 der junge Herzog Ulrich, den Bau eines mächtigen Festungsschlosses ins Werk zu setzen, Manifestation eines stark entwickelten Ehrgeizes und Machtwillens. Anstelle der oberhalb Tübingens gelegenen mittelalterlichen Pfalzgrafenburg ließ der Herzog eine Festung anlegen, die zunächst – entsprechend ihrer militärischen Bestimmung – auf baukünstlerische Formen fast ganz verzichtete, in der Weitläufigkeit und Klarheit ihrer Anlage aber schon ganz erfüllt war vom Geist des neuen Jahrhunderts: ein weites Rechteck, eingefaßt von vier schweren Rundtürmen wurde dem Bergrücken aufgesetzt. Als Herzog Ulrich 1519 ins Exil gehen mußte, war der Bau allerdings noch lange nicht vollendet. Möglicherweise noch im letzten Jahr der österreichischen Regierung 1533 wurde mit dem Bau des Südflügels begonnen, doch der eigentliche Ausbau des Schlosses wurde erst nach der Rückkehr des Herzogs 1534 in Angriff genommen. In den Jahren 1537/38 entstand der Nordflügel mit dem großen, in wesentlichen Teilen noch erhaltenen Rittersaal mit der außerordentlich reizvollen gotisierenden Dreiergruppe des Erkers; 1538 wurde der der Stadt zugewandten Ostseite des Schlosses das große pilastergeschmückte Hauptportal vorgeblendet. Baumeister waren Heinz von Lutter und Balthasar von Darmstadt, die Herzog Ulrich von seinem Freunde und Verbündeten, dem Landgrafen Philipp dem Großmütigen von Hessen, vermittelt worden waren und die ihre Ausbildung wahrscheinlich an einem der wettinischen Höfe in Sachsen oder in Thüringen erhalten hatten. Die hierzulande nicht üblichen Vorhangbögen des Rittersaalerkers weisen auf solche Herkunft hin. Die inneren und äußeren Portale dagegen sind – wie beinahe allenthalben im Norden und Süden zu jener Zeit – oberitalienischen Vorbildern verpflichtet. Daß auch Augsburg auf die Gestaltung des Baues eingewirkt hat und speziell oberitalienische Formen vermittelt haben mag, zeigen das von Hans Daucher dekorierte Portal und zwei Kaminwangen im Schloß.
Vermutlich in denselben Jahren kam es auch an der herzoglichen Burg in Stuttgart zu Umbauten, die von Herzog Ulrich aber möglicherweise auch schon um 1515 vorbereitet oder eingeleitet worden waren und während des österreichischen Interregnums nicht hatten weitergeführt werden können. Der Ostecke der Dürnitz wurden die Untergeschosse des massigen Rundturmes vorgelagert und der nordöstlichen Schmalseite ein schlanker Erker angefügt, der dem Tübinger Rittersaalerker verwandt war, diesen aber in seinen virtuos spätestgotischen Formen an Delikatesse weit übertraf (1944 zerstört).
Diesem Ansatz zu einer vielleicht schon schloßartig geplanten Erweiterung der Burg lief parallel der Bau der Kanzlei – möglicherweise ein Indiz für die Absicht des Herzogs, auch die Umgebung der Residenz städtebaulich neu zu ordnen. In den Jahren 1542–1544 wurde der Bau errichtet; infolge der bald darauf wieder einsetzenden unruhigen Zeiten blieben alle etwa bestehenden weiteren Pläne unausgeführt. Auch der 1537 mit dem Baumeister Joachim Mayer begonnene Ausbau der Festung Hellenstein über Heidenheim wurde in jenen Jahren vorzeitig wieder eingestellt, nachdem immerhin der schwere Kanonenturm in der Südwestecke der Anlage vollendet worden war. Auf den Ausbau der übrigen Landesfestungen hatte Herzog Ulrich nach seiner Rückkehr aus dem Exil ungeheuere Mittel verwandt. Diese umfangreichen militärischen Anlagen spiegeln die schwierige Lage des Herzogtums zu damaliger Zeit wider, einer Zeit, die der Entwicklung der Architektur und speziell der Schloßbaukunst in Württemberg wenig günstig war.
Auch Herzog Ulrichs Halbbruder Graf Georg von Mömpelgard konnte in seinen neuen Schloßbauten in der seit 1324 württembergischen Grafschaft Horburg im Oberelsaß in Reichenweier (1539/40) und in Horburg selbst (1543) keinen großen Aufwand treiben. Horburg wurde 1597 erweitert und 1675 restlos zerstört; Reichenweier hingegen ist erhalten, ein in die Südostecke der Stadtbefestigung eingefügter einfacher Rechteckbau mit nachgotischen Treppengiebeln und sparsam dekoriertem Portal – ähnlich der Kanzlei in Stuttgart.
Zu jener Zeit, im Jahre 1542, wurde Herzog Christoph von seinem Vater Ulrich die Statthalterschaft in der seit 1397 württembergischen Grafschaft Mömpelgard übertragen, und sogleich begann der junge Herzog, die Burg Mömpelgard einigermaßen schloßmäßig umzugestalten. Mit den Baumeistern Mainboeuff Salin und Peter Cuci, mit dem Stukkator Christoph Le Grand und dem Maler Christoph Bockstorffer ging

Abb. B 7

der Herzog daran, einige Zimmer und Säle des Schlosses neu herzurichten und erbaute 1550/1552 vor der Ostflanke auch die beiden Rundtürme, die dem Schloß bis heute sein charakteristisches Aussehen geben, allerdings in ihren oberen Teilen gegen Ende des Jahrhunderts verändert wurden. (Abb. B 7)
Zur selben Zeit wie Mömpelgard, d.h. um die Mitte der vierziger Jahre, ließ Herzog Christoph durch den Baumeister Mainboeuff Salin auch die Burg Blamont zu einem Schloß ausbauen, vermutlich einer Dreiflügelanlage mit zwei Treppentürmen in den Ecken des Hofes, der möglicherweise von hölzernen Galerien eingefaßt war. Von beiden Schlössern sind heute nur noch Reste vorhanden, was umso bedauerlicher ist, als sie die spätere Architektur im Herzogtum Württemberg in mancherlei Weise beeinflußt haben mögen. Schloß Mömpelgard ist 1751 durch einen Neubau ersetzt worden, der nur die Turmgruppe beibehielt, und Schloß Blamont ging im Verlaufe des 19. Jahrhunderts fast völlig zugrunde.
Als Christoph nach dem Tode seines Vaters 1550 in Stuttgart die Regierung übernahm, mußte er zunächst in einer ganzen Reihe sowohl innen- wie auch reichspolitischer Maßnahmen und Verträge für die Sicherung und den Fortbestand des Herzogtums sorgen. Die Verwaltung des Landes wurde reorganisiert, die Reformation wurde konsequent zu Ende geführt, und mit Kaiser Karl V. schloß der Herzog 1552 den für Württemberg noch einigermaßen günstigen Passauer Vertrag. Schon im Jahr darauf wurde mit dem großzügigen Um- und Erweiterungsbau der Stuttgarter Burg begonnen, um auf eindrucksvolle Weise den nunmehr sicheren Bestand des Herzogtums und die fortan unbestrittene Souveränität des Hauses Württemberg zu demonstrieren. Herzog Christoph hatte als Architekten Aberlin Tretsch berufen, dem Blasius Berwart als Baumeister zur Seite stand. Zunächst wurde der um 1325 errichtete Haupt- und Wohntrakt der Burg gründlich umgebaut. Die das gesamte Erdgeschoß ausfüllende Dürnitz wurde beibehalten, die beiden Obergeschosse aber wurden für die herzogliche Familie gründlich erneuert, wobei möglicherweise Arbeiten weitergeführt wurden, die bereits Herzog Ulrich begonnen hatte. Ein ungeheures Walmdach, umkränzt von symmetrisch angeordneten Erkern und Zwerchhäusern, schloß den Bau ab. Der südöst-

Abb. B 8

lichen Gartenseite wurde 1558 der Archivbau angefügt, zwei Jahre später erhielt die Hoffront den Anbau der berühmten Reittreppe, die vom Reitschneck im fürstbischöflich-augsburgischen Schloß Dillingen angeregt worden war.
Mittlerweile war seit 1557 das Vorgelände der Burg planiert worden, und nach Aberlin Tretschs Entwurf hatte man mit dem Bau der drei Arkadenflügel begonnen, die in ihrer unbekümmerten Mischung aus Spätgotik und Renaissance zum Originellsten gehören, was die deutsche Architektur um 1550 hervorgebracht hat (Abb. B 8). Gewisse Anregungen mögen von den fürstbischöflichen Residenzen in Trient, Freising und Regensburg nach Stuttgart gelangt sein. Besonders enge Verbindungen aber bestanden zum Neuburger Hof, und ihm hat der Stuttgarter Schloßbau einiges zu verdanken. Dies zeigt sich deutlich in den gotisierenden Hofarkaden, der Altane, der Kirche, dem Rittersaal. Aberlin Tretschs ganz persönliche Leistung aber ist offensichtlich die außergewöhnlich großzügig und klar gegliederte Gesamtanlage des Stuttgarter Schlosses. In der symmetrischen Anordnung der gänzlich schmucklosen Baukörper, ausgerichtet mit Hauptportal und Altane auf den wohl schon konzipierten, doch dann erst fünfzig Jahre später angelegten Platz, gegliedert allein durch eine regelmäßige Folge kleiner Zwerchhäuser und Dachpavillons, ist der Bau nach außen hin von einer Strenge und Kargheit, die in den folgenden Jahren in den verwandten oberschwäbischen Schlössern Wolfegg, Hechingen und Zeil fast bis zum Exzeß getrieben wurden. In stärkstem Gegensatz zu dieser nach außen gekehrten Herbheit stand der ursprünglich farbig gefaßte Arkadenhof. Die ehemals reich ausgestatteten Wohn- und Festräume des Schlosses sind nur in Beschreibungen überliefert; allein vom Bankettsaal im Gemach des Herzogs ist eine annähernd zeitgenössische Darstellung aus dem Jahre 1579 überliefert. In wesentlichen Teilen erhalten ist die den Südwestflügel des Schlosses fast ganz ausfüllende Kirche. Die von Blasius Berwart zuvor inspizierte Neuburger Schloßkapelle wurde hier möglicherweise unter dem Einfluß hugenottischer Architektur zu einem breiten Quersaal abgewandelt, in dessen Zentrum in völlig neuartiger, doch für den evangelischen Gottesdienst bestens geeigneter Weise Altar und Kanzel plaziert wurden. Ein flaches Tonnengewölbe überspannt den emporenumzogenen

Abb. B 9

Raum. Erst zehn Jahre später zur Zeit des Herzogs Ludwig erhielt dieses Gewölbe das wappengeschmückte Rippennetz, wurden wohl auch die breiten Fenster mit Maßwerk gefüllt, um den sehr profanen Charakter dieses Predigt-Auditoriums etwas abzumildern.
In seinen letzten Lebensjahren ließ Herzog Christoph die von seinem Vater neben der Burg erbaute Kanzlei nach Aberlin Tretschs Entwurf erweitern und architektonisch dem Schloß angleichen, so daß zum Garten hin eine verhältnismäßig einheitliche und sehr monumentale Baugruppe entstand.
Dieser Garten war von Herzog Christoph zugleich mit dem Schloßbau konzipiert und angelegt worden. Wie alle nordischen Gärten der Zeit war er dem Schloß noch nicht axialsymmetrisch zugeordnet, sondern gruppierte sich als ein abgeschlossener Bezirk um das von Peter Cuci 1553 in der Mitte des Gartens erbaute Lusthaus. Mit seinen Brunnen und mannigfachen kleinen Bezirken, u.a. dem ältesten deutschen Pomeranzengarten, zählte der Stuttgarter Lustgarten zu den angenehmsten und beliebtesten im Reich.
Schloß und Garten Stuttgart waren noch lange nicht vollendet, als Herzog Christoph auf dem Lande den Bau weiterer Schlösser einleitete. In Göppingen ließ er nahe dem von ihm sehr geschätzten Bade wiederum von Aberlin Tretsch und Blasius Berwart 1556–1565 ein dem Stuttgarter Schloß recht ähnlichen Bau aufführen, allerdings in kleineren Abmessungen und in noch strengeren Formen. Allein in den Portalen und dem südwestlichen Wendelstein, der sogenannten Rebentreppe (Abb. B 9) – Werken des Steinmetzen Hans Neu – wurde ein gewisser dekorativer Aufwand betrieben, und auch der nördlich des Schlosses angelegte Garten soll mit seinem Lusthaus, seinen Rondellen und Brunnen recht heiter gewesen sein (um 1560–1568). Ein noch bescheidenerer Ableger des Stuttgarter Schlosses ist das 1560–1567 ebenfalls nach Aberlin Tretschs Entwurf erbaute herzogliche Jagdschloß in Pfullingen. Als gartenkünstlerische Kuriosität soll endlich die Linde vor Schloß Neuenstadt am Kocher genannt werden, deren weitausgreifende Äste Herzog Christoph (wie später auch seine Nachfolger) durch Pfeiler unterstützen und deren Bezirk er einfrieden und mit einem zierlichen Portal versehen ließ.
Unter Herzog Ludwigs Regierung kam es am Stuttgarter Hof zunächst zu keiner größeren Bauunternehmung; die von Herzog Christoph übernommene Schuldenlast mußte erst um einiges abgetragen werden. In den Jahren 1573–1575 widmeten sich der Herzog und seine Vormünder dem weiteren Ausbau der Schloßkirche: dem flachen Tonnengewölbe wurde das reiche Rippennetz, geschmückt mit den Wappen des Herzogs und seiner Vorfahren, aufgelegt, die Emporenbrüstungen erhielten farbig gefaßte Reliefs von der Hand Conrad Wagners d.Ä. Da beim Bau des Schlosses statische Probleme etwas außer Acht gelassen worden waren, mußte 1572/73 vor der Westecke des Schlosses ein Rundturm errichtet werden; 1578 wurde aus demselben Grund der von Herzog Ulrich begonnene Ostturm auf die heutige Höhe gebracht.
In denselben Jahren wurde der verhältnismäßig kleine Lustgarten Herzog Christophs nordöstlich das Nesenbachtal entlang erweitert und mit Mauern und Türmen eingefaßt. In seiner Nordecke entstand gegen 1580 der sehr merkwürdige Ölberg, ein separater Blumen- und Gewürzgarten, in dessen Mitte sich auf mäßiger Anhöhe ein siebenachsiger Rundpavillon erhob. Schlanke Maßwerkfenster ließen bereits nach außen hin die sakrale Bestimmung des kleinen Bauwerks erkennen: im Innern war in Bleifiguren und Kupferstichen „die angst und todesnot (Christi) abgebildet“. Leider ist der Architekt unbekannt; auch lassen sich gar keine Aussagen darüber machen, woher die Anregung zu diesem einzigartigen und für die Neigungen des sehr frommen Herzogs bezeichnenden Bauwerk gekommen sein mag.
Zwischen dem Ölberg und dem Lusthaus Herzog Christophs – etwa in der Mitte des Gartens – legte man im Frühjahr 1584 den Grundstein zu dem Bauwerk, das dann bis ins 20. Jahrhundert hinein – wenn auch in mehrfach veränderter Gestalt – gesellschaftlicher Mittelpunkt des württembergischen Hofes sein sollte: das Große Lusthaus (Abb. B 10). Nach dem Entwurf Georg Beers wurde innerhalb von zehn Jahren über einem gewölbten Untergeschoß ein riesiger Saalbau errichtet, eingefaßt von Altanen über Arkaden und von runden Türmen vor den Ecken, überragt von einem ungeheuren Dach, das dem des Schlosses und der Stiftskirche an Höhe gleichkam und mit diesen beiden Bauten zusammen fortan die Silhouette der Stadt bestimmte. Der außerordentlich reiche Dekor dieses Lusthauses diente ganz der Verherrlichung des herzoglichen

Abb. B 10

Hauses und des Landes Württemberg: unter den Erdgeschoßarkaden waren die Büsten des Herzogs und seiner Ahnen angebracht (Arbeiten vermutlich von Matthias Krauss, Jakob Roment, Christoph Jelin u. a.), den riesigen Saal mit den großen Alabasterportalen Sem Schlörs zierten die gemalten Landtafeln und wiederum Bildnisse des Herzogs und seiner beiden Gemahlinnen, darüber wölbte sich die mächtige, von Elias Gunzenhäuser konstruierte Holztonne mit Wendel Dietterlins Gemälde vom Himmlischen Jerusalem, umrahmt von Darstellungen der Schöpfung und des Jüngsten Gerichts. Ein genealogisch-theologisches Bildprogramm wurde hier dargeboten, das an zahlreichen Fürstenhöfen der Zeit Parallelen hatte und zudem auch den ganz persönlichen Interessen des Herzogs sehr entsprach. Als dieses überaus prächtige Lusthaus – von Philipp Hainhofer bei seinem Besuch 1616 als „irdisches Paradies" empfunden – im Sommer 1593 eben seiner Vollendung entgegenging, starb Herzog Ludwig.

Das nach mancherlei Schicksalen nur noch in verstreuten Architektur- und Skulpturresten überlieferte Lusthaus war seinerzeit wohl das größte und schönste seiner Art im Reich, hatte aber eine ganze Reihe bescheidenerer Verwandter. Unmittelbare Anregungen mag Georg Beer vom Lusthaus des Landgrafen Wilhelm IV. von Hessen in Kassel empfangen haben. Philipp Hainhofer wies darauf hin, daß der etwa 50 Jahre ältere Festsaal des Neuburger Schlosses mit seinen hohen Giebelbauten und seiner vom Dachstuhl gehaltenen Holztonne Vorbild für Stuttgart gewesen sei, was bei den zu Herzog Lugwigs Zeit engen Beziehungen zwischen den beiden Höfen durchaus denkbar ist.

Wie schon das dreißig Jahre ältere Residenzschloß so vereinigte auch das Lustschloß spätestgotische Züge mit solchen der deutschen Renaissance zu einem merkwürdigen Ganzen: die jonischen Säulen des Arkadenumgangs trugen Kreuzrippengewölbe, ähnlich wie auch die toskanischen Säulen der Erdgeschoßhalle. Im Hauptgeschoß öffneten sich die vier Ecktürme und der Saal in großen Kreuzstockfenstern, denen sich im Giebel hochmoderne querovale Oculi zugesellten. Die Gliederung des Baukörpers aber und sein Verhältnis zum Garten waren vollkommen neuartig. Nicht nur öffnete sich das Lusthaus in Arkaden und Terrassen dem ihn rings umgebenden Garten – das war auch in Kassel schon ähnlich –, es führten auch inmitten der Längsfronten Freitreppen direkt vom Garten hinauf in den Saal, der sich somit dem Besucher in der Querachse erschloß und damit von stark zentralisierender Wirkung war, einer Wirkung die die zahlreichen innerhalb von Schloßkomplexen angelegten Festsäle der Zeit nicht erreichen konnten und die schon vorauswies auf die Gartenschlösser des Barock.

Während das Große Lusthaus emporwuchs, ließ Herzog Ludwig wohl ebenfalls nach

Georg Beers Entwurf 1588–1593 Schloß Hirsau erbauen, ein der Südseite des Klosters vorgelagertes zweiflügeliges Jagdschloß, das 1692 in Flammen aufging und heute nur noch in Ruinenresten vorhanden ist. Als unregelmäßiger, mit Erkern, Giebeln und Torturm lebhaft gegliederter Bau bildete das Jagdschloß zusammen mit dem Kloster eine sehr malerische Gruppe.

In jenen Jahren, als Herzog Ludwig durch Georg Beer und den jungen Heinrich Schickhardt das Hirsauer Schloß aufführen ließ, beauftragte sein Onkel Graf Friedrich von Mömpelgard (der spätere Herzog Friedrich I.) dieselben Architekten mit dem Ausbau der Mömpelgarder Schloßtürme. Im Jahre 1589 wurde der teilweise eingestürzte Südturm, die „tour ronde oder bossue“ um einiges höher wieder aufgebaut, fünf Jahre später wurde der Nordturm, die „tour neuve oder ogive“ auf diesselbe Höhe gebracht; so entstand das bis heute die Silhouette der Stadt Mömpelgard bestimmende Turmpaar.

Damals war Friedrich bereits seit einem Jahr Herzog von Württemberg. In Stuttgart hatten ihm seine Vorgänger in Schloß, Garten und Lusthaus eine seinen hohen Ansprüchen durchaus genügende Residenz geschaffen. Allein die urbanistische Anbindung des Schloßbezirkes an die Stadt hatte man bislang vernachlässigt. So begann Herzog Friedrich I. bald nach seinem Regierungsantritt zusammen mit dem Architekten Heinrich Schickhardt die Neugestaltung des Schloßumfeldes zu planen. Um 1595 wurde zwischen Schloß, Kanzlei und Stiftskirche mit der Anlage des Schloßplatzes – des heutigen Schillerplatzes – begonnen: 1596 wurde an der Schloßbrücke ein statuengeschmücktes prächtiges Portal errichtet, im selben Jahr erhielt der etwas verkürzte Fruchtkasten seine heutige Fassade. Endlich wurde im Jahre 1604 mit dem Bau eines repräsentativen Gesandtenpalais begonnen (des heutigen Prinzenbaues), das allerdings beim Tode des Herzogs 1608 noch kaum über die Fundamente hinausgekommen war und erst von 1663 an nach verändertem Plan fertiggestellt wurde. Möglicherweise hatte der Bau, wie Schickhardts wenige Jahre ältere Kirche St. Martin in Mömpelgard, eine toskanische Kolossalordnung erhalten sollen – frühes und rares Zeugnis eines zaghaften Palladianismus, wie er in ähnlicher Gestalt wenige Jahre später auch am Englischen Bau des Heidelberger Schlosses erschien.

Herzog Friedrich hatte nämlich 1599/1600 mit seinem Architekten Heinrich Schickhardt eine Italienreise unternommen, was sich nicht allein in unausgeführten Plänen zum Gesandtenpalais niedergeschlagen haben mag, sondern auch die Gestaltung eines weiteren Bauwerks im Umkreis des Schlosses stark beeinflußte. Vor der Südecke des Schlosses zwischen dem Herzogin-Garten und der Stadt war von 1599 an nach Heinrich Schickhardts Entwurf für die Zwecke des Marstalls und der Kunstkammer der sogenannte Neue Bau errichtet worden (Abb. B 11). Zunächst wohl in anspruchsloser Gestalt begonnen, wurde der Bau nach der gemeinsamen Italienreise des

Abb. B 11

Abb. B 12

Herzogs und seines Architekten und sich daraus ergebenden langwierigen Neuplanungen, an denen sich 1602/03 auch Joseph Heintz beteiligte, in prächtigeren Formen weitergeführt: der viergeschossigen Fassade wurden in klassischer Superposition Säulenordnungen aufgelegt, Fenster und Portale erhielten reiche Rahmungen. Der Bau nahm im Erdgeschoß den Marstall auf, die beiden mittleren Geschosse wurden von einem einzigen, von Galerien umzogenen Festsaal eingenommen, der erst zu Anfang der zwanziger Jahre fertiggestellt wurde und dessen Flachdecke in venezianischer Felderung einen Gemäldezyklus zur Geschichte des Herzogtums trug. Im obersten Geschoß war die Kunstkammer untergebracht. Im Jahre 1747 brannte der Neue Bau aus; die Ruine wurde dreißig Jahre später beseitigt.
Während dieser modernste Bau der herzoglichen Residenz noch im Entstehen begriffen war, äußerte sich Joseph Heintz recht kritisch zur Gestaltung der Fassaden, woraus geschlossen werden kann, daß es nicht sein Entwurf war, der endlich zur Ausführung bestimmt worden war. Stuttgarts Beziehungen zu den künstlerischen Zentren im deutschen Süden zu damaliger Zeit, zu Augsburg und München, waren ohnehin nicht eben eng. Eine Ausnahme bildet der um 1595 wohl von Friedrich Sustris an Herzog Friedrich I. gelieferte Entwurf zum Rundsaal auf dem großen Südwestturm des Schlosses Hellenstein über Heidenheim. Dieser Saal ging im 19. Jahrhundert zugrunde, doch sind die Risse für Wände und Decke erhalten und zeigen eine reiche und farbige Groteskendekoration – Abglanz der Münchner Hofkunst in einem künstlerisch sonst recht bescheidenen Festungsschloß am Rande der Alb. In den Jahren darauf, 1601–1611, wurden auf dem Hellenstein unter Heinrich Schickhardts und Elias Gunzenhäusers Leitung die Kirche und die daran anschließenden Flügel errichtet. Die Kirche ist als ziemlich getreuer und zudem verhältnismäßig gut erhaltener Nachfolgebau des fast fünfzig Jahre älteren Stuttgarter Vorbildes für dessen Rekonstruktion von einiger Bedeutung.
Das originellste Gemeinschaftswerk des Herzogs und seines Architekten war die Anlage der Stadt Freudenstadt auf den Höhen des Schwarzwaldes. Die im Jahre 1599 auf mühlebrettartigem Plan gegründete Stadt sollte auf dem weiten quadratischen Zentralplatz einen auf die Diagonalachsen ausgerichteten, quadratischen Schloßbau erhalten, gegliedert durch mächtige Eckpavillons und schmale Mittelrisalite, die auf die in den Ecken des Platzes zu errichtenden öffentlichen Gebäude der Stadt, wie Rathaus und Kirche, bezogen werden sollten. Der Tod des Herzogs verhinderte die Ausführung dieses Schloßprojektes, das zu den merkwürdigsten manieristischer Stadt- und Schloßbaukunst überhaupt zählt und die frühabsolutistische Haltung Herzog Friedrichs I. so klar vor Augen führt wie kein anderer seiner Bauten. Die nächste und auch vollkommen zeitgleiche Parallele zu Freudenstadt findet sich im Werk des hugenottischen Architekturtheoretikers Jacques Perret, dessen Entwurf zu einer größeren Idealstadt

Abb. B 13

mit dem „Grand pavillon Royal" im Zentrum eine gewisse Verwandtschaft zu Freudenstadt zeigt.
Das einzige bedeutendere Bauwerk, das unter Herzog Friedrich I. zur Ausführung gelangte und die Zeiten überdauert hat, ist das äußere oder untere Portal der in den ersten Jahren des 17. Jahrhunderts von Heinrich Schickhardt erweiterten Festung Hohentübingen, eine für ein Festungstor außerordentlich leicht und reich gegliederte Triumphbogenarchitektur, bekrönt vom Herzogswappen und dem Hosenbandorden. Der Entwurf des 1606/07 ausgeführten Baues ist wohl von Hans Braun ausgearbeitet worden; der Skulpturenschmuck ist das Werk des Bildhauers Christoph Jelin (Abb. B 12).
Die Gartenkunst trat unter Herzog Friedrich I. hinter den urbanistischen und fortifikatorischen Projekten weit zurück. Der große Stuttgarter Garten wurde zwar gepflegt und auch mit einzelnen neuen Attraktionen ausgestattet, doch zu Neuanlagen im Bereich anderer Schlösser oder Hofhaltungen kam es nicht. Die Festungen und Bergschlösser in Mömpelgard, Hellenstein und Tübingen boten auch kaum günstige Gelegenheit. Ob an dem 1597 von Heinrich Schickhardt erweiterten, 1675 aber restlos zerstörten Schloß Horburg im Oberelsaß ein Garten angelegt wurde, wissen wir nicht. Einzig in Bad Boll wurde ebenfalls unter Heinrich Schickhardts Leitung 1595 in der Achse des neuen Badhauses ein kleiner quadratischer Garten geschaffen – im Gegensatz zum Stuttgarter Lustgarten eine Anlage vollkommener Symmetrie. Wiederum nach Heinrich Schickhardts Entwurf wurde nach Herzog Friedrichs I. Tod für die Herzogin-Witwe Sibylla 1609 am Hang vor der Südflanke des Leonberger Schlosses ein kleiner Terrassengarten angelegt, der im Laufe der Jahrhunderte vollkommen verwilderte und erst vor wenigen Jahren rekonstruiert werden konnte. Zuseiten einer breiten, von einem zentralen Obesliken mit Achteckbrunnen besetzten Hauptachse

liegen zwei annähernd quadratische Gartenkompartimente. Die strenge Axialsymmetrie und die Gestaltung der einzelnen Beete sind ähnlich wie in Bad Boll. Möglicherweise sind beide Anlagen von der ältesten konsequent symmetrischen Schloß-Garten-Konzeption des Reiches, von dem kaiserlichen Lustschloß Neugebäude bei Wien (1569ff.) inspiriert; hier zeigen die Beete des Fasanengartens auch ganz ähnliche Gestalt wie in Bad Boll und Leonberg.
Während der Leonberger Garten heranwuchs, war Herzog Johann Friedrich, Friedrichs I. Sohn und Nachfolger, ganz mit den Planungen zu einem größeren Projekt beschäftigt: am Ende des Stuttgarter Lustgartens sollte eine Grotte entstehen, die ihr Vorbild, Salomon de Caus'Grotte im erzherzoglichen Garten in Brüssel, weit übertreffen sollte. Im Jahre 1613 wurde der Grundstein gelegt, doch mußte Gerhard Philipps Entwurf stark überarbeitet werden, als ein Jahr später Salomon de Caus von Heidelberg kommend persönlich in Stuttgart erschien. Nach seinen Änderungsvorschlägen wurde in der Folge weitergearbeitet. Für die sehr kleinteilige Muschel- und Tuffverkleidung der Architektur, für die ungemein komplizierte Ausstattung der Grottenräume mit Musik- und Orgelwerk, beweglichen Figuren und singenden Vögeln, mußten ungeheuere Mittel aufgewendet werden. Als der Herzog 1628 starb wurden die Arbeiten an dem noch lange nicht vollendeten Bauwerk eingestellt. Doch immerhin zählte der Torso bis zu seinem Abbruch im 18. Jahrhundert zu den großen Sehenswürdigkeiten Stuttgarts.
Untergegangen sind nicht allein die Gärten mit ihren mannigfaltigen Baulichkeiten; auch die Schlösser selbst wurden im Laufe der Jahrhunderte so oft beschädigt oder umgebaut, daß man heute nur noch an einem einzigen Ort eine gewisse Vorstellung von der Heiterkeit und Farbigkeit eines herzoglich württembergischen Interieurs der Renaissancezeit erhalten kann: in dem von Herzog Johann Friedrich um 1620 neu hergerichteten sogenannten Goldenen Saal in Schloß Urach (Abb. B 13). Der von Graf Eberhard im Bart um 1475 weit und hell angelegte Saal wurde mit korinthisierenden Pilastern und Säulen und zwei wappengeschmückten Portalen prächtig aufgeputzt. Ob der zu jener Zeit für das Schloß Einsiedel bei Tübingen tätige Heinrich Schickhardt auch für Urach gearbeitet hat, wissen wir nicht; seine große Zeit war nun auch lange vorbei. Die Vogtei auf dem Mömpelgarder Schloß von 1632 soll eines seiner letzten Werke sein. Zwei Jahre später – nach der für Württemberg so verhängnisvollen Schlacht von Nördlingen – wurde Heinrich Schickhardt von einem kaiserlichen Soldaten ermordet.

K.M.

Fürstenberg, Waldburg, Zimmern und Zollern

Die Architektur des Schloßbaues der oben genannten Grafschaften wird seit 1557 besonders von einem Baumeister und einem Schloßbau bestimmt: dem von Jörg Schwarzenberger erbauten Schloß Meßkirch, dem unter der Beteiligung des gleichen Baumeisters die Schlösser Heiligenberg und Hechingen folgten. Zur Verbreitung dieses Schloßtyps trugen die verwandtschaftlichen Beziehungen der Fürstenhäuser sowie das durch die Gegenreformation bestimmte katholische Glaubensbekenntnis bei. Spätere Nachfolgebauten wurden die Schlösser von Wolfegg und Zeil. Architektonisches Vorbild dieser Gruppe ist das 1545 vollendete Schloß Ancy-le-Franc, eine von dem Italiener Serlio entworfene regelmäßige, zweigeschossige Vierflügelanlage mit angegliederten Eckpavillons, einer Gliederung der Fassade durch Sockelabsatz, doppeltes Gurtgesims und Traufgesims mit Konsolen. Zwar wiesen auch die ungefähr gleichzeitig oder später mit Meßkirch entstandenen Schlösser von Göppingen (1555), Hohenems (1567) und das nicht ausgeführte Schloß von Freudenstadt (1599) ähnliche Tendenzen zur Herausbildung einer gleichmäßigen Vierflügelanlage auf, doch kommt keines der beiden letztgenannten, erbauten Schlösser dem französischen Vorbild so nahe wie gerade Schloß Meßkirch (Abb. B 14).
Bauherr von Schloß Meßkirch war Graf Froben Christoph von Zimmern (1519–1567), unter dessen Regierung der erste und wesentliche Bauabschnitt des Schlosses (1557–1567) ausgeführt wurde. Geplant war eine regelmäßige Vierflügelanlage mit Eckpavillons. Doch wurden von den rechtwinkelig einander zugeordneten Flügeln nur drei ausgeführt. Die Pavillons sind gleichmäßig nach außen abgesetzt und die Räume der Flügel an einem durchlaufenden, zur Hofseite gelegenen Gang aufgereiht. Der Baumeister dieses Schlosses wird 1561 erstmals im Zimmernschen Urbar mit „Meister Jörg

Abb. B 14

Schwarzenberg“ genannt, ein weiteres Mal 1566. Vor seinem Meßkircher Aufenthalt dürfte er sich in Landsberg am Lech aufgehalten haben, wo er in Diensten Herzog Wolfgangs von Bayern stand.

In der Zimmernschen Chronik wird der Baubeginn genau mit dem 9. 5. 1557 angegeben. Der Graf legte selbst den Grundstein zum Neubau, für den ein Gesamtplan vorgelegen haben muß, den vielleicht Christoph Froben selbst durch seine Kenntnis französischer und niederländischer Schloßbauten (1540 Loire-Reise) mitbestimmt und -entworfen hatte. Bereits 1566, ein Jahr vor dem Tod des Bauherrn, waren drei Flügel und vier Eckpavillons ausgeführt. Der Innenausbau des Schlosses erfolgte im wesentlichen unter seinem Nachfolger Graf Wilhelm von Zimmern und war 1594 beendet. Zwei große Säle waren geplant, der „Rittersaal“ mit 30 x 9,60 m Ausdehnung und ein anderer, 20 x 9,60 m großer Raum, der unter Graf Wilhelm in zwei Zimmer umgewandelt worden ist. In der Fassadengestaltung ist das Vorbild von Ancy-le-Franc übernommen, wobei aber die Hofseiten durch die Besonderheit eines Doppelgesimses mit Bullaugen gegliedert werden.

Der Schwiegersohn Christoph Frobens von Zimmern, Graf Joachim von Fürstenberg, begann 1562 mit dem Umbau und der Erneuerung von Schloß Heiligenberg, der sich bis 1590 hinzog. Das Schloß ist eine regelmäßige Dreiflügelanlage mit einem Hauptgebäude und zwei bündig anstoßenden Nebenflügeln, die an einen mittelalterlichen „Palas“-flügel angebaut wurden. Dem mittelalterlichen Kernbau wurde zur Hofseite hin eine dreigeschossige, mehrschichtig geöffnete Wand mit Arkadenbogen vorgelegt. Hier zeigen sich besonders rein die Stilmittel Jörg Schwarzenbergers, rundbogige Arkaden mit Pilastervorlagen und doppelten Kämpferprofilen. Diese Gliederungen kehren sowohl am Giebel des Torhauses (hier sind die Arkaden gestuft) wie am Glockenturm des Vorhofs wieder. Der Hauptbau beherbergt im obersten Geschoß den 36 x 10 x 6 m großen Rittersaal, von dessen ursprünglicher Ausstattung sich die schwere, reich gegliederte und profilierte Kassettendecke sowie die an den Schmalseiten des Saales angebrachten Kamine erhalten haben (Abb. B 15). Ein völlig neues

Abb. B 15

Motiv in der Anlage des Saales ist die loggienartige Auflösung der Wandzone der Langseiten durch hohe Rundbogennischen, die logische Entwicklung aus der Verschmelzung von hochrechteckigem Fenster mit darüberliegendem Rundfenster. Die vom Dachstuhl abgehängte Kassettendecke wurde wahrscheinlich von den Schreinermeistern Jopp Groß aus Hüfingen und Martin Bayer aus Villingen gefertigt. Ob der Entwurf zu dieser einzigartigen erhaltenen Kassettendecke auch von Jörg Schwarzenberger stammt, ist nicht zu belegen. Jedoch befindet sich gerade sein Meisterzeichen auf der Rückseite einer der Kassettenfüllungen.
Der dritte, leider im 19. Jahrhundert abgebrochene Schloßbau der Meßkircher Gruppe war Schloß Hechingen. Graf Eitel Friedrich IV. von Hohenzollern (1576–1605) war in zweiter Ehe mit Gräfin Sybille von Zimmern, einer Tochter Christoph Frobens verheiratet. Neben Esaias Gruber aus Lindau und dem Grafen persönlich war auch Jörg Schwarzenberger an der Planung und Fertigstellung des Schlosses beteiligt. Das Schloß war eine annähernd regelmäßige Vierflügelanlage mit verschiedenartiger Eckausbildung. An den beiden Ecken gegen Norden saßen kleine Dachtürmchen, an der Südwestecke stand ein eingerückter, quadratischer, an der Südostecke ein rechteckiger Turm mit Pyramidendach. Im Ostflügel des Schlosses lag der zwei Stockwerke einnehmende „Große Saal", dessen Fenster mit Maßwerkrosetten und dessen Gewände mit stukkierten Säulen und Architraven geschmückt waren. Der Saal war mit einer Kassettendecke mit Intarsien und Schnitzereien des Bildhauers und Schreiners Anthoni Payer aus Straßburg gedeckt. Wie in Heiligenberg zierten zwei Kamine mit giebelartigen Aufsätzen, Werke des Bildhauers Hans Amman aus Ulm, die Schmalseiten des Saales. Jeder der Flügel enthielt drei Geschosse, wobei im südlichen Teil des Westflügels die Schloßkapelle untergebracht war, die, ebenso wie die Hechinger Franziskanerklosterkirche St. Luzen mit Stukkaturen von Wendelin Nuferer aus Herrenberg und Hans Amman ausgestaltet worden war. Gleichzeitig mit dem Neubau des Schlosses wurde in der Unterstadt ein Lustgarten angelegt (Abb. B 16), der bis 1662 bestand. An der Ausschmückung des Gartens, zu der ein turmartiges Lusthaus mit Grotte gehörte, wirkten zwei Straßburger Steinmetze, die Brüder Daniel und Hartmann Besenreich mit. Von Daniel stammte eine figürliche Darstellung der „Historia Orphei" (die sich wahrscheinlich an und in der Grotte befunden haben mag), während Hartmann Besenreich den Weiher des Gartens mit vier Säulen schmückte.
In der weiteren Nachfolge von Hechingen stehen die Schlösser von Wolfegg und Zeil. Schloß Wolfegg wurde als regelmäßige Vierflügelanlage mit Pavillons 1578 unter Truchseß Jakob von Waldburg begonnen, der die Gräfin Johanna von Zimmern geehelicht hatte. Der Baumeister ist nicht überliefert, aber es besteht die durch stilistische

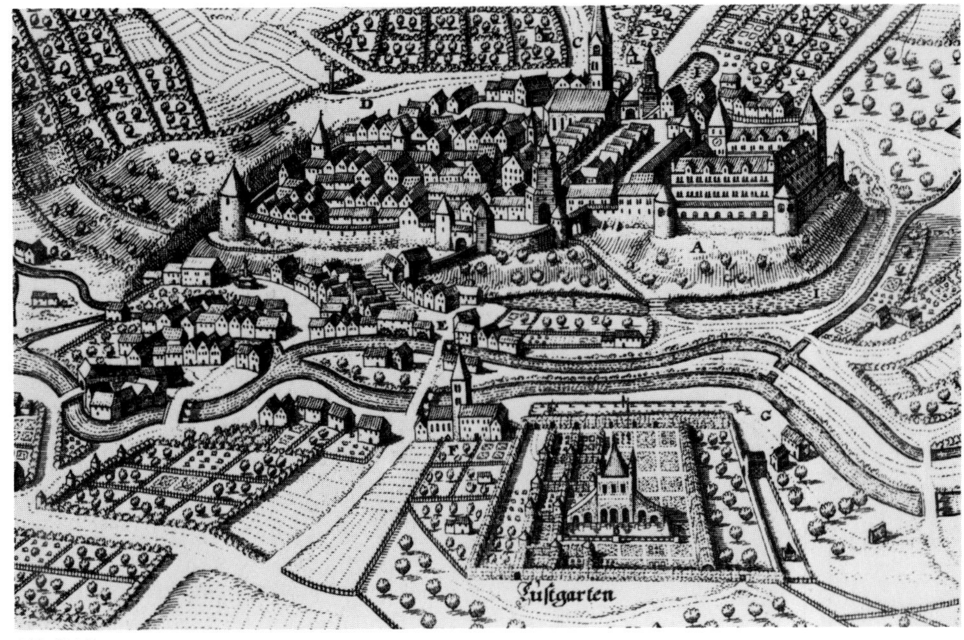

Abb. B 16

Vergleiche begründete Annahme, daß Jörg Schwarzenberger die Pläne ausgearbeitet haben könnte oder zumindest am Bau beteiligt war. Das 1640 ausgebrannte Renaissance-Schloß gruppiert sich mit seinen vier Flügeln um einen längsrechteckigen Hof. Den kürzeren Hofseiten der Anlage waren im Erdgeschoß Arkaden vorgelegt; die verputzten Fassaden trugen aufgemalte Fensterumrahmungen und aufgemalte Eckrustizierungen. Die Tradition dieses Schloßtyps wird fortgesetzt durch den Sohn, Truchseß Froben von Waldburg, der 1598 mit dem Bau von Schloß Zeil begann. Durch die Einwirkungen des Dreißigjährigen Krieges konnte die Anlage nicht vollständig ausgeführt werden. So waren beim Tod des Truchseß (gest. 1614) der Nordwest- und der Südflügel ausgebaut, während der Südost- und ein Teil des Nordostflügels nur bis zum zweiten Geschoß ausgeführt waren. Baumeister war von 1598–1600 ein Jörg Reutter aus Bayern.
Nicht in die Reihe der „Meßkircher Gruppe" gehört das vielleicht nur wenig früher als Meßkirch erbaute Schloß der Familie von Neuneck in Glatt (Mitte 16. Jh.). Das Schloß, eine regelmäßige Dreiflügelanlage mit viergeschossigen Bauten und vier an den Ecken anstehenden Rundtürmen und nördlicher Schildmauer greift ebenfalls auf französische oder schwäbische Vorbilder zurück. (Eine relativ früh ausgeführte Vierflügelanlage mit Rundtürmen war Schloß Schorndorf, 1538). Dagegen folgt der Ausbau des Schlosses von Haigerloch (etwa 1580) unter dem Grafen Christoph von Haigerloch (1576–1592) keinem bestimmten Vorbild. Der Schloßbau ist gekennzeichnet durch den Versuch, die aus mittelalterlichen Beständen bestehende unregelmäßige Anlage durch Anbauten zu einem Komplex zusammenzuschließen. Das heute nur noch als einflügeliger Bau erhaltene Schloß von Wiesensteig wurde unter Graf Rudolf von Helfenstein 1605 zu einer Vierflügelanlage (ohne Ecktürme oder Eckpavillons) vergrößert. Die um einen quadratischen Innenhof gruppierte Schloßanlage bestand aus zwei Haupt- und zwei bündig anstoßenden Nebenflügeln. Die Hauptflügel waren an den Giebelseiten mit Voluten verziert.
Während sich in den oben genannten Schloßbauten hauptsächlich das französische Vorbild Ancy-le-Franc widerspiegelte, ist für den Vorarlberger Raum der italienische Einfluß bezeichnend, was sich besonders an den Architekturformen von Schloß Hohenems ablesen läßt. Die Pläne (1566) zu dem als Dreiflügelanlage mit drei Eckpavillons um einen quadratischen Innenhof angelegten Schloßes stammen von dem Italiener Martino Longo (Kat.Nr. B 11). Auch hier ist die Vierflügelanlage Vorbild, was der nur als Blendarchitektur zur Bergseite hin errichtete vierte Flügel beweist. *K.B.*

Abb. B 17

Hohenlohe

Das erste Schloß, das in der Grafschaft Hohenlohe die Umgestaltung von einer mehrgliedrigen Burganlage zu einem Renaissanceschloß erfuhr, war Schloß Waldenburg, das unter dem Baumeister Balthasar Wolf innerhalb eines Jahres repräsentativ ausgestattet wurde. Dennoch blieb der spätmittelalterliche Grundriß der Anlage durch seine Lage auf einem Bergkamm erhalten.
Schloß Neuenstein, der Wohnsitz des Grafen Ludwig Casimir, des Gründers der Linie Hohenlohe-Neuenstein, wurde zwischen 1558 und 1564 von einer mittelalterlichen Burganlage zu einer Vierflügelanlage erweitert. An den alten Palas, den Bergfried und den doppeltürmigen Vorbau wurden im Norden und Osten zwei Flügel mit runden Ecktürmen angefügt, so daß eine regelmäßige rechteckige Anlage mit zwei Treppentürmen in den Ecken des Hofes entstand. Der ausführende Baumeister war auch hier Balthasar Wolff, von dem die beiden sechseckigen Laternen der Tortürme mit korinthischen Säulen, Spitzbogen, Rippengewölben und welschen Hauben stammen. Ein für den Grafen Krafft von Hohenlohe-Neuenstein 1615 von Heinrich Schickhardt entworfenes Lusthaus kam nicht zur Ausführung. Dagegen rechnet die Forschung das vor dem Schloß freistehende Portal mit Giebel Schickhardt zu.
Das unter dem Grafen Eberhard von Hohenlohe 1568–1572 von dem Heilbronner Baumeister Sebastian Mayer erbaute Wasserschloß Pfedelbach ist die erste regelmäßige Renaissanceanlage in Hohenlohe. Der um einen queroblongen Innenhof gruppierte Vierflügelbau ist an den Ecken mit vier runden Türmen bewehrt. Das als Witwensitz geplante Schloß umfaßt zwei gleiche, an den Schmalseiten der Anlage befindlichen Gebäude mit Giebeln, die durch Schildmauern miteinander verbunden sind, an die hofseitig Galerien angebracht waren. Nach 1600 wurde die Ostgalerie durch einen steinernen Torbau mit steinernen Galerien und toskanischen sowie darüberliegenden ionischen Säulenordnungen erweitert. Dieser zum Hof mit betont italienischen Schmuckformen geschmückte Torbau wird Heinrich Schickhardt zugeschrieben.
Schloß Weikersheim wird 1587 von Wolfgang II. von Hohenlohe-Langenburg als Residenz bezogen. Die lange nicht bewohnte Burganlage war in schlechtem baulichen Zustand, so daß neben den notwendigen Reparaturen schon 1587 ein umfassender Neubau in Betracht gezogen wurde. Dafür konnte 1588 der württembergische Baumeister Georg Stegle aus Stuttgart gewonnen werden, der die Pläne und das Visier für den Neubau entwarf. 1595 wird mit dem „Langenburger Bau“ an der Südostecke der

Anlage begonnen. Zu dieser Zeit überwacht der Mainzer Baumeister Wolfgang Beringer den ersten Bauabschnitt, der 1596 unter Dach ist. Im gleichen Jahr wird mit dem zweiten Bauabschnitt begonnen, der die Reittreppe (Vorbild Reittreppe im Stuttgarter Schloß), den Saalbau, den Küchenbau und die Wendeltreppe umfaßt. 1598 führt Elias Gunzenhäuser die Decke und den Dachstuhl über dem Saalbau sowie die Bedachung der Reittreppe aus. Bis 1605 zieht sich die Ausstattung des Hauptbaus, insbesondere des großen Festsaals, hin, der mit Kalkschneidearbeiten von Gerhardt Schmidt aus Rotenburg und Christoph Limmerich aus Neuenstein, mit zwei an den Schmalseiten befindlichen Prunkkaminen von Michael Juncker sowie mit Leinwandgemälden von Balthasar Katzenberger aus Würzburg geschmückt wurde, die in die riesige Kassettendecke des zwei Geschosse umfassenden Saales eingelassen wurden.
Welche Vorstellungen der Bauherr Wolfgang II. von der Gestalt des Schlosses hatte, gibt ein an Elias Gunzenhäuser gerichteter Brief von 1595 wieder, in dem es heißt: „Wir geben Euch hiermit günstig zu vernehmen, daß wir allhier an unserem Schloß einen großen Hauptbau zu dreyen Seitten, jede besonders ungever 100 Schuch lang zu fürens vorhaben." Demnach war ein dreiseitiges Schloß geplant. Der nicht vollendete Küchenbau und das nördliche Stück des Langenburger Baus sind die unvollendet gebliebenen Schenkel eines gleichseitigen Dreiecks, dessen Basis der Saalbau bildete. Das Vorbild dieses für den Manierismus typischen Grundrisses dürfte unter den Entwürfen von Jacques I Androuet Ducerceau zu suchen sein. Mit der Gleichseitigkeit des Dreiecks sollte eine Gleichansichtigkeit der Seiten verbunden sein: Jede Außenseite des Schlosses sollte mit drei großen Giebeln (Abb. B 17), jede Innenseite zum Hof mit einem Giebel geschmückt werden. Jenseits des Schloßgrabens wurde an der Südseite des Schlosses um 1600 ein Garten angelegt, der 1708 und 1713 durch einen axial ausgerichteten Barockgarten ersetzt wurde.
1590 wird die Burg Kirchberg zu einem Witwensitz für die Gräfin Anna von Hohenlohe ausgebaut. Mittelpunkt der Anlage ist, wie in Weikersheim, der große Saalbau. Die leicht unregelmäßige Vierflügelanlage besticht durch die Eingangsfront des Südflügels. Dieser 1592 vollendete Längsbau mit mittelachsig angelegter Durchfahrt wird an den Ecken durch vierkantige Türme flankiert. Die beiden längs an den Schmalseiten angelegten Hauptbauten im Norden und Süden waren ursprünglich mit Giebeln geschmückt. Maßgeblich beteiligt am Bau waren der Zimmermann Stefan Niebel aus Kirchberg und der auch in Weikersheim tätige Servaz Körber. Dem barocken Umbau fielen Teile der Renaissancebauten zum Opfer.
Schloß Hermersberg (1540–1550) wurde 1603–1610 nach Plänen des hohenlohischen Baumeisters Georg Kern aus Forchtenberg durch einen giebelgeschmückten Neubau erweitert. Schmuckstück des Neubaus ist der kleine, reich stukkierte Festsaal, dessen Ausschmückung in den Händen von Gerhardt Schmidt und Christoph Limmerich lag. Ebenfalls nach Plänen Georg Kerns wurde 1616 Schloß Öhringen als Witwensitz für die Gemahlin Graf Wolfgangs I. errichtet. Der die südliche Marktseite in Öhringen begrenzende, langgestreckte Bau ist zweiflügelig angelegt und mit großen Volutengiebeln sowie zur Hofseite mit einem Treppenturm geschmückt.
Philipp Ernst (1584–1628), der Sohn Wolfgangs II., baute von 1611 bis 1627 Schloß Langenburg zu seiner Residenz aus. Das auf einem schmalen Bergkamm angelegte Schloß ist zwischen wuchtigen Basteien errichtet. Wesentlicher Unterschied zu den übrigen Hohenlohe-Schlössern sind die nicht überdachten, auf Kragsteinen aufruhenden Laufgänge, die sich um die Hofseiten der Gebäude ziehen. Zwei sich diagonal gegenüberliegende Treppentürme im Hof gewähren den Zugang zu den Galerien und den Geschossen der Flügelbauten. Mit Voluten gezierte Zwerchgiebel schmücken die Hofseiten der längsrechteckigen Vierflügelanlage. Ein mit 1614 datierter Bestandsplan von Georg Kern gibt Zeugnis von einem jenseits des Burggrabens im Osten auf der Südterrasse angelegten Renaissancegarten mit regelmäßigen längsrechteckigen Feldern von vielgestaltiger Binnengliederung. Als letzter Bauteil entsteht 1627 das neue Torhaus am Südflügel, dessen Obergeschoß von Hans Kuhn mit einer prachtvollen Stuckdecke ausgestattet worden ist.
In das Ende der sechziger Jahre des 16. Jahrhunderts fällt die durchgreifende Erneuerung des Deutschordenschlosses in Mergentheim, dessen Bauarbeiten seit 1571 Blasius Berwart leitete. Von ihm stammen der 1574 fertiggestellte Nord- und Westtrakt mit der berühmten Wendeltreppe, bei der anstelle einer Spindel dünne, tauartige Säulchen die mit Renaissanceornamenten gezierten Untergewände der Treppen tragen. Der

wesentlich später errichtete Treppenturm im Südwesten (1586) ist mit seiner kräftigen Treppenspindel und den profilierten Netzrippengewölben wieder stark der Gotik verpflichtet. Französischen Vorbildern dagegen folgt der 1628 fertiggestellte, mit vier Giebeln, Kuppel und Laterne geschmückten Torbau. Die Toröffnungen werden triumphbogenartig durch einen zweistöckigen Aufbau gekuppelter dorischer und toskanischer Säulen mit Muschelnischen gerahmt.
Vom Bautyp mehr der Renaissance verpflichtet war das 1608 umgebaute Schloß von Ellwangen, eine Vierflügelanlage mit zwei Außentürmen mit achteckigen Aufsätzen und zum Hof offenen, dreigeschossigen Galerien über flachen Korbbögen.
Als unregelmäßige, aber dennoch imposante Anlage mit einer mächtigen Torbastei (1590), Renaissancegiebeln und einem stukkierten Rittersaal mit allegorischen Darstellungen in den Deckenfeldern äußert sich das Deutschordenschloß Kapfenburg bei Aalen

K.B.

Stadtgründungen und Hausbau

Neben Stadterweiterungen (Neustadt von Mömpelgard nach Plänen von Heinrich Schickhardt 1598–1608) und Wiederaufbauten durch Feuerbrünste zerstörter Städte (Oppenau 1615, Schiltach 1590, Clerval 1590) sind für den deutschen Südwesten zwei Städtegründungen von Bedeutung, die beide aus wirtschaftlichen und militärisch strategischen Erwägungen erfolgten. Vorbild dafür waren theoretische Idealbilder sowie bereits bestehende Stadt- und Festungsanlagen Italiens oder der nordischen Länder.
Die erste dieser Stadtgründungen erfolgte im Herzogtum Württemberg 1599 mit der Anlage von Freudenstadt, deren Grundriß einem Mühlebrettspiel ähnelt. Die Pläne entwarf der württembergische Hofbaumeister Heinrich Schickhardt (vgl. Kat.Nr. B 27, B 28). Neben der Förderung des heimischen Bergbaus durch Anwerbung österreichischer und französischer Glaubensflüchtlinge, glaubte der Stadtgründer Herzog Friedrich, damit auch die Anlage einer neuen Residenzstadt verbinden zu können. Dieses Ziel zerbrach sowohl an den wirtschaftlichen wie den politischen Gegebenheiten der Epoche.
Die Gründung der Festung Friedrichsburg und der Stadt Mannheim (1606) durch Kurfürst Friedrich IV. von der Pfalz entsprach militärischen und wirtschaftlichen Erwägungen. Nachdem der Stadt 1607 die Stadtrechte verliehen worden waren, erfolgte der zügige Ausbau der Festung unter Friedrich V. Die originalen Pläne zur Stadt- und Festungsanlage haben sich nicht mehr erhalten, man nimmt aber an, daß sie von dem Holländer Barthel Janson stammten, der von 1606–1610 als „Reißbaumeister des Fortificationsbaus zu Mannheim" in kurfürstlichen Diensten stand. Der Festungsumriß

Abb. B 18

Abb. B 19

zeigte ein regelmäßiges bastioniertes Zehneck, in das sich, gegen den Rhein hin, bis zur Hälfte das Siebeneck der Zitadelle Friedrichsburg hineinschob. Interessanterweise entsprach die Länge der Zehneckseite mit 1000 Schuh genau dem Radius des Siebenecks. Diese Abmessungen schlug Daniel Specklin in seiner „Architectura von Vestungen" vor. Auch der Grundriß der Zitadelle mit dem Mittelplatz und den davon ausgehenden Radialstraßen findet sich bei Specklin. Die zwischen Zitadelle und Festungsstern angelegte Stadt wurde auf dem Grundriß sich rechtwinklig schneidender Straßen erbaut (vgl. Kat.Nr. B 25).
In der Nachfolge der Gründung Mannheims und im Hinblick auf die stetig wachsende Möglichkeit bewaffneter Auseinandersetzungen erfolgten auf dem Gebiet der Kurpfalz die Fortifikationen von Frankenthal (1608–1620), von Lixheim (1608) und Kaiserslautern (1619–1620). Als Reaktion auf die fortifikatorischen Maßnahmen der Kurpfalz ist der Ausbau des in der Nähe des kurpfälzischen Germersheim liegenden Städtchens Udenheim zur Festung zu verstehen. Udenheim war bischöfliche speyerische Zollstätte mit einer kleinen, wehrhaften Residenz des Trierer Kurfürsten. Der Erzbischof und Kurfürst von Trier, Bischof von Speyer, Philipp Christoph von Sottern veranlaßte den Ausbau der Stadt zur Festung. Die gegen 1620 vollendete Festung Philippsburg hatte den Umriß eines gleichmäßigen, siebeneckigen Sterns mit vorgelagertem Hornwerk (Kat.Nr. B 24).
Die fortifikatorischen Maßnahmen Württembergs reichen in die erste Hälfte des 16. Jahrhunderts zurück. Die Herzöge Ulrich und Christoph sicherten ihr Herrschaftsgebiet mit einem Netz von Höhen- und Talfestungen, als deren sicherste der lange Zeit uneinnehmbare Hohentwiel (Kat.Nr. B 22) galt. Weitere Festungen waren Hohentübingen, Hohenurach, Hohenneuffen, Hohenasperg, der Hellenstein bei Heidenheim, die Talfestungen Schorndorf und Kirchheim unter Teck.
Ende des 16. und zu Beginn des 17. Jahrhunderts bekamen fast alle großen in der Ebene liegenden Städte bastionäre Festungsgürtel, die den neuesten militärstrategischen Gesichtspunkten entsprachen. Als Beispiele seien Straßburg (Abb. B 18), Colmar, Mühlhausen, Freiburg und Ulm genannt.
Der Wohnbau in den Städten und auf dem Lande war vonehmlich durch den praktischen und traditionellen Fachwerkbau geprägt. Das vermitteln sehr eindringlich die zeitgenössischen Landkarten und Vogelschau-Ansichten von Städten und Flecken. Der Anteil des Fachwerkbaus dürfte erheblich größer gewesen sein, als wir heute annehmen. Am Oberrhein waren es die schrecklichen Folgen des Pfälzischen Erbfolgekrieges (1689), die einen Großteil der Häuser vernichteten, die nicht den Zerstörungen des Dreißigjährigen Krieges zum Opfer gefallen waren. Doch finden sich besonders in Württemberg, in Hohenlohe und im Elsaß noch eine stattliche Anzahl zeitgenössischer Fachwerkbauten im alemannischen und fränkischen Stil. Besondere Beispiele sind das „Palmhaus" in Mosbach (Odenwald), das alte Rathaus in Eßlingen, das Rathaus in Grünsfeld (Baden), das „Maison Kammerzell" in Straßburg, das „Maison Katzhof" in Saverne oder die Ortsbilder von Geislingen, Brackenheim, Eppingen und Tübingen. Schmuckflächen für den Renaissancestil boten die Tür- und Fensterrahmen des meist steinernen Unterstocks, entweder aus Stein gehauen oder in der Art von Fassadenmalereien, sowie das sichtbare Fachwerk der aufgehenden Stockwerke, das geschnitzt und farbig gefaßt wurde. Hier äußert sich die Renaissance als reiner Ornamentstil, der den traditionsgebundenen Bau mit neuen Motiven überzieht. In einigen Fällen, wie etwa beim Eßlinger Rathaus, wurde dem Fachwerkbau eine Putzfassade mit Stufengiebel und Uhr vorgeblendet. Im Inneren ist ein saalartiger Korridor durch Stuckdekoration einem Steinbau angeglichen.
Da der Steinbau erheblich teuerer war, findet er sich dementsprechend auf den teuersten Grundstücken der Stadt und bei den begütertsten Bauherren. Meist sind es Hauptstraßen und Markt- oder Kirchplätze, die von reichen Steinbauten vornehmer Patriziergeschlechter gesäumt sind. Dagegen sind in den Seitenstraßen und nahe der Stadtmauer die Häuser wieder in einfacherer Bauweise erstellt. Diese Hierarchie war durch Bauordnungen festgelegt und ist kein grundsätzlich der Renaissance zuzurechnendes Moment. Doch durch den neuerworbenen Reichtum und das neue Selbstverständnis des Bürgertums begünstigt, zeichnet sich die Epoche zwischen 1530 und 1630 durch eine Vielzahl von Bürgerbauten und eine bis dahin nicht bekannte Prunkentfaltung aus. Besonders am Ende des 16. Jahrhunderts und nach Anfang des 17. entstehen die reich manieristisch gegliederten Steinbauten wie das Haus „Zum Ritter" in Heidel-

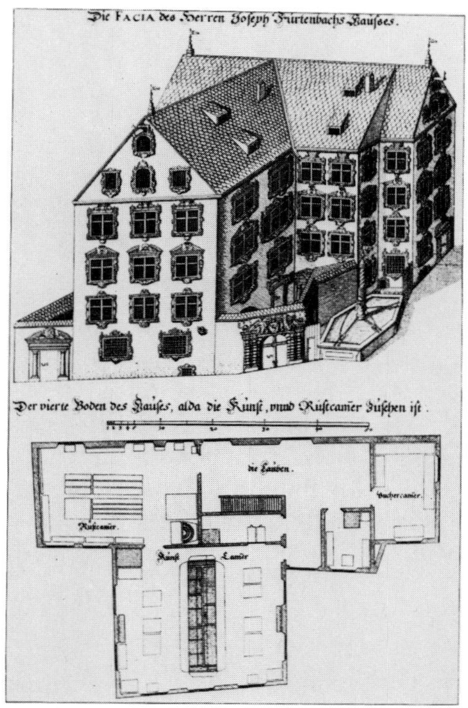

Abb. B 20

berg, das „Kasthaus“ in Gernsbach, das Haus „Zum Engel“ in Bergzabern, das „Maison des Têtes“ in Colmar, das Gasthaus „Zur Krone“ in Ensisheim oder der „Spießhof“ in Basel.

Den vornehmsten Platz nach der Kirche nimmt das Rathaus oder das Haus einer reichen Gilde ein. Diese Häuser stehen am oder auf dem Marktplatz und haben in ihren Erdgeschossen (oft durch Bogenstellungen geöffnet) marktgleiche Funktionen. Während im Erdgeschoß Stadtwaage, Stadtmetzig oder Verkaufsstände eingerichtet waren, lagen im Rathaus in den oberen Etagen ein großer und kleiner Ratsaal sowie verschiedene Schreibstuben. Der Dachstuhl wurde oft als Speicherraum genutzt. Ein besonderer Schmuck ist nun die Rathausuhr mit Glockenspiel und verschiedenen Zeitmessern. Im deutschen Südwesten sind es manchmal die stolzen Steinbauten der Stadtmetzig oder der Kaufhallen, die an Pracht und Aufwand mit den Rathäusern konkurrieren. Ein ganz besonders mächtiger Lagerhauskomplex war der sogenannte „Neue Bau“ in Ulm, der 1585–1593 von dem Baumeister Claus Bauhofer, dem Zimmermeister Matthias Gaiser und dem Steinmetzen Peter Schmidt errichtet wurde. Für den Hof entwarf Schmidt einen schönen Ziehbrunnen (Kat.Nr. E 52), die Fassaden des Hofes waren mit Sgraffitomalereien geschmückt. In ähnlicher Manier verziert war das Haus des Architekten Joseph Furttenbach (Abb. B 20), der nach über zehnjährigem Aufenthalt in Italien wieder in seine Heimatstadt Ulm zurückkehrte. Etwas vom Glanz der Ausschmückung eines Patrizierhauses vermittelt das heute als Museum genutzte Kiechel-Haus (1583). Die reichen Ulmer Bürger errichteten in der Umgebung von Ulm zahlreiche kleine Landsitze von teilweise schloßähnlichem Charakter. Das Landschlößchen der Familie Besserer in Bernstadt gehört in diese Reihe wie das Schloß von Erbach (Doppelhaus mit vier Ecktürmen) oder die Schlösser von Oberbalzheim und Illertissen.

Ähnlich wie im übrigen Südwesten verlief die architektonische Entwicklung der Renaissance im Elsaß. Um 1523 noch als neuer Ornamentstil aufgefaßt (Haus „Zwei Brüder“ in Kaysersberg 1523), zeigt sich eine flächengliedernde Funktion 1536 an dem von Nikolas Börlin errichteten „Wagkeller“ in Colmar. Flache Pilastervorlagen und Rundmedaillons mit en profil dargestellten Porträts gliedern die erhaltene Giebelseite. Eine nicht mehr rein auf das dekorative Moment bezogene Gliederung schmückt die Ostfassade des zwischen 1535–1547 erbauten Rathauses in Ensisheim, dem Sitz der vorderösterreichischen Regierung im Elsaß. Pilastervorlagen (mit spätgotischen „Tuchwerk“-Füllungen) und horizontal verlaufende Profile geben exakt die Innenaufteilung des Obergeschosses an der Fassade wieder. Der im Erdgeschoß durch Rundbögen geöffnete Bau wurde von den Steinmetzen Steffan Gadinner und Heinrich von Thann errichtet, die auch am Südquerhaus der Kollegiatskirche von Thann und in Colmar arbeiteten. Ebenfalls beteiligt waren beide am Pfisterhaus in Colmar, das zwischen 1537 und 1617 für den Tuchhändler Ludwig Scherer als Fachwerkbau mit steinernem Unterstock errichtet wurde. Ausgestattet mit einem Treppenturm, einem zweigeschossigen Erker und einer Galerie im zweiten Obergeschoß, wurde das Haus 1577 mit Wandmalereien geschmückt. Vorbild für die 1554 erbaute Metzig in Molsheim (Abb. B 21) dürfte das zwei Jahre früher vollendete Rathaus in Mühlhausen gewesen sein, das an der Traufseite durch eine zweiläufige Freitreppe mit Balustrade und mit Wandmalereien von Bockstorffer geschmückt ist. Baumeister war der Basler Linthammer. Fast gleichzeitig mit der Molsheimer Metzig ist der Bau der Stadtmetzig von Obernai, deren Erscheinungsbild durch die abgetragene Freitreppe und Balustrade beeinträchtigt wird.

In den achtziger Jahren entstanden in Straßburg unter dem Stadtbaumeister Johannes Schoch zwei der bedeutendsten Steinbauten der Stadt. 1582 erfolgte die Grundsteinlegung des „Neuen Baues“, der zunächst als Kaufhalle, später als Versammlungsgebäude des Rats und im 18. Jahrhundert als Hôtel de Commerce genutzt wurde. Die Pläne zu diesem Gebäude stammten sehr wahrscheinlich von Hans Schoch; an der Ausführung und Ausschmückung waren die Steinmetze Paul Murer (Maurer) und Jörg Schmitt sowie Wendel Dietterlin beteiligt, der den Bau mit Wandmalereien verzierte. Die Hauptfassade des Dreiflügelbaus wurde im 19. Jahrhundert von elf auf sechzehn Achsen verbreitert. Die dreigeschossig angelegten, streng symmetrisch gegliederten Fassaden mit rustizierten Rundbogenstellungen im Erdgeschoß, Pilastervorlagen und Dreierfenstern in den Obergeschossen sind von monumentaler Wirkung. Durch die konsequent angewandten Säulenordnungen und den zarten Reliefschmuck erinnert der Bau

Abb. B 21

mehr an französische als an italienische Architekturvorbilder. Wenige Jahre später (1587) erfolgte die Grundsteinlegung für die Große Metzig an der Ill bei der Rabenbrücke, deren „Visierung" ebenfalls von Hans Schoch stammt und an deren Ausführung wiederum Paul Maurer beteiligt war. Der U-förmige Bau mit geschwungenen Giebeln und einem Treppenturm im Hof sowie einem mit geraden Läufen versehenen Treppenhaus enthielt im Erdgeschoß die Fleischstände und in den Obergeschossen Lager und Verkaufsräume.

Besonders typisch für die Fassadengestaltung bürgerlicher wie fürstlicher Bauten entlang des Oberrheins ist die Fassadenmalerei, die von Italien über die Schweiz ins Elsaß und den deutschen Südwesten vermittelt wurde. In Straßburg wirkte vor allem Wendel Dietterlin, der mehrere Bauten (Neuer Bau, Frauenhaus, Bruderhof) mit seinen Malereien schmückte. Doch auch an Rathäusern (Tübingen, von J. Züberlin) und manchen Kirchen, Burgen und Schlössern des Südwestens finden sich Spuren dieser Tradition. Besonders reichhaltig haben sich Fassadenmalereien in der Schweiz entlang des Rheins zwischen Basel und Schaffhausen erhalten. Die Themen des Fassadenschmuckes sind Darstellungen christlicher Kardinaltugenden und republikanischer Virtus. Die Schweizer Hans Holbein der Jüngere, Hans Bock der Ältere und Tobias Stimmer entwickelten die italienischen Vorbilder zu einer perspektivisch ausgeklügelten Architekturmalerei mit naturalistischen Elementen. Ein gutes Beispiel ist das (wieder restaurierte) Haus „Zum Ritter" in Schaffhausen, das Tobias Stimmer im Auftrag des Besitzers von Waldkirch 1570 mit einer von einem humanistischen Programm geprägten Thematik schmückte. In der Motivwahl orientierte sich Stimmer teilweise an dem fünfzig Jahre früher entstandenen Haus „Zum Tanz" in Basel. Stimmers Aufgabe bestand darin, dem modernisierten gotischen Haus mit seinen verschiedenartigen und unsymmetrisch verteilten

Abb. B 22

Fenstern das Aussehen eines reichgeschmückten Renaissancepalastes zu verleihen (Abb. B 22).
Abschließend seien für den Bautyp des Kollegiums, stellvertretend für andere Kollegien in den Universitätsstädten, zwei Beispiele genannt, die im Abstand von zehn Jahren im Herzogtum Württemberg und in der Grafschaft Mömpelgard als herzogliche Stiftungen erbaut wurden. Die Einrichtung der ersten Kollegien reicht bis ins 13. Jahrhundert zurück. Ein Kollegium war Wohn- und Lehrstätte für Scholaren gleicher Landsmannschaft. Statuten regelten das Gemeinschaftsleben. Bauliches Leitbild des Kollegiums war die klosterähnliche Innenhofanlage. Unter der Regierung Herzog Christophs wurde das teilweise 1540 durch Brand zerstörte, in der Reformation aufgehobene Franziskanerkloster in Tübingen zwanzig adeligen Studenten als Wohnung angewiesen und eingerichtet, als bewußt weltliche Einrichtung zum bereits bestehenden theologischen Stift. Christophs Nachfolger Ludwig vervollkommnete diese Idee mit der Gründung des „Collegium Illustre", das der Ausbildung herzoglicher Zivilbeamter dienen sollte. 1588 wurde der Grundstein gelegt, ausführender Baumeister war Georg Beer. Der Gebäudekomplex, der einen Teil des übrig gebliebenen Klostergebäudes miteinbezog, ist eine Vierflügelanlage, deren geschmücktes Hauptportal an der abgeschrägten Südostseite liegt. Nordflügel und Westflügel sind massiver und tiefer gebaut

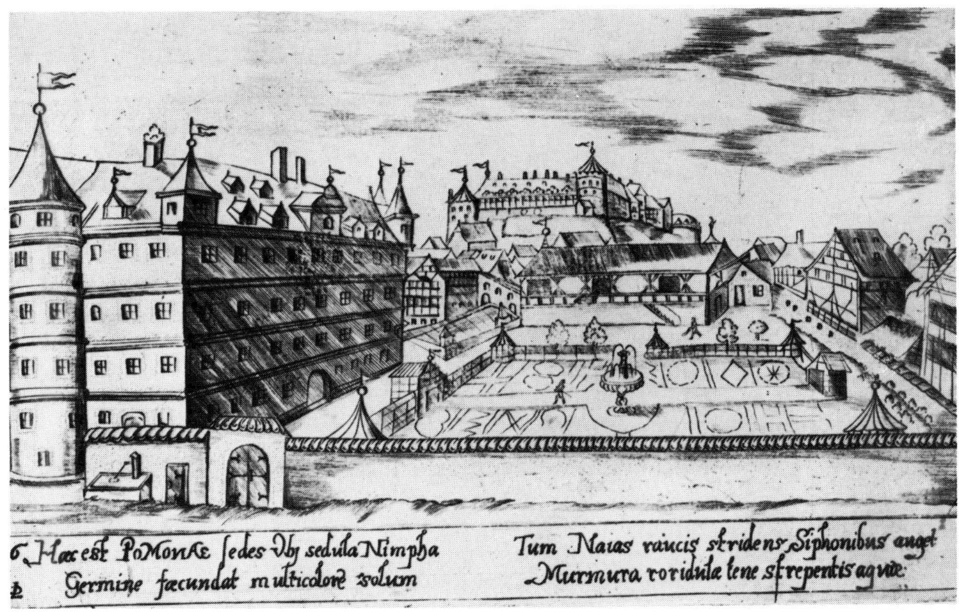

Abb. B 23

als der Südflügel und der Ostflügel, von denen letzterer hauptsächlich aus einer Galerie bestand, die als Zuschauertribüne für Aufführungen im Innenhof fungierte. Im Nordflügel, an dessen beiden Schmalseiten Schneckenstiegen angebaut waren, lagen Hörsaal, Schlafsaal, eine Bibliothek und Kammern für die Studenten. Der schloßähnliche Charakter der Anlage äußert sich in den drei bollwerkartig aus den Fluchtlinien hervortretenden Türmen, den geschwungenen Giebeln, dem prächtigen, wappengeschmückten Portal und den im Dachbereich angebrachten Ecktürmchen, die an Schloß Göppingen erinnern. Hinter dem Nordflügel schloß ein großer Lustgarten mit Ballspielhaus an (Abb. B 23).

Mit dem Bau des Collegiums in Mömpelgard wurde 1598, vor der zweiten Italienreise Heinrich Schickhardts begonnen. Das Collegium war eine Gründung Herzog Johann Friedrichs und sollte der Ausbildung protestantischer Theologen sowie dem Studium der ausländischen Sprachen dienen. Stilistisch und architektonisch steht es in engem Zusammenhang mit dem Tübinger „Collegium Illustre", an dem Schickhardt als „Diener" Beers mitgearbeitet hatte. Fensterkreuze, Schneckentürme, sowie kleine Ecktürmchen mit Pyramidendächern und die hohen Satteldächer der beiden Hauptflügel, die mit zahlreichen Dachgaupen besetzt waren, zeigten eine gotische Formensprache (Abb. B 24). Ähnlich wie in Tübingen waren auch hier zwei Flügel (Ost- und Südflügel) mit Holzgalerien ausgestattet, die auf den Hof gingen. Ein wesentlicher Unterschied war der fast quadratische Grundriss der Vierflügelanlage, der nicht, wie in Tübingen, durch angeschlossene runde Schneckentürme verunklärt wurde. Im Gegensatz zu Tübingen entstand das Collegium in Mömpelgard in Zusammenhang mit einer Erweiterung der Stadt, die zwischen 1598 und 1608 unter der Leitung Schickhardts über einem Netz sich rechtwinkelig kreuzender Straßen angelegt worden war. *K.B.*

Kirchenbau

In der Epoche zwischen Reformation und Dreißigjährigem Krieg bietet der Kirchenbau im Südwesten ein ebenso uneinheitliches Bild wie allenthalben im Reich. Dies liegt nicht allein in der territorialen und der sich daraus ergebenden konfessionellen Zerrissenheit dieser Region begründet. Von Anbeginn ist die Sakralarchitektur gekennzeichnet vom Nebeneinander traditionalistischer und progressiver Formen, die im Werk eines einzelnen Architekten, gelegentlich auch in ein und demselben Kirchenbau in einer für das akademisch geschulte Auge befremdlichen Weise zusammentreffen können. Das Festhalten am gotischen Stil, die Hinwendung zur italienisch geprägten Renaissance ist dabei von der Konfession ganz unabhängig. Der Anteil der Konfessionen am Baugeschehen ist allerdings sehr unterschiedlich: während von der katholischen Kirche nur vereinzelt Bauaufträge ausgehen, ist in den evangelischen Territorien die Bautätigkeit recht intensiv, befriedigt aber in der großen Menge bescheidener Landkirchen oft nicht mehr als die praktischen Bedürfnisse. Bemerkenswerte Bauten

Abb. B 24

entstehen fast ausschließlich im höfischen Bereich, gelegentlich aber auch in einer der zahlreichen Stadtrepubliken des Landes.
So steht am Beginn der hier zu behandelnden Epoche ein höchst markantes und in der deutschen Architekturgeschichte einzigartiges reichsstädtisches Bauwerk: der Westturm der Heilbronner Stadtpfarrkirche St. Kilian (Abb. B 25). Als Typus steht der Kiliansturm in der Reihe reichsstädtischer Turmbauten des späten Mittelalters, doch in seiner architektonischen und dekorativen Gestaltung ist er ohne Vorbild und ohne Nachfolge. Ein einheimischer Baumeister, Hans Schweiner aus Weinsberg, hat ihn 1508–1529 unter Verwendung älterer Substruktionen errichtet, als letzten der großen oberdeutschen Münstertürme, doch in betonter Abwendung von mittelalterlichen Traditionen hin zu einer unakademischen und persönlichen Interpretation des neuen Stils. Der geschickt gestaffelte, originell dekorierte Aufbau hätte durchaus Schule machen können, wäre ein solcher Turm künftig überhaupt noch ein Thema im Sakralbau gewesen. Die im Zuge der Reformation und Gegenreformation zu lösenden Probleme wurden von gänzlich veränderten städtebaulichen Vorstellungen begleitet und betrafen zudem vor allem die Gestaltung der Innenräume. Hierzu lassen sich im dritten Viertel des 16. Jahrhunderts bei allen drei im Südwesten vertretenen Konfessionen Ansätze – wenn auch in recht unterschiedlicher Intensität – beobachten. Die durch das Tridentinum wohl gestärkte, doch um die Bewahrung ihres Besitzstandes immer noch schwer ringende katholische Kirche gestattete sich einstweilen nicht mehr als einige etwas aufwendigere Reparaturen, wie die Einwölbung der Zisterzienserinnenkirche in Baindt bei Ravensburg im Jahre 1560. Das Mittelschiff der langgestreckten Klosterkirche erhielt damals ein nachgotisches Reihengewölbe, wie es zu jener Zeit möglicherweise in manchem oberschwäbischen Kirchenraum eingezogen wurde, der dann im 18. Jahrhundert von neuem umgestaltet wurde.
Auf evangelischer Seite entstanden in jenen Jahren bereits Bauten, die sich vom herkömmlichen Sakralbau und seinen Traditionen vollkommen abwandten. Über die Kirche der 1568 von Pfalzgraf Georg Hans von Veldenz gegründeten Stadt Pfalzburg lassen sich leider nur Vermutungen anstellen, da sie bereits nach wenigen Jahrzehnten wieder zerstört wurde. Errichtet wohl erst um 1575 soll sie als Doppelkirche für deutsche und französische Reformierte Vorbild für die 25 Jahre jüngere, aus zwei polygonalen Zentralbauten zusammengefügte Kirche in Hanau gewesen sein. Einem hugenottischen „Temple“ war sie ganz gewiß ähnlicher als einem Kirchenbau von herkömmlicher Gestalt. All dies muß aber einstweilen im Bereich der Spekulation bleiben, die immerhin kräftig genährt wird vom dritten Kirchenbau dieses Jahrhundertviertels, der Stuttgarter Schloßkirche.

Abb. B 25

In Württemberg hatte Herzog Ulrich bereits im Jahre 1534 die Reformation lutherischer Prägung eingeführt, doch erst sein Sohn Herzog Christoph stellte 1550–1553 das durch die unglückliche Politik seines Vaters völlig zerrüttete Staatswesen und damit auch die junge evangelische Landeskirche auf einen neuen, soliden Grund. Mächtiger architektonischer Ausdruck dieser wohlgelungenen Reformation von Staat und Kirche wurde die 1553–1566 neuerbaute herzogliche Residenz, das heutige Alte Schloß in Stuttgart. Nach Aberlin Tretschs Entwurf wurden von 1558 an dem mittelalterlichen Dürnitzbau die prächtigen Arkadenflügel angefügt, deren südwestlicher fast ganz von der weiträumigen Kirche eingenommen wird. Während die Bauarbeiten schon im Gange waren informierte sich Aberlin Tretschs Mitarbeiter Blasius Berwart im Jahre 1559 in Neuburg an der Donau über die dort 1543 als eine der ersten evangelischen Kirchen im Reich eingeweihte Schloßkapelle. Der Herzog Christoph freundschaftlich verbundene Pfalzgraf Ottheinrich, der spätere Kurfürst, hatte hier einen annähernd quadratischen, emporenumzogenen Raum mit nur schwach ausgebildetem, kleinen Chor anlegen lassen, einen Raum also, der dem jungen protestantischen Kirchenbau sehr wohl zum Vorbild dienen konnte. In Stuttgart mögen außerdem – wie in Pfalzburg – hugenottische Einflüsse mitgewirkt haben, denn Herzog Christoph hatte in den Jahren zuvor als Statthalter von Mömpelgard enge Beziehungen zum französischen Protestantismus gepflegt. Unter solch günstigen Voraussetzungen entstand in Stuttgart nach Georg Dehios Worten „ der früheste kirchliche Bau auf deutschem Boden, der mit Überlegung den besonderen Bedürfnissen des protestantischen Gottesdienstes gerecht zu werden sucht". Es ist dies ein breitrechteckiger, emporenumzogener Quersaal, überwölbt von einer flachen Tonne. In der Querachse erhebt sich vor der äußeren Längsseite ein Turm, der sich zum Kirchenraum in einem – ähnlich wie in Neuburg – ursprünglich zweigeschossigen „Chor" öffnet. In dessen Vorbereich und somit in der Mitte des Raumes sind Altar und Kanzel angeordnet. Mit einem Sakralraum herkömmlicher Art hatte diese Kirche sicher so wenig gemein wie der Pfalzburger „Temple". Bereits in der folgenden Generation empfand man dies offenbar als Mangel und trachtete es zu korrigieren. Herzog Ludwig ließ 1573 dem glatten Tonnengewölbe ein reiches Netzwerk mit den Wappen seiner Ahnen unterlegen und möglicherweise auch die breiten Stichbogenfenster mit Maßwerk füllen. Im Zuge der Profanierung (1808) bzw. der „Wiederherstellung" (1865) wurde die ursprünglich reiche Ausstattung der Schloßkirche stark dezimiert, die Reste wurden zerstreut. Die Reliefs von Altar und Kanzel, Werke von Sem Schlör aus den Jahren 1562/63, sind der Kirche erhalten geblieben, wenn auch nicht an ihrem ursprünglichen Ort. Die Altarreliefs zeigen auf zwölf teilweise stark beschädigten Tafeln die Artikel des Glaubensbekenntnisses; an der Kanzel erschien die Verklärung Christi, eingerahmt von den vier Evangelisten. Zu diesem Ensemble gehörte Sem Schlörs großer Altar-Kruzifix (heute in Neuhausen auf den Fildern) und die verlorenen Emporenreliefs mit farbig gefaßten Passionsdarstellungen, Werke des Conrad Wagner d. Ä., aus den Jahren 1574/75.
Die Stuttgarter Schloßkirche geht in ihren Ausmaßen und in ihrem wohldurchdachten Raumprogramm weit über das für eine Hofkapelle Erforderliche hinaus. Auch beansprucht sie innerhalb des Schloßkomplexes architektonisch eine Sonderstellung, die Schloßkapellen im allgemeinen nicht zugestanden wird. Hier war nicht nur für den Gottesdienst des herzoglichen Hofes ein Raum geschaffen worden, sondern darüber hinaus ein Vorbild für den jungen protestantischen Kirchenbau beabsichtigt. Daß die vorbildliche Wirkung der Stuttgarter Schloßkirche dann doch weitgehend auf den höfischen Bereich beschränkt blieb, wird aus dem folgenden deutlich werden. Ihr bedeutendster Nachfolgebau ist die Schloßkirche der dem württembergischen Hause nahe verwandten Herzöge von Preußen in Königsberg, erbaut 1585 vom Stuttgarter Baumeister Blasius Berwart. Im Herzogtum selbst scheint die Stuttgarter Kirche bei dem sehr merkwürdigen zentralisierenden Umbau der romanischen Klosterkirche in Bebenhausen (1566) wohl einen gewissen Einfluß ausgeübt zu haben; die flachen bemalten Stichkappentonnen, die Kanzel mit ihrem ikonographischen Programm wurden sicher von Stuttgart angeregt. Bis zum Ende des Jahrhunderts kommt es dann aber auf protestantischer Seite zu keinem bedeutenden Kirchenbau mehr. Allerdings wurden zahlreiche Kirchenräume der neuen Liturgie entsprechend umgebaut und neu eingerichtet, wenn auch im allgemeinen nicht so radikal wie in Bebenhausen, wo die westlichen beiden Drittel des Langhauses abgebrochen wurden. Im Zentrum der verbliebenen kreuzförmigen Ostpartie errichtete Conrad Wagner d. Ä. in der zweiten

Abb. B 26

Hälfte der siebziger Jahre die schon erwähnte reiche Kanzel. Gleichzeitig oder wenig später schuf er ein noch viel prächtigeres Werk für das zuvor nachgotisch eingewölbte und mit Emporen umzogene Langhaus der Heilbronner Stadtpfarrkirche St. Kilian (1579–1581; 1944 alles zerstört).
War der Norden des Landes mit Baden-Durlach, Kurpfalz, Württemberg, Hohenlohe und den wichtigsten Reichsstädten Heilbronn, Schwäbisch Hall und Esslingen weitgehend protestantisch geworden, so blieb der Süden der katholischen Kirche größtenteils erhalten – nicht nur in seinen zahlreichen geistlichen Territorien, sondern auch in den weltlichen. Nirgends allerdings entstand hier in den Jahren vor 1600 ein Kirchenbau von überregionaler Bedeutung, und nur an einigen wenigen der zahllosen kleinen Grafenhöfe des Oberlandes kam es überhaupt zu kirchlichen Neubauten, in der Regel in Zusammenhang mit dem Neubau des herrschaftlichen Schlosses. So errichtete um 1575 Jörg Schwartzenberger, der aus Bayern berufene Architekt des Zimmernschen Schlosses Meßkirch und des Fürstenbergschen Schlosses Heiligenberg, an eben diesen Orten die kleine Liebfrauenkirche und den stattlichen Glockenturm – beide in reichlich derben und ungelenken Renaissanceformen, doch von einer gewissen Monumentalität und ohne alle nachgotischen Reminiszensen. Diese waren aber auch ohne im Kirchenbau Oberschwabens in den letzten Jahren des Jahrhunderts durchaus noch lebendig, wie die beiden in den Hohenzollern-Residenzen Hechingen und Haigerloch errichteten Neubauten zeigen. In der Franziskanerkirche St. Luzen in Hechingen (1586–1589) ist einem einschiffigen nachgotischen Bau eine reiche, sehr dekorative Renaissance-Architektur eingestellt (Stukkator Wendel Nuferer), die in der Kalottenmuschel des Chorpolygons römische Architektur der Frührenaissance zitiert und auch in ihrem Bildprogramm auf die sieben Hauptkirchen Roms hinweist (Abb. B 26). Hat St. Luzen sein originales, sehr farbiges Raumbild weitgehend bewahren können, so wurde die Haigerlocher Schloßkirche St. Trinitatis, erbaut 1591–1609 von Hans Stocker, im 18. Jahrhundert im Inneren fast vollständig umgestaltet. Sie war ursprünglich eine flachgedeckte oder flachgewölbte Wandpfeilerkirche, mit ihren Spitzbogenfenstern und dem Chor-

Abb. B 27

polygon nach außen wenigstens – wie noch heute – ein nachgotischer Bau, im Innern bestimmt von dem in den Rokokoraum übernommenen, außergewöhnlich reichen geschnitzten Hochaltar von 1609. Diese Art pompöser Altarbauten, plaziert in gotischen oder nachgotischen Chorräumen, schätzte man in jenen Jahren um 1600 sowohl auf katholischer wie auch auf lutherischer Seite außerordentlich.
Brachte der katholische Kirchenbau gegen 1600 und auch in den Jahren danach im Südwesten nur ganz vereinzelt an einigen wenigen Orten Bemerkenswertes hervor, so erlebte der protestantische Kirchenbau in einigen Regionen des Landes geradezu eine Blütezeit. In den württembergischen und hohenloheschen Residenzen und auch an einigen ritterschaftlichen Orten entstand um und nach 1600 eine ganze Anzahl von Bauten, die sich zuweilen gebietsweise zu Gruppen zusammenschließen.
Im Herzogtum Württemberg wurde die Bautätigkeit auch dadurch angeregt, daß Herzog Friedrich I. während seiner England-Reise im Jahre 1592 in höchster Seenot den Bau von sechs Kirchen gelobt hatte. Deren bekannteste ist die Stadtkirche in Freudenstadt, erbaut 1601–1608 in einer Ecke des großen Zentralplatzes der nach Heinrich Schickhardts Entwurf in herzoglichem Auftrag neuangelegten Stadt. Die städtebauliche Situation – nicht etwa die Liturgie der württembergischen Kirche – ließ die sehr sonderbare Winkelhakenform des Baues entstehen; die drei anderen Ecken

Abb. B 28

des weiten Platzquadrates sollten mit weiteren öffentlichen Bauten auf ähnlichem Hakengrundriß besetzt werden, sämtlich bezogen auf das in der Platzmitte vorgesehene herzogliche Schloß. In dem knapp zwanzig Jahre später 1619 von dem württembergischen Theologen Johann Valentin Andreae publizierten Werk „Christianopolis" erfuhr dieses frühabsolutistische Freudenstadt-Projekt eine Abwandlung ins Christlich-Utopische: im Zentrum der auf ähnlich mühlebrettartigem Grundriß angelegten Stadt erscheint nun anstelle des Schlosses der große kuppelgekrönte Rundbau des „Templum", ein Kirchenbau, der in ähnlicher Weise im Herzogtum nie in Realität übersetzt wurde und vermutlich auf Anregungen des hugenottischen Theoretikers Jacques Perret zurückzuführen ist. Die Gestaltung der Freudenstädter Stadtkirche dagegen ist ganz aus der Nachbarschaft des geplanten Schlosses zu erklären. Die in Heinrich Schickhardts Werk ungewöhnlichen nachgotischen Formen und auch die beiden Turmbauten, ebenso der 1945 ausgebrannte Innenraum (Abb. B 27) stehen bzw. standen ganz in der Tradition der Stuttgarter Schloßkirche – gewiß auf Wunsch des Bauherrn. Noch deutlicher wird diese Abhängigkeit in einer weiteren der sechs herzoglichen Votivkirchen, der Kapelle auf Schloß Hellenstein über Heidenheim (1601 bis 1605), in Grund- und Aufriß der getreueste Nachfolgebau der Stuttgarter Schloßkirche und dank seiner relativ guten Erhaltung für die Rekonstruktion des Vorbildes

Abb. B 29

von großer Wichtigkeit. Heidenheim ist ein Werk des Baumeisters Elias Gunzenhäuser, der anschließend 1605 die dem herzoglichen Jagdschloß Waldenbuch zugeordneten Kirche offensichtlich ebenfalls in – wenn auch etwas freierer – Anlehnung an das Stuttgarter Vorbild erbaute.
Außerhalb des Herzogtums Württemberg entstand gegen 1600 in Liebenstein eine Schloßkapelle (Abb. B 28), die als Queranlage mit Chorturm ganz offensichtlich ebenfalls von Stuttgart inspiriert wurde. Sie ist das Werk des Heilbronner Baumeisters und Bildhauers Jakob Müller, der in jenen Jahren auch die prächtige kleine Vorhalle der Hemminger Kirche (Abb. B 29) und die Fassade des „Templum Salvatoris" in Neckarbischofsheim errichtete – alles dies ritterschaftliche Bauten im Bereich des unteren Neckar. In ihrer spitzbogigen Maßwerkfenstern und auch im Chorpolygon tragen diese Bauten ausgeprägt nachgotische Züge, in Giebel- und Portalgestaltung aber – vor allem in dem zierlichen Kuppelbau der Hemminger Vorhalle – schwelgen sie im Formenreichtum der nordischen Renaissance, wie die herzoglich württembergischen Kirchen dies nur selten tun. Auch die Fassaden von Heinrich Schickhardts Freudenstädter Kirche bieten nur wenig Dekoratives.
Daß der Architekt hier ohnehin nur etwas widerwillig herzogliche Wünsche befolgen mußte, unter günstigeren Umständen aber ganz andere Töne anschlug, zeigt sein vollkommenster Kirchenbau, St. Martin in Mömpelgard (Kat.Nr. B 37). Der in den Jahren 1601–1607 monumental mitten auf dem zentralen Platz der Stadt errichtete, von einer kolossalen toskanischen Pilasterordnung umzogene Rechteckbau bricht radikal mit allen mittelalterlichen Traditionen. Der gleichfalls von toskanischen Pilastern gegliederte weite, flachgedeckte Saal hat nichts Sakrales im herkömmlichen Sinne mehr. Hugenottische Einflüsse und frische Erinnerungen an Italien waren es wohl, die diese Lösung zustandebrachten. Verwandt ist das wohl nur wenige Jahre jüngere Projekt für die Neuburger Hofkirche (wahrscheinlich von Joseph Heintz) mit seiner toskanischen Pilasterordnung und den hohen Rechteckfenstern, doch auf Apsis und Westturm mochte man hier nicht verzichten und blieb somit baulichen Traditionen enger verbunden als in Mömpelgard. Der hier geplante schmächtige Ostturm wurde nie vollendet. Der Mömpelgarder Bau wurde in vereinfachter Form von Heinrich Schickhardt in der 1618 für Herzog Johann Friedrich errichteten Göppinger Schloßkirche wiederholt; auch hier begnügte man sich mit einem bescheidenen Turmbau. Was der Architekt auf diesem Gebiete zu leisten imstande war, zeigt der vorzügliche, in der Gestaltung der einzelnen Geschosse schon frühbarocke Turm der Cannstatter Stadtkirche, ein im Herzogtum ganz einzigartiges Werk aus dem Jahre 1612.
In Oberschwaben hatte sich zwar keine der Grafschaften, doch immerhin die Mehrzahl der Reichsstädte der Reformation angeschlossen, und auf ihren Territorien entstanden nun in den ersten beiden Jahrzehnten des 17. Jahrhunderts einzelne bemerkenswerte Kirchenbauten. Unter dem Patronat der Ulmer Patrizierfamilie Ehinger von Balzheim wurde 1608 in Oberbalzheim die Dreifaltigkeitskirche errichtet, ein breiter Saalbau mit Kassettendecke und eingezogenem Chor; im nördlichen Winkel zwischen Chor und Langhaus erhebt sich ein hoher Turm mit Zwiebelhaube. In ganz ähnlicher Gestalt, allerdings ohne ausgeschiedenen Chor, ließ die Reichsstadt Leutkirch 1613–1615 durch den Isnyer Baumeister Daniel Schopf ihre Dreifaltigkeitskirche errichten, und bald darauf folgte die Reichsstadt Ulm, die 1616–1621 durch den Baumeister Martin Banzenmacher nun ebenfalls eine Dreifaltigkeitskirche in ganz ähnlicher Gestalt aufführen ließ. Im Inneren (1944 ausgebrannt) wie auch im Äußeren war sie die aufwendigste und reichste unter den drei Kirchenbauten. Toskanische Pilaster umrahmen seltsamerweise spitzbogige Fenster; hier mag der vom Vorgängerbau, der Dominikanerkirche, übernommene gotische Chor auf die Gestaltung eingewirkt haben. Wie in Oberbalzheim und Leutkirch erhebt sich an der Altarseite des Langhauses ein schlanker Turm mit Zwiebelhaube. Die Tatsache, daß Joseph Furttenbach d.J. den Bau, ohne ihn beim Namen zu nennen, dreißig Jahre später 1649 in seinem Traktat über „Kirchen Gebäw" (Kat.Nr. B 40) in leicht verkürzter Gestalt als „ein Mittel grosses wohlgeproportionirtes vnd beständiges Kirchengebäwlin" zum Muster empfahl, läßt die Vermutung zu, daß sein Vater, der aus Leutkirch gebürtige und später in Ulm wirkende Architekt Joseph Furttenbach d.Ä. der Urheber des Entwurfes war; der Sohn verwendete in seinem Traktat Material aus den Arbeiten seines Vaters. Allerdings entspricht von den im Stichwerk wiedergegebenen Ansichten allein der Außenbau der Ulmer Kirche. Der Innenraum, der im Gegensatz zu Ulm auf einen besonderen Chor verzichtete, ist darin

Leutkirch ähnlich. Diese unter starker finanzieller und vielleicht auch planerischer Beteiligung der Baumeister-Familie Furttenbach entstandene Kirche war vermutlich eine dreischiffige Halle. Sie wurde in ihrem Inneren im 19. und 20. Jahrhundert so stark verändert, daß sich zu ihrem Aussehen allerdings keine präzise Aussage mehr machen läßt. Oberbalzheim hingegen ist mit wesentlichen Teilen seiner ursprünglichen Ausstattung erhalten und bietet noch heute ein vorzügliches Bild einer lutherischen Landkirche aus der Zeit um 1600.

In Hohenlohe präsentiert sich in ähnlich erfreulichem Erhaltungszustand die Pfarrkirche von Schrozberg, erbaut als emporenumzogener Saal 1614 von Graf Georg Friedrich von Hohenlohe-Weikersheim und seiner Gemahlin Eva von Waldstein, auf deren mährischer Besitzung Grulich das Grafenpaar wenige Jahre zuvor einen ganz ähnlichen Kirchenbau errichtet hatte. Wenig später im Jahre 1617 fügte Graf Georg Friedrich der spätgotischen Halle der Weikersheimer Stadtkirche einen von Türmen flankierten gotisierenden Chor an, der ursprünglich von einer kuppelähnlichen Haube bekrönt war und seine Bestimmung auch als gräfliches Mausoleum damit etwas deutlicher zu erkennen gab als heute. Auch hier ist die Innenausstattung fast vollständig erhalten; es fehlt leider die bereits im 18. Jahrhundert versetzte Tumba des Grafen Wolfgang, Georg Friedrichs Vater (gest. 1610), aufgestellt ehemals in der Mitte des Chores.

In mehreren weiteren Hohenlohe-Residenzen wurden in jenen Jahren die Pfarrkirchen umgebaut und erweitert, gelegentlich auch neu errichtet. Dies geschah indessen in der Regel in recht trockenen Formen, hie und da unter Mitwirkung des Baumeisters Georg Kern. Eine Sonderstellung beansprucht die 1617–1621 von dem Baumeister Jakob Kauffmann für den Grafen Philipp Ernst von Hohenlohe-Langenburg in einem älteren Rundturm des Langenburger Schlosses eingerichtete Kapelle mit ihrer weitgehend erhaltenen Ausstattung – einer der wenigen Zentralbauten im deutschen Südwesten zu jener Zeit.

Alle diese herzoglich württembergischen, oberschwäbischen und hohenloheschen Kirchen waren dem lutherischen Gottesdienst gewidmet. Reformierte Kirchen entstanden zu jener Zeit allein in der Kurpfalz und in einzelnen reformierten Herrschaften des Elsaß. Während die nach Plänen des Johann Schoch 1601–1604 im Friedrichsbau des Heidelberger Schlosses eingebaute Kirche als gotisierender Wandpfeilersaal ganz der mitteldeutschen Schloßkapellentradition verpflichtet ist, sind die elsässischen Kirchen streng den Bedürfnissen der reformierten Liturgie entsprechend angelegt. Beide Kirchenbauten, die 1614 von den Grafen von Hanau in Buchsweiler erbaute Pfarrkirche und der in Markirch 1634 von Hugenotten errichtete „Temple" sind breite emporenumzogene Queranlagen, wie vermutlich auch der um 1635 erbaute und fünfzig Jahre später wieder zerstörte Temple in Lixheim. Alle diese Bauten sind unter direktem französischem Einfluß entstanden; die um 1580 errichteten großen Querbauten der Temples in Montpellier oder La Rochelle waren in den elsässischen Hugenotten-Kolonien sicher bekannt.

Die Jahrhundertwende war schon überschritten, als auf katholischer Seite der erste größere Kirchenbau entstand, der mit der mittelalterlichen Tradition vollständig brach: im Jahre seiner Wahl zum Bischof von Konstanz ließ Jakob Fugger 1604 am Ufer des Bodensees unweit von seiner Kathedrale durch den Ordensbaumeister Stephan Huber einen Jesuitenkonvikt errichten (Kat.Nr. B 38). Fünf Jahre später war die Kirche vollendet und wurde dem heiligen Konrad geweiht. Der nur mittelgroße, zunächst flachgedeckte Saal wird von ehemals mit Emporen versehenen Seitenkapellen flankiert und soll nach dem Vorbild der nicht mehr bestehenden Regensburger Jesuitenkirche errichtet worden sein. Der Turm wurde hinter dem Chor unmittelbar über der Seemauer postiert. Noch als Domprobst hatte Jakob Fugger im Jahre 1603 den Bau der Konstanzer Kapuzinerkirche begonnen, die vermutlich den seit etwa zwanzig Jahren für diesen Orden verbindlichen Bauregeln folgend einen einfachen tonnengewölbten oder auch nur flachgedeckten Rechtecksaal darstellte, wenige Jahrzehnte später aber schon wieder zerstört wurde; auch die in denselben Jahren errichtete Freiburger Kapuzinerkirche besteht leider nicht mehr.

Von der Verpflichtung auf die sehr festen Bauregeln des Kapuzinerordens einmal abgesehen (s. auch unten die spätere Mergentheimer Kirche), sind nachgotische Projekte am Hofe Jakob Fuggers, dessen Vater zwanzig Jahre zuvor Schloß Kirchheim an der Mindel erbaut hatte, sicher nie in Erwägung gezogen worden. Auch Jakobs letzter

Abb. B 30

Kirchenbau, die um 1615 wohl in sehr einfacher – später barockisierter – Gestalt errichtete Kirche des Augustinerchorherrenstiftes Öhningen am Untersee entbehrte aller gotisierenden Züge.

Dies ergab sich aus Jakob Fuggers ganz persönlicher Haltung und bedeutete keineswegs, daß im deutschen Südwesten die Nachgotik der Renaissance nun das Feld geräumt hätte. Beide Möglichkeiten waren bekannt und standen zur Disposition, wurden von Bauherren und Architekten diskutiert. Die vielleicht von Augsburger Architektur inspirierten Bauten Jakob Fuggers blieben auf katholischer Seite allerdings die einzigen, die im neuen Stil aufgeführt wurden. Die zur gleichen Zeit wie Öhningen 1614–1618 nach Christoph Wamsers Entwurf im elsässischen Molsheim errichtete große Jesuitenkirche (Abb. B 30) ist ein vollkommen nachgotischer Bau. Möglich, daß die gotischen Kirchenbauten des nahegelegenen lutherischen Straßburg die Wahl dieses Stils aus konfessionspolitischen Gründen nahegelegt hatten, möglich aber auch, daß der Bauherr, Erzherog Leopold von Österreich, Fürstbischof von Straßburg, die Anregung zum Bau einer großen nachgotischen Jesuitenkirche in Prag empfangen hatte. Dort hatte der Erzherzog 1610 den einige Jahre zuvor vollendeten mächtigen Bau der Altstädter Jeusitenkirche St. Salvator kennengelernt, eine kreuzförmige Basilika wie Molsheim, allerdings mit voll ausgebildetem Querhaus. Von der 1616–1618 ebenfalls nach Christoph Wamsers Entwurf umgestalteten Pfarrkirche in Oberehnheim im Elsaß sind leider nur noch Reste vorhanden.

Wie stark die Nachgotik ihre Stellung behauptete, zeigt der Umstand, daß auch Zentralbauten, die durchaus andere Möglichkeiten nahegelegt hätten, in gotisierenden Formen errichtet wurden, wie die Beispiele der Michaelskapelle in Mergentheim (1608) und der Ruhe-Christi-Kapelle in Schwäbisch Gmünd (1622) zeigen; beides sind allerdings Friedhofskapellen, deren zentralisierende Gestalt in langer mittelalterlicher Tradition steht.

Frei von allen mittelalterlichen Reminiszenzen ist dagegen der schon während des Dreißigjährigen Krieges von 1627 an errichtete Bau der Mergentheimer Kapuzinerkirche, die sich streng an dem etwa vierzig Jahre zuvor herausgebildeten Bautyps dieses gegenreformatorischen Ordens orientiert: ein karger, fast formloser Rechtecksaal mit eingezogenem Rechteckchor, vermutlich sehr ähnlich den ein Vierteljahrhundert älteren, nicht mehr bestehenden Kirchen der Kapuziner in Konstanz und Freiburg. Diese höchst einfachen Kirchenbauten wären als solche der Erwähnung kaum wert, doch machen sie deutlich, mit welcher Strenge in diesem Orden Bauregeln beachtet wurden, die in der klösterlichen Architektur der Zeit sonst nur noch selten von Wichtigkeit waren.

Entwickelten die ganz im Dienste der Gegenreformation stehenden Orden der Jesuiten und Kapuziner einen gewissen Eifer auch als Bauherren, so ist von den großen alten Reichsstiften, von den zahlreichen Niederlassungen der Ritterorden im Südwesten des Reiches fast gar nichts zu berichten. Von den bedeutenden Benediktinerklöstern Schwabens hat einzig Ochsenhausen in der Zeit um 1600 Nennenswertes geleistet – allerdings nicht im Kirchenbau, sondern durch den Ausbau der Prälatur und die Neuanlage der Konventgebäude (Kat.Nr. B 39). Der nach außen hin einfache Prälaturbau erhielt im Jahre 1583 in seinem Obergeschoß einen mit den reichgeschnitzten Portalen (Kat.Nr. P 1) und der Kassettendecke prächtig ausgestatteten Vorsaal (möglicherweise Arbeiten Thomas Heidelbergers). Eine Generation später wurde in dem außerordentlich größzügig, unter der Beratung des Jesuitenbaumeisters Stephan Huber geplanten Neubau des Konvents von 1615 an der erste streng symmetrisch konzipierte Klosterbau des Frühbarock im deutschen Südwesten errichtet, Vorstufe zum später gerade hierzulande großartig entwickelten „Escorial-Typus“. *K.M.*

Literatur
Julius Braun, Die Kirchenbauten der Deutschen Jesuiten, Freiburg 1908; Julius Baum, Forschungen über die Hauptwerke des Baumeisters Heinrich Schickhardt, Straßburg 1916; Marie-Luise Gothein, Geschichte der Gartenkunst, Jena 1926; Fritz Bernstein, Der deutsche Schloßbau der Renaissance, Straßburg 1933; Georg Germann, Der protestantische Kirchenbau in der Schweiz, Zürich 1963; Werner Fleischhauer, Die Renaissance im Herzogtum Württemberg, Stuttgart 1971; Reinhard Lieske, Protestantische Frömmigkeit im Spiegel der kirchlichen Kunst des Herzogtums Württemberg, München, Berlin 1973; Hans-Joachim Kadatz, Deutsche Renaissancebaukunst vor der frühbürgerlichen Revolution bis zum Ausgang des Dreißigjährigen Krieges, Berlin 1983.

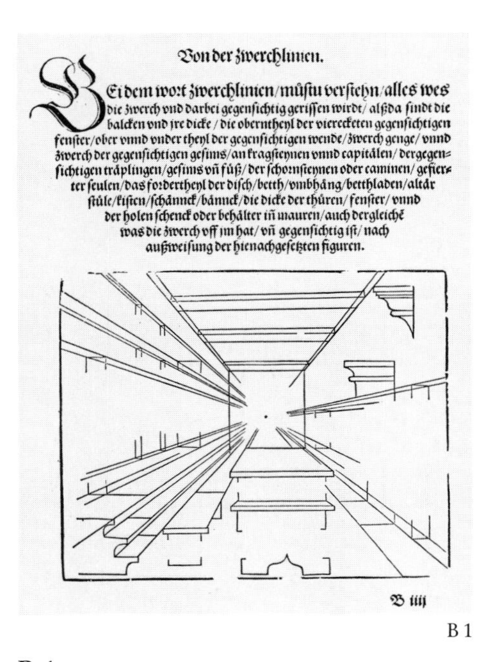

Von der zwerchlinien.

BEi dem wort zwerchlinien/ müstu verstehn/ alles wes die zwerch vnd darbei gegensichtig gerissen wirdt/ alßda sindt die balcken vnd jre dicke / die oberntheyl der viereckten gegensichtigen fenster/ober vnnd vnder theyl der gegensichtigen wende/ zwerch genge/ vnnd zwerch der gegensichtigen gesims/ an kragsteynen vnnd capitälen/ der gegensichtigen träplingen/ gesims vñ füß/ der schornsteynen oder caminen/ gefierter seulen/ das fordertheyl der disch/ betth/ vmbhäng/ betthladen/ altär stüle/ kisten/ schännck/ bännck/ die dicke der thüren/ fenster/ vnnd der holen schenck oder behälter iñ mauren/ auch dergleichẽ was die zwerch vff jm hat/ vñ gegensichtig ist/ nach außweisung der hienachgesetzten figuren.

B iiij

B 1

B 1

Ein schön nützlich Büchlein...

Hieronymus Rodler
Simmern 1531

Druck, illustriert mit Holzschnitten, 4°

Karlsruhe, Badische Landesbibliothek, Inv.Nr. 63 B 190 RH

Dieses Büchlein ist nach Dürers Proportions- und Formenlehre ein erster Versuch, die Erlernung der Kunst der Perspektive auch den einfacheren, nicht der lateinischen Sprache mächtigen Menschen näher zu bringen. Das Buch wendet sich in seinem weitläufigen Titel an *alle kunstliebhaber, fürnemlich die Maler / Bildhaweren / Goldschmieden / Seidenstickeren / Steynmetzen /Schreinern...*, die sich auf leicht verständliche Art die Kunst der Perspektive aneignen wollen. In Text und Auffassung unterscheidet es sich freilich deutlich von Dürers „Unterweisung der Messung“ (1525), die von Rodler als zu *überkünstlich und unbegreiflich* kritisiert wird, da sie *alleyn den hochverstendign dienlich* sei. Rodler erklärt in dem Buch die Grundbegriffe der Perspektive, ihr Wesen und ihre Anwendung, sowie die Hilfsmittel zum Erstellen einer perspektivischen Zeichnung, etwa der Darstellung eines Innenraumes oder der Verkürzung einer Bodenpflasterung. Aufgeschlagen ist die Seite über die *Zwerchlinien* (querverlaufende, waagrechte Linien). In aller Ausführlichkeit wird aufgezählt, welche Gegenstände eines Raumes von den Zwerchlinien erfaßt und bemessen werden müssen, will die Darstellung eine perspektivisch einwandfreie sein. Die dazu gehörige Abbildung zeigt die Konstruktion des Bildes mittels Zentralpunkt, die auf ihn zugehenden Perspektivlinien und die Querlinien (Zwerchlinien), die zusammen andeutungsweise einen Raum entstehen lassen.
Ob Hieronymus Rodler auch als Architekt tätig war, ist nicht bekannt. Zum Zeitpunkt der Verfassung dieses Büchleins war er als fürstlicher Sekretär in Simmern in Diensten.

Heyd 1902, S. 335. *K.B.*

B 2

De Architectura libri decem

Marcus P. Vitruvius, hrsg. v. Walter Rivius (1500–1550 ?)
Straßburg 1543

Druck mit Holzschnitten, 4°

Tübingen, Universitätsbibliothek, Sign. Ce 1680

Vitruv, Architekt und Ingenieur, war zunächst im Heer Cäsars, dann nach 44 v. Chr. unter Kaiser Augustus u. a. als Erbauer von Kriegsmaschinen beschäftigt. Nach 33 v. Chr. begann er, seine zehn Bücher über die Architektur zu schreiben, die er Kaiser Augustus widmete. Mit seiner „De architectura“ gab er eine Gesamtdarstellung der antiken Architektur im weitesten Sinne, wobei er die Bauten des Hellenismus und des Baumeisters Hermogenes (200 v. Chr) bevorzugte. Die insgesamt zehn Bücher der Architektur, die sich neben den griechischen Säulenordnungen und den verschiedenen

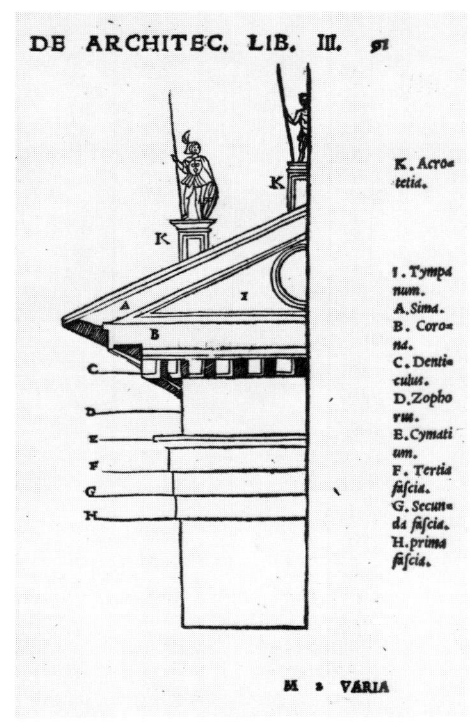

B 2

Gebäudetypen auch mit Baumaterialien und Maschinen beschäftigen, wurden um 1415 im Kloster St. Gallen in einer Handschrift durch den Mönch Fra Gian Francesco Poggio wiederentdeckt. Von epochemachender Bedeutung war die Übersetzung des lateinischen Textes ins Italienische durch Cesare Cesarino 1521. Der auf Seite 91 abgebildete Holzschnitt zeigt den Aufbau eines ionischen Tempelgiebels, der sich besonders durch die drei Faszien (H, G, F) sowie den Fries (D) auszeichnet. Allerdings erscheint hier die Faszienzone stark überdehnt.
Walter Ryff, latinisiert Gualtherus Rivius, war hauptberuflich Arzt, da er im Vorwort zu seiner 1548 herausgegebenen, deutschen Vitruvausgabe von seiner *furhabenden profession/der hochlöblichen kunst der Medizin* spricht. Sein Interesse für die Architektur war das eines Humanisten. Obwohl bereits 1486 in Rom der erste Druck des lateinischen Textes vorlag, war die durch Walter Rivius 1543 in Straßburg veröffentlichte lateinische Ausgabe des Vitruv die erste auf deutschem Boden.

Röttinger 1914, S. 16–18; Fensterbusch 1964, S. 1–14; Levy-Coblentz 1975, S. 62. *K.B.*

B 3

Vitruvius Teutsch

Walter Rivius (1500–1550?)
Basel 1582

Druck mit Holzschnitten, 4°

Tübingen, Universitätsbibliothek,
Sign. Ce 1365 fol. R

Mit der ersten deutschen Übersetzung des Vitruv (1548) erleichterte der in Straßburg und Nürnberg tätig gewesene Arzt Walter Ryff (latinisiert Gualtherus Rivius) den nur der deutschen Sprache mächtigen *„Handwerckern/Werckmeistern/ Steinmetzen“* den Zugang zu der bisher nur in Latein oder Italienisch verfaßten Architekturlehre.
In seiner Übersetzung hielt sich Rivius in Text, Kommentaren und Bildern im wesentlichen an Cesarino, ließ aber in den Kommentaren persönliche Stellungnahmen einfließen oder kürzte schwer verständliche Passagen. Von den 193 Holzschnitten, die dem besseren Verständnis des Textes dienen, sind 115 von Cesarino übernommen, 14 stammen aus den „Regole“ des Sebastiano Serlio; andere entstanden vielleicht unter der Mitwirkung von Virgil Solis oder Georg Pencz. Aufgeschlagen ist das Blatt mit dem Wahlspruch: *Vivitur ingenio, ceterea mortis erunt* (Man lebt durch den Geist, alles andere ist sterblich). Dargestellt ist der Genius in Gestalt eines Kindes, der ein Flügelpaar in der erhobenen Hand hält. Um ihn herum sind die verschiedenen Geräte der Baukunst ausgebreitet. Der Vitruvius Teutsch wurde noch zweimal neu aufgelegt; beide Male in Basel, und zwar 1575 und 1614.

Röttinger 1914, S. 41–51; Fensterbusch 1964, S. 13f.; Rivius 1973, V–XI. *K.B.*

B 3

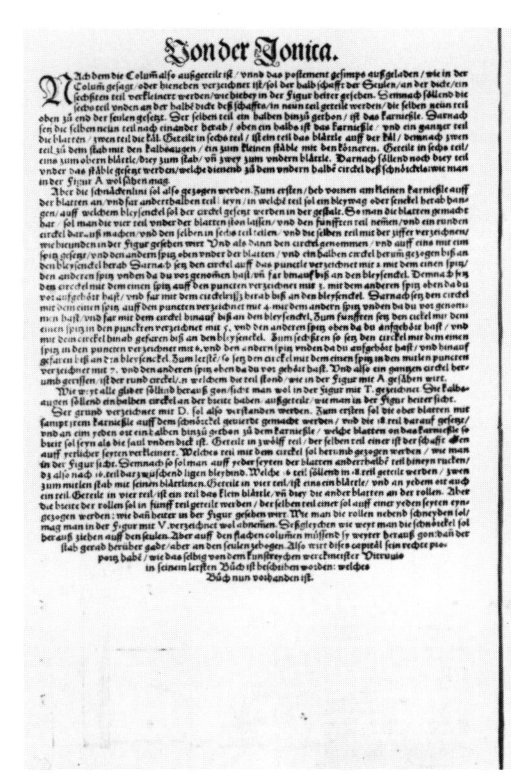

Von der Jonica.

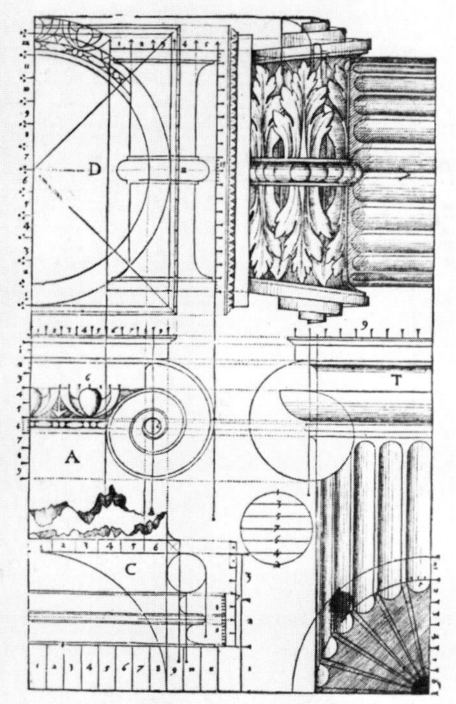

B 4

B 4

Von den fünff Seulen...

Hans Blum (geb. um 1527)
Zürich 1567

Druck mit Kupferstichen, 2°

Stuttgart, Württembergische Landesbibliothek, Sign. Sch K Fol 25 Blum

Neben einer verständlichen Übersetzung der Texte Vitruvs bemühte sich der Humanismus darum, diese Architekturlehre durch Bildtafeln darzustellen, und machte den Versuch, Teile daraus auf seine Epoche anzuwenden. Da keine Tempel mehr gebaut wurden, löste man die griechischen Säulenordnungen aus dem Kontext und benutzte dann diese Säulenlehren als theoretische Grundlage zur Fassadengestaltung der Gebäude. Die „Emanzipation" geschah zuerst durch den Italiener Sebastiano Serlio, dessen „Regole" 1537 in Venedig erschienen waren und in mehrere Sprachen übersetzt wurden. Hans Blums Übersetzung hält sich im Inhalt wie in den Abbildungen streng an Sebastiano Serlio.
Anders als bei Vitruv hat bei Blum der Modul, den Vitruv noch mit einer halben oder ganzen unteren Säulendicke bezeichnete, keine besondere Bedeutung mehr. Jede Teilgröße an der Säule kann als Modul gebraucht werden. Die aufgeschlagene Seite zeigt das durch Vervielfachen und Teilen des Moduls konstruierte volutengeschmückte Kapitell der *Jonica.*
Schon 1550 hatte Hans Blum eine Abhandlung über die fünf Säulenordnungen unter dem Titel „Cinque columnarum exacta descriptio atque delineatio" veröffentlicht. Es wurde neben dem zwei Jahre früher erschienenen Buch von Walter Rivius zu einer Grundlage der Formenlehre deutscher Renaissance.

Serlio 1537; Wasmuth, Lexikon der Baukunst, Bd. I, Berlin 1929, S. 555; Thieme-Becker, Bd. IV, 1910, S. 142; May 1910. *K.B.*

B 5

Architectura/ Von Außtheilung, Symmetria und Proportion der Fünff Seulen und aller daraus volgenden Kunst Arbeit/...

Wendel Dietterlin (1550–1599)
Straßburg 1593

Druck mit Kupferstichtafeln, 2°

Stuttgart, Württembergische Landesbibliothek, Sign. Sch K Fol 388

Der Straßburger Stadtbaumeister und Architekturmaler Wendel Grapp, genannt Dietterlin, hat seine Erfahrungen und Gedanken zur künstlerischen Anwendung der fünf Säulenordnungen (Tuskana, Dorica, Jonica, Korinthia und Komposita) 1593 in einem ersten Buch mit dem Titel *Architectura* zusammengefaßt, das 1594 durch einen zweiten Band erweitert wurde. 1598 schließlich erschien die Gesamtausgabe beider Bände.
Die *Architectura* Dietterlins befaßt sich nur sehr knapp mit der Konstruktion der Säule. Diese wird nur einmal auf dem jeweiligen Titelblatt der Säulenordnung vorgestellt. Es folgen in reicher Auswahl Variationen und Anwendungsmöglichkeiten der fünf Ordnungen für Portale, Fenstergewände, Kamine, Epitaphe und Brunnen.
Das Titelblatt der Säulenordnung wird von einem begleitenden Text erläutert. Der dazugehörige Kupferstich verdeutlicht die jeweilige Komposition der Säule, ihre Symbolgestalt und die Verteilung des Ornaments. Als Beispiel ist die *Tuskana,* die erste Säulenordnung, vorgestellt, die dem Kommentar nach *einem groben Bawren* vergleichbar ist. Dementsprechend setzt sich die Säule aus Gerätschaften des bäurischen Lebens und den Gliedern eines Bauern zusammen.

B 5

TVSCANA.
Beschreibung der Colonen/ oder Seul Tuscana/wie die vorgemeldt/ einem groben Bawren vergleichet ist.

Entsprechend der Gestaltungsweise des manieristischen Rollwerks ist der Bauer durch Bänder, Gürtel und Sicheln förmlich an seinen Platz gebunden. Der der Säule zugehörige Gebälkabschnitt ist mit einem Krug und einem Eßgeschirr bekrönt. Im Ornament der Säule soll das „Rauhe" und „Primitive" der Säulenordnung, die nach Vitruv als die chronologisch früheste gilt, durch verschiedene Bossierungen ausgedrückt werden. Diese eigentlich aus dem Wehrbau stammende Grobbearbeitung des Steins (bossieren) wurde in stilisierter Form schon bei Philibert Delorme 1564 als Schmuckform für die Säulenordnungen angewandt.

Ohnesorge 1893; Pirr 1940; Dietterlin 1965, I–V. *K.B.*

B 6

Etlicher Architectischer Portalen, Epitapien, Caminen vnd Schweyffen...

Jakob Guckeisen/Veit Eck
Straßburg 1596

Druck mit Kupferstichtafeln, 2°

Stuttgart, Württembergische Landesbibliothek, Sign. Ra 16 Has 1

So wie sich die Architekten des neuen Mediums Buchdruck bedienten, um ihre Vorstellungen über die Architektur einer größeren gebildeten Öffentlichkeit zukommen zu lassen, so versuchten auch die Handwerker nach dem Vorbild der Architekturtraktate Formenlehren für die nahe der Architektur angesiedelten Künste der Möbelschreinerei, der Tischlerei und Zimmermannskunst zu veröffentlichen. Ein Beispiel ist das 1537 erstmals erschienene „Kunstbüchlein" von Heinrich Vogtherr. Die beiden Autoren der vorliegenden Formenlehre waren selbst Mitglieder der Straßburger Schreinerzunft und kamen mit der Veröffentlichung dieser Dekorationsentwürfe (wie sie in ihrem Vorwort schreiben) dem Informationsbedürfnis vieler ihrer Kollegen nach. Als Beispiel sei eine hölzerne Portalrahmung vorgestellt, bei der mit den Mitteln der Schreinerkunst versucht wird, eine korinthische Säulenordnung nachzuahmen.
Auf den Kupferstichtafeln werden durch verschiedene Schraffierungen die einzelnen Schmuckelemente hervorgehoben, die wiederum in verschiedenen Holzarten ausgeführt zu denken sind. Die Tendenz zur stärkeren architektonischen Gestaltung des Möbels wurde neben den Schriften von Veit Eck und Jakob Guckeisen auch durch ähnliche Veröffentlichungen von Hans Jakob Ebelmann gefördert.

Levy-Coblentz 1975, S. 40–96 f., 108–114; Kreisel 1968, S. 108. *K.B.*

B 6

B 7

Architectura von Vestungen...

wie die zu unseren zeiten/an stätten/ Schlössern und Claussen/... mit ihren Bollwercken/Cavalieren/Streichen/Graben und Lauffen mögen erbauet/auch wie solche zur Gegenwehr wider den Feindt/ sampt den hierzu gehörigen Geschütz/ ordentlich und nützlich sollen gebraucht werden...

Daniel Specklin (1536–1589)
Straßburg 1599

Druck mit Kupferstichen, 4°

Karlsruhe, Badische Landesbibliothek, Sign. 68B570R

Die aufgeschlagene Doppelseite vermittelt einen guten Eindruck der aus den geometrischen Grundfiguren Quadrat und Kreis entwickelten Konstruktion einer sternförmig ausgebildeten Festung mit eingeschlossener Zitadelle. Nach seinen wesentlichen Elementen, den Bastionen (Bollwerken oder Basteien), nennt sich dieses Festungssystem ein bastionäres. Dieser Festungstyp ermöglichte durch seine hervorspringenden Dreieckschanzen und die dazwischen liegenden Courtinen die gegenseitige Befeuerung. Vom Wall (den Bastionen) ging das Frontalfeuer (als Kreuzfeuer konzentriert) und das Feuer zur Grabenbestreichung aus. Berühmte Beispiele bastionärer Festungen waren Philippsburg, Mannheim und Ulm. Der Verfasser dieser in deutscher Sprache gedruckten Festungslehre war der Straßburger Bürger und spätere dortige Stadt- und Militärbaumeister Daniel Speckle (Specklin). Seine ersten Eindrücke über Festungsarchitekturen sammelte er in Wien unter dem kaiserlichen Baumeister Hermann Schallantzer, dem er beim Aufbau in den Türkenkriegen zerstörter Festungen half. 1564 nur kurz in seine Heimatstadt zurückgekehrt, weilte er in den folgenden Jahren als Militäringenieur in Düsseldorf, Regensburg und Wien. 1576 wurde er Stadtbaumeister in Straßburg. Seine *Architectura von Vestungen* erschien zuerst 1584, dann 1599, 1608, die letzte Ausgabe 1736. Das Ziel dieses Werkes war, eine gute Defensive zu lehren, ein nicht mehr erschienener zweiter Band sollte sich mit der Offensivstrategie befassen. Neben der *Architectura* Wendel Dietterlins ist die *Architectura von Vestungen* das zweite große architekturtheoretische Werk, das in Straßburg zum Ende des 16. Jhs. veröffentlicht wurde. Erst sieben Jahre später erschien Jean Perrets *Des fortifications et artifices,* das zum Musterbuch des Festungsbaus wurde.

Heyd 1902, S. 337; Thieme-Becker 1907–1950, Bd. 31, S. 345; R. Huber/R. Rieth, Festungen. Der Wehrbau nach der Einführung der Feuerwaffen, in: Glossarium Artis Bd. 7, Tübingen 1979, S. 29–38, 66. *K.B.*

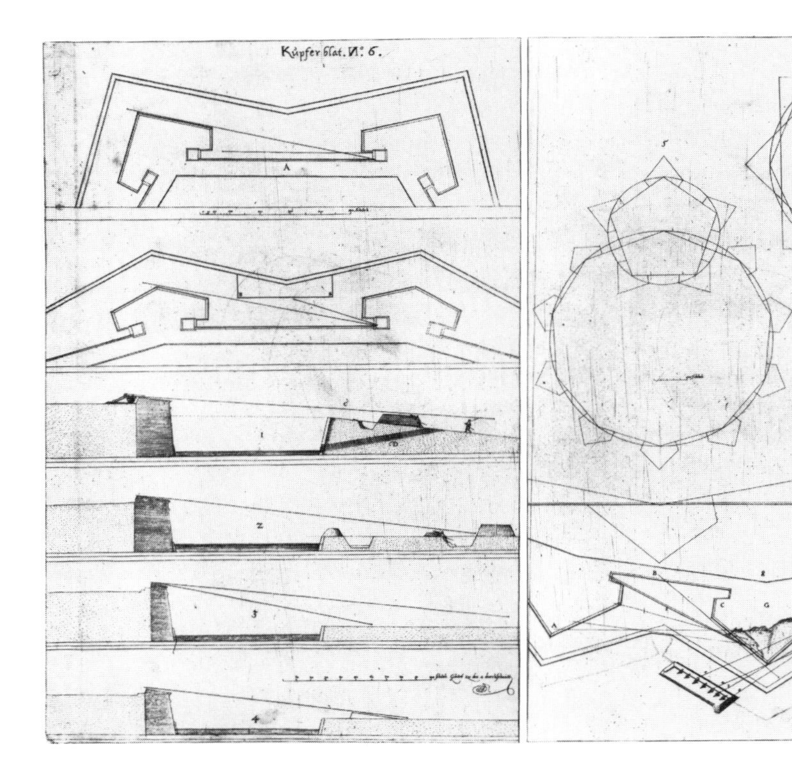

B 7

B 8

Etliche Gebey, die Ich heinrich Schickhardt zu Italien verzaichnet hab...

Heinrich Schickhardt (1558–1635)
nach 1600

Handschrift mit lavierten Federzeichnungen, 4°, Abb. 8R

Ansicht und Aufriß des Zuschauerraumes des Theatro Olympico in Vicenza

Stuttgart, Württembergische Landesbibliothek, Sign. Cod. hist. 148 c

Im Spätjahr 1599 unternahm Heinrich Schickhardt im Gefolge Herzog Friedrichs von Württemberg seine zweite Italienreise, die ihn durch Oberitalien bis nach Rom führte. Seine Reiseeindrücke hatte Schickhardt in mehreren Tagebüchern zusammengefaßt, wovon sich vier schmale Heftchen in der Württembergischen Landesbibliothek Stuttgart erhalten haben. Neben handschriftlichen Notizen schmücken vor allem mehr oder weniger sorgfältige Skizzen, Federzeichnungen, teils koloriert, die Seiten dieser Bücher.

Ganz besonders fasziniert haben ihn die Bauten des Andrea Palladio (1508–1580), die er auf dieser Reise ein zweites Mal kennenlernte. Von den schönsten hat er besonders liebevolle Zeichnungen angefertigt, die sich durch ihre sorgfältige Ausführung von den Skizzen der ersten Reise unterscheiden. Dieses Büchlein war Schickhardt wegen der Gebäudeaufrisse besonders lieb, wie er selbst im Titel des Buches aufführt.

Das Theater von Vicenza (Theatro Olympico) hatte der württembergische Architekt schon 1598 besucht. Der von Palladio entworfene Bau führte seinen Namen nach der „Akademie der Olympier", einer 1555 gestifteten humanistischen Gesellschaft, deren Mitglied Palladio war. Das Theater wurde 1580 begonnen und durch Palladios Sohn Silla 1584 vollendet. Der Innenraum ist in seinen Formen teilweise den Angaben Vitruvs über den Theaterbau nachempfunden (Liber Quintus, VII).

Heyd 1902, S. 31 f., 317–319. *K.B.*

B 9

De rei publicae Christianopolitanae descriptio

Valentin Andreae (1586–1654)
Straßburg 1619

B 8

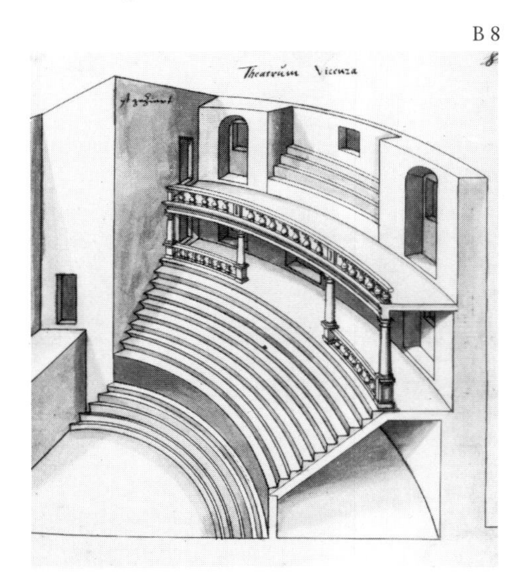

Nachdruck Stuttgart 1741, 8°
Titelkupfer: Darstellung der Stadt „Christianopolis“

Stuttgart, Württembergische Landesbibliothek, Sign. Theol. oct. 396

In der erstmals 1619 in Straßburg erschienenen, reformatorisch geprägten Sozialutopie einer christlichen Gemeinschaft entwirft der Tübinger Theologe Valentin Andreae das Bild einer Gesellschaft gleichgestellter, besitzloser Menschen, die in einer Stadt *Christianopolis,* deren geistiger und baulicher Mittelpunkt der Tempel ist, leben. Es gibt keinen Privatbesitz und keinen Luxus. Was zum Leben nötig ist, ist Besitz aller. Diese strenge und hierarchische Ordnung drückt sich auch im Stadtgrundriß aus. Vorbild für diesen auf dem Zeichentisch entworfenen Grundriß sind ohne Zweifel die Idealentwürfe italienischer Stadtanlagen der Renaissance, die sich durch symmetrische Regelmäßigkeit und geometrische Grundeinheiten auszeichnen. Schon Albrecht Dürer hatte 1527 in seiner Befestigungslehre „Etliche underricht/zu befestigung der Stett, Schloß, und flecken“ das Idealbild einer quadratischen, mühlebrettartig angelegten Festungsstadt entworfen. Neuerungen gegenüber Dürers Idee sind die an den Ecken angebrachten Dreiecksbastionen, die den militärischen Befestigungsanforderungen der Zeit entsprachen.
In seiner Stadtbeschreibung gibt Andreae sehr genaue Anweisungen für den Bau der Wohnungen, die Breite der Gassen sowie die Höhe der inneren und äußeren Gebäude. Die einfachste Wohnungseinheit bestand zum Beispiel aus drei Zimmern: einer Wohnstube, einer Schlafkammer und einer Küche. Dazu gehörte noch ein kleiner Garten mit Tenne.
Der Grundriß für Freudenstadt, 1599 von Heinrich Schickhardt auf Anweisung Herzog Friedrichs entworfen, zeigt einen ganz ähnlichen mühlebrettartig angeordneten Plan, in dessen Zentrum das herzogliche Schloß stehen sollte. Ganz gewiß hat dieses Vorbild mit zum Grundriß von Christianopolis beigetragen. Allerdings war bei der Gründung von Freudenstadt der Gedanke einer Förderung des Silberbergbaues ausschlaggebend gewesen.

Dürer 1527, S. D III; Andreae 1741, S. 19, 30, 37, 43 *K.B.*

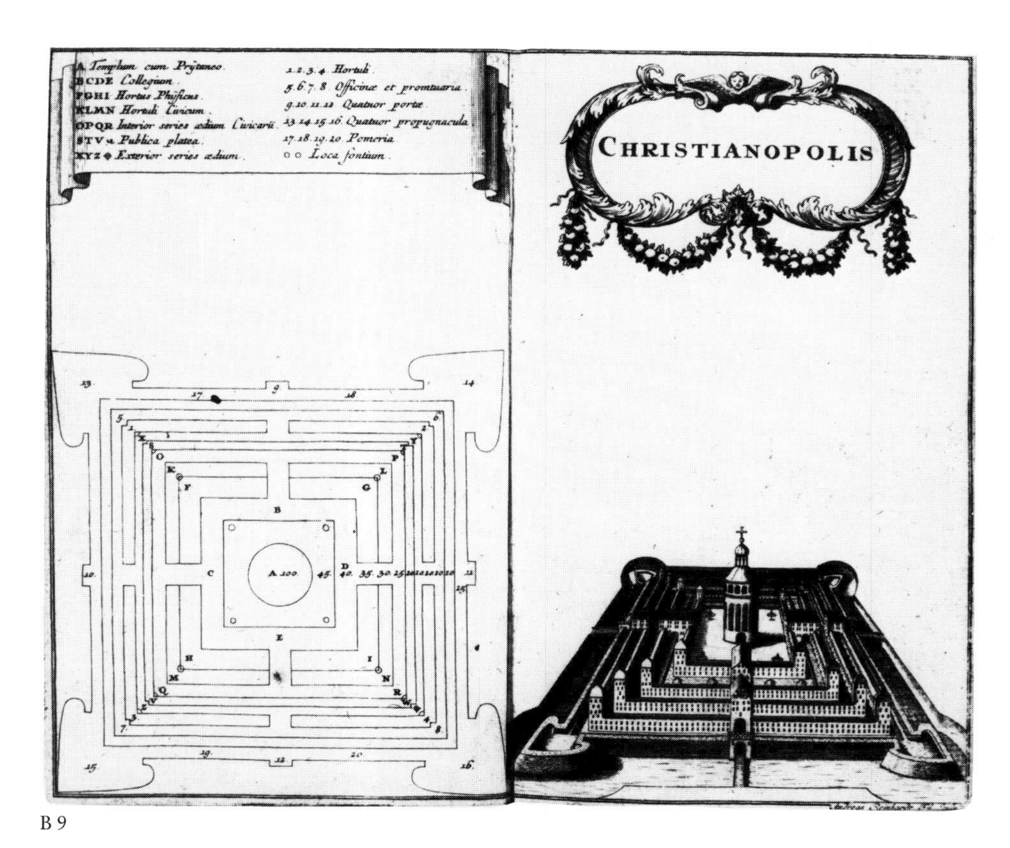

B 9

B 10

Architectura civilis

Joseph Furttenbach (1591–1667)
Ulm 1628

Druck mit Kupferstichen, 4°, Blatt Nr. 13

Stuttgart, Württembergische Landesbibliothek, Sign. Ra 17 Fur 2 Bd 1

Auf 40 Kupferstichtafeln hat der Ulmer Architekt Joseph Furttenbach, der wie Heinrich Schickhardt aus Stuttgart oder Elias Holl aus Augsburg Italien bereist hatte, Beispiele für eine zeitgemäße bürgerliche und fürstliche Baukunst gegeben, deren italienisches Vorbild am deutlichsten in seinen Entwürfen für Garten- und Grottenarchitekturen zum Ausdruck kommt. Furttenbach, der selbst ein Haus mit Grottengarten in Ulm besaß, entwirft auf der Tafel Nr. 13 das Idealbild eines befestigten *kleinen, fürstlichen Lust- und Thiergartens.* In die Befestigung der Gartenanlage sind die neuesten Kenntnissse des Fortifikationsbaus eingeflossen, die Furttenbach 1629 ausführlich in seiner *Architectura martialis*

B 10

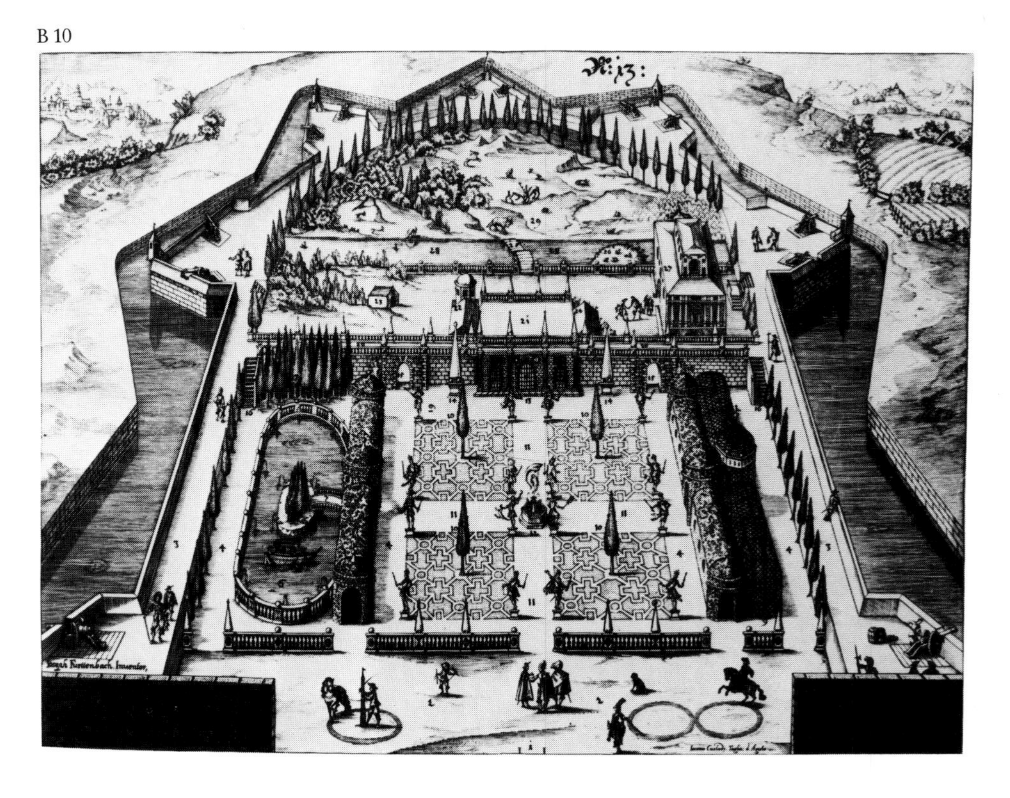

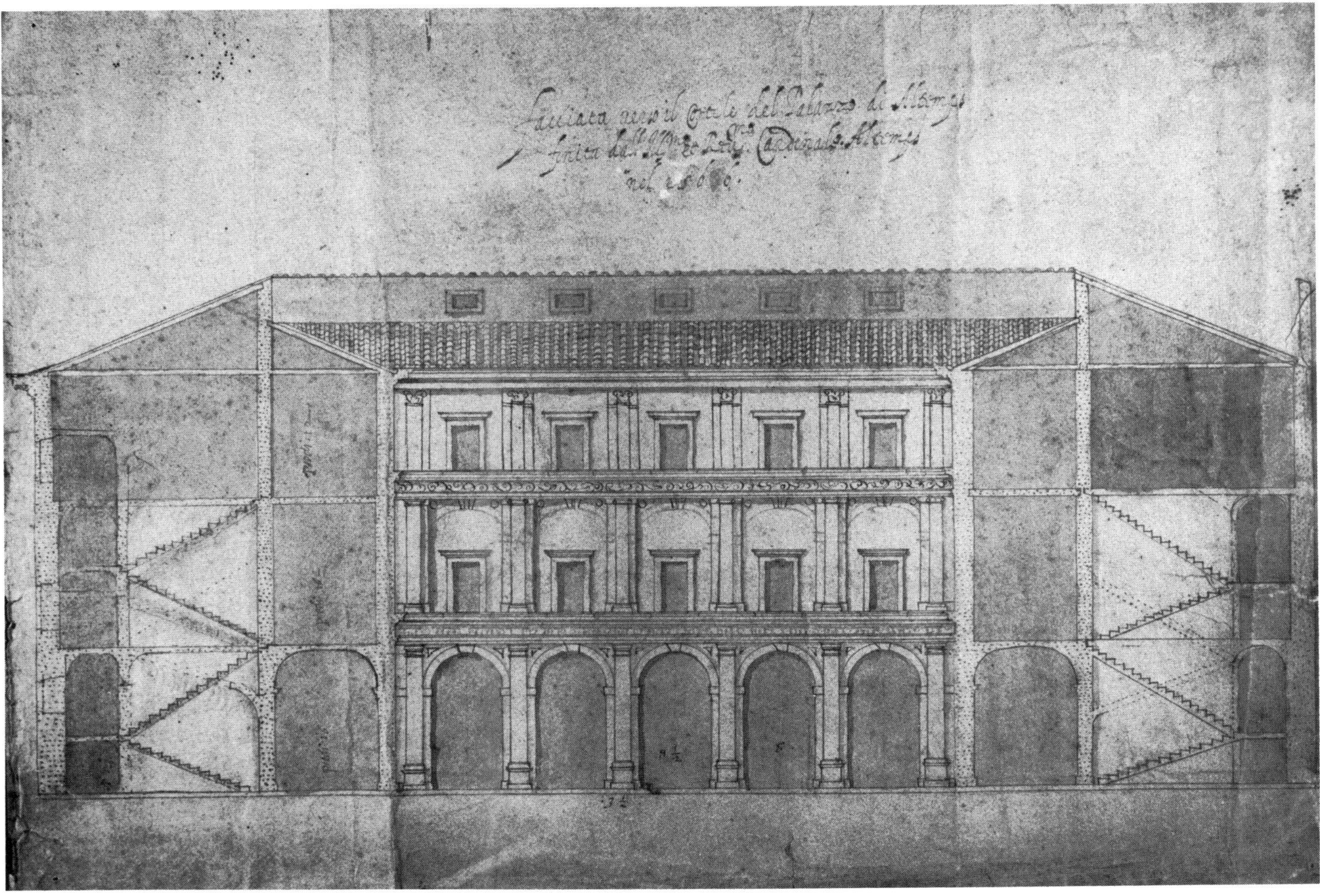

B 11

beschreiben wird. Dreiecksbastionen und Courtinen prägen den Umriß dieser Gartenanlage, die in zwei ungefähr gleich große, aber funktionell unterschiedliche Teile zerfällt: den im Vordergrund liegenden Lustgarten und den sich hinter der Quermauer erstreckenden Tiergarten. Der Lustgarten ist symmetrisch angelegt. Die sich rechtwinklig schneidenden Hauptachsen der Wege bilden quadratische Blumenrabatten, die wiederum nach einem komplizierten geometrischen Grundmuster angelegt sind. Springbrunnen, Statuen und beschnittene Bäumchen schmücken zusätzlich den Garten. An den Längsseiten finden sich Laubengänge, die einmal an eine Volière anschließen, ein andermal zu einer kleinen Insel inmitten eines künstlichen Sees führen. Ein mit Obelisken besetztes Grottenhaus schließt den Lustgarten ab. Dahinter befindet sich in einer ebenso künstlichen, aber der Natur nachgeahmten Landschaft mit Hügeln und kleinem Wäldchen der *Thiergarten,* in dem das Wildbret für den Mittagstisch des Fürsten gehalten wurde. Daß dieser Gartenentwurf für einen fürstlichen Auftraggeber gedacht ist, belehrt die Legende, die jedes Gebäude genau beschreibt, darunter auch einen kleinen Sommersitz, einen *palazotto,* in dem sich der Fürst von den Strapazen des Regierungsgeschäftes erholen sollte. Auf die italienische Manier des Gartens weisen die Obelisken hin, die dem Garten ein „heroisches Aussehen" verleihen sollen. Das Thema eines befestigten Gartens, diesmal als Insel im Meer, hat Joseph Furttenbach 1645 in dem Gemälde „Garten am Meer" aufgegriffen, das sich heute im Ulmer Museum befindet.

Senta Dietzel, Furttenbachs Gartenentwürfe, Nürnberg 1928, S. 51–59. *K.B.*

B 11

Aufriß der Hoffassade von Schloß Hohenems

Martino Longo, 1566

Federzeichnung, teilweise koloriert
H. 25 cm, B. 41 cm;
bez. *Facciata verso il cortile del palazzo di Altemps, finata doll Illmo et Rev^mo^ Cardinale Altemps nel 1566*

Privatbesitz

Der Palast von Hohenems wurde 1562 bis 1567, nur wenige Jahre nach Schloß Meßkirch, im Auftrag des Salzburger Bischofs und römischen Kardinals Markus Sittich von Hohenems nach Plänen des Italieners Martino Longo erbaut. Anfang des 17. Jhs. wurde das Anwesen von Graf Kaspar von Hohenems zur Residenz ausgebaut und mit ausgedehnten Parkanlagen, in denen sich auch ein Lusthaus von Martino Longo befand, umgeben.

Der Aufriß der Hoffassade des Palastes zeigt, wie weit die Prinzipien des italienischen Palastes im Vorarlberger Gebiet Fuß faßten und von katholischen Herrscherfamilien angewandt wurden. Das Schloß ist eine Dreiflügelanlage um einen quadratischen Innenhof, wobei die Hauptfassade die breiteste Front einnimmt, die im rechten Winkel nach hinten anschließenden Flügel dagegen breiter, aber kürzer sind. Der Rückseite der Hauptfassade ist zum Hof eine Loggia vorgeblendet, über der zwei Geschosse liegen. Die Loggia öffnet sich zum Hof in fünf Arkaden, läuft aber bis in die Seitenflügel aus, wo sie die tonnengewölbten Stiegenhäuser aufnimmt. Der zum Hof angelegte Gang findet sich auch in den beiden Obergeschossen und trägt zur räumlichen Erschließung der Seitenflügel bei.

Als Fassadengliederung wurde eine toskanische Pilasterordnung gewählt. Den

rundbogig geöffneten Arkaden entsprechen die gerade verdachten Fensterädikulen des ersten und zweiten Obergeschosses. Das zweite Obergeschoß besitzt nur 3/4 der Höhe des Piano Nobile. Auch die Dachform, ein vom Außendach abgesetztes, tiefer angesetztes Pultdach nach Art der Atriumhäuser, ist vom italienischen Palastbau übernommen. Ein an den Berg angesetzter Blendflügel soll das Schloß optisch zu einer Vierflügelanlage vervollständigen.
Neben Schloß Hohenems sind es vor allem die unter dem Architekten Jörg Schwarzenberger entstandenen Schlösser Meßkirch, Hechingen und Wolfegg, die den neuen, gegenreformatorischen Typ der Vierflügelanlage verkörpern.

Ludwig Welti, Forschungen zur Geschichte Vorarlbergs und Liechtensteins, Bd. 4, Innsbruck 1930, S. 100f.; Frey Kdm Feldkirch 1958, S. 402–408. *K.B.*

B 12

Vogelschau des Ortes Meßkirch

1575

Aquarell
H. 46 cm, B. 65 cm

Karlsruhe, Generallandesarchiv,
Inv. Nr. J/B 1

Die farbig aquarellierte Ansicht der Stadt Meßkirch mit Schloß und dem zur Stadt gehörenden umliegenden Landbesitz wurde zusammen mit noch sechs anderen Dorfansichten anläßlich eines Rechtsstreits zur Klärung der Stadt- und Dorfgrenzen im Zusammenhang mit einer Urkunde vom 9. 7. 1576 angefertigt. Streitpunkt war die Zuständigkeit verschiedener Herrschaften für das Etter-(=Stadtgrenze)gericht.
Im Zentrum der Stadtanlage liegt, etwas erhöht, der symmetrisch angelegte Flügelbau des Meßkircher Schlosses. Seit 1538 waren die Grafen von Zimmern Stadtherren von Meßkirch. Unter dem Grafen Christoph Froben von Zimmern (1519–1567), dem Verfasser der „Zimmer'schen Chronik", wurde das Schloß – zunächst als vierflügelige Anlage geplant – zwischen 1557 und 1567 dreiflügelig ausgeführt. Dieser regelmäßig um einen Innenhof ausgeführte Bau ohne in den Ecken stehende Treppentürme, sondern mit Treppenhäusern und einer entlang der Korridore verlaufenden Gliederung der Räume ist eine Neuerung in der Geschichte des südwestdeutschen Residenzbaues. Baumeister dieser Schloßanlage mit wohl französischem Vorbild (Ancy-le-Franc) war der aus Landsberg am Lech stammende Architekt Jörg Schwarzenberger.

Binder 1952, S. 26–40; Dokumente zur Geschichte des Oberrheins, Bad. Generallandesarchiv Karlsruhe, 1971, S. 52–54; Baden-Württemberg 1980, S. 524. *K.B.*

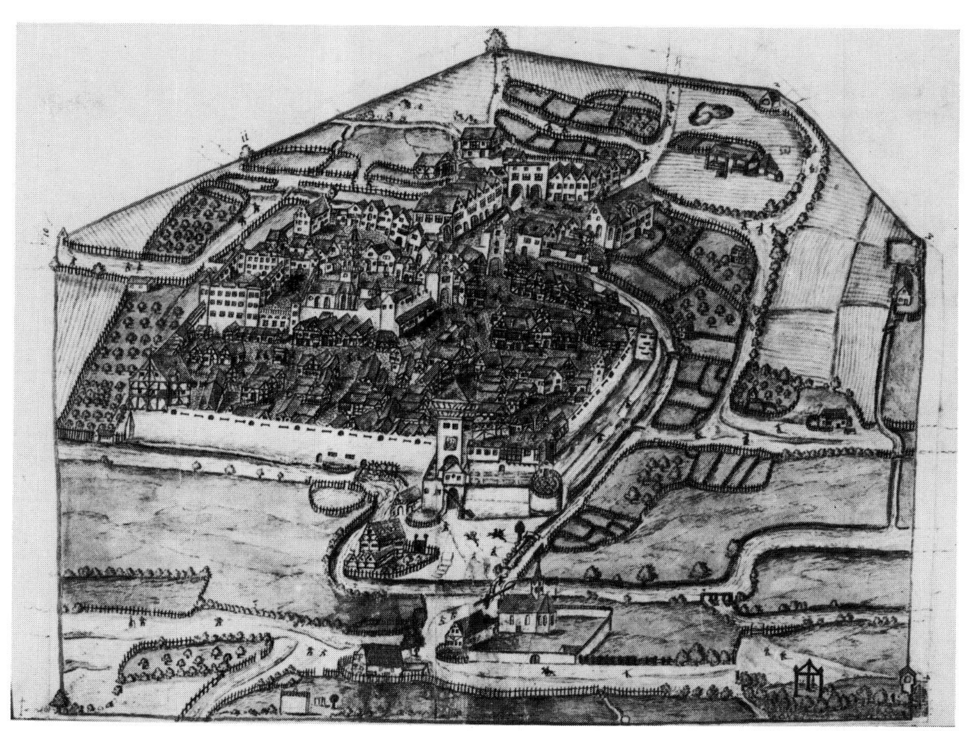

B 12

B 13

Ansicht des zerstörten Schlosses Hirsau

Anonym, nach 1692

Aquarell, schwarz umrandet
H. 16 cm, B. 22 cm

Stuttgart, Württembergische Landesbibliothek (Schefold 3034)

Das aus einer Serie von sechs Ruinen-Ansichten vom Hirsauer Schloß stammende Blatt gibt am besten die Anlage des ehemaligen Jagdschlosses wieder. Herzog Ludwig ließ in den Jahren 1586–1592 von seinem Hofarchitekten Georg Beer innerhalb des mauerumschlossenen Bezirks des ehemaligen Klosters Hirsau ein Jagdschloß errichten, welches unter anderem wegen seines „hängenden Saales", eines Tanzsaales mit schwingendem Boden, berühmt war. Im französischen Erbfolgekrieg wurde das von den württembergischen Herzögen gern genutzte Schloß 1692 zerstört.
Das als Dreiflügelanlage gebaute Schlößchen machte durch die Anordnung von Doppelgiebeln, Erkertürmen, Treppentürmen und Zwerchgiebeln einen malerischen Eindruck, der durch die Anwendung spätgotischer und renaissancehafter Architekturelemente verstärkt wurde. Besonderen Schmuck erhielt der dreige-

B 13

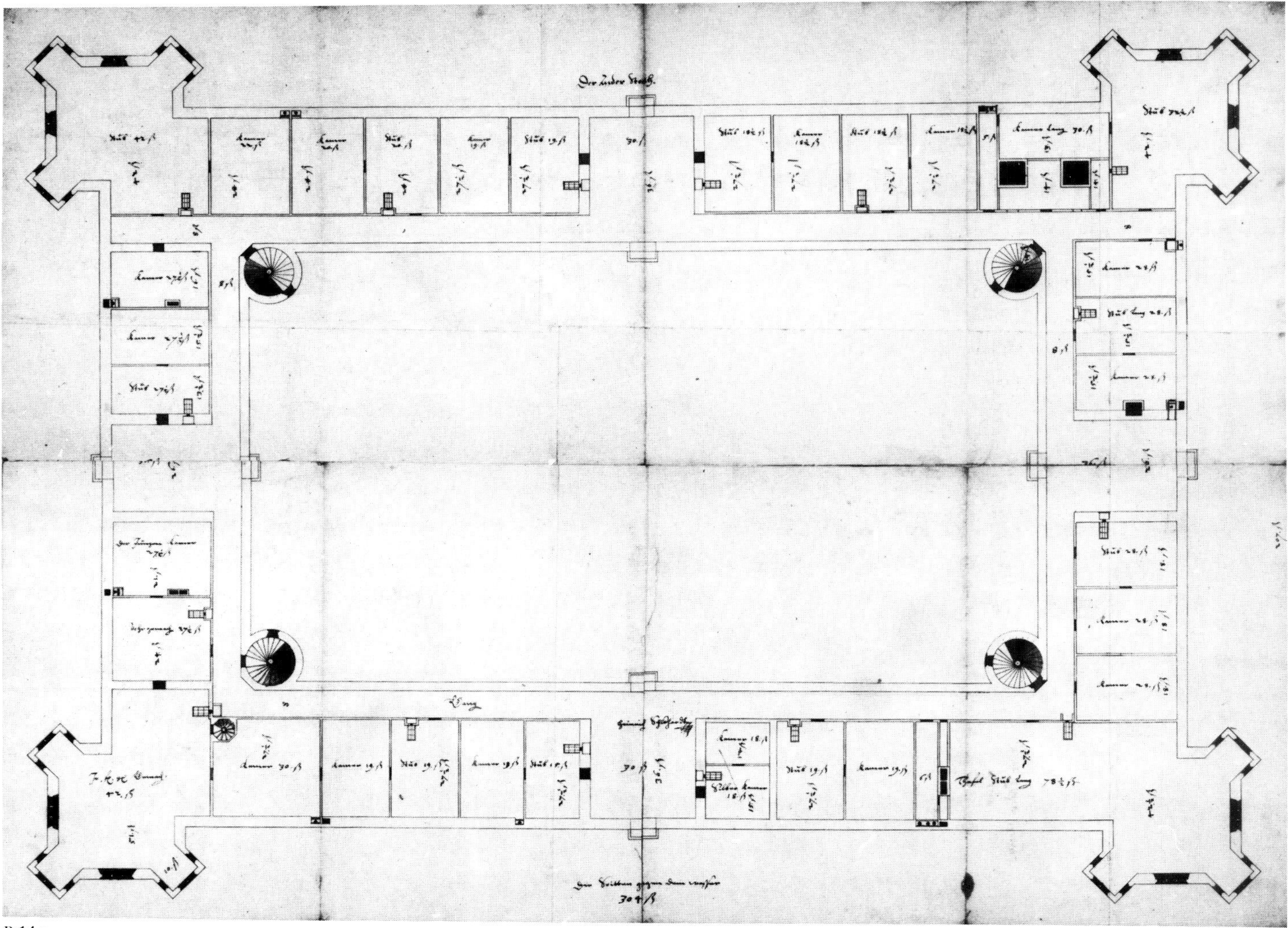

B 14 a

schossige Seitenflügel durch ein Paar geschwungener Volutengiebel. Diese malerische Architekturauffassung zeichnete auch die berühmten Bauten Georg Beers aus, das Stuttgarter Neue Lusthaus und das „Collegium Illustre“ in Tübingen.

Rott 1917, S. 46; Baden-Württemberg 1980, S. 342. *K.B.*

B 14

Schloß Calw

Aufriß der Fassaden und Grundriß des ersten Stocks

Heinrich Schickhardt (1558–1635), 1606

Federzeichnung mit Sepia, laviert
Aufrisse a) 20,5 x 73 cm,
b) 19,5 x 73,5 cm
Grundriß c) 55,5 x 74,5 cm

Stuttgart, Hauptstaatsarchiv, Inv.Nr. N 220 B1

Zum Schloß Calw schreibt Schickhardt in seinem Inventarium: *Calw. Das fürstliche Schloß gleich ob der Statt Calw ausser gnedigem Bevelch des durchl. Herrn Friderich Hertzogen zu Würtemberg. Daran ist in Jr. F. G. Beisein auf den 22. Martii anno 1606 der erste Stein gelegt und den Arbeitern ein statlicher Trunck geben worden. Ist lang 381, breit 289 Schuch. Diser Bauw ist wider eingestelt worden.* Das sind alle Angaben, die der Architekt Heinrich Schickhardt unter der Rubrik *Schlösser von Grund auff new erbaut* zur Beschreibung und Baugeschichte des Schlosses Calw macht.
Das geplante Calwer Schloß sollte ein Vierflügelbau sein, der einen längsrechteckigen Innenhof umgab. Die Ecken der Schloßanlage waren durch aus der Bauflucht hervortretende Eckrisalite mit Volutengiebeln hervorgehoben, an deren Eckkanten zweigeschossige Erker mit spitzen Zeltdächern saßen. Die Zufahrt zum Schloßhof erfolgte von der Schmalseite der Anlage. In den vier Innenwinkeln des Hofes waren Treppentürme, sogenannte Schnecken, eingeplant, die die Verbindung zwischen den drei Geschossen des Baus herstellten. Die Langseite des Schlosses umfaßte 14 Fen-

B 14 b

sterachsen, gegenüber zehn an der Schmalseite. Während das Erdgeschoß vornehmlich große Räume, wie die Kirche, die *Thiernitz* oder kleinere Wirtschaftsräume enthielt, die untereinander verbunden waren, war das erste Obergeschoß, *der andere Stock,* streng symmetrisch an einem an der Hofseite entlang laufenden Gang angelegt, der sich zum Hof entweder in Korbbogenfenstern oder – als Alternative – in hochrechteckigen Fenstern mit Mittelpfosten öffnen sollte. Die herzoglichen Gemächer waren im ersten und zweiten Obergeschoß des Schlosses vorgesehen. Die Mittelachsen der Längsseiten des Schlosses wurden auf beiden Seiten durch einen Balkon im ersten und einen Altan im zweiten Stock des Schlosses betont. Das Motiv des Altans war in ähnlicher Weise schon am Alten Schloß in Stuttgart vorgegeben. Die Anlage des Innenhofes mit Schneckentürmchen und den Korbbogenöffnungen der umlaufenden Gänge erinnert an Schloß Göppingen, das 1559 unter Herzog Christoph von Aberlin Tretsch und Martin Berwart erbaut worden war. Als H. Schickhardt diese Pläne entwarf, hatte er bereits zwei Italienreisen unternommen, die ihn mit der italienischen Architektur der Hochrenaissance bekannt gemacht hatten. Als ein Ergebnis dieser Reisen kann man die klare Gliederung der Fassaden, die horizontale Betonung durch durchlaufende Gesimse sowie die an Balkone anschließenden, loggienartigen Räume ansehen, während die Ornamentierung des Baues mit seinen Erkern und Volutengiebeln und den veraltet wirkenden Treppentürmen den Stilformen der württembergischen Renaissance entspricht.

Heyd 1902, S. 354f.; Schahl 1959, S. 34; Fleischhauer 1971, S. 284f. *K.B.*

B 15

Saal im ersten Obergeschoß des Neuen Baus in Stuttgart

Joseph Plepp (1595–1642), 1620

Rötelzeichnung
H. 21 cm, B. 43 cm

Stuttgart, Württembergisches Landesmuseum, Inv.Nr. 1954/353

B 15

Das mit *Joseph plepp 1620 in Stuetgart* bezeichnete Blatt wurde 1954 aus dem Stuttgarter Kunsthandel erworben. Es zeigt die Längsansicht des sich über zwei Geschosse erstreckenden großen Saales im Neuen Bau zu Stuttgart. Neben der 1607 erbauten Kirche St. Martin in Mömpelgard war der Neue Bau in Stuttgart Heinrich Schickhardts wichtigstes Bauwerk. Er berichtet darüber im Inventar: *Die abriß zu dem newen marstalbauw, hab ich anno 1600 zu Mümpelgart gemacht.* In acht Jahren Bauzeit war das Gebäude, das im Erdgeschoß den herzoglichen Marstall, im Mittelgeschoß einen Festsaal und im Obergeschoß die herzogliche Kunstkammer beherbergte, fertiggestellt. In der Kunstkammer befand sich auch das Holzmodell des Baues von H. Schickhardt. Der Neue Bau stand in Nord-Süd-Richtung nahe der Südecke des alten Schlosses. Er hatte die Grundform eines Rechtecks. In der Mitte der beiden Langseiten und an den Ecken der Westseite sprangen rechtwinklige Risalite vor, an den leicht abgeschrägten Ecken der Ostseite aber sechseckige Türmchen. Der abgebildete Festsaal war zum Teil (zwischen Wänden und Säulen) kreuzgewölbt, zum Teil mit einer Kassettendecke geschmückt, die auf zwölf toskanischen Säulen ruhte (3 x 4). An den mit 48 Fenstern versehenen Wänden lief in halber Höhe eine mit Balustern geschmückte Galerie entlang, auf der u.a. herzogliche Waffen und Bilder ausgestellt waren. Allerdings zeigt die Zeichnung noch einen Zustand vor der Verbreiterung der Galerie, die nach J. Baum, der sich dabei auf Berichte des 18. Jhs. stützt, bis zu den toskanischen Säulen reichte. Nach einem Brand wurde das Gebäude (1779–1782) abgerissen.

Heyd 1902, S. 382; Baum 1916, S. 63–71; Wais 1951, S. 342–343; Fleischhauer 1971, S. 279–281. *K.B.*

B 16

Ansicht von Schloß Wolfegg aus der Vogelschau

Johann Andreas Rauch
Wangen 1628

Öl auf Leinwand
H. 129 cm, B. 125,5 cm

Privatbesitz

Schloß Wolfegg wurde als Vierflügelanlage nach einem Brand des Vorgängerbaues in den Jahren 1578 bis 1583 unter dem Truchsessen Jakob von Waldburg erbaut, der mit Gräfin Johanna von Zimmern, einer Tochter des Grafen Froben Christoph von Zimmern, verheiratet war. Nach Schloß Meßkirch (erbaut unter Graf Froben Christoph von dem Baumeister Jörg Schwarzenberger) ist Schloß Wolfegg der zweite erhalten gebliebene Schloßbau, der den Typ der Vierflügelanlage in Oberschwaben aufgreift. Obwohl der Baumeister nicht bekannt ist, dürfte es sich aber bei dem Architekten um den Baumeister des Meßkircher Schlosses, Jörg Schwarzenberger handeln. Parallelen zu Meßkirch sind die pavillonartig ausgebildeten Ecktürme des Schlosses und die Anlage um einen längsrechteckigen Hof mit symmetrischer Durchfahrtachse. Während Schloß Meßkirch nur zwei Geschosse besitzt, ist Wolfegg als dreigeschossiger Putzbau ausgeführt. Schmückende Elemente sind die Portalrahmungen der Einfahrt, die vorgeblendeten Loggien des Innenhofes mit darüber liegenden Altanen. Architekturmalereien heben die Fenster und die Ecken der Gebäude besonders hervor. Eine hölzerne Galerie verbindet die Schloßkirche mit dem Schloß; auch dies eine Parallele zu Schloß Meßkirch.
Die Ansicht von Johann Andreas Rauch, der u.a. Ansichten von Wangen, Waldburg und Weißenau geschaffen hat, zeigt das Schloß im Jahre 1628, als die Truchsessen von Waldburg in den Reichsgrafenstand erhoben wurden. Die Fassaden des Innenhofes sind auf der in die große Tafel eingefügten kleineren Karte nochmals hervorgehoben. Weiterhin erkennt man die zum Schloßbezirk gehörigen Gebäude, wie Wirtschaftshof, Stiftskirche, Marstall, Rüstkammer und einen kleineren, burgähnlichen Komplex, den Witwensitz der Gräfin von Waldburg. Außerhalb der den Schloßbezirk abschließenden Mauer liegt der Schloßgarten mit einer für die Zeit typischen

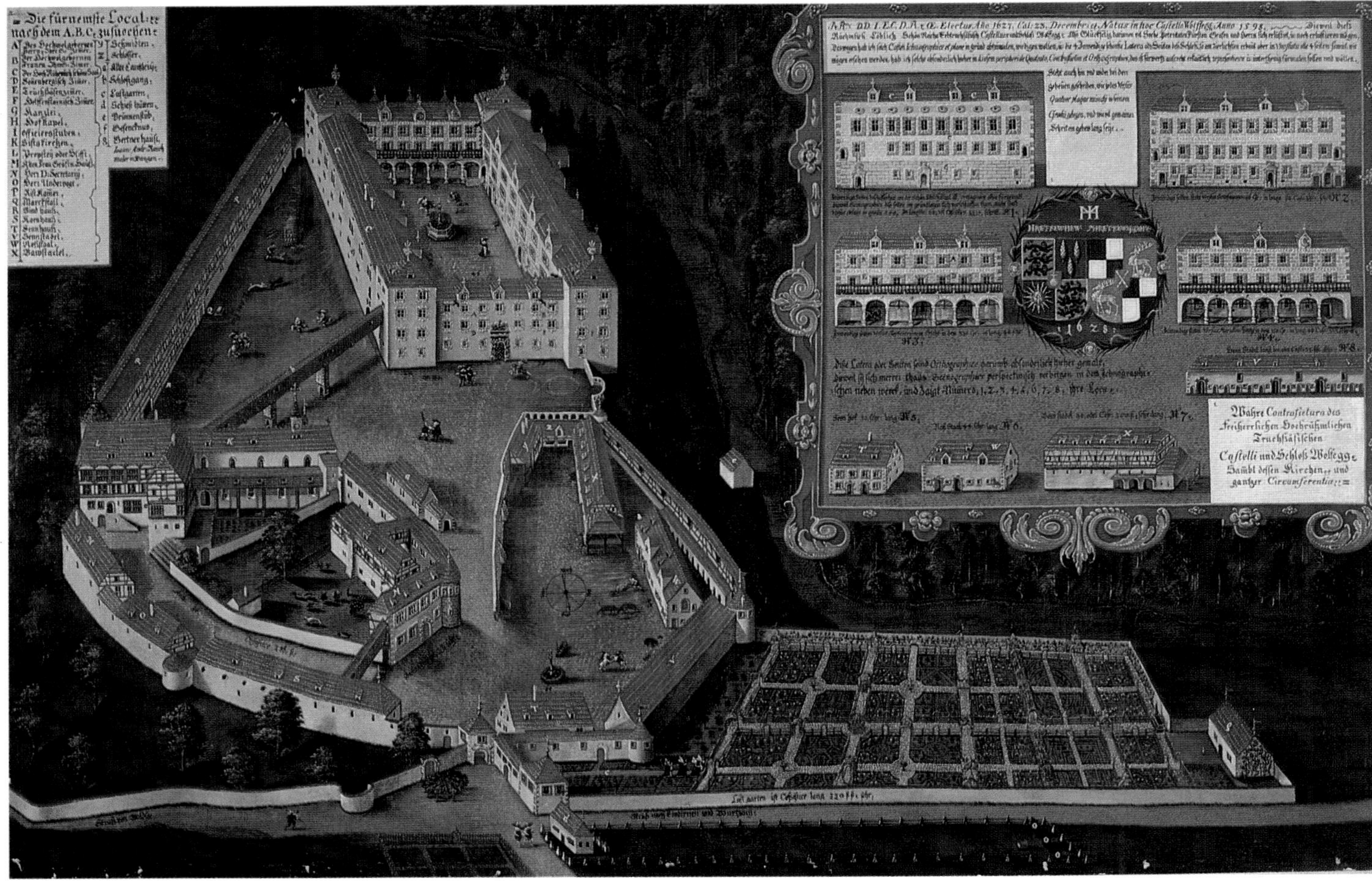

B 16

Aufteilung der Beete in verschiedenartig durchschnittene Quadrate. Das im Vordergrund des Bildes angelegte, mit Holzpflöcken abgegrenzte Feld und dazu gehörige Haus kennzeichnen den Schießplatz mit Schießhaus. Die Tradition dieses Schloßtyps wird durch den Sohn des Erbauers von Wolfegg, den Truchsess Froben von Waldburg, mit der Erbauung von Schloß Zeil 1598 fortgesetzt.

Merian 1643, S. 8; Kdm Waldsee, 1943, S. 295–305; Binder 1953, S. 44, 52; Schmidt 1958, S. 31; Baden-Württemberg 1980, S. 899. *K.B.*

B 17

Alternativentwurf zu einem hölzernen Giebel für Schloß Langenburg

Jakob Kauffmann, 1616

Sepiazeichnung
H. 22 cm, B. 33 cm

Schloß Neuenstein, Hohenlohe-Zentralarchiv, Inv.Nr. 1/170

Nachdem 1551/1553 das Haus Hohenlohe sich in die Linien Hohenlohe-Neuenstein und Hohenlohe-Waldenburg aufgeteilt hatte, begann in der Folgezeit auf den einzelnen Familiensitzen eine rege Bautätigkeit. Seit 1573 wurde Langenburg von den Mitgliedern des Hauses Hohenlohe-Langenburg ständig bewohnt. Unter Graf Friedrich, der 1586 die Herrschaft in Langenburg antrat, wurde der Neubau des Nordflügels fertiggestellt. Die ansonsten noch sehr mittelalterliche Anlage erfuhr eine Umformung und Neugestaltung in den Stilformen der Renaissance erst nach dem 1610 erfolgten Herrschaftsantritt von Philipp Ernst von Hohenlohe. Als leitender Baumeister dieser Bauphase ist der seit 1595 in hohenlohischen Diensten stehende Jakob Kauffmann zu nennen. Von ihm dürfte auch der oben abgebildete Entwurf für einen Volutengiebel (in Holz ausgeführt zu denken) stammen. Die heute am Schloß im Innenhof befindlichen Giebel sind sämtlich aus Stein ausgeführt. Stilistisch erinnert der Entwurf an die Giebel auf Schloß Öhringen, das nach Plänen des hohenlohischen Baumeisters Georg Kern von 1610–1616 als Witwensitz errichtet worden ist. Die noch bei Doerstling ausgesprochene Vermutung, daß der Giebelentwurf von der Hand Georg Kerns stamme, ist nicht zu beweisen.

Doerstling 1957, S. 27–44; Gerhard Taddey, Graf Philipp Ernst zu Hohenlohe-Langenburg (1584–1628) und sein Renaissance-Schloßbau, Langenburg 1978, Kat.Nr. 32–47; Taddey 1979, S. 13–46. *K.B.*

B 18

Modell des Stuttgarter Lusthauses

Holz, Maßstab 1:70

Karlsruhe, Badisches Landesmuseum

Unter der Regierung des württembergischen Herzogs Ludwig (1568–1593) wurde in Stuttgart der schon bestehende kleine Lustgarten mit dem darin befindlichen alten Lusthaus wesentlich nach Osten erweitert. Den Hauptakzent der neuen Gartenanlage setzte das große Neue Lusthaus, das, von dem Bönnigheimer Hofarchitekten Georg Beer zwischen 1584 und 1593 erbaut, zu den bedeutendsten Renaissancebauten des deutschen Südwestens zählte.
Das zweigeschossige, mit einem hohen Satteldach versehene, mit Arkaden, Galerie und Türmchen geschmückte Gebäude diente vor allem den Festlichkeiten und der Repräsentation des protestantischen württembergischen Hofes. Das Obergeschoß enthielt einen riesigen Festsaal, der über in den Türmen angebrachte Wendeltreppen und zwei große zweiläufige Freitreppen an der Längsseite des Baues zu erreichen war. Die beiden Haupteingänge waren durch Zwerchgiebel hervorgehoben. Das mit Arkaden geöffnete Erdgeschoß barg nach dem

Vorbild italienischer Grottenanlagen zwei große Wasserbassins, die der Hofgesellschaft im Sommer Erfrischung boten. Einer der vier an den Eckseiten des Baues befindlichen Türme enthielt das Wasserreservoir für die Speisung der Brunnen. Die auf den Arkaden umlaufende Galerie gewährte den Ausblick auf die Gartenanlagen und die Stadt und verband die freistehenden Ecktürme mit dem Baukörper.
Der große Festsaal war mit Malereien (Jagddarstellungen, Landkarten des württembergischen Herrschaftsbereiches, Kaiserporträts), Stukkaturen und Vertäfelungen geschmückt. Die Tonnendecke trug drei Gemälde, die das protestantische Glaubensbekenntnis verherrlichten und nach Vorlagen Wendel Dietterlins entstanden waren. Der Skulpturenschmuck der Giebelfiguren, die Reliefs, Konsolen und Büsten der Herrscher mit ihren Gattinnen wurden von den Bildhauern Sem Schlör, Christoph Jelin und Mathias Kraus geschaffen.
Bezeichnend für den Baustil Georg Beers, nach dessen Plänen auch das herzogliche Jagdschloß in Hirsau und das „Collegium Illustre" in Tübingen erbaut wurden, ist ein verspielt wirkendes Nebeneinander spätgotischer und manieristischer Stilformen. *K.B.*

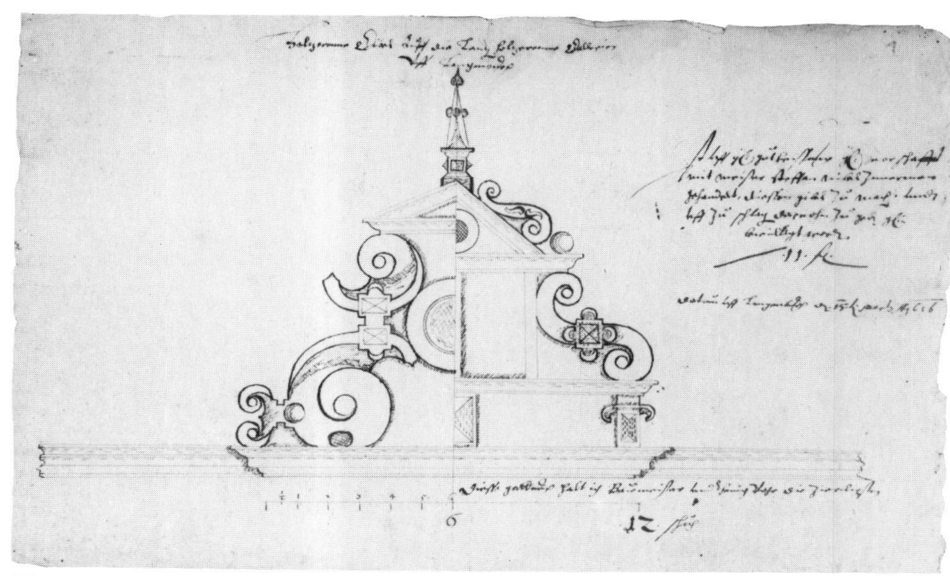

B 17

B 19

Modell der ehemaligen Decke im sog. Fürstensaal im Neuen Schloß zu Baden-Baden (1577–1578)

Karlsruhe, Badisches Landesmuseum

Besonders berühmt wurde das Schloß in Baden-Baden im 17. Jh. wegen der prächtigen Ausmalung des Fürstensaales, der sich im zweiten Obergeschoß des Hauptbaues befand. Schöpfer dieses Zyklus von Wand- und Deckenmalereien war der in Straßburg ansässige und aus Schaffhausen gebürtige Maler Tobias Stimmer, der den Auftrag zur Ausmalung durch den Vormund des Markgrafen Philipp II., den Grafen von Schwarzenberg erhielt, den er 1574 porträtiert hatte.
Die Decke des 25 x 12,5 m großen Saales bestand aus einem längsrechteckigen Mittelspiegel und daran im schrägen Winkel anschließenden vier trapezförmigen Randtafeln. Die Konstruktion dieser Decke ist wahrscheinlich auf den Baumeister Caspar Weinhart zurückzuführen, der eine ganz ähnliche Deckenkonstruktion bereits in einem Münchner Lusthaus angewandt hatte. Die Neuerung dabei war, daß es sich um keine Holzkassettendecke im üblichen Sinne handelte, wie sie die Festsäle in Heiligenberg oder Neuenstein schmückte, sondern um ein aus planen Leinwandbildern zusammengestelltes Deckengewölbe, das den Vorteil einer besseren Ausnutzung der Raumhöhe sowie der Malflächen bot.
Tobias Stimmer begann mit der Ausmalung der Decke 1577, die er im Mai 1578 vollendete. Ein Jahr später nahm er den unter der Decke entlanglaufenden Fries in Angriff, der mit biblischen und antiken Themen geschmückt wurde. Darunter folgten 17 lebensgroße Darstellungen der badischen Markgrafen, die zwischen 1130 und 1588 regierten. Unterhalb von diesen brachte Stimmer Brustbilder römischer Kaiser an. Die restlichen freien Flächen schmückte er mit Monatsdarstellungen und Tierkreiszeichen.
Entworfen wurde das Bildprogramm einer Allegorie auf eine gute und schlechte Lebensführung wahrscheinlich von dem die Gegenreformation unterstützenden Grafen Schwarzenberg in Zusammenarbeit mit dem humanistisch geschulten, die Reformation bejahenden Tobias Stimmer. Es sollte nach einer Vorlage (Kupferstichfolge von Stradanus) quasi als großes Erziehungsvorbild und Lehrbild für den noch jungen Philipp II. von Baden gelten, der von seinem Onkel Herzog Albrecht IV. von Bayern nach Ingolstadt auf die Jesuitenschule geschickt worden war. Dargestellt ist der Weg des tugendsamen und und des lasterhaften Menschen durch das Leben. Da Deckengemälde und Schloß 1689 durch Brand zerstört wurden, konnte eine Rekonstruktion des Gemäldezyklus und des ikonographischen Programmes nur durch die überlieferte Beschreibung des Saales (Descriptio aulae) von 1677 und die danach identifizierbaren zeitgenössischen Kopien der Gemälde erfolgen. Der allegorisch-moralische Inhalt der Gemälde ist in der Beschreibung in lateinischen Versen festgehalten worden. Die ganze Decke war in dreizehn Felder eingeteilt, wobei sich immer jeweils zwei Episoden gegenüberstanden. Der Mittelspiegel umfaßte drei Darstellungen, während die restlichen auf die umlaufende Schräge verteilt waren.

Thöne 1936, S. 128–141; Thöne 1936 I, S. 40–50; Klemm 1984, S. 118–126. *K.B.*

B 20

Modell der ehemaligen Decke im Runden Turm auf Schloß Hellenstein bei Heidenheim

Karlsruhe, Badisches Landesmuseum

Das Modell gibt den Zustand des 1810 abgebrochenen Festsaals im Runden Turm auf Schloß Hellenstein wieder, von dessen Decken- und Wandausschmükkung sich die sehr wahrscheinlich im Umkreis des Malers Friedrich Sustris entstandenen, farbig aquarellierten Entwürfe erhalten haben (vgl. E 50). 1503 kam das bayerische Heidenheim durch einen Staatsvertrag an Württemberg, aber wenige Jahre später waren Stadt und Schloß im Besitz der Stadt Ulm (1521 bis 1536). Nach der Rückkehr Herzog Ulrichs von Württemberg aus der Ver-

B 18

B 20

bannung wurde das 1530 durch einen Brand in Mitleidenschaft gezogene Schloß auf den alten Grundmauern und in den alten Ausmaßen wiederaufgebaut. Der runde Südwestturm, der bisher als Pulvermagazin gedient hatte, wurde vergrößert. Unter der prachtliebenden Regierung Herzog Friedrichs wurde der über den Geschützkammern liegende große Saal im Runden Turm zu Repräsentationszwecken festlich ausgeschmückt.
Die erhaltenen Dekorationsentwürfe sind wahrscheinlich um 1600 entstanden. Der Grundriß der Decke zeigt folgende Anordnung: Im quadratischen Mittelstück befindet sich das Herzoglich Württembergische Wappen. An dieses schließen sich acht Teilstücke, bestehend aus vier Winkelhaken und vier Zwickeln an, die wiederum von acht rautenförmigen Feldern umgrenzt werden. Die vier Zwickel haben Pendants, die in einen Kranz von insgesamt 20 Einzelfeldern eingebunden sind. Der Deckenentwurf sah vier Alternativen zur Ausführung vor: eine marmorierte Version, eine mit Groteskenwerk geschmückte, eine mit Roll-und Schweifwerk Ton in Ton und schließlich eine in Roll- und Schweifwerk mit Mittelrosetten auf verschiedenfarbigen Hintergründen.
Zur Ausführung gekommen ist die Version mit der Groteskenmalerei. Die vier Hauptzwickel, die das quadratische Mittelfeld umgeben, stellen Putti dar, die die Orden und Herzogsinsignien Württembergs tragen: Den englischen Hosenbandorden, den französischen Michaelsorden, die Reichssturmfahne und den württembergischen Herzogshut. Die acht Rautenfelder sind mit kleineren Mittelbildern geschmückt, die die Tugenden Spes, Fides, Caritas, Patientia, Prudentia, Justitia, Fortitudo und Temperantia mit ihren Attributen darstellen. Die übrigen Zwickel, Winkel und Quadrate sind mit sehr feinen und schwungvoll ausgeführten Grotesken geschmückt, in denen tropische Vögel, Blumenvasen und Festons abwechseln.

Schloß Hellenstein zu Heidenheim an der Brenz. Verschönerungsverein Heidenheim, Stuttgart 1892, S. 27–28, 31; Wilhelm Schneider, Das Deckengemälde im ehemaligen „Runden Turm", Heidenheimer Neueste Nachrichten, 6. Jg., Nr. 3, 4. Juli 1956, sowie 8. Jg., Nr. 4, 6. November 1958; Fritz Schneider, Burg und Schloß Hellenstein, in: Der Hellenstein, Heimatkundliches aus dem Kreis Heidenheim/Brenz, Heidenheimer Zeitung 30. 8. 1958, S. 65–72; Fleischhauer 1971, S. 366–367. *K.B.*

B 21

Modell des Heidelberger Schlosses im unzerstörten Zustand um 1620

Angefertigt um 1905

Holz, bemalt
Maßstab 1:250

Heidelberg, Staatliches Hochbauamt

Das im Geschmack der Jahrhundertwende angefertigte Holzmodell gibt den Zustand des Heidelberger Schlosses vor den Zerstörungen des Dreißigjährigen Krieges wieder. Die Schloßanlage hatte mit der Fertigstellung des Englischen Baues unter Friedrich V. ihre größtmögliche Ausdehnung innerhalb des durch Landschaft und Befestigungswall vorgegebenen Baugeländes erfahren. Das Modell selbst ist eine ungefähre Annäherung an den damaligen Bauzustand des Schlosses, der sich durch verschiedene Schloßansichten des frühen und mittleren 17. Jhs. rekonstruieren ließ. Klar erkennbar ist, daß das Schloß eine in den Jahrhunderten gewachsene Anlage ist. Jeder der Bauherren setzte seinen Wohnpalast an den des Vorgängers. Die meisten dieser Palastfassaden sind nach dem Innenhof ausgerichtet; erst der 1607 fertiggestellte Friedrichsbau und der wenig später folgende Englische Bau weisen auch Fassaden zur Stadtseite auf. Anders als in Oberschwaben (Meßkirch, Wolfegg, Hechingen) ist in Heidelberg niemals versucht worden, den durch die verschiedenen Stilstufen sich auszeichnenden Baukomplex durch einen vereinheitlichenden Neubau zu ersetzen.

Kdm Heidelberg 1913, S. 363–505 *K.B.*

B 22

Perspektivische Ansicht der Festung Hohentwiel

Heinrich Schickhardt (1558–1635), 1591

Tuschzeichnung, laviert,
H. 43 cm, B. 86 cm

Stuttgart, Hauptstaatsarchiv, N200/B15

Der Hohentwiel wurde unter den württembergischen Herzögen Ulrich und Christoph zur Festung ausgebaut. Zwischen 1552 und 1554 wurde er unter der Aufsicht des Baumeisters Aberlin Tretsch verstärkt. 1555 wurden die Ringmauern um eine Elle erhöht. In dieser Zeit entstand auch das 25 m Durchmesser beinhaltende Rondell Augusta sowie der Kanonenturm mit einer Plattform für Geschütze. Aus der Zeit zwischen 1577 und 1580 dürfte die unterhalb der Festung angelegte Spitzbastion stammen, das einzige Zugeständnis an den modernen Festungsbau der Zeit. Heinrich Schickhardt hat im Auftrag Herzog Ludwigs einen Grundriß und die hier

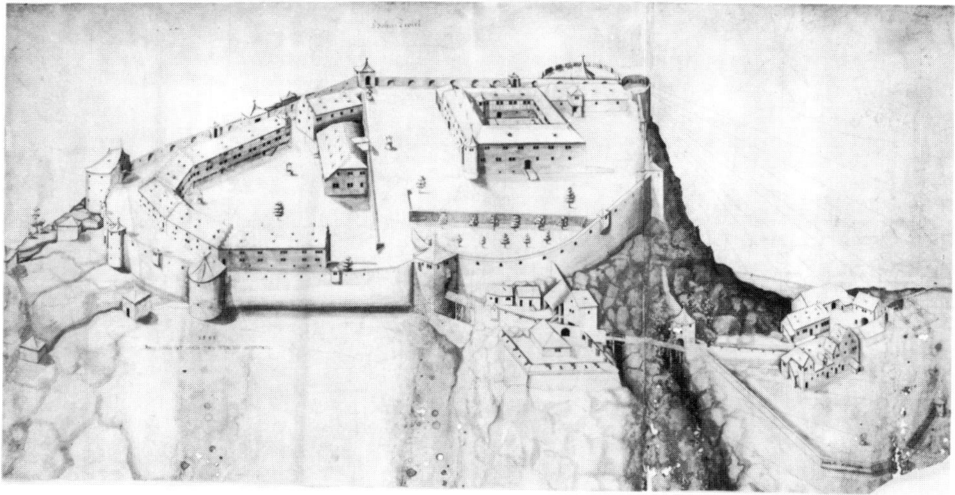

B 22

abgebildete perspektivische Ansicht des Hohentwiels angefertigt. Im gleichen Jahr zeichnete Schickhardt Grundrisse der Landesfestungen Hohenneuffen, Hohenasperg und Hohentübingen.
Die von Schickhardt ausgeführte Ansicht des Hohentwiels gilt als die genaueste örtliche und bauliche Wiedergabe der lange als uneinnehmbar geltenden Festung. Die roten Linien, die sowohl vom Kanonenturm als auch vom Rondell ausgehen, geben die Beschußlinien (Bestreichungslinien) an.
Heinrich Schickhardt erhielt für diesen Auftrag eine Entlohnung von 50 Gulden sowie einen seidenen Überrock.

Heyd 1902, S. 394; Schahl 1959, S. 28; Fleischhauer 1971, S. 25, 27, 54. *K.B.*

B 23

B 23

Entwurf zum vorderen Festungstor von Schloß Hohentübingen

Hans Braun, 1606–1607

Federzeichnung, braun laviert
H. 37,8 cm, B. 30,5 cm

Stuttgart, Hauptstaatsarchiv,
Inv.Nr. 200/13 No. 5/11

Unter der Regierung Herzog Friedrichs von Württemberg wurden neue Befestigungsbauten in Mömpelgard (1594 bis 1608), Hellenstein (1604–1611) und Hohentübingen (1602–1607) aufgeführt. Die noch aus der Zeit Herzog Christophs stammenden Verteidigungsanlagen waren gegenüber der sich schnell entwickelnden Kriegstechnik veraltet. Einen großen Anteil an diesen Umbauten hatten Heinrich Schickhardt, Elias Gunzenhäuser und Hans Braun.
Das „Visier" für den Tübinger Bau schuf 1602 der Stuttgarter Schreiner Sebastian Rottenburger. Die Entwürfe zum Torbollwerk stammen von Hans Braun, der für den Herzog schon in Freudenstadt, Hirsau und Christophstal tätig war. Im Jahre 1586 wird Hans Braun erstmals als Steinmetz genannt. Man nimmt an, daß Braun relativ freie Hand bei seinen Entwürfen für Hohentübingen hatte, allerdings wohl immer in Absprache mit Schickhardt. Das triumphbogenartige Tor wurde in Anlehnung an Brauns Entwurf von dem Bildhauer Christoph Jelin mit einem reichgeschmückten Giebel ausgestattet. Zentrum des Giebels bildete eine Kartusche mit dem Württembergischen Wappen, das zusätzlich noch mit dem englischen Hosenbandorden und dem Michaelsorden geschmückt wurde.

Fleischhauer 1971, S. 295f., 300, 348. *K.B.*

B 24

Grundriß der Festungsanlage Philippsburg mit perspektivischer Ansicht des Schlosses

Kupferstich, 1618, aus Theatrum Europeum Bd. I
H. 33,6 cm, B. 38 cm

Karlsruhe, Generallandesarchiv,
Inv.Nr. H/B-SIP:30

Der Lageplan und Grundriß trägt die Inschrift: *Die Festung Udenheim, jetz genandt Philippsburg,* die auch in Latein wiedergegeben ist. Die Legende A–G gibt in Latein und Deutsch die wichtigsten Bauten innerhalb der Festung sowie die am Rheinufer gelegene Zollstation (G) an.
Als Pfalzgraf Friedrich V. 1610 Haupt der Protestantischen Union geworden war und nachdem dessen Vater schon 1606 zur Sicherung der kurpfälzischen Gebiete die Festung Friedrichsburg mit der Stadt Mannheim hatte anlegen und die kurpfälzische Stadt Frankenthal 1608 hatte befestigen lassen, fühlte sich der Speyrer Bischof und Kurfürst von Trier, Philipp Christoph von Sötern, veranlaßt, das bisher als Residenz und Zollstätte dienende Städtchen Udenheim zwischen 1615 und 1618 zur Festung auszubauen. Die noch nicht ganz erstellte Festung wurde 1618 durch die protestantischen Reichsstände geschleift, von Trier neu erbaut und 1623 vollendet. Die nach dem Kurfürsten benannte Festung *Philippsburg* umgab das alte Schloß und die Stadt mit einem gewaltigen, regelmäßigen Festungswerk aus sieben vorspringenden Bastionen, sechs Courtinen sowie einem die Vor-

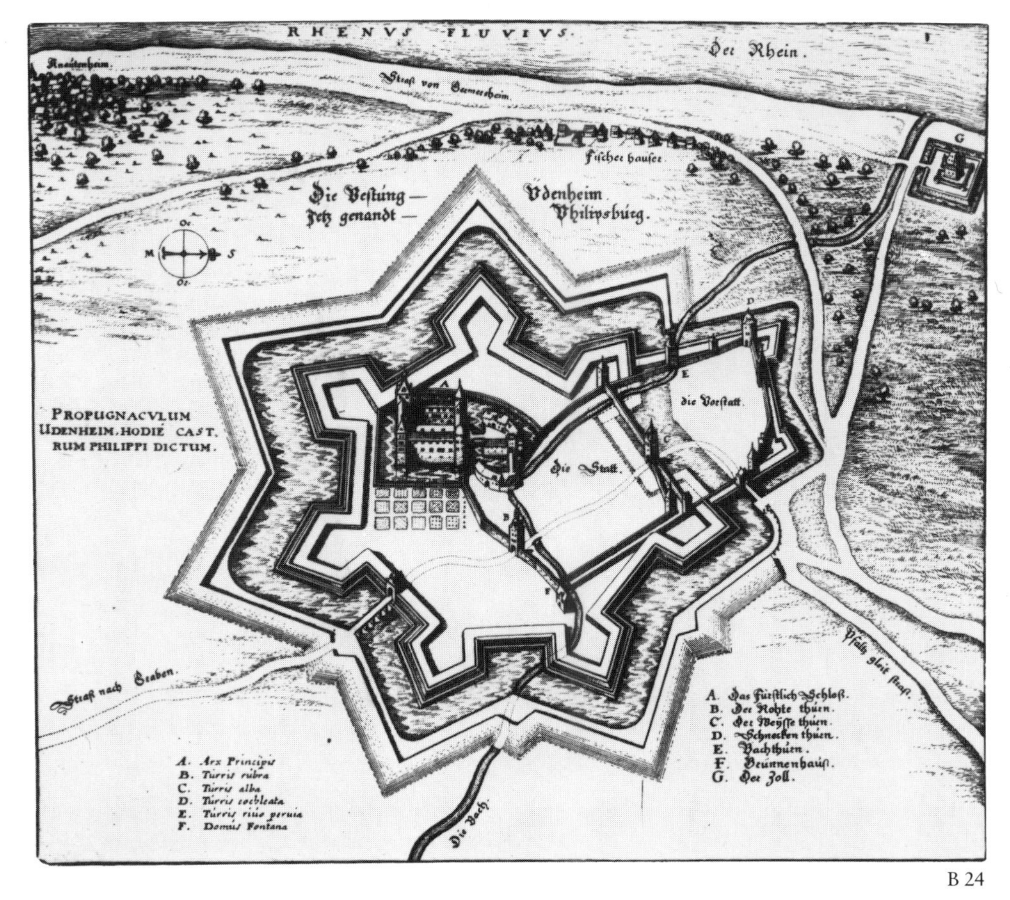

B 24

B 25

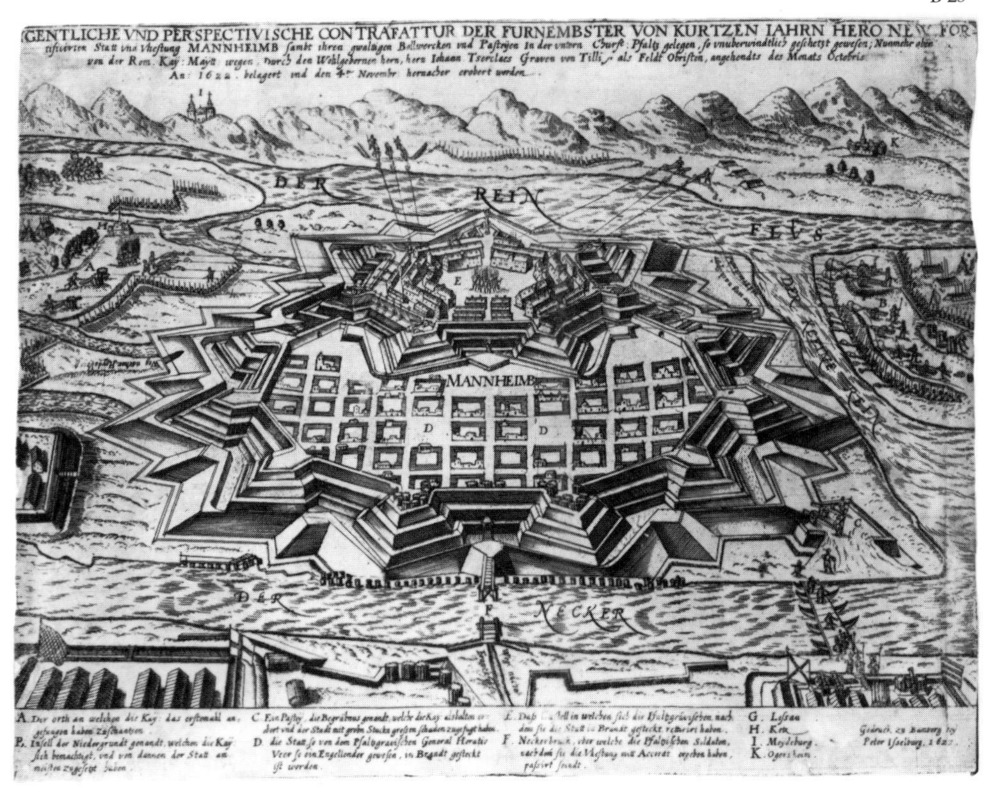

stadt umgebenden Hornwerk. Ein breiter Wassergraben schützte zusätzlich die Festung. Innerhalb der Festungswälle lag als Stützpunkt und Hauptquartier das als Zitadelle genutzte umgebaute Schloß, das durch ein bescheideneres Fortifikationssystem von der Stadt abgesetzt war. 1632 verbündete sich der Kurfürst von Trier mit Frankreich. Daraufhin verweigerte der bisherige Kommandant der Festung, Philipp Bamberger, den Gehorsam und verteidigte mit Hilfe der kaiserlichen Truppen die Festung weiter, die im gleichen Jahr von den Schweden erobert wurde. 1644 fiel Philippsburg wieder an Frankreich und blieb bis Ende des Krieges französischer Stützpunkt.

Baden-Württemberg 1980, S. 633 f. *K.B.*

B 25

Eroberung der Festung Friedrichsburg und Stadt Mannheim 1622

Peter Isselburg
Bamberg 1623

Kupferstich
H. 29 cm, B. 37 cm, bezeichnet: *Aigentliche und perspectivische Contrafattur der… Statt und Vestung Mannheimb…*

Mannheim, Reiss-Museum, Inv.Nr. A 4 d

Das auf dem Territorium der Kurpfalz liegende Mannheim wurde unter Kurfürst Friedrich IV. nach niederländischem Vorbild zur Festung ausgebaut und das zuvor abgerissene Dorf als neue Stadt nach Hanauer Muster angelegt. Die Grundsteinlegung zur Festung Friedrichsburg, die Stadt und Zitadelle mit einem Festungsring umschloß, erfolgte in Anwesenheit des Kurfürsten 1606.
Die Stadt lag innerhalb eines Festungsringes von acht Bollwerken und war durch drei Tore zugänglich. Im Süden schloß sich das mit drei Bollwerken gesicherte Vorwerk Baumgarten an. Die Stadt war in Quadrate aufgeteilt, die zum Festungswall hin abgeschrägt waren. Die Zitadelle war von der Stadt durch einen breiten Graben abgetrennt und über einem regelmäßigen Siebeneck erbaut, dessen Ecken mit Basteien gesichert waren. Die Zugänge zur Zitadelle waren durch zusätzliche Ravelins verstärkt. Im Innern der Zitadelle lagen die Unterkünfte für die Soldaten, das Zeughaus und drei Pulvermagazine.
Die Pläne zur Festung gehen auf den niederländischen Festungsbaumeister Barthel Janson zurück. Vorbilder für die Anlage dürften der Idealplan von Cattaneo (1550) sowie theoretische Betrachtungen aus Daniel Specklins „Vestungslehre" gegeben haben. Stadt und Festung wurden am 4. 11. 1622 von den kaiserlichen Truppen unter Tilly eingenommen.

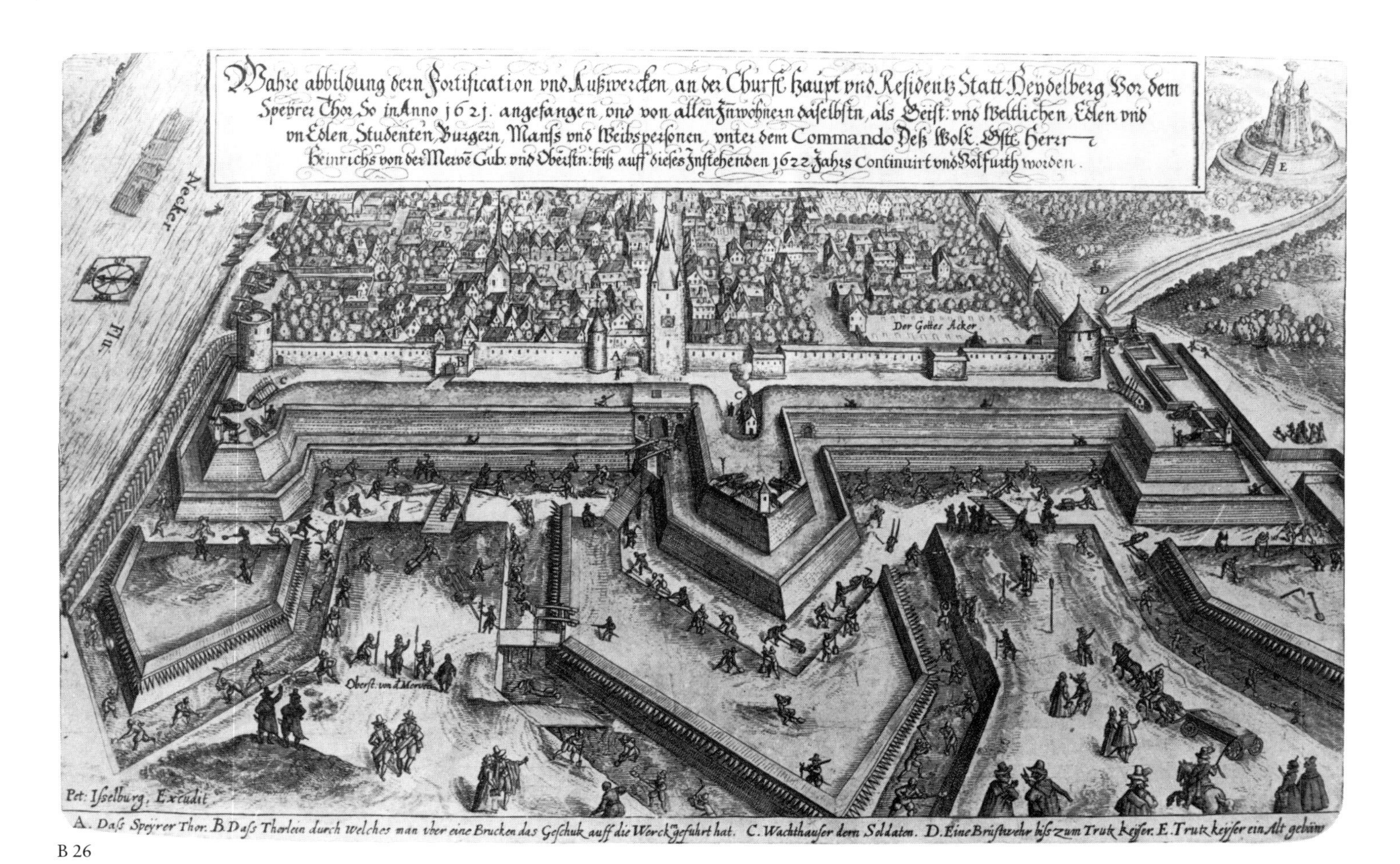

B 26

Stubenvoll 1952; Kdm Mannheim 1982, S. 44, 51–54. *K.B.*

B 26

Wahre abbildung dern Fortification und Außwercken an der churfürstl. Haupt und Residentz Statz Heydelberg…

P. W. Zimmermann, 1622

Radierung, teilweise koloriert, H. 18,3 cm, B. 29,9 cm

Heidelberg, Kurpfälzisches Museum, Inv.Nr. S 1302

Die leicht rötlich getönte Radierung gibt eine Westansicht Heidelbergs zwischen 1621 und 1622 wieder. Da die Stadt im Westen, wo sie der Rheinebene gegenüberliegt, keinen natürlichen Schutz hatte, wurde schon Ende des 14. Jhs. nach Erweiterung der Altstadt durch die Vorstadt eine turmreiche Stadtmauer angelegt. Die Westmauer wurde von dem großen Speyerer Torturm beherrscht. Nach der Niederlage Friedrichs V., des „Winterkönigs", mußte die Stadt den Angriff der kaiserlichen Heere befürchten. Deshalb ließ der Gouverneur der Stadt, Heinrich van der Merven, im Westen und Osten in aller Eile ein neuzeitliches Fortifikationssystem mit Vorwerk, Dreiecksbastionen und Laufgräben anlegen, die unter Mithilfe der gesamten Bürgerschaft innerhalb eines Jahres vollendet wurden. Doch konnten die Vorwerke die Stadt nicht auf Dauer schützen. Im Herbst 1622 wurde Heidelberg von den Truppen der kaiserlichen Liga unter Tilly erobert.

Kdm Heidelberg 1913, S. 79. *K.B.*

B 27

Stadtplan von Freudenstadt

Heinrich Schickhardt (1558–1635), 1599

Federzeichnung, rote Tinte, H. 41,5 cm, B. 33,5 cm

Stuttgart, Hauptstaatsarchiv, Inv.Nr. N220/A21 No 2

Für die unter der Regierung des Herzogs Friedrich von Württemberg neu angelegte Bergstadt Freudenstadt im Schwarzwald entwarf der herzogliche Hofbaumeister Heinrich Schickhardt mehrere Pläne, die im wesentlichen zwei Varianten wiedergeben.

Der Plan von 1599 hält sich zunächst noch an das bei der Erweiterung von Mömpelgard angewandte Muster sich rechtwinklig kreuzender Straßen, die von einem quadratischen Mittelplatz der Stadtanlage ausgehen und die Wohnbezirke in rechtwinklige Baublöcke einteilen, die einen Innenhof besitzen. Das Zentrum der quadratischen Stadtanlage bildet der Marktplatz in den Abmessungen von vier Baublöcken. Die Stadt ist von einem Festungswall umgeben, der an den Ecken mit Bollwerken verstärkt ist. Vier Tore führen über die zwei Diagonalstraßen in die Stadt. Im unteren, rechten Teil des Stadtplans ist das Schloß oder die Zitadelle eingezeichnet, eine Vierflügelanlage mit Schneckentürmen im Innenhof und Dreiecksbastionen an den Außenmauern. Dem Schloß benachbart ist das Rathaus. Diagonal gegenüber

B 27

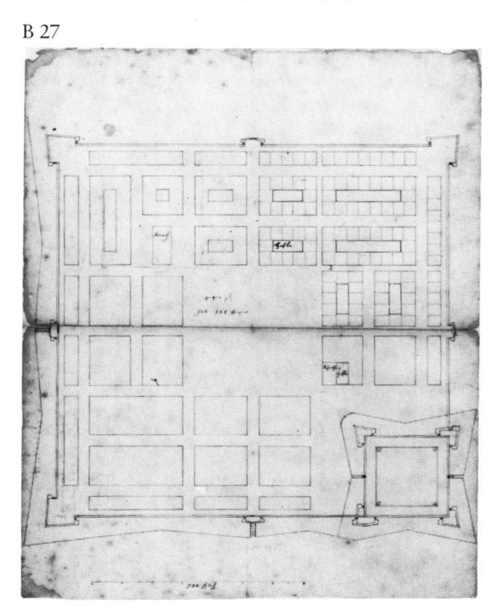

B 28

dem Schloß ist die Kirche geplant.
Dieser Plan wurde von Schickhardt favorisiert, weil er den damaligen städtebaulichen Gepflogenheiten entsprach und die Festungslehre berücksichtigte, die den Bau einer Zitadelle immer an einer Seite des Festungswalles empfahl.
Schickhardt äußerte sich in seinem Inventar selbst zu diesem Entwurf: *... hab ich ein abriß zu einer grosen Statt vnd Schloß gemacht, die ich geordnet, das jeder Behausung ein Hof oder gertle vnd das Schloß am Ort (= Eck) der Statt sein sollte...* Die Höfe und einzelnen Hausabschnitte innerhalb der Baublöcke sind auf dem Plan klar zu erkennen.

Heyd 1902, S. 346–347; Julius Baum, Die Anlage von Freudenstadt, in: Zs. für Baugeschichte, 3. Jg., Heft 2, 1909, S. 25 ff.; Schahl 1959, S. 23–24. *K.B.*

B 28

Idealplan von Freudenstadt

Heinrich Schickhardt (?), um 1600

Federzeichnung, blau und grau laviert, H. 41 cm, B. 32 cm

Stuttgart, Hauptstaatsarchiv, Inv.Nr. N220/A177

Der 1599 vorgelegte Entwurf Schickhardts fand nicht die Zustimmung des Herzogs. Dieser wollte vielmehr, daß *henden und vor jedem Haus ein Gassen und das Schloß mitten auff. dem margt Stehen soll...* Daraufhin fertigte Schickhardt einen neuen Abriß an, den er selbst beschreibt: *Also hab ich ein andern abriß r.F.G.Befelch gemes gemacht, dass die Statt viereckhet vnd jede Seiten an der lange 1418 Schuch, jede Seiten des margts 780 Schuch halten vnd das Schloß mitten auf dem margt komen soll.*
Diesen Entwurf in idealisierter Form gibt der abgebildete Plan wieder. Statt einem

B 29

schachbrettartigen Muster von sich rechtwinklig kreuzenden Straßen (wie 1599) ist nun das Prinzip des Mühlebrettplans in dreizeiliger Wohnbebauung angewandt. Nur vier Diagonalstraßen führen auf den Marktplatz, auf dem übereck, durch einen breiten Graben abgesetzt, das Schloß gebaut werden sollte. Der Grundriß des Schlosses – eine Vierflügelanlage mit pavillonartigen Ecktürmen, von denen zwei mit Stiegenhäusern geplant waren, und Treppentürmen (Schnecken) in den Winkeln des Innenhofes – zeigt Anklänge sowohl an den französischen Schloßbau wie an das von dem Mainzer Baumeister geschaffene Schloß St. Johannesburg in Aschaffenburg.
In den Winkeln der ersten Häuserzeile, die den Marktplatz umgibt, sind Rathaus, Kaufhaus, Spital und Kirche geplant, von denen Rathaus und Kirche den Grundriß eines Winkelbaus besitzen. Die Stadt ist mit starken Eckbastionen und einem breiten, davorliegenden Wassergraben umgeben.

Heyd 1902, S. 346f.; Baum 1916, S. 18–52; Schahl 1959, S. 15–85. *K.B.*

B 29

Giebelriß zum sog. „Syndicatshaus" in Heilbronn

Hans Peter Eberlin (gest. 1627)
Heilbronn, 1580

Federzeichnung, rosa und grau laviert, H. 37,5 cm, B. 28,7 cm

Heilbronn, Stadtarchiv, Inv.Nr. PR 91.I

Die Zeichnung ist ein Entwurf für einen Zwerchgiebel des „Syndicatshauses", Amtssitz der reichsstädtischen Juristen in Heilbronn. Der als Alternativentwurf gedachte Giebel sollte auf den Treppenabsätzen entweder mit Kugeln oder Blumenvasen geschmückt werden. Die Giebelspitze wird von einem Putto mit Totenschädel und Reichsfahne bekrönt. Der Autor dieses Entwurfs dürfte nach der Ligatur HPE der Heilbronner Stadtmaler Hans Peter Eberlin sein, der als Maler sowohl am Heilbronner Rathaus wie an der Kilianskirche tätig war. Dieser Entwurf kam beim Bau des Syndikatshauses im Jahre 1600 durch Hans Kurz nicht zur Ausführung.

Beschreibung des Oberamtes Heilbronn, Teil 2, 1903, S. 47f.; Moriz von Rauch, Baugeschichte der Heilbronner Kilianskirche, Heilbronn 1915, S. 250, Anm. 173; Helmut Schmelz/Hubert Weckbach, Heilbronn, Die alte Stadt in Wort und Bild, Bd. 2, Heilbronn 1967; diess. Heilbronn, Geschichte und Leben einer Stadt, Heilbronn 1973, S. 103f. *K.B.*

B 30 a

B 30 b

B 30

Giebel- und Seitenansicht eines Amtshauses in Heilbronn

Hans Schoch (um 1550 – 1631)

Federzeichnung,
a) Fassade: H. 30,5 cm, B. 38,7 cm
b) Traufseite: H. 42,5 cm, B. 56 cm

Stuttgart, Hauptstaatsarchiv,
Inv.Nr. N 200/16

Die beiden Entwurfszeichnungen sind Beispiele für die Mischformen aus fränkischem und alemannischem Fachwerkbau am Ende des 16. Jhs. Das sechsgeschossige Amtshaus wird von einem steilen Schopfwalmdach mit Firstpfette bedeckt, welches drei Obergeschosse beherbergt, die an den Giebelseiten in Fachwerk ausgeführt sind und an den Traufseiten durch regelmäßige Reihung kleiner Gaupen in Erscheinung treten. Die Renaissance äußert sich in den durchlaufenden, mehrfach profilierten Kranzgesimsen der beiden Hauptgeschosse und in den an Schweifwerk erinnernden Umrißformen der kleinen Fuß- und Kopfstreben. Die Hauptfassade ist in den ersten zwei Obergeschossen durch Gruppen von Zweier- und Dreierfenstern mit Butzenscheiben besonders hervorgehoben. Der durchlaufende Rähm des Fenstersturzes ist profiliert. Das Untergeschoß (Erdgeschoß) ist in Stein ausgeführt, wobei Eckkanten, Tür- und Fensterrahmungen in Haustein, die Wandflächen aber verputzt gedacht sind. An der Traufseite ist im Dachbereich ein Zwerchgiebel zur Aufnahme von Lagergut angebracht; die Fensterbänder der Fassade werden in der Tiefe einer Achse an der Längsseite fortgeführt.
Der zu den Entwurfszeichnungen gehörige Kostenvoranschlag ist mit Hans Schoch unterzeichnet. *K.B.*

B 31

Perspektivischer Aufriß des Königsbronner Pfleghofes in Pfullendorf

N. Fischlin, 1604

Bister laviert
H. 30,1 cm, B. 43,2 cm

Karlsruhe, Generallandesarchiv, Baupläne Pfullendorf No 1

Das Einzelblatt ist Teil einer Serie von Bauplänen zum Königsbronner Pfleghof, die durch einen Situationsplan und vier Grundrisse vervollständigt wird. Das abgebildete Blatt ist bezeichnet: *Dißе Pflegbehausung, auß dem grundt / nach dem Gesicht, zu die Perspectiva aufgerissen, da zu sehen was selbige da sie allerdings ganz von Neuem erbaut und gefferttiget für ein gestalt gerissen. Ist lang an der einen neben seit gegen beschriebenen hoff-*

weg – 66 und zur anderen seit, gegen den Pflegbauwgärtlein bis an die Stattmauer 61 und weit überhaubt 50 Schuch.
Die Angabe *auß dem Grundt gerissen* bedeutet das Anfertigen eines Grundrisses; unter *Gesicht* versteht man die Fassade des Hauses, die in perspektivischer Verkürzung an die Traufseite des Baus angefügt ist. Die rückwärtige Giebelseite des Pfleghofs schloß an die Stadtmauer an.
Dieser große, ausladende Bau erhob sich über tonnengewölbten Kellern, über denen ein kleineres Zwischengeschoß lag, das als Toilettenraum und Abstellkammer benutzt wurde. Dieses Geschoß ist am Fassadenriß an der zweiten Fensterreihe innerhalb der gemauerten Zone erkennbar. Darüber lagen die aus Fachwerk gezimmerten Geschosse. Äußerlich kann man zwei Arten der Fachwerkkonstruktion deutlich unterscheiden: das Ständerfachwerk mit Brustriegeln (besonders deutlich an der Ecke im ersten und zweiten Geschoß) und das Ständerfachwerk mit Fuß-, Brust- und Kopfriegeln sowie Diagonalverstrebungen der Ständer. Das bereits im Fachwerkbereich liegende Erdgeschoß enthielt Küche, Wohnstube und vier Kammern. Im ersten Obergeschoß lagen die beheizten Räume: Amtsstube und Herrenzimmer sowie kleinere Kammern. Die größeren benutzbaren Wohnräume sind am Außenbau an den langen Fensterreihungen erkennbar. Das zweite und dritte Obergeschoß im Bereich des Dachstuhls dienten als Speicherräume für Fruchtschütten. Der Pfleghof war Verwaltungssitz der Königsbronner Klostergüter in Pfullendorf. Nach der Reformation fiel der Pfleghof an die Herzöge von Württemberg. Der zwischen 1604 und 1607 errichtete Hof wurde von dem Baumeister N. Fischlin, dem Nachfolger Georg Beers, erbaut.

Fleischhauer 1971, S. 301; Gebhard Spahr, Oberschwäbische Barockstraße IV, Weingarten 1982, S. 103. *K.B.*

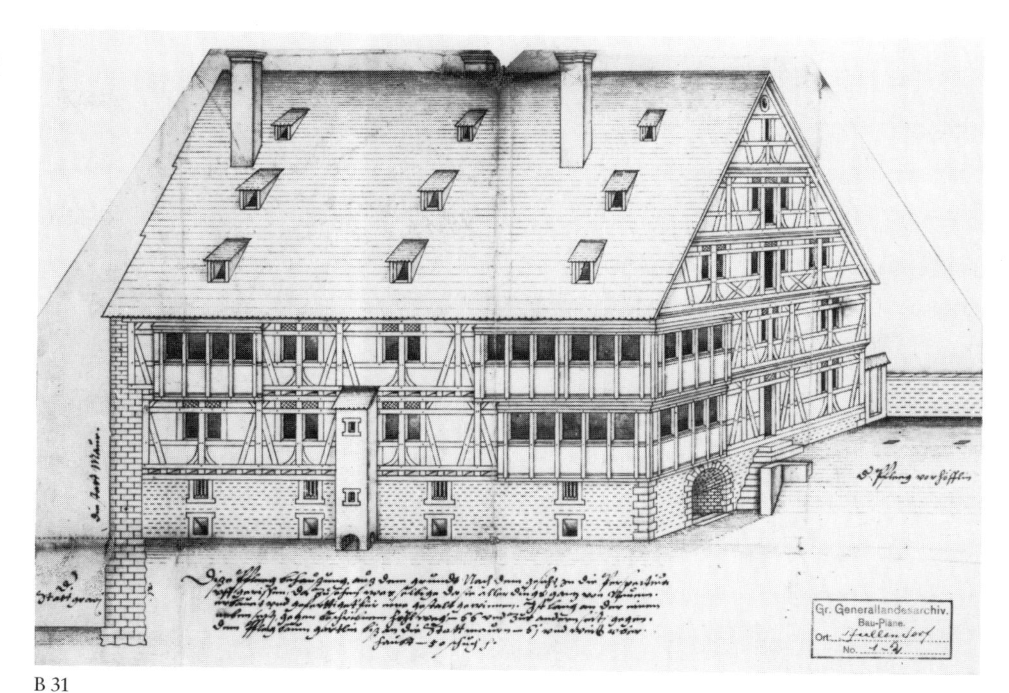

B 31

B 32

B 32

Perspektivische Ansicht des Rathauses in Vaihingen

Heinrich Schickhardt (1558–1635), 1621

Federzeichnung, grau laviert
H. 42,5 cm, B. 41,6 cm

Stuttgart, Hauptstaatsarchiv,
Inv.Nr. N220/A13

Der Entwurf zum Vaihinger Rathaus von 1621 ist ein gutes Beispiel für Schickhardts Fähigkeit, traditionsgebundene, heimische Bautechniken mit den Formen der Renaissance zu einem schlichten, aber harmonischen Ganzen zu verbinden. Das Rathaus ist nicht allein Tagungsstätte und Versammlungsort des Stadtrats, sondern

B 33

B 34

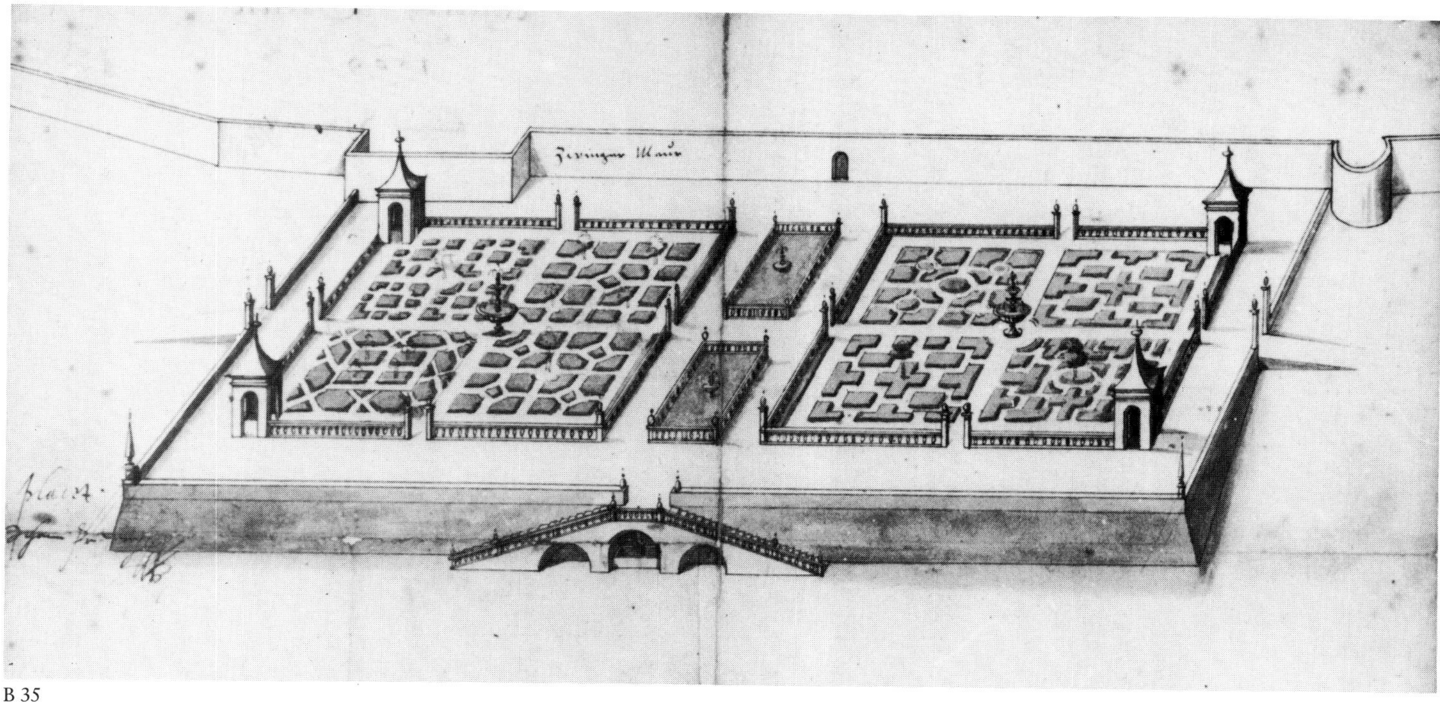

B 35

hatte noch verschiedene andere kommunikative und rechtliche Funktionen wahrzunehmen: Im Erdgeschoß war die Metzig und die Salzkammer untergebracht, im darüberliegenden ersten Stock der Tanzboden und im Oberstock (ebenfalls mit Altanen ausgestattet) die Ratsstube. Das im alemannischen Fachwerk geplante Rathaus ist an der Hauptgiebelseite mit einem Glockentürmchen geschmückt. Turm, Altane und die zweiläufige Freitreppe tragen ganz deutlich die Schmuckformen der Renaissance.
In Vaihingen hatte H. Schickhardt schon 1617 und 1618 zu tun, beide Male weil eine Feuersbrunst den Großteil des Ortes zerstört hatte. Der Bau des Rathauses zu Vaihingen, für den er 1621 Pläne entworfen hatte, wurde wegen der kommenden kriegerischen Ereignisse bald eingestellt.

Heyd 1902, S. 349 f., 387; Schahl 1959, S. 47. *K.B.*

B 33

Stadtansicht von Tübingen

aus dem Stammbuch des Prinzen Johann Wilhelm von Sachsen-Altenburg

Tübingen, um 1616

Aquarell auf Papier
H. 20 cm, B. 32,4 cm

Stuttgart, Württembergisches Landesmuseum, Inv.Nr. 1936/179

Prinz Johann Wilhelm (1600–1632) war Sohn des Friedrich Wilhelm von Sachsen-Altenburg, der in erster Ehe mit Sophia, der Tochter Herzog Christophs von Württemberg, verheiratet war. Der Prinz wurde am 13. 11. 1616 in das adelige „Collegium illustre" in Tübingen als Student aufgenommen. Es war Brauch, sich ein Stammbuch oder „Liber amicorum" anzulegen, in das Freunde Sprüche hineinschrieben (vgl. Einleitung G). Viele dieser Stammbücher waren mit kunstvollen Miniatur- und Wappenmalereien geschmückt.
Das breitrechteckige Aquarell zeigt Tübingen in der Ausdehnung vom Tor bei der Neckarmühle bis zur Stadtgrenze unterhalb des Schlosses. Besonders detailliert wiedergegeben ist das Schloß Hohentübingen, die Stiftskirche mit Aufzugkränen, das Stift mit der Stiftsmühle und die Bursa, das 1479–82 erbaute Wohngebäude der Studenten. Vor der St. Georgs-Stiftskirche steht der schmale Giebelbau der Universitätsaula. Abgesehen von Stiftskirche und Schloß wird das Stadtbild vom Fachwerkbau geprägt.
1342 war die damals pfalzgräfliche Herrschaft Tübingen von den württembergischen Grafen erworben worden; bei der Neuordnung des württembergischen Gerichtswesens 1470 wurde Tübingen neben Stuttgart Obergericht. Eine weitere Steigerung des juristischen Ranges der Stadt erfolgte, als 1514 das Hofgericht nach Tübingen verlegt wurde.

Baden-Württemberg 1980, S. 801–804. *K.B.*

B 34

Stadtansicht von Urach

aus dem Stammbuch des Prinzen Johann Wilhelm von Sachsen-Altenburg

Tübingen, um 1616

Aquarell auf Papier
H. 20,1 cm, B. 32 cm

Stuttgart, Württembergisches Landesmuseum, Inv.Nr. 1936/180

Die Stadt wird überragt vom Turm der St. Amanduskirche, die zwischen 1475 und 1500 von Graf Eberhard im Bart in den Ausmaßen der Stuttgarter Stiftskirche errichtet wurde. Nach Norden schließt sich ein mächtiger Fachwerkbau, der zwischen 1477 und 1498 errichtete Mönchshof an, in dem die Brüder vom gemeinsamen Leben wohnten. Das hinter dem Mönchshof zu erkennende dunkle hohe Dach gehört zu dem 1480 von Graf Eberhard gestifteten und 1515 vollendeten Spital. Nahe der Stiftskirche liegt in südlicher Richtung das 1443 errichtete neue herrschaftliche Schloß, das 1470 und unter Herzog Johann Friedrich (1602–1628) umgestaltet wurde. Das Schloß war von 1442–1482 Residenz des südlichen Landesteils der Grafschaft Württemberg.
Gut zu erkennen ist auch der kleine, von giebelständigen Fachwerkbauten umsäumte Marktplatz. Vor der mit Wehrtürmen besetzten Stadtmauer liegt im Osten der Stadt entlang der Erms ein Weberviertel, das Herzog Friedrich 1599 mit 28 Behausungen anlegte und das 1600 fertiggestellt war. Um 1600 zählte Urach ca. 2100 Einwohner. Über der Stadt erhebt sich auf dem Runden Berg die Festung Hohenurach, die unter Herzog Ulrich 1534 verstärkt und befestigt worden war.

Historischer Atlas Baden-Württemberg, Erläuterungen IV, 1977, S. 12–15; Baden-Württemberg 1980, S. 828–830. *K.B.*

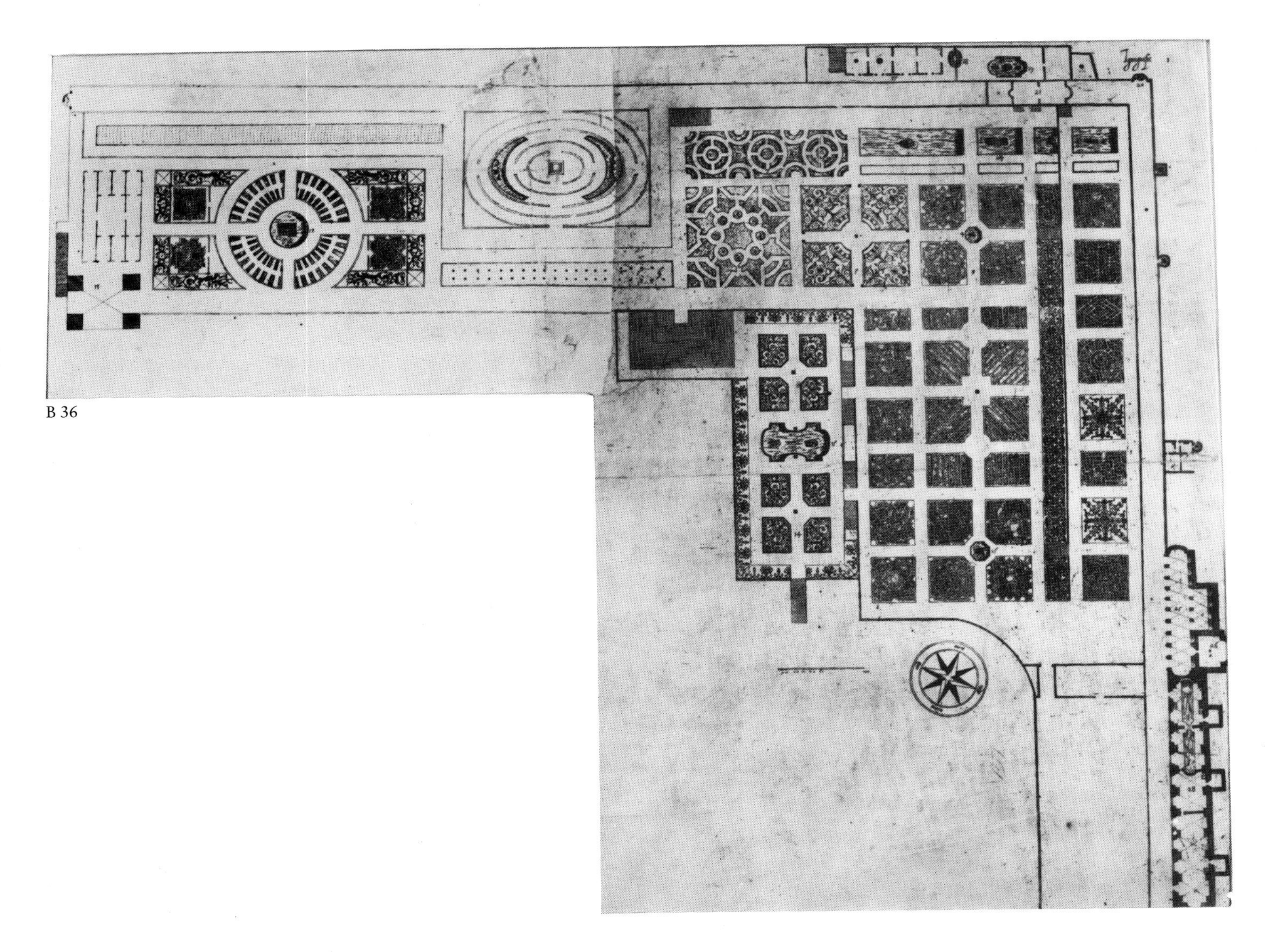

B 36

B 35

Perspektivische Ansicht des Schloßgartens Leonberg

Heinrich Schickhardt (1558–1635), 1609

Federzeichnung, grün, blau und grau laviert
H. 32 cm, B. 40,5 cm

Stuttgart, Hauptstaatsarchiv, Inv.Nr. N200/A 72,4

Der 1609 für die Herzogswitwe Sybilla von Anhalt geschaffene Pomeranzengarten geht auf mehrere Entwurfsstudien Schickhardts zurück. Geplant war, außerhalb der Zwingermauer des Schlosses auf einer aufgeschütteten und durch Substruktionen abgesicherten Terrasse, einen kleinen manieristischen Lustgarten mit Blumenbeeten, Wasserbecken und Brunnen anzulegen. Er sollte wohl ein Ersatz für den für die Witwe in weite Ferne gerückten Lustgarten in Stuttgart sein. Friedrichs Nachfolger Johann Friedrich genehmigte das Projekt (sig. *placet Johann Friedrich)*. Heinrich Schickhardt hatte die Anlage solcher Lustgärten in Stuttgart und auf seinen beiden Italienreisen studieren können. Während der Stuttgarter Lustgarten in der freien Ebene angelegt worden ist, wurde hier eine Terrassenanlage nach italienischer Manier geplant, wobei der Niveauunterschied durch eine zweiläufige Freitreppe mit Grottenraum genutzt wurde.
Daß der Garten letztlich doch etwas anders ausfiel und statt der beiden Wasserbassins ein Springbrunnen mit Obelisk das Zentrum des Gartens schmückt, zeigt der nach Grabungsfunden und Archivalien wiedererstandene heutige Pomeranzengarten.
Für den Sockel des Obelisken hat Schickhardt eigens ein Gedicht geschrieben: *Die durchleuchtig und Hochgeborn/Frauw Sibila auserkorn/zu Wirtemberg ein Herzogin/von Ahalt geborne Fürstin/hat anno sechzehn hundertnein/diesen Platz genommen ein/wie wol er war von wilder art/ war doch draus gmacht der Lustiggart/ Solchem zu merem Lust und ziert/hat man dis Wasser weit her gefiert.*

Heyd 1902, S. 379; Schahl 1959, S. 40f.; Fleischhauer 1971, S. 297; D. Hoth/H. Müller, Kunst im Detail, Stuttgart 1984, S. 100. *K.B.*

B 36

Grundriß des Hortus Palatinus

Salomon de Caus (1576 – 1626), 1619

aus *Hortus Palatinus à Friderico Rege Boemiae Electore Palatino Heidelbergae exstructus,* Frankfurt 1620

Kupferstich, auf zwei Druckplatten
H. 49,5 cm, B. 66 cm

Heidelberg, Kurpfälzisches Museum

Der „Pfälzische Garten" in Heidelberg war die bedeutendste Gartenschöpfung des 17. Jhs. in Deutschland. Die Vorbilder zu diesem Meisterwerk der Gartenarchitektur lagen in den Gärten der italienischen Fürstensitze und denen des französischen Adels. Der in englischen Diensten stehende französische Architekt, Ingenieur und Physiker Salomon de Caus hat diesen Garten entworfen und in einem umfangreichen Druckwerk, das er seinem Auftraggeber, dem Pfalzgrafen Friedrich V. widmete, 1620 veröffentlicht. Im Vorwort seiner Beschreibung des *Hortus Palatinus* erwähnt de Caus die umfangreichen Terrassierungsarbeiten, die

notwendig waren, um genügend flaches Terrain für den Garten zu schaffen. Ausgangspunkt der riesigen Gartenanlage war der kleine „Hasengarten", der ab 1614 in seiner Fläche beträchtlich erweitert wurde, indem man den Berghang durch Sprengungen weiter zurückversetzte und mit dem gewonnenen Steinmaterial und den Erdmassen einen Teil des Tales zwischen Schloß und Berg ausfüllte. Der Garten wäre in seinem vollem Umfang fertig geworden, hätten nicht die Ereignisse des Dreißigjährigen Krieges den Fortgang der Arbeiten verhindert. Nur noch sechs Monate wären zur Vollendung nötig gewesen.
Der Grundrißplan über alle drei Terrassen gibt den Idealzustand des Gartens wieder. Er zeigt die ganze spielerische Vielfalt des manieristischen Renaissancegartens mit Laubengängen, Grotten, Brunnen, Blumenbeeten und Pomeranzenhainen. Die mittlere Hauptterrasse begann im Winkelpunkt mit einem sogenannten Knotenparterre, das nach dem bandartigen Muster seiner Felder so genannt wird. Die einzelnen Bänder sind dabei aus niedrig wachsenden duftenden Kräutern zu denken, etwa Lavendel, Thymian, Rosmarin usw. Im Schnittpunkt der vier Bandfelder stand ein Springbrunnen. Daran schlossen sich vier Zierbeete aus Buchshecken an, denen ein Feld aus steingefaßten Hochbeeten in der Form eines Sternenmusters folgte. Auf dieses Parterre folgte ein in Kreisen angelegtes Labyrinth und davor war ein kleiner Hain mit Orangenbäumchen angelegt, der im Winter mit Brettern verschalt und beheizt wurde, damit die Bäumchen nicht erfroren.
Die unterste Terrasse wurde über zwei große Freitreppen erreicht. Das Zentrum dieser Anlage bildete das große Sammelbecken aller im Garten zusammenfließenden Wasser. Auch zum Schloß hin erstreckten sich auf der mittleren und der oberen Terrasse weitere Gärten mit Blumenparterren, Bosketten und Laubengängen, immer wieder durch einen Brunnen unterbrochen. Die größten Brunnenbecken lagen vor dem Eingang zur großen Grotte.
Der Ausblick auf die Landschaft, das Schloß und das Neckartal spielte für die Wirkung der Gesamtanlage eine wichtige Rolle, war aber noch nicht so konsequent durchgeführt und nach Bezugspunkten angelegt, wie es im Barock der Fall ist.

Caus 1620; Gothein 1926, S. 114–122; Clifford 1966, S. 235 f.; Hausmann 1983, S. 83–87. *K.B.*

B 37

B 37

Kirche St. Martin in Montbéliard (Mömpelgard)

Heinrich Schickhardt, Beschreibung einer Reiß in Italiam, 1602

Beschriftung: Kirch. zu: Mymppelgartt

Stuttgart, Württembergische Landesbibliothek, Sign. WG 519 4°

Die Kirche wurde 1601–07 nach Heinrich Schickhardts Entwurf errichtet. Die Ansicht zeigt den frei auf einem Platz stehenden Kirchenbau von Nordosten in dem vom Architekten geplanten, in der Folge aber nicht ganz realisierten Zustand. So kamen die Freigeschosse des Turmes nicht zur Ausführung – an ihre Stelle trat ein sehr einfacher Dachreiter – und die Westfassade erhielt nicht den auf der Radierung erscheinenden, reich geschmückten Volutengiebel; sie wurde ebenso wie die Ostfassade durch einen einfachen Dreiecksgiebel abgeschlossen. Der Charakter der Fassade wird bestimmt durch die stattliche Kolossalordnung und die strengen Ädiculafenster. Daß hier Joseph Heintz die Gestaltung beeinflußt haben mag – wie jüngst in Erwägung gezogen wurde (Georg Skalecki, Beobachtungen zum frühen protestantischen Kirchenbau in Deutschland, in: Münster, 38. Jg., 1985, S. 284) –, ist angesichts der Verwandtschaft mit einem seiner Entwürfe zur Neuburger Hofkirche durchaus bedenkenswert. *K.M.*

B 40

B 38

B 38

Jesuitenkirche St. Konrad mit Konvikt in Konstanz

Stephan Huber, 1604

Kolorierte Federzeichnung
H. 30 cm, B. 43 cm

Karlsruhe, Generallandesarchiv, Inv.Nr. G Konstanz 20

Die Kirche wurde 1604–07 nach dem Entwurf des Jesuitenbaumeisters Stephan Huber errichtet. Die aus der Vogelperspektive genommene Ansicht zeigt Kirche und Konvikt von Südwesten. Da einige Einzelheiten mit dem ausgeführten Bau nicht übereinstimmen und das Blatt mit einem Dillinger Promotionszettel vom 1. Mai 1604 unterklebt ist, kann die Zeichnung in die Zeit des Baubeginns, d.h. in den Sommer 1604 datiert werden. Der Turm war zu jener Zeit offenbar noch nicht für seinen jetzigen Standort in der Hauptachse hinter dem Chor, sondern im nördlichen Winkel zwischen Chor und Langhaus geplant. Die Gestaltung von Fassade und Turm läßt die enge Beziehung des Bauherrn, des Fürstbischofs Jakob Fugger, und seines Architekten zur Augsburger und Münchner Architektur der Zeit deutlich werden. Wie weit die als Vorbild genannte und heute nicht mehr bestehende Regensburger Jesuitenkirche auf den Konstanzer Bau eingewirkt hat, läßt sich nicht mehr feststellen. Dieser mag seinerseits die wenige Jahre später errichtete Dillinger Studienkirche der Jesuiten beeinflußt haben. *K.M.*

B 39

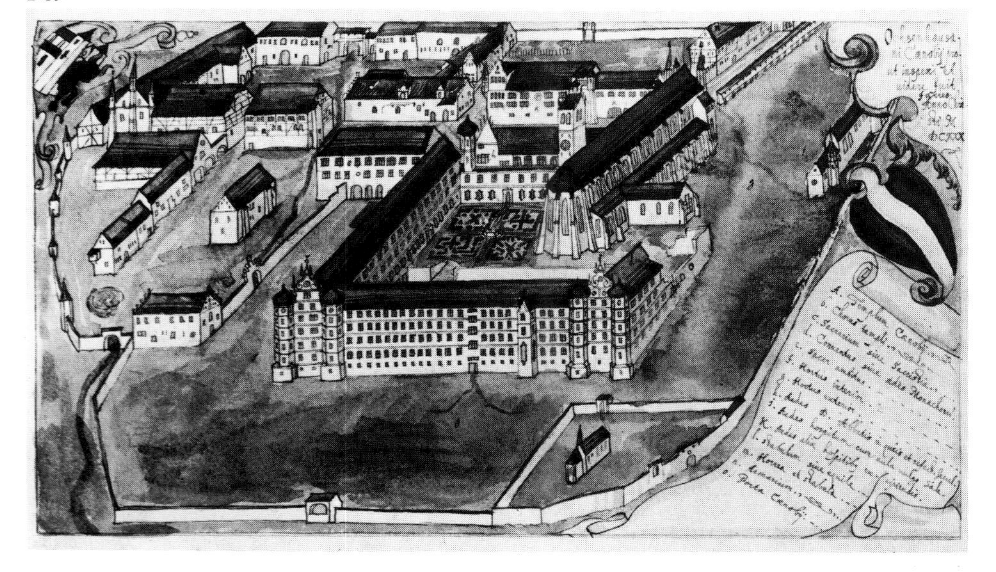

B 39

Benediktinerabtei Ochsenhausen

P. Gabriel Bucelin, Constantiae Benedictae, Tom. III, fol.448, 1630

Kolorierte Federzeichnung
H. 15,1 cm, B. 25,5 cm

Beschriftung: *Ochsenausani Coenobii pro ut insperi et uidere fuit facies Anno Christi MDCxxx.*

Stuttgart, Württembergische Landesbibliothek, Sign. HBV 4a

Die Konventflügel der Reichsabtei wurden von 1615 an unter der Beratung des Jesuitenbaumeisters Stephan Huber weitgehend neu erbaut. Die Ansicht zeigt den gesamten Gebäudekomplex aus der Vogelschau von Nordosten; im Vordergrund erscheint der später durchgreifend barockisierte Ostflügel mit seinen kräftigen, von Polygonaltürmen flankierten und mit Volutengiebeln bekrönten Eckrisaliten – Ansätzen zu einer neuen, auf Symmetrie bedachten Monumentalität im Klosterbau Schwabens. *K.M.*

B 40

Dreifaltigkeitskirche Ulm

Joseph Furttenbach d.J., „Kirchen gebäuw", 1649

H. 21 cm, B. 17,5 cm
Beschriftung: *Der Fünffte Äussere Aufzug. Ioseph Furttenbach, junior, Pinxit, et fecit, Anno 1649:*

Stuttgart, Württembergische Landesbibliothek, Sign. R 17 fur 2 4°

Die Ulmer Dreifaltigkeitskirche wurde 1616–21 nach einem Entwurf von Martin Bantzenmacher erbaut; über eine immerhin denkbare Beteiligung eines Mitgliedes der Baumeisterfamilie Furttenbach ist nichts bekannt.
Die Ansicht zeigt die Kirche aus der Vogelschau von Nordwesten in etwas verkürzter Gestalt. Von Joseph Furttenbach d.J. wurde sie 1649 in seinem Werk zum zeitgemäßen evangelischen Kirchenbau als Muster empfohlen. Ein Hinweis auf die Dreifaltigkeitskirche fehlt hier, doch lehrt der Augenschein, daß der in Ulm lebende Architekturtheoretiker eben diesen Kirchenbau wiedergeben wollte, allerdings ohne den in Ulm vom Vorgängerbau übernommenen gotischen Chor und mit einem fünf- statt siebenjochigen Langhaus. Charakteristisch für die Kirche ist die merkwürdige Kombination von kolossaler Pilasterordnung mit Spitzbogenfenstern.
Vgl. die ähnliche Ansicht auf der Medaille zur Einweihung der Dreifaltigkeitskirche 1621 (Elisabeth Nau, Die Münzen und Medaillen der oberschwäbischen Städte, Freiburg 1964, S. 81, Nr. 189). *K.M.*

Malerei

Monika Kopplin

Der deutsche Südwesten erlebt in der ersten Hälfte des 16. Jahrhunderts eine Blütezeit der Malerei und – mit regionalen Schwerpunkten – die Tätigkeit einiger bedeutender, ja singulärer Künstlerpersönlichkeiten dieser Epoche. Neben Württemberg, Oberschwaben, Ulm, dem Bodenseegebiet und der Kurpfalz nimmt mit Abstand die künstlerische Führungsrolle die oberrheinische Landschaft mit ihren damaligen Kunstzentren Straßburg, Colmar, Freiburg und dem – seit 1501 der Eidgenossenschaft angeschlossenen – Basel ein.

Matthias Grünewald, der ungeachtet seiner mainfränkischen Herkunft und seines auf Aschaffenburg, Mainz, Frankfurt und Halle konzentrierten Wirkungskreises mit dem 1512/13 bis 1515 für die Antoniter-Präzeptorei in Isenheim bei Colmar gemalten Altar sein Hauptwerk am Oberrhein geschaffen hat, steht – obwohl Baldung sich schon 1509 in Straßburg niedergelassen hat – zeitlich und stilistisch am Beginn unserer Betrachtungen. Trotz seiner nachgewiesenen profunden Kenntnisse in Anatomie und Perspektive, deren Beherrschung zu den Prämissen eines veritablen Renaissancekünstlers zählt, erscheint dieser bis heute zu Spekulationen herausfordernde Maler durch die Ausschließlichkeit, mit der er sich der religiösen Thematik widmet, in einer vom Geist des Humanismus auf die Antike gerichteten Welt als konservativer Außenseiter. Mehr noch als das Primat von Christi Passion in seinem Werk gehören ihr mystisch-visionäres Nacherleben, das prononciert Zeichenhafte der Gebärden, das eigenständig Bedeutungshafte des Gewandes und seiner rieselnden Faltenfigurationen spätgotischer Ausdruckskunst an. Grünewalds stärkstes Zeichen ist die Farbe. In ihrer juwelenhaften Leuchtkraft und ihren Lichtvisionen entfaltet sich sein ausgeprägter Sinn für eine überirdisch aufgefaßte Festlichkeit; in den nicht weniger reichen Tonabstufungen geschundenen, verwesenden Fleisches verleiht er seinem Bild vom menschlichen Elend unmittelbaren, erschütternden Ausdruck. Schönheit und symbolhafte Intensität seiner ausdrucksmächtigen Farbigkeit lassen in ihm den bedeutendsten und eigenständigsten deutschen Koloristen seiner Zeit erkennen. Da er anscheinend keinen festen Schülerkreis an sich gezogen und weder Holzschnitte noch Kupferstiche geschaffen hat, blieb ihm die breite schulbildende Wirkung versagt, die Dürer seiner Druckgraphik und dem ausgedehnten Werkstattbetrieb in Nürnberg verdankt. Grünewalds Einfluß konnte sich gleichwohl am Oberrhein durch das große Isenheimer Altarwerk auf einheimische wie besuchsweise verweilende Künstler auswirken, so etwa auf den jungen Holbein, der um 1517 seinen Vater in dessen Isenheimer Werkstatt aufgesucht hat. Auch Jerg Ratgeb könnte schon um 1500, als er vermutlich als Werkstattgeselle Hans Holbeins d. Ä. an dessen Hochaltar für die Frankfurter Dominikanerkirche mitgewirkt hat, dort dem jungen Grünewald begegnet und, von seinem emotionsgeladenen Temperament angeregt, in den eigenen Intentionen bestätigt worden sein.

In Hans Baldung begegnen wir einem anders gearteten Sonderfall unter den altdeutschen Malern. Im Gegensatz zu den meisten seiner Zunftgenossen wurde er nicht als Sohn eines Goldschmieds, Bildhauers oder Malers in ein traditionsgebundenes Handwerkermilieu hineingeboren, sondern entstammte einer Gmündener Gelehrtenfamilie, deren Mitglieder als Juristen, Ärzte und Professoren ihn von Jugend an mit humanistischem Gedankengut vertraut gemacht haben dürften. Dieser auf seinem frühesten Selbstbildnis (s. Kat.Nr. E 1) so selbstbewußt und weltzugewandt auftretende junge Mann läßt sich nach der 1503 bis 1507 in Dürers Werkstatt verbrachten Gesellenzeit 1509 als Meister in Straßburg nieder, dessen Kunstszene er bis zur Jahrhundertmitte nachhaltig prägen soll. Schon früh muß ihm sein Ruf über die Stadtgrenzen hinaus am Oberrhein Geltung verschafft haben und auch nach Freiburg gedrungen sein, wo ihm mit dem Hochaltar des Münsters ein Auftrag allerhöchsten Anspruchs übertragen wird. Neben diesem frühreifen – gleichzeitig mit dem jenseits des Rheins benachbarten Isenheimer Altar Grünewalds – in den Jahren 1512 bis 1516 geschaffenen Hauptwerk entsteht eine Fülle von Zeichnungen (s. Kat.Nr. E 3 u. E 4), Holzschnitten (s. Kat.Nr. F 3) und kleineren Gemäldekompositionen. Schon in dieser von vitaler Schaffenskraft erfüllten Freiburger Phase bricht sich seine ungeachtet anfänglicher Dürer-Einflüsse starke Künstlerpersönlichkeit Bahn und widersteht selbst – wohl aufgrund ihrer diametralen Andersartigkeit – dem naheliegenden Impuls durch das Genie Grünewalds. Suggestive Plastizität, eine eigenständige, kühne und reiche Farbigkeit mit auffallender Vorliebe für seltene und gebrochene Zwischentöne und eine frohgestimmte Festlichkeit verleiht bereits seinen Freiburger Werken einen ausgeprägten, unverwechselbaren Charakter. Rückkehr und Wiedereinbürgerung in Straßburg 1517 eröffnen ihm

Abb. C 1 Hans Baldung, genannt Grien, Der Tod und die Frau, um 1518/20. Basel, Kunstmuseum

erneut die künstlerischen und intellektuellen Anreize dieser damals neben Köln, Wien, Nürnberg und Augsburg größten und lebendigsten Stadt im deutschen Kulturraum. In dieser vom Wirken so bedeutender, in der „sodalitas litteraria" zusammengeschlossener Humanisten wie Jakob Wimpheling, Johann Geiler von Kaisersberg, Beatus Rhenanus, Sebastian Brant und Erasmus von Rotterdam bestimmten Atmosphäre empfängt Baldung nicht nur geistige Impulse, sondern findet auch eine aufnahme-

Abb. C 2 Hans Baldung, genannt Grien, Markgraf Christoph I. von Baden, 1515. München, Bayerische Staatsgemäldesammlungen (Alte Pinakothek)

bereite Klientel für seine gemalten oder als Kabinettstücke und Sammlerobjekte zu privater Erbauung, spekulativer Vertiefung und gelehrter Diskussion gezeichneten Vorwürfe. Das vom ersten erhaltenen Gemälde bis in die letzten Jahre für ihn bedeutsame Thema des Todes, meist in der tragisch empfundenen Begegnung mit jungen, lebensvollen Frauen vorgetragen (s. Abb. C 1), und das ihn nicht weniger fesselnde Hexenwesen und unheimliche Walten dämonischer Mächte werden in seinen Zeichnungen, Holzschnitten und großformatigen Gemälden auf eindringliche Weise gestaltet. Trotz der sichtbaren Leidenschaft, mit der diese aus Urängsten und -ahnungen des Menschen geborenen Themen vorgetragen werden, ist doch ein von Grünewalds emotionaler Hingabe wesensverschiedener intellektueller Geist am Werk. Selbst den dramatischsten Bildschöpfungen Baldungs, wie der Bamberger Sintflut (1516), den Frankfurter Wetterhexen (1523) oder der Kasseler Herkules-Antäus-Gruppe (1531), haftet eine für ihn bezeichnende distanzierte Kühle an. Die von Bussmann mit dem Ausdruck „kaltes Feuer" charakterisierte spannungsvolle Verbindung von sinnlicher Leidenschaft und intellektualistischer Kühle bei Baldung erreicht in den großen Aktgemälden der Venus, Judith und Eva (1525), aber auch schon in der Karlsruher Zeichnung einer Hexe (1515; s. Kat.Nr. E 3) beeindruckende Höhepunkte. Die bei Baldung erstaunlich frühe Ausformung eines „manieristischen" Figurenstils, der raffiniert preziöse Körperdrehungen in scharfem Helldunkelkontrast und plastischer Prononcierung vorträgt, und ein auch im privaten Andachtsbild gepflegter antikisierender Schönheitskult erfahren in den dreißiger und vierziger Jahren weitere Steigerung zu zierlich gedrechselter, verspannter, scharfkantiger Manier, die in der älteren Literatur weitgehend auf Ablehnung stieß. Baldung, der nicht nur ein außergewöhnlicher Aktmaler war, sondern auch als Porträtist Hervorragendes geleistet (s. Abb. C 2) und ein bedeutendes graphisches Werk hinterlassen hat, ist ungleich weniger Echo beschieden gewesen als Dürer. Als eigentliche Ursache hierfür ist wohl der um die Jahrhundertmitte feststellbare Niedergang der religiösen und besonders der mariologischen Malerei verantwortlich, der auch Baldung schon seit den zwanziger Jahren veranlaßt hatte, sich zunehmend antiken Themen zuzuwenden.

Als sein einziger unmittelbarer Schüler wird der vermutlich aus Baden-Baden stammende Nikolaus Kremer faßbar, der bald nach Baldungs Rückkehr nach Straßburg 1517 in dessen Werkstatt eingetreten sein muß. Die wenigen bisher bekannten figürlichen Kompositionen und Bildnisse Kremers lassen eine deutliche stilistische und motivische Abhängigkeit von seinem Lehrer, aber auch von Dürer erkennen und zeigen zugleich die eng gesteckten Grenzen seiner Erfindungsgabe und seines künstlerischen Ausdrucksvermögens auf. Wie sehr die mit dem Verbot der Messe 1529 offiziell in Straßburg eingeführte Reformation den bildenden Künsten geschadet und die Künstler oft selbst in ihrer materiellen Existenz bedroht hat, verdeutlicht die Tatsache, daß Kremer – sicherlich nicht als einziger Maler – 1547 Straßburg verlassen und sich in dem katholisch gebliebenen Teil der Markgrafschaft Baden niedergelassen hat. Schon 1534 hatte er dort für das Zisterzienserinnenkloster Lichtenthal bei Baden-Baden und 1542 für die markgräfliche Familie Aufträge ausgeführt. Auch Kremers Lehrling Jost Krieg aus Barr wurde in den vierziger Jahren von der calvinistisch geprägten Bilderfeindlichkeit verfolgt und ihm vom Rat der Stadt sogar das Verbot der Ausübung seines Handwerks für den Fall angedroht, daß „die Marien pilde also schandtlich und entblößt gemalet."

Hans Wechtlin, der in seinen schon bald nach der Jahrhundertwende entstandenen Holz- und Clairobscurschnitten (s. Kat.Nr. F 27–F 29) durch italienische Druckgraphik angeregte antike Themen und Formensprache aufgreift und zu den frühen Exponenten der Renaissance in Straßburg zählt, ist als Zeichner nur mit wenigen, ihm zögernd zugeschriebenen Blättern (s. Kat.Nr. E 8 u. E 9), als Maler bisher gar nicht faßbar. Gleiches gilt für den neuerdings wieder mit dem Petrarca-Meister identifizierten „hochberümpten meyster Hans Weyditz von Straßburg", der in den zwanziger und dreißiger Jahren in der Drucker- und Verlagsmetropole als Holzschnittreißer tätig war. Seine Buchillustrationen, ornamentalen Entwürfe (s. Kat.Nr. F 30) und die wenigen ihm zugeschriebenen Zeichnungen (s. Kat.Nr. E 10 u. E 11) weisen ihn als schlagkräftigen, humorvoll-spritzigen Erfinder und präzisen Beobachter aus. Die von Musper und Buchner vorgenommenen Zuschreibungen von Gemälden haben sich nicht durchsetzen können.

Zu den wenigen bekannten Straßburger Meistern der ersten Hälfte des 16. Jahrhun-

derts zählt der von der Forschung der dreißiger (Walter Hugelshofer, Hans Rott) und frühen fünfziger Jahre (Jean Rott) entdeckte, später zu Unrecht vernachlässigte Wilhelm Stetter. Als Angehöriger des Johanniterordens hat er sich während der Religionskämpfe für die Rechte und den Fortbestand der alten Kirche eingesetzt, doch lassen sich auch seine Werke, die ausschließlich religiöser Thematik vorbehalten scheinen, nur bis 1536 nachweisen; einer weiteren Tätigkeit in diesem Bereich hat möglicherweise die Bilderfeindlichkeit der Reformation einen Riegel vorgeschoben. Stetters Gemälde (s. Kat.Nr. C 5), die meist mit seinem charakteristischen Monogramm „W S" und dem Malteserkreuz signiert sind, lassen sich an ihrem erzählerisch-gemütvollen Vortrag und ihrer lyrisch zarten Farbgebung unschwer erkennen. Trotz der übermächtigen Nachbarschaft Baldungs hat er einen eigenständigen Stil zu entwickeln vermocht. Eine Vorliebe für detailreiche Schilderung kulissenartig aufgebauter, dekorativ umgesetzter Architekturen und landschaftliche Hintergründe von äußerst poetischem Stimmungsgehalt sollten seinen freundlich gestimmten heiteren Werken mehr Aufmerksamkeit eintragen.
Basel, geographisch und kunsthistorisch der oberrheinischen Landschaft zugehörig, seit 1501 jedoch mit dem politischen Schicksal der jungen Eidgenossenschaft verknüpft, kann in einem Überblick über die Renaissancemalerei im deutschen Südwesten nur am Rande berücksichtigt werden. Mit besonderer Berechtigung darf aber auf seinen bedeutendsten Maler, den in Augsburg geborenen, in London gestorbenen Hans Holbein d. J. verwiesen werden. In den Jahren 1521/22 – während der ihm übertragenen ehrenvollen Ausmalung des großen Basler Ratssaales – hat Holbein für die Kapelle des Ratsherrn Hans Oberried einen Altar gemalt, dessen Flügel mit Darstellungen von Christi Geburt und der Anbetung der Heiligen Drei Könige vor dem Basler Bildersturm des Jahres 1529 gerettet werden konnten. Von Oberried in seine Vaterstadt Freiburg verbracht, fanden die Flügel, 1554 von seinen Erben der Universität gestiftet und zu einer Mitteltafel zusammengesetzt, in der Universitätskapelle des Freiburger Münsters ihre bleibende Aufstellung (s. Abb. C 3). Selbst an die Lichteffekte von Baldungs Nachtstück „Geburt Christi" (1520) und in Einzelmotiven an Stiche von Dürer und Nicoletto da Modena anknüpfend, hat der Altar seine Wirkung auf nachfolgende Malergenerationen nicht verfehlt. So hat der gebürtige Basler und Hofmaler Rudolfs II. Joseph Heintz seiner linken Tafel die ausdrucksvolle Figur des Hirten mit dem Schlapphut für eine um 1599 entstandene „Anbetung der Hirten" entlehnt (s. Kat.Nr. C 42).
Die oberrheinische Malerei der Renaissance weist in der ersten Jahrhunderthälfte Reichtum und Vielfalt auf. Mit Grünewald, Baldung und Holbein d. J. sind in ihrem Einzugsbereich überragende, in ihrer ausgeprägten Eigenart die Spannweite der Ausdrucksmöglichkeiten vor Augen führende Künstlerpersönlichkeiten tätig, deren Schaffenskraft diese Landschaft die epochalen Altarwerke in Colmar und Freiburg verdankt. Reformation und Bildersturm haben jedoch schon Ende der zwanziger Jahre Stagnation, ja bald einen allgemeinen Rückgang der darstellenden Künste bewirkt und manchen Maler zur Abwanderung in weniger kunstfeindliche Gegenden veranlaßt. „Hier frieren die Künste" schrieb Erasmus 1526 in seinem Brief an den englischen Kanzler Thomas Morus, dem er den jungen Holbein für eine weitere Tätigkeit in London empfahl.
Auch in Schwaben konzentriert sich die Entwicklung der Malerei auf die erste Jahrhunderthälfte und bringt an mehreren Zentren bedeutende Einzelleistungen hervor. Der Generation Dürers und Grünewalds gehört der wie Baldung aus Schwäbisch Gmünd stammende Jerg Ratgeb an. Die künstlerische Herkunft dieses aufgrund seiner Parteinahme im Bauernkrieg und seines tragischen Schicksals zu emotionaler Betrachtung und Beurteilung herausfordernden Malers ist noch nicht gültig geklärt. Stilistische Einflüsse Hans Holbeins d. Ä., an dessen Hochaltar für die Frankfurter Dominikanerkirche er – möglicherweise an der Seite Grünewalds – 1499 bis 1501 mitgewirkt hat, scheinen jedoch unbestritten. Wie Grünewald, mit dem ihn manche Gemeinsamkeit verbindet, hat sich Ratgeb – soweit die erhaltenen Werke Auskunft geben – bis auf die Frankfurter Stallburg-Bildnisse ausschließlich dem religiösen Themenbereich verschrieben. Zum Teil nur fragmentarisch überlieferte Altarwerke von vehementer, höchst eigenwilliger Ausdruckskraft sichern ihm eine erst in jüngerer Zeit erkannte Bedeutung in der südwestdeutschen Malerei des beginnenden 16. Jahrhunderts. Von dem kleinen, im Auftrag des Grafen Neipperg 1510 entstandenen Schwaigerner Altar

Abb. C 3 Hans Holbein der Jüngere, Oberried-Altar, 1521/22. Freiburg i. Br., Münster, Universitätskapelle

(s. Kat.Nr. C 10) über die Flügel eines um 1516 datierten Passionsaltars (s. Kat.Nr. C 11), dessen Mitteltafel und Predella verloren sind, führt Ratgebs Entwicklung zu seinem 1518/19 ausgeführten Hauptwerk, dem Hochaltar der Herrenberger Stiftskirche (s. Abb. C 4). Seine Vorliebe für erzählerischen Reichtum, für die Schilderung kostümlicher Details und die Bevorzugung figurenreicher Szenen, die in mittelalterlicher Simultandarstellung räumlich und zeitlich getrennte Ereignisse auf einer Tafel vereinen, ziehen sich wie ein roter Faden durch sein ganzes Werk und lassen sich auch an den trotz weitgehender Zerstörung eindrucksvollen Resten seiner großflächigen Fresken im Kreuzgang des Frankfurter Karmeliterklosters (1514–1518) belegen. Zwischen dem in liebenswerter Ausführlichkeit vortragenden, im Detail heiter-naiv anmutenden und eine prachtvolle Stoffmalerei entfaltenden Stil des Schwaigerner Altars und der gelegentlich bizarre Züge annehmenden, expressiv gesteigerten Ausdruckskunst des Herrenberger Altars liegt eine in Farbigkeit und Gestik umgesetzte Entwicklung, die zunehmend auf innere Menschenschau ausgerichtet ist. Dabei bleibt Ratgeb trotz renaissanceartiger Architekturmotive und Ansätzen perspektivischer Darstellung – wie Grünewald – spätgotischer Tradition verhaftet. In seiner übersteigerten Gestik und Mimik, die bewußt häßliche Verzerrung als Spiegelung seelischer Vorgänge einsetzt, wie in der zeichenhaften unruhigen Farbigkeit erreicht sie sogar einen späten Kulminationspunkt und erscheint denkbar weit entfernt von der harmonischen Körperhaftigkeit und ruhigen idealischen Klassizität der italienischen Renaissance.
War Ratgeb außer in Stuttgart, Heilbronn und Herrenberg auch über seine schwäbische Heimat hinaus in Frankfurt und Mainz tätig, bleibt Heinrich Füllmaurer in seiner Bedeutung und seinem Wirkungskreis ein lokaler Künstler. Nur wenige Werke seiner Hand haben sich erhalten oder sind durch schriftliche Quellen bekannt. Rechnungsbelege sichern seine Mitarbeit an den Wandmalereien im herzoglichen Gemach in Stuttgart 1536 bis 1538. Schon bald darauf muß er – gemeinsam mit Albrecht Mayer – an den kolorierten Vorzeichnungen für das 1542 erschienene Kräuterbuch von Leonhart Fuchs und an einem weiteren Hauptwerk gearbeitet haben. Der erstmalig 1616 von Philipp Hainhofer erwähnte, nach der Schlacht von Nördlingen 1634 zusammen mit der württembergischen Kunstkammer von den siegreichen kaiserlichen Truppen nach Wien überführte Mömpelgarder Altar (s. Abb. C 5 und Kat.Nr. C 14 A) wird von Werner Fleischhauer mit einleuchtenden Gründen Füllmaurer zugeschrieben. Zusammen mit dem im Gothaer Schloßmuseum bewahrten Gegenstück muß er um 1540 in der Herrenberger Werkstatt des Meisters entstanden sein. Das vielflügelige Altarwerk stellt auf einer Mitteltafel und 158 kleinen neben- und untereinandergereihten Einzeldarstellungen im Sinne einer evangelischen Bilderpredigt Szenen aus dem Leben Christi dar. Solche in reformatorischem Geist entstandene, die Kenntnis des Evangeliums vertiefende Bildwerke wurden von Luther ausdrücklich befürwortet und auch nach Einführung der Reformation in Württemberg und zunehmend strenger formulierten Bilderverboten geduldet, die ja nur die „ärgerlichen Bilder“ betrafen. Die sachliche Ruhe des Vortrags, die naive und zugleich charaktervolle Schilderung des Heilsgeschehens entsprechen ebenso schwäbischer provinziell-biederer Malerei wie die von dekorativen Kartuschen eingefaßten begleitenden Texte, denen die ersten Auflagen des Lutherischen Bibel-Textes zugrunde liegen, schwäbische Mundart verraten. Das letzte bekannte, 1541 datierte Werk Füllmaurers, ein Porträt des Tübinger Botanikers Leonhart Fuchs (s. Kat.Nr. C 14) entspricht einem halbfigurigen Bildnistypus, der auch in den folgenden Jahrzehnten in Tübingen seine Gültigkeit bewahren sollte.
Weiter südlich, im oberschwäbischen Meßkirch, damals die Residenz der Freiherren und späteren Grafen von Zimmern, hatte der nach dem Ort benannte „Meister von Meßkirch“ seine Hauptwirkungsstätte. Sein Leben, ja seine Identität liegen noch immer im dunkeln; möglicherweise ist er mit Peter Strüb d. J. aus Veringenstadt identisch. Seine Lehrzeit scheint er in einer provinziellen schwäbisch-ulmischen Werkstatt verbracht zu haben, bevor er über Hans Schäufelein und Hans von Kulmbach in den Einflußbereich Dürers geriet. Der Meister war fast ausschließlich für den oberschwäbischen Adel tätig. Nach anfänglichen Aufträgen in den zwanziger Jahren für die Grafen von Zollern in Hechingen und für die Herren von Bubenhofen in Balingen sowie den 1532 bis 1535 im Kreuzgang des Klosters Heiligkreuztal bei Riedlingen ausgeführten Fresken scheint er ab 1536 (Wildensteiner Altar) ausschließlich als Hofmaler der Grafen von Zimmern tätig gewesen zu sein. Ob er auch seine Werkstatt in

Abb. C 4 Jerg Ratgeb, Geißelung Christi, Herrenberger Altar, linke Mitteltafel, 1518/19. Stuttgart, Staatsgalerie

Abb. C 5 Heinrich Füllmaurer, Mömpelgarder Altar, um 1540. Wien, Kunsthistorisches Museum

Meßkirch aufgeschlagen hat, muß offenbleiben. Sein im Auftrag des Grafen Werner von Zimmern um 1538 entstandenes Hauptwerk, die gesamte Altarausstattung der baulich erweiterten Stiftskirche von Meßkirch, wie auch die vorausgegangenen Wildensteiner und Falkensteiner Altäre weisen ihn als bedeutenden und liebenswerten Künstler aus, dessen Eigenständigkeit sich in einer juwelenhaft leuchtenden, reich nuancierten Farbigkeit und einem ausgeprägten Figurenstil manifestiert. Seinen körperhaften, anatomische Studien voraussetzenden Gestalten ist eine kräftig-derbe Physis mit eigentümlich knollig gebildeten Gesichtern und Händen und zugleich eine feierlich anmutende Ruhe und rosige Heiterkeit eigen. Alles Ausdruckshafte, nervös Verzerrte liegt diesem Meister fern, der mit der Welt im Einklang zu stehen schien und sie mit leuchtenden Bildern frohgestimmter Festlichkeit beschenkt hat. Die phantasievoll ornamentierten architektonischen Hintergründe, sein sichtbares Streben nach Dreidimensionalität und stimmiger Perspektive lassen in ihm einen originellen Repräsentanten süddeutscher Renaissance erkennen. Da er – wie alle schwäbischen Meister seiner Zeit – nur wenige Zeichnungen (s. Kat.Nr. E 14–E 16) und keine Druckgraphik hinterlassen hat, blieb ihm überregionale Ausstrahlung versagt. Dennoch läßt sich in seinem Wirkungskreis eine lokale Schule erkennen; hier sei nur auf den Meister des Talheimer Altars (nach Fleischhauer ein Frühwerk des Meßkirchers) und Sigmaringer Altars sowie auf den Balinger Künstler Marx Weiß verwiesen.
Marx Weiß, der als Stiladept gelegentlich mit dem Meister von Meßkirch identifiziert worden ist, hat seine Tätigkeit in den fünfziger Jahren an den Bodensee verlegt. Seine Fresken im Münster zu Mittelzell auf der Reichenau (1555) und im Münster von Überlingen (1560/63) zählen neben einer einzigen monogrammierten und 1543 datierten Zeichnung (s. Kat.Nr. E 17) zu seinen wenigen urkundlich verbürgten Werken. Noch vor Marx Weiß hat sich mit Christoph Bockstorfer 1514 ein bedeutenderer auswärtiger Maler am Bodensee niedergelassen. Sohn eines Memminger Malers, ist Bockstorfer offensichtlich in Augsburg – vermutlich bei Daniel Hopfer – ausgebildet worden. Als Maler, Kupferstecher (?) und Zeichner hat er in Konstanz und der angrenzenden Schweiz, aber auch in herzoglich württembergischem Auftrag in Mömpelgard (1544–1546) eine dreißigjährige fruchtbare Tätigkeit entfaltet. Während seine Zeichnungen wechselnde Zuschreibungen erfahren, ist seinen einprägsamen Gemälden eine augsburgisch geschulte Freude an ornamentalem Zierat an Pfeilern und Pilastern, die Einbeziehung von Edelmetallarbeiten und kunstvollen Stickereien in Verbindung mit großzügiger Verwendung von Blattgold eigen. Seine auffallende Neigung zu fein plissierten Gewändern, zu ausdruckshaften Gebärden und Einzelmotive seines Figurenstils lassen hingegen an eine Reise an den Oberrhein und eine Berührung mit Baldung und Grünewald denken. Neben seinem Hauptwerk, dem Hochaltar des Münsters von Sankt Gallen (1522), steht ebenbürtig der kleinere dreiteilige Flügelaltar des Bischofs Hugo von Landenberg im Konstanzer Münster (1524; s. Abb. C 6). Der im Kupferstichkabinett Berlin erhaltenen, von Friedrich Thöne erkannten Vorzeichnung für die beiden Flügel kommt – wenn es sich nicht um eine dünn geratene Nachzeichnung der Entwurfsskizze handelt – als Qualitätsmesser und Handschriftenprobe für die Auseinandersetzung mit seinem zeichnerischen Werk erhöhte Bedeutung zu. Durch den verheerenden Konstanzer Bildersturm von 1529, der allein 63 Altäre im Münster vernichtet hat, und das calvinistische Bilderverbot in seinen Einkünften stark zurückgeworfen, hat Bockstorfer 1543 Konstanz verlassen und nach vorübergehendem Aufenthalt in Luzern in den fünfziger Jahren im elsässischen Mühlhausen eine letzte Wirkungsstätte gefunden. Auf einen gewissen Mangel an ausreichend befähigten Künstlern, denen in Konstanz auch Matthäus Gutrecht d. J. zuzurechnen ist, läßt die häufige Beauftragung auswärtiger Maler schließen. So waren die Augsburger Maler Ulrich Taler und Jörg Breu sowie der zeitweilig für Salem beschäftigte Bernhard Strigel gelegentlich in Konstanz, der in Stein am Rhein niedergelassene Thomas Schmid vor 1515 vorübergehend in Radolfzell tätig. Auch der bisher keinem Künstler zugewiesene Meersburger Katharinenaltar von 1562 (s. Kat.Nr. C 18) könnte bei einem Schweizer Maler in Auftrag gegeben worden sein.
Die im 15. Jahrhundert blühende ulmische Malerei, die jedoch schon in Zeitbloms Spätwerk Anzeichen von Erstarrung aufweist, hat an der Wende zum 16. Jahrhundert in Martin Schaffners Werk nochmals einen Höhepunkt erreicht. Schaffner ist auch der letzte bedeutende, der Dürer-Generation angehörende Ulmer Maler, der große Flügelaltäre geschaffen hat (Sippenaltar im Ulmer Münster, 1521; Altar für das Kloster

Abb. C 6 Christoph Bockstorfer, Kreuzigung, Mitteltafel des Altars von Hugo von Landenberg, 1524. Konstanz, Münster, Konradikapelle

Wettenhausen). Obwohl er oft einem altertümlichen, in die Höhe strebenden Kompositionsstil verhaftet blieb und seinen Figuren bei aller Körperhaftigkeit wirklich freie, organisch entwickelte Bewegungen ermangeln, hat er, angeregt durch das Vorbild Burgkmairs und Schäufeleins sowie unter dem – 1520 auf einer Reise nach Oberitalien empfangenen (?) – Eindruck der lombardischen Malerei, Aktstudium, Perspektive und humanistische Themen (Tischplatte für Asymus Stedelin, 1533) in die Ulmer Malerei eingeführt. Seine warme tonige Farbigkeit verleiht auch seinen Bildnissen mit einprägsamen Charakterköpfen gesteigerte Wirkung. Mit dem Übertritt zur Reformation und dem anschließenden Bildersturm 1530 sowie den Folgen des 1547 verlorenen Schmalkaldischen Krieges brachen auch in der freien Reichsstadt Ulm für die bildenden Künste Jahrzehnte des Stillstands an, der Auftragsmangel und Berufsabwanderung der Maler nach sich zog.

Noch weniger erforscht als in Württemberg und am Bodensee bietet sich die Malerei am kurpfälzischen Hof in Heidelberg dar. Werke des in Heidelberg wie Neuburg als Jagdmaler und Kunstverständiger tätigen Alexander von Süchten und des Hofmalers Erhard Graf lassen sich bisher nicht nachweisen. Der aus der nahen Reichsstadt Speyer zugewanderte gebürtige Aachener Hans Besser ist als einziger Künstler von Rang am Heidelberger Hof faßbar, für den er bis 1558 überwiegend als Porträtist tätig gewesen

zu sein scheint. Von seiner Hand hat sich eine Reihe eindrucksvoller Bildnisse erhalten, die sich durch ihre sachliche Schilderung, die akribische Ausführung und eine eigenwillige ornamentale Hintergrundgestaltung auszeichnen (s. Abb. C 7). 1556, noch während Besser als „Hofmoler" in Heidelberg nachgewiesen ist, wird in der Kurpfalz offiziell die Reformation eingeführt, nachdem ihr Ottheinrich in Neuburg schon 1542, sein Vorgänger in der Kurwürde, Friedrich II. (s. Kat.Nr. C 15), 1545 beigetreten waren. Während sich unter der kurzen Regierung Ottheinrichs, des humanistisch orientierten Büchersammlers, für Illuministen ein reiches Betätigungsfeld bot und der schon in Neuburg für ihn tätige Lauinger Maler Matthias Gerung protestantisch geprägte humanistische Bilderfindungen schuf (s. Kat.Nr. C 17), scheint die religiöse Malerei – auch bedingt durch eine zunehmend zwinglianisch-bilderfeindliche Ausrichtung des pfälzischen Protestantismus – für Jahrzehnte brachgelegen zu haben.
Nach Einführung der Reformation werden in den überwiegend protestantischen Territorien Südwestdeutschlands aus reformatorischen Glaubensvorstellungen ikonographisch neue Bildtypen entwickelt. Hierzu zählen vor allem Abendmahlsdarstellungen, die den Platz der als „abergläubische gemäld", „abgöttische bilder" und „gaukelwerck" rigoros aus den Kirchen entfernten katholischen Altäre einnehmen. Nachdrücklich befürwortete Luther das Abendmahlbild, „denn weil der Altar dazu geordnet ist, daß man das Sakrament darauf handeln solle, so könnte man kein besser Gemälde dran machen; die anderen Bilder von Gott oder Christo mögen wohl sonst an anderen Orten gemalet stehen" (1530). Daneben gewinnen in der Art eines Wandelaltars aufgebaute gemalte Bilderpredigten, wie der Mömpelgarder Altar (Kat.Nr. C 14 A), und die über dem kirchlichen Almosenstock angebrachten Almosentafeln an Bedeutung.
Im zwinglianisch-bilderfeindlichen Ulm malt dreißig Jahre nach dem Bildersturm unter einer zunehmend lutherisch gesinnten Stadtregierung Georg Rieder d. Ä. 1560 ein im letzten Krieg verbranntes „Abendmahl" für die Dreifaltigkeitskirche. Zwei Jahre später entsteht in ebenfalls offiziösem Auftrag eine heute noch im Münster bewahrte Almosentafel (s. Kat.Nr. C 22). Ihre in bildparalleler Staffelung die Komposition gliedernde Renaissancearchitektur und der individuelle Figurenstil weisen den aus Weißenau zugezogenen, seit 1550 in Nachfolge Schaffners als Ulmer Stadtmaler tätigen Rieder als einen wohl mittelbar an italienischen Vorbildern geschulten beachtlichen Künstler aus. Sein Neffe, Werkstatterbe und Nachfolger im Amt des Stadtmalers, Georg Rieder d. J., hatte nach der Lehrzeit in der Werkstatt seines Onkels bei dem Münchner Hofmaler Hans Mielich seine Gesellenzeit verbracht. Durch ihn muß der 1564 vom Rat der Stadt nach Ulm gerufene Maler zum Porträtisten ausgebildet worden sein, als der er in der Ulmer Kunstgeschichte einen bedeutenden Platz einnimmt. Seine meist halb- und dreiviertelfigurig angelegten Bildnisse von ulmischen Patriziern und Stadthonoratioren prägen sich durch ihre starr anmutende Klarheit im Aufbau und die sachlich-präzise, höchst individuelle Charakterisierung der Dargestellten ein. Ein protestantisch strenger Ernst und würdevolle Zurückhaltung wahren die Distanz zum Betrachter (s. Kat.Nr. C 23 u. C 24). Bemerkenswert erscheint vor allem das 1572 entstandene Bildnis der Catharina Peutinger, die sich – ein früher emanzipatorischer Einzelfall in der altdeutschen Malerei – als betagte Witwe ohne ihr legitimierendes männliches Gegenstück von Rieder malen läßt.
Auch Philipp Renlin, 1578 bis 1598 Stadtmaler in Ulm, hat sich vor allem als Porträtist einen Namen erworben. Die ihm 1597 übertragene Restaurierung des im Bildersturm beschädigten Hutzaltars von Schaffner und dessen Wiederaufstellung im Münster stehen im Zeichen einer trotz des beibehaltenen protestantischen Bekenntnisses wiederbelebten Bilder- und Schmuckfreudigkeit, ohne daß freilich an den Altären die Messe gelesen worden wäre. Für eine zunehmende Bilderausstattung reformierter Kirchen spricht auch die Tatsache, daß Andreas Schuch, um die Mitte des 17. Jahrhunderts der wohl bedeutendste Ulmer Maler, eine Reihe von Altarblättern unter anderem für die Stadtkirche des Ulm benachbarten Reichsstädtchens Giengen gemalt hat. Doch war auch Schuch vor allem als Porträtist tätig. In der bereits frühbarocken, nach Körperfülle und Bewegungsreichtum strebenden Auffassung seiner Bildnisse leben vereinzelt tradierte Motive des 16. Jahrhunderts nach.
Die seit der Mitte des 14. Jahrhunderts an Bedeutung zunehmende Bildnismalerei, die von Dürer, Baldung und Holbein zu überragenden Leistungen geführt wird, nimmt als eine seitdem nicht mehr vernachlässigte Hauptaufgabe der Kunst immer breiteren Raum ein. Die Entdeckung der Persönlichkeit, die Bildniswürdigkeit von Menschen, die

nicht zu den „Fürstlichkeiten und Celebritäten" zählen, sichern den Künstlern Aufträge auch in Krisenzeiten. So erlangt im Herzogtum Württemberg in Ermangelung kirchlicher Aufträge neben der Wand- und Deckengestaltung die Bildnismalerei – wenn auch auf provinziellem Niveau – eine bisher nicht gekannte Bedeutung. Bieten sich die nur in zeitgenössischen Kopien überlieferten, noch „namenlosen" Bildnisse der Herzöge Ulrich (um 1540) und Christoph (um 1565; s. Kat.Nr. C 19) in repräsentativer, meist Fürsten und Adel vorbehaltener Ganzfigur dar, wird für die nach italienischem Vorbild – den von Tobias Stimmer in Holzschnitten reproduzierten Porträts der Sammlung des Paolo Giovio in Como – seit den späten achtziger Jahren systematisch angelegte Bildnisreihe von Tübinger Professoren der intimere halbfigurige Ausschnitt gewählt (s. Kat.Nr. C 47–C 51). Bildnissammlungen dieser Art, die die Bedeutung der Universität als geistiges Zentrum dokumentieren und zugleich das nachahmenswerte Vorbild der „viri illustres" vor Augen führen, entstanden um die gleiche Zeit auch in anderen Universitätsstädten, in Wien und Basel etwa. Von Anbeginn wurde die Tübinger Galerie nach einheitlichem Schema angelegt. Hinter einer streifenartig unräumlichen Brüstung, der meist die stereotyp behandelten Hände aufliegen, nimmt in frontaler Stellung und mächtiger Breitenausdehnung der Oberkörper die Bildfläche ein. Aus der Mittelachse heraus wendet sich der die Persönlichkeit charakterisierende Kopf ins Dreiviertelprofil. Wappen und Namensinschriften von ebenso dekorativer wie informativer Funktion vervollständigen den Eindruck einer zweidimensional flächig angelegten, ornamental bereicherten Komposition. Fleischhauer, dem die Identifizierung einiger Bildnismaler zu verdanken ist, schreibt diese frühesten, streng aufgebauten Werke den aus Straubing und Berneck im Schwarzwald zugewanderten Anton Ramsler und Hans Ulrich Alt zu. Auch die nach der Jahrhundertwende entstandenen, nach Tracht und Auffasssung schon frühbarocken Bildnisse, die sich weitgehend am vorgegebenen Schema orientieren, lassen sich teilweise wenig bekannten Malern wie Conrad Melberger, Christoph Neyffer und Philipp Greter zuweisen.

Hat sich Tübingen durch die Landesuniversität zu einem lokalen Zentrum der Porträt- und auch der Stammbuchmalerei entwickelt, bot sich den Künstlern in Stuttgart durch die herzogliche Hofhaltung ein um Aufträge von überregionaler Bedeutung erweitertes Betätigungsfeld vor allem in der Wand- und Deckenmalerei. Durch die weitgehende Zerstörung der Gebäude einschließlich ihres Bilderschmucks ist die Forschung hier auf die Rekonstruktion mittels erhaltener Entwürfe oder in Stichen reproduzierter Innen- und Außenansichten angewiesen. Nach der Ausmalung des großen Tanzsaales im Stuttgarter Schloß (1565) durch den aus Trontheim in Norwegen zugewanderten Eberhard van Backe, der zu Beginn der siebziger Jahre auch die Decken- und Wandmalereien im Kleinen Lusthaus der Herzogin besorgte, war die vollständige Ausmalung des großen Saales im Stuttgarter Neuen Lusthaus das nach der Reformation bedeutendste Vorhaben der Malerei im Herzogtum Württemberg. Die von dem Stuttgarter Hofmaler Hans Steiner, dem die künstlerische Leitung dieses ehrgeizigen Unternehmens übertragen worden war, 1590 geplante Ausführung der Decke mit Jagdlandschaften wurde verworfen und Entwurf und Ausführung der an ihrer Stelle vorgesehenen Historien dem aus Pfullendorf gebürtigen berühmten Straßburger Wendel Dietterlin anvertraut. Mit ihm hat der nach der Reformation ins Provinzielle abgesunkenen schwäbischen Malerei erstmalig wieder eine überregional bedeutende Künstlerpersönlichkeit zu einem Werk von Rang verholfen. Zugleich wurden die einheimischen Künstler mit den ausgefeilten stilistischen Ausdrucksmitteln des bei Dietterlin aus haarlemischen und oberrheinisch-schweizerischen Quellen gespeisten internationalen Manierismus konfrontiert. Von den restlos zugrunde gegangenen Deckenbildern Dietterlins vermögen nur noch zwei Zeichnungen mit einem ikonographisch eigenwilligen, unorthodox und virtuos komponierten „Jüngsten Gericht" (s. Kat.Nr. E 33) und einer „Verehrung des apokalyptischen Lammes" eine Vorstellung zu vermitteln. Die Ausführung der ebenfalls verlorenen, die Gewölbeseiten bedeckenden Gemälde mit höfischen Jagdszenen in topographisch fixierbaren württembergischen Forsten teilten sich neben Steiner unter Mithilfe ihrer Gesellen sechs weitere Meister, unter ihnen auch Andreas Herneisen aus Nürnberg und Jakob Züberlin. Letzterer hatte schon 1587 bis 1591 im Auftrag Herzog Ludwigs für das Stuttgarter Schloß eine Reihe von Jagd- und Historienbildern mit Szenen höfischer Jagden und der jüngsten württembergischen Geschichte gemalt. Weitere großformatige Gemäldekompositionen mit biblischen Themen, Epitaphien, die 1596 ausgeführte, noch heute

Abb. C 7 Hans Besser, Markgraf Philibert von Baden, 1549. Nürnberg, Germanisches Nationalmuseum

erhaltene Ausmalung der Ratsstube im Tübinger Rathaus mit lehrreich beispielhaften biblischen und römischen Historien sowie Fresken an den Wildberger Stadttoren weisen ihn als begabten, vielseitigen Künstler aus. Neben Dietterlin hat er als einer der ersten die Formensprache des Spätmanierismus, die der gebürtige Heidelberger einer mutmaßlichen Ausbildung am Oberrhein im Strahlbereich der Schweizer Kunst verdankt, in Württemberg heimisch gemacht.

Die zunehmende Heranziehung auswärtiger Kräfte läßt nicht nur auf einen Mangel an ausreichend befähigten einheimischen Malern schließen, sondern mehr noch auf das Bedürfnis, mit der internationalen Stilentwicklung mitzuhalten. Dabei scheinen bevorzugt Aufträge an Künstler vom nahen Oberrhein ergangen zu sein. So führte der Schaffhauser Tobias Stimmer den bedeutendsten an ihn ergangenen Auftrag für den Markgrafen Philipp II. von Baden-Baden aus, als er mit den um 1578/79 abgeschlossenen Decken- und Wandmalereien im Festsaal des Baden-Badener Schlosses ein im ikonographischen Programm und der souveränen Handhabung effektvoll-dramatischer Schräg- und Untersichten bereits auf den Barock vorausweisendes Werk schuf. Freilich läßt sich auch diese überragende künstlerische Leistung nur noch anhand einer lateinisch verfaßten, aus dem Jahre 1667 datierenden Beschreibung und einer Reihe zeitgenössischer Nachzeichnungen erschließen und in ihrer Bedeutung ermessen (s. Kat.Nr. E 27). Die Ausmalung von Festsälen und vor allem großformatige Deckengemälde gehören im ausgehenden 16. und beginnenden 17. Jahrhundert zu den vorrangigen künstlerischen Anliegen. Bemerkenswert muß auch die im pfälzischen Erbfolgekrieg bei den Verwüstungen durch die Franzosen 1689 zugrunde gegangene Decke im Saal des 1563 bis 1573 erbauten Schlosses Gottesaue in Durlach gewesen sein, dem Hauptsitz der Durlacher Linie des Zähringer Geschlechts. Als Autor der 1591 vollendeten, nur noch literarisch überlieferten Festsaaldecke (und vermutlich auch der Gemäldeausstattung der Kapelle) wird der niederländische Perspektivmaler Hendrick van Steenwyck d. Ä. genannt, was eine Gestaltung mit illusionistischer Architekturperspektive vermuten läßt – vergleichbar dem im letzten Krieg zerstörten, 1602 entstandenen Deckengemälde von Hans Werl im Schwarzen Saal der Münchner Residenz und letztlich auf die aus Bologna importierte perspektivische Deckenmalerei zurückgehend. Für die im Gegensatz zu den habsburgischen Höfen um 1600 in Südwestdeutschland seltene Heranziehung eines italienischen Künstlers stellt die um 1627 geschaffene Altarausstattung des Genuesen Giulio Benso in der Basilika zu Weingarten einen vereinzelten, auf das persönliche Betreiben des kunstengagierten Priors Gabriel Bucelin zurückgehenden Beleg dar. In dem nördlich von Weingarten gelegenen Zwiefalten hat 1623 der aus Augsburg berufene Matthias Kager die kurz zuvor erweiterte Klosterkirche reich ausgemalt. Von dem ebenfalls aus Augsburg stammenden Christian Steinmüller hat sich ein 1629 ausgeführtes Hochaltarblatt einschließlich des originalen, reich geschnitzten Rahmens in der Kirche des Klosters Weißenau bei Ravensburg in situ erhalten.

Hatten die kleineren oberschwäbischen, ausnahmslos katholisch gebliebenen Hofhaltungen wie die der Grafen von Zimmern in Meßkirch und der Grafen von Zollern in Hechingen in der ersten Hälfte des 16. Jahrhunderts einem Künstler vom Rang des Meisters von Meßkirch durch bedeutende Aufträge zur vollen Entfaltung seines individuellen Stils verholfen und mit ihm einen sehr eigenständigen Beitrag zur Malerei der deutschen Renaissance geleistet, sucht man nach der Jahrhundertmitte vergeblich nach großen, überregional bedeutenden Namen. Wohl lassen die bis heute anonymen Bildnisse aus der Ahnengalerie im Rittersaal von Schloß Heiligenberg in ihrer noblen Zurückhaltung und sorgsam registrierenden Wiedergabe des Kostümlichen an einen – doch wohl einheimischen – Porträtisten von beachtlichen Fähigkeiten denken (s. Kat.Nr. C 37 u. C 38), die die provinzielle Begabung des seit 1606 als Hofmaler für die Grafen von Fürstenberg tätigen Überlingers Hans Glöckler bei weitem übersteigen (s. Kat.Nr. C 52). Insgesamt erscheint dennoch im oberschwäbischen Gebiet das ausgehende 16. und 17. Jahrhundert als eine Zeit der Stagnation. Die Malerei scheint – auch in freien Reichsstädten wie Ravensburg, Pfullendorf und Überlingen – nur noch auf handwerksmäßig solidem Niveau gepflegt worden zu sein. Die uns noch weitgehend unbekannten lokalen Künstler waren im Dienst der Zünfte, als Bildnis- und Epitaphienmaler, Raumdekorateure und als Freskanten tätig, wenn es die Stadttore mit den herrschaftlichen Wappen zu bemalen galt. Dabei darf nicht außer Acht gelassen werden, daß auch ihre berühmten Kollegen einen nicht unerheblichen Teil ihrer Werkstatteinnahmen solch ruhmlosen handwerklichen Aufträgen verdankten, denen auch das Bemalen von Sänften, Entwürfe für höfische Kostüme und Festzüge und dergleichen zweckgebundene Aufgaben zuzurechnen sind.

Erst am Bodensee und namentlich im 1548 nach dem verlorenen Schmalkaldischen Krieg und dem Verlust der Reichsfreiheit rekatholisierten Konstanz hat die Malerei um 1600 ihre alte Bedeutung wiedererlangt – wohl nicht zuletzt durch gezielte Förderung des kunstliebenden Fürstbischofs Jakob von Fugger. Die bedeutendsten Exponenten Konstanzer Malerei des Manierismus sind die Mitglieder der Künstlerfamilie Memberger, deren Stammvater Philipp Memberger d. Ä. zuerst als Geselle des Konstanzer Malers Matthäus Gutrecht d. Ä. bei der 1520 abgeschlossenen Arbeit am großen Orgelwerk im Münster erwähnt wird. Von dem aus Öttingen stammenden Maler und Musiker hat sich als offenbar einziges Werk sein um 1560 entstandenes Selbstbildnis erhalten (s. Kat.Nr. C 27). Von seinen drei Söhnen, Philipp d. J., einem Reißer und Glasmaler, Hans Jakob und Kaspar d. Ä., ist der bekannteste Kaspar, der 1583 nach Meersburg gegangen war und 1588 einem Ruf des aus dem Hegau stammenden Fürsterzbischofs Wolf Dietrich von Raitenau nach Salzburg folgte. In zehnjähriger Tätigkeit für diesen ebenso kunstverständigen wie prunkliebenden Kirchenfürsten entstand eine Reihe zum Teil zyklisch konzipierter Gemäldekompositionen, unter denen die „Thronende Maria mit dem Kinde“ als bedeutende Leistung hervorzuheben ist (s. Kat.Nr. C 29). Der Sammelfreudigkeit und ästhetischen Präferenz seines Auftraggebers verdankte Memberger Einblicke in die oberitalienische Kunst, namentlich Tintorettos, Veroneses, Palma Giovanes und der Bassani, deren – vermutlich bei einem Aufenthalt in Venedig in den neunziger Jahren vertiefter – nachhaltiger Eindruck in seinem Werk sichtbare Spuren hinterlassen hat. 1598 in seine Vaterstadt Konstanz zurückgekehrt,

hat er den in Salzburg adaptierten, für die österreichische Malerei der Spätrenaissance so charakteristischen Venezianismus an den Bodensee und in das benachbarte Hegau gebracht, wo er wiederholt für Jakob Hannibal von Raitenau, den Bruder des Salzburger Erzbischofs, tätig war. Trotz dieser stilistischen Anhaltspunkte ist es bisher nicht gelungen, die in der Karlsruher Kunsthalle bewahrte „Vision des Propheten Hesekiel" (s. Kat.Nr. C 28) und den nach 1601 entstandenen Zyklus von fünfzehn Rosenkranzbildern in der ehemaligen Konstanzer Jesuitenkirche (s. Kat.Nr. C 30 u. C 31) ihm oder einem seiner Brüder mit Gewißheit zuzuweisen. Der reiche, um 1580 datierte Freskenschmuck des mittelalterlichen Wohnturms „Zum Goldenen Löwen" in Konstanz gilt als Werk des Jakob Memberger. 1938 abgenommen und auf Leinwand aufgezogen, wurden die Fresken 1967 im Zuge umfangreicher Restaurierungsmaßnahmen nachgemalt. Anders als in Württemberg mit seinen überwiegend mit freiliegendem Fachwerk konstruierten Wohngebäuden waren am Bodensee und mehr noch am Oberrhein die Fassaden überwiegend verputzt und mit heute größtenteils zerstörten oder abgewaschenen Fresken geschmückt. Fassadenrisse (s. Kat.Nr. E 36) und die wenigen noch erhaltenen Fresken belegen eine in der Schweiz und den angrenzenden Gebieten Deutschlands blühende Wandmalerei. Die überragenden kühnen Fassadengestaltungen Holbeins d. J. in Luzern (Hertenstein-Haus, 1517/19) und Basel (Haus zum Tanz, um 1525), Tobias Stimmers in Schaffhausen (Haus zum Ritter, um 1568/70) und der auf sie folgenden Hans Bock und Hans Caspar Lang bestätigen eindrucksvoll die oberrheinische Schweiz als Hochburg dieser Kunstgattung und ihre – möglicherweise – auf die benachbarten Gebiete ausstrahlende Wirkung.
Verdienen in der Konstanzer Malerei nach der Jahrhundertwende noch Bartholomäus Storer (erwähnt seit 1610) und der aus Zürich stammende Hans Asper (nachgewiesen 1614 bis 1636) erwähnt zu werden, so ist am gegenüberliegenden Ufer des Sees, in Lindau, Jakob Ernst Thomann von Hagelstein zu nennen, der, 1620 von einem fünfzehnjährigen Italienaufenthalt in seine Heimat zurückgekehrt, dort als engster unter den wenigen deutschen Elsheimer-Nachfolgern bis 1653 tätig war. Das im Städtischen Bodensee-Museum in Friedrichshafen bewahrte Nachtbild der „Judith mit dem Haupt des Holofernes" stellt für die Adaption elsheimerischer Stimmungsmalerei einen eindrucksvollen Beleg dar.
Auch dem oberrheinischen Kunstzentrum Straßburg, wo nach Baldungs Tod 1545 kein ihm an Gestaltungskraft ebenbürtiger Maler sein Erbe antreten konnte und der bilderfeindliche Protestantismus sogar eine Abwanderung von Künstlern zur Folge hatte, war erst im Zeitalter des Manierismus eine erneute Blüte beschieden. Seit 1570/71 ist Wendel Dietterlin aus dem oberschwäbischen Pfullendorf in Straßburg als Bürger und Hausbesitzer nachgewiesen. Sein von oberrheinisch-schweizerischen (Stimmer, Murer) und haarlemischen Einflüssen (Goltzius) geprägter Stil zeichnet sich durch kraftvoll-virtuose figurenreiche Erfindungen aus, die – in selbstzweckhafter Steigerung – in brillant-überlegener Bewältigung gesucht komplizierter, sich vielfach überschneidender Bewegungsknäuel gipfeln. Höchst eindrucksvolle Beispiele liefert hierfür sein graphisches Hauptwerk, die 1593/94 erstmals erschienene „Architectura" (s. Kat.Nr. F 34 u. F 35). In diesen oft bizarr anmutenden ornamental-figuralen Inventionen gibt sich Dietterlin als ein Vorläufer des deutschen Hochbarocks zu erkennen. Liegt seine Bedeutung vor allem in der überregional stilprägenden Wirkung seiner Druckgraphik, so hat er doch auch als Fassaden- und Deckenmaler in Straßburg (Bruderhof, 1575; Rathaus) und in Stuttgart (Lusthaus, 1590–1593) Werke von überregionalem Rang geschaffen. Dagegen bietet sich das einzige bisher bekannte Tafelgemälde seiner Hand, die Karlsruher „Auferweckung des Lazarus" von 1587, als wenig ingeniöse Erfindung dar (s. Kat.Nr. C 39). Der noch ausstehenden Dietterlin-Monographie bleibt es vorbehalten, dieses im Bereich der Tafelmalerei ungewöhnlich schmale Œuvre gegebenenfalls zu ergänzen. Auch das Werk seines Sohnes Hilarius ist noch zu unerforscht, um ein gültiges Urteil etwa über eine naheliegende Stiladaption fällen zu können. Möglicherweise kann ihm eine auf Motive der „Architectura" zurückgreifende, 1607 datierte Jagdminiatur zugeschrieben werden (s. Kat.Nr. C 40). Hilarius' Sohn Bartholomäus Dietterlin zeigt sich – trotz seiner Stichreproduktionen nach dem Werk von Vater und Großvater – von den manieristischen Exaltiertheiten Wendel Dietterlins kaum mehr beeinflußt. Hingegen vermag seine 1621 entstandene Nachzeichnung nach einem Wandgemälde des „Meisters der Karlsruher Passion" das zu Beginn des 17. Jahrhunderts in Straßburg – wie andernorts – rege Interesse an der altdeutschen Malerei

beispielhaft zu belegen. Seine eigenen Erfindungen zeigen eine starke Resonanz auf die lothringische Kunst und namentlich Callots zierlich-kapriziösen Figurenstil. Ausgesprochen schulbildend wirkt der aus Lauingen zugewanderte Friedrich Brentel, ein schon zu Lebzeiten geschätzter Miniaturmaler und Radierer. Auch in seinem Werk finden sich Einflüsse französischer Druckgraphik, die er bei seinem Aufenthalt am lothringischen Hof in Nancy 1610/11 studiert haben mag. Seine bis in feinste Details der Kostümierung akribisch gemalten Miniaturen, vor allem Bildnisse in reizvoller Farbigkeit, führte er überwiegend im Auftrag rheinpfälzischer Adelsfamilien aus (s. Kat.Nr. C 63–C 65). Aus seiner äußerst produktiven Werkstatt gingen unter anderem Wilhelm Baur, Johann Jacob Besserer (s. Kat.Nr. C 66) und Johann Walter als Schüler hervor. Der zunehmende, wohl auch politisch bedingte Einfluß der lothringischen und französischen Kunst spiegelt sich noch augenfälliger im Werdegang Sebastian Stoßkopfs. Er war gebürtiger Straßburger, wurde bei Daniel Soreau im Strahlungsbereich der Frankfurter Stillebenschule ausgebildet und hielt sich von 1621/22 bis 1640 in Paris auf. Die dort aufgenommenen Einflüsse Bauguins, Linards und Mouillons finden sich in die eigenen strengen Bildkompositionen und die durch die Isolierung der Dinge vertiefte allegorische Aussage umgesetzt (s. Kat.Nr. C 67). Die bei ihm zum eigentlichen Bildthema avancierte Vanitas-Symbolik, eine virtuose Trompe-l'œil-Manier und effektvolle Helldunkelkontraste weisen seine Stilleben bereits als Werke barocken Gehalts und Stilwillens aus.

C 1

Maria mit dem schlafenden Kinde

Hans Baldung, genannt Grien
(1484/85–1545)
Straßburg, 1520

Tempera und Harzölfarben auf Lindenholz
65,2/65,3 x 46,1/46,2 cm. Bezeichnet oben links mit ligiertem Monogramm: HGB/151X.

Freiburg i. Br., Städtisches Augustinermuseum, Inv.Nr. 11533

In ein stahlblaues Gewand gehüllt, ist die Gestalt Marias als Brustbild vor unbestimmtem Hintergrund erfaßt. Ein Tuch von gleicher Farbe bedeckt Kopf und Schultern und betont vor dem leuchtend warmen Rot des monochromen Fonds das strenge Dreieck der Bildkomposition. Das reine Oval ihres Gesichts wird über Scheitel und Stirn von einem durchsichtigen Schleier bedeckt, unter dem ausdrucksvoll große dunkle Augen nach rechts aufblicken. Die fein geschnittene schmale Nase und der zierliche Mund entsprechen dem Ebenmaß des hoheitsvollen Antlitzes. Während das reich gewellte braune Haar über die rechte Schulter fällt, ruht an der linken, von der Mutter behutsam gestützt, das ganz kleine Kind in tiefbeschäftigtem Säuglingsschlaf. Das artistisch gemalte Bildnis strahlt eine gültige Ruhe aus, zu der Ausdruck und verhaltene Gestik Marias, das sorglos schlafende Kind und die trotz des kühn abstrahierenden Hintergrundkolorits in Farbe und Aufbau ausgewogene Komposition zu gleichen Teilen beitragen.
Monogramm und Datum links oben sind eigenhändig und haben dennoch zu Meinungsverschiedenheiten Anlaß gegeben. Während die Jahreszahl von Wingenroth „1509“, von Térey, Schmitz, Curjel und Baldass „1514“ (mit gotisch geschriebener 4) gelesen wurde, hat Buchner eine komplizierte Auflösung aus einer Verbindung arabischer und römischer Ziffern vorgeschlagen, nämlich 151(0) + X = 1520. Dieser Auffassung schloß sich – auch aus stilkritischen Erwägungen – Gert von der Osten an, der jedoch eine bewußt doppeldeutige Lesart – 1509 (mit lateinischer I) und 1520 (mit arabischer 1) – annimmt. Seiner Vermutung nach hat Baldung die Tafel 1520, also bald nach seiner Rückkehr aus Freiburg gemalt, um den 1516 (neu oder erstmalig?) aufgestellten Straßburger Zunftregeln im nachhinein formal Genüge zu tun, denn zu den drei für die Zuerkennung der Meisterschaft geforderten Aufnahmebildern zählte zuvorderst „ein Marien byld von ölyfarben mit eym kindelin sitzende oder stande“ (Archives municipales Strasbourg, Steltz 3, fol. 33 r. und v.). Mit dieser Muttergottes könnte

C 1

C 3

C 2

Baldung demnach auf die wohl 1509 bereits erworbene Mitgliedschaft in der Stelzenzunft – wenn auch in nur für Eingeweihte verständlichem chronogrammatischem Zahlenspiel – hingewiesen haben.

Gert von der Osten, Über die Schwierigkeit, eine datierte „Renaissance"-Madonna von Hans Baldung Grien zeitlich anzusetzen, in: WRJ 18 (1982), S. 127–132; Osten 1983, S. 155–157, Nr. 51, u. Taf. 118, mit weiterer Lit. *M.Ko.*

C 2

Muttergottes mit zwei Papageien

Hans Baldung, genannt Grien
(1484/85–1545)
Straßburg, um 1527/28

Öl auf Tannenholz
91,5/91,3 x 63,2/63,4 cm. Bezeichnet unten links: BALDVNG/15 FEC ... 8

Nürnberg, Germanisches Nationalmuseum, Inv.Nr. GM 1170

In einer steingrauen, mit einem grünen Vorhang drapierten Fensternische erscheint halbfigurig, mit zur Seite geneigtem Kopf Maria. Ihr blaues Kleid ist geöffnet, das makellose, mit einer Perlenschnur geschmückte Dekolleté und die linke Brust entblößt. In preziöser und zugleich hingebungsvoller Gebärde hält ihre kleine, spitz zulaufende Hand die nährende Brust dem geschürzten Kindermund entgegen. Mit ein wenig angespannten Zügen, die grauen, schmal geschnittenen Augen dem Betrachter zugewandt, schmiegt sich der bereits zum Kleinkind herangewachsene kräftige Knabe an die Mutter, die er mit der Rechten zu umarmen scheint. Links oben nimmt ein bunt geflügelter Engelputto an der Szene teil. Während er den hauchdünnen, über das kastanienbraune Haar der Muttergottes gebreiteten Schleier anhebt und sich dabei in dem zarten Gewebe zu verfangen droht, verzieht sich sein pausbackiges Gesichtchen zu einer halb ärgerlichen, halb verschmitzten Grimasse. In dieser wohlklingenden, durch die Kopfneigung und das wirkungsvoll abgestufte Inkarnat der drei Figuren bestimmten Komposition setzen als unerwartete Akteure zwei schillernde Sittiche exotisch-farbige Akzente. Ihr grün, grau und rot gefärbtes Gefieder antwortet zugleich in überlegener Konkurrenz auf die lebhafte Tönung des Puttoflügels. Während einer der Sittiche von der Fensterbank herauf nach oben äugt, krallt sich der zweite in Marias Haarflut fest und beißt ihr zärtlich in die Wange. Papageien, für die – wie aus dem Karlsruher Skizzenbuch ersichtlich (Koch 1941, S. 172, Nr. 205–207) – Baldung besonderes Interesse gezeigt hat, scheinen hier weniger den bei ihm naheliegenden erotischen oder kostbar-luxuriösen Aspekt zu vertreten als an die marianische und christologische Symbolik des Sittichs anzuknüpfen.
Die von Gert von der Osten in Anlehnung an Koch vorgeschlagene Datierung des Gemäldes, dessen nicht eindeutiges Datum 1525, 1527 und 1528 gelesen werden kann, scheint sich durch einen möglichen Zusammenhang mit dem 1527 honorierten, bis auf den Bestimmungsort der Kapelle in Zabern nicht näher bezeichneten Auftrag des Straßburger Bischofs Wilhelm von Honstein bestätigt zu finden (s. Hans Rott, Quellen und Forschungen, III. Oberrhein, Quellen I, Stuttgart 1936, S. 218.

Osten 1983, S. 180–183, Nr. 63, u. Taf. 135, mit weiterer Lit. *M.Ko.*

C 3

Cupido mit brennendem Pfeil

Fragment

Hans Baldung, genannt Grien
(1484/85–1545)
Straßburg, um 1533

Tempera und Harzölfarben auf Lindenholz (?)
44,7/45,1 x 53,3/53,7 cm

Freiburg i. Br., Städtisches Augustinermuseum, Inv.Nr. 11471

Die kleinformatige Tafel ist Fragment einer größeren mythologischen Komposition, in deren obere linke Ecke sie wohl einzufügen wäre. Hierfür sprechen die Erhaltung der Ränder, die Stärke des Bildträgers und der nach rechts gewandte Frauenkopf, von dem rechts unten nur noch Teile der Frisur, des Ohres und Nackens sichtbar sind. Zweifellos handelte es sich um eine erotische Szene, in der Amor als hintergründig bedeutsame Nebenfigur agierte. Hier wird er zum Helden des Bildes, vor dessen braunschwarzem Fond sich sein rundlich gedrungener Kinderleib in makelloser Helligkeit abhebt. Während die Linke in schimmernd-edles Pelzwerk greift, umklammert die Rechte den eben sich entzündenden Pfeil. Das pausbackige Gesicht in energischer Drehung nach links gewandt, blickt er – in spannungsvollem Gegeneinander der Bewegungen – aus schmal zusammengekniffenen Augen scharf nach rechts. Farbiger Brennpunkt des Bildes ist Cupidos rechter Flügel, dessen orangerot, grauviolett und türkisblau leuchtendes Gefieder unwillkürlich die Assoziation mit Dürers berühmtem Blaurackenflügel wachruft (Winkler 1936–1939, Bd. 3, Nr. 614). Der verschlossen ernste Ausdruck Amors wurde von Gabriel von Térey, einem Vorbesitzer dieser Tafel, als Zeichen seines Zornes interpretiert, doch scheint er eher der notorische Spitzbube, dessen unkindlich wissender, vieldeutiger Blick über den Pelzraub hinausgehende unheilvolle Absichten befürchten läßt. Ob der Pelz mit den haarfein gesetzten Glanzlichtern nur als modisches Requisit im Kontext mit der verlorengegangenen Hauptszene aufzufassen ist oder ihm darüber hinaus etwa ein erotischer Symbolgehalt innewohnt, muß offenbleiben. Gert von der Osten sieht das Werk in stilistischem Zusammenhang mit der Stockholmer Merkur-Tafel (Osten 1983, Nr. 77 a) und schlägt eine entsprechende Datierung um 1533 vor, hierin auch bestätigt von Kochs Hinweis auf einen weitgehend entsprechenden Putto auf einem Scheibenrißfragment der frühen dreißiger Jahre (Koch 1941, Nr. 155,1). Im Vergleich zu früheren Gemälden Baldungs weist Cupido besondere Ähnlichkeit mit dem Christusknaben der 1530 datierten Nürnberger „Muttergottes mit den Edelsteinen" auf (Osten 1983, Nr. 68), doch begegnen wir dem vor dunklem Grund hell silhouettierten Kopftypus mit den manierierten Schlitzaugen bereits bei dem um 1524/25 entstandenen Budapester Adam (Osten 1983, Nr. 57 a).

Osten 1983, S. 221 f., Nr. 78, u. Taf. 165, mit weiterer Lit. *M.Ko.*

C 4

Muttergottes in der Weinlaube

Hans Baldung, genannt Grien
(1484/85–1545)
Straßburg, um 1541–43

Ölfarben auf Lindenholz
58,8/58,9 x 44,2/44,1 cm

Strasbourg, Musée de l'Œuvre Notre-Dame, Inv.Nr. 563

In dieser wohl letzten von Baldung auf uns gekommenen Darstellung der Muttergottes thront Maria hinter einer die Komposition nach vorn abschließenden Brüstung aus rotem Sandstein. Ihr rechter Arm umfängt mit einem großen Windeltuch das Kind, das bäuchlings auf dunkelblauem Seidenkissen schläft. Kopf und rechter Arm, um dessen Gelenk vierfach eine Perlenschnur geschlungen ist, ruhen in der Armbeuge der Mutter. Während sich von rechts ein kräftiger Engelknabe mit einer Traube in der Linken nähert und das Jesuskind zu wecken sucht, blickt Maria wie unbeteiligt, doch ahnungsvoll ernst aus dem Bilde heraus. Die Linke hat sie zeichenhaft vor die Brust gelegt. Ihr in Faltenwülste gelegtes, über den Schultern von aschblonder Haarmasse bedecktes Samtkleid gibt einen großen Ausschnitt frei, den eine zweireihige Perlenkette schmückt. Diese aus Maria, dem Kind und dem Engel dreiecksförmig

C 4

komponierte Gruppe wird hinterfangen von einem geheimnisvoll dunklen Hintergrund, den ein nach links ins Bild geneigter Weinstock füllt. Aus seinen fruchtbehangenen Reben schauen sich tummelnde Engelputten hervor, von denen einige an den Beeren naschen und zwei versonnen auf die Szene herabblicken. Unschwer läßt sich der eucharistische Sinngehalt der Darstellung erfassen. Während die Weintrauben das von Christus geopferte Blut symbolisieren, weist das wachsbleiche Inkarnat Jesu auf den bevorstehenden Kreuzestod hin, die übergroße, kunstvoll drapierte Windel gemahnt an das Leichentuch, der Perlenschmuck Marias vermutlich an die Tränen, die sie um ihres Sohnes willen vergießen wird. Auch das unkindlich ernste Gesicht des bereits herangewachsenen Säuglings und der ruhig nachdenkliche Ausdruck Marias lassen hier keine lieblich familiäre Szene, sondern ein symbolhaft auf die Passion Christi vorausweisendes, tiefreligiöses Andachtsbild entstehen. Stilistisch und motivisch geht diesem Spätwerk die Berliner „Muttergottes mit der Weintraube" voraus (Osten 1983, Nr. 82). Auch das nahezu zehn Jahre zuvor entstandene Berliner Gemälde wird wesentlich vom eucharistischen Gedanken bestimmt, doch bietet sich dort eine antikisch aufgefaßte Maria lactans in aufreizend schöner heller Nacktheit vor schwarzem Grunde dar.

Osten 1983, S. 246f., Nr. 88, u. Taf. 182, mit weiterer Lit. *M.Ko.*

C 5

Verkündigung

Wilhelm Stetter (um 1490 – 1552)
Straßburg, 1527

Tempera und Harzölfarben auf Lindenholz
85 x 54 cm. Monogrammiert und datiert oben rechts im Täfelchen: 1527/ W + S

Freiburg i.Br., Städtisches Augustinermuseum, Inv.Nr. M 66/4

Die Szene der Verkündigung (Lukas 1, 26–38) spielt in einem kleinen Gemach, dessen offene, von Balustersäulen unterteilte Arkadenfenster den Blick auf eine bewaldete, in Dunst getauchte Seenlandschaft freigeben. Von links tritt der Erzengel Gabriel an die hinter einem Betpult kniende Maria heran und teilt ihr die göttliche Botschaft mit. Über ihr die schwebende Taube des Heiligen Geistes und im Hintergrund der Strauß weißer Lilien vervollständigen das symbolische Szenenvokabular. Der durch schlank aufragende Säulen gegliederte Raum, von dessen Tonnengewölben zierliche Festons herabhängen, entspricht in seiner reichen, zugleich das Bildgefüge ordnenden Archi-

C 5

tektur dem dekorfreudigen Stilempfinden des Meisters. Charakteristisch für Stetter ist nicht nur die den Vordergrund teilende Säule, auch der durch rundbogige Tür- und Fensteröffnungen in angrenzende Gemächer oder ins Freie weitergeführte Blick und der gemusterte Fliesenboden kennzeichnen seine in allen Werken bestätigte Vorliebe für die Schilderung phantastischer, üppig ornamentierter Architekturen. Seine Freude an minuziöser Detailmalerei mit liebenswert-humoristischen oder lyrischen Motiven offenbart sich in der stimmungsvollen Hintergrundlandschaft ebenso wie in den sorgsam nebeneinandergelegten Blumenzweigen auf den Treppenstufen und den munter musizierenden Engelputten über den Fensterstürzen.
Das rechts oben monogrammierte und 1527 datierte Gemälde geht im Aufbau der figürlichen Szene auf einen Holzschnitt Baldungs in dem 1512 bei Martin Flach in Straßburg erschienenen *Hortulus animae* zurück (Mende 1978, Nr. 333) und zeigt auch im Figurenstil selbst Anlehnung an den 1517 nach Straßburg zurückgekehrten, die oberrheinische Malerei seiner Zeit nachhaltig beeinflussenden Künstler. Bei dem über dem Säulenkapitell angebrachten, von einem Engelköpfchen hinterfangenen Wappen mit drei Leopardenköpfen dürfte es sich um das des Auftraggebers handeln. Die auf einer 1522 datierten, möglicherweise als Altarfragment erhaltenen Tafel Stetters aufgemalten Wappen der Mörsperg und Fürstenberg bestätigen seine über Straßburg weit hinausreichende Reputation.

Unveröffentlicht. *M.Ko.*

C 6

Votivbild des Sebastian Metzger

Nikolaus Kremer (um 1500–1553) zugeschrieben
Straßburg, 1534

Tempera auf Seide
88 x 61 cm. Datiert in der Mitte auf der Säule: 1534

Baden-Baden, Kloster Lichtenthal

Vor einer gebirgigen Landschaft heben sich drei hochaufragende Säulen gegen den blaßblauen Himmel ab. Dort erscheint Gottvater der auf der mittleren Balustersäule aufgestellten Himmelskönigin zugewandt, die gemeinsam mit dem Kind ein Spruchband vor sich hält – *Venite ad me omnes* (Matthäus 11, 28). Die beiden flankierenden Säulenheiligen sind durch oben wehende Banderolen und ihre Attribute als die hll. Bernhard, Abt von Clairvaux, und Malachias, dessen Freund und Biograph, ausgewiesen.

Mit seinen *Consuetudines* der eigentliche Begründer des Zisterzienserordens, ist Bernhard auch Schutzheiliger der Zisterzienserinnenabtei Lichtenthal bei Baden-Baden, dem 1245 gestifteten Hauskloster der markgräflich badischen Familie. Zu Füßen der Säulengruppe knien und stehen in Andacht die Eltern des Ordensvaters, Tescelin und Aleth von Schloß Fontaines (Burgund), seine Schwester und fünf Brüder, die in seiner Nachfolge das Mönchsgelübde abgelegt haben. Zwischen den Adoranten ist ihr von den Zisterziensern übernommenes mächtiges Hauswappen aufgerichtet. Vor der Reihe der Mönchsbrüder kniet in Ordenstracht der Stifter, durch seinen redenden Familienschild – Metzgerbeil auf rotem Grund – als Sebastian Metzger aus Calw kenntlich gemacht. Zu Lebzeiten der 1544 verstorbenen Lichtenthaler Äbtissin Rosula Röder von Hohenrodeck, deren rotgrundiges Wappen mit weißem Adler und dahinter aufragendem Krummstab die Balustersäule schmückt, war er Beichtvater und Prediger des Klosters an der Oos. Die an exponierter Stelle über dem Wappen der Äbtissin vermerkte Jahreszahl 1534 ist sicher zutreffend als Entstehungsjahr des Bildes aufgefaßt worden. Demnach könnte die Votivgabe anläßlich der Vertreibung Metzgers aus dem Zisterzienserkloster Herrenalb durch die von Herzog Ulrich von Württemberg 1534 eingeführte Reformation und seiner Aufnahme als „Caplan zu Beuren" und Prediger in Lichtenthal entstanden sein, wo er bis zu seinem Tode 1540 tätig blieb. Da Kremer Straßburg nicht vor 1547 verlassen hat, muß ihn der Lichtenthaler Auftrag dort erreicht haben. Möglicherweise stand er sogar am Beginn intensiverer Beziehungen, die ihn später zur Übersiedlung nach Baden-Baden veranlaßten.

Das sorgsam gemalte Bild, dessen symmetrische Anlage im koloristischen Aufbau ihre Entsprechung findet, scheint charakteristisch für Kremers steifen Figurenstil und seine wenig schöpferische, auf fremde Bildideen angewiesene Phantasie. Hans Rott hat die bis in Einzelheiten übernommene Vorlage für das Lichtenthaler Votivbild in einem französischen Holzschnitt erkannt, der einem 1513 in Paris erschienenen Band mit den Predigten Bernhards von Clairvaux entnommen wurde.

Rott 1938, S. 93f., Abb. 45 und 46. *M.Ko.*

C 6

C 7

C 7

Postumes Bildnis des Markgrafen Bernhard III. von Baden-Baden und seiner Familie

Nikolaus Kremer (um 1500–1553)
Baden-Baden, 1542

Öl auf Holz
48 x 65 cm. Bezeichnet unten links auf der Brüstung mit ligiertem Monogramm NK und datiert oben rechts 1542

Freiherr von Ow-Wachendorf

In einer versatzstückartig in der Landschaft aufragenden Bogenstellung sitzt links das landesfürstliche Paar – Bernhard III. Markgraf von Baden-Baden (1474–1536) und seine junge Gemahlin, Franziska Gräfin von Luxemburg, Ligne und Croy (gest. 1556), die er 1535 als bereits Sechzigjähriger geheiratet hatte. Den halbfigurigen, durch eine Brüstung abgesetzten Bildnissen der Eltern sind vorn die beiden aus dieser späten Eheschließung hervorgegangenen Knaben zugeordnet, links der im Januar 1536 geborene sechsjährige Philibert, Begründer der Baden-Badener Linie, rechts mit dem Steckenpferd sein jüngerer Bruder Christoph, der erst sieben Monate nach dem Tod seines Vaters im Februar 1537 zur Welt kam. In den seitlich in ganzer Figur erfaßten adligen Herren glaubt Rott sicher zutreffend die Vormünder der kleinen Halbwaisen zu erkennen, Herzog Wilhelm IV. von Bayern (1493–1550) und Pfalzgraf Johann II. d.J. von Simmern-Sponheim (1492–1557). Beide waren der markgräflichen Familie verwandtschaftlich eng verbunden. Im Hintergrund erkennt man den bereits damals halbverfallenen Stammsitz des Zähringer Geschlechts, Burg Hohenbaden, darüber die Datierung 1542 und die Altersangabe AETATIS 22, die sich nur auf die früh verwitwete, jedoch schon im darauffolgenden Jahr mit Adolf von Nassau wiedervermählte Markgräfin beziehen kann.
Das erst sechs Jahre nach dem Tod des Markgrafen entstandene Familienbildnis ist links unten auf der Brüstung mit dem für Kremer charakteristischen ligierten Monogramm NK bezeichnet. Doch selbst ohne Signatur erschiene die Zuschreibung an Kremer für den mit der oberrheinischen Kunst des früheren 16. Jahrhunderts Vertrauten naheliegend. Sein noch weitgehend unerforschtes Werk beschränkt sich neben wenigen Gemälden religiösen Inhalts ausschließlich auf Porträtzeichnungen (s. Kat.Nr. E 7) und gemalte Bildnisse. Dabei zeigt er eine auffallende Bevorzugung des Dreiviertelprofils, das bei allen Bildnissen einschließlich dieses genealogisch aufschlußreichen Gruppenporträts wiederkehrt. Auch die steifen, wenig körperhaften Figuren, die in formelhafter Würde ihren Stand vertreten, und die auf spannungslose parallele Reihung im Neben- und Untereinander aufgebaute Komposition sind Merkmale seiner wenig ingeniösen Erfindungen. Besonders der Vergleich mit Baldung, in dessen Straßburger Werkstatt Kremer als Schüler gearbeitet hat, zeigt die Grenzen seines künstlerischen Vermögens auf.

Rott 1938, S. 96–98, Abb. 48; Paul Wescher, Nicolas Kremer of Strassburg, in: The Art Quarterly 1 (1938) 3, S. 209. *M.Ko.*

C 8

Bildnis des Theologen, Botanikers und Arztes Otto Brunfels

Lucas Cranach d. Ä. (1472–1553)
Straßburg, um 1530

Öl auf Rotbuchenholz
41 x 27 cm. Bezeichnet oben links mit Cranachs Signum: Schlange mit aufgerichteten Flügeln

Donaueschingen, Fürstlich Fürstenbergische Sammlungen, Inv.Nr. 99

C 8

1488 in Mainz geboren, wurde Brunfels 1514 sechsundzwanzigjährig zum Priester geweiht. Nach seiner Flucht aus einem nahe bei Mainz gelegenen Kartäuserkloster hielt er sich zunächst bei Ulrich von Hutten, dann als Pfarrer in Steinheim und zeitweilig auch in Wittenberg auf. Auf dem Wege zu Zwingli wurde er 1522 in Neuenburg am Oberrhein als Prediger festgehalten, bis ihn die unsichere Lage zu erneuter Flucht nach Straßburg zwang. Dort lehrte er an der Karmeliterschule und widmete sich botanisch-medizinischen Studien. 1530 in Basel zum Doktor der Medizin promoviert, starb er 1534 als Stadtarzt in Bern. Brunfels gehört neben Leonhart Fuchs (s. Kat.Nr. C 14) und Hieronymus Bock (s. Kat.Nr. E 12), mit dem er freundschaftlich verbunden war, zu den Begründern der wissenschaftlichen Botanik in Deutschland. Als erster verfaßte er ein umfassendes, von Holzschnittillustrationen begleitetes Werk über die Pflanzen – *Herbarum vivae eicones* –, das in drei Teilen 1530/36 erstmals erschien (s. Kat.Nr. E 11). Dabei war es sein Hauptanliegen, die griechischen, lateinischen und arabischen Pflanzenbeschreibungen der älteren pharmakologischen Literatur vergleichend zusammenzustellen und die verwirrende Vielfalt der Nomenklatur zu vereinheitlichen. Die angestrebte Identifizierung der in Pedanios Dioskurides' *Materia medica* systematisch geordneten und beschriebenen Pflanzen mit den in seiner Heimat wachsenden erwies sich als nur begrenzt durchführbar. Die zuerst von Albert Merckling geäußerte Vermutung, bei dem im Brustbild dargestellten bartlosen Mann könne es sich um Otto Brunfels handeln, stützt sich weitgehend auf die Ähnlichkeit mit dem von Baldung geschaffenen, den 1535 in Straßburg erschienenen *Annotationes* Brunfels' als Titelblatt vorangestellten Holzschnittbildnis (Mende 1978, Nr. 467). Die im graphischen Porträt noch prägnanter herausgearbeiteten Züge geben offensichtlich dasselbe knochige Gesicht mit stark eingefallenen Wangen, energischem Kinn und schmalem entschlossenem Mund wieder. Auch die kleinen, am Betrachter vorbei nach rechts (beim seitenverkehrten Holzschnitt nach links) blickenden Augen und die lange, wohlgeformte Nase finden sich einschließlich des Baretts mit Ohrenklappen so übereinstimmend wieder, daß sogar ein Zusammenhang beider Bildnisse nicht ausgeschlossen erscheint. Für die Identität des von Cranach Porträtierten mit dem berühmten Botaniker und Anhänger Luthers spricht auch die alte Provenienz des Bildes, das durch den einzigen zur Reformation übergetretenen Grafen zu Fürstenberg (Graf Wilhelm aus der Kinzigtaler Seitenlinie, 1499–1549), der in Straßburg ein Haus besaß, in die fürstenbergische Kunstsammlung gelangte. Die vor einfarbig blaugrünem Fond auf abgestufte Schwarztöne, Dunkelblond und gleichmäßig helles Inkarnat reduzierte Farbigkeit wie die unter Verzicht auf dekoratives Beiwerk auf die physische Erscheinung des Gelehrten mit sichtlich müden, verhärmten Zügen konzentrierte Darstellung entsprechen dem reifen Bildnisstil des Malers. Die links oben erkennbare geflügelte Schlange stimmt mit der zu Beginn der dreißiger Jahre von Cranach und seiner Werkstatt geführten Form des Signums überein.

Donaueschingen 1934, S. 16f., Nr. 99, u. Abb. 9; Die Gemälde von Lucas Cranach, hrsg. von Max J. Friedländer u. Jakob Rosenberg, Berlin 1932, S. 81, Nr. 284, u. Taf. 284. *M.Ko.*

C 9

Bildnis der Jakobäa von Baden, Herzogin von Bayern

Barthel Beham (1502–1540)
München, um 1530

Öl auf Tannenholz
77 x 55 cm

Donaueschingen, Fürstlich Fürstenbergische Sammlungen, Inv.Nr. 110

Das als Hüftbild gegebene Porträt stellt die etwa dreiundzwanzigjährige Herzogin (1507–1580), vor dunklem Hintergrund in helles Licht getaucht, am Betrachter vorbei nach links blickend dar. Als Tochter des Markgrafen Philipp von Baden-Baden eine Prinzessin aus dem Zähringer Geschlecht, wurde sie 1522 mit Herzog Wilhelm IV. von Bayern (1493–1550) vermählt, an dessen Hof Beham seit 1527 als Bildnis- und Historienmaler tätig war. Die Dargestellte trägt die für die erste Hälfte des 16. Jahrhunderts typische Tracht mit breitem, eckigem Miederausschnitt, fein plissiertem Einsatz und goldgesticktem Stehkragen. Die Ärmel zeigen modische, von Nesteln zusammengehaltene Schlitze, unter denen das weiße Hemd in ausdrucksvollem Kontrast zu dem kräftigen Rot und Dunkelgrün des Gewandes hervorschaut. Ein flaches rotes Barett mit Federbesatz vervollständigt dieses festliche Kostüm, das – gemessen an der Prunkliebe der Renaissance und dem Reichtum des herzoglichen Hauses

C 9

– nur sparsam durch Schmuckstücke ergänzt wird. Der Bescheidenheit und Zurückhaltung im Auftreten der Herzogin entsprechen ihre ruhigen, unproblematischen Gesichtszüge, die keine Spur standesbewußter Anmaßung verraten. Bei dem selten dargestellten pinselartigen Accessoire in ihrer Rechten dürfte es sich nicht, wie in der älteren Literatur angenommen, um einen im Haushalt verwendeten Abstäuber, sondern um ein modisches Requisit von noch ungedeuteter Zweckbestimmung handeln, wie es Urs Grafs „schöne Dirne" in ähnlicher Form an ihrem Ärmel festgesteckt hat.

Donaueschingen 1934, S. 6f., Nr. 110, u. Abb. 8; Donaueschingen 1980, S. 96. *M.Ko.*

C 10

Der Schwaigerner Barbara-Altar

Jerg Ratgeb (um 1470/75–1525)
Heilbronn, 1510

Öl und teilweise Goldgrund auf Kiefern- und Tannenholz
Gesamthöhe 194 cm, Gesamtbreite 172 cm. Monogrammiert und datiert unten auf dem Rahmen der Mitteltafel: I.M.R. 1510.; links die lateinische Aufschrift: SPES. PREMII. SOLACIVM. LABORIS. (Die Hoffnung auf den Lohn ist das Entgelt für meine Mühe)

Mitteltafel
Legende der hl. Barbara
166 x 98 cm

Drehflügel, Außenseiten
Abschied und Aufbruch der zwölf Apostel
je 166 x 49 cm

Drehflügel, Innenseiten
links: Christus erscheint Maria Magdalena als Gärtner, darüber Himmelfahrt Maria Magdalenas
rechts: Bekehrung, Taufe und Flucht des Paulus
je 166 x 49 cm

Predella
Zwei Engel mit den Marterwerkzeugen

Schwaigern, Evangelische Stadtpfarrkirche

Der heute an einem Pfeiler der Stadtkirche in Schwaigern (bei Heilbronn) angebrachte Barbara-Altar ist das einzige erhaltene Werk Ratgebs aus den 1509 bis 1512 in Heilbronn verbrachten Jahren. Die Form seines Monogramms I.M.R. (Jörg Meister Ratgeb), dessen durchgestrichenes M den Heilbronner Urkunden entsprechend auf seinen untergeordneten Status als Hintersasse zurückzuführen ist, die eigenhändige Datierung 1510 und der in Schwaigern residierende adlige Auftraggeber, Wilhelm Graf von Neipperg, sichern seine Heilbronner Provenienz. Ursprünglich scheint er, wie neuerdings vermutet wird, nicht für die Barbara-Kapelle der Schwaigerner Kirche, sondern für die Kapelle oder die an die Grablege anstoßende alte Sakristei des Schlosses Neipperg bestimmt gewesen zu sein. Ute-Nortrud Kaiser sieht das Altarretabel in seiner heutigen Form mit einer Mitteltafel und einem beweglichen Flügelpaar aufgrund der in geschlossenem Zustand zu schmalen Proportionen und der Spuren einer früheren Halterung am Originalrahmen des Mittelbildes und der Predella als fragmentarisch an. Auf den verschollenen Standflügeln vermutet sie Bildnisse des Stifterpaares, Graf Wilhelm und Gräfin Anna Barbara von Neipperg, in Ewiger Anbetung der Heiligen zugewandt.

C 10

Die Mitteltafel stellt die Namenspatronin der Stifterin, die hl. Barbara und ihr in liebevoller Ausführlichkeit geschildertes Martyrium dar. Als Tochter des reichen Dioscuros von Nikomedien wird Barbara ihrer Schönheit wegen in einem Turm verborgen gehalten. Nach ihrer Erleuchtung und Taufe läßt sie beim Bau eines Bades drei Fenster als Zeichen der Dreieinigkeit anbringen und zerschlägt heidnische Götzenbilder. Daraufhin flieht sie vor dem erzürnten Vater in eine Felsspalte, wird jedoch von einem Hirten verraten, dessen Schafe sich zur Strafe in Heuschrecken verwandeln, und vom Vater gegeißelt. In ihrem Turmgefängnis erscheint ihr nachts der Heiland, der sie segnet und ihre Wunden heilt. Nach abermaliger Geißelung und grausamer Folter durch die Knechte des römischen Statthalters muß Barbara die vom eigenen Vater vollzogene Hinrichtung mit dem Schwert erdulden. Unter einem rotgoldenen Himmel wird der durch zehn goldene Hostienkelche markierte Leidensweg der Märtyrerin in bizarrgebirgigem Landschaftsrahmen nacherzählt. Ausgehend von rhythmisch aneinandergereihten kleinformatigen Einzelszenen im Hintergrund vergrößern sich die Figuren proportional zu der Intensität der von Barbara um des Glaubens willen erlittenen Qualen, um vorn in die dominierende Darstellung ihrer als Glaubenstriumph erlebten Hinrichtung einzumünden.

Das Motiv des Weges bestimmt noch ausgeprägter die rahmenübergreifende Komposition der beiden Außenflügel. Dem Gebot des auferstandenen Christus folgend – „Gehet hin in alle Welt und prediget das Evangelium aller Kreatur" (Markus 16, 15) – nehmen die Apostel tränenreichen Abschied voneinander und wandern, nur mit dem Nötigsten versorgt, hinaus in die Landschaft. Das Ziel ihrer weiten Missionsreisen findet sich in goldenen Lettern in die Nimben eingetragen. Wieder folgt Ratgeb dem Prinzip eines in mehreren Zonen nach oben gestaffelten Aufbaus mit großen, den Vordergrund in friesartiger Reihung füllenden Figuren, deren Rolle hier paarweise die Apostel Petrus und Paulus, Bartholomäus und Andreas übernehmen. Auf den Innenseiten der Drehflügel sind zwei Christus besonders nahestehende Heilige in getrennten Szenen einander gegenübergestellt. Links findet die morgendliche Begegnung des Auferstandenen in Gestalt des Gärtners mit Maria Magdalena statt, darüber die legendäre Himmelfahrt der in der Wüste büßenden Einsiedlerin. Rechts sind die Bekehrung, Taufe und Flucht des Paulus in wiederum additiv gestaffelten Szenen dem extrem schmalen Hochformat des Flügels angepaßt.

Der Altar stellt mit seiner expressiven, reich gestuften Farbigkeit und seinen strahlenden Lichtvisionen, die ohne Kenntis von Grünewald nicht denkbar scheinen, ein frühes koloristisches Meisterwerk des Künstlers dar. Die für Ratgeb von Anbeginn charakteristische, noch mittelalterlich anmutende Erzählfreude kommt nicht nur in der Vielfalt der Szenen, der Physiognomien und menschlichen Detailbeobachtungen zum Ausdruck, sie entfaltet sich besonders eindringlich auch in dem wiederholt aufgegriffenen gleichnishaften Motiv des Wanderwegs und in einer Stoff- und Dingmalerei, wie sie dekorfreudiger und prächtiger kaum vorstellbar erscheint.

Karl Klunzinger, Die Edlen von Neipperg und ihre Wohnsitze Neipperg und Schwaigern, Stuttgart 1840, S. 28; Meisterwerke aus baden-württembergischem Privatbesitz, Staatsgalerie Stuttgart 1958/59, veranst. von Staatsgalerie Stuttgart u. Stuttgarter Galerieverein e.V., Stuttgart 1958 (Ausst.kat.), S. 65f., Nr. 153, u. Abb. 19; Wilhelm Fraenger, Jörg Ratgeb, Ein Maler und Märtyrer aus dem Bauernkrieg, Dresden 1972, S. 38–49 u. Abb. 1–12; Jerg Ratgeb – Spurensicherung, Karmeliterkloster Frankfurt 1985, veranst. von Historisches Museum Frankfurt am Main, Limburg 1985 (Ausst.kat.), S. 106–109 u. Abb. E1–E10, mit weiterer Lit. *M.Ko.*

C 11

Zwei Flügeltafeln eines Passionsaltars

Jerg Ratgeb (um 1470/75–1525)
Frankfurt (?), um 1516

Tempera mit Öllasuren auf Fichtenholz

Ecce-Homo
Innenseite des linken Flügels
98 x 55 cm

Stuttgart, Staatsgalerie, Inv.Nr. 2408

Kreuztragung Christi
Innenseite des rechten Flügels
97,5 x 54 cm

Stuttgart, Staatsgalerie, Inv.Nr. 2409

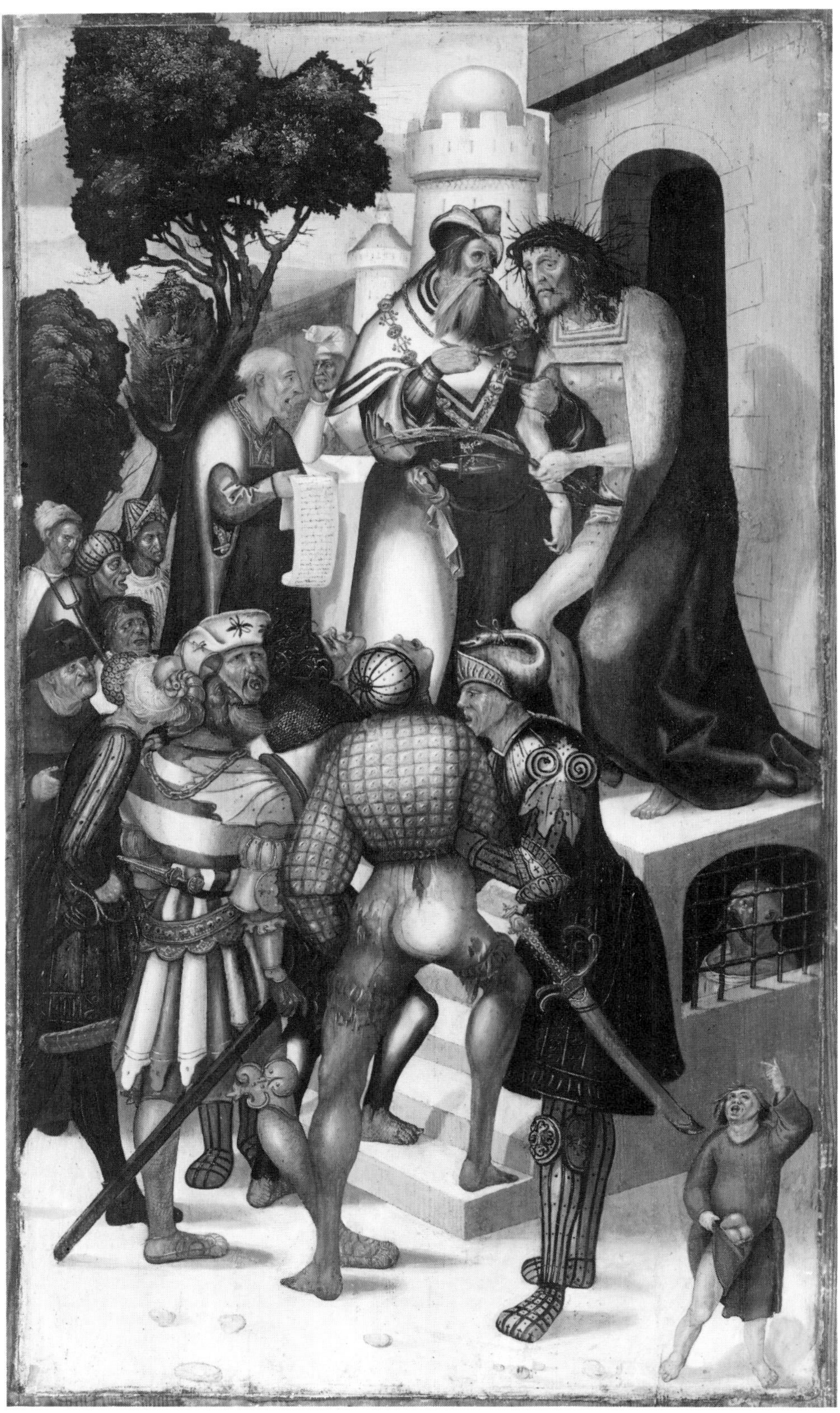

C 11

C 11

Die beiden schmalen Tafeln sind die Flügel eines kleinen Passionsaltars, dessen Mitteltafel und Predella verschollen sind. Ob es sich beim Mittelteil um eine gemalte Kreuzigung oder – wie beim Herrenberger Altar – um einen geschnitzten Schrein handelte, muß offenbleiben. Die auf den Flügelaußenseiten dargestellte Verkündigungsszene stammt nicht von Ratgebs Hand, so daß hier nur die beiden Innenseiten interessieren.
Auf einem schräg ins Bild ragenden Treppenpodest, dem schmalen Zugang zum Gefängnisturm, wird der nackte, gegeißelte Christus der Menge vorgeführt. Während ein hagerer Richter die Anklageschrift verliest, packt der wohlbeleibte, geckenhaft aufgeputzte Pilatus seinen Gefangenen am Arm. Rechts unten hebt sich hinter dem Kerkergitter die plumpe Gestalt des Barabbas ab, der gespannt nach oben lauscht. Die johlende Menge schreit indessen nach Christi Kreuzigung. In vielfachen Überschneidungen, vor allem der Schrittstellungen, suggeriert Ratgeb mit wenigen Figuren eine größere Versammlung, wobei die Menge und in ihr jeder Einzelne mit übersteigerter Intensität charakterisiert erscheint. Das Böse im Menschen, die Niedrigkeit seiner Gedanken und seines Gebarens werden bloßgelegt. Dabei greift Ratgeb zu ungewöhnlich ausdrucksstarken Mitteln, wenn er den häßlich verzerrten Gesichtern rote, graue, giftgrüne oder fahlgelbe Charakterfarbe auflegt. Obwohl das Formale, die Beherrschung von Anatomie und Perspektive, von seinem gereiften Können zeugt, tritt sie hinter seinem Hauptanliegen, der inneren Menschenschau, zurück.
Der Gegenflügel zeigt Christi Weg zum Kreuz. Ein schmales Stadttor speit die mit Spießen und Äxten bewaffnete Menge aus. Hier mischen sich unter die geifernden, feixenden Fratzen die schmerzlichen Gesichter der Seinen. Christus ist unter der Last des Kreuzes zusammengebrochen. Von einem buckligen Henkersknecht gezerrt, von einem zweiten mit Schlägen angetrieben, trifft sein Blick auf den der hl. Veronika, die ihm das Schweißtuch entgegenhält. Auch in der Kreuzigungstafel wird durch verwirrende Körperüberschneidungen der Eindruck einer chaotisch vorantreibenden Menge erhöht. Dabei greifen vielfach eckig gebrochene Bewegungsmotive in den Arm- und Kniegelenken den rechten Winkel der Kreuzesbalken auf, in deren Schnittpunkt das Haupt Christi erscheint.
In den Stuttgarter Altartafeln zeigt sich der individuelle Stil Ratgebs voll entwickelt, der wohl noch fremde Motivanregungen (von Jacob Cornelicz und Martin Schongauer etwa) aufgreift, sie aber seinem eigenständigen, mächtigen Ausdruckswillen unterzuordnen weiß. Die beiden Tafeln markieren eindrucksvoll

den Weg seiner Entwicklung von dem volkstümlich unbeschwert erzählenden Barbara-Altar (s. Kat.Nr. C 10), seiner kostbaren Detailmalerei und dem freudig schweifenden Vortrag zu der im Herrenberger Altar kulminierenden Ausdruckskunst, ohne daß sich die Farbgebung bereits zugunsten kreidig grellen Kolorits von ihrer satten Tonigkeit gelöst hätte.

H. Th. Musper, Zwei neue Tafeln von Jerg Ratgeb, in: Münchner Jahrbuch der bildenden Kunst, 3. Folge 3/4 (1952/53), S. 191–198; Katalog der Staatsgalerie Stuttgart, Stuttgart 1957 (Best.kat.), S. 209; Bruno Bushart, Jörg Ratgeb, in: Aus Schönbuch und Gäu, Heimatbeilage zum Böblinger Boten 1959, S. 6 u. 8, Abb. 4; Wilhelm Fraenger, Jörg Ratgeb. Ein Maler und Märtyrer aus dem Bauernkrieg, Dresden 1972, S. 55–60 u. Abb. 26–29; Jerg Ratgeb – Spurensicherung, Karmeliterkloster Frankfurt 1985, veranst. von Historisches Museum Frankfurt am Main, Limburg 1985 (Ausst.kat.), S. 275 f. u. Abb. 11–17.

M.Ko.

C 12

Ehemaliger Hochaltar der Stiftskirche St. Martin in Meßkirch

Meister von Meßkirch (tätig 1515–1540)
Meßkirch (Baden), um 1538

Mitteltafel
Anbetung der Heiligen Drei Könige
Eiweißtempera über Kreidegrundierung auf Tannenholz
166 x 90 cm

Meßkirch, Stadtkirche St. Martin

Standflügel
links: Hl. Christophorus
rechts: Hl. Andreas
Eiweißtempera über Kreidegrundierung auf Tannenholz
je 170 x 40 cm

München, Bayerische Staatsgemäldesammlungen, Alte Pinakothek, Inv.Nr. 8169 a und b

Drehflügel, Innenseiten
links: Hl. Martin, Bischof von Tours, daneben kniend Graf Gottfried Werner von Zimmern
rechts: Hl. Johannes der Täufer, daneben kniend Gräfin Apollonia von Henneberg
Eiweißtempera über Kreidegrundierung auf Tannenholz
je 166 x 40 cm

Donaueschingen, Fürstlich Fürstenbergische Sammlungen, Inv.Nr. 74 und 75

Drehflügel, Außenseiten
Eiweißtempera über Kreidegrundierung auf Tannenholz
je 166 x 40 cm
links: Hl. Werner, Bischof von Plozk

Den Haag, Rijksdienst Beeldende Kunst, Inv.Nr. NK 1633

rechts: Hl. Maria Magdalena

Donaueschingen, Fürstlich Fürstenbergische Sammlungen, Inv.Nr. 73

Der anonyme Meister verdankt seinen Notnamen dem ehemals im Chor der Meßkircher Stiftskirche aufgestellten Hochaltar und zehn kleineren seitlichen Passionsaltärchen von entsprechendem Aufbau. Dieser große, in einer Meßkircher Werkstatt ausgeführte Auftragskomplex geht zurück auf Gottfried Werner Freiherrn von Zimmern (1484–1554), der nach seiner von ihm selbst als hypogamisch empfundenen Vermählung mit Apollonia aus dem gefürsteten Geschlecht der Henneberg im Jahr 1512 bestrebt war, beider Residenz und die von ihm abhängigen Patronatskirchen zu vergrößern und prächtig auszustatten. Unmittelbar nach dem Ende des 1524/25 in Württemberg wütenden Bauernkrieges, aus dem die Zimmern wie andere schwäbische Adelsfamilien durch Strafsteuern und Entschädigungsgelder wirtschaftlich gestärkt hervorgegangen waren, ließ Gottfried Werner 1526 durch den Baumeister Lorenz Reder aus Speyer den älteren Bau der Meßkircher Stiftskirche durch eine größere, dreischiffige Basilika ersetzen. Etwa zehn Jahre später wurde ein bis heute anonymer schwäbischer Meister mit der gesamten Altarausstattung beauftragt. Das auf der Innenseite des linken Drehflügels angebrachte gevierte Wappen, wie es Gottfried Werner erst nach seiner Erhebung in den Grafenstand durch Kaiser Karl V. 1538 geführt hat und wie es entsprechend auch auf dem im Basler Kunstmuseum erhaltenen Riß für das Altargehäuse begegnet (s. Kat.Nr. E 14), stellt in Ermangelung von Signatur und Jahresangabe den einzigen greifbaren Anhaltspunkt für die Datierung dieses späten Hauptwerkes dar.
Das Kernstück des Altars – sein Mittelbild mit der Anbetung der Heiligen Drei Könige – hat sich als einzige Tafel in situ erhalten, fand jedoch nach dem erneuten Umbau der Kirche auf ausdrücklichen Wunsch des mit der Neugestaltung beauftragten Meinrad von Aw 1773 auf dem linken Seitenaltar seine bis heute beibehaltene Aufstellung. Unter Verwendung motivischer und kompositioneller Anregungen durch Dürers um 1503 entstandenen Holzschnitt gleichen Themas (Knappe 1964, Nr. 237) hat der Meister eine eigenwillig dezentralisierte Komposition aufgebaut, die die Hauptgruppe der Muttergottes mit dem Kind und dem anbetend knienden Balthasar an den rechten Bildrand rückt. Kaspar und Melchior stehen mit goldenen Deckelpokalen abwartend daneben, während Joseph aus der Ferne an der Szene kaum teilzunehmen scheint. Eine gestaffelte Pfeilerarchitektur, die Maria als tradiertes Hoheitszeichen hinterfängt, führt den Blick perspektivisch in die Tiefe, wo sich ein Reiterzug in die ferne Gebirgslandschaft verliert. So wenig organisch die Figuren trotz ihrer plastischen Wirkung in der Fülle ihrer kostbaren, reich drapierten Gewänder erscheinen, so überzeugend entfaltet der Meister seine hohe koloristische Begabung, die mit feinen Nuancierungen und intensiver Leuchtkraft der Farben allen seinen Bildern einen ausgeprägten Zug strahlender, frohgestimmter Festlichkeit verleiht.
Auf den flankierenden Standflügeln treten uns in den hll. Christophorus und Andreas kräftige Gestalten entgegen, in denen sich der eigentümliche Figurenstil des Meisters voll entwickelt zeigt. Wieder wirken die Figuren körperhaft vor allem in den Einzelteilen, in ihrer Ganzheit sind sie der mehr flächig-dekorativen Gestaltung der schlanken Hochformate untergeordnet. Kräftig-derbe Gliedmaßen schauen aus bewegten Faltenwülsten hervor, fleischig-knollige Hände halten die Attribute, die wollig-dichte Haarmasse scheint von fester Konsistenz. Während oben in den Inschrifttafeln mit gleichartig goldener Rahmung strenge Symmetrie gewahrt wird, ist die Podestzone unterschiedlich gestaltet. Auf den Innenseiten der Drehflügel sind die hll. Martin, im reichen Bischofsornat, und Johannes der Täufer, im Gewand des Wüstenpredigers, einander zugewandt. Ihre Namen und Gebetsanrufungen finden sich wiederum oben in reich ornamentierte Kartuschen eingetragen. Zu Füßen der Heiligen knien, ungeachtet des trennenden Altargehäuses in die Anbetung des neugeborenen Kindes einbezogen, die Stifter – Graf Gottfried Werner von Zimmern und seine Gemahlin mit ihren seitlich aufgestellten Wappen. Beide scheinen durch die schützend aufgelegten Hände ihrer Patrone deren besonderen Beistands teilhaftig. Eine übergreifende Inschrifttafel des vorgenannten Typs verbindet auch die beiden Außenseiten der beweglichen Flügel zu ganzheitlicher Wirkung. Der hl. Werner und Maria Magdalena bilden hier das einander zugeordnete Paar. Demnach steht die Wahl der auf den Meßkircher Altarflügeln dargestellten Heiligen in engem Zusammenhang mit den gräflichen Stiftern und im Zeichen familiärer Fürbitte. Während mit den hll. Werner und Martin der Namenspatron des Grafen und der Schutzpatron der Kirche vertreten sind, zählen die übrigen zu den traditionellen Schutzheiligen des Hauses Zimmern, wie sie sich zu jubilierendem Farbenreigen auf dem Mittelbild des Wildensteiner Altars von 1536 um die Muttergottes im Strahlenkranz versammelt haben (Donaueschingen, Fürstlich Fürstenbergische Sammlungen, Inv.Nr. 76).
Die bis auf das verlorengegangene Predel-

S · MARTINVS ·
MIRVS ES IN SANCTIS, DEVS O, TIBI, GLORIA SOLI,
DIVO MARTINO MIRA, PATRARE DABAS;
SVSCITAT EXVTOS VITA, LARGITVR EGENIS,
GLORIFICANS, NOMEN PERFICIT ILLA TVV;
S · IOANES · BAPTISTA ·
PRECVRSOR CHRITI, VITA FACTOQ, SEVERVS,
EXOSVS MVNDVM, DEVIA TESQVA COLIT;
PREDICAT, AGNOSCENS SALVANTEM SOBRIVS AGNVM;
HVNC IMITARE, VOLENS NOSCERE NOTA DEO;
Gottfrid Wernherr Grave vnd
Herre zu Zymbern Herre zu Willden
stain vnd Meßkirch Etatis.
Apolonia von Gotts gnaden
Grävin vnd fraw zu Hennenberg
C 12

C 13

lenbild, das möglicherweise eine Inschrift trug, vollzählig erhaltenen Tafeln des Meßkircher Hochaltars weisen übereinstimmend eine außergewöhnliche Sorgfalt der malerischen Durchführung und eine einheitliche formale und stilistische Konzeption auf. In ihrer dekorativen Gestaltung, die die Figuren weitgehend in die Fläche bindet, erreicht die koloristische Begabung des Meisters ihr reifstes Können. Während seinen behäbig-stämmigen Figuren jede nervöse Eleganz und Expressivität ermangelt, verleihen ihnen die zarten und satten Schattierungen leuchtender Farben juwelenhaften Glanz und eine der deutschen Renaissance eigene Festlichkeit.

Ganz 1915, S. 1–46 u. Taf. 1–3; J. Sauer, Das Altarbild des Meisters von Meßkirch in der Stadtkirche zu Meßkirch, in: ZCK 29 (1916) 4, S. 49–60 u. Taf. 3; Donaueschingen 1934, S. 52–55, Nr. 73–75, u. Abb. 16; Salm 1950, S. 135–145; Donaueschingen 1980, S. 76f. *M.Ko.*

C 13

Kreuzigung

Meister von Meßkirch (tätig 1515–1540)
Oberschwaben, um 1540

Eiweißtempera über Kreidegrundierung auf Fichtenholz
98 x 73 cm

Donaueschingen, Fürstlich Fürstenbergische Sammlungen, Inv.Nr. 86

In einfachem, symmetrisch angelegtem Aufbau sind die wenigen Hauptfiguren dieser Kreuzigung auf schmaler Vordergrundbühne reliefartig nebeneinandergereiht. Die Mittelachse nimmt das Kreuz ein, an dem der Heiland für die Menschheit stirbt. Zu seinen Füßen kniet, in tradiertem Gestus den Stamm umarmend, Maria Magdalena. Seitlich sind in verhaltener Trauer Maria und Johannes erfaßt, denen oben in einer Zone dunkler Wolkenballungen Sonne und Mond kompositorisch zugeordnet werden. Dort halten kleine Englein unter die angenagelten Hände wie auf die Seitenwunde gerichtet goldene Kelche, in denen sie das ausströmende Blut Christi auffangen und damit hinweisen auf die Erfüllung seiner Worte beim Abendmahl: „Das ist der Kelch, das neue Testament in meinem Blut, das für euch vergossen wird" (Lukas 22, 20). Während vorn menschliches Gebein zeichenhaft auf die Schädelstätte deutet und zugleich an das legendäre Grab des ersten Menschen Adam erinnert, von dessen Erbsünde Christus befreit, symbolisieren im Mittelgrund rechts der Tempel und links die wehrhaft aufragende Kirche den alten und den neuen Bund Gottes mit den Menschen. So bedeutet der Erlösertod Christi auch den über die Finsternis der Synagoge errungenen lichtvollen Sieg der Kirche, die in Gestalt der Sonne den matten Glanz des Mondes überstrahlt.
In diesem auf Gold und changierende Blau-, Rot- und Ockertöne abgestimmten Spätwerk von emailleartiger Leuchtkraft greift der Meister Anregungen ihm bekannter druckgraphischer Darstellungen des Themas auf. Von Dürer übernimmt er die Rückenfigur des betenden Johannes auf einem 1510 datierten Holzschnitt (Knappe 1964, Nr. 294), die Architekturmotive des Mittelgrunds, die eucharistischen Engel und die beiden großen Gestirne einer um 1495 entstandenen vielfigurigen Kreuzigung (Knappe 1964, Nr. 127). Auf Erfindungen Baldungs gehen die Figur der knienden Magdalena (Kalvarienberg; Mende 1978, Nr. 298) und anscheinend auch der Gesamtaufbau der Komposition zurück (Christus am Kreuz; Mende 1978, Nr. 2). Das Format der Tafel und die stille Gefaßtheit der Darstellung lassen auf ihre Bestimmung zu privater Andacht schließen. Entsprechend lautet auch einhundert Jahre nach ihrer Entstehung eine Eintragung im fürstenbergischen Hausinventar von 1642: „Die schön mit Silber eingelegte Taffel, so Ihro Exzellenz selig (Graf Wratislaus zu Fürstenberg) allezeit bei sich im Zimmer gehabt, ist ein Crucifix". Der prunkvoll-ernste, als Werk Matthias Walbaums (s. Künstlerbiographie) um 1620 in Augsburg entstandene Ebenholzrahmen mit fein ziselierten Silberbeschlägen findet sich im Juli desselben Jahres erstmals erwähnt: „Eine eingefaßte Taffel, darauf Salvator noster begriffen und gar schön mit silberin Passionssignis eingelegt."

Donaueschingen 1934, S. 64f., Nr. 86, u. Abb. 15; Salm 1950 S. 151–153; Donaueschingen 1980, S. 64f. – Zum Rahmen: Regina Löwe, Die Augsburger Goldschmiedewerke des Matthias Walbaum, München 1975 (Forschungshefte, hrsg. vom Bayerischen Nationalmuseum München), Nr. 65, Abb. 77. *M.Ko.*

C 14

Bildnis des Botanikers Leonhart Fuchs

Heinrich Füllmaurer (tätig um 1530/40)
Tübingen, 1541

Öl auf Tannenholz
35,7 x 24,3 cm
In einer oben aufgemalten Kartusche Namensinschrift und Datierung: *Leonhart Fuchs Doctor. Contrafayt im 42 iar seins alters. 1541.*

Stuttgart, Württembergisches Landesmuseum, Inv.Nr. 1933–622

Leonhart Fuchs, 1501 im damals bayerischen Wemding geboren, war Arzt, Philologe und Botaniker. Seine wissenschaftliche Karriere begann 1526 mit einer Professur in Ingolstadt, wo er sein Lehramt aus Glaubensgründen schon nach zwei Jahren aufgeben mußte. Eine Stellung als Leibarzt des Markgrafen Georg von Brandenburg bot dem überzeugten Lutheraner mehr Sicherheit. Als sich jedoch die Pläne zur Errichtung einer protestantischen Universität in Ansbach zerschlugen, folgte er 1533 einem erneuten Ruf nach Ingolstadt und ein Jahr später nach Tübingen. Von 1535 bis zu seinem Tod 1566 hat Fuchs dort gelehrt und siebenmal das Amt des Rektors bekleidet. Von Anbeginn war er maßgeblich auch an der Durchführung der Reformation und der Neuorganisation der Universität beteiligt. Daneben hat er zahlreiche Schriften veröffentlicht – Lehrbücher, kommentierte Übersetzungen medizinischer Klassiker (Hipprokrates, Galen) und 1542 das berühmte Kräuterbuch (s. Kat.Nr. E 19). Fuchs' Wirken als Lehrer und Forscher stand ganz im Zeichen des Humanismus. Als Anhänger der altgriechischen Medizin war es sein Hauptanliegen, die Verbreitung der antiken Autoren zu betreiben und arabistische Lehrmeinungen anzufechten. Etwa hundert Jahre nach seinem Tod hat ihm der Botaniker Charles Plumier mit der Namensschöpfung „Fuchsie" für die rotblütige Zierpflanze eine bleibende Ehrung erwiesen.
Das von seinem „redenden" Familienwappen mit springendem Fuchs und dem Wappen seiner Frau Anna eingefaßte Brustbild stellt den Gelehrten zweiundvierzigjährig, ein Jahr vor Erscheinen der *Historia stirpium,* dar. Auf den engen Zusammenhang mit dem Kräuterbuch weist das Pflänzchen hin, das er mit spitzen Fingern in der Linken hält. Diesem Motiv der gespreizten Hand mit der Blume begegnen wir genau entsprechend bei seinem ganzfigurigen, dem Kräuterbuch vorangestellten Holzschnittbildnis von 1538. Auch das im Dreiviertelprofil erfaßte ernste Gesicht mit der auffallend großen Nase und dem Backenbart, sein würdevoller Anzug mit Barett, breitem Pelzkragen und fein gefältetem Hemd findet sich dort übereinstimmend wieder. Beide Porträts sind wiederum in enger Anlehnung an eine 1525 datiertes, heute im Art Institute of Chicago befindliches anonymes Jugendbildnis des Gelehrten entstanden (s. Werner Fleischhauer, Ein Jugendbildnis von Leonhard Fuchs, in: Heimatkundliche Blätter für den Kreis Tübingen, 1950, 2, S. 7, mit Abb.). Auch Füllmaurers Werk blieb die Wirkung auf andere Künstler nicht versagt. Werner Fleischhauer hat in der Stuttgarter Tafel das Vorbild für ein postumes Porträt des gealterten Botanikers im Ulmer Stadtarchiv erkannt (Inv.Nr. 12257) und das kleinformatige, 1569 datierte und IZ monogrammierte Aquarell dem weitgehend unbekannten Jörg Ziegler zugeschrieben

C 14 A

(s. Werner Fleischhauer, Ein unbekanntes Bildnis. Der Tübinger Botaniker Fuchs – vermutlich von Jörg Ziegler, in: Tübinger Forschungen, 1962, 7, S. 4, mit Abb.). In sich stets erneuerndem Einfluß auf nachfolgende Maler- und Stechergenerationen gibt sich das Ulmer Aquarell wiederum als genau kopierte Vorlage für einen seitenverkehrten Holzschnitt in Nikolaus Reusners (1545–1602) Porträtbuch *Icones sive imagines virorum literis illustrium* zu erkennen. Das erstmals 1587 bei Bernhard Jobin in Straßburg erschienene Werk enthält einhundert, von Tobias Stimmer und seiner Werkstatt ausgeführte Bildnisse berühmter Männer (s. Nicolaus Reusner, Icones sive imagines virorum literis illustrium, 1587, Neudruck Leipzig 1973, unnumerierte Taf.).

Bök 1774, S. 85 f.; Eberhard Stübler, Leonhart Fuchs, Leben und Werk, München 1928 (Münchener Beiträge zur Geschichte und Literatur der Naturwissenschaften und Medizin. 13/14); Fleischhauer 1971, S. 156 u. Taf. 88; Universität Tübingen 1977, S. 65, 69–71 u. 74, Abb. S. 68. *M.Ko.*

C 14 A

Der Mömpelgarder Altar

Heinrich Füllmaurer (tätig um 1530/40) und seiner Werkstatt zugeschrieben
Herrenberg, um 1540

Öl auf Fichtenholz
Flügel: 185 x 101 cm

Wien, Kunsthistorisches Museum (Depot)

„Ein grosser altar mit 6 thüren, alzeit drei ob einander, gehn auf bläderweis wie ein buech und sein innen und aussen etc. schönist und fleissigst übermalt vom leben und den thaten Christi, representirend fast das ganz neue testament. Ist von Mumpelgart nachher Stuttgart gebracht worden, sehr würdig anzusehen. Seind sonst auch zwei noch andere altartafeln in diesem zimmer zu sehen.“ Mit dieser kurzen, prägnanten Beschreibung findet sich der Mömpelgarder Altar in dem Bericht des als Vertreter Herzog Philipps II. von Pommern-Stettin 1616 am Stuttgarter Hof weilenden Augsburger Patriziers Philipp Hainhofer erstmalig erwähnt. Das riesige Altarwerk, das nach der 1634 verlorenen Schlacht von Nördlingen von den siegreichen kaiserlichen Truppen zusammen mit der herzoglichen Kunstkammer nach Wien verschleppt und in die habsburgischen Sammlungen eingegliedert worden war, ist vermutlich gegen Ende der dreißiger Jahre des 16. Jahrhunderts von Graf Georg von Württemberg in Auftrag gegeben worden. Georg war bis 1542 Regent der württembergischen Grafschaft Mömpelgard (Montbéliard), die er seinem Bruder, Herzog Ulrich, 1526 abgekauft hatte. 1530 schloß er sich der Reformation an,

die von 1536 an auch in Mömpelgard mit obrigkeitlichen Zwangsmaßnahmen durchgeführt wurde. Der große sechsflügelige Altar, der sich aufgrund seiner deutschen Bibelzitate nur in der Stiftskirche St. Mainbœuf befunden haben kann, in der im Gegensatz zu der französischen Kirche St. Martin auf deutsch gepredigt wurde, stellt auf einer von neun kleinen Gemälden eingefaßten Mitteltafel und 158 Seitentafeln das Leben und Wirken Christi dar, wie es in den vier Evangelien und in den ersten beiden Kapiteln der Apostelgeschichte erzählt wird. Das ikonographische Programm dieser monumentalen Bilderbibel entspricht Luthers Auffassung, „das Evangelium sei nichts anderes denn eine Predigt von der einen Person, die da Christus heiße" (1522). Der Altar gehört somit als evangelische Bilderpredigt, deren Szenenabfolge von einem Theologen festgelegt worden sein dürfte, zu den aus der Reformation hervorgegangenen neuen sakralen Bildtypen (s. auch Kat.Nr. C 22 und C 34). Unabhängig von stilistischen Erwägungen ist seine Bestellung für die Mömpelgarder St.-Mainbœuf-Kirche vor 1530 – dem Jahr der Konversion Graf Georgs – ebensowenig denkbar wie nach der Jahrhundertmitte, als das Bilderverbot rigoros praktiziert wurde und auch protestantische Bildwerke einschloß.
Dieses an Bilderreichtum größte Altarwerk der deutschen Kunst setzt sich aus einer Mitteltafel und drei beweglichen, beidseitig bemalten Flügelpaaren zusammen. Jeder Flügel umfaßt insgesamt 24, oft mehrere Szenen beinhaltende Einzeldarstellungen einschließlich der in weiße goldgerahmte Kartuschen eingetragenen Bibelzitate, die sich – bei deutlich schwäbischer Mundart – eng an die lutherischen Bibelübersetzungen von 1522 anlehnen. Die Bilder geben in liebenswerter Ausführlichkeit und sachlich-nüchterner Schilderung das Heilsgeschehen wieder. Klar konstruierte Innenräume, perspektivische Häuserfluchten und fein empfundene stimmungsvolle Landschaften, die gelegentlich an die Donauschule erinnern, bestimmen ihren künstlerischen Rang. Die kräftigen, untersetzten Figuren strahlen behäbige Ruhe in Ausdruck und Bewegung aus. Gelegentlich stößt man auf markant charakterisierte Köpfe. Der in der älteren Literatur Barthel Beham, dem Meister von Meßkirch, der Schule Burgkmairs, Hans Leonhard Schäufelein und selbst Dürer zugeschriebene Altar wurde von Werner Fleischhauer als ein Werk Füllmaurers erkannt, dem in der fraglichen Zeit – 1539/40 – für eine nicht näher bezeichnete, im Auftrag des Grafen Georg von Mömpelgard ausgeführte Arbeit ein erheblicher Geldbetrag ausbezahlt worden war. Sachlich genaue Wiedergabe, emotionslose Berichterstat-

C 14 A

Jhesus erschein den Jungern/ da die thirē verschlossē warē/ vnd sprch/ Frid
sey mit euch/ vnd schalt sie seer vmb ires vnglaubens willen/ zeygt in hend
vnd füsz/ vnd asz mit inen/ vnd sagt wie solchs vō im geschribē stünd/ im
gsetz Mose vnd pphetē vnd Psalmē/ ꝛc. vnd offnet in das verstentnus
dz sie die gschrifft verstunden/ ꝛc. Jhesus aber sprch/ d Frid sey mit euch
gleych wie mich mein vatter gesandt hatt/ also send ich euch/ vnd da er dz
saget bliesz er sie an/ vnd sprach zu inen Nement hin den heiligen
geyst welchen ir die sünd erlaszen/ denen seind
sie erlaszen vnd welchen ir sie behalten/ den
seind sie behalten. Thomas aber der
zwölffen einer war nit bey in/ da
Jhesus kam.
ꝛc.
Marc. 16.
Luc. 24.
Johan. 20

C 14 A

tung und lichte Farbigkeit bestimmen auch die wenigen gesicherten Werke von Füllmaurers Hand (s. Kat.Nr. C 14 u. E 19). Zu Recht glaubt Fleischhauer jedoch mindestens drei weitere Mitarbeiter unterscheiden zu können, in denen er Albrecht Mayer, Marx Weiß aus Balingen und einen Schüler Schäufeleins vermutet. Gleiches gelte für die zweite Fassung dieses Werkes, den Altar im Schloßmuseum zu Gotha.

Adolf von Oechelhäuser, Philipp Hainhofers Bericht über die Stuttgarter Kindtaufe im Jahr 1616, in: Neue Heidelberger Jahrbücher 1 (1891) 2, S. 309; Heinrich Modern, Der Mömpelgarter Flügelaltar des Hans Leonhard Schäufelein und der Meister von Meßkirch, in: Jahrbuch der kunsthistorischen Sammlungen des allerhöchsten Kaiserhauses 17 (1896), S. 307–397; Herbert von Hintzenstern, Die Bilderpredigt des Gothaer Tafelaltars, Berlin 1965, S. 21 ff.; Fleischhauer 1971, S. 156–159. *M.Ko.*

C 14

C 15

Bildnis Friedrichs II., Kurfürst und Pfalzgraf bei Rhein

Hans Besser (um 1510/15 – nach 1558)
Heidelberg, 1545

Öl auf Leinwand
195 x 95 cm. Links oben in einer Kartusche die Namensinschrift: FREDERICVS DEI GRATIA/COMES PALATINVS RHENI/DVX BAVARIAE SACRI RO/MANI IMPERII ARCHIDAPIFER/ET PRINCEPS ELECTOR/AETATIS SVAE LXII/ANNO 1545

Wien, Kunsthistorisches Museum (aus Ambras), Inv.Nr. 8177

Friedrich wurde 1482 als vierter Sohn des Kurfürsten Philipp und der Margaretha von Bayern-Landshut auf Schloß Winzingen bei Neustadt geboren. 1501 zog er an den habsburgischen Hof nach Brüssel, den er 1516 nach seiner von Erzherzog Karl abgewiesenen Werbung um dessen Schwester Eleonore verlassen mußte. Dennoch gehörte er schon drei Jahre später zu den entschiedenen Befürwortern der Wahl Karls zum deutschen Kaiser. 1521 bis 1525 residierte er als Reichsstatthalter in Nürnberg, 1529 war er als Reichsfeldherr an der Befreiung Wiens von der ersten Türkenbelagerung durch Süleyman II. beteiligt und auch 1532 wurde er als Generaloberster bei einem erneuten Vorstoß der Türken nach Westen eingesetzt. Seit 1544 in Nachfolge seines verstorbenen Bruders Kurfürst, schloß Friedrich sich 1545 aus politischen Erwägungen der Reformation an und stellte 1546 dem Schmalkaldischen Bund ein Truppenkontingent zur Verfügung. Bedeutung erlangte der Kurfürst vor allem als Förderer der Wissenschaften durch den Ausbau der Heidelberger Universität und die Berufung bedeutender Gelehrter. Da seine Ehe mit der achtunddreißig Jahre jüngeren Dorothea von

C 15

Dänemark kinderlos geblieben und mit Friedrichs Tod 1556 die Kurlinie ausgestorben war, trat sein Neffe Ottheinrich aus der Neuburger Linie die Nachfolge an.
Vor einer mit reichverschlungenen Arabesken geschmückten Wandbespannung hebt sich die große, schlanke Gestalt des Kurfürsten als dunkle Silhouette ab. Die knielange Schaube mit weit gebauschten Ärmeln und die kurze Oberschenkelhose weisen bereits auf die um die Jahrhundertmitte aufkommende spanische Mode hin. Das breit um die Schultern gelegte Kollier des Ordens vom Goldenen Vlies umschließt oben rechts auch das vom Kurfürstenhut bekrönte pfalz-bayrische Wappen. Von dem als Gegenstück zum Bildnis seiner Gemahlin (s. Kat.Nr. C 16) entstandenen ganzfigurigen Porträt bewahren die Bayerischen Staatsgemäldesammlungen eine übereinstimmende, als Brustbild angelegte zweite Fassung (Inv.Nr. 2514).

Wien 1976, S. 244 f., Nr. 212, u. Abb. 49. *M.Ko.*

C 16

Bildnis der Dorothea von Dänemark, Kurfürstin und Pfalzgräfin bei Rhein

Hans Besser (um 1510/15 – nach 1558)
Heidelberg, 1545

Öl auf Leinwand
185 x 92 cm. Rechts oben in einer Kartusche die Namensinschrift: DOROTHEA DEI GRATIAE/COMES PALATINA RHEIN/DVCISSA BAVARIAE REGN:/ORVM DANIAE NORVEGIAE ET/SVETIAE PRINCEPS ET HAERES/AETATIS SVA XXV/ANNO 1545

München, Bayerisches Nationalmuseum, Inv.Nr. R 2302

Als Gegenstück zu dem Bildnis ihres Gatten Friedrich II. von der Pfalz (s. Kat.Nr. C 15) gibt auch dieses Porträt die Kurfürstin in ganzer Figur vor einer kostbaren dunkelgrünen Wandbespannung wieder, deren sorgfältig gemaltes arabeskes Rankenwerk auf Hans Besser zugeschriebenen Bildnissen als charakteristische Folie begegnet. Dabei scheint es sich um vom Künstler selbst entworfene bedruckte Tapeten gehandelt zu haben, denn sein Schwiegersohn, der spätere kurfürstliche Hofmaler Heinrich Trarbach, weist noch 1589 auf die besonders kunstfertige Machart „des gemaserten Papiers und andrer dergleichen Arbeit… mit allerlei Zügen, Leisten und Rosen" hin und fährt fort, Besser habe „die Muster und Formen in großer Anzahl selbsten auf Holtz gerißen und mit schweren Uncosten schneiden laßen." Das zehn Jahre nach der Vermählung der jungen dänischen Prinzessin (1520–1580), einer Tochter König Christians II., ent-

standene Bildnis stellt die fünfundzwanzigjährige Kurfürstin in einem hermelingefütterten, mit dekorativ verschlungenen Litzen besetzten Samtmantel dar, aus dessen weiten Armlöchern füllig gebauschte, vielfach geschlitzte Ärmel hervorschauen. Darunter werden ein plissiertes Kleid, ein reicher Brustschmuck und ein weißer Dekolletéeinsatz sichtbar. Das links oben von der Kette des Dannebrog-Ordens eingefaßte dänische Sammelwappen wird überfangen von einer Krone.
In seiner sorgsamen Ausführung, der flächig dekorativen Hintergrundgestaltung und der insgesamt nüchtern sachlichen Auffassung gibt sich das Bildnis als ein für Hans Besser charakteristisches Werk zu erkennen.

Gerhart Ladner, Zur Porträtsammlung des Erzherzogs Ferdinand von Tirol, in: Mitteilungen des Österreichischen Instituts für Geschichtsforschung 49 (1935), S. 384, Nr. G 10, u. Taf. VII a; Sigrid Flamand Christensen, Portrætter af den Danske prinsesse Dorothea, Pfalzgräfin bei Rhein, in: Kunstmuseets Årskrift 24 (1937), S. 138–140 u. Abb. 5; Rott 1938, S. 19, Abb. 12. *M.Ko.*

C 16

C 17

Die Melancholie im Garten des Lebens

Matthias Gerung (um 1500–1568/70)
Lauingen, 1558 (?)

Öl auf Lindenholz
88 x 68 cm. Im Spruchband die Inschrift: *Melancolia 1558*

Karlsruhe, Staatliche Kunsthalle, Inv.Nr. 2619

Von erhöhtem Standort sieht der Betrachter auf eine weite, an eine schmale Himmelszone stoßende Landschaft, die durch das Fehlen rahmender Motive und durch willkürliche Überschneidungen mit dem Bildrand nach allen Seiten fortsetzbar erscheint. In ihrer Mitte thront auf einem Erdhügel eine geflügelte weibliche Gestalt von üppigen, bereitwillig zur Schau gestellten Reizen, den Kopf träge auf die Linke gestützt. Äußere Erscheinung, Haltung und Attribute weisen sie als Melancholia aus, die zugleich Merkmale der Acedia (Trägheit), der Voluptas (Wollust) und Luxuria (Schwelgerei) in sich vereint. In der Attitüde einer unnahbaren Göttin scheint sie vom weltlichen Geschehen gleichsam abgehoben, das sich in kontrastreich bunten Szenen um sie herum abspielt. Deutlich sind dabei die Stände voneinander geschieden. Während die unterste Zone dem derben, oft unflätigen Treiben der Bauern vorbehalten ist, gehen Bürger und Patrizier im Zentrum der Darstellung ihren meist kultivierteren Vergnügungen nach. Die Jagd als privilegierter Zeitvertreib des Adels, Krieg, Tod und Hinrichtung, aber auch ein im Walde verstecktes Liebespaar sind in die entlegenste Ferne

C 17

gerückt. Mit der ihm eigenen Erzählfreude schildert Gerung in wohlgeordnetem, an der Mittelachse orientiertem Aufbau alle nur denkbaren Begebenheiten des Lebens – nach eigener Anschauung oder in oft wörtlicher Wiederholung graphischer Vorlagen von Sebald Beham, Lucas Cranach d. Ä. und dem Petrarcameister. Auch literarische Verwandtschaften können nachgewiesen werden, vor allem in den allegorischen, das gedankenlose Treiben und die Laster der Menschheit schildernden Gedichten von Hans Sachs. Der Melancholia entsprechend durch seine Körpergröße und die Stellung auf der vertikalen Hauptachse des Bildes betont, erscheint unten ein Geometer, der – hier als Verkörperung Saturns – eine Erdscheibe mit unheilverkündenden Himmelserscheinungen vermißt und damit eine närrische, wenn nicht gotteslästerliche Handlung vollführt. Ihm scheinen oben in der Himmelszone die ebenfalls als negative Bedeutungsträger aufgefaßten Sol, Luna und Mars (?) zugeordnet, die ihre dämonischen Kräfte vor allem auf Melancholiker einwirken lassen. In einer eigenständig formulierten, äußerst vielschichtigen Allegorie verbindet Gerung das Motiv der Melancholie und ihrer verschiedenen Aspekte mit dem „Garten des Lebens", der nach vordergründigem Genuß die Hinfälligkeit, das sündhaft Törichte menschlichen Treibens offenbart. Christian Müller, der Gerungs *Melancolia* eine eingehende ikonographische Abhandlung gewidmet hat, vermutet in dem unbekannten Auftraggeber einen humanistisch gebildeten, wahrscheinlich protestantischen Patrizier. Das ins Spruchband eingetragene Datum 1558 kann sich auf eine Konjunktion von Planeten, auf ein historisches Ereignis – etwa das Todesdatum Karls V. – oder jeder hintergründigen Bedeutung bar auf das Entstehungsjahr des Bildes beziehen.

Staatliche Kunsthalle Karlsruhe, Neuerwerbungen 1974, in: JSKBW 12 (1975), S. 275–278; Christian Müller, Die Melancholie im Garten des Lebens, Matthias Gerungs „Melancolia 1558" in Karlsruhe, in: JSKBW 21 (1984), S. 7–35, mit weiterer Lit.

M.Ko.

C 18

C 18

Katharinenaltar

Unbekannter Künstler
Bodenseegebiet, 1562

Öl auf Holz
Mitteltafel 149 x 116 cm
Widmungsinschrift auf der Predella: *Ad honorem et gloriam Dei Opt(imi) Max(imi) Et ob piam recordationem/passionis invictissimae Virginis et Martyris Chrysti Divae/Katharinae M. Ioannes Bühelman olim parochus huius Ec(c)l(e)siae/et Anthonius Bühelman symista huius altaris fratres germani/hoc opus seu monimentum fieri fecerunt Anno D(omi)ni M. D. LXII.*

Meersburg, Friedhofskapelle

Der kleine, aus Mitteltafel, niedrigeren Standflügeln und einer Predella aufgebaute Altar hat sich anscheinend vollständig und weitgehend seinem ursprünglichen Zustand entsprechend erhalten. Die von einer Rollwerkkartusche und den betenden Stifterfiguren eingefaßte Widmungsinschrift der Predella nennt die Namen der beiden Stifter – Johannes Bühelman, ehemals Pfarrer dieses Kirchleins, und seinen Bruder und Mitpriester Anton Bühelman. Die brüderliche, Ehre und Ruhm Gottes und dem frommen Andenken der hl. Katharina geweihte Stiftung datiert aus dem Jahre 1562.
Die Mitteltafel stellt die Enthauptung der hl. Katharina dar, der Legende nach eine zyprische Königstochter, die sich dem Geheiß des römischen Kaisers widersetzt hatte, den Göttern zu opfern, und im gelehrten Disput heidnische Philosophen zum Christentum bekehrte. Als das Rad, auf dem sie den Tod erleiden sollte, durch himmlisches Eingreifen zerborsten war, starb Katharina durch das Schwert des Henkers den Märtyrertod. Die beiden Standflügel geben mit den hll. Johannes Evangelista (links) und Antonius Eremita (rechts) die Namenspatrone der Stifter wieder. Durch ihre Attribute – Adler und Buch, Glocke und T-Kreuz – kenntlich gemacht, sind sie jeweils unter ein halbiertes Renaissanceportal gestellt und fassen so rahmend die reicher und farbiger gestaltete Mitteltafel ein. Dort ist die von einem Dürer zugeschriebenen Holzschnitt (A. Schramm, Der Bilderschmuck der Frühdrucke, Leipzig 1937ff., Nr. 1020)

angeregte Szene des Martyriums in die vorderste Bildebene gerückt. Im Mittelgrund, den ein hochgewachsenes schlankes Bäumchen der Vertikalachse folgend teilt, erkennt man rechts das zerbrochene Rad, links gestikulierende Zeugen des Wunders. Dahinter tut sich unter einem dramatischen weiß-grauen Himmel mit einer Lichtöffnung eine gebirgige Landschaft von romantischem Stimmungsgehalt auf. Die qualitätvolle Malerei scheint bisher keinem Künstler mit Bestimmtheit zugewiesen. Die tonig weiche, reich nuancierte Farbgebung, ein teils langbeinig gespreizter, teils kräftiger, körperhafter Figurenstil, hochmodische Details, wie die geschlitzte Tracht und die Kuhmaulschuhe des Henkersknechts, vor allem aber Tiefe und Stimmungsgehalt der Landschaft lassen einen eigenwilligen, reifen Stil erkennen, der einen Künstler von Rang – möglicherweise Schweizer Herkunft – voraussetzt.

Hermann Ginter, Meersburg am Bodensee, Augsburg o.J. (Deutsche Kunstführer. 24), S. 22 u. Abb. 16. *M.Ko.*

C 19

C 19

Bildnis des Herzogs Christoph von Württemberg

Unbekannter Kopist nach Abraham del Hele (1534–1598) ?
Stuttgart (?), um 1565

Öl auf Leinwand
210 x 115 cm. Namensinschrift oben rechts: V.G.G. CHRISTOFF HERZOG ZV/WIRTEMBERG VND TECK. GRA/ VE ZV MVMPELGART ETC. STARB/ A(NN)O MDLXVIII SEINES ALTERS/ LIIII IAR

Wien, Kunsthistorisches Museum (aus der Sammlung Erzherzog Ferdinands II. von Tirol), Inv.Nr. 8251

1515 in Urach als einziger Sohn des ungezügelten Herzogs Ulrich von Württemberg und der Sabina von Bayern geboren, wurde der fünfjährige Prinz nach der Vertreibung seines Vaters 1520 an Kaiser Karl V. nach Innsbruck überwiesen. Nach der Rückeroberung seines Herzogtums 1534 sandte Ulrich seinen katholisch erzogenen Sohn an den Hof König Franz' I. von Frankreich, bis er ihm 1542 nach sichergestellter Nachfolge und Verpflichtung zum evangelischen Bekenntnis die Statthalterschaft über die Grafschaft Mömpelgard übertrug. 1550 trat Christoph das väterliche Erbe an, ohne daß Ferdinand I. im Vertrag von Passau 1553 auf die österreichische Lehenshoheit verzichten sollte. Während seiner achtzehnjährigen Regierung war der Herzog vor allem um die Durchführung der Reformation in Württemberg bemüht. Die 1559 erlassene „Große Kirchenordnung“ stand im Zeichen des gegen die Ausbreitung des Calvinismus dogmatisch verkündeten lutherischen Bekenntnisses. Der Festigung des Protestantismus in Deutschland, der Unterstützung unterdrückter Anhänger des evangelischen Glaubens namentlich in Frankreich und selbst der Verbreitung der lutherischen Lehre in Italien, Polen und auf dem Balkan galt sein ernsthaftes Streben. Mit dem 1555 veröffentlichten Landrecht führte er ein damals vorbildliches Privat- und Prozeßrecht ein.
Das wenige Jahre vor seinem Tode (1568) entstandene, einzige repräsentative Bildnis zeigt den Herzog in ganzer Figur, von kräftiger Gestalt, nach der spanischen Mode der sechziger Jahre in ein schwarzes Wams mit weißer Krause, eine kurze Hose aus gleichem Stoff und das charakteristische, vorn offen getragene Mäntelchen, die hier pelzverbrämte „spanische Kappe“ gekleidet. Das kleine Samtbarett, der umgehängte Degen und eine goldene Kette vervollständigen das zeremonielle, in ernstem Schwarz gehaltene Hofgewand. Neben dieser für die Ambraser Porträtsammlung wiederholten Fassung gehen zwei 1569 entstandene Miniaturbildnisse des Herzogs im Württembergischen Landesmuseum (Inv.Nr. KKXIV 3–4) auf das verschollene, dem in Augsburg tätigen Abraham de Hel zugeschriebene Original zurück.

Fleischhauer 1967, S. 244; Fleischhauer 1971, S. 174; Wien 1976, S. 247 f., Nr. 215, u. Abb. 51. *M.Ko.*

C 20

Bildnis des Lazarus Freiherrn von Schwendi

Zeitgenössischer Kopist nach einem unbekannten Künstler
Süddeutschland, um 1560/70

Öl auf Leinwand
105 x 95 cm

Wien, Kunsthistorisches Museum (aus der Sammlung Erzherzog Ferdinands II. von Tirol), Inv.Nr. 7967

Der Dargestellte wurde 1522 in Biberach als unehelicher, zwei Jahre später legitimierter Sohn des Rutland von Schwendi und einer Biberacher Bürgerstochter geboren. 1546 trat er in den Dienst Kaiser Karls V., der ihn mit heiklen diplomatischen Missionen und militärischen Aufgaben betraut hat. So nahm er 1546/47 am Schmalkaldischen Krieg und 1556/59 am Krieg gegen Frankreich in den spanischen Niederlanden mit den 1557 bei St. Quentin, 1558 bei Gravelingen erfochtenen Siegen teil. Die zunehmend tyrannische und reichsfeindliche Politik der Spanier in den Niederlanden ließ ihn allmählich von seinem neuen Dienstherrn Philipp II. abrücken und

C 20

einem Ruf Ferdinands I. nach Ungarn folgen, wo er als kaiserlicher Feldhauptmann die türkischen Feldzüge befehligt hat. Mit Maximilian II. und Rudolf II. hat Schwendi auch den auf Ferdinand folgenden Kaisern vor allem als politischer Ratgeber gedient, dessen Hauptanliegen die Stärkung der kaiserlichen Autorität im Interesse der Erhaltung des Reiches war. Seine klare Erkenntnis der sich zuspitzenden Lage kommt in seinen politischen und militärischen Schriften sowie in der mit den Fürsten und Staatsmännern seiner Zeit geführten umfangreichen Korrespondenz zum Ausdruck. Der wenige Jahrzehnte nach seinem Tod (1584) ausgebrochene Dreißigjährige Krieg bestätigte die Weitsicht seiner Mahnung zu religiöser Toleranz und seiner eindringlich wiederholten Warnungen, „daß es unter dem eifrigen Zuthun der fremden Nationen zu dem verderblichsten inneren Kriege komme."
Der weltgewandte Staatsmann und kaiserliche Oberst tritt dem Betrachter in gebläutem Infanterieharnisch und mit umgegürtetem Reiterschwert entgegen. Vor dunklem Hintergrund nach rechts blickend, zeichnet sich sein markant geschnittenes, von einer weißen Halskrause gerahmtes Gesicht deutlich ab, dessen angespannte Züge scharfe Intelligenz und mutige Entschlossenheit verraten. Ein langer Spitzbart unterstreicht die Kühnheit seiner Erscheinung. Das als Kniestück angelegte Bildnis geht mit einer zweiten, variierten Fassung auf ein verschollenes Original zurück, das Erzherzog Ferdinand von Tirol für die Ambraser Proträtgalerie kopieren ließ.

Friedrich Kenner, Die Porträtsammlung des Erzherzogs Ferdinand von Tirol, in: Jahrbuch der kunsthistorischen Sammlungen des allerhöchsten Kaiserhauses 15 (1894), S. 240f., Nr. 137; Wien 1976, S. 256f., Nr. 224, u. Abb. 53. *M.Ko.*

C 21

Postumes Bildnis des Sebastian Schärtlin von Burtenbach

Unbekannter Künstler
Süddeutschland, um 1580

Öl auf Leinwand
110 x 80 cm. Namensinschrift oben rechts: AETATIS SVAE LXXV/ANNO DOMINI/MDLXX/SEBASTIAN SCHERTLEN V/BVRTENPACH RITTER/RO KAII MAI & RATT VND/ OBRISTER/IST IN GOT VERSCHDEN/ 1577. DEN. 18. NOVEM SEIN/ALTERS IM 82 IAR DER A/MECHTIG GOT VERLEI/IME AIN FRÖLICHE AVFER/ STEHVUNG

Wien, Kunsthistorisches Museum (aus Ambras), Inv.Nr. 8239

Der 1496 in Schorndorf (Württemberg) geborene Sebastian Schärtlin nahm 1519 im Dienst Kaiser Maximilians I. an den Kämpfen des Schwäbischen Bundes gegen Herzog Ulrich von Württemberg und 1522 als Hauptmann über zwölf Fähnlein Landsknechte an einem Feldzug gegen die Türken teil. Sein schon in jungen Jahren erworbener Ruhm als Kriegsmann wurde durch die von ihm miterfochtenen Siege über die Franzosen in Italien 1524 und die Niederwerfung der aufständischen schwäbischen Bauern 1525 gefestigt. Nachdem er 1530 den Dienst als Feldhauptmann des österreichischen Statthalters in Württemberg und des Herzogs von Bayern quittiert hatte, zog er 1531 nach Augsburg und befehligte ein Jahr später das Aufgebot der Stadt und das Reichsfußvolk gegen den erneuten Türkenvorstoß in Ungarn. Von Karl V. wegen seiner Verdienste zum Ritter geschlagen und reich belohnt, zog er sich vorübergehend auf die von ihm erworbene Besitzung Burtenbach bei Augsburg zurück. Mit seinem Übertritt zum Protestantismus vollzog sich eine immer entschiedenere Hinwendung zum Schmalkaldischen Bund, für den er 1546/47 gegen den Kaiser focht. Nach der Niederlage der protestantischen Allianz floh er über Konstanz nach Basel, bis ihm die Schweizer das drei Jahre gewährte Asyl kündigten und Schärtlin sich nach Frankreich absetzte. Im Auftrag Heinrichs II. führte er räuberische Kriegszüge durch das Elsaß und Luxemburg an, nahm aber die nächste Gelegenheit wahr – durch Vermittlung augsburgischer Freunde vom Kaiser begnadigt –, 1553 nach Burtenbach zurückzukehren. Dort schrieb Schärtlin (gest. 1577) – nicht ohne Schönfärberei und tendenziöse Schilderung – seine wechselvolle, abenteuerliche Lebensgeschichte nieder.
Das als Halbfigur angelegte, auf eine Porträtaufnahme aus den letzten Lebensjahren des Dargestellten zurückgreifende

C 21

Bildnis zeigt den greisen Kriegsmann in der altmodischen Tracht der Jahrhundertmitte mit breit ausladender Schaube, flachem Barett und kleiner Halskrause. Mut, Zähigkeit und Skrupellosigkeit, die das Soldatenleben unter ständig wechselnden, einander verfeindeten Fürsten ihm abverlangte, scheinen aus seinem hageren Gesicht zu sprechen, aus dem weit aufgerissene Augen den Betrachter mit nahezu suggestiver Eindringlichkeit anblicken.

Wien 1976, S. 255f., Nr. 223, u. Abb. 54. *M.Ko.*

C 22

C 22

Almosentafel

Georg Rieder d. Ä. (gest. 1564)
Ulm, 1562

Öl auf Holz
137 x 93 cm (einschl. Rahmen)
Datiert unten rechts in der Ornamentleiste: 1562

Ulm, Münster

Almosentafeln gehören zur protestantischen Kirchenausstattung und kommen damit erst seit Einführung der Reformation (in Ulm seit 1530) als Künstlerauftrag in Betracht. Die kirchlicher Wohlfahrt zugedachten Geldspenden, die in Almosenstock, -büchse oder Kollektenteller eingesammelt werden, gelten als Opfer im Dienst an den Armen. Als Hinweis auf den mildtätigen Zweck der Gabe und der Freigebigkeit der Kirchgänger als Ansporn dienend, wurden über Almosenstock oder -büchse gemalte Tafeln mit entsprechenden Bibelzitaten und bildlichen Darstellungen angebracht (s. „Almosenstock", III, in: RDK, Bd. 1, S. 391–393).
So lautet die nachdrückliche, in großen Lettern deutlich lesbare Aufforderung unten auf der Ulmer Tafel: *Gebt umb Gottes Willen hauß (?) armen Leit,* und über Christus, der links in einer Türöffnung erscheint, steht das tröstliche Wort des Lukas-Evangeliums: *Bittet, so wird euch gegeben* (Lukas 11, 9). Als kleine Nebenfigur nimmt der Heiland an der Szene im Vordergrund teil. In Lumpen gehüllte Bettler, die sich auf Krücken stützen oder am Boden lagern, empfangen Geldspenden von ehrenamtlichen Armenpflegern. Ihre reiche Standeskleidung und die porträthaften Züge ermöglichen teilweise ihre Identifizierung unter den Honoratioren der Stadt. In dem bärtigen Mann rechts erkennen wir den Ratsherrn und Stadtbeauftragten für Spitalpflege Eitel Eberhard Besserer (1501–1575), dessen Bildnis im Ulmer Museum Philipp Renlin 1575 gemalt hat. Im Mittelgrund wird die Szene durch eine anstoßende Vorhalle mit hohen Arkadenfenstern begrenzt, die den Blick auf eine in strahlend helles südliches Licht getauchte Stadt freigeben. Die italienisch beeinflußte Rundbogenarchitektur mit Profilgesimsen und antikisierendem plastischem Zierat, die gelungene Tiefenperspektive und der individuelle Figurenstil sprechen für die Autorschaft eines bedeutenden Künstlers, in dem Othmar Metzger überzeugend den damaligen Stadtmaler Georg Rieder (II) den Älteren vermutet hat. Seine Zuschreibung wird bestätigt durch das kleine, en face wiedergegebene Selbstbildnis des Malers, dessen Blick aus dem Arkadengang heraus unmittelbar auf den Betrachter gerichtet ist.

Othmar Metzger, Die Ulmer Stadtmaler (1495–1631), in: Ulm und Oberschwaben 35 (1958), S. 186 u. Taf. 4; Othmar Metzger, Die Malerfamilie Rieder, in: Lebensbilder aus dem Bayerischen Schwaben, hrsg. von Götz Freiherrn von Pölnitz, Bd. 6, München 1958, S. 244 f. *M.Ko.*

C 23

C 24

C 23

Bildnis des Daniel Schad d.Ä.

Georg Rieder d.J. (um 1540–1575)
Ulm, 1572

Öl auf Holz
112 x 83 cm. Namensinschrift oben rechts: EFFIGIES DANIELIS SCHAD PATRICII/VLMENSIS. E' VIVO DESVMPTA ANNO/1572 CVM NATVS ESSET ANNOS 42

Ulm, Ulmer Museum, Depositum Frau von Schad

Zu den hervorragendsten Beispielen der Bildnismalerei Rieders, von dessen Hand sich zwei signierte sowie fünf ihm zugeschriebene Gemälde erhalten haben, zählen die Porträts des Daniel Schad und seiner Ehefrau Regina Schleicher (s. Kat.Nr. C 24). Daniel Schad d.Ä. (1530–1608), der einem alteingesessenen ulmischen Patriziergeschlecht entstammte, war 1560 zum Ratsherrn und 1572 mit erst zweiundvierzig Jahren zum Bürgermeister Ulms gewählt worden. Aus diesem Anlaß ist vermutlich das inschriftlich 1572 datierte Bildnis beim Stadtmaler in Auftrag gegeben worden (ein 1602 entstandenes Porträt des zweiundsiebzigjährigen Schad im Habitus des Ratsältesten wird Jakob Burkhammer zugewiesen; s. Metzger 1951, S. 239f.). Vor dem dunklen Steingrau eines zurückgewölbten Nischenhalbrunds hebt sich die in Dreiviertelfigur erfaßte Gestalt des Bürgermeisters in ruhigem, nach unten dreiecksförmig sich erweiterndem Umriß ab. In einen weiten pelzverbrämten Mantel mit hochgeschlagenem Kragen gehüllt und in die vorderste Bildebene gerückt, ragt der Dargestellte als mächtige Silhouette vor dem Betrachter auf, den er mit unaufdringlichem Selbstbewußtsein ins Auge faßt. Die hohe, schön gewölbte Stirn, tiefliegende umschattete Augen und ein schmallippiger sensibler Mund lassen das Bild einer außergewöhnlichen Persönlichkeit vor uns entstehen. Die zurückhaltende Kleidung, als deren einziger Schmuck sich das Pelzfutter des Mantels und die kleine Halskrause mit herabhängenden Bindeschnüren Geltung verschaffen, erhöht die Konzentration auf Gesicht und Hand als psychische Ausdrucksträger. Die als Eckfüllung nach links hochgeschlagene Draperie und das antikisierende Hintergrundmotiv der von einem Profilgesims unterteilten Nische sind hoheitsvolle Bildnisrequisiten, in denen Rieder mittelbar empfangene italienische Einflüsse aufgegriffen hat. In ihrer asymmetrischen Pointierung verlangen sie nach der Ergänzung im weiblichen Gegenstück des Porträts.

Othmar Metzger, Die Ulmer Bildnismalerei von 1550–1630, Würzburg, masch. Phil. Diss. 1951, S. 161 f.; Ulmer Museum, Bildhauerei und Malerei vom 13. Jahrhundert bis 1600, Ulm 1981 (Best.kat.; Kataloge des Ulmer Museums. 1), S. 232, Nr. 156. *M.Ko.*

C 24

Bildnis der Regina Schleicher

Georg Rieder d.J. (um 1540–1575)
Ulm, 1572

Öl auf Holz
112,5 x 82,5 cm. Namensinschrift oben links: EFFIGIES REGINAE SHLEICHERIN CONI./DA : SCHAD CVM ESSET ANNOS/EFFICTA ANNO 1572

Ulm, Ulmer Museum, Depositum Frau von Schad

Dem Bildnis ihres Ehegatten entsprechend (s. Kat.Nr. C 23) ist das Porträt der Regina Schleicher von ebenso strengem, nahezu geometrischem Aufbau. Die graue Folie der Nische hinterfängt auch hier die starre Vertikale der Gestalt, die ein steifer, glockenförmig geschnittener Mantel nahezu vollständig verhüllt. Obwohl den Armen hier mehr Spielraum gewährt wird, sind auch sie in eckig brechender Bewegung an den Leib gedrückt, in dessen dreiecksförmige Kontur sie eingebunden bleiben. Ein besticktes Barett, die kleine Halskrause mit Bindeschnüren, Manschetten und ein großer Renaissance-Anhänger beleben die dunkle Tracht. Eine knittrige, in der Ecke geraffte Draperie greift das Hintergrundmotiv des Gegenbildes auf. Während der straffe, harsche Faltenwurf des Vorhangs dem strengen Stilempfinden Rieders entspricht, scheint sich in der eintönigen Gewandbehandlung und den stereotypen unfraulichen Händen, die in konventioneller Geste um ein Handschuhpaar greifen, die ungeübte Hand eines Werkstattgesellen zu offenbaren. Dem starren Aufbau des Bildes und der steif-aufrechten Haltung der Dargestellten entsprechen ihr unbewegliches Antlitz und der am Betrachter vorbei nach unten gerichtete Blick. Ein protestantisch strenger Ernst waltet in diesen Bildnissen, der jeder Leichtfertigkeit im Ausruck, jeder heiteren Verspieltheit der Bewegung den Nährboden zu entziehen scheint.

Othmar Metzger, Die Ulmer Bildnismalerei von 1550–1630, Würzburg, masch. Phil. Diss. 1951, S. 160 f.; Ulmer Museum, Bildhauerei und Malerei vom 13. Jahrhundert bis 1600, Ulm 1981 (Best.kat.; Kataloge des Ulmer Museums. 1), S. 233, Nr. 157. *M.Ko.*

C 25

Zunfttafel der Ravensburger Schmiedezunft

Unbekannte Künstler
Ravensburg, 1553–1592

Öl auf Holz
Durchmesser: 86,5 cm

Ravensburg, Rathaus

In der Mitte der Tafel finden sich – von einem dreifachen Blattmotiv unterteilt – die geschnitzten Wappen der freien Reichsstadt Ravensburg (Tor mit zwei Seitentürmen und doppelköpfiger Reichsadler für „Stadt und Stand Ravensburg") und des Heiligen Römischen Reiches gegenständig angeordnet. Um diese reichs- und stadthoheitlichen Embleme sind in drei konzentrischen Kreisen die Wappen von Mitgliedern der Ravensburger Schmiedezunft an- und untereinandergereiht. Beginnend mit den Berufs-und Hauszeichen des Melcher Mesch von 1553 und denen des Jeremias und Jacob Schneck von 1566 wird die Reihe – gleichsam ein gemaltes Mitgliederverzeichnis – fortlaufend bis 1592 ergänzt, denn jeder neu aufgenommene Meister hatte das Recht, sich mit Namen, Handwerkszeug oder Wappen eintragen zu lassen. Der Schmiedezunft gehörten spätestens seit dem 15. Jahrhundert eine Fülle spezialisierter Metallhandwerkerberufe an, u.a. Huf-, Waffen-, Messer-, Nagel-, Kupfer- und Goldschmiede, Büchsenmacher, Schlosser, Gürtler und Zinngießer, aber auch Maurer, Ziegler, Glaser und Hafner. Im Ravensburger Rathaus werden zehn weitere Zunfttafeln der Schmiede aus mehreren Jahrhunderten bewahrt (s. Alfons Dreher, Geschichte der Reichsstadt Ravensburg und ihrer Landschaft von den Anfängen bis zur Mediatisierung 1802, 2 Bde., Weißenhorn 1972, Bd. 2, S. 485 u. 501–507).

Unveröffentlicht. *M.Ko.*

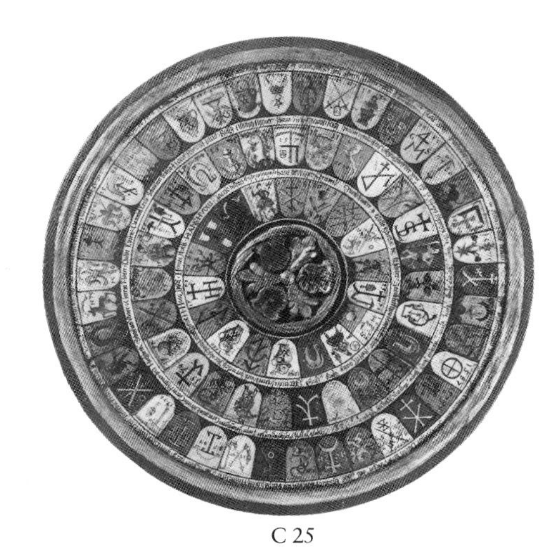

C 25

C 26

Prunkschild mit Jagdlandschaften

Hans Steiner (um 1550–1610)
Stuttgart, um 1580/90

Tempera auf Leder, auf Holz aufgezogen
Durchmesser: 59 cm

Colmar, Musée d'Unterlinden

Das konvexe Rund des Schildes ist in vier gleich große Sektoren aufgeteilt, denen die vier Jahreszeiten zugeordnet werden. Entsprechende Aufschriften finden sich in ornamentierten Kartuschen auf der schmalen Bordüre. Eine zahlreiche höfische Gesellschaft bevölkert waldiges Gelände. Dabei sind die vornehmsten Jagdteilnehmer mit ihren Pferden und Hunden unmittelbar am Schildrand großfigurig erfaßt. In der Darstellung des Sommers erkennt man hoch zu Roß Herzog Ludwig selbst, der eben seinen Hirschfänger zieht. Auch in der benachbarten Herbstszene begegnen wir dem herzoglichen Jagdherrn, wie er einem jüngeren Bediensteten wegen Ungehorsams oder Ungeschicks das Hinterteil versohlt. Einzeln und in Gruppen verfolgen die Jäger Rehwild, Hirsche und Füchse bis in den Forst. In konzentrischem Aufbau verkleinern sich Landschaft und Figuren nach der Schildmitte zu; Reihen hoher, schlanker Bäume führen den Blick in die Tiefe. Vom Zentrum des blauen Firmaments, dessen illusionistische Wirkung durch die Wölbung des Schildes erhöht wird, strahlt die Sonne auf die jahreszeitlich gefärbten, teilweise topographisch fixierbaren Landschaften herab. Deutlich sind die Landesfestung Hohenasperg, die Stammburg Württemberg und in der Ferne die Silhouette Stuttgarts zu erkennen.

Mindestens drei bemalte Prunkschilde dieser Art finden sich in den Zeughausinventaren erwähnt. Wahrscheinlich wurden sie vom Herzog als kostbare Erinnerungsgeschenke an hochgestellte Jagdgäste verteilt. Ein ähnliches, um 1570 entstandenes Exemplar mit ziselierten Allegorien der zwölf Monate bewahrt die Wallace Collection in London (Nr. 581). Ein Vergleich mit den höfischen Jagdpartien, die Hans Steiner in etlichen Zeichnungen bildberichtartig festgehalten hat (s. Heinrich Geissler, Zeichner am württembergischen Hof um 1600, in: JSKBW 6, 1969, S. 80ff.), läßt die Zuschreibung des Schildes an den Stuttgarter Hofmaler plausibel erscheinen. Übereinstimmend sind nicht nur das Sujet und die dokumentarisch erzählfreudige Darstellung, auch die eigentümlich schlanken Bäume mit dünnem Geäst und spärlicher Belaubung sowie der Habitus der Figuren entsprechen seinem Stil. Darüber hinaus vermittelt der Schild eine Vorstellung von Aufbau und farbiger Wirkung des Deckengemäldes im Festsaal des Stuttgarter Lusthauses. 1590 hatte Steiner den Auftrag zur Visierung erhalten. Während den Scheitel des riesigen Tonnengewölbes biblische Historien des Straßburgers Wendel Dietterlin schmückten, reihten sich auf den langgestreckten Wangen von Steiner und seinen Gehilfen ausgeführte Jagdszenen in württembergischen Forsten aneinander. Die berühmte Saaldekoration ging mit dem Abriß des Lusthauses 1844 endgültig zugrunde. Neben der 1619 von Friedrich Brentel in einer Radierung festgehaltenen Innenansicht vermögen nur noch eine erhaltene Gemäldeskizze (s. Kat.Nr. E 32) und der Colmarer Schild an seine einstige Pracht zu erinnern.

André Girodie, Biographies alsaciennes, XXIV, Frédéric Brentel, in: Revue Alsacienne illustrée 11 (1909), S. 47; Fleischhauer 1971, S. 164f. u. Taf. 104. *M.Ko.*

C 26

C 28

C 27

Selbstbildnis

Philipp Memberger d. Ä. (um 1500–1573)
Konstanz, um 1560

Öl auf Holz
50 x 38 cm. Rückseitig von fremder Hand die Aufschrift: *Philippum hic Memberger vides lector, quem urbs haec Constantia in fide olim inconstans ob orthodoxae fidei constantim in vincula coniecit. Urbe tamen ab Hispanis capta et fide quam abiurarat, restituta liberum ipsum Constantia in morte coronavit anno a partu virgineo 1584. Cervicem haud dubie lubens pro fide dedisset, nisi constans hoc caput pro corona Constantia servare decrevisset.*

Konstanz, Katholische Pfarrkirche St. Stephan

Über Leben und Werk des Malers Philipp Memberger d. Ä. sind bisher nur spärliche Nachrichten bekannt. Außer seinen aus den Konstanzer Steuerakten ersichtlichen Vermögensverhältnissen geben mehrere Ratsprotokolle Einblick in seinen privaten Lebensstil. Der Künstler scheint ein Freund von Musik und ausgelassener Geselligkeit gewesen zu sein, denn wiederholt wird er vom Rat der Stadt wegen seiner Zechgelage mit jungen Musikschülern getadelt, „weil clag ist kumen, daß es unbescheidentlich in sinem hus zugang“, und mehrfach wird er verwarnt, „item jung knaben, die nit gewachsen sind und by im musicspiel lernent, soll er in sinem hus nit zechen lassen“ (s. Ph. Ruppert, Konstanzer geschichtliche Beiträge, Zweites Heft, Konstanz 1890, S. 19). Zweimal war dieser anscheinend lebenslustige Mann verheiratet, dessen Selbstbildnis in der Sakristei von St. Stephan zu Konstanz als einziges ihm heute zugewiesenes Gemälde eine Vorstellung vom Rang seines künstlerischen Schaffens vermittelt (s. Friedrich Thöne in: Der Landkreis Konstanz, Amtliche Kreisbeschreibung, Bd. 1, Konstanz 1968, S. 481 f.).
Vor unbestimmtem Hintergrund, auf dem rechts oben in einem kleinen Wappenschild selbstbewußt sein Künstlersignum angebracht ist, faßt der etwa sechzigjährige Maler den Betrachter aufmerksam ins Auge. Sein bärtiges, von bereits schütterem Haar gerahmtes Gesicht schaut aus dem Stehkragen seines hochgeschlossenen Wamses hervor. Der dunkle Stoff des bescheidenen Anzugs läßt auch die vor den Leib und auf die schmale unräumliche Vordergrundbrüstung gelegten Hände als helle Silhouetten hervortreten. Der Eindringlichkeit der künstlerischen Selbstdarstellung, die sich auf das beleuchtete Antlitz und die Hände konzentriert, wird durch die Sparsamkeit der Bildniskomposition eine wirkungsvolle Steigerung zuteil.

Rott 1933, S. 92 f., Abb. 48. *M.Ko.*

C 28

Die Vision des Propheten Hesekiel von der Auferstehung der Toten

Philipp Memberger d. Ä., Jakob Memberger oder Kaspar Memberger d. Ä.
Konstanz, 1570/90

Öl auf Tannenholz
163 x 131 cm

Karlsruhe, Staatliche Kunsthalle, Inv.Nr. 1167

Von Gott auf ein weites Feld voller menschlicher Gerippe geführt, steht der Prophet Hesekiel inmitten der Toten des Volkes Israel und weissagt ihnen auf Geheiß des Herrn die Auferstehung. „Und siehe, es regte sich, und die Gebeine kamen wieder zusammen, ein jegliches zu seinem Gebein… und sie

C 27

wurden wieder lebendig und richteten sich auf ihre Füße. Und ihrer war ein sehr großes Heer." (Hesekiel 37, 1–10).
Die fast ausschließlich als Bibelillustration begegnende alttestamentarische Szene spielt in einem weiten Gräbertal unter dramatisch bewegtem Himmel. Im Vordergrund steht aufrecht, den Blick nach oben gerichtet, der Prophet mit emporgereckten Armen. Seine aufwärts strebende Bewegung teilt sich den ihn dicht umringenden von den Toten Auferstandenen mit, so daß ein gewaltiges Rauschen vernehmbar scheint, das die Menschen gleichsam nach oben reißt.
Das schon 1667 von dem Geschichtsschreiber und Benediktinerpater Gabriel Bucelin gerühmte Gemälde, das sich bis 1789 in der Konstanzer Franziskanerkirche befand, hat bis in die jüngere Zeit wechselnde Zuschreibungen an Philipp Memberger d. Ä. und seine Söhne Jakob und Kaspar d. Ä. erfahren. Der Konstanzer Bilderzyklus der fünfzehn Rosenkranzgeheimnisse (s. Kat.Nr. C 30 und C 31) weist in den manieriert gestreckten Händen und zierlichen Kopfformen mit langen Nasen und spitzen Kinnpartien stilverwandte Züge auf, unterscheidet sich aber im statisch-ruhigen Aufbau grundsätzlich von dem stärker bewegten, gedrängten Kompositionsgefüge der Karlsruher Tafel. Vorerst muß auch hier eine überzeugende Zuschreibung an einen der Memberger einer detaillierten und biographisch untermauerten Stilanalyse vorbehalten bleiben. Die von Kurt Martin hervorgehobene Abhängigkeit von Vorbildern des Frans Floris und Marten de Vos bedarf der Ergänzung um italienische Anregungen. Der links im Vordergrund gelagerte männliche Akt greift in genauer, jedoch seitenverkehrter Wiederholung das manieristische Bewegungsmotiv des ruhenden Flußgottes auf Marcantonio Raimondis Stich „Das Urteil des Paris" nach Raffael auf (s. Henri Delaborde, Marc-Antoine Raimondi, Paris o.J., Nr. 114, Abb. S. 27).

Gabriel Bucelin, Constantia Rhenania, 1667, S. 8; Ph. Ruppert, Konstanzer geschichtliche Beiträge, Zweites Heft, Konstanz 1890, S. 19f.; Rott 1933, S. 93–95, Abb. 49; Martin 1954, S. 23f., Abb. 14; Karlsruhe 1966, S. 200f., Nr. 1167, Bildband, S. 122; Friedrich Thöne in: Der Landkreis Konstanz, Amtliche Kreisbeschreibung, Bd. 1, Konstanz 1968, S. 482. *M.Ko.*

C 29

C 29

Thronende Maria mit dem Kinde

Kaspar Memberger (um 1555–1618)
Salzburg, 1589

Öl auf Leinwand
107,5 x 80,5 cm. Monogrammiert und datiert rechts unten am Thronsockel: 1589/CM

Salzburg, Residenzgalerie, Inv.Nr. 451

Die großformatige Komposition zählt nach der 1588 entstandenen Serie der Sintflutbilder zu den frühesten, im Auftrag des Salzburger Fürsterzbischofs Wolf Dietrich von Raitenau (1587–1612) ausgeführten Werken Membergers, der seit 1589 aufgrund signierter Zeichnungen als Hofmaler in Salzburg nachgewiesen ist. Die auf den geschachten Marmorboden aufgemalten Wappen des Erzstifts Salzburg (links) und der am Bodensee und im Hegau ansässigen Familie des Erzbischofs (rechts) sichern seine salzburgische Provenienz. In Abwandlung des in Aufbau und Einzelmotiven zum Vorbild genommenen, 1518 datierten Kupferstichs von Dürer (Knappe 1964, Nr. 90) thront Maria mit dem Kind unter einem goldenen Baldachin. Dort erscheint über der von zwei Engeln gehaltenen Krone der Himmelskönigin die Taube des Heiligen Geistes. Auch die seitlich des skulptierten Marmorthrons aufgestellte Prunkvase steht mit einem steil aufsteigenden zierlichen Blumengesteck aus Lilien, Rosen und Maiglöckchen im Zeichen marianischer Symbolik. Der in feiner Detailmalerei wiedergegebene reiche Reliefschmuck des kunstvollen Gefäßes, seine phantastisch gebildeten Henkel in Form sich windender Schlangenleiber und der anmutig geordnete Strauß verleihen ihm den Rang eines autonomen Stillebens. Während die betont malerische Auffassung und die satten schmelzenden Farben den Einfluß der venezianischen Malerei – besonders Tizians, Veroneses und der Bassani – verraten, scheint das nach links

C 30

fließende Faltengeriesel in seiner ausdruckshaften Gliederung noch der in der Schweiz und dem angrenzenden Bodenseegebiet bis in das ausklingende 16. Jahrhundert nachwirkenden Spätgotik verpflichtet. Das vermutlich für die Privatgemächer des Erzbischofs gemalte Bild, das in dem noch wenig erforschten Werk Membergers einen bedeutenden Platz einnimmt, diente der Mitteltafel des von Wolf Dietrich von Raitenau in Auftrag gegebenen, seit 1814 in der Sala d'Argenteria des Palazzo Pitti bewahrten Silberaltars als Vorlage (s. Kurt Rossacher, Der verschollene Schatz der Erzbischöfe von Salzburg, III. Neue Entdeckungen in den Sammlungen des Palazzo Pitti in Florenz; „Mererley Kirchenzier", in: Alte und moderne Kunst 7 (1962) 64/65, S. 21–25 u. Abb. 4, 8 u. 9; Eva Stahl, Wolf Dietrich von Salzburg, Weltmann auf dem Bischofsthron, Wien u. München 1980, S. 359ff.).

Renaissance in Österreich, Schloß Schallaburg 1974, veranst. von Bundesland Niederösterreich, Wien 1974 (Ausst.kat.), S. 185, Nr. 489, u. S. 472; Salzburger Landessammlungen, Residenzgalerie mit Sammlung Czernin und Sammlung Schönborn-Buchheim, Salzburg 1980, (Best.kat.), S. 78 u. Taf. 2.

M.Ko.

C 30

Verkündigung

aus den fünfzehn Geheimnissen des Rosenkranzes

Kaspar Memberger d.Ä., Jakob Memberger oder Kaspar Memberger d.J. Konstanz, 1601/04

Öl auf Holz
90 x 66,5 cm

Konstanz, Altkatholische Christuskirche

Das in der 1604 bis 1607 von Stephan Huber errichteten ehemaligen Jesuitenkirche St. Konrad erhaltene Gemälde gehört einem noch heute vollzähligen Zyklus von fünfzehn Rosenkranzbildern an, die sich entlang der Kirchenwand in Nischen eingelassen finden. In der älteren Literatur (s. Ph. Ruppert, Konstanzer geschichtliche Beiträge, Zweites Heft, Konstanz 1890, S. 20; Adolf Schahl, Kunstbrevier für das Bodenseegebiet, Stuttgart 1959, S. 57) Philipp Memberger d.Ä. oder seinem Sohn Hans Kaspar Memberger d.Ä. zugeschrieben, werden sie heute aufgrund mangelnder gründlicher Stilanalysen als allgemein „membergerisch" angesehen (s. Friedrich Thöne in: Der Landkreis Konstanz, Amtliche Kreisbeschreibung, Bd. 1, Konstanz 1968, S. 482f.). Das links oben auffällig angebrachte Stifterwappen des Konstanzer Bischofs Johann Georg Hallwyl legt die Entstehungszeit des Werkes auf dessen kurze Regierungsjahre 1601 bis 1604 fest. Diese Datierung stimmt auch mit dem Hinweis Rupperts überein, die Bilder hätten sich – älter als die Jesuitenkirche – vordem in einem anderen Gotteshaus befunden.
An ihrem Betpult stehend empfängt Maria die göttliche Verheißung des Engels, der von rechts in einem den ganzen Körper einhüllenden ellipsenförmigen Nimbus schwebend herannaht, durch diesen sichtbar der Sphäre des Überirdischen zugehörig (s. Ingrid Preussner, Ellipsen und Ovale in der Malerei des 15. und 16. Jahrhunderts, Köln, Phil. Diss. 1985). Ähnlich wird die geistige Empfängnis des Kindes veranschaulicht, das, von Gottvater ausgesandt und von der Taube des Heiligen Geistes geleitet, in wiederum ellipsenförmiger Aureole auf Maria zugleitet. Volkstümliche Vorstellungen gehen hier mit tradierten Hoheitssymbolen eine Verbindung ein. Das kleine Gemach, in dem die wundersame Begegnung stattfindet (Lukas 1, 26–38), ist durch das eingebaute Mobiliar und die Fensteröffnung, die den Blick auf eine Landschaft freigibt, in bildparalleler Stufung gegliedert. Stufen, Treppchen und scharfkantige Profilleisten verleihen den architektonischen Einzelgliedern eine für den Meister der Rosenkranzbilder charakteristische Schärfe der Linienführung, die dem rechtwinklig-statischen Aufbau seiner Bildgefüge entspricht. Auch sein Figurenstil erscheint mit kleinen, zierlichen Köpfen und auffallend schlanken Händen, deren überlange schmalgliedrige Finger in oft kapriziösen Stellungen verharren, von ausgeprägter Eigenart und dürfte späterhin die zuverlässige Zuschreibung an einen der Memberger erleichtern.

Unveröffentlicht. *M.Ko.*

C 31

C 31

Darstellung Jesu im Tempel

aus den fünfzehn Geheimnissen des Rosenkranzes

Kaspar Memberger d.Ä., Jakob Memberger oder Kaspar Memberger d.J. Konstanz, 1601/04

Öl auf Holz
90 x 66,5 cm

Konstanz, Altkatholische Christuskirche

Auf Verkündigung (s. Kat.Nr. C 30), Mariä Heimsuchung und Geburt Christi folgt bei den fünf Geheimnissen der Menschwerdung die Darstellung Jesu im Tempel. Zusammen mit den fünf Geheimnissen des Leidens und Sterbens Christi und weiteren fünf der Ereignisse nach seinem Tode bilden sie die fünfzehn Geheimnisse des Rosenkranzes, wie er noch heute mit Hilfe einer Zählkette in der katholischen Kirche gebetet wird. Um 1396 hat der Kartäuser Adolf von Essen den ersten Rosenkranz gesprochen, der sich durch die Dominikaner rasch zu einem Gemeinschaftsgebet und einer der volkstümlichsten Frömmigkeitsübungen im 15. Jahrhundert entwickelte. Nachdem um die Mitte des 16. Jahrhunderts die spätmittelalterliche Blütezeit der Rosenkranzbruderschaften einen abrupten Niedergang erfahren hatte, wurden Marienverehrung und Rosenkranzgebet im 17. und 18. Jahrhundert von den Jesuiten neu belebt. Der Gemäldezyklus in der Konstanzer Jesuitenkirche gehört somit zu den frühen Zeugnissen eines im Geiste der Gegenreformation erstarkten Marienglaubens und mystizistischer Volksreligiosität (s. 500 Jahre Rosenkranz, 1475 Köln 1975, Erzbischöfliches Diözesan-Museum Köln 1975/76,

Ausst.kat.; Stephan Beissel, Geschichte der Verehrung Marias im 16. und 17. Jahrhundert, Freiburg 1910).
In wiederum statisch-ruhigem Bildaufbau erscheint hier eine größere Anzahl von Figuren in reliefartigem Nebeneinander. Während Maria kniend das vorgeschriebene Taubenopfer darbringt, hält Joseph das in Windeln gewickelte Kind dem greisen Simeon entgegen, der in ihm den Heiland erkennt (Lukas 2, 22–33). Eine hoheitsvoll gewölbte, von Säulenreihen getragene Tempelarchitektur hinterfängt die andachtsvolle Szene. Die scharfkantige Geradlinigkeit der vielfach gestuften Profilleisten und die schlanken Figuren mit manieriert gestreckten Händen scheinen spezifisch membergerisches Stilvokabular.

Unveröffentlicht. M.Ko.

C 32

Epitaph des Kunstschreibers Thomas Schweicker

Jakob Hoffmann (1563–1642)
Schwäbisch Hall

Miniatur
1592
Tempera auf Pergament
10,7 x 9,5 cm

Flügelbild
1602
Öl auf Holz
137 x 91 cm. Bezeichnet rechts unten auf dem Epigramm des Flügelbildes mit ligiertem Monogramm TS, auf dessen steinernem Sockel IH

Schwäbisch Hall, St.-Michaels-Kirche

C 32

Der 1540 in Schwäbisch Hall ohne Arme geborene Thomas Schweicker genoß zu Lebzeiten den Ruhm eines Krüppels, der trotz seines Gebrechens als Kunstschreiber mit den Füßen erstaunlich schöne, akribische Schriftblätter anzufertigen wußte. Selbst Kaiser Maximilian II. ließ sich 1570 auf der Durchreise nach Speyer seine Kunstfertigkeit vorführen. Wie weit Schweicker über seine Heimatstadt hinaus bekannt war, zeigen seine in verstreuten Sammlungen bewahrten Bildnisse, Schaumünzen auf ihn und seine Tätigkeit, ja selbst populäre Springerleformen mit der einprägsam gekrümmten Gestalt.
Sein Epitaph findet sich in der siebten Chorkapelle der Haller Michaelskirche in eine ältere Nische über dem Grabstein eingelassen. Schon 1592, zehn Jahre vor seinem Tod im Jahre 1602, hat Thomas Schweicker die Gedenkschrift seines eigenen Epitaphs verfaßt und mit den Füßen geschrieben, wie ausdrücklich im Text betont wird: *Und hab dise Schrifft vor meinem Ende mit meinen Fueßen geschriben...* Während der armlose Kunstschreiber diese „letzte" Probe seines Könnens der staunenden Nachwelt überliefert hat, stammen die Miniatur im Innern des Schreins und die erst nach Schweickers Tod 1602 bemalten Holzflügel, wie Wolfgang Deutsch kürzlich festgestellt hat, von dem Haller Maler Jakob Hoffmann. Deutsch konnte dem autodidaktisch gebildeten Künstler, der zu Lebzeiten Schweickers eng mit diesem zusammengearbeitet hat, aufgrund seines Monogramms IH oder stilkritischer Vergleiche weitere Werke, vor allem Epitaphien Haller Bürger, zuweisen. Die als Kuriosum vielbeachtete Miniatur des *wundermans* zeigt den armlosen Krüppel bei der sich selbst abgetrotzten Ausübung seines Berufs als Kunstschreiber. Er sitzt auf einem nahe ans Fenster gerückten Tisch, neben sich sein Schreibwerkzeug, und beginnt, während der linke Fuß das Blatt festhält, mit dem rechten zu schreiben. Ein 1588 datiertes Schriftblatt im Haller Stadtarchiv (StAH BS 2230) und eine Skizze in Privatbesitz geben mit nur geringfügigen Abweichungen ein übereinstimmendes Bild des über seine Arbeit gekrümmten Schreibers und eine ähnliche Raumsituation wieder. Auch auf dem linken Flügel des Epitaphs ist Schweicker – wohl in Anlehnung an einen 1593 erschienenen Kupferstich von Heinrich Weirich – in ganzer Figur abgebildet, stehend, in einen schwarzen Mantel gehüllt und von einer muschelförmigen Nische hinterfangen. Das rechts TS monogrammierte Epigramm wurde zweifellos von Schweicker selbst verfaßt, jedoch nicht – wie bislang angenommen – als Meisterstück seiner Schriftkunst auch von seinem Fuß geschrieben. Wolfgang Deutsch hat aufgrund eines Schriftvergleichs auch die Inschrift auf dem rechten Epithaphflügel Jakob Hoffmann zugeschrieben. Die offensichtlich lukrative Zusammenarbeit mit Thomas Schweicker basierte auf dem Verkauf seiner durch original fußgeschriebene Schriftproben bereicherten Bildnisse, die der Vorliebe des manieristischen Zeitalters für das Absonderliche, selbst krankhaft Abnorme und Mißgebildete entsprochen haben.

Ernst Liese, Thomas Schweicker als Mensch und Künstler, in: Württembergisch Franken, NF 20/21 (1939/40), S. 255–282; Wolfgang Deutsch, Jakob Hoffmann, der Maler Thomas Schweickers, Schwäbisch Hall 1983 (Schriftenreihe des Vereins Alt Hall e.V. 8). M.Ko.

C 33

Eine Sitzung des Konzils von Trient

Unbekannter Künstler
Süddeutschland, Ende des 16. Jhs.

Öl auf Eichenholz
61,5 x 84 cm. Bezeichnet in einer Rollwerkkartusche oben in der Mitte: *Sessio Concily Tridentini,* in einer entsprechenden Kartusche rechts unten: *Anno. 1563.*

Karlsruhe, Staatliche Kunsthalle, Inv.Nr. 805

Das Gemälde, das einen Stich in A. Lafreris „Speculum romanae magnificentiae... Romae" von 1575 kopiert, stellt vermutlich die letzte, am 4. 12. 1563 in der Kirche S. Maria Maggiore abgehaltene Sitzung des Konzils von Trient dar. Das 1544 auf Betreiben Karls V. und der Reichsstände von Papst Paul III. nach Trient einberufene, 1545 eröffnete Konzil strebte die Beseitigung der religiösen Spaltung, eine Reform der Kirche und die Befreiung der von Ungläubigen unterjochten Christen an. Nach annähernd zwanzigjähriger, mehrfach über lange Zeiträume hinweg unterbrochener Arbeit unter dem Primat der Päpste Paul III., Julius III., Paul IV. und Pius IV. billigte das Konzil eine Reihe sukzessiv verabschiedeter Dekrete, die mit dringlichen Reformmaßnahmen (u.a. zur Neuregelung bischöflicher Befugnisse und Pflichten, zur Errichtung bischöflicher Priesterseminare, zum Ablaß, zur Heiligen-, Reliquien- und Bildverehrung) eine innere Erneuerung der Kirche einleiteten. Die vorrangig beabsichtigte Wiederherstellung der Einigkeit im Glauben wurde jedoch nicht erzielt, zumal von evangelischer Seite – die protestantischen Reichsstände Württemberg, Straßburg, Kursachsen und Kurbrandenburg waren mit Abgeordneten vertreten – die Lehrautorität des Konzils nicht anerkannt wurde. Die in Trient erfolgte scharfe Abgrenzung der katholischen Glaubenslehre von den protestantischen Grundsätzen führte vielmehr, durch die Religionskriege gefördert, in der Folgezeit zu einer zunehmend antiprotestantischen Ausrichtung katholischer Theologie und Frömmigkeit und bereitete so die Gegenreformation vor. Die aus dem Tridentinischen Konzil

C 33

erwachsene Erstarkung des kirchlichen Lebens, der Frömmigkeit, Askese und Mystik sollte späterhin zu einer Grundlage für Kunst und Kultur des Barockzeitalters werden. Das protestantische Bekenntnisbild aus der Bopfinger Stadtkirche (s. Kat.Nr. C 34) führt den festgefahrenen Gegensatz der beiden Konfessionen vor Augen.

Karlsruhe 1966, S. 287, Nr. 805, Bildband, S. 144. *M.Ko.*

C 34

Augsburger Konfessionsbild

Unbekannter Künstler
Bopfingen, nach 1630

Öl auf Leinwand
108 x 166 cm

Bopfingen, Evangelische Stadtkirche

Mit dem Beitritt zum protestantischen Schmalkaldischen Bund im Jahre 1546 hatte sich das nahe bei Nördlingen gelegene kleine Reichsstädtchen Bopfingen endgültig zur Reformation bekannt. Das nahezu ein Jahrhundert später entstandene, in situ erhaltene Konfessionsbild sollte dem evangelischen Bekenntnis der Bopfinger sichtbaren Ausdruck verleihen. Am 25. Juli 1530 war anläßlich des Augsburger Reichstags auf Betreiben des Kurfürsten Johann von Sachsen, des Markgrafen Georg von Brandenburg-Ansbach, des Landgrafen Philipp von Hessen, des Herzogs Ernst von Lüneburg, des Fürsten Wolfgang zu Anhalt und des Herzogs Franz von Lüneburg (links im Bild) sowie der Reichsstädte Nürnberg, Reutlingen, Windsheim, Weißenburg, Heilbronn und Kempten (rechts im Bild) vor Kaiser Karl V. die deutsche Fassung des protestantischen Bekenntnisses verlesen und ihm zusammen mit der lateinischen Übersetzung übergeben worden. Auf dieses für die Reformation entscheidende Ereignis weist das Gemälde hin, indem es am Beispiel des gemeinsamen Abendmahls der fürstlichen und reichsstädtischen Unterzeichner der Confessio Augustana sowie weiterer gottesdienstlicher Handlungen die zentralen Sakramente der evangelischen Kirche darstellt.
Das in vielfigurige Einzelszenen aufgeteilte Gemälde gibt Teile des Querhauses und des Hochschiffs einer weiträumigen Idealkirche wieder. Seitlich des in der Mitte aufgestellten Altars mit dem Bild des Gekreuzigten findet das Abendmahl in beiderlei Gestalt statt. Predigt und Taufe, Beichte und Trauung sind im Hintergrund erfaßt. Bekenntnisbilder, in denen die in der Confessio Augustana formulierten Grundsätze protestantisch-lutherischen Glaubens bildliche Gestalt annehmen, erfuhren erst im frühen 17. Jahrhundert als ikonographisch neuer Bildtypus weitere Verbreitung. Das in den letzten Jahren des 16. Jahrhunderts entstandene älteste bekannte Exemplar hat sich in der St.-Johannis-Kirche in Schweinfurt erhalten und wurde – mittelbar durch eine Wiederholung des Gemäldes in Eisenach – anläßlich der hundertjährigen Wiederkehr des Augsburger Bekenntnisses 1630 von dem sächsischen Kupferstecher Johann Dürr in einem Gedenkblatt detailgetreu kopiert.
Diese und weitere Stichwiederholungen haben zur Verbreitung des neuen Bildtyps beigetragen und offensichtlich in der symmetrischen Komposition des Abendmahls, in der additiven Aneinanderreihung von Einzelszenen und selbst in figürlichen Einzelheiten auch das Bopfinger Gemälde angeregt (s. auch Welt im Umbruch, Augsburg zwischen Renaissance und Barock, Augsburg 1980, Ausst.kat., Bd. 1, S. 180–182, Nr. 101).

Hermann Baumhauer, Der Herlin-Altar zu Bopfingen und seine Stadtkirche, Stuttgart, Aalen 1972, S. 29f. u. Taf. S. 64 u. 65; Angelika Marsch, Bilder zur Augsburger Konfession und ihren Jubiläen, Weißenhorn 1980, S. 52 u. Abb. 29. *M.Ko.*

C 34

C 35

Bildnis der Sibylle Herzogin von Jülich-Kleve-Berg als Braut des Markgrafen Philipp II. von Baden-Baden (?)

Unbekannter Miniaturist
Jülich (?), um 1580/86

Öl auf Silber
3,2 x 2,6 cm

München, Bayerisches Nationalmuseum, Inv.Nr. R 1280

Das kleine Bildnis stellt vermutlich die 1557 geborene Tochter des Herzogs Wilhelm von Jülich-Kleve-Berg, genannt „der Reiche", und der Erzherzogin Maria, einer Tochter Kaiser Ferdinands I., dar. 1586 wurde sie mit Markgraf Philipp II. von Baden-Baden, dem Erbauer des dortigen Hauptschlosses, verlobt. Noch bevor die geplante Hochzeit zustande gekommen war, starb ihr Bräutigam 1588 im jugendlichen Alter von nur neunundzwanzig Jahren. Daraufhin wurde Sibylle 1601 mit Markgraf Karl von Burgau, dem Sohn Erzherzogs Ferdinand II. aus seiner ersten Ehe mit Philippine Welser, vermählt. Sie starb kinderlos im Jahre 1626. Die Identifizierung der Dargestellten mit der Jülicher Prinzessin basiert auf der Ähnlichkeit mit dem AC monogrammierten, 1577 datierten Bildnis der Sibylle von Jülich-Kleve-Berg in den Bayerischen Staatsgemäldesammlungen, München (s. Bayerische Staatsgemäldesammlungen, Alte Pinakothek München, München 1983, Best.kat., S. 353, Nr. 1430). Neuerdings als Porträt ihrer älteren, mit Philipp Ludwig Pfalzgraf von Neuburg vermählten Schwester Anna angesehen, wird auch die Bestimmung unserer Miniatur in Frage gestellt (s. Land im Mittelpunkt der Mächte, Die Herzogtümer Jülich, Kleve, Berg, Städtisches Museum Kleve u. Stadtmuseum Düsseldorf 1984/85, Ausst.kat., S. 428f., Nr. F 64). Ein Vergleich beider Bildnisse macht ihre Abhängigkeit als Teilkopie des Münchner Bildes offenkundig. Sie zeigt dasselbe Gesicht mit hohen Brauen und schweren Lidern über dunklen, melancholisch blickenden Augen. Auch die hohe Stirn und das spitze Kinn stimmen ebenso überein wie das toupiert hochfrisierte Haar, das kleine Barett mit Federgesteck und die steife Halskrause, die hier – der Modeentwicklung Rechnung tragend – mit zierlichen Nähspitzen besetzt ist. Auch diese Miniatur dürfte, wie das Porträt der Prinzessin Louise Juliane von Oranien (s. Kat.Nr. C 36), ursprünglich in ein Bildnismedaillon eingeschlossen gewesen sein.

Katalog der Miniaturbilder im Bayerischen Nationalmuseum, München 1911 (Best.kat.; Kataloge des Bayerischen Nationalmuseums. XII), S. 6, Nr. 15. *M.Ko.*

C 35

C 36

C 36

Bildnis der Prinzessin Louise Juliane von Oranien, Kurfürstin von der Pfalz

Unbekannter Miniaturist
Pfalz (?), um 1593 (?)

Öl auf Pappe
3,4 x 3 cm

München, Bayerisches Nationalmuseum, Inv.Nr. R 1498

Die Dargestellte (1576–1644), eine Tochter Wilhelms I. von Oranien, Statthalters der Niederlande, war 1593 mit Friedrich IV. (1574–1610), dem erst seit einem Jahr mündigen jungen Kurfürsten von der Pfalz vermählt worden. Mit dieser politischen Heirat suchten seine Ratgeber die von seinem Großvater Friedrich III. betriebene reformierte Politik der Pfalz fortzusetzen, deren Hof gegen Ende des Jahrhunderts Mittelpunkt des deutschen Protestantismus geworden war und zu den Reformierten in Frankreich und den Niederlanden enge Beziehungen unterhielt. Auch die 1601 gegründete, 1610 wesentlich erweiterte protestantische Union war auf Betreiben der Pfalz zustande gekommen. Der Ehe mit dem von Jugend an kränkelnden willensschwachen Kurfürsten, der am Heidelberger Hof einen verschwenderisch prassenden Lebemann-Stil eingeführt hat, scheint von Anbeginn kein Glück beschieden gewesen zu sein. Die aus der Mannheimer Galerie übernommene Miniatur, die vermutlich ein Bildnismedaillon geschmückt hat, gibt nur den zierlichen, in den Spitzenkaskaden ihrer Halskrause versinkenden Kopf der holländischen Prinzessin wieder. Das Bildchen geht als Teilkopie auf ein Porträt in der Schleißheimer Ahnengalerie zurück.

Katalog der Miniaturbilder im Bayerischen Nationalmuseum, München 1911 (Best.kat.; Kataloge des Bayerischen Nationalmuseums. XII), S. 18, Nr. 64. *M.Ko.*

C 37

Bildnis der Anna Barbara Gräfin von Fürstenberg-Heiligenberg

Unbekannter Künstler
Oberschwaben, 1594

Öl auf Leinwand
64,5 x 53,5 cm. Namensinschrift und Datierung oben rechts: DIS WOLGEBORN FREW./LEN ANNA BARBARA G./ ZV FIRSTENBERG IERES/ALTERS EINHALBIAR./ANNO 1594

Schloß Heiligenberg, Rittersaal, Nr. 52

Das kleine Mädchen, eine Schwester des Fürsten Hermann Egon von Fürstenberg (1627–1674), wurde 1593 geboren und starb – erst vier Jahre alt – 1597. Damit teilte es das damals nicht außergewöhnliche Schicksal vieler Kinder, die das Erwachsenenalter nicht erreicht haben. Die gewohnheitsmäßig große Zahl der im Säuglings- oder Kleinkindalter Verstorbenen fand in einer fatalistischen Bemerkung wie „es ist nur ein Kindsleichlein“ ihr Echo.
In einem niedrigen roten Kindersessel, dem ein Samtkissen als Polster dient, sitzt das laut Inschrift eineinhalbjährige Mädchen in einem weit geschnittenen weißen Hemd. Der Spitzenbesatz des Häubchens, die große gesteifte Halskrause mit Spitzenkranz wie die passenden Manschetten sind Konzessionen der Kinderkleidung an die Mode der Erwachsenen. Erst im Laufe des 19. Jahrhunderts wurde diese allmählich von den ungesunden, den Kinderkörper vergewaltigenden Zwängen des Modediktats befreit. Das Bildnis und die Attitüde des kleinen Fräuleins, das einen Apfel und eine rosa Nelkenblüte in den Händen hält, erscheinen sogar weniger steif und unkindlich ernst und förmlich als vergleichbare höfische Kinderporträts derselben Zeit.

Unveröffentlicht. *M.Ko.*

C 37

C 38

Bildnis der Eleonore Gräfin von Helfenstein-Gundelfingen, geborene Gräfin von Fürstenberg

Unbekannter Künstler
Oberschwaben, nach 1604

Öl auf Leinwand
108,5 x 77,5 cm

Schloß Heiligenberg, Rittersaal, Nr. 7

Die in Halbfigur porträtierte junge Frau entstammte dem alten, in der Baar ansässigen Adelsgeschlecht der Fürstenberg, die 1535 von Karl V. mit der Grafschaft Heiligenberg belehnt worden waren. In dem dort von ihrem Vater, Graf Joachim von Fürstenberg, neu errichteten Renaissanceschloß wurde Eleonore 1578 geboren (gest. 1651). Aus ihrer 1604 mit Graf Rudolf d.J. von Helfenstein-Gundelfingen geschlossenen Ehe gingen drei Töchter und drei noch vor ihrem Vater vorzeitig gestorbene Söhne hervor. Nachdem mit Graf Georg Wilhelm von Helfenstein 1626 die Meßkircher Linie und mit dem Tode ihres Gatten 1627 das Haus Helfenstein im Mannesstamm erloschen war, traten die Fürstenberger das Erbe der Helfenstein in Meßkirch an (s. H.F. Kerler, Geschichte der Grafen von Helfenstein nach den Quellen dargestellt, Ulm 1840, S. 153–155).
Die junge Adlige ist nach der steifen, spanisch geprägten Mode des ausgehenden 16. und beginnenden 17. Jahrhunderts gekleidet. Noch bestimmen die herabgezogene zugespitzte Schnürtaille und der Tonnenrock mit aufgenähtem Rüschenkranz die weibliche Kleidung, zu deren in den Hüften breit ausladender Silhouette umgebundene Reifen beigetragen haben. Diesem steifen tellerartigen Rockpolster liegen Arme und Hände wie einer Stütze auf. Bei Kragen und Manschetten kündigt sich jedoch schon die um die Jahrhundertmitte kulminierende kostspielige Leidenschaft für Spitzen an. Weißen Blätterkronen gleich umschließen die zarten Gebilde die Handgelenke und legen sich als breiter Fächer um den tiefen Ausschnitt, den indessen ein plissierter Einsatz vor zudringlichen Blicken schützt. Auch das spitzenbesetzte Taschentuch, in das die Rechte mit anmutiger Geste greift, gehört zu den auf höfischen Bildnissen des 16. und 17. Jahrhunderts häufig begegnenden Requisiten der Spitzengarnitur. Ihrer Kostbarkeit entsprechen die Juwelen, als deren Prunkstück ein schwarz unterlegter emaillierter Brustschmuck mit dem helfensteinischen Wappenelefanten am Dekolleté festgesteckt ist. Das in seiner sparsamen, aber kontrastreichen Farbigkeit ausdrucksvolle Gemälde ist wie andere Adelsporträts der Zeit weniger als singuläre künstlerische Leistung zu betrachten, als daß es den Typus des fürstlichen Repräsentationsbildnisses und das modische Ideal seines Jahrzehnts vertritt.

Unveröffentlicht. *M.Ko.*

C 38

C 39

C 39

Die Auferweckung des Lazarus

Wendel Dietterlin (1550/51–1599)
Straßburg, 1587

Öl auf Tannenholz
105 x 83,8 cm. Bezeichnet und datiert auf der Grabplatte: *W Dieterlin/AR (gentoratum ?) 1587* (letzte Zahl undeutlich, möglicherweise auch als 2 zu lesen)

Karlsruhe, Staatliche Kunsthalle, Inv.Nr. 2181

Von Wendel Dietterlin, der in Straßburg und Stuttgart überwiegend als Wand- und Deckenmaler tätig war und sich darüber hinaus vor allem als Stecher und phantasiebegabter, kühner Inventor der *Architectura* Ruhm erworben hat, ist nur ein einziges gesichertes Gemälde bekannt. Der Karlsruher Tafel kommt daher in seinem erst lückenhaft erforschten, weitgehend verlorenen Werk besondere Bedeutung zu. Je nach Lesart des undeutlich geschriebenen Datums ist das Bild 1582 oder – wahrscheinlicher – 1587 in Straßburg entstanden, kurz bevor er im nicht weit entfernten Oberkirch (Nordschwarzwald) einen anscheinend größeren Auftrag übernommen hat.
Das im späteren 16. und im 17. Jahrhundert vergleichsweise häufig dargestellte Thema der Auferweckung des Lazarus (Johannes 11, 1–44) erlangte – als Hinweis auf die Auferstehung Christi und das Weiterleben aller Toten begriffen – auch für die Epitaphmalerei Bedeutung. Eben wird die steinerne Grabplatte vorsichtig herabgelassen und damit dem in schneeweiße Leinentücher gehüllten Lazarus das Tor zur Rückkehr ins Leben geöffnet. Nach manieristischem Kompositionsideal ist das Bildzentrum aus der Mittelachse heraus nach rechts verschoben und die figurenreich gedrängte Szene zur Tiefe hin gestaffelt. Charakteristisch für Dietterlin ist die spannungsvolle Untersicht der Figuren, deren kompositionelle Verflechtung durch exaltierte, sich kunstvoll überschneidende Bewegungen erzielt wird. Während die extremen Bewegungsmotive und oft bizarr anmutenden Verkürzungen dem in der Prager und Haarlemer Schule kulminierenden nordischen Manierismus verpflichtet sind, scheint die lebhafte Farbigkeit des Bildes an altdeutsche Tradition anzuknüpfen. Kurt Martin glaubt in dem die Grabplatte stützenden Knecht, der einzigen Figur, die aus dem Bild heraus sich dem Betrachter zuwendet, ein Selbstporträt des Künstlers zu erkennen. Da jedoch das gestochene, authentische Selbstbildnis Dietterlins in der *Architectura* keine zwingende Ähnlichkeit aufweist, bleibt die Möglichkeit offen, daß der uns unbekannte Auftraggeber sich selbst in die Darstellung einbezogen sehen wollte.

Martin 1954, S. 16f., Abb. 3 u. 4, u. S. 19–22; Karlsruhe 1966, S. 104f., Nr. 2181, Bildband, S. 102. *M.Ko.*

C 40

Eberjagd

Nachfolger des Wendel Dietterlin (1550/51–1599)
Straßburg, 1607

Tempera auf Papier
Durchmesser: 19,5 cm. Datiert unten in der Mitte: 1607

Freiburg i.Br., Städtisches Augustinermuseum, Inv.Nr. 5750 B

Vor dem Hintergrund einer in der Ferne sich öffnenden hügeligen Landschaft mit diffusen Silhouetten einer Burgenkette ist die Sauhatz auf ihrem dramatischen Höhepunkt dargestellt. Der flüchtige Keiler bricht unter dem Angriff der Meute zusammen, die ihn gestellt hat und sich wütend in ihn verbeißt. Dabei erdrückt sein mächtiger Leib einen der Hunde, ein zweiter wird, vom Hauer getroffen, hochgeschleudert. Über dem Tierknäuel bäumt sich in jäh auffahrender Bewegung das Pferd des zuerst herangenahten Jägers, der mit dem Schweinschwert zum Fangstoß ausholt. Von rechts sucht ein zweiter mit dem Pfeil zu treffen, und auch von links eilen weitere Jäger mit ihren Hunden herbei. Da die Jagd auf Hochwild landesherrliches Privileg war, dürfte es sich bei dem Schimmelreiter um einen Adligen handeln. Das „1607" datierte tondoförmige Bild war – dem Prunkschild Hans Steiners vergleichbar (s. Kat.Nr. C 26) – möglicherweise als Geschenk für einen vornehmen Jagdgast gedacht. Die souverän im Rund komponierte Szene erinnert in ihrem bewegten, nahezu dekorativen Figurenstil, der sich in komplizierten Überschneidungen und Verkürzungen gefällt, wie in der Unmittelbarkeit des Geschehens, das dem Betrachter jäh und drastisch vor Augen geführt wird, an den Straßburger Wendel Dietterlin. Die stilistische Abhängigkeit von dem damals berühmten Künstler tritt bei einem Vergleich mit den figürlichen Inventionen in seinem 1593/94 erstmals, 1598 in erweiterter Ausgabe erschienenen Vorlagewerk *Architectura* offen zutage. Auf Blatt 81 finden sich die Anregungen für die manieristisch verschlungene Gruppe des Ebers mit der ihn umstellenden Meute wie das Vorbild für den im Vordergrund in genauer Wiederholung erfaßten Hund (s. Adolf K. Placzek, The Fantastic Engravings of Wendel Dietterlin, The 203 Plates and Text of His Architectura, New York 1968). Darüber hinaus spricht auch die Wahl des artifiziellen Tondoformats für den Einfluß Dietterlins, der sich selbst in malerischen Virtuosenstücken geübt

C 40

C 41

deutlich abgetrennt – eine vielköpfige Versammlung, die sich um die zentrale Gestalt des Priesters schart. Bei dem durch porträthafte Züge herausgehobenen Paar links könnte es sich um Bildnisse von Auftraggebern oder Freunden des Künstlers handeln. In reliefartig isokephalischer Anordnung bilden die Figuren des Mittelgrunds eine klar abgesetzte Zone, die mit deutlich abgeschwächten Bewegungsmotiven zu den starren Pfeilern und Bogen der Hintergrundarkaden überleitet. Dieser für Heintz charakteristisch kleinformatigen, artistisch aufgebauten Komposition entspricht die raffinierte Farbigkeit mit starken, hellen Farbkontrasten, deren Neben- und Gegeneinander das Bildgefüge wesentlich mitbestimmt. So offensichtlich der Künstler hier in Italien wahrgenommene Eindrücke etwa von Tintoretto (Beschneidung Christi, Venedig, Santa Maria del Carmine, um 1540?) und den Carracci verarbeitet, hat er doch zu einer eigenständigen Lösung gefunden, in der sich sein exaltiert geschmeidiger Figuren- und Gewandstil frei entfalten kann. Die von Bonaventura Rainer (1713 bis 1792) in Tempera kopierte Wiederholung des Gemäldes im Innsbrucker Landesmuseum Ferdinandeum (Inv.Nr. 1556) erscheint symptomatisch für das bis ins spätere 18. Jahrhundert anhaltende, einer wesenseigenen Affinität entspringende Interesse besonders des süddeutschen und österreichischen Rokoko am manieristischen Kompositions- und Figurenideal (s. Pavel Preiss, Der Neomanierismus in der Kunst des 18. Jahrhunderts, in: Actes du XXIIe Congrès International d'Histoire de l'Art, Budapest 1972, Bd. 2, S. 595–601).

Jürgen Zimmer, Joseph Heintz der Ältere als Maler, Weißenhorn 1971, S. 52, S. 75, Nr. A 2, u. Abb. 6, mit weiterer Lit. *M.Ko.*

hat. Die noch ungeklärte Autorschaft der Jagdminiatur dürfte einem seiner Nachfolger, vielleicht sogar seinem Sohn Hilarius zuzuschreiben sein.

Unveröffentlicht. *M.Ko.*

C 41

Beschneidung Christi

Joseph Heintz d. Ä. (1564–1609)
Prag oder Augsburg (?), 1599

Öl auf Kupfer
29,8 x 21,8 cm. Bezeichnet an der untersten Stufe des Altars mit ligierten Initialen: *IoHeintz*

Freiburg i. Br., Städtisches Augustinermuseum, Inv.Nr. M 58/1

Die im jüdischen Ritus wenige Tage nach der Geburt vorgenommene Beschneidung besiegelt die Aufnahme des Knaben in den Bund Gottes mit dem Volke Israel (1. Mose 17, 10–14). Dem Gesetz Mose folgend, wird auch Jesus in den Tempel nach Jerusalem gebracht und mit ihm zwei Tauben für das vorgeschriebene Opfer (Lukas 2, 22–24). Die biblische Szene spielt vor der graubraunen Kulisse einer hoheitsvollen, nach hinten zu einem Kuppelraum sich öffnenden Architektur. Vor dieser statisch ruhigen Folie sind die Figuren in kunstvoll paralleler Stufung angeordnet: auf der schmalen Raumbühne des Vordergrunds Maria mit dem Kind und zwei seitlich in gesucht heftiger Bewegung erfaßte Assistenzfiguren, darüber – durch einen Treppenpodest

C 42

Anbetung der Hirten

Joseph Heintz d. Ä. (1564–1609)
Prag oder Augsburg (?), 1599 (?)

Öl auf Kupfer
29,8 x 22 cm

Freiburg i. Br., Städtisches Augustinermuseum, Inv.Nr. 2485

Die Anbetung der Hirten (Lukas 2, 15–16) zählt neben Geburt und Beschneidung, Kreuzigung und Auferstehung Christi, der Heiligen Familie und dem Jüngsten Gericht zu den von Heintz gestalteten neutestamentarischen Historien – ein begrenztes Spektrum religiöser Themen, die auch Andachtsbilder und Heiligenlegenden einschließen. Die persönliche Neigung des Künstlers gehörte dabei dem kleinformatigen intimen Bild von weniger dramatischem, pathetischem Gehalt. So mag die stille Beschaulichkeit und weihnachtliche Innigkeit der Anbetung seinen ureigenen künstlerischen Intentionen besonders entgegengekommen sein und ihn zu dieser lyrisch empfundenen Darstellung inspiriert haben. Der Betrachter sieht von erhöhtem Standort auf die nächtliche Szene herab, die sich ellipsenförmig um die zentrale Gestalt des Kindes „dreht". Maria ist trotz farbig stark akzentuierter Gewandung in den Kreis der Adoranten eingebunden. Während der Blick rechts in ein anstoßendes Gemach der Stallruine und weiter in die Ferne führt, öffnet sich der Bildraum links für die aus einem lichterfüllten Wolkenschacht hereinbrechende Engelschar. So ist die räumliche Situation bewußt verunklärt zugunsten eines bereits barock aufgefaßten Kompositionsgefüges aus sich kreuzenden Diagonalen und der malerisch bewegten Verflechtung einzelner Figurengruppen. Auch in seiner Farbigkeit folgt das Bild einem wohlbedachten Gestaltungswillen, der die kräftigen, die Hauptachse hervorhebenden Farbakzente einem goldbraunen Gesamtton unterordnet. Wieder greift Heintz in Einzelmotiven auf fremde Anregungen zurück. Die Gestalt des Hirten mit breitkrempigem Hut erscheint als wörtliches Zitat einer markanten Figur aus Holbeins Oberried-Altar, der seit 1554 in der Universitätskapelle des Freiburger Münsters aufgestellt war. Dort muß ihn der Künstler wohl 1597, von Bern oder Augsburg kommend, gesehen haben. Eine bis zu der 1965 zuletzt vorgenommenen Reinigung des Gemäldes noch erkennbare Datierung, die nach umstrittener Lesart mit „1599" (oder 1592) angegeben war, würde sich dem mutmaßlichen Besuch in Freiburg logisch anschließen und auch dem um 1600 von Heintz gepflegten Stil entsprechen. Das Freiburger Bild, offenbar die erste von zwei eigenhändigen Wiederholungen (die erste Fassung befindet sich in Prag, Národní Galerie, Inv.Nr. 0 6813, die zweite Wiederholung in Basel, Kunstmuseum, Inv.Nr. 1640), wurde im 18. Jahrhundert von Bonaventura Rainer (Innsbruck, Landesmuseum Ferdinandeum, Inv.Nr. 1557) und Johann Sebastian Dür (Zollikerberg, Privatsammlung) kopiert.

Jürgen Zimmer, Joseph Heintz der Ältere als Maler, Weißenhorn 1971, S. 52f., S. 73f., Nr. A 1.2., Farbtaf. I u. Abb. 4, mit weiterer Lit. *M.Ko.*

C 42

C 43

C 43

Juno, Venus und Minerva

Unbekannter Künstler nach Hans von Aachen (1552–1615)
nach 1610

Öl auf Laubholz
13,2 x 17,5 cm

Schloß Neuenstein

Das vermutlich zum alten hohenlohischen Sammlungsbestand gehörige kleinformatige Gemälde vereint in friesartiger Komposition die Brustbilder dreier Göttinnen. Während die linke durch das zierliche Krönchen als Himmelskönigin Juno ausgewiesen ist und sich die rechte durch den Helm als Minerva zu erkennen gibt, zeigt die tief dekolletierte Venus als Siegeszeichen im Wettstreit um das Prädikat der Schönsten den von Paris empfangenen Apfel mit preziöser Gebärde vor. Die im Profil und Dreiviertelprofil sich darbietenden Göttinnen heben sich in heller Silhouettierung vor dunklem Grund ab. Der unbekannte Künstler greift in Komposition und Figurentypus auf ein um 1610 gemaltes querformatiges Gemälde des als Hofmaler Rudolfs II. in Prag tätigen Hans von Aachen zurück (s. Rudolf Arthur Peltzer, Der Hofmaler Hans von Aachen, seine Schule und seine Zeit, in: Jahrbuch der kunsthistorischen Sammlungen des allerhöchsten Kaiserhauses 30, 1912, S. 168, Nr. 119). Die verschollene Originalkomposition ist durch drei Stichreproduktionen von Jan Sadeler (HD, Achen [sic!], Nr. 123), Robert Boissard (Charles Le Blanc, Manuel de l'amateur d'estampes, Paris 1854–1890, Bd. 1, Nr. 2) und Robert de Baudous überliefert. Die nicht annähernd die spritzige Eleganz und Leichtigkeit von Aachens Figurenstil erreichende Neuensteiner Kopie, der vermutlich Sadelers Stich als Vorlage gedient hat, erscheint als zeittypischer Reflex auf den höfischen Spätmanierismus rudolfinischer Prägung.

Unveröffentlicht *M.Ko.*

C 44

C 44

Das Gastmahl des Belsazar

Cornelisz Siberechts (gest. 1626 ?)
1619

Öltempera auf Eichenholz
33,7 x 41,2 cm. Bezeichnet unten in der Mitte: *con siber/1619*

Schloß Neuenstein

Die Bibel berichtet vom chaldäischen König Belsazar, er habe mit den Großen seines Reiches und ihren Frauen ein herrliches Gelage veranstaltet. Im Rausch habe er nach den goldenen und silbernen Gefäßen aus dem Tempel in Jerusalem verlangt und – während er und seine Höflinge daraus tranken – die Götzenbilder gelobt. Da erschienen an der Wand des Festsaals Finger, die schrieben eine rätselhafte Schrift, die erst der Prophet Daniel zu lesen und dem Herrscher zu deuten imstande war: MÄNE THETEL PHARES (Mene, Mene, Tekel, U-pharsin) – Gott hat dein Königreich gezählt und vollendet, du bist gewogen und zu leicht befunden, dein Königreich ist zerteilt und wird den Medern und Persern gegeben. Noch in derselben Nacht wurde der Chaldäerkönig Belsazar getötet (Daniel 5).

Die lange, in die Diagonale gerückte Tafel und die an ihr zechende Gesellschaft in orientalisierender Kostümierung führen den Blick schräg in die Tiefe.

Lodernde Fackeln und die Kerzen eines zierlichen, von den drei Grazien bekrönten Deckenleuchters breiten über die ahnungsvoll dunkle Szene ein gespenstisch flackerndes Licht. Das kleinformatige Kunstkammergemälde geht als detailgetreue Kopie auf einen von Jan Muller (1571–1628) entworfenen und von ihm selbst gestochenen Kupferstich zurück, dessen Vorzeichnung sich im Amsterdamer Rijksprentenkabinet erhalten hat (s. Agnès Czobor, Remarques sur une composition de Jan Muller, in: Bulletin du Musée Hongrois des Beaux-Arts 6 (1955), S. 34–39; Manierismus in Holland um 1600, Kupferstiche, Holzschnitte und Zeichnungen aus dem Berliner Kupferstichkabinett, Kupferstichkabinett Berlin 1979, Ausst.kat., S. 51, Nr. 64). Die weite Verbreitung von Mullers Stichkomposition, die sich im 17. Jahrhundert in zahlreichen Gemälden und Zeichnungen wiederholt und variiert findet (s. Johann Heinrich Schönfeld – Bilder, Zeichnungen, Graphik, Museum Ulm 1967, Ausst.kat., S. 66 f., Nr. 106, u. S. 91, Nr. 171) ist symptomatisch für das Echo auf den internationalen Manierismus Prager Provenienz. Die auf dem Neuensteiner Bild unten angebrachte Signatur „con: siber" des bisher unbekannten Autors läßt eine Zuschreibung an den 1626 in Rom gestorbenen gebürtigen Antwerpener Cornelisz Siberechts nicht ausgeschlossen erscheinen.

Unveröffentlicht *M.Ko.*

C 45

C 45

Auferstehung Christi

Unbekannter Künstler nach Christoph Schwarz (um 1548–1592)
Ulm, nach 1606

Öl auf Marmor
73 x 58,5 cm (einschl. Rahmen)

Ulm, Münster, Besserer-Kapelle

Es erscheint charakteristisch für den Manierismus, daß er nicht nur einen artifiziellen Figurenstil und eine Vorliebe für oft krankhafte Absonderlichkeiten entwickelt hat, auch außergewöhnliche, kostbare Materialien verwendende Techniken, wie Scagliola und Marmormalerei, erfreuten sich im ausgehenden 16. und beginnenden 17. Jahrhundert besonderer Wertschätzung. Die Marmormaler strebten eine möglichst überzeugende Einbeziehung der natürlichen Äderung des Gesteins in die Bildkomposition und sogar eine trompe-l'œil-artig gesteigerte Wirkung an, die dem unbekannten Künstler der Ulmer Tafel vor allem im Bereich der Felsformationen und des Marmorsarkophags wohl gelungen ist. In einer pyramidal aufgebauten, auf die Gestalt des auferstandenen Christus hierarchisch zugespitzten Komposition wird das allegorisch erweiterte Thema vorgetragen. In der breit angelegten Vordergrundzone sind ein ruhendes Gerippe und ein weiterer Schädel, die vier Kardinaltugenden – Fides, Patientia, Spes und Charitas – sowie die in einer Stadtgöttin mit Mauerkrone personifizierte Terra um die Erdkugel versammelt. Die links aufgezeichneten Reimsentenzen – *Wer bist du Mensch dises Betracht, auf Erden ist nichts deine Macht, vergänglich ist all dein guett und pracht* und *Hier ligt der Her Neben dem Knecht, sag mir wes hier ist der Knecht* – weisen auf die Vergänglichkeit und Nichtigkeit irdischer Güter und Ehren hin. Die sich nach oben anschließende Zone wird von dem marmornen, auf mehrstufigem Sockel sich erhebenden Sarkophag eingenommen, auf dessen zur Seite gerückter Deckelplatte ein Engel sitzt. Dieser leitet über zu der lichterfüllten, in ein rundbogiges Portal einmündenden Wolkenaureole, in der der auferstandene Heiland entschwebt.
Die kunstvoll komponierte Szene geht zurück auf eine von Joachim von Sandrart (1606–1688) überlieferte Fassadenmalerei des Münchner Hofmalers Christoph Schwarz: „Von seiner (Schwarz') Hand ist an eines Bierbräuers Haus in selbiger Straßen (in München) auf einer grossen Maur die Auferstehung Christi mit allen Umständen Lebensgross zu sehen, in welcher ein treffliche Ordinanz und Wohlstand zu observiren."
Dieses in den siebziger Jahren des 16. Jahrhunderts ausgeführte, noch um 1730/40 in München vorhandene Fresko wurde – wie Heinrich Geissler festgestellt hat (Christoph Schwarz, Freiburg i. Br., masch. Phil. Diss. 1960, S. 51f., S. 196,

Nr. G II 82, u. S. 272) – verschiedentlich von unbekannter Hand mehr oder weniger vollständig und genau kopiert (Nachzeichnungen in: Erlangen, Universitäts-Bibliothek, Inv.Nr. B 792; Köln, Walraff-Richartz-Museum, Inv.Nr. Z 227; München, Graphische Sammlung, Inv.Nr. 32063; Innsbruck, Tiroler Landesmuseum, Inv.Nr. T 836; Stockholm, Nationalmuseum, Inv.Nr. 14/1918). Die seitengleiche Ulmer Tafel steht dem Münchner Blatt am nächsten, doch dürfte ihr vermutlich eine andere, noch unbekannte Nachzeichnung, keinesfalls jedoch eine Stichkopie als Vorlage gedient haben. Die von Schwarz' Fresko und seinen Kopien abweichende Figur des Grabwächters rechts mit abwehrend erhobenem Schild wurde hingegen durch eine von Lucas Kilian 1606 nach Joseph Heintz d. Ä. gestochene Erfindung angeregt (s. Jürgen Zimmer, Joseph Heintz der Ältere als Maler, Weißenhorn 1971, Abb. 92).

Unveröffentlicht. *M.Ko.*

C 46

Bildnis des Ravensburger Ratsherrn Gregor Senner

Unbekannter Künstler
Oberschwaben, um 1610

Öl auf Leinwand
66,5 x 83 cm. Links im Bildnisoval die Altersangabe: AETATIS SVAE/LXVII

Ravensburg, Städtisches Museum

Gregor Senner entstammte einer angesehenen evangelischen Bürgerfamilie aus Ravensburg. Erstmals 1352 genannt, seit 1464 in den städtischen Urkunden häufiger erwähnt, hat die Familie trotz wachsenden Wohlstands ihre Aufnahme in das Ravensburger Patriziat nicht zu erreichen vermocht (s. Alfons Dreher, Das Patriziat der Reichsstadt Ravensburg von den Anfängen bis zum Beginn des 19. Jahrhunderts, Stuttgart 1966, S. 271f. u. 388ff.).
Gregor, Sohn des Joachim (?) Senner und der Katharina Junkerin, war ein vermögender Kaufmann und wurde spätestens 1584 in den Rat der Stadt gewählt, dem er bis zu seinem Tode 1615 oder 1616 angehörte. Er war bemüht, sein Ansehen durch umfangreiche Stiftungen 1605 und 1612 zugunsten der Leprosen zum Heiligen Kreuz, des Ravensburger Bruderhauses und der Prädikanten und Schulmeister der Stadt zu vermehren (s. Dreher 1966, S. 311), und hat dafür gesorgt, daß sein Porträt auf Stiftungstafeln und Pflegschaftsschränken einen Platz erhielt. Sein Altersbildnis mit 67 Jahren gibt den betagten Mann in dunklem Wams mit großem Mühlsteinkragen wieder. Im Ausdruck seines bärtigen, von schütterem Haar gerahmten Gesichts scheint eine Mischung aus Strebsamkeit und Mißtrauen erkennbar. Das Bildnisoval mit eingetragener lutherischer Rechtfertigung SOLA FIDES IVSTIFICAT (Allein der Glaube rechtfertigt; nach Römer 3, 28) und SPES NOS (?) CONFVNDIT (Die Hoffnung verbindet uns) wird von den Allegorien des Glaubens (links) und der Hoffnung (rechts) eingefaßt. Unten erscheint neben seinen Initialen G. S. das Wappen der Familie Senner mit dem Äskulapstab, als Helmzier bekrönt von einer wachsenden weiblichen Figur, die zwei Granatäpfel emporhält.

Unveröffentlicht. *M.Ko.*

C 46

C 47

C 48

C 47–51

Zur Bildnissammlung der Universität Tübingen

Die über Flure, Seminar- und Diensträume der Tübinger Universität verteilte Sammlung von Bildnissen ihrer Professoren und hohen Verwaltungsbeamten aus vier Jahrhunderten zählt laut Scholl 246 Gemälde und darf – ungeachtet ihres nur begrenzten künstlerischen Wertes – nach Alter, Umfang und Bedeutung für Wissenschafts-, Landes- und Familiengeschichte als einzigartig bezeichnet werden. Ältere Anlagen dieses Typs gingen ihr voraus. Von dem an die antike Tradition anknüpfenden individualistischen Menschenbild der Renaissance zeugt das bereits seit 1521 aufgebaute berühmte „Musaeum" des Geschichtsschreibers und kurialen Beamten Paolo Giovio (1483–1552) in Como. Seiner universal angelegten, um 1570 von Tobias Stimmer in Holzschnitten reproduzierten Sammlung von Bildnissen hervorragender Denker, Dichter und Künstler, Feldherren und Staatsmänner lag der Gedanke an das nachstrebenswerte Vorbild der „viri illustres" zugrunde (s. Paul Ortwin Rave, Paolo Giovio und die Bildnisvitenbücher des Humanismus, in: JBM 1, 1959, S. 119 bis 154; Nicolaus Reusner, Icones sive imagines virorum literis illustrium, 1587, Neudruck Leipzig 1973, S. 433–445). Entsprechende Sammlungen teilweise spezialisierter Porträtreihen (Päpste, Rechtsgelehrte, Künstler) sind – durch Giovios Beispiel angeregt – in großer Zahl in Italien und um die Jahrhundertmitte auch nördlich der Alpen entstanden. 1552 gab Katharina von Medici den Auftrag zur Schaffung einer Bildnisgalerie berühmter Frauen, 1573 begann Herzog Albrecht V. von Bayern, die Ahnengalerie seines Vaters um Porträts namhafter Persönlichkeiten der Vergangenheit und Gegenwart zu ergänzen, 1578 legte Erzherzog Ferdinand von Tirol den Grundstock zu der großartigen Ambraser Sammlung (s. Die Porträtsammlung des Erzherzogs Ferdinand von Tirol, Best.kat., Wien 1932 = Führer durch die kunsthistorischen Sammlungen Wien. 17). Unter den Universitätssammlungen, die das ruhmreiche Andenken geistiger Größen bewahren, ist der Tübinger Professorengalerie offenbar nur die von Kaiser Friedrich III. im Wiener Stephansdom angelegte vorausgegangen.

Die ältesten bekannten Bildnisse Tübinger Professoren – des Juristen und ersten Rektors Johann Nauclerus, des Philosophen Jakob Schegk und des Theologen Johannes Brenz – datieren von 1477 und 1578 und scheinen anläßlich der Gründung der Universität im Jahre 1477 und des 1578 begangenen einhundertjährigen Jubiläums entstanden zu sein. Doch stehen sie vereinzelt und noch nicht am Anfang einer konzipierten Reihe, deren Anregung auf den Philologen und Historiker Erhard Cellius (1546–1606) zurückgeht. In der Einleitung seiner 1598 erschienenen, mit Holzschnittbildnissen geschmückten Sammlung lateinischer Carmina und Elogia *Imagines Professorum Tubingensium* berichtet er, er habe die Herren vor mehreren Jahren überredet, sich malen zu lassen. Zu den zuerst planmäßig contrafayten zählen 1588 der Graezist Georg Hizler, 1589 der Mediziner Philipp Apian und der Jurist Matthäus Entzlin. Die Aufträge für diese und die 1590 datierten Bildnisse, die sich Joachim Lederlin für eine siebzehn Blätter umfassende Holzschnittfolge zum Vorbild genommen hat, teilten sich der aus Berneck im Schwarzwald stammende Hans Ulrich Alt und der in Straubing geborene Anton Ramsler. Ihre persönliche Handschrift tritt – wohl auch mit Rücksicht auf die angestrebte einheitliche Wirkung – kaum hervor. Vor einer schiefergrauen oder rötlichen Folie, auf der sich Wappen und Namensinschrift deutlich abheben, sind die Gelehrten in steifer Würde halbfigurig dargestellt. Die größte Aufmerksamkeit gilt den markant herausgearbeiteten Gesichtern, denen eine starre Individualisierung eigen ist. Die Flächigkeit und Bewegungsarmut dieser Bildnisse treten besonders in den ungelenken, gleichförmig ausdruckslosen Händen hervor, die meist einer unräumlich streifenartigen Brüstung im Vordergrund aufliegen. Nach mehrjähriger Unterbrechung wurde die Reihe 1601/04 unter Heranziehung der Stuttgarter Maler Gabriel Karg und Johann Philipp Greter fortgesetzt.

M.Ko.

C 49

C 47

Bildnis des Juristen Heinrich Bocerus

Jakob Ramsler (1587–1635) zugeschrieben
Tübingen, 1613

Öl auf Holz
61 x 49 cm. Namensinschrift oben rechts: V. J. T./HENRICVS BOCER.J.V.D.PLA/CITOR.FEVDAL.ET CRIMINAL/SANCTION.IN ACAD.TVB.PRO/FESSOR ORD.NATVS ANNO/M.D.LXI.SPECIE HAC/FORMATVS ANNO/CHRISTI M.D C.XIII

Tübingen, Universität, Bildnissammlung

Nach Rechtsstudien in Marburg, Helmstädt, Heidelberg und Straßburg promovierte der 1561 in Salzkotten geborene Bocerus 1585 in Tübingen und trat dort unmittelbar anschließend sein Lehramt an, das er bis zum Tode 1630 innehatte. Seit 1595 war er Professor des Feudal- und Kriminalrechts, seit 1587 Beisitzer des württembergischen Hofgerichts und seit 1608 Herzoglich Württembergischer Rat. Neben Johann Harpprecht gehörte Bocerus zu den Anfang des 17. Jahrhunderts berühmtesten Mitgliedern der Tübinger juristischen Fakultät und genoß als Lehrer und als Autor mehrerer Schriften zum Lehn- und Strafrecht hohes Ansehen. Seine meist kürzeren, thesenartig verfaßten „disputationes“ sind in einer erstmals 1596 bis 1602, in vermehrter Auflage 1612 bis 1613 erschienenen Sammelschrift herausgegeben worden. Auch an den Vorarbeiten zum württembergischen Landrecht von 1610 hat Bocerus mitgewirkt. Seinem Recht und Rechtswissenschaft geweihten Leben entsprechend könnte das V. J. T. abgekürzte Motto unter seinem Wappen *Vincet Justitia Tandem* (Schließlich wird die Gerechtigkeit siegen) lauten.
Das als Gürtelstück angelegte Bildnis stellt den damals zweiundfünfzigjährigen Gelehrten nach rechts gewandt dar. Sein strenges Gesicht mit hoher Stirn, großen Augen und markant vorspringender Nase erscheint wie eingebettet in die tellerartig flache spitzenbesetzte Halskrause, auf der sein gepflegter, eckig gestutzter Bart voll zur Wirkung kommt. Die anatomisch verzeichneten Hände sind vor der dunklen Amtstracht durch weiße Spitzenmanschetten und Ringschmuck betont, wobei ein am linken Zeigefinger getragener großer Wappenring besonders ins Auge fällt. Die an einer doppelreihigen Gliederkette befestigte goldene Bildnismedaille Herzog Johann Friedrichs von Württemberg (1582–1628), der sie dem bedeutenden Gelehrten als landesherrliches Gnadenzeichen geschenkt haben mag, ist ein für den Persönlichkeitskult und die

Medaillenleidenschaft der Renaissance charakteristisches Kleinod. Die in Kolorit und Zeichnung „nun schon altertümlich wirkende Härte und Freude an sachlicher Genauigkeit“ läßt Fleischhauer in Jakob Ramsler, dem Sohn des ebenfalls als Konterfetter tätigen Anton Ramsler, den Autor dieses Bildnisses wie des Porträts von Andreas Bayer (Fleischhauer 1962, Taf. vor S. 209) vermuten. Ramsler, 1603 als „pictor“ in Tübingen immatrikuliert und dort als Ehenachfolger des Apelles Schickhardt seit 1612 ansässig, fiel 1635 der Pest zum Opfer.

Bök 1774, S. 110f.; Scholl 1927, S. 21, Nr. 13; Fleischhauer 1962, S. 203f. u. S. 216; Fleischhauer 1971, S. 375 u. Taf. 207. *M.Ko.*

C 48

Bildnis des Gräzisten und Logikers Johann Baptist Weiganmeir

Christoph Neyffer (1582–1632) zugeschrieben
Tübingen, 1620

Öl auf Holz
74 x 64 cm. Namensinschrift oben rechts: M. IOHAN. BAPTISTA WEIGANMEIR./TVBING: IN. ACAD. PATRIA. GRAECAE/LING: ET LOGICES PROFESSOR:/ANNO CHRISTI. 1620. AETATIS./XXXIV. Darunter das Motto: SEVERA RES EST/VERVM GAVDIVM. (Wahre Freude ist eine ernste Sache. Seneca, Briefe 23, 3.4)

Tübingen, Universität, Bildnissammlung

Die wenigen Zeilen, die Bök dem 1629 jung verstorbenen Professor der griechischen Sprache und Logik widmet, beschränken sich auf die lapidare Mitteilung, er habe sich – wie nach ihm Hermann Friedrich Flayder – besonders mit der Erklärung Homers befaßt. 1587 in Tübingen geboren, hatte Weiganmeir 1613 sein dortiges Lehramt angetreten. Der Dargestellte trägt einen dunklen Talar mit hoher Mühlsteinkrause, die die Würde seines ernsten Antlitzes wirkungsvoll pointiert. Gesicht und Hände des Vierunddreißigjährigen sind bemerkenswert fein und weich modellierend gemalt. Zu Recht hebt Fleischhauer den „beseelten Ausdruck im Blick“ hervor, „der den anderen Bildnissen abgeht.“ Dieses Porträt und das des Mediziners Michael Ziegler (Scholl 1927, Nr. 227) schreibt er dem Collegienmaler Christoph Neyffer zu, der seit 1606 in Tübingen – zunächst als Geselle in der Werkstatt Philipp Greters – tätig war.

Bök 1774, S. 115f.; Scholl 1927, S. 55, Nr. 219; Fleischhauer 1962, S. 203 u. 215. *M.Ko.*

C 50

C 51

C 49

Bildnis des Hebraisten, Mathematikers und Astronomen Wilhelm Schickhardt

Conrad Melberger (1573–1638) zugeschrieben
Tübingen, 1632

Öl auf Leinwand
60 x 49 cm. Namensinschrift oben links: WILHELMVS.SCHICKART./HERRENB.PROFESS./HEBRAEVS. ET.ASTRON./NATVS XXII.APR. MDXCII./DEPICTVS.A°.1632.

Tübingen, Universität, Bildnissammlung

Der 1592 in Herrenberg geborene, im verheerenden Seuchenjahr 1635 in Tübingen an der Pest gestorbene Schickhardt war 1619 als Professor der biblischen Grundsprachen an die heimische Universität berufen worden. Seit 1631 nahm er die Stelle seines verstorbenen Lehrers Michael Mästlin als Mathematiker und Astronom ein. Optik, atmosphärische Strahlenbrechung, Meteorologie, Planetenkunde und die Logarithmen gehören zu den durch seine wissenschaftlichen Veröffentlichungen vorangetriebenen Forschungsgebieten. Er ist der Erfinder des „Astroscopium pro facillima stellarum cognitione“, einer dem Studium des Sternenhimmels dienenden hohlen aufschließbaren Kugel, an deren Innenwand die Gestirne angebracht waren. Sein größtes Verdienst ist aber die Vervollkommnung der Kartographie. Welches Ansehen ihm auch in diesem Bereich zuteil wurde, verdeutlicht die ihm übertragene Vermessung des Herzogtums Württemberg. Der vielseitig begabte Wissenschaftler, der u.a. mit Johannes Kepler korrespondiert hat, ist selbst als Maler und Radierer im Bildnisfach hervorgetreten.
Das Haupt des Gelehrten mit ausdrucksvoll klugen konzentrierten Zügen wird von einer großen, in breiten Falten geschichteten Halskrause gerahmt. Während die Rechte als Attribut seines Fachs ein Lunarium hält, umfaßt die Linke in stereotypem Gestus einen Handschuh. Als würdevolles, auf Repräsentation eines Gelehrtenamtes angelegtes Bildnis entspricht das Porträt Schickhardts den ihm vorausgegangenen der Tübinger Sammlung. Die ausladenden Konturen des massigen Körpers, das volle Gesicht und der den Dialog mit dem Betrachter suchende Blick sprechen für eine Zuschreibung an Conrad Melberger, der schon 1610/11 als Universitätsmaler genannt wird und von dessen Hand neben weiteren Professorenbildnissen (Fleischhauer 1962, Taf. vor S. 213; Fleischhauer 1971, Taf. 208) auch Porträts der Herzöge Johann Friedrich, Magnus und Julius Friedrich überliefert sind.

August Friedrich Bök, Abhandlung von den Gelehrten Würtembergs, welche sich um die Mathematik vorzüglich verdient gemacht haben, Tübingen 1767, S. 16f.; Bök 1774, S. 113f.; Scholl 1927, S. 49, Nr. 182; Fleischhauer 1962, S. 213 u. Taf. nach S. 212; Universität Tübingen 1977, S. 101 u. 104, Abb. S. 104; Wilhelm Schickard, 1592–1635, Astronom, Geograph, Orientalist, Erfinder der Rechenmaschine, hrsg. von Friedrich Seck, Tübingen 1978 (Contubernium, Beiträge zur Geschichte der Eberhard-Karls-Universität Tübingen. 25), Titelbild u. S. 384. *M.Ko.*

C 50

Postumes Bildnis des Philologen und Dichters Nicodemus Frischlin

Unbekannter Künstler
Tübingen, 1634

Öl auf Leinwand
88 x 73 cm. Rechts oben die Namens-, rechts unten auf der Brüstung eine Widmungsinschrift: QVADRAGINTA DVOS/FRISCHLINVS VT EGERAT ANNOS/SIC OCVLOS SIC ILLE/

MANVS SIC ORA GEREBAT.
INCLYTAE UNIV. TVB. BIBLIOTHE-
CAE SEMPITERNAE OBSERVANTIAE
ERGO OFFERT PLVRIMVM
FRISCHLINI OPERIBVS DELECTATVS
BALTASARVS A FRANKENBERG
CONS. WIRTEMB. 1634

Tübingen, Universität, Bildnissammlung

1547 in Balingen als Sohn eines Diakons geboren, begann Frischlin 1563 sein Studium der Rhetorik und Poetik in Tübingen, wo er schon seit 1568 als Professor der Poetik und Geschichte lehrte. Er hielt Vorlesungen vor allem über Caesar, Vergil und Horaz, über Lucan, Sallust und Ciceros Reden und Briefe. Im mündlichen wie schriftlichen Latein eignete er sich eine spielerische Leichtigkeit an, die ihm bei seinen zahlreichen, überwiegend lateinisch verfaßten Dramen sehr zustatten kam. Die meisten der zwölf überlieferten Schauspiele Frischlins knüpfen fiktiv an biblische oder antike Gestalten an, doch entstanden mit *Frau Wendelgard* oder *Der Weingärtner* auch deutsch verfaßte Stücke. Seiner gewandten Versifikation und erfrischend witzigen Gesellschaft verdankte er den Zugang zum württembergischen Adel und selbst zum Hof Herzog Ludwigs, für den er seit 1575 als Komödien- und Festdichter tätig war. Doch trugen ihm seine außerordentliche Begabung und der nicht ausbleibende Erfolg Mißgunst und Haß seiner Tübinger Kollegen ein, deren Intrigen durch sein oft heftiges, unkluges Verhalten willkommene Nahrung fanden. 1587 ging er in die Verbannung, 1590 wurde er in Mainz verhaftet und auf der Festung Hohenurach gefangengehalten. Noch im selben Jahr brach er sich bei einem Fluchtversuch das Genick. Als seine bedeutendste wissenschaftliche Leistung erschien 1585 in Tübingen eine lateinische Grammatik, die ihm anhaltende Wertschätzung eingetragen hat. „So war Frischlins Gestalt, so der Blick, so waren die Hände, als er zum sechsten Mal der Jahre sieben vollendet. Der von Frischlins Werken höchlichst entzückte Württembergische Rat Balthasar von Frankenberg hat 1634 in immerwährender Hochachtung das Bild Frischlins der Tübinger Universitätsbibliothek gestiftet", so lauten in freier Übersetzung der Hexameter und die Widmung auf dem Bildnis des zweiundvierzigjährigen Gelehrten und Dichters. Das postum gestiftete Porträt geht sicher auf ein älteres verschollenes Gemälde zurück, das sich stilistisch und den Lebensdaten des Dargestellten entsprechend, doch angesichts seiner damaligen Verfemung überraschend in die 1588/90 gemalte Bildnisfolge einordnen läßt. Hierfür spricht vor allem die im Vordergrund streifenartig wiedergegebene Brüstung, die trotz der auf den Betrachter gerichteten lebendigen Augen größere Distanz bewirkt. Das volle, von einem mächtigen Vollbart gerahmte Gesicht und der offene Blick verraten sinnliche Kraft und eine witzige Gelehrsamkeit, die sich mit deftigem Lebensgenuß wohl vertragen hat.

Bök 1774, S. 97 u. 118; Scholl 1927, S. 26, Nr. 46, mit Abb.; Universität Tübingen 1977, S. 95 f., Abb. S. 94. *M.Ko.*

C 52

C 51

Bildnis des Mediziners Carl Bardili

Conrad Melberger (1573–1638) zugeschrieben
Tübingen, 1637

Öl auf Holz
72 x 61 cm. Namensinschrift oben rechts: CAROLVS BARDILI MEDI/CINAE. D.

C 53

C 54

ET PROFESSOR/TVB. AETAT. XXXVII./ANNO 1637.

Tübingen, Universität, Bildnissammlung

Der 1600 in Stuttgart geborene siebenunddreißigjährige Gelehrte (gest. 1647) war Professor der Medizin und Arzneikunde. 1635 wurde er zum herzoglichen Leibarzt, 1638 zum kaiserlichen und herzoglichen Rat ernannt.
Sein als Brustbild angelegtes Bildnis stellt ihn in dunkler Amtstracht mit plissiertem, in breite Falten gelegtem Spitzenkragen und entsprechenden Manschetten dar. Die rechte, zweifach beringte Hand hält einen Lorbeerzweig. Die massige, breit ausladende Körpersilhouette, das volle Gesicht und der den Dialog mit dem Betrachter suchende Blick erinnern an das fünf Jahre zuvor entstandene Porträt des Mathematikers Wilhelm Schickhardt (s. Kat.Nr. C 49), das – neben weiteren Bildnissen der Jahre 1618 bis 1636/37 – dem gebürtigen Münchner Conterfetter Conrad Melberger zugeschrieben wird (s. Fleischhauer 1962, S. 216). Auch Bardilis Porträt scheint, kurz vor Melbergers Tod entstanden, dieser Reihe anzugehören.

Bök 1774, S. 113; Scholl 1927, S. 20, Nr. 6. *M.Ko.*

C 52

Allegorie auf ein unbekanntes Ereignis des Hauses Helfenstein

Hans Glöckler (geb. um 1590)
Überlingen, 1618

Gouache auf Pergament, auf Leinwand aufgezogen
102 x 63 cm. Bezeichnet und datiert über dem Wappen: G. W. G. Z. H./1618 (Georg Wilhelm Graf zu Helfenstein/ 1618)

Schloß Heiligenberg

Das Blatt ist in drei untereinandergeordnete, von zierlichen Grotesken eingefaßte Felder aufgeteilt. Oben findet sich in einer architektonischen Rahmung das gevierte Wappen des Georg Wilhelm Grafen von Helfenstein, Freiherrn zu Gundelfingen eingetragen, in dessen Auftrag diese Allegorie gemalt worden ist. Vermutlich spielt sie auf ein bisher unbekanntes Ereignis in der helfensteinischen Familiengeschichte an und verbindet damit die am Beispiel des Cyrus tradierte Vorstellung idealer Fürstentugenden. Die seitlich des Wappens dargestellten Elefanten greifen das helfensteinische Wappentier in dekorativer Verdoppelung auf. Darüber sind zwei aus dem unten aufgezeichneten Text exzerpierte Devisen vermerkt: PVRA PLACET PIETAS (die reine Frömmigkeit gefällt) und MANSUESIS GRANDIA CEDUNT (den Sanftmütigen weichen auch die Großen). Das mit dem Titel DE CYRO (über Cyrus) und einem Zitat aus dem Hohelied Salomos (2, 4), AMORE LANGUEO (ich bin krank vor Liebe), überschriebene Hauptbild stellt eine vielfigurige Szene in orientalischem Stil dar. Vor einer phantastischen Architekturkulisse, die venezianisch anmutende Renaissancefassaden und islamische Motive vereint, hat sich eine Menge aus Soldaten, Hofdamen und Gefolgsleuten versammelt, die die beiden Hauptfiguren dicht umringen. Cyrus, der Begründer des persischen Großreichs, durch seinen mächtigen Turban und den Halbmondszepter als Herrscher ausgewiesen, umarmt einen im Text nicht näher bezeichneten Freund. Feurstein dachte dabei an den Perserkönig Darius, ohne daß sich hierfür Anhaltspunkte ergeben hätten. Ob es sich um eine denkwürdige Versöhnungs- oder Wiedersehensszene handelt, muß offenbleiben, zumal die fehlerhaft verfaßte lateinische Inschrift die erhoffte Deutung nicht erleichtert. Auch die Lektüre von Xenophons Cyropädie und der helfensteinischen Familiengeschichte hat die Zusammenhänge bisher nicht zu klären vermocht. Dort erfahren wir über den Auftraggeber Graf Georg Wilhelm lediglich, daß mit seinem Tode 1626 auf einer Reise nach Venedig die Meßkircher Linie des Geschlechts erloschen sei
(s. H. F. Kerler, Geschichte der Grafen Helfenstein nach den Quellen dargestellt, Ulm 1840, S. 153).

Donaueschingen 1934, S. 30f., Nr. 392. *M.Ko.*

C 53

Bildnis des Anton Schermar

Andreas Schuch (nach 1600–1686)
Ulm, 1630

Öl auf Leinwand
100 x 82 cm. Altersangabe und Datierung oben rechts: AETATIS SVAE 28/1630

Ulm, Ulmer Museum, Inv.Nr. 9035

Anton Schermar (geb. 1602), Mitglied des Ulmer Patriziats, ist in Dreiviertelfigur aus einer leichten Drehung nach rechts dem Betrachter zugewandt. Den Kopf mit dem locker zurückgekämmten Haar und dem gepflegten Spitzbart rahmt ein breiter, den Schultern aufliegender Spitzenkragen, dessen filigranes Muster die hohen Manschetten aufgreifen. Während die Linke auf dem reich verzierten Degengehänge ruht, nimmt die auf das Barett aufgestützte Rechte eine gesucht selbstbewußte Pose ein. Unter niederländischem Einfluß ist während des Dreißigjährigen Krieges die formalistisch strenge spanische Mode zugunsten eines weicheren, gefälligen Kleidungsstils abgelöst worden, der sich in dem freieren, den Körper umspielenden Fluß der Linien und in einer keine Kosten scheuenden Leidenschaft für Spitzen kundtut. Ihm entspricht im schon frühbarocken Bildnis die entspanntere, bewegliche Haltung des Dargestellten, sein offener, oft liebenswürdiger Ausdruck und die von der italienischen Bildnismalerei der Renaissance übernommene Vorliebe für füllige Vorhangdraperien. So erscheint die im Schermar-Porträt vor unbestimmtem Hintergrund gebauschte Draperie längst zu einer gültigen, auf Stand und Ansehen des Dargestellten hinweisenden Hoheitsformel entwickelt. In ihrer einseitigen Dekorierung fordert sie zur symmetrischen Ergänzung im weiblichen Gegenstück des Bildnisses heraus.

Othmar Metzger, Die Ulmer Bildnismalerei von 1550–1630, Würzburg, masch. Phil. Diss. 1951, S. 274; Führer durch das Ulmer Museum, Ulm 1958 (Auswahlkat.; Schriften des Ulmer Museums. NF 1), S. 52f. *M.Ko.*

C 54

Bildnis der Helena Schermar, geborene Baldinger

Andreas Schuch (nach 1600–1686)
Ulm, 1630

Öl auf Leinwand
100 x 82 cm. Altersangabe und Datierung oben links: AETATIS SVAE 30/1650 (ursprünglich wohl 1630)

Ulm, Ulmer Museum, Inv.Nr. 9036

Helena Schermar, geborene Baldinger, wie Anton Schermar einem alten ulmischen Patriziergeschlecht angehörend, ist nach links ihrem Gatten zugewandt, während die Augen den Dialog mit dem Betrachter suchen. Auch ihr Gewand ist, der um die Jahrhundertmitte kulminierenden Spitzenmode folgend, mit feinsten Nähspitzen an Halskrause und Manschetten besetzt. Die lang herabgezogenen, blattartig unterteilten Schöße und der schmale, von Hüftpolstern befreite Rock, der locker zum Boden fällt, weisen auf die bequemere, ihre Silhouette verändernde Mode des beginnenden 17. Jahrhunderts hin. Daß sich dennoch – wie häufig feststellbar – in Frauenbildnissen das Konventionelle länger behauptet als in männlichen Porträts, findet sich auch hier bestätigt. Im Gegensatz zu dem gelösteren Auftreten ihres Ehemannes nimmt Helena Schermar eine aufrecht steife Haltung ein und knüpft mit der stereotypen Geste des Handschuhhaltens an tradierte Bildnisattitüden an. Ein Vergleich mit dem schönen Porträt der Regina Schleicher (s. Kat.Nr. C 24) legt sogar die Vermutung nahe, daß hier Georg Rieders Bildnismalerei und ihr ausdrucksvoll strenges Schema anregend gewirkt haben. Die rechts hochgeraffte Draperie verbindet mit ihrem Gegenstück auf dem männlichen Bildnis die beiden Gemälde zu formaler Einheit.

Unveröffentlicht. *M.Ko.*

C 55

Epitaph des Georg Seufferheldt

Unbekannter Künstler,
Johann Schreyer (?)
Schwäbisch Hall, 1636

Öl auf Holz
228 x 119 cm

Schwäbisch Hall, St.-Michaels-Kirche

Den hohen dreigeschossigen Aufbau des Epitaphs krönt das Wappen des 1616 in Schwäbisch Hall gestorbenen Schöntalers Georg Seufferheldt, dessen Andenken und das seiner beiden Ehefrauen es bewahren soll. Aus erster Ehe mit Catharina Stadman, die schon 1590 mit neunundzwanzig Jahren gestorben war, hatte Seufferheldt zwei Töchter und

C 55

einen Sohn, der zweiten Ehe mit Maria Müller, der Tochter eines Haller Geheimen Rats, entsprangen fünf weitere Söhne und sieben Töchter. Diese reiche Nachkommenschaft schenkte Seufferheldt einundvierzig Enkelkinder, denen – wie die Inschrift mit frommem Wunsch schließt – *Gott ein fröliche urstend* (Auferstehung) *verleihe.* In der untersten Zone ist der Verstorbene mit seiner Familie – seinen beiden Frauen, acht Töchtern und drei Söhnen – in kniend betender Haltung dargestellt. Offensichtlich sind drei seiner Söhne und ein Töchterchen, die sich auf der Predella als Wickelkinder abgebildet finden, schon im Säuglingsalter gestorben. Da bis auf einen erwachsenen Sohn vor jedem Familienmitglied ein Totenschädel liegt, erscheint es nicht ausgeschlossen, daß auch die übrigen Kinder im Todesjahr der zweiten Frau Seufferheldts 1636 nicht mehr am Leben waren. Möglicherweise sind sie der nach der Schlacht von Nördlingen 1634 in Württemberg grassierenden Pest oder dem Krieg zum Opfer gefallen. Demnach hat wohl der einzige überlebende Sohn 1636 das Epitaph in Auftrag gegeben. Der mit dem Gedanken an den Tod verknüpften christlichen Hoffnung auf ein Weiterleben wird in den gemalten Tafeln der triptychonartigen Bildzone Ausdruck verliehen. Dort fassen die allegorischen Gestalten des Glaubens (links) und der Hoffnung (rechts) die oval gerahmte Darstellung der Heiligen Dreifaltigkeit und der Marterwerkzeuge Christi ein – eine detailgetreue Kopie nach Dürers 1511 entstandenem Kupferstich (Knappe 1964, Nr. 300). Wie beschwörend mutet über dieser den Erlösertod des Heilands ins Gedächtnis rufenden Szene die Inschrift an: *Der Geist zeügt, was Gott habe getrieben/die schnöde welt so hefftig zu lieben/ daß er sein Sohn in Todt gegeben/damit der Mensch möcht ewig leben.* Die mehrgeschossige Gliederung und differenzierte Unterteilung des Epitaphs, sein reich geschnitzter Rahmen mit Voluten, Fruchtgestecken und rotwangigen Engelköpfchen vertreten bereits eine frühbarocke Stilstufe, die sich auch in der farbenfrohen Wiedergabe des Dürer-Stichs kundtut.

Unveröffentlicht. *M.Ko.*

C 56

C 56

Bildnis des Wilhelm Markgrafen von Baden-Baden (?)

Unbekannnter Künstler
Baden-Baden, um 1620

Öl auf Leinwand
195 x 107,5 cm

Baden-Baden, Neues Schloß,
Alte Inv.Nr. B 16

Das Bildnis stellt vermutlich Markgraf Wilhelm von Baden-Baden dar, der 1593 als ältester Sohn des Markgrafen Eduard Fortunat von Baden-Rodemachern und der Maria von Eicken, Tochter eines niederländischen Edelmannes, geboren wurde. Nachdem ihm sein väterliches Erbe von den Markgrafen von Baden-Durlach wegen seiner mütterlicherseits unebenbürtigen Abstammung streitig gemacht worden war, mußte er bis 1622 die auf Betreiben Kaiser Ferdinands II. vom Reichshofrat verfügte Rückgabe seines Landes abwarten. In den folgenden zehn Jahren führte er mit rücksichtsloser Energie in Oberbaden den Katholizismus wieder ein, hierin vor allem von den Jesuiten und Kapuzinern unterstützt. Durch das Vordringen der Schweden 1631 erneut vertrieben, beteiligte er sich an den Abwehrkämpfen am Oberrhein, doch erst der von den Kaiserlichen 1634 bei Nördlingen errungene Sieg ermöglichte ihm die Rückkehr in seine um baden-durlachisches Gebiet erweiterte Grafschaft. Der Rechtsstreit der beiden verfeindeten badischen Linien wurde endgültig erst 1648 im Westfälischen Friedensschluß beigelegt. Wilhelms enge, aus der Erziehung am Hofe Erzherzog Albrechts in Brüssel tradierte Verbindung mit den Habsburgern sollte auch weiterhin seine Politik bestimmen. Seit 1630 Geheimer Rat des Kaisers, 1638 zum Ritter des Goldenen Vlieses ernannt, wurde er 1652 mit dem Amt eines Reichskammerrichters betraut (gest. 1677).

In selbstbewußter Pose, die Rechte in die Hüfte, die elegant behandschuhte Linke auf die Tischkante gestützt, hebt sich der jugendliche Markgraf in ganzer Figur vor einer lachsroten, nach beiden Seiten hochgeschlagenen Draperie ab. Sein prunkvolles Festgewand spanischer Prägung besteht aus einem ornamental bestickten, vorn zugespitzten Wams mit Achselstücken und ausgestopften knielangen Pluderhosen. Verschwenderisch reich ist die Spitzengarnitur aus üppig gefälteter Halskröse, Manschetten, großen Schuhrosetten und Spitzenrüschen an den Bändern, die seine dunklen Seidenstrümpfe halten. Ein umgehängter Degen und der hohe schmalkrempige spanische Hut mit Federgesteck vervollständigen das zeremonielle Hofgewand.

C 57

Gerda Franziska Kircher, Zähringer Bildnissammlung im Neuen Schloß zu Baden-Baden, Karlsruhe 1958, S. 66f., Nr. 282, u. Taf. 5. *M.Ko.*

C 57

Postumes Bildnis Friedrichs V., Kurfürst von der Pfalz, als König von Böhmen

Gerard van Honthorst (1592–1656)
Utrecht, 1634

Öl auf Leinwand
215,7 x 147,2 cm. Bezeichnet und datiert Mitte links mit ligierten Anfangsbuchstaben: *GHonthorst. fc. 1634*

Heidelberg, Kurpfälzisches Museum, Inv.Nr. L 156
Leihgabe des Ministeriums für Wissenschaft und Kunst Baden-Württemberg

Der junge, beim Tode seines Vaters noch minderjährige Pfalzgraf (geb. 1596) war seit 1613 mit Elisabeth Stuart, der Tochter Jakobs I. von England, vermählt und damit eine dynastische Verbindung der dominierenden Unionspartei im Heiligen Römischen Reich und der führenden protestantischen Macht in Europa zustande gekommen. Obwohl Friedrich, als noch unreifer Mann von schwankender Entschlußkraft an die Spitze der protestantischen Union gestellt, weder über das diplomatische Geschick noch das militärische Potential verfügte, eine gegen Habsburg gerichtete Politik durchzusetzen, nahm er die Wahl der vereinigten böhmischen Landstände zu ihrem König an. Im November 1619 wurde er anstelle des vertriebenen Erzherzogs Ferdinand zum König gekrönt, doch schon ein Jahr später vom kaiserlich/bayrischen Heer unter der Führung Tillys am Weißen Berg unweit Prags geschlagen. Die kurze Regierung des zu seinem Onkel Moritz von Oranien-Nassau geflüchteten Pfälzers trug ihm den Spottnamen „Winterkönig" ein. 1621 in die Reichsacht getan und seiner Besitzungen und Würden ledig, starb er 1632 in holländischem Exil. Das von seiner Witwe in Auftrag gegebene postume Ganzporträt zeigt Friedrich V. in blankem Harnisch und hermelingefüttertem Fürstenmantel. Während der Kurhut rechts seine ererbten Ansprüche auf die von Herzog Maximilian I. von Bayern usurpierte pfälzische Kurwürde vertritt, trägt Friedrich selbst die Insignien des ihm angetragenen böhmischen Königtums – Krone, Zepter und den böhmischen Reichsapfel, der sich in der Schatzkammer der Münchner Residenz erhalten hat. Die breit über die Schultern gelegte Kette weist ihn als Träger des englischen Hosenbandordens aus. Das bereits ganz im Sinne des barocken Herrscherporträts angelegte Bildnis ist – zwei Jahre nach dem Tode Friedrichs und ein Jahr nach der Eroberung der Pfalz durch schwedische Truppen entstanden – als Ausdruck politischer Ansprüche Elisabeths für sich und ihre zahlreichen Kinder aufzufassen.

Walter de Sager, Historische Porträts und Familienporträts, in: Weltkunst 39 (1969) 4, S. 126f., mit Abb.; Erwerbungen des Landes Baden-Württemberg für das Kurpfälzische Museum der Stadt Heidelberg, Kurpfälzisches Museum, Heidelberg 1981 (Ausst.kat.), Nr. 10. *M.Ko.*

C 58

C 58

Bildnis der Elisabeth Stuart, Kurfürstin von der Pfalz, als Königin von Böhmen

Gerard van Honthorst (1592–1656)
Utrecht, 1635 (?)

Öl auf Leinwand
216 x 148,5 cm. Bezeichnet und datiert auf dem Fächer mit ligierten Anfangsbuchstaben: *GHonthorst fe. 163(?);* die letzte Zahl unleserlich, evtl. 1, 3 oder 5

Heidelberg, Kurpfälzisches Museum, Inv.Nr. L 157
Leihgabe des Ministeriums für Wissenschaft und Kunst Baden-Württemberg

Als 1596 geborene älteste Tochter König Jakobs VI. von Schottland (seit 1603 Jakob I. von Großbritannien) und der Anna von Dänemark hatte Elisabeth eine streng protestantische Erziehung genossen. Protestantische Erwägungen spielten auch bei der Wahl ihres Gatten, des gleichaltrigen Kurfürsten Friedrich V. von der Pfalz, eine maßgebliche Rolle. Nach der 1613 in London mit außergewöhnlichem Pomp begangenen Hochzeit hielt das junge Paar in Heidelberg ebenso glänzend wie kostspielig hof. Auf die Wahl Friedrichs zum König von Böhmen und beider Einzug in Prag im Oktober 1619 überstürzten sich die Ereignisse. Die 1620 verlorene Schlacht am Weißen Berg kostete sie ihr Königreich und zwang sie zur Flucht über Schlesien und Brandenburg nach Den Haag, wo ihr Hof zu einem gesuchten geistigen und kulturellen Treffpunkt wurde. Von 1621 bis 1661 lebte Elisabeth vierzig Jahre in holländischem Exil, das sie auch nach dem Tode ihres Gatten 1632 und trotz erheblicher pekuniärer Schwierigkeiten nicht verlassen hat, bis die Thronbesteigung ihres Neffen Karl II. die Rückkehr nach England ermöglichte. Dort ist sie noch vor Ablauf eines Jahres 1662 im Hause ihres ergebenen Freundes Lord Craven gestorben, in dessen Besitz das Bildnis nach ihrem Tode gelangte.
Das als Pendant zu dem Porträt ihres Gemahls (Kat.Nr. C 57) entstandene Bildnis stellt Elisabeth ganzfigurig vor einem im Hintergrund sparsam drapierten Vorhang dar. Krone, Zepter und der böhmische Reichsapfel auf dem seitlich aufgestellten Tisch weisen sie als rechtmäßig gekrönte Königin von Böhmen aus. Elisabeth trägt ein hochtailliertes, in barocker Stoffülle gebauschtes Gewand, dessen Dekolleté und Ärmel mit feinsten Klöppelspitzen besetzt sind. Sein kostbarster Schmuck sind aber jene berühmten Perlen, die vor ihr schon Katharina von Medici – als Geschenk Papst Cle-

mens' VII. anläßlich ihrer Hochzeit mit dem späteren Heinrich II. von Frankreich –, Maria Stuart und Elisabeth I. von England getragen haben. 1603 mit der Thronbesteigung ihres Vaters in den Besitz der Stuarts zurückgelangt, waren die Perlen seine fürstliche Hochzeitsgabe anläßlich ihrer Vermählung mit Friedrich von der Pfalz. Das ursprünglich sechsreihige legendäre Kleinod, zu dem auch fünfundzwanzig der größten und schönsten Tropfenperlen zählten, scheint hier bereits zugunsten einer gestreuten Verwendung als Haar-, Ohr-, Hals-, Arm- und Gewandschmuck auseinandergenommen. Mit der Krönung ihres Enkels, Kurfürst Georg Ludwigs von Hannover, 1714 zum König von Großbritannien sind die Perlen – vorübergehend – nach England zurückgekehrt. In vier Jahrhunderten wechselvoller europäischer Geschichte haben sich nicht weniger als vierzehn Königinnen mit ihnen geschmückt. Die würdevolle Erscheinung und standesgemäße Zurschaustellung ererbten Reichtums und legitimer Königsmacht können nicht darüber hinwegtäuschen, daß das Bild ohne realen Hintergrund im holländischen Exil gemalt worden ist. Es erscheint bezeichnend für die tatsächliche Lage Elisabeths, daß auch Honthorst selbst durch ein Darlehen von 35 000 Gulden zu ihren Gläubigern gezählt haben soll.

Walter de Sager, Historische Porträts und Familienporträts, in: Weltkunst 39 (1969) 4, S. 126f., mit Abb.; Erwerbungen des Landes Baden-Württemberg für das Kurpfälzische Museum der Stadt Heidelberg, Kurpfälzisches Museum, Heidelberg 1981 (Ausst.kat.), Nr. 11. *M.Ko.*

C 59

C 59

Bildnis der Anna Gräfin von Leiningen-Dachsburg

Unbekannter Künstler
Rheinpfalz, 1638

Öl auf Leinwand
105,5 x 78,5 cm. Namensinschrift oben links: ANNA/GRÄVIN VND FRAWLEIN ZV/LEININGEN VND DAGSBVRG/FRÄWLEIN ZV APPREMONT/AETATIS SVAE ANNO 13 et SALVTIS/NOSTRAE/1638.

Speyer, Historisches Museum der Pfalz, Inv.Nr. 1962/42

Die in Dreiviertelfigur Dargestellte entstammt dem weitverzweigten rheinpfälzischen Grafengeschlecht der Leiningen, deren Dachsburger Linie ihren Sitz auf Burg Neuleiningen bei Grünstadt hatte. Sie war die jüngste, 1625 geborene Tochter des Grafen Philipp Georg von Leiningen-Dachsburg und seiner Gemahlin Anna, einer geborenen Gräfin von Erbach. Ein 1629 von Friedrich Brentel gemaltes Miniaturbildnis ihrer Mutter im Karlsruher Kupferstichkabinett (Obser 1935, Nr. 20, Taf. XI) führt die verwandtschaftliche Ähnlichkeit vor Augen. Das erst dreizehnjährige Mädchen (gest. 1668) hat ein schmales langgestrecktes Gesicht, aus dem große dunkle Augen am Betrachter vorbei nach rechts blicken. Eine lange schmale Nase, der feingeschnittene Mund und auffallend langgliedrige Hände prägen den Adel ihrer Erscheinung. Die Jugend der kleinen Gräfin und der Pomp ihrer Aufmachung lassen auf ein Verlobungsbildnis schließen; 1646 wurde Anna von Leiningen mit Graf Johann von Nassau-Idstein vermählt. Eine kostbare Spitzengarnitur aus breitem Kragen und entsprechenden Manschetten schmückt ihr hellseidenes Kleid mit eingewebtem Blumenmuster. Aus dem kinnlangen toupierten Haar schauen eine juwelenbesetzte Aigrette und lange Perlohrgehänge hervor. Zwei emaillierte Ketten sind um Hals und Schulter gelegt, auf der links eine Brosche in Form einer Krabbe mit barockem Perlenleib festgesteckt ist. Eine große schleifenförmige Brosche, kleinteilige Gewandappliken, Armbänder und Fingerringe vervollständigen den reichen Schmuck des Fräuleins, das mit der Linken nach einer emaillierten Uhr faßt, während die Rechte einen vermutlich aus Frankreich importierten Fächer auseinandergefaltet vor die Brust hält.
Die Anlage des frühbarocken Bildnisses, in dessen Hintergrund Pfeiler und drapierter Vorhang eine hoheitsvolle Folie bilden, vor allem aber die minuziöse

C 60

Detailmalerei von Kostüm und Schmuck und die bekannten Beziehungen Friedrich Brentels zu pfälzischen und elsässischen Adelsgeschlechtern legen es nahe, in Brentels Umkreis und Schülerschaft nach dem unbekannten Autor zu forschen.

Unveröffentlicht. *M.Ko.*

C 60

Bildnis der Cleophe Mollerin

Unbekannter Künstler
Elsaß, 1600

Öl auf Leinwand
85,5 x 67,5 cm. Namensinschrift und Datierung zu beiden Seiten der Dargestellten: CLEOPHE MOLLERIN AETATIS SVAE:XXXVIII/ *Gott Hotts gefüegt: d(a)z mich Benügt*/ ANNO DO(MI)NI: 1600.

Colmar, Musée d'Unterlinden

Hinter einer schmalen Brüstung, auf der ein Buch und eine einzelne Kornblume liegen und räumliche Tiefe suggerieren, ist die Dargestellte in halber Figur erfaßt. Ihre hochgeschlossene dunkle Tracht, als deren einziger Zierat die Pelzverbrämung der Schaube, die einfache Halskrause und der weiße, Stirn und Ohren bedeckende Kopfschleier hervortreten, lassen in ihr eine Angehörige des städtischen Patriziats erkennen. Auch der reiche Ringschmuck an den Händen und die goldene Gürtelkette fügen sich in das Erscheinungsbild einer vornehmen Bürgerin ihrer Zeit ein. Die ungewöhnliche schwarze Kopfbedekkung läßt auf Witwenschaft der Cleophe Mollerin schließen, die mit dem Obristen Ludwig Kriegelstein vermählt war. Die gläubig demutsvolle Inschrift *Gott Hotts gefüegt: daz mich Benügt* scheint diese Vermutung zu bestätigen. Im Hintergrund wird vor neutraler Folie mit einer sparsamen Vorhangdraperie und einem Pfeiler, auf dessen Gesims ein kunstvolles Blumengesteck arrangiert ist, ein Innenraum angedeutet. Der streng geometrische Aufbau des Bildes, dessen Mittelachse mit der Körpervertikale übereinstimmt, die stereotype Geste der still ineinandergelegten Hände und die dicht an den Leib gedrückten Arme, die der Figur einen geschlossenen Umriß verleihen, begegnen formelhaft auf vergleichbaren Standesporträts anderer südwestdeutscher Kunstlandschaften (Ulm, Tübingen) und scheinen Kennzeichen eines überregionalen bürgerlichen Bildnistyps im ausgehenden 16. Jahrhundert zu sein.

Unveröffentlicht. *M.Ko.*

C 61

Bildnis des Theologen Philipp Marbach

Unbekannter Künstler
Straßburg, nach 1611

Öl auf Leinwand
95 x 76 cm. Namensinschrift oben links: PHILIPP. MARBACH S. TH. D. EIVSQ/ PRIMVM HEIDELBERGAE POST/ ARGENTINAE PROFESS. COLLEG./ THOM. DECAN. NAt. 1550. 19/APR. OBijt 1611. 8 sepetemb. (sic!)

Strasbourg, Chapitre de Saint-Thomas

Der 1550 in Straßburg geborene Theologe (gest. 1611 ebenda) war ein Sohn des von 1552 bis 1581 amtierenden Präsidenten des Straßburger geistlichen Konvents. Zunächst studierte er in seiner Heimatstadt, dann in Basel, Tübingen, Frankfurt und Rostock Theologie. Nachdem er 1573 das Lizentiat erworben und mehrere Jahre in Graz das Rektorat bekleidet hatte, rief ihn Kurfürst Ludwig VI. von der Pfalz 1579 als Professor nach Heidelberg. Ein erneutes Rektorat in Klagenfurt schloß sich an, bis er 1593 zum Nachfolger seines Bruders Erasmus an die Straßburger Universität berufen wurde. In seinen theologischen Schriften befaßte er sich vor allem mit dem Abendmahl und der lutherischen Konkordienformel von 1577.
Vor neutral dunkel olivfarbenem Hintergrund ragt die mächtige Gestalt des Theologen hinter einem rot gedeckten Tisch auf. Ein großer Mühlsteinkragen und der Pelzbesatz des Mantels erhöhen die Würde seiner dunklen Amtstracht. Die konventionelle Attitüde der auf ein Buch gestützten Rechten und der ein Handschuhpaar haltenden Linken entspricht dem über Jahrzehnte hinweg gültigen Bildnistypus eines Gelehrten.

Le chapitre de Saint-Thomas et le gymnase Jean-Sturm, Témoignages et études recueillis et publiés à l'occasion de l'achèvement des bâtiments du Gymnase, Straßburg o.J. (1980), S. 94, Nr. 7. *M.Ko.*

C 61

C 62

Bildnis des Astronomen Johannes Kepler

Unbekannter Künstler
Straßburg (?), vor 1627

Öl auf Leinwand
90 x 77 cm. Namens- und Widmungsinschrift oben links: IOANNIS KEPPLERI/ Mathematici Caesarei/hanc imaginem/ ARGENTORATENSI BIBLIOTHECAE/ Consecrat/MATTHIAS BERNECCERVS/ Kal. Ianuar. Anno Chr./M DC XXVII

Strasbourg, Chapitre de Saint-Thomas

1571 im württembergischen Weil der Stadt geboren, hat Kepler trotz unsicherer häuslicher Verhältnisse die Lateinschule in Leonberg besucht und 1589 als Stipendiat des Tübinger Stifts seine philologischen und mathematischen Studien u.a. bei Martin Crusius, Georg Weigenmaier und Michael Maestlin aufgenommen. 1594 trat er eine Professur in Graz an und veröffentlichte 1596 mit *Mysterium cosmographicum* seine erste wissenschaftliche Schrift. Unter Ferdinand I. als Protestant aus seinem Amt entlassen, folgte er 1600 einer Einladung des Astronomen Tycho Brahe nach Böhmen, wo er nach dessen Tod 1601 die vakante Stelle als Hofmathematiker und -astronom Kaiser Rudolfs II. in Prag übernahm. In den folgenden Jahren fand er die beiden ersten, 1609 in der *Astronomia nova* veröffentlichten Keplerschen Gesetze und begann mit der erst 1627 erfolgten Publikation der Planetentafeln – *Tabulae Rudolphinae.* Nach einer Professur in Linz und einem Aufenthalt in Regensburg trat er 1628 in den Dienst

Wallensteins in Sagan ein. 1630 starb er in Regensburg, wo er vor einer Reichstagssitzung Klage wegen ausstehender Gehaltsansprüche erheben wollte. Als Mathematiker, Physiker, Astronom und Naturphilosoph hat Kepler bedeutende Erkenntnisse erzielt, etwa im Bereich des Rechnens mit unendlich kleinen Größen, der Logarithmen, der Stereometrie und der physiologischen Optik. In den drei nach ihm benannten Keplerschen Gesetzen beschreibt er die Bewegung eines Planeten um die Sonne. Zu seinen wissenschaftlichen Korrespondenten zählten u.a. Galileo Galilei und der Tübinger Forscher Wilhelm Schickhardt (s. Kat.Nr. C 49).

Das in Straßburg bewahrte Bildnis, das der Astronom und Kepler-Freund Matthias Bernegger (1582–1640) laut Inschrift der Straßburger Universitätsbibliothek gestiftet hat, gilt als einziges bekanntes, in Öl gemaltes Portät des Gelehrten. Ohne auf dessen wissenschaftliche Verdienste durch Bücher oder astronomische Instrumente hinzuweisen, vermittelt es vor allem einen Eindruck von der zarten physischen Erscheinung Keplers, der, von frühester Kindheit an schwächlich, sein Leben lang gegen Krankheit zu kämpfen hatte.

Le chapitre de Saint-Thomas et le gymnase Jean-Sturm, Témoignages et études recueillis et publiés à l'occasion de l'achèvement des bâtiments du Gymnase, Straßburg o.J. (1980), S. 92, Nr. 1, u. Abb. 35.

M.Ko.

C 63

Bildnis des Grafen Friedrich von Solms-Rödelheim

Friedrich Brentel (1580–1651)
Straßburg, 1629

Gouache auf Pergament
12,7 x 8,1 cm (Blattgröße). Bezeichnet und datiert unten in der goldenen Einfas-

C 62

C 63

sung: *F. Brentel. 1629;* rückseitig von einer Hand des ausgehenden 17. Jahrhunderts: *Friedrich Graf von Solms*

Karlsruhe, Staatliche Kunsthalle, Kupferstichkabinett, Inv.Nr. VIII 1180

Die meisten der aus altem markgräflich baden-durlachischem Besitz stammenden zweiundzwanzig Bildnisminiaturen Brentels im Karlsruher Kabinett stellen Persönlichkeiten der mehrfach verschwägerten freiherrlichen und gräflichen Familien Rappoltstein, Solms und Fleckenstein dar, die zu der adligen ober- und mittelrheinischen Klientel des weit über Straßburg hinaus gesuchten Miniaturmalers zählten. Der hier in ganzer Figur dargestellte Friedrich Graf von Solms (1574 bis 1635) bietet sich vor einer zart hellvioletten Wandbespannung mit rapportiertem Medaillonmuster in selbstbewußter Pose dar. Nach der aktuellen, aus Holland importierten Mode in einen krapproten Oberrock mit breit den Schultern aufliegendem Spitzenkragen und entsprechenden Manschetten, mit passender Kniehose und gespornten hellgrauen Stulpenstiefeln bekleidet, stemmt er die Linke in die Hüfte, während die Rechte lässig-würdevoll auf einem eleganten Stöckchen ruht. Ein goldenes Bandelier, der breitkrempige „Rubenshut" mit leuchtend rotem Federbusch und der zierliche Degen vervollständigen seine weltmännisch modebewußte Erscheinung, der auch der rotblonde Spitzbart Rechnung trägt. Auf den Ritterstand des Porträtierten weist im Hintergrund nachdrücklich sein ornamentierter Harnisch hin, der – gleichsam das zweite Ich des

C 64

Dargestellten – eine seltsam belebte Pose einnimmt. Von äußerster Raffinesse ist die farbige Gestaltung des minuziös gemalten Bildchens, in dem sich ein delikates Hellviolett, abgestufte Grautöne und leuchtendes Rot wirkungsvoll ergänzen.

Ernst Lemberger, Die Bildnis-Miniatur in Deutschland von 1550 bis 1850, München 1909, S. 116 u. Taf. XXX, Nr. 104; Obser 1935, S. 7 f., Nr. 3, u. Taf. IV; Wegner 1966, S. 137 f.

M.Ko.

C 64

Bildnis der Gräfin Anna Maria von Solms-Rödelheim, geborene Herrin von Hohengeroldseck und Sulz

Friedrich Brentel (1580–1651)
Straßburg, 1629

Gouache auf Pergament
12,4 x 7,8 cm (Blattgröße). Bezeichnet und datiert unten in der goldenen Einfassung: *F. Brentel. 1629;* rückseitig von einer Hand des ausgehenden 17. Jahrhunderts: *Anna Maria Gräfin von Solms geborene von Hohengeroldseck und Sultz die letzte ihres stammes*

Karlsruhe, Staatliche Kunsthalle, Kupferstichkabinett, Inv.Nr. VIII 1182

Das als Gegenstück zu dem Porträt ihres Gatten angelegte Bildnis der Anna Maria von Hohengeroldseck (1593–1649) entspricht diesem in Aufbau und Feinheit der malerischen Ausführung, ohne dessen farbigen Reiz zu erreichen. Auch hier wird die Dargestellte von einer seidenen Wandbespannung hinterfangen, deren eingewebtes Medaillonmuster eine links verknotete Draperie aus gleichem Stoff aufgreift. Die Gräfin trägt ein hochgeschlossenes Gewand mit spitzen Schößen aus grau changierender Seide, kostbare Spitzen umschließen Hals und Handgelenke, ein breitkrempiger schwarzer Samthut mit angesteckter Agraffe umrahmt die kleine Löckchenfrisur. Neben feingliedrigem Ohrschmuck hat sie eine kostbare grau-violette Tulpenblüte und mehrere Anhänger am Kleid festgesteckt. Die Sorgfalt, mit der dieser kleinteilige Zierat beobachtet und im Bilde festgehalten wird, kennzeichnet die Arbeitsweise des Miniaturisten, der 1610 auch das Tafelwerk der *Pompe funèbre* Karls III. von Lothringen mit detaillierten, von Anmerkungen zu Farben und Stoffqualität ergänzten Kostümstudien vorbereitet hat. Die Linke der damals sechsunddreißigjährigen Frau umfaßt ein zierliches Stöckchen mit Silberknauf, die Rechte ist auf einen Totenschädel gelegt. Das daneben aufgestellte Kästchen mit eingebauten Sanduhren (?) wiederholt das Vanitasmotiv, das hier durch den pointierten Gegensatz zu Reichtum und Raffinement von Kleidung und Raumausstattung bereits der barocken Vergänglichkeitssymbolik verpflichtet ist. Ungewöhnlich muten die Requisiten von Tod und Zeitlichkeit auf einem Damenbildnis und auch der Kontrast zu dem nahezu geckenhaften Auftritt ihres Ehemannes an. Die seit 1635 verwitwete Gräfin vermählte sich 1644 in zweiter Ehe mit dem Markgrafen Friedrich V. von Baden-Durlach. Die Erwerbung der als Familienalbum angelegten, anscheinend geschlossen erhaltenen Sammlung von Bildnisminiaturen Brentels und seiner Schule für das Karlsruher Kabinett ist auf ihre Verbindung mit dem baden-durlachischen Haus zurückzuführen.

Ernst Lemberger, Die Bildnis-Miniatur in Deutschland von 1550 bis 1850, München 1909, S. 116 u. Taf. XXX, Nr. 105; Obser 1935, S. 8, Nr. 5, u. Taf. V; Wegner 1966, S. 137 f.; Oskar Kohler, Die letzten hundert Jahre Geroldsecker Herrschaft, in: Seelbach im Schuttertal 1179–1979, hrsg. von Gerhard Finkbeiner, Freiburg i. Br. 1979, S. 71–74 u. Abb. S. 64. *M.Ko.*

C 65

C 65

Bildnis des Georg Friedrich Herrn zu Rappoltstein als „Pfeiferkönig"

Friedrich Brentel (1580–1651) oder Werkstatt
Straßburg, um 1635

Gouache auf Pergament
13,7 x 8,4 cm (Blattgröße). Rückseitig von einer Hand des ausgehenden 17. Jahrhunderts: *Georg Friderich Herr/zu rappoldstein*

Karlsruhe, Staatliche Kunsthalle, Kupferstichkabinett, Inv.Nr. VIII 1186

Der 1594 geborene Sohn des Eberhard von Rappoltstein aus seiner ersten Ehe mit der Wild- und Rheingräfin Anna ist – etwa vierzigjährig – in bunter Schäfer-und Spielmannskostümierung dargestellt. In einen geblümten, kräftig grünen Oberrock mit rundum aufgenähtem Kranz aus roten Schleifen, in rote Kniehosen und Beinlinge gekleidet, trägt er links die Hirtentasche. Sein abgeschiedener Sitzplatz in den Felsen, neben ihm das treu aufschauende Hündchen und die Schafherde in der bergigen Hintergrundlandschaft vervollständigen das idyllische Ambiente. Der Dudelsack, auf dem er spielt, ist Hinweis auf seine ererbte Würde als „Pfeiferkönig" oder „Spielgraf". Nach mittelalterlicher Tradition standen die Grafen von Rappoltstein den zu Zünften zusammengeschlossenen Musikanten ihres zwischen Rhein und Vogesen sich erstreckenden Herrschaftsgebietes als „Pfeiferkönige" vor und hielten in diesem Amt alljährlich in Rappoltsweiler stattfindende Gerichtstage ab. An den bis ins 18. Jahrhundert lebendigen volkstümlichen Brauch erinnert der im gräflichen Stammsitz Rappoltsweiler noch heute festlich begangene Pfeifertag (s. J. Rathgeber, Die Herrschaft Rappoltstein, Straßburg 1874, S. 193 ff.).
Die in kontrastreich leuchtender Farbigkeit gehaltene, nach Brentels Art mit goldenem und schwarzem Rand eingefaßte Miniatur läßt nicht nur dessen Signatur, sondern auch die Sicherheit des Strichs und Akribie seiner Detailmalerei vermissen. Karl Obser hat sie neben elf weiteren Miniaturen des Karlsruher Kabinetts Mitarbeitern der Brentel-Werkstatt zugeschrieben, der außer seinem Sohn Johann Friedrich und seiner Tochter Anna Maria auch die Miniaturmaler Johann Wilhelm Baur, Johann Jacob Besserer und Johann Walter sowie der Ornamentstecher Tobias Franckenberger angehörten.

André Girodie, Biographies Alsaciennes, XXIV, Frédéric Brentel, in: Revue Alsacienne illustrée 11 (1909), S. 47; Obser 1935, S. 9 f., Nr. 8, u. Taf. I; Wegner 1966, S. 137 f.; Deutsche Maler und Zeichner des 17. Jahrhunderts, Orangerie des Schlosses Charlottenburg 1966, veranst. von Staatliche Museen Berlin, Berlin o. J. (Ausst.kat.), S. 21, Nr. 4, u. Abb. 5. *M.Ko.*

C 66

C 66

Die Israeliten nach dem Durchzug durch das Rote Meer

Johann Jacob Besserer (geb. um 1600)
Straßburg (?), 1637

Deckfarben auf Pergament, auf Eichenholz geklebt
21,2 x 31,6 cm. Bezeichnet unten in der Mitte auf der Schmalseite eines Kastens: *Jo. Jacob Besserer./16. von Speyer. Fec. 37*

Karlsruhe, Staatliche Kunsthalle,
Inv.Nr. 2438

Unter dem Schutz Gottes sind die Kinder Israel, von Mose geführt, durch das Rote Meer geschritten und lagern in großer Zahl an seinem felsigen Ufer. Dort steht auch Mose und blickt der seinem Volk nachgerückten Streitmacht Pharaos entgegen. „Da reckte Mose seine Hand aus über das Meer, und das Meer kam wieder vor morgens in seinen Strom, und die Ägypter flohen ihm entgegen. Also stürzte sie der Herr mitten ins Meer.“ (2. Mose 14, 27).
Hans Jordaens III (? – 1643), dessen in der Leningrader Eremitage bewahrtes Tafelgemälde (Inv.Nr. 444) Besserer als Miniaturkopie detailgetreu wiederholt, hat in die vielfigurige Darstellung des alttestamentarischen Berichts reizvolle Genreszenen und stillebenartige Motive eingeflochten. Bei der aus einem aufgelösten Klebeband mit Zeichnungen Friedrich Brentels und seines Kreises stammenden quadrierten Tuschfederzeichnung gleichen Sujets und übereinstimmenden Formats (Karlsruhe, Staatliche Kunsthalle, Kupferstichkabinett, fol. 16 r/I) dürfte es sich um die der Miniatur vorausgegangene Vorzeichnung handeln. Wegner vermutet dagegen in dem bis in alle Einzelheiten übereinstimmenden Blatt eine Umrißkopie Brentels nach dem Original seines damaligen Schülers. Als einzigem bisher bekannten Bild, das Besserers eigenhändige Signatur und Datierung trägt, kommt diesem für die noch ausstehende intensivere Beschäftigung mit seinem Werk besondere Bedeutung zu.

Karlsruhe 1966, S. 46f., Nr. 2438, Bildband, S. 94; Wegner 1966, S. 136. *M.Ko.*

C 67

C 67

Korb mit Gläsern und Silberpokalen

Sebastian Stoßkopf (1597–1657)
Straßburg, 1644

Öl auf Leinwand
51 x 62 cm. Bezeichnet und datiert unten links: *Stoskopff/1644*

Strasbourg, Musée de l'Œuvre Notre-Dame, Inv.Nr. 1281

Vor dunklem, unbestimmtem Hintergrund hebt sich in bildparalleler Aufstellung eine massive Kredenz ab. Ein flaches, zierlich geflochtenes Weidenkörbchen, in dem neben vergoldeten Pokalen mehrere Gläser „à la façon de Venise" zum Trocknen arrangiert sind, und der Deckel eines Pokals finden sich darauf in stillem geheimnisvollem Beieinander vereint. Die fragile Kostbarkeit der hauchdünnen Gläser, deren Unversehrtheit angesichts so lockerer Stapelung äußerst gefährdet erscheint, wird durch die vorgeführten Scherben augenfällig. Daß Glas wie kein zweites Material Schönheit und Zerbrechlichkeit und damit Kurzlebigkeit in sich vereint, hat schon die frühbarocke Stillebenmalerei des beginnenden 17. Jahrhunderts dem Motivvorrat ihrer Vanitassymbolik einbezogen (s. Vanitas, Il simbolismo del tempo, Galleria Lorenzelli, Bergamo 1981, Ausst.kat.). Die Verbindung mit der den Pokaldeckel bekrönenden Statuette eines Putto, der einen Vogel fliegen läßt, legt hier sogar die Veranschaulichung einer Spruchweisheit über die Brüchigkeit des Glücks nahe. Darüber hinaus kann das leere Glas auch den melancholischen Aspekt des bereits genossenen Weines, der ebenso berauschenden wie vergänglichen Freuden des Lebens beinhalten, eine Vorstellung, die im Hinblick auf die bekannte Trunksucht Stoßkopfs an Authentizität gewinnt.
In der lakonischen Beschränkung auf wenige Gegenstände, die mit äußerster Präzision in ihrer unterschiedlichen Stofflichkeit und Erscheinung erfaßt sind, wie in ihrer ungefällig strengen Anordnung in einem kargen bildparallelen Kompositionsgefüge erreicht Stoßkopf eine nahezu magische, auf Chardin vorausweisende Eindringlichkeit des Dargestellten und eine schon zu Lebzeiten vielbeachtete und gesuchte Meisterschaft des Illusionismus. Sein Schüler und Biograph Joachim von Sandrart (1606–1688) beschreibt ein ähnliches, von Graf Johann von Nassau-Idstein bestelltes Gläserstilleben wie folgt: „ein Körblein voll allerley ausgewaschener Trinkgeschirren, die in Wahrheit nicht netter noch fleißiger sein könnten" (Joachim von Sandrart, Teutsche Academie... 1675, hrsg. von A. R. Peltzer, München 1925, S. 182).
Das Straßburger Gemälde gehört einer Reihe von Gläserstilleben an, auf die sich Stoßkopf neben Blumen-, Früchtestücken, Trompe-l'œils und großen allegorischen Natures mortes als erster seines Fachs spezialisiert hat. Die seit den vierziger Jahren gehäufte Einbeziehung von Gefäßen aus Edelmetall spiegelt seine Beziehungen zu den Straßburger Goldschmieden wider, deren Zunft er durch die Heirat mit Anna Maria Riedinger 1646 eng verbunden war.

Natures mortes, Catalogue de la collection du Musée des Beaux-Arts de Strasbourg, Straßburg 1954 (Best.kat.), S. 29, Nr. 28, mit Abb.; Hans Haug, Sébastien Stoskopff, in: L'Œil 76 (1961) 4, S. 33 u. 35, Abb. 15; Deutsche Maler und Zeichner des 17. Jahrhunderts, Orangerie des Schlosses Charlottenburg 1966, veranst. von Staatliche Museen Berlin, Berlin o.J. (Ausst.kat.), S. 89, Nr. 102, u. Abb. 98; Michel Faré, Le grand siècle de la nature morte en France, Le XVIIe siècle, Fribourg (Schweiz) 1974, Abb. S. 130; Stilleben in Europa, Westfälisches Landesmuseum Münster, Staatliche Kunsthalle Baden-Baden 1979/80, Münster 1979 (Ausst.kat.), S. 435, Abb. 227, u. S. 444. *M.Ko.*

C 68

C 68

Reliquienaltärchen aus dem Kloster Adelhausen

Unbekannter Künstler
Freiburg (?), nach 1605

Öl auf Lindenholz, rückseitig Tempera
49 x 34 x 6,5 cm

Freiburg i.Br., Städtisches Augustinermuseum, Inv.Nr. 11659

Der kleine altarförmige Schrein stammt aus dem 1234 erstmals erwähnten, in dem Dorf Adelhausen bei Freiburg gelegenen Dominikanerinnenkloster Mariae Verkündigung. Der reiche, trotz mehrfacher Zerstörung und Plünderung gesammelte Kunstbesitz des 1867 als Erziehungsanstalt aufgehobenen Klosters fiel der Stadt anheim und sollte den Grundstock des Augustinermuseums bilden (s. 750 Jahre Dominikanerinnenkloster Adelhausen, Freiburg im Breisgau, hrsg. von Wolfgang Bock u. Hans H. Hofstätter, Freiburg i. Br. 1985).
Unter einem giebelförmigen Aufsatz mit der Darstellung einer Marienkrönung und der schwebenden Heiliggeisttaube finden sich auf den Flügelaußenseiten links die Anbetung der Heiligen Drei Könige, rechts der hl. Hieronymus als Einsiedler in der Wüste szenisch gegenübergestellt. Der büßende Kirchenvater in rotem Kardinalsgewand schlägt sich vor einem Bildnis des Gekreuzigten in strenger Selbstkasteiung mit einem Stein gegen die Brust. Im Hintergrund öffnet sich eine unwirklich anmutende Landschaft mit dem oft zitierten manieristischen Versatzstück eines Felsentors. Die Innenseiten der Flügel zeigen jeweils zwei mit dem Gegenüber korrespondierende Bilder. Links oben Ecce-Homo, rechts die Schutzmantelmaria in Begleitung zweier Engel. Unten sind die hll. Katharina und Barbara mit ihren charakteristischen Attributen einander zugewandt. In der schmalen Predella rahmen zwei nahgesehene Landschaftsausschnitte eine Darstellung der hl. Elisabeth, die Brot und Getränke an die Armen verteilt. Möglicherweise nehmen in diesem undogmatischen Altarprogramm die weiblichen Heiligen, die ausnahmslos vornehmer Abstammung sind, auf die adligen Insassinnen des Klosters Bezug. Im Innern des Schreins finden sich, von einem mit Granaten und Perlen bestickten Kranz gerahmt, ein Wachsmedaillon Christi und der Samariterin sowie das päpstliche Wappen Pauls V., das die Datierung des Altärchens in die Jahre zwischen 1605 und 1621 ermöglicht. In dem unbekannten, an allgemein manieristische Stiltendenzen anknüpfenden Künstler darf ein Meister aus dem Breisgau oder Freiburg selbst vermutet werden.

Kunstepochen der Stadt Freiburg, Augustinermuseum Freiburg 1970, Freiburg 1970 (Ausst.kat.), S. 281, Nr. 334. *M.Ko.*

Die Maler in Frankenthal

Margaretha Krämer

„Frankenthal“: dieser Ortsname steht in der Geschichte der Malerei und der Zeichnung als Synonym für einen Stil von besonderer Einheitlichkeit, nicht gestört von Werken herausragender Einzelpersönlichkeiten, außer dem Einen, von dem dieser Stil ausging: nämlich Gillis van Coninxloo. In seinem Gesamtwerk war dies eine Episode von nicht einmal zehn Jahren Dauer, die er in Frankenthal verbrachte, bevor er nach Amsterdam zog, wo sein wichtiges Spätwerk entstanden ist.

Mit der Stilbezeichnung „Frankenthal“ gemeint sind kleine Tafelbilder vorzugsweise mit Waldlandschaften oder waldigen Berglandschaften, auch Dorflandschaften und Hafenbilder, belebt von untergeordneter Staffage: Jägern und Reisenden; daneben die sehr zahlreichen Zeichnungen – meist in Feder mit Lavierung –, die Sümpfe und Teiche im Wald oder Waldstraßen mit seitlichem Ausblick auf entfernte, offene Bereiche darstellen.

Es kam zu dieser Lokalisierung der spätmanieristischen Landschaft nach Frankenthal, als E. Plietzsch nach J.-L. Sponsel und J. Kraus in den Urkunden der niederländischen Emigrantensiedlung Frankenthal neben Handwerkern und Kaufleuten auch einige Maler verzeichnet fand. Ohne zu prüfen, wie lange die Einzelnen sich in Frankenthal aufgehalten haben, ging Plietzsch von der Annahme aus, um Coninxloo habe sich ein Kreis von Malern geschart und seine Anregungen aufgenommen. Mit ihren geringeren schöpferischen Kräften konnten sie aber keine eigene Entwicklung erreichen. Plietzsch konnte 15 Maler – einschließlich Coninxloo – in Frankenthaler Urkunden aufspüren und nahm an, damit sei erst ein Teil derer erfaßt, die länger oder kürzer dort ansässig gewesen seien und im sogen. „Kunstmalersblock“ beisammen gewohnt hätten.

Wie problematisch uns diese Vorstellung inzwischen erscheinen muß – ausschließlich aus der Beurteilung der Frankenthaler Urkunden–, ist bereits früher gesagt worden (s. Margaretha Krämer, Die Probleme einer Malerschule in Frankenthal, in: Stuttgart 1980, S. 193–186).

Es hat sich gezeigt, daß es wesentlich weniger als Künstler tätige Maler in Frankenthal gegeben hat, sowohl in dem Zeitraum, in dem Coninxloo sich in der Pfalz aufhielt, wie insgesamt. Schließlich ist auch die Dauer von Coninxloos Nachwirken in Frankenthal in Frage zu stellen. Derjenige, dessen Namen viele der tpyischen „Frankenthalischen“ Landschaftstäfelchen tragen, Anton Mirou, hatte eine um mindestens 35 Jahre kürzere Lebens- und Schaffenszeit. Die nach 1627 entstandenen, mit AMIROU signierten Bilder können mithin – da Anton den Urkunden nach kinderlos war – nur von seinem Vetter Aernout Mirou gemalt sein oder von dessen Nachkommen. Hier liegen noch keine genaueren Lebensdaten vor, doch steht es fest, daß dieser Zweig der Familie Mirou in Antwerpen geblieben war und die Stadt nach der Einnahme durch die Spanier nicht verlassen hatte.

Die Schar von Coninxloos Nachahmern in Frankenthal war also nicht so zahlreich wie vermutet. Doch wie sahen die Vorbilder aus, was wissen wir über Coninxloos Schaffen während der Jahre 1587 bis 1595 in Frankenthal?

Als er aus seiner Heimatstadt floh, war Coninxloo über vierzig Jahre alt und hatte 15 Jahre Schaffenszeit als selbständiger Künstler hinter sich. Aus dieser Zeit ist uns kein mit Jahreszahl signiertes Bild bekannt. Am Beginn des zweiten Abschnitts seines Lebens, der Zeit in Frankenthal, steht die große Landschaft mit dem Urteil des Midas. Erst aus dem letzten Lebensabschnitt, aus den elf Jahren in Amsterdam (1595–1606) kennen wir eine Reihe mit Daten versehener Gemälde, die seitdem seinen Ruhm ausmachen. Ob er nach Frankenthal gekommen ist als einer, dem ein besonderer Ruf vorausging, als erfolgreicher Künstler, das ist völlig im dunkeln.

Es spricht für die Möglichkeiten, die sich ihm in Frankenthal zunächst zu bieten schienen, daß hier die Landschaft mit dem Midasurteil 1588 entstand, ein Werk, dessen Anspruch allein schon in den Abmessungen zum Ausdruck kommt (Abb. Franz 1969, T. 37).

In diesem Bild ergibt sich aus der Vielfalt der Schauplätze und dem Reichtum in Einzelheiten eine grandiose Gesamtschau: ein Blick von der Anhöhe über einen Talkessel hinweg zum hochliegenden Horizont. Dabei wird der Blick immer wieder aufgehalten und hineingelenkt zwischen Felsen, Bäume, Sträucher u.ä. Damals, bis 1588, lebte in Frankenthal auch Balthasar Caimox, ein vermögender Kunsthändler mit weitgespannten Beziehungen, der Bilder von Coninxloo zum Verkauf sogar auf der Leipziger Messe hatte, und nach Frankfurt/M. hat der Künstler ein Jahr später weitere Bilder verkaufen können, die heute freilich nicht mehr zu identifizieren sind.

Abb. C 8 Gillis van Coninxloo, Landschaft mit Urteil des Paris. Nachstich von Nicolas de Bruyn, 1600, 411 x 657 mm. Karlsruhe, Staatliche Kunsthalle, Kupferstichkabinett

So sind wir auf stilkritische Argumente verwiesen, wenn wir uns eine Vorstellung von Coninxloos Schaffen während der nächsten Jahre machen wollen, und dazu müssen wir die Werke heranziehen, die den etwa zehn Nachstichen zugrundeliegen. Diese Nachstiche entstanden insgesamt in den Jahren um 1600, doch die Vorlagen dürften im Lauf der zwanzig Jahre davor geschaffen worden sein. H. G. Franz (1969, Bd. 1, S. 275-286 u. Bd. 2, Abb. 413–422, außer Abb. 421, erst 1634 entstandene Kopie nach dem Nachstich Abb. 422) hat diese Arbeiten in ihrer Stellung zur Gesamtentwicklung der niederländischen Landschaftsdarstellung eingeordnet, und seiner Zuordnung in Coninxloos Schaffensperioden können wir im großen und ganzen folgen. So soll hier die Landschaft mit Parisurteil, von Nicolas de Bruyn 1600 gestochen (Abb. C 8) und nach H. G. Franz in der Zeit 1590–95 entstanden, uns im Vergleich mit dem Midasurteil vor Augen führen, wie sich Coninxloos Landschaftsauffassung während der Jahre in Frankenthal entwickelt hat.

Hier ist der linke Bildteil unmittelbar nahe; die hohen Bäume füllen mit ihren mächtigen Kronen die gesamte Bildhälfte, während rechts der Blick über einen Weiher mit angrenzenden Häusern einen Berghang hinauf bis zum zackigen Felsgipfel in die Ferne gleitet. Diese beiden unterschiedlichen Bereiche verbindet ein Weg unter Bäumen, der senkrecht in den Bildraum hineinführt. Die Hauptkriterien beim Aufbau dieser Landschaft lassen sich unmittelbar mit dem der Midaslandschaft vergleichen: der Vordergrund ist der Hauptbereich des Bildraums, hier ist der Augenpunkt tief gelegt, und wenn auch die Landschaft insgesamt noch nicht einem einheitlichen Augenpunkt zugeordnet ist, so sind doch die hinteren Partien dichter zusammengerückt und verkürzt. Ein charakteristisches Motiv bei diesem Bemühen, den Bildraum nach hinten zu verkürzen, ist für Coninxloo der Durchblick, wo Einzelmotive wie gerahmt und dabei allerdings isoliert erscheinen (H. G. Franz bezeichnet dies Motiv als „Kartusche").

Wie der Weg von einer solchen aus Kontrasten – nah/fern, geschlossen/offen – zusammengesetzten Landschaft zur geschlossenen, nahgesehenen Waldlandschaft aussieht, ist an der wohl als Studie entstandenen Brüsseler Zeichnung (s. Stuttgart 1980, Kat.Nr. 1) zu beobachten. Bei der Aufteilung des Bildfeldes entfällt der Fernbereich, es bleiben vorn nur die hohen Bäume mit Einblicken und Durchblicken und ein einzelner Baum, wie Coninxloo ihn immer wieder als rahmende Form am Bildrand einsetzt.

Coninxloo hat wohl in Frankenthal im Trend der Zeit weitergearbeitet und konnte so an dem neuen Schauplatz Amsterdam, der gewiß inspirierend gewirkt haben mag, die nahräumige Waldlandschaft von 1598 (in Vaduz, Fürst Liechtensteinsche Gemäldesammlung, ähnliche Darstellungen in Wien und Vaduz) malen.

Diese Waldlandschaft galt lange als das Schöpfungswerk des stimmungshaften, nahgesehenen Waldbildes, bis zuerst Terez Gerszi (in: Oud Holland 90 (1976), S. 201–229) und dann auch Klaus Ertz (Jan Brueghel, Die Gemälde, 1979) auf die Priorität von Jan Brueghel hinwies.

Es kann hier nicht verfolgt werden, wie Jan Brueghel zur Darstellung der Waldland-

Abb. C 9 Hendrik Ghysmans, Waldlandschaft bei einem Fluß. Feder in Braun, braun und blau laviert, 198 x 299 mm. Amsterdam, Riksprentenkabinet, Inv.Nr. 73:105

schaft gekommen ist, doch es gibt keinen Zweifel, daß für Brueghels wie für Coninxloos Entwicklung die Landschaftskompositionen Pieter Bruegels wegweisend waren, wie Terez Gerszi gezeigt hat. Von besonderer Bedeutung, die Frankenthaler Verhältnisse betreffend, ist daran, daß die zahlreichen Landschaftsdarstellungen, für die bisher stets Coninxloo als Vorbild und Frankenthal als Entstehungsort angesehen wurden, zum Teil doch wohl auf Brueghels Vorbild in Antwerpen zurückzuführen sind. Dorthin ist er ja 1596 zurückgekehrt, und dort lebte auch die Malerfamilie Mirou und insbesondere Aernout Mirou, von dem – wie bereits erläutert – ein Teil der signierten Landschaften gemalt sein muß, die bisher insgesamt dem Frankenthaler Anton Mirou zugeschrieben worden sind.

Doch wie sehen nun die in Frankenthal entstandenen Werke aus? Wir kennen ja – abgesehen von Coninxloo – nur von drei Malern, die urkundlich genannt sind, auch sicher eigenhändige Werke. Unter ihnen ist Anton Mirou der Jüngste; gleichzeitig mit ihm lebten Pieter Schoubroeck und Hendrik Ghysmans in Frankenthal.

Sicher wurden Coninxloos Werke – ob Zeichnungen, Gemälde oder Nachstiche – ganz oder teilweise kopiert, und das auch in Frankenthal. Doch solche als Kopien erkennbare Arbeiten sagen nur wenig aus über Stil und künstlerische Fähigkeiten des Kopierenden.

Als Beispiel sei hier die Zeichnung von Hendrik Ghysmans angeführt (deutsche Schreibweise: Heinrich Geismann, lebte vor 1560–1611), die sich in Amsterdam befindet (Rijksprentenkabinet, Inv.Nr. 73:105, 198 x 299 mm; Abb. C 9). Von Ghysmans kennen wir nur eine weitere Zeichnung in Leiden (Prentenkabinet der Rijksuniversiteit, s. Stuttgart 1980, Kat.Nr. J 3), die ihn als routinierten Zeichner in der Nachfolge von Hans Bol ausweist, was nicht verwundert bei einem aus Mecheln stammenden Künstler. In Frankenthal lebte er seit 1586 und hatte hier nach Ausweis der Steuerlisten einen gewissen Erfolg, wofür auch spricht, daß er dort Bürgermeister war.

Die abgebildete Zeichnung ist wohl eine Teilkopie aus einer Landschaft von Coninxloo, die ähnlich ausgesehen haben mag wie der oben besprochene Nachstich. Für das Vorbild typisch sind die ineinandergedrehten Bäume und das Motiv des Durchblicks auf eine Kirche. Daß Ghysmans sich auf den nahen Bereich des Waldes beschränkt und den Ausblick in die Ferne nur angeschnitten wiedergegeben hat, kann ein Hinweis auf die Entstehungszeit der Kopie um 1600 sein. Doch wie schwach und unsicher ist diese Zeichnung im Vergleich zu der Leidener Zeichnung. Die Zeichnungskopien, die Wegner zusammengestellt hat (Oud Holland 82 (1967), S. 203–244) bestätigen diesen Eindruck.

So erweist sich wieder, wie problematisch unser Bild von der „Frankenthaler Malerschule" tatsächlich ist.

Anton Mirou (1578–1620//27) gehört zu den Frankenthalern, die ihre Jugend bereits in der deutschen Umgebung verbracht haben. Er hat dort auch kaum das breite Spektrum und den hohen Standard des künstlerischen Lebens wie in Antwerpen erfahren können.

Über seine Jugend und Lehrzeit wissen wir gar nichts. Wahrscheinlich kam er mit seinem Vater, einem Apotheker, 1586 aus Antwerpen nach Frankenthal, und ob er hier womöglich bei Coninxloo – wie immer vorausgesetzt worden, letztlich aber unwahrscheinlich ist – oder bei Hendrik Ghysmans seine Lehrzeit oder auch nur einen Teil davon verbracht hat, ob er vielleicht auch in einer anderen Stadt bei einem Maler war, ob er Studienreisen unternommen hat, all das ist unbekannt. Wir hören erst seit dem Datum seiner Verheiratung (1602) in Frankenthal von ihm. Sein Schwiegervater, Jasper van Coninxloo, ein „Handelsmann", ist mit dem Maler Gillis zumindest nicht unmittelbar verwandt gewesen, so daß hierin kein Hinweis auf den Lehrer zu sehen ist. Die Erwähnungen in Frankenthaler Urkunden sind so sporadisch, daß nicht auszuschließen ist, Anton Mirou habe gar nicht in Frankenthal selbst gewohnt oder sei zumindest dort nicht ständig ansässig gewesen.

Angesichts der bereits genannten Schwierigkeiten mit den signierten Bildern von Anton Mirou sind wir auf Arbeiten angewiesen, die mit vollem Vornamen bezeichnet sind. Das ist bei Gemälden anscheinend nie der Fall, hingegen gibt es eine Landschaftsserie (s. Kat.Nr. E 57) und mehrere Einzelblätter (s. Kat.Nr. E 56) von Matthäus Merian, wo Anton Mirou mit vollem Namen als Zeichner genannt ist. Solange für Merians Radierungen nicht alle Vorzeichnungen von Anton Mirou zusammengetragen wurden, sind wir auch auf die Radierungen selbst (Abb. 3, Talenge mit Burgen,

Abb. C 10 Anton Mirou, Talenge mit Burg. Radierung von Matthäus Merian, 284 x 176 mm Frankenthal, Erkenbert Museum des Frankenthaler Altertumsvereins

Wüthrich Nr. 583) als Quellen angewiesen, um über den Stil der Landschaften überhaupt und im einzelnen über Details oder charakteristische Darstellungsweisen eine Vorstellung zu bekommen.

Diese Landschaften (Radierungen und verwandte Gemälde) sind ohne phantastische oder dramatische Wirkungen und ohne Großzügigkeit und Weite. Die einzelnen Partien sind nah aneinander gerückt, und nach hinten bildet fast immer ein Gebirgszug den Abschluß.

Schaut man nach vergleichbaren Landschaftsdarstellungen, dann findet sich unter Hans Bols Zeichnungen aus den 1580er Jahren z.T. unmittelbar Verwandtes; es ist der Landschaftstyp: dörfliche Gegenden mit hohen Bäumen; bei Mirou ist die weite Überschau aufgegeben, der Augenpunkt tiefer gelegt. Bei gebirgigen Sujets mögen Coninxloos Nachstiche Anregung geboten haben, doch nur für Details und nicht bei der Gestaltung des Bildraums im Ganzen. In seinen Bildkompositionen hat Anton Mirou den Bildraum mit schichtweise hintereinander gesetzten Raumzonen aufgebaut. Mit mehreren, unterschiedlich weiten und gestaffelten Durchblicken werden Bildraum und zugleich Bildfläche organisiert, die Landschaften wirken daher immer etwas eng und gedrängt. Diese Kompositionen sind trotzdem nicht schlichtweg rückständig, sondern eher konservativ nüchtern, denn ein neuer Zug in der Landschaftsmalerei der Zeit, der Realismus in der Wiedergabe einer bestimmten Gegend, klingt in Anton Mirous Schilderungen an, und auch die Burgruine auf steilem Felskegel (s. Abb. C 10) über einem engen Flußtal scheint eine bestimmte Situation in der Kurpfalz wiederzugeben. Dieser Eindruck steht eher im Gegensatz zu dem, was eigentlich als „Frankenthalisch" gilt, nämlich waldige Landschaften mit unwirklich phantastischen Zügen, auch in der Beleuchtung, oft auch Überschaulandschaften, zusammengesetzt aus verschiedenen Partien, mit weitem Blick bis zum Horizont, ganz allgemein in der Nachfolge von Bril, Brueghel und Coninxloo, doch ohne deren malerische Raffinesse. Wirklich gibt es im Gesamtkomplex der AMIROU signierten Bilder eine Gruppe, deren augenfälligstes Merkmal der Blick in die Weite ist über eine Vordergrundschwelle hinweg oder an einem seitlichen Nahbereich vorbei. Das Bemühen, den Blick zu halten, Bildraum „einzufangen", das für die eine Gruppe (die sicheren Bilder von Anton Mirou) so kennzeichnend ist, gilt in der anderen Gruppe (möglicherweise von Aernout Mirou) kaum. Darüberhinaus hat Anton Mirou wohl auch Anregungen von Pieter Schoubroeck aufgenommen, eine Amazonenschlacht von 1604 (Schloß Ludwigsburg bei Stuttgart, Inv.Nr. 4670) spricht dafür, abgesehen vom Bildthema auch Stil und Farbigkeit der Landschaft. Dies ist nicht das einzige Beispiel, wo Farbigkeit und Malerei Schoubroecks Einfluß zeigen, ohne daß es sich dann jedoch immer um Arbeiten von Anton Mirou handeln muß (z.B. Stuttgart, Staatsgalerie, Inv.Nr. 506).

Die bislang unbekannten, in ihrem Stil unbestimmbaren Frankenthaler mögen Arbeiten der spätmanieristischen Landschaftsauffassung geschaffen haben, doch daß dieser Stil nicht auf Frankenthal beschränkt war, ist u.a. an Bildern des Augsburger Malers Anton Mozart (1573–1625) zu sehen. Die Freien Reichsstädte, besonders Nürnberg und Frankfurt/M. wirkten aus religiösen, politischen und wirtschaftlichen Gründen sehr anziehend auf die Emigranten und die Maler im besonderen. In Nürnberg kam man den niederländischen Künstlern bei der Niederlassung in der Stadt sehr entgegen, und Adam Elsheimer etwa dürfte nicht in Frankenthal, sondern in seiner Heimatstadt Frankfurt selbst Gelegenheit gehabt haben, auch Landschaftsgemälde der Niederländer kennenzulernen.

In den Jahren um 1600 scheint Frankenthal ohnehin seinen Ruf als Anziehungsort für Künstler eingebüßt zu haben. Die Bemühungen von Pieter Schoubroeck, nicht nach Frankenthal ziehen zu müssen, wo das ansehnliche Vermögen seiner Frau festlag, sondern in Nürnberg bleiben zu können, sprechen dafür. Es ist auch nicht auszuschließen, daß der aus Brüssel stammende Kunsthändler Balthasar Caimox, 1581 als Emigrant nach Frankenthal gekommen, als treibende Kraft vor seinem Tod 1588 Coninxloo und auch Ghysmans nach Frankenthal gezogen hatte. Es ist urkundlich belegt, daß er u.a. auch Bilder dieser Maler auf wichtigen Handelsmessen (Leipzig und Frankfurt/M) anbot. Und einiges spricht dafür, daß in dem calvinistischen Fürstentum, wie es die Kurpfalz damals war, das zahlungskräftige und interessierte Publikum im Land selbst fehlte, wo es kaum Möglichkeit für religiöse Malerei gab und überhaupt aus religiösen Gründen der Themenbereich der Malerei eingeschränkt war. Es läßt sich auch kaum rekonstruieren, wie weit der Heidelberger Hof Abnehmer oder Auftraggeber für die in Frankenthal ansässigen Maler gewesen ist, wie etwa Pieter Schoubroeck.

Schoubroeck, in Lambrecht in der Zeit 1570–73 geboren, war nach einer Lehrzeit in Mecheln bei Romment Verbiest, von dem wir Werke nicht kennen, vermutlich 1586 mit seinem Vater in die Pfalz zurückgekehrt. Wo er weitere Jahre zugebracht hat, ist nicht bekannt, ob überhaupt in Frankenthal oder an welchem Ort sonst im weiteren Umkreis. Doch haben die Mechelner Jahre bleibende Wirkung gehabt, denn die miniaturhaft feine Malweise, wie wir sie an ihm kennen und die so anders aussieht als Jan Brueghels feine Malerei, kennzeichnet auch die Malerei der älteren Generation aus dieser Stadt, von Hans Bol und Lucas van Valckenborch etwa. Der Aufenthalt in Rom ist durch eine beschriftete Zeichnung bezeugt und durch eine unpublizierte Äußerung im Nachlaß Ph. Hainhofers. In Rom traf er auf Werke von Paul Bril und Jan Brueghel, deren Wirkung noch lange vorgehalten hat. Insbesondere die Farbigkeit von Brils Fresken, etwa in den Loggien des Lateran, die Gelb-, Rosa- und Grüntöne der Vegeta-

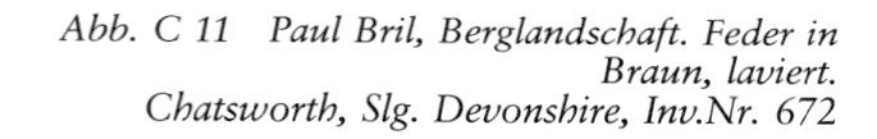
Abb. C 11 Paul Bril, Berglandschaft. Feder in Braun, laviert. Chatsworth, Slg. Devonshire, Inv.Nr. 672

Abb. C 12 Peter Schoubroeck, Landschaft. 53 x 92,5 cm. Unbekannter Privatbesitz. Foto Richard Green, London

tion hat er sich zu eigen gemacht. Zeichnungen von Bril hat Schoubroeck auch kopiert und in einem Fall als Grundlage für eine Landschaftskomposition benützt. Seit 1597 treffen wir Schoubroeck in Nürnberg und am Ende des Jahres 1600 in Frankenthal, wo er bis zu seinem frühen Tod im Sommer des Jahres 1607 ansässig blieb.
In Nürnberg entstanden im Jahr 1597 drei kleine Landschaften, die Schoubroeck noch ganz im Bann der Eindrücke aus Rom zeigen (s. Kat.Nr. C 70): ganz allgemein der Charakter dieser dörflichen Schilderungen, die Typen der Menschen und schließlich topographische Zitate. Für die kleine Landschaft mit Flucht nach Ägypten hat Schoubroeck die Zeichnung von Bril in der Slg. Devonshire in Chatsworth (Inv.Nr. 672; Abb. C 11) als Vorlage gedient. Schoubroeck hat die Umrisse in der linken Hälfte des Blattes ziemlich genau kopiert: das Gebäude, dicht umschlossen von buschigen Bäumen, die Felsen in ihrer gerundeten Stufung und die von links oben einfallenden Lichtstrahlen. Die reiche, weite Gebirgslandschaft mit Ausblick in die Ferne, von Bril mit tiefen Klüften und vielen Schatten und Halbschatten mit Feder und Pinsel gezeichnet, deutete Schoubroeck um zu einem weniger großartigen Eindruck mit eng aneinander gerückten Schauplätzen. Während Bril zwischen seitlichen Eingrenzungen den Blick in die Ferne lenkt, setzt Schoubroeck gerade an diese Stelle im Mittelgrund einen hellen Blickfang.
Noch in Nürnberg hat Schoubroeck sich gelöst von der italienisch gefärbten Dorflandschaft und sich anderen Themen zugewandt, in Landschaften mit eigenem, unverwechselbarem Charakter. Zu sehen ist das an der Johannispredigt von 1599 (in Braunschweig), die nur ferne Anklänge an die Pieter Bruegelsche Darstellung dieses Themas hat und die Kompositionsmerkmale zeigt, die für Schoubroecks Gemälde bis zu den letzten Arbeiten von 1607 wesentlich blieben.
Bis zum oberen Bildrand hin ist das Bildfeld gegliedert, trotzdem ist die Landschaft weiter geworden, weniger nah gesehen und hat einen bühnenartigen Vordergrundbereich für die raffiniert und fein gemalten Figuren, deren Zusammenspiel wie posierend ist, in Szenen, die wie erstarrt wirken.
Im allgemeinen folgt bei Schoubroeck die Gliederung der Landschaft dem Schema: nah/fern, und die Abgrenzung der Bildzonen bleibt wichtig. Wenn einmal ein freier Luftraum über der Landschaft die ganze Breite des Bildfeldes einnimmt, dann wird er mit Wolken, Lichtstrahlen oder Rauchsäulen gegliedert. Man hat bei allen der nicht zahlreich erhaltenen Werke Schoubroecks den Eindruck, die Darstellung des Raumes

aus Zonen und hinter- und nebeneinandergesetzten Ausschnitten sei ein ganz beherrschendes Problem für ihn gewesen. Es ist daher nicht zu verwundern, daß weite Überschaulandschaften ausgesprochen selten sind (Amazonenschlacht, 1603, Dresden). Schoubroecks Landschaften haben keine naturhafte Ausstrahlung. Es sind kostbarkünstliche Welten für Szenen der Biblischen Geschichte, teils traditionelle Themen des 16. Jahrhunderts wie Predigt Johannes des Täufers oder Christi, Sturz Pauli (s. Kat.Nr. C 73) und Turmbau von Babel, oder Themen von neugewonnener Bedeutung wie Begegnung von David und Abigail (s. Kat.Nr. C 72), Taufe des Mohrenkämmerers. Amazonenschlacht und Brand von Troja entstammen dem Themenkreis der antiken Mythologie; (daß es bei der Darstellung des Trojabrandes nicht um schaurige Grausamkeiten ging, wurde gezeigt (s. Kat.Nr. C 71).
Reine Landschaften mit Staffage sind selten. Auf eine 1606 entstandene (Privatbesitz, Kupfer, 53 x 92,5 cm) sei hier besonders hingewiesen (Abb. C 12), da sie wie ein reales Landschaftsbild mit porträthaften Zügen aus der Pfalz wirkt, mit Einzelheiten von typischen Baulichkeiten. Zudem wird in der Gliederung des Raumes das Schema der Bildzonenabfolge zu differenzieren versucht. Es scheint, als deute sich hier ein Weg an, den Raum weniger mit Kontrasten zu verdeutlichen und in kleineren Schritten zu durchmessen.
Schoubroecks Stil ist exklusive Kabinettmalerei, mit der zum Teil speziellen Themenauswahl und -gestaltung kaum für ein breites Publikum bestimmt.
So zeigt die Malerei, die wirklich in Frankenthal entstanden ist, ein durchaus anderes Gesicht, als die hypothetisch gebliebene Frankenthaler Malerschule.

C 69

Weite Tallandschaft

Gillis van Coninxloo (1544–1607)
Antwerpen, um 1580

Öl auf Eichenholz
74,3 x 99,3 cm

Mannheim, Städt. Reiß-Museum,
Inv.Nr. O 402

C 69

Hohe Bäume rahmen auf beiden Seiten das Blickfeld, in dessen Mitte ein Weiher im Bogen ein Anwesen umschließt und dann senkrecht in die Bildtiefe hineinführt in eine kleine Schlucht. Auf ihren beiden Ufern stehen Bäume dicht aufgereiht und bilden mit den Häusern, die sie umgeben, und mit dem Steg über der Schlucht den rückwärtigen Abschluß der vorderen Bildzone (eigentlich den Mittelgrund), in der viele reizvolle Szenen und Landschaftsdetails die Aufmerksamkeit anziehen. Hinter diesem Riegel, der die Landschaft quer durchteilt, geht es weiter mit grünen Wiesen und Wäldern bis zu einer Schattenlinie, hinter der eine Stadt und dann die weite Ferne liegt. Auch die mächtigen Felsmassive auf beiden Seiten, die den Bildraum vor dem Horizont nochmals eingrenzen, sind mit Burg und Schloß, mit Felsbrücke und Wasserfall in vielen Details interessant geschildert.
Die Landschaft ist in Draufsicht dargestellt und von sehr hohem Standpunkt aus als „Überschaulandschaft“ bis zum Horizont hin zu überblicken. Von den Seiten her wird der Raum eingegrenzt mit hohen Bäumen, mit mächtigen Felsbergen. Noch ist die Landschaftsgestalt von Pieter Bruegel d.Ä. wirksam (etwa: Heuernte, Prag, Narodni Galerie). Doch ist der Künstler um Eingrenzung bemüht, um Darstellung von Zwischen-Raum, und nimmt dabei Gewaltsamkeiten und Brüche in Kauf wie den Wechsel von Draufsicht zu seitlicher Ansicht bei den als Riegel den vorderen Bildraum abgrenzenden Bäumen.
Bei der Datierung dieser Tafel wird immer von der großen Landschaft mit dem Urteil des Midas in Dresden ausgegangen, signiert und mit dem Datum 1588 bezeichnet (Franz 1969, Bd. 1, Taf. 25, 120 x 204 cm). Herta Wellensiek nahm 1954 „um 1580“ als Entstehungszeit an, also die Antwerpener Periode in Coninxloos Leben. 1962 meinte sie „aus der Frankenthaler Zeit oder kurz davor“, also unmittelbar der Midas-Landschaft vorausgehend. Franz hingegen sah die Darstellung als fortgeschritten an, im Sinn einer Vereinfachung der Vielteiligkeit in der Dresdner Landschaft, daher während der Frankenthaler Zeit entstanden, jedenfalls nach 1590.
So schwankt die Datierung um 15 Jahre, in einem Zeitraum, der für die Entwicklung der Landschaftsdarstellung und speziell für Coninxloos Entwicklung große Bedeutung hatte. Der nächste Fixpunkt in dieser Entwicklung ist dann erst wieder 1598; das signierte und mit dieser Jahreszahl bezeichnete Bild (Vaduz, Liechtensteinsche Gemäldesammlung, Franz 1969, Abb. 435) ist eine nahgesehene Waldlandschaft, wo der Nahbereich die gesamte Bildhöhe einnimmt und der Hintergrund verstellt ist.
Die Dresdner Tafel ist nicht nur mehr als doppelt so groß wie die Mannheimer, sie ist auch großartiger in ihrer Weite. In ihr kommt eine außerordentliche künstlerische Kraft zum Ausdruck, die verschiedenen Szenen, die Draufsichten mit den Einblicken zu verbinden. Einen Bruch wie in der Mannheimer Landschaft gibt es nicht, obwohl auch hier die Ferne an die hintere Begrenzung des Mittelgrundes angefügt ist. Dabei kommt es auch zu Darstellungen in seitlicher Ansicht, doch organisch eingefügt in die Bewegung der Landschaft, insbesondere durch die an diese Stelle gesetzten hohen Felsmassive. So sollte man für die „Weite Tallandschaft“ einen weniger erfahrenen Künstler annehmen.
Unter den Nachstichen nach Coninxloos Landschaftsdarstellungen ist die „Flußlandschaft mit Isaaks Opferung“, gestochen von Nicolas de Bruyn (Franz 1969, Abb. 420), im Bildaufbau der hier besprochenen Landschaft am ehesten vergleichbar. Hinter diesem Stich steht – vermutlich – ein Gemälde von Coninxloo, dessen Entstehungszeit Franz zu Recht 1570–80 ansetzt. Angesichts der Überschaulandschaften von Gillis Mostaert, Jakob Grimmer und Maerten van Valkenborch ist van Manders Begeisterung über Coninxloos waldreiche Landschaften völlig verständlich. Besonders reizvoll ist in diesem Bild die Farbigkeit im Vordergrund: der Spiegel des Weihers, die zart rötliche Erde auf dem Weg vorn.
Befremdend wirkt dagegen der lichtgraue Himmel mit der lockeren Wolkendecke und der Hintergrund in atmosphärischlichtem Dunst. Er erinnert in seinem jetzigen Zustand an Landschaften des 17. Jahrhunderts, z.B. von Jacob van Ruisdael, und läßt sich nicht recht mit der Farbigkeit etwa der Landschaft von 1588 in Dresden in Einklang bringen, wo der Horizont blaugrün, Himmel und Wolken gelblich und zartblau sind, in der für diese Zeit typischen „gewittrigen Stimmung“.

Carel van Mander, Het Leven ... Amsterdam 1604; Plietzsch 1910, S. 48; Hertha Wellensiek, Gillis van Coninxloo, Diss. Bonn (masch.) 1954, Kat.Nr. 15a u. S. 100; Mannheim 1962, S. 10 u. Nr. 2, Abb. 2 u. 3; Ausgewählte Werke im Reißmuseum, Mannheim 1966 (Best.Kat. S. 21), Farbtaf. S. 6; Franz 1969, Abb. 430, S. 273–74, S. 283; Roelant Savery in seiner Zeit, Wallraf-Richartz-Museum, Köln 1985 (Ausst.Kat.) Nr. 79 m. Abb. *M.Kr.*

C 70

Bergige Landschaft mit Flucht nach Ägypten

Pieter Schoubroeck (Peter Schaubruck) (1570/73–1607)
Nürnberg, 1597

Öl auf Kupfer
23,4 x 34 cm. Am unteren Bildrand signiert: P SCHAVBRVCK 97

Mannheim, Städtisches Reiß-Museum, Inv.Nr. RMM 1970/8 LBW

Vermutlich unmittelbar nach der Rückkehr aus Italien in Nürnberg entstanden,

C 70

wo Schoubroeck 1597 bis 1600 nachzuweisen ist.
Wir haben eine kleine, dicht gefüllte Landschaft vor uns, wo von der linken oberen Bildecke bis zur rechten unteren ein Berghang in Terrassen zu einem Flußlauf absteigt, am Berghang des jenseitigen Ufers antike Ruinen und eine Stadt. Ein hoher Gebirgskamm schließt die Landschaft nach hinten ab. In jedem Absatz des Berghangs schaut ein Haus zwischen buschigen Bäumen hervor; es führen Wege um die Felsvorsprünge, wo Reiter und Wanderer eilen und auch die Heilige Familie zu erkennen ist.
Es sind nicht nur die vielfältigen Szenen und Details, die das Bild füllen, auch die Komposition, von Diagonalen bestimmt und dazu mit betonter Bildmitte, trägt zu diesem Eindruck bei.
In diesem Frühwerk hat Schoubroeck verschiedene Erinnerungen aus Italien verarbeitet. Das betrifft Details wie die Darstellung antiker Ruinen, in denen man den Vestatempel von Tivoli erkennt, und es betrifft die gesamte Komposition. Hierfür hat sich Schoubroeck unmittelbar an die linke Hälfte einer Zeichnung von Paul Bril gehalten (Coll. Devonshire, Chatsworth, Nr. 672, 199 x 276 mm, Feder in Braun, laviert), die ein felsiges Gebirgstal mit einem Bach und einer Kapelle links über einem Felsen zeigt. Schoubroeck hat allerdings den Charakter seines Vorbilds völlig verändert. Brils weiträumige, in Aufsicht gezeigte und auf großartige Wirkung zielende Darstellung reduzierte Schoubroeck, indem er nur den Umrissen folgte: eine Abfolge kulissenhafter, kleiner aneinandergeschobener Schauplätze. Dabei ging an Wirkung verloren, was dem Maler einer jüngeren Generation unwichtig schien, und der Raum wird nach hinten verstellt, nicht mit einer großen, mächtigen Form, sondern in kleinen Etappen.
So ist dieses Bildchen ein typisches Frühwerk: einerseits ist der Einfluß des Älteren als Vorbild noch mächtig, auch in der Art der Baumdarstellung und wie ein Haus in das Laub des danebenstehenden Baumes eingeschmiegt ist, andererseits sind die Merkmale des persönlichen Stils unverkennbar: die feine, sorgfältige Malweise mit besonderen Lichteffekten und das Bemühen, Raumdarstellung und Organisation der Bildfläche miteinander zu verbinden.

F. Swoboda, Kunst u. Handwerk, Neuerwerbungen 1964–1973, Mannheim 1974 (Bildhefte d. Städt. Reißmuseums Mannheim Nr. 1), Nr. 1 u. Farbtaf. 1; Krämer 1975, Kat.Nr. 9 *M.Kr.*

C 71

Brand von Troja mit der Flucht des Aeneas

Pieter Schoubroeck (Peter Schaubruck) (1570/73–1607)
Frankenthal, 1606

Öl auf Kupfer

27 x 42 cm. Am unteren Bildrand signiert PE SCHAVBRVCK 1606

Wien, Kunsthistorisches Museum, Inv.Nr. 626

Aus der Sammlung des Erzherzogs Leopold Wilhelm (1614–1662) und mit dieser 1659 aus Brüssel nach Wien überführt.
In der Bildmitte sieht man Aeneas seinen Vater Anchises tragen, der mit pathetischer Geste Abschied von der brennenden Stadt nimmt, inmitten der fliehenden, z.T. von den Siegern aufgehaltenen Trojaner und Trojanerinnen. Am anderen Ufer, hinter dem Fluß erhebt sich die

C 71

brennende Stadt, von zwei großen Feuerbogen überfangen.
Schoubroeck hat das Thema des nächtlichen Stadtbrandes mehrfach dargestellt; sechs Versionen sind zur Zeit bekannt. Es hatte für die Zeit um 1600 einen starken Reiz, wie an den vielen Wiederholungen und Varianten deutlich wird, auch z.B. im Werk von Jan Brueghel. Er allerdings hat den Brand von Troja nur einmal gemalt, um 1595, noch in Rom, und Schoubroeck hat das Bild dort auch gesehen, denn seine früheste Version (Braunschweig, Brand von Rom) nimmt Bezug auf dieses Bild.
Für Schoubroecks Darstellungen des nächtlichen Stadtbrandes sind die großen Bogen, die wie Tore über den brennenden Häusern stehen, ein Motiv zur Gliederung von Bildfeld und -raum, das er immer wieder einsetzt. In dem hier vorgestellten Trojabrand verzichtet er auf eine hochgetürmte Burgdarstellung wie im Kasseler Bild aus dem gleichen Jahr und läßt eine horizontale Schattenlinie das Bildfeld fast in ganzer Breite überspannen. So nimmt die brennende Stadt wie eine Erscheinung die obere Bildhäfte ein. Hinten und vorn im Bildraum, d.h. die obere und untere Bildhälfte, sind verbunden in der Gestalt von Aeneas mit Anchises.
Für seine Darstellungen des Stadtbrandes hatte Schoubroeck Sammler, die anspruchsvolle Kenner waren: Kaiser Rudolf II. besaß eine Version, die Wiener Tafel kommt aus Habsburger Besitz, und in Kassel und Braunschweig waren es fürstliche Sammler, die zu einer Landschaft von Schoubroeck auch einen Trojabrand erwarben. Einen Anreiz boten natürlich die aufwendige, kostbar wirkende Malerei mit zarten Details und preziösen Farbwirkungen. Bemerkenswert ist noch, daß nicht der Kampf mit grausamen Szenen und Toten in diesen Trojadarstellungen eine Rolle spielt, bei Schoubroeck sowenig wie bei Jan Brueghel und Elsheimer. In erster Linie wird die Flucht aus der nächtlich brennenden Stadt gezeigt. In Schoubroecks Darstellungen kommt hinzu, daß er wohl auf voyeuristische Interessen seiner Sammler spekulierte.
Aeneas, der seinen alten Vater auf den Schultern aus der brennenden Stadt rettete, galt in der Emblematik des 16. und 17. Jahrhunderts als Beispiel der Pietas, der Frömmigkeit und Sohnestreue. Darauf wird in dieser Fassung des Trojabrandes angespielt, in der Aeneas so betont herausgestellt ist.
Für sein humanistisch gebildetes anspruchsvolles Sammlerpublikum hat Schoubroeck nicht nur das nächtliche Schauspiel gemalt, sondern auch andere Szenen der antiken Mythologie, wovon freilich zur Zeit außer einer Amazonenschlacht nichts bekannt ist. Doch wird von dem Nürnberger Patrizier Paul von Praun berichtet, er habe vier Gemälde von Schoubroeck mit verschiedenen Themen aus der griechischen Sage besessen.

Wien, Kunsthistorisches Museum, Verzeichnis der Gemälde, Wien 1973, S. 159 u. Taf. 76 (mit Hinweis auf die älteren Galerienverzeichnisse); Plietzsch 1910, S. 94, Nr. 13; Barock in Nürnberg 1600–1750, Germanisches Nationalmuseum Nürnberg 1962 (Ausst.kat.) S. 45 Nr. A 38; Krämer 1975, Kat.Nr. 14 *M.Kr.*

C 72

Gebirgslandschaft mit der Begegnung von David und Abigail

Pieter Schoubroeck (Peter Schaubruck) (1570/73–1607)
Frankenthal, um 1606/07

Öl auf Kupfer
33,3 x 59,1 cm

St. Gallen, Kunstmuseum, Inv.Nr. 5562

Wir sehen eine großartige, von hohen Bäumen bestimmte Landschaft, in der ein flacher Gebirgsfluß von rechts kommend den Vordergrund fast in ganzer Breite einnimmt. Über seinem rückwärtigen Ufer, wo eine Wand steil aufsteigt, trifft Abigail mit ihrem Gefolge von Frauen

und Lasteseln auf David und seine Krieger.
Dargestellt ist eine Szene aus der Geschichte Davids, bevor er König wurde (1. Buch Samuel, XXV). Er zog als Heerführer in Palästina umher auf der Flucht vor Saul. Als er den reichen Herdenbesitzer Nabal, dessen Leute und Herden er geschützt hatte, um Proviant bat und abgewiesen wurde, wollte er sich rächen. Aber Abigail, Nabals Frau, kam ihm zuvor: sie versorgte ihn und seine Leute mit Nahrungsmitteln und besänftigte ihn. Dieses Thema gehört zu den wichtigen alttestamentarischen Themen, die in der spätmanieristischen und frühbarocken Malerei des calvinistischen Holland immer wieder dargestellt wurden. Auch Schoubroeck, als Calvinist in einem calvinistischen Reichsfürstentum – der Kurpfalz – lebend, hat es mehrfach aufgegriffen.
Es ist der gerechte Krieger, den hier mit seinen edlen, von Schoubroeck in schönen, zart leuchtenden Farben und eleganten Posen dargestellten Gefolgsleuten die diplomatisch kluge Abigail empfängt.
So schön und sorgfältig in den zarten Details und der strahlenden Farbigkeit die Malerei hier ist, so geschickt ist in der Komposition die Darstellung des Raumes durch Schichtung der Bildgründe überspielt und sind beide Bildhälften, Nahraum und Ausblick in die Ferne, mit dem wellenförmigen Auf und Ab von Brücke und Weg verbunden.
Diese Tafel ist nicht signiert, sie wurde 1880 erworben als Werk von David Vinckboons. Identifiziert als Werk von Schoubroeck haben sie R. Hanhart und St. Gudlaugsson. Das Bild dürfte im Zeitraum 1606–07 gemalt worden sein, in der letzten Lebenszeit von Schoubroeck; es gehört zu einer Gruppe von acht bedeutenden Landschaften, die uns eine Vorstellung vom Können und der Bedeutung dieses so jung gestorbenen Künstlers geben.

R. Hanhart, Museumsbrief St. Gallen Nr. 16, März 1966, S. 3–5 m. Abb.; M. Krämer 1975, Kat.Nr. 12
M.Kr.

C 72

C 73

Landschaft mit einem Felsentor und dem Sturz Pauli

Pieter Schoubroeck (Peter Schaubruck) (1570/73–1607)
Frankenthal, 1607

Öl, auf Kupfer
41 x 65 cm. Am unteren Bildrand signiert PE SCHAVBRVCK

Speyer, Historisches Museum der Pfalz, Inv.Nr. BS 3084 - 1927/70

Ein großes Felsentor erhebt sich im Mittelgrund der linken Bildhälfte und teilt die Landschaft in zwei hintereinanderliegende Raumschichten, die farblich stark voneinander abgesetzt sind. Die hintere Zone ist wiederum unterteilt in einen näheren Bereich, in den man durch das Tor schaut, und die unbestimmte Ferne in der rechten Bildhälfte, die als Ausblick an den Vordergrund angeschoben ist.
Durch das Tor sieht man – wie in einem Rahmen – den Sturz des Saulus, des Christenverfolgers, der durch dieses Ereignis zum Paulus bekehrt wird, denn am Himmel steht die Gestalt Christi, von der die strahlende Helligkeit ausgeht, die Saulus blendet und die ganze Szene weißlich schimmern läßt. Auch den Bäumen auf dem Felsen nimmt sie ihre eigene, grüne Farbigkeit.
Die Bildgründe sind dicht aneinandergerückt, und wie auch in anderen Ereignislandschaften (s. Kat.Nr. C 71, C 72) sind Szenerie und Landschaft miteinander verquickt und steigern zusammen den Ausdruck.
Den Blick durch ein Felsentor hatte Schoubroeck schon 1604 in der kleinen Münchner Landschaft (Bayerische Staatsgemäldesammlungen, München, Inv.Nr. 2747) dargestellt, doch erst in dieser, zu seinen letzten Arbeiten gehörenden Komposition kommt das Motiv wirkungsvoll zur Geltung.

Katalog der Staatsgemäldesammlung in Speyer (1927). Best.kat. S. 76 HM 37; Mannheim 1962, S. 23 Nr. 19 u. Abb. 13; Krämer 1975, Kat.Nr. 13
M.Kr.

C 74

Blick auf ein Dorf im Tal

Antonie Mirou (1578 – vor 1627)
Frankenthal, 1608

Öl, auf Kupfer
33 x 50,5 cm. Signiert am unteren Bildrand A MIROU F 1608

Amsterdam, Rijksmuseum, Inv.Nr. A 755

Niedrige buschige Bäume teilen das Bildfeld in zwei verschiedene Aussichten. Auf

C 74

C 73

der linken Seite der weite helle Ausblick auf ein Dorf, hinter dem das Gelände ansteigt zu einem steilen, mit einer Burg bekrönten Felsen. In der Ferne dehnt sich eine Ebene mit Flußlauf. Rechts dagegen versperren knorrige Bäume den Raum, so daß nur ein kleiner hellbeschienener Schauplatz mit Reitern und Fußgängern bleibt.
Hauptmerkmal dieser Komposition ist Aufsplitterung: wie eine Barriere teilt der baumbestandene Wall den Bildraum. Aus dem Gegeneinander von hellen und dunklen Streifen wird der Raum gestaffelt, dabei wechseln Draufsicht und seitliche Ansicht. Es ging dem Maler um Darstellung einer interessanten Landschaft, nicht um Naturstimmung oder Realität.
Plietzsch, 1910, teilte das bis 1614 entstandene Œuvre von Anton Mirou in „Freie Landschaften“ und „Waldlandschaften“ und zählte das Amsterdamer Bild zur ersten Gruppe. Soweit das Werk heute überschaubar ist, handelt es sich bei dieser Landschaft um einen für diesen Künstler frühen Versuch, die Dorflandschaft zum eigentlichen Bildthema zu machen: das Dorf ist hier Blickfang im Mittelgrund. Ein Jahr später (1609) setzen die freien, datierten Zeichnungsaufnahmen in der Landschaft bei Schwalbach ein, und schon auf dem hier betrachteten Bild gleichen Häuser und Kirche im Typ denen in späteren Zeichnungen.

Plietzsch 1910, S. 107 Nr. 2 *M.Kr.*

C 75

C 75

Dorf an einem Flüßchen

Antonie Mirou (1578 – vor 1627)
Frankenthal, 1612

Öl, auf Kupfer
29 x 52 cm. Am unteren Bildrand signiert A MIROU F 1612

Schloß Pommersfelden, Sammlung Graf von Schönborn

Zu beiden Seiten eines in sich gedrehten Baumpaares schaut man in Gassen und auf einen Fluß, an dessen Ufern sich ein Städtchen hinzieht. Hier herrscht reges Treiben von Mensch und Tier, zu Fuß, mit Fuhrwerken und auf dem Fluß mit Kähnen.
Das schlanke Baumpaar teilt die Ansicht in einen schmalen Bereich, wo das Gelände ansteigt und Häuser dicht nebeneinander stehen, und in einen weiten, wo der Blick den Flußlauf entlang bis zur Kirche, zu dem Berg hinter dem Dorf schweifen kann. Das Auf und Ab des Geländes gibt die Möglichkeit, separate Szenen zu schildern, und läßt die Trennung der Bildzonen nicht allzu unvermittelt erscheinen. Nur im rechten Bildteil schimmert der Hintergrund durch schlitzartige Durchblicke zwischen Häusern, Zäunen und Bäumen hervor, auf der linken Seite wirkt die Abgrenzung des Mittelgrundes mit dem Ufer der Flußbiegung und Sträuchern im Wasser unauffälliger.
Hinsichtlich der Landschaftsdarstellung steht die Pommersfeldener Dorfansicht den von Merian radierten Landschaftsdarstellungen Anton Mirous sehr nahe (Wüthrich Nr. 583–588). Auch Details stimmen überein; so ist der bewegte Umriß der Bäume im Vordergrund ebenso in „Talenge mit Burgen" (Wüthrich 583) zu finden. Allgemein typisch ist das hügelige Gelände mit verschiedenen kleinen Szenen sowie der rückwärtige Abschluß mit einem Bergrücken. Hier wie dort herrscht eine gedrängte Enge, angefüllt mit liebenswert-nüchternen Schilderungen des Alltags. Der Amsterdamer Landschaft von 1608 fehlt (noch?) diese in sich stimmige Nüchternheit.
Der hier betrachteten Landschaft nahestehend ist eine „Landschaft mit großen Bäumen", 1928 bei Lepke, mit Motiven, die in Merians Schwalbacher Reise erscheinen (Blatt 12: Häuser im Hintergrund, seitenverkehrt zum Stich), und die „Dorfansicht mit Bettlern" in Kopenhagen (Statensmuseum Inv.Nr. 222). Ein Einfluß Coninxloos, wie er für Anton Mirou immer angenommen wurde, beruht allenfalls auf der Wirkung der Stiche, die sich in Details wie schlangenhaft aufwachsenden Bäumen oder dem Interesse an Durchblicken auf rückwärtige Bildpartien zeigt.

Plietzsch 1910, S. 110 Nr. 12 (irrig „1602") *M.Kr.*

C 76

Ansicht von Schloß Minnenberg

Unbekannter deutscher Maler
Pfalz, vor 1622

Öl, auf Holz
32 x 78 cm

München, Bayerische Staatsgemäldesammlungen, Inv.Nr. 2646

Über dem Neckar im Vordergrund erhebt sich als rundlicher Buckel der Berg, auf dem das Schloß Minnenberg (Minneburg bei Neckargerach) steht mit einfachen Gebäuden und von einer Mauer umgeben. Rechts und links weitere Bergrücken.
Aus einer Serie von Ansichten aus der ehemaligen Kurpfalz, z.T. den Ansichten von Merians „Topographia Palatinatus Rhenani" außerordentlich nahe, doch nicht übereinstimmend; ebensowenig stimmt die Auswahl der dargestellten Orte völlig überein.
Das Inventar Schleißheim 1771 spricht von 28 Ansichten „einiger in der Unteren Pfalz, im Rheingau am Hundsrück und in der Berg Straße entlegenen Städten, Klöstern und Schlössern" aus dem Jahr 1604. Der oder die Maler wurden nicht genannt. Walther Gräff (1922) hielt entgegen der alten Zuschreibung an Philipp Helderhof diese Bilder für Arbeiten von Anton Mirou, wegen ihrer Nähe zu Merian. Diese Zuschreibung ließ sich jedoch nicht aufrechterhalten.

Der Großteil der Ansichten ist in zarten, kühlen Farben gehalten. Davon unterscheiden sich einige durch Malweise und warme Farbigkeit. Auf diese dürfte sich die Nachricht beziehen, Ph. Helderhof, 1786 als Schloßdiener in Schleißheim angestellt für „Anstrich- so andere kleine Mallerarbeiten", habe auch Kopien angefertigt. Die meisten dieser Ansichten dürften jedoch in der Zeit bis 1630 entstanden sein.
Die ganze Serie ist als Raumschmuck, als Teil einer Vertäfelung oder als Sopraporten denkbar.
Die Ansicht von Schloß Minneburg muß vor 1622 aufgenommen sein, da der Ort in diesem Jahr von Tilly zerstört wurde und seitdem anders aussieht (Auskunft Dr. Herminghaus).

Mannheim 1962, S. 25 Nr. 33–36 (als Anton Mirou), dort ältere Lit. *M.Kr.*

C 76

C 77

C 77

Ansicht von Kellerei Wingarten

Unbekannter deutscher Maler
Pfalz, 1. Drittel 17. Jh.

Öl, auf Holz
32 x 78 cm

München, Bayerische Staatsgemäldesammlungen, Inv.Nr. 2636

Von der Anhöhe über einen Weinberg hinweg sieht man auf den Ort Weingarten (bei Bretten). Rechts ein kahler Höhenrücken, hinten die Ebene.
Gehört zu derselben Serie von Örtlichkeiten in der Kurpfalz wie die Ansicht von Minneburg (s. Kat.Nr. C 76). *M.Kr.*

Glasmalerei

Dietrich Rentsch

Das Zeitalter von Renaissance und Reformation brachte auch für die Glasmalerei tiefgehende Veränderungen. Die alte Aufgabe, sakrale Räume mit überirdisch-farbigem Licht zu erfüllen und den Gläubigen die Lehren der Kirche, das Evangelium und die Legenden der Heiligen vor Augen zu führen, war mit der Reformation zu Ende gegangen. Zuvor war es in Straßburg und Freiburg unter dem Einfluß Hans Baldung Griens noch zu einer späten Blüte monumentaler Glasmalerei gekommen. Nur in Frankreich und den katholisch gebliebenen Ländern am Niederrhein entstanden später noch monumentale Glasgemäldefolgen. Im benachbarten Lothringen schuf Valentin Busch, geschult in der Werkstatt des Straßburger Glasmalers Peter Hemmel von Andlau (1420/25 – nach 1501) zwischen 1520 und 1527 in der Kathedrale von Metz Bildfenster mit Heiligen in Renaissancearchitektur (Abb. D 1). Im deutschen Südwesten – nach der „Reinigung" christlicher „Tempel" von „Götzenbildern" aller Art – waren Stiftungen monumentaler Fenster im alten Sinne undenkbar geworden. Im profanen Bereich dagegen erwuchsen der Glasmalerei neue Aufgaben durch die in Handwerk und Handel vermögend und selbstbewußt gewordenen bürgerlichen Gemeinwesen.
In Ratssälen und Zunftstuben, aber auch in Bürgerhäusern vermögender Handwerksmeister und Kaufleute, in Schützen- und Wirtshäusern schmückte man die Fensterreihen mit Serien sogenannter Kabinettscheiben. Dabei wurde es üblich, durch gegenseitige Schenkungen von Wappenscheiben zu demonstrieren, wie weit die Verbindungen reichten, mit welchen angesehenen auswärtigen Fürsten, Städten, Klöstern freundschaftliche Beziehungen oder politische Bündnisse bestanden (vgl. Hermann Meyer, Die Schweizerische Sitte der Fenster- und Wappenschenkung vom XV. bis XVII. Jahrhundert, Frauenfeld 1884). Diese Sitte betrieben die Orte der Schweizer Eidgenossen mit besonderer Leidenschaft, nachdem sie ihre Unabhängigkeit gegenüber habsburgischem Herrschaftsanspruch selbstbewußt und erfolgreich verteidigt hatten. Mit den Städten des benachbarten Reichsgebiets blieben sie jedoch auf vielfältige Weise verbunden. So wurde Rottweil 1519 sogar als „zugewandter" Ort für „ewige Zeiten" in die Eidgenossenschaft aufgenommen (vgl. Kat.Nr. D 56). Auch in den Städten am Oberrhein und in Schwaben galt der Brauch gegenseitiger Fensterschenkungen.
Da Glasgemälde durch Krieg und andere Unglücksfälle besonders gefährdet sind, haben sich nur selten noch zusammengehörige Reihen von Kabinettscheiben am ursprünglichen Standort erhalten. Beispiele sind die Ratssäle in Endingen am Kaiserstuhl (Kat.Nr. D 26, 27), in Pfullendorf (Kat.Nr. D 20–22), Stein am Rhein (Kat.Nr. D 18, 33) oder in Rheinfelden. Am Ort, für den sie ursprünglich vorgesehen waren, und in der zugehörigen Umgebung von Stadt- und Bürgerhäusern, Landschaft und Adelssitzen, entfaltet sich ihre Farbenschönheit, der Kontrast zur lichtzerstreuenden Fläche der Butzenverglasung und zu den holzgetäfelten Wänden, und hier wird auch ihre Funktion als Dokument von Herrschafts-, Bündnis- und Amtsverhältnissen der Gemeinden unmittelbar verständlich. In die Sitte der gegenseitigen Fensterschenkungen waren auch die Klöster mit einbezogen. Besonders eindrucksvoll sind die Kreuzgangverglasungen der Klöster Muri (vgl. Kat.Nr. D 37–39; Abb. D 7) und Wettingen im Aargau.
Zum Begriff der Kabinettscheiben gehört ihr Format, das die Maße einer auf einem Foliobogen „gerissenen" Werkzeichnung selten übersteigt, die thematisch und formal in sich geschlossene Komposition, die Unabhängigkeit von Form und Größe der Fensteröffnung durch Einbettung in eine neutrale Butzen- oder Rautenverglasung, ihr Charakter als Stiftung einer Persönlichkeit oder einer Institution durch die Betonung des Stifterwappens und die Stifterinschrift. Technische Besonderheiten der Glasmalerei entstanden in Wechselwirkung mit der allgemeinen Stilentwicklung der Malerei. Man suchte die stark konturierenden, flächenbezogenen Bleistege zu verringern, um Körpervolumen, räumliche Tiefe, Licht und Schatten ungebundener darstellen zu können. Das gelang durch vermehrte Anwendung von Schmelzfarben, durch raffinierte Differenzierung der alten Techniken wie lasierenden Lotauftrag, Anwendung von Silbergelb, Eisenrot und Ausschliff verschiedenfarbig überfangener Gläser.
Alle diese zum Wesen der Kabinettglasmalerei gehörigen Elemente haben ihre Wurzeln in der spätgotischen und mittelalterlichen Glasmalerei: kleinformatige, in sich geschlossene Kompositionen und in Grisaille bemalte „monolithe" Einzelscheiben sind seit dem 14. Jahrhundert bekannt. Im deutschen Südwesten wie in Nürnberg sind seit dem letzten Viertel des 15. Jahrhunderts runde oder paßförmige Scheiben mit Jagd- und Minneszenen und Engeln oder „Wilden Leuten" als Wappenhaltern entstanden. Bei-

Abb. D 2 Rundscheibe mit Wappen und drei Engeln/Badisches Landesmuseum Karlsruhe/ Oberdeutsch um 1470/80

Abb. D 3 Rundscheibe mit Wappen des Abtes Hieronymus Hulzing aus dem Kloster Alpirsbach, Württembergisches Landesmuseum Stuttgart. 1482

spiele sind die abgebildeten Scheiben des Badischen und des Württembergischen Landesmuseums (Abb. 2, 3). Gleichzeitig entwickelte sich ein Scheibentypus, der, neben der Rundscheibe, Ausgangspunkt für die Gestaltung der Kabinettscheibe wurde: die hochrechteckige Scheibe mit einem Architektur- oder Astwerkbogen, unter dem vor einer Landschaft oder in einem Ornamentgrund das Stifterwappen von Schweizer Reisläufern, deutschen Landsknechten (vgl. zur Unterscheidung Bächtiger 1975), Lagerdirnen oder Wappentieren präsentiert wird. Die Vorlagen lieferte die zeitgenössische Grafik (Schongauer, Meister E.S. und der Hausbuchmeister). Auf diese Quellen gehen Scheiben wie beispielsweise die mit dem hl. Wendelin (Kat.Nr. D 16) und die mit dem Paar mit nackter Frau als Schildhalter und „Wilden Leuten" im Oberbild (Kat.Nr. D 15) zurück.

Die Einbettung der Kabinettscheiben in neutralen Butzen- oder Rautengrund ist mit nur teilweise farbig verglasten Fenstern zu vergleichen, wie zum Beispiel den bereits aus hochgotischer Zeit stammenden Obergadenfenstern des Kölner Domchors (Abb. 4). Näher liegt die Beziehung zu den Bildfenstern in den Chorkapellen des Freiburger Münsters (Abb. 5), die Hans Gitschmann von Ropstein nach Entwürfen Hans Baldung Griens geschaffen hat. Nach gleichem Muster entstanden auch die Verglasungen in Elzach und Bleibach (vgl. Kat.Nr. D 1/2 und D 8).

Trotz ihrer Lösung von der Architektur sind die Kabinettscheiben selten isolierte Einzelscheiben gewesen, sondern waren Teil einer Serie von Scheibenstiftungen, und als solche waren sie an den Standort im Rathaus, im Schützenhaus oder in der Zunftstube gebunden.

Wie das beschränkte Format, die in sich geschlossene Komposition und die Einbettung der Scheibe in neutralen Grund, geht auch der Brauch von Fensterstiftungen auf alte Gepflogenheiten zurück. Von jeher stifteten Adel, Geistlichkeit und Zünfte Bildfenster, denen sie, meist in den Basisfeldern, ihr Wappen zufügten (Abb. 4). Anlaß waren neben der Sorge um das Seelenheil auch die Demonstration von Macht, Ansehen oder Anspruch. Außer dem Wappen erschien schließlich der Stifter selbst, zunächst im kleineren Maßstab zu Füßen seines Schutzheiligen, wie die Gräfin Arco zu Füßen der Muttergottes in Elzach (Kat.Nr. D 8), oder weniger zurückhaltend ihm in gleicher Größe zugeordnet, wie Propst Merklin dem hl. Petrus in Bleibach (Kat.Nr. D 1/2). Diese selbstbewußte Zuordnung von Stifter und Schutzheiligen war schon in spätgotischer Zeit ausgeprägt, beispielsweise in den Fenstern der Wallfahrtskirche in Lautenbach, die ihre Entstehung der Ortenauer Ritterschaft verdankt (Abb. 6).

Auch auf die Grundlagen einiger in der Kabinettglasmalerei angewandter Techniken sei noch näher eingegangen. Die sogenannte Schwarzlotbemalung beschränkte sich schon im Mittelalter nicht auf den linearen Eintrag der Binnenzeichnung innerhalb der durch Bleiruten vorgegebenen Außenkonturen. Seit frühester Zeit wurde durch halb deckende lasierende Überzüge auf Vorder- und Rückseite der Gläser schattiert und der Farbcharakter modifiziert, Schatten wurden wie in der zeitgenössischen Grafik durch verschiedenartige Schraffuren angelegt, Aufhellungen und Glanzlichter konnte man durch Herausreiben aus mehr oder weniger deckenden Lotüberzügen erreichen. Weitere Differenzierungen konnten durch verschieden getöntes, lasierend aufgetragenes „Schwarzlot" von Schwarzgrau bis zu Braun-Rot erreicht werden. (Im Katalog kann diese differenzierte Technik nur pauschal mit „Schwarzlot" bezeichnet werden.) Silbergelb war bereits um 1300 in Gebrauch (Haare, Nimben, Ornamente). Es lieferte nicht nur die verschiedensten Gelbtöne, sondern auf blauem Glas auch grüne Bäume und Landschaften. Die Überfangtechnik, mit der zweischichtiges Glas hergestellt wird, war schon im Mittelalter Voraussetzung, um rotfarbiges Glas zu erhalten, weil die rotfärbenden Metalloxyde dem Glas jede Transparenz nehmen, wenn es nicht als dünner Überzug auf farblosem Glas erscheint. Das Ausschleifen des roten Überfanges wird seit dem Ende des 15. Jahrhunderts angewandt, um weiße Ornamente oder Embleme in rotem Grund zu erhalten.

Email- oder Schmelzfarben, die dem farblosen Trägerglas aufgeschmolzen werden, kommen seit Mitte des 16. Jahrhunderts steigend zur Anwendung. Hervorragendes Beispiel in der Ausstellung ist die um 1629 entstandene „Verkündigung an Maria" von Lorenz Lingg aus Straßburg (Kat.Nr. D 54).

Die Durchführung dieser Techniken blieb in der Hand von Glasmalern. Auf den künstlerischen Entwurf jedoch hatte seit spätgotischer Zeit die Tafelmalerei mehr und mehr Einfluß gewonnen, so daß es schließlich zur Trennung von entwerfendem Künstler und

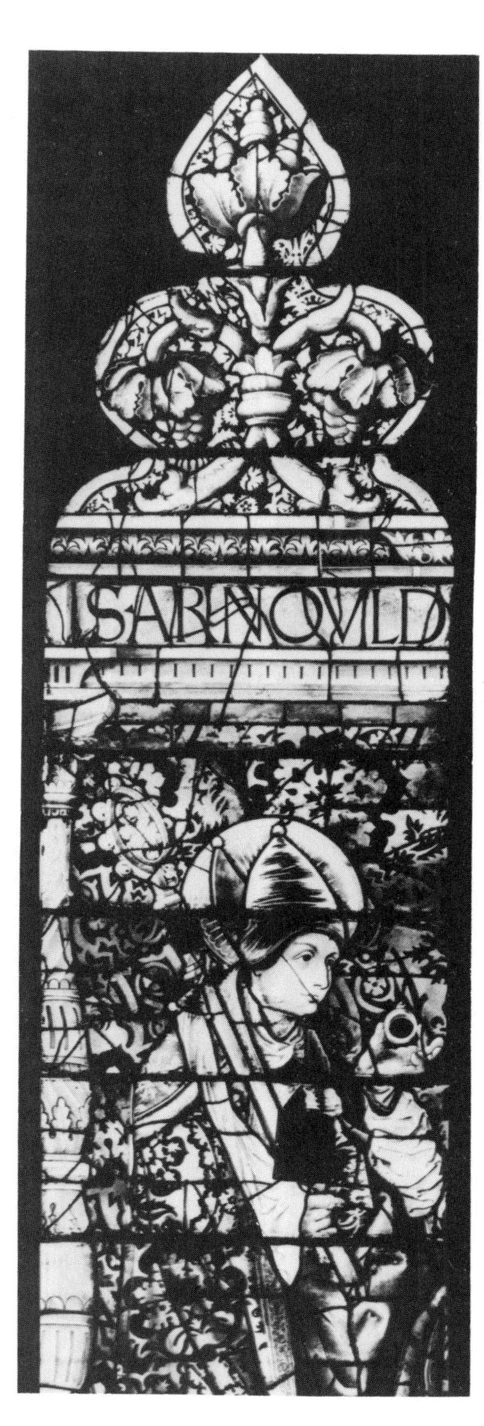

Abb. D 1 St. Arnould und St. Felix. Ausschnitte aus dem großen Fenster im südlichen Querhaus der Kathedrale in Metz. Valentin Busch, 1525

ausführendem Handwerker kam. Entwürfe für Glasgemälde, „Scheibenrisse" oder „Visierungen" genannt, lieferten die meisten bedeutenden Maler und Grafiker der Renaissance, wie etwa Dürer, Hans Baldung Grien und Hans Holbein d. J. (vgl. Elisabeth Landolt, Von Scheibenrissen, Kabinettscheiben und ihren Auftraggebern, in: Basel 1984, S. 392ff.). Diese Scheibenrisse, mehr oder weniger genau ausgeführte Ideenskizzen, oft nur halbseitig gezeichnete Alternativentwürfe, ließen sich nicht ohne weiteres auf Glas übertragen. Sie dienten als Grundlage für die Werkzeichnung in Originalgröße, den „Karton", den der Glasmaler auszuführen hatte. Dabei waren die Farben und der Verlauf der notwendigen Bleiruten festzulegen, auch mußten Details des Risses im Hinblick auf die glastechnische Durchführbarkeit verändert werden. Die nach dem Karton zugeschnittenen Gläser erhielten ihre Bemalung mit Schwarzlot und färbenden Malmitteln. In der Bemalung, die nach ihrer Vollendung eingebrannt wurde, äußert sich der persönliche Stil des Glasmalers oder sein künstlerisches Einfühlungsvermögen in den vorgegebenen Entwurf.

Abb. D 4 Königsfenster aus dem Chorobergaden des Kölner Doms. Zwischen 1304 und etwa 1315. – Die Beschränkung figürlicher farbiger Fensterfelder auf Teile der Gesamtverglasung war bereits im Mittelalter gebräuchlich.

So gelangte der Glasmaler Hans Gitschmann von Ropstein, der auch selbständig nach eigenen Entwürfen arbeitete, zu einer Malweise, die dem persönlichen Gestaltungsstil Hans Baldungs nahekommt. Mit Mitarbeitern seiner Freiburger Werkstatt schuf er nach Baldungs Visierungen die Kapellenfenster im Chor des Freiburger Münsters, die Kreuzgangfenster der Freiburger Kartause (vgl. Kat.Nr. D 3, 4) sowie weitere monumentale Verglasungen, z.B. in Gutach-Bleibach (Kat.Nr. D 1/2) und Elzach (Kat.Nr. D 8). Etwa gleichzeitig mit der Freiburger Werkstatt des Hans Gitschmann entstanden auch in Straßburg Glasgemälde nach Entwürfen Hans Baldungs (vgl. Kat.Nr. D 5, 6). Einer Straßburger Werkstatt wird auch die Kabinettscheibe mit dem reliquientragenden Kamel aus Niedermünster zugeschrieben (Kat.Nr. D 17). Mit der Ausführung von Kabinettscheiben erhielt sich die Freiburger Ropsteinwerkstatt, in der auch der Sohn des Hans Gitschmann mitarbeitete (Hans Lehmann, Hans Gitschmann d.Ä. und die Kabinett-Glasmalerei in Freiburg i.Br. während des 16. Jahrhunderts, in: ZAK 2, 1940, S. 43 ff.), bis über die Jahrhundertmitte hinaus. Ihr werden eine Reihe von Kabinettscheiben zugeschrieben, deren Rahmenarchitekturen Renaissancemotive zeigen, wie sie in den momumentalen Verglasungen der Werkstatt in Freiburg, Bleibach und Elzach vorkommen (Beispiele in der Ausstellung: Kat.Nr. D 19, 24–27). Die meisten Scheiben folgen dem seit Ende des 15. Jahrhunderts üblichen Schema mit Wappen und Wappenhalter im Zentrum, unten die Schriftleiste. Die Bogenfelder mit Kampf- oder Reiterszenen, Festzügen oder Jagdbildern erscheinen dabei als flache kulissenhafte Gebilde. Räumliche Anklänge sind selten. In der Freiburger Universitätsscheibe (Kat.Nr. D 19) ist der Innenraum angedeutet. Die Untersicht des rosettenbesetzten Bogens und die Putti mit ihren Wappen lassen ihn als reliefiertes Bildwerk erscheinen, was beispielsweise an das Bogenfeld der Elzacher Schmerzensmutter (Kat.Nr. D 8) erinnert. Einige Scheiben haben ein zweigeteiltes Bildfeld, in dem der Stifter mit seinem Wappen vor einer halbhohen Mauer kniet, über der dann eine figürliche Szene erscheint (Kat.Nr. D 24). Damit erinnern sie an monumentale Verglasungen, wo sich, allerdings in getrennten Fensterfeldern, das Stifterbild unter der eigentlichen Darstellung befindet. Als monumentale Glasgemälde in kleinerem Maßstab erscheinen die der Ropsteinwerkstatt zugewiesenen, 1562 vom Basler Domkapitel gestifteten Kapellenfenster der Burg Angenstein (Kat.Nr. D 12–14); denn die Glasgemälde füllen die gesamte Fensteröffnung aus, die Hauptdarstellungen sind in mehrere Fensterfelder unterteilt, in der Sockelzone knien die betenden Stifter neben ihren Wappen. Elemente der Kabinettglasmalerei sind jedoch die über der Rahmenarchitektur als „Oberbilder" angeordneten Nebenszenen.

Wie Hans Baldung Grien in Straßburg und Freiburg lieferte auch Hans Holbein d.J., der 1515 und 1517 in Basel und Luzern wirkte, Scheibenrisse. Er entwickelte die herkömmliche rahmende Säulenarkade zu einem dreidimensionalen Portalbogen. Wappen und Wappenhalter stellte er auf ein Podest, hinter dem sich eine Landschaft weit in die Ferne erstreckt (vgl. Scheibenriß Kat.Nr. E 21). Von allen seinen Nachfolgern ist dieses Podest übernommen worden (vgl. die Basler Scheiben Kat.Nr. D 36 von B. Han), wobei die Dreidimensionalität des Portals und der Landschaft mehr oder weniger in die Fläche zurückgebildet wird. Neben Holbein wirkten ältere Visierer wie Urs Graf in Basel, Hans Leu in Zürich oder Niklaus Manuel Deutsch von Bern auf die weitere Entwicklung der Kabinettglasmalerei in der Schweiz und in Süddeutschland ein. (Zur Geschichte der Entwürfe für Schweizer Wappenscheiben vgl. Reuter 1933.)

In seinen Kabinettscheiben für den Ratssaal in Pfullendorf hat Christoph Stimmer eine Vorlage Holbeins verwendet (vgl. Kat.Nr. D 20). Selbständig entwerfende Glasmaler sammelten als Vorlagen für ihre Kompositionen neben Scheibenrissen die Erzeugnisse der Druckgrafik. Einzelblätter, Buchtitel und die seit dem 2. Drittel des 16. Jahrhunderts erschienenen illustrierten Bibeln wurden als Vorlage für Darstellungen in „Figurenscheiben" oder in Oberbildern der „Wappenscheiben" benutzt (vgl. Jenny Schneider, Vorlagen für das schweizerische Kunstgewerbe, in: ZAK 16, 1956, S. 157, 168). Als Quelle für den Figurenstil Christoph Stimmers verweist Rott (Rott 1925/26, S. 31f.) auf Hans Leu d. J. oder Niklaus Manuel Deutsch, über die Stimmer jedoch mit seinen in manieristischer Schraubenbewegung aus dem Rahmen tretenden Wappenhaltern hinausgeht. Christoph Stimmer ist der Stammvater des berühmten Malergeschlechts in Schaffhausen. Die Glasmalerei hat er vermutlich in Konstanz, wo er auch als Schulmeister und Schönschreiber tätig war, in der Werkstatt der Konstanzer Glasmalerfamilie Stilhart gelernt.

Abb. D 5 König Philipp I. von Spanien vor dem hl. Andreas. Bildfenster in der zweiten Kaiserkapelle des Freiburger Münsterchores (Kopie 19. Jh. – Original, Ropstein Werkstatt 1526, im Augustinermuseum Freiburg). – In den Chorkapellen, wie auch im Chorobergaden des Freiburger Münsters, ist nicht die gesamte Fensterfläche mit Glasgemälden gefüllt, sondern sie sind wie Bilder in die farblose Butzenverglasung eingefügt. Insgesamt umziehen sie Chor und Kapellenkranz als ein farbiges Band.

In Schaffhausen waren neben seinem Sohn Tobias Stimmer und anderen Glasmalern und Reißern um die Jahrhundertmitte die Glasmalerfamilien Lindtmayer und Lang tätig (vgl. Bruckner-Herbstreit 1960, S. 59ff.).

Ein signiertes Werk Hieronymus Langs ist die Wappenscheibe des Kardinals und Bischofs von Konstanz, Markus Sittich, von 1572 (Kat.Nr. D 41); Felix Lindtmayer d.Ä. wird die Wappenscheibe der Schweizer Gemeinde Hallau (Kat.Nr. D 28) von 1531 zugeschrieben.

Die Konstanzer Kabinettglasmalerei ist mit Werken von Ludwig Stilhart in der Ausstellung vertreten. Der Frühzeit gehört die Scheibe Hohenlandenberg von 1516 aus dem Rathaus in Stein an (Kat.Nr. D 18); die bedeutende Scheibe der Stadt Konstanz von 1526 vereint Elemente der Schweizer „Standesscheiben" mit einer besonderen Form der seitlichen Pfeiler, die in abgesetzten Feldern kleine Nebenszenen enthalten (Kat.Nr. D 23).

Zum Prototyp der sogenannten „Standesscheiben" in der Schweiz gehört neben der üblichen Architektur- oder Astwerkarkade die „Wappenpyramide" mit nur einem oder zwischen zwei Wappenhaltern, bestehend aus zwei Wappen des betreffenden Standes, überhöht vom Reichsschild mit Krone. Damit ist ausgedrückt, daß sich die Eidgenossen noch zum Reichsverband im allgemeinen Sinne rechneten. Die „Standschaft" der Eidgenossen hat jedoch mit den „Ständen" des Reichs nichts zu tun, sondern bezeich-

Abb. D 6 Hl. Barbara zwischen Stifterpaar (Melchior von Schauenburg, 1879 als Ersatz für das verlorene Original neu geschaffen). Pfarr- und Wallfahrtskirche Lautenbach. 1482

net die Vertretung der alten acht, seit 1519 der dreizehn in der Eidgenossenschaft zusammengeschlossenen Orte (weshalb Noacks Bezeichnung der Scheiben aus Endingen am Kaiserstuhl als „Standesscheiben“ nicht zutrifft). Eine vollständige Serie von Standesscheiben umfaßt seitdem mindestens 13 Scheiben, vermehrt unter Umständen durch Scheiben „zugewandter Orte“, wie beispielsweise Rottweil.
Als Geselle Caspar Stilharts in Konstanz arbeitete zeitweilig neben anderen Schweizern der berühmte Glasmaler Carl von Egeri aus Zürich (Rott 1925/26, S. 28). Von ihm

stammen die Standesscheiben im Kreuzgang von Kloster Muri (Abb. D 7), „eine der glanzvollsten und künstlerisch überragenden Scheibenfolgen der Schweiz" (Anderes 1974, S. 29). Durch die Einfügung in die Fensterbahnen ohne Trennung von den Maßwerkpfosten durch Butzenscheiben und die (teils inhaltliche, teils nur formale) Einbeziehung der Maßwerkbekrönungen in die Farbverglasung erwecken die Kreuzgangfenster in Muri den Eindruck monumentaler Glasmalerei. Die Einzelfelder sind jedoch eindeutig Kabinettscheiben, wenn auch in ungewöhnlich großem Maßstab. Man könnte sie als monumentalisierte Kabinettscheiben bezeichnen im Gegensatz zu den Kapellenfenstern aus Schloß Angenstein (Kat.Nr. D 12–14, vgl. oben), monumentalen Glasgemälden in kleinem Maßstab. Ähnlich verhält es sich mit Glasgemälden des Berner Glasmalers Bartholomäus Lüscher, der in Konstanz für Bischof und Domkapitel tätig war (Kat.Nr. D 11). Nach Format und durch enge inhaltliche und formale Bezogenheit der Einzelscheiben untereinander erwecken sie den Eindruck monumentaler Glasgemälde – insbesondere die in Reichenau-Mittelzell erhaltene Scheibenfolge (Abb. D 8) –, während Einzelzüge wie Schriftleisten und Einbeziehung der Stifterwappen Gepflogenheiten der Kabinettglasmalerei sind. In Muri arbeitete neben von Egeri ein weiterer hervorragender anonymer Meister, vermutlich Hans Füchslin (Anderes 1974, S. 43ff.). Unter den ihm zugeschriebenen Kreuzgangfenstern in Muri bildet das dreiteilige von St. Blasien gestiftete Fenster (Kat.Nr. D 37–39) eine Ausnahme. Es ist weniger nach dem Vorbild von Egeris gestaltet, sondern nach einem Basler Architekturriß in der Art Holbeins (Anderes).

Abb. D 7 Kreuzgang des Benediktinerklosters Muri. – Anordnung der Bildfenster nur im oberen Bereich der im übrigen mit Butzen verglasten Fenster.

Abb. D 9 Rundscheibe mit Laurentiusmarter. Speyer, Historisches Museum der Pfalz. Straßburg (?) um 1500

Von Glasmalern und Reißern in Schaffhausen, Basel, Zürich und Konstanz wurden bis über die Jahrhundertmitte die Grundtypen der Kabinettglasmalerei geschaffen. Neben den hochrechteckigen Wappen- und Standesscheiben gibt es die „Figurenscheiben", deren Zentrum statt der Wappen von einzelnen Heiligen, mythologischen oder allegorischen Figuren und Szenen besetzt ist (Kat.Nr. D 19, 24, 44, 49, 54). Neben rechteckigen (auch querformatigen) Scheiben wurde die Rundscheibe als Wappen- oder Figurenscheibe gestaltet, wie die Scheibe der Veronika von Riethain (Kat.Nr. D 29). Weitere Scheibengruppen werden den Stiftern oder dargestellten Inhalten nach als Ämter-, Gerichts- (Kat.Nr. D 55), Zunft- (Kat.Nr. D 47, 56, 57) oder Bauern- und Soldatenscheiben (Kat.Nr. D 45, 46, 53) bezeichnet. Die Rahmensysteme werden vielfältig variiert: das Mittelfeld kann kreisrund gefaßt und durch ornamental oder figürlich besetzte Zwickel zum Rechteck oder Quadrat ergänzt sein. Das Wappen kann im Mittelfeld auch oval von Lorbeergirlanden (Kat.Nr. D 52) oder von üppiger Schweifwerkrahmung eingefaßt sein (Kat.Nr. D 42). Auch die Hintergründe können vom damaszierten Grund und der Landschaft zu farblos hellen Gründen wechseln, belebt von Fruchtgehängen oder dünnen Schnurornamenten (Kat.Nr. D 41).
Neben den Zentren für Scheibenreißer und Glasmaler in der Schweiz, in Konstanz und Freiburg hatte Straßburg immer eine bedeutende Rolle gespielt. Durch Hans Baldung war kurz vor der Reformation die monumentale Glasmalerei nochmals belebt worden (vgl. oben). Zeugnis für eine hier schon um 1500 produzierende Kabinettscheibenwerkstatt ist, unter anderem, wahrscheinlich eine Rundscheibe (Abb. D 9) mit der Laurentiusmarter (Historisches Museum Speyer; vgl. Becksmann 1979, S. XLIV u. 286, Abb. 369). Um 1600 kam es hauptsächlich durch die Glasmalerfamilie der Lingg zu einer späten Blüte der Kabinettglasmalerei. Vom ehemals umfangreichen Werk blieb wenig erhalten. Beispiele in der Ausstellung sind die Scheiben Kat.Nr. D 54 und D 57. Von guter künstlerischer Qualität sind weitere Wappenscheiben von Straßburger Zunftmeistern und Schöffen (Kat.Nr. D 43, 48, 50). Die Produktion von Kabinettscheiben war auch in den schwäbischen Reichsstädten nicht unbedeutend, wie die zahlreichen in den Archiven überlieferten Meisternamen zeigen. Jedoch sind nur wenige Wappenscheiben und Risse erhalten geblieben, die sich einigermaßen zuverlässig mit den überlieferten Namen verbinden lassen (Kat.Nr. D 35, 49, 51, 56).
Mit den fortschreitenden Katastrophen des Dreißigjährigen Krieges ging die Zeit der Glasmalerei zu Ende. Sie brachte nur noch bescheidene Erzeugnisse zustande und versiegte schließlich im 18. Jahrhundert gänzlich, bedingt durch gewandelte Gesellschaftsformen und die neuen Gestaltungsprinzipien der Baukunst.

Abb. D 8 Verkündigung an Maria und Anbetung der Könige mit den Ordens- und Klosterstiftern und dem Wappen der dem Bistum Konstanz inkorporierten Abtei. Der Namenspatron des Scheibenstifters mit dem Wappen des Melchior von Bubenhofen gehört zur „Anbetung“. Reichenau-Mittelzell, Sakristei. Bartholomäus Lüscher, 1556

D 1

D 1 / 2

Propst Balthasar Merklin von Waldkirch mit hl. Petrus

Hans Gitschmann von Ropstein (1480/85 bis 1564) zugeschrieben
Freiburg, 1514/15

Hüttengläser, blaues Überfangglas mit Ausschliff, Schwarzlot, Silbergelb, Eisenrot.
H. jeweils 95 cm, B. jeweils 45 cm

Gutach-Bleibach, Katholische Kirchengemeinde, St. Georg

Beide Scheiben, der hl. Apostel und der ihm anempfohlene Fensterstifter gehören nach der durchlaufenden Inschrift zusammen: *Baltazar mer(klin) de Waltkirch v(triusque) I(uris) doctor p(rae)positus in Waltkirch eccl(es)ie cathedralis prixinen(sis) canonicus (etc.) Invictissi(m)i d(om)ini maxi(mi)liani imp(eratoris) (con)siliarius (etc.)*. Im Nimbus Petri: SANCTUS PETRUS O(ra pro nobi)S.
Balthasar Merklin (geb. 1479 in Waldkirch, gest. 1531 in Trier) wurde nach dem Studium der Rechte Professor und Rektor der Universität in Trier (1502–1504), 1506 Kanonikus in Brixen, 1508 Propst am Chorherrenstift in Waldkirch. Er stand im Dienst Kaiser Maximilians, der ihn 1527 zum Reichsvizekanzler für Deutschland ernannte. Gleichzeitig wurde er Bischof von Hildesheim, ein Jahr später Bischof von Konstanz. Seine politischen Missionen gipfelten in den Vorbereitungen der Wahl Ferdinands I. zum deutschen König.
Becksmann (1979, S. 16) nimmt an, daß der 1508 gewählte Propst, der sein Amt erst 1514 antreten konnte, aus diesem Anlaß Fenster für den kurz zuvor vollendeten Chorneubau gestiftet hat. Über Umfang und Aussehen der ursprünglichen Chorverglasung ist nichts überliefert. Aus dem Farbwechsel der Bildgründe und der Bekrönungsformen schließt Becksmann „auf eine rhythmische Folge von Scheibenpaaren…, die als durchlaufendes Band innerhalb einer Butzenverglasung zumindest drei Fenster des Chorschlusses geziert haben dürften". Stil und Technik weisen nach C. Hermans für Entwurf und Ausführung auf Hans Gitschmann von Ropstein selbst hin.

Hermans 1953, S. 117–119, Kat.Nr. 51; Becksmann 1979, S. XLV f., S. 16 f., Abb. 19, 20 (mit weiterer Lit.)

D.R.

D 2

D 3

D 3

Hl. Dorothea mit Stifter

Entwurf Hans Baldung Grien (1484/85 bis 1545)
Ausführung Hans Gitschmann von Ropstein (1480/85 – 1564)
Freiburg, um 1515

Hüttengläser, Schwarzlot, Silbergelb und Eisenrot
H. 150 cm, B. 50 cm

Karlsruhe, Badisches Landesmuseum, Inv.Nr. C 216

Wie Kat.Nr. D 4 zum Zyklus der Kreuzgangfenster aus dem ehemaligen Kartäuserkloster in Freiburg gehörig (zuerst dargelegt von A. v. Schneider 1939); zur wechselhaften Geschichte dieser Farbfenster ausführlich Balcke-Wodarg 1926/27 und Hermans 1953; zusammengefaßt und in Zusammenhang mit den Arbeiten der Ropsteinwerkstatt für das Freiburger Münster dargestellt in Kat. Freiburg 1970, S. 211–233.
Vermutlich stand die hl. Dorothea in einem dreiteiligen Fenster zusammen mit der Frontalfigur des hl. Johannes des Täufers (im Badischen Landesmuseum Karlsruhe) und der bei Kriegsende in Berlin zerstörten hl. Barbara. Auf das Stifterwappen dieser zerstörten Scheibe läßt sich ein Auftrag des Conrad Schnewlin von Krantznau, den Hans von Ropstein 1516 ausgeführt hat, beziehen. Damit ist die stilkritisch gewonnene Datierung von Hermans ziemlich sicher bestätigt (Freiburg 1970, Nr. 249).
Das Glasgemälde mit der hl. Dorothea ist links und rechts beschnitten, der obere Abschluß und Teile des Damastgrundes im 19. Jahrhundert ergänzt; gleichfalls noch im 19. Jahrhundert wurde das Stifterwappen erneuert, aber wohl nach überliefertem Originalwappen (A. v. Schneider 1949, S. 92). Hermans (1953, S. 122) nimmt an, daß Hans Gitschmann persönlich die Gläser bemalt hat, und betont die hohe Qualität der malerischen Ausführung im Gegensatz zu Perseke (1941, S. 133, Anm. 53), dessen Urteil wohl vom damals schlechten Zustand des Glasgemäldes beeinflußt war. Die Stifterfigur gehört zum originalen Bestand des Fensters und stammt keinesfalls von „ungeübter Gesellenhand" (A. v. Schneider 1939, S. 91), sondern ist lediglich durch Sprungbleie und Schäden der Bemalung beeinträchtigt (Ausführung von zweiter Hand nicht auszuschließen).
Nach Ausweis des Wappens ist als Stifter ein Hohenzoller, wahrscheinlich Graf Franz Wolfgang (1485–1517) dargestellt. Familienmitglieder der Hohenzollern waren der Freiburger Universität und dem Prior der Kartause, Gregor Reisch, besonders verbunden (Freiburg 1970, S. 220).

Balcke-Wodarg 1926/27; A. von Schneider, Die Dorotheenscheibe des Badischen Landesmuseums, in: OK, 8 (1939), S. 89 f.; Perseke 1941, S. 123 ff., S. 133, Anm. 53; Schneider 1949, S. 27 ff.; Hermans 1953, S. 122 f., Kat.Nr. 53; Karlsruhe 1959 I, S. 84, Nr. 60; Karlsruhe 1959 II, Nr. 272–275 (mit älterer Literatur); Karlsruhe 1970, Nr. 281–284; Freiburg 1970, S. 214 ff., Nr. 249. *D.R.*

D 4

Hl. Elisabeth

Entwurf Hans Baldung Grien (1484/85 bis 1545)
Ausführung Hans Gitschmann von Ropstein (1480/85 - 1564)
Freiburg, um 1516

Hüttenglas, Schwarzlot, Silbergelb, Eisenrot
H. 166 cm, B. 52 cm

Axel Graf Douglas, Schloß Langenstein

Das Fenster stammt wie Kat.Nr. D 3 aus der Freiburger Kartause. Da diese 1782 säkularisiert wurde, übertrug man die Fenster in die 1783 geweihte Kirche des Benediktinerklosters St. Blasien. Hier mußten die Scheiben in kleinere Fensteröffnungen eingepaßt werden, weshalb sie sämtlich an den Seiten und oben beschnitten sind. Beim Elisabethfenster sind außerdem Teile von Mantel und Rock ergänzt.
In der fein modellierten Gesichtsscheibe vermutet Hermans (S. 128) die eigenhändige Ausführung durch Hans Gitschmann.

Hermans 1953, S. 128, Kat.Nr. 59; A. Beck, Künstler und Kunsthandwerker in Langenstein und Orsingen, in: Zs. Hegau, 7. Jg. (1962) S. 69; Freiburg 1970, Nr. 250; F. Götz/A. Beck, Schloß und Herrschaft Langenstein im Hegau, Singen 1972, S. 297; siehe auch unter D 3. *D.R.*

D 4

D 5

Markgraf Christoph von Baden

Entwurf Hans Baldung Grien (1484/85 bis 1545) zugeschrieben
Ausführung: Straßburger Werkstatt, um 1515

Hüttengläser, rotes Überfangglas mit Ausschliff, Schwarzlot, Silbergelb
H. 32,5 cm, B. 19,5 cm (allseits stark beschnitten)

Privatbesitz, Schloß Altshausen

Mit Kat.Nr. D 6 gehört die Scheibe zu einer Fensterstiftung des Markgrafen Christoph (1453–1527, reg. 1475–1516) für einen bisher unbekannten Standort (vgl. Becksmann 1986, S. 14 mit Anm. 33 und S. 15, Anm. 35). Die künstlerische und technische Ausführung der Schwarzlotmalerei ist von großer Meisterschaft. Wegen der für Stifterscheiben überraschenden Porträttreue vermutet Becksmann den Entwurf durch Hans Baldung, der Markgraf Christoph mehrfach porträtierte.
Mit den beiden Stifterscheiben haben sich zwei Bruchstücke einer Rahmung sowie Kopf und Teile eines musizierenden Engels erhalten. Die beiden einander zugewendeten Stifter lassen eine ehemals die Mitte einnehmende Darstellung erwarten, als welche Becksmann ein weiteres Fragment mit einer hl. Anna selbdritt identifizieren konnte. Somit handelt es sich um Reste aus einem dreibahnigen Maßwerkfenster, möglicherweise aus dem Chor der Klosterkirche von Reichenbach.

Becksmann 1979, S. XLIV f., Anm. 77, Textabb. 20 und 21; Becksmann 1986, S. 3 f., S. 14–16, Nr. 46, Abb. 26, 29, mit weiterer Lit. (die entsprechenden Druckfahnen stellte Herr Dr. Becksmann vor Erscheinen des Buches freundlichst zur Verfügung). – Zu Markgraf Friedrich: F. Wielandt in: ZGO, NF XLVI (1933), S. 527 ff.; zu den Bildnissen: Karlsruhe 1959 II, I Nr. 12, 33, II H Nr. 81. *D.R.*

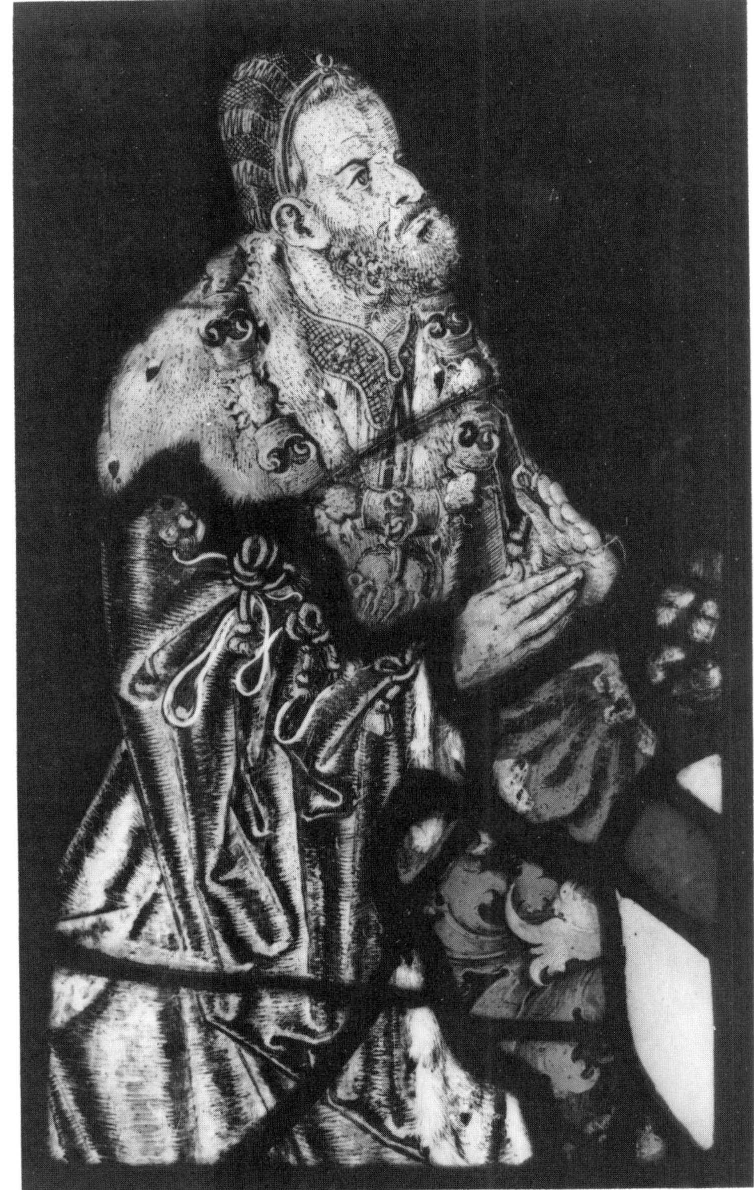

D 5

D 6

Ottilie von Katzenelnbogen

Entwurf Hans Baldung Grien (1484/85 bis 1545) zugeschrieben
Ausführung: Straßburger Werkstatt, um 1515

Hüttengläser, rotes Überfangglas, mit Ausschliff, Schwarzlot, Silbergelb
H. 32 cm, B. 25 cm (allseitig beschnitten)

Privatbesitz, Schloß Altshausen

Gegenstück zu Kat.Nr. D 5. Ottilie von Katzenelnbogen, mit Markgraf Christoph verehelicht 1468, gestorben 1517, schenkte ihrem Gemahl zehn Söhne und fünf Töchter. Auf dem Halsband die ungedeuteten Buchstaben M.M.A.B. *D.R.*

D 6

D 7

Sündenfall

Schwäbisch Hall, um 1520

Hüttengläser, Schwarzlot, Silbergelb
H. 65,5 cm, B. 33,5 cm

Schwäbisch Hall, St. Michael, Evangelisches Dekanat

Die Scheibe gehörte wahrscheinlich zu einer partiellen Farbverglasung der Chorfenster der Michaelskirche. Da in Schwäbisch Hall bereits 1522 durch den Prediger Johannes Brenz die Reformation eingeführt wurde, ist anzunehmen, daß die letzten figürlichen Verglasungen vor diesem Zeitpunkt vorgenommen worden sind (Becksmann 1986, S. 218f.).

Becksmann 1986, S. 218f. und S. 224f., Abb. 297, mit weiterer Lit. *D.R.*

D 8

Mater Dolorosa mit Agathe Gräfin von Arco als Stifterin

Entwurf Hans von Ropstein (1480/85 bis 1564) zugeschrieben
Ausführung Ropstein-Werkstatt, Freiburg, um 1523/24

Hüttengläser, Schwarzlot, Silbergelb
H. 134,5 cm, B. 49,5 cm

Elzach, Katholische Kirchengemeinde St. Nikolaus

Die Scheibe ist unten beschnitten und durch nicht zugehörige Inschriftreste ergänzt. Sie gehört zu einem Fensterzyklus, von dem im Chor der Kirche noch acht Scheiben erhalten sind, deren Erscheinungsbild jedoch durch Übermalungen des 19. Jahrhunderts beeinträchtigt ist. Im Gegensatz zu den Chorfenstern blieb die ausgestellte Scheibe, von der Südseite des Langhauses, fast unberührt.
Durch häufige Verwendung von Entwürfen Hans Baldungs haben sich die Mitarbeiter der Ropsteinwerkstatt dessen Stil mehr oder weniger angeeignet, so daß die Werkstatt eigene Vorlagen verwenden konnte (Becksmann zum Stil, S. 38). Zur Rekonstruktion der Farbverglasung und zur Bedeutung der Fensterstifter für den ab 1522 errichteten Chor der Kirche vgl. Becksmann, S. 36f. und S. 42. Die Bildfelder bildeten in den Chorfenstern ein horizontales farbiges Band zwischen den im übrigen durch helle Butzenscheiben verglasten Fensterfeldern.

Becksmann 1979, S. 34–45, Abb. 51, 41, Fig. 29, mit ausführlichen Hinweisen auf ältere Lit. *D.R.*

D 7

D 8

D 9

Wappenscheibe des Klosters St. Georgen in Isny

Heiligkreuztal, 1532
Hüttenglas, Schwarzlot, Silbergelb, Eisenrot
H. 81 cm, B. 46 cm

Stuttgart, Württembergisches Landesmuseum, Inv.Nr. 1098b, C VII 26

Das Glasgemälde gehört wie Kat.Nr. D 10 zu insgesamt sechs erhaltenen Fensterfeldern aus der Kirche des ehemaligen Zisterzienser-Nonnenklosters Heiligkreuztal. Von dort gelangten sie 1870 in die Königliche Altertümersammlung nach Stuttgart. Leo Balet (Balet 1912, S. 33f.) nennt die Scheiben „letzte Erzeugnisse der schwäbischen Monumentalmalerei". Als Zeichner der „Kartons" für die Glasgemälde nennt er den Meister von Meßkirch, dem auch die gleichzeitig ausgeführten Gewölbemalereien der Kirche zugeschrieben werden (Balet 1911, S. 699; Salm 1956, S. 29–47). Feurstein (1934, S. 108) führt „triftige Gründe" gegen die Tätigkeit des Meisters von Meßkirch als Entwerfer für Glasgemälde an. Nach Salm (1950, S. 169f.) spricht die stereotype Wiederholung der Wappenengel und der Maßwerkbekrönungen „gegen die Erfindung der ganzen Reihe durch einen namhaften Künstler". Er nennt als Vorlage für die Engel Dürers Reichswappen-Holzschnitt (B. 162) sowie für den hl. Georg Zusammenhänge mit dem Kupferstich B. 53. Sein Kopf sei zwar selbständig erfunden, gerade für diesen sei jedoch keine Parallele zum Werk des Meisters von Meßkirch zu finden. Die Möglichkeit, daß stark abgeänderte Entwürfe des Meisters vorlagen, sei jedoch nicht auszuschließen. Die Komposition wirkt trotz des individuell gestalteten Kopfes durch den Damastgrund und das spätgotische Stabwerk im Bogenfeld altertümlich.
Als ehemaliger Standort der Scheiben sind nicht die Fenster im Obergaden des Kirchenschiffes oder die seitlichen Chorfenster anzunehmen (Feurstein und Balet), sondern mit Salm die zweimal drei Fenster im sog. Frauenchor. Hier könnten die sechs Stifterfelder unter verlorengegangenen figürlichen Feldern gestanden haben, wie in der spätgotischen monumentalen Glasmalerei üblich (vgl. auch Rott 1933, Text S. 169 mit Anm. 3, der als ursprünglichen Standort den Kreuzgang und als Glasmaler Ulrich Gropp von Riedlingen nennt).
Salm (1950, S. 16) sieht in dieser Wappenscheibe ein besonderes Bekenntnis der Äbtissin Veronika von Riethain (vgl. Kat.Nr. D 10) zum Kaiser und zum alten Glauben „in einer Zeit, wo durch die Auflösung des Schwäbischen Bundes

D 9

gerade in Schwaben die Grundlagen der bisherigen Ordnung ins Wanken gerieten. Das rote Kreuz auf weißem Grund war das Wappen des Schwäbischen Bundes und des von Kaiser Maximilian gegründeten St. Georgen-Ordens, in dessen Tracht er sich auch hatte begraben lassen".

Balet, Die Heiligkreuztaler Wappenscheiben des Meister von Meßkirch, in: Der Cicerone, III. Jg. (1911), S. 699–704, Abb. 1–6 mit älterer Lit.; Balet 1912, S. 32ff., S. 96–104, Nr. 57, Farbtaf. VI; Rott 1933, Text S. 169, Anm. 3; Salm 1950, S. 169ff.; Wohleb 1950, S. 59; Salm 1956, S. 20–45. *D.R.*

D 10

Wappenscheibe der Veronika von Riethain

Heiligkreuztal, 1532

Hüttenglas, Schwarzlot, Silbergelb, Eisenrot
H. 81 cm, B. 45,5 cm

Stuttgart, Württembergisches Landesmuseum, Inv.Nr. 1098 d

Inschrift: *Fronnika Abbtdisin zu hailig Creitzdall Geborn von Rytthain.* Veronika von Riethain, geboren 1472, wurde 1521 Nachfolgerin der Äbtissin Anna von Gremlich in Kloster Heiligkreuztal; sie starb 1551 (zur Biografie vgl. Salm 1950, S. 13ff.). Veronika, eine überragende Persönlichkeit, die „ander Stifterin" des Klosters, brachte dieses zu großer Blüte. In Streitigkeiten mit den Grafen von Zollern fand sie Unterstützung durch Graf Karl I., Kreishauptmann und Landvogt von Nellenburg (sein Wappen unter den Wappenscheiben in Schloß Heiligenberg). Sie hat „Kloster und Münster von Heiligkreuztal bis zur Neuweihe 1541 vollständig umgebaut, mit Gewölben und malerischen und sonstigen Ausstattungen versehen" und die Ausschmückung bis zu ihrem Tod fortgesetzt (Salm). *D.R.*

D 10

D 11

Wappenscheibe mit Halbfigur der Muttergottes

Bartholomäus Lüscher (1525/30 – nach 1564) zugeschrieben
Konstanz, 1556

Hüttengläser, roter Überfang ausgeschliffen, Schwarzlot, Silbergelb
H. 87,5 cm, B. 47 cm

Karlsruhe, Badisches Landesmuseum, Inv.Nr. C 7207

Über dem Wappen des Bistums Konstanz die Muttergottes, darunter die Inschrift: *Thumbprost Thumbdechant und Capittel des hohen Stifft zu Constanntz 1556.* An den Pfeilern der rahmenden Architektur zehn Domherrenwappen – links von oben nach unten: 1. Stadt Radolfzell, 2. Melchior von Bubenhofen, 3. Kustos Dr. Jacob Mürgel, 4. Andreas Stein zum Rechtenstein, 5. Theophil Rem von Kötz; rechts von oben nach unten: 1. Domdechant Friedrich von Hinweil, 2. Albrecht von Landenberg, 3. Gottfried Christ von Zimmern, 4. Dr. Jakob Kuntz, 5. Balthasar von Hertenstein.
Die Scheibe wurde wie ihr Gegenstück, die Wappenscheibe des Johann Melchior von Bubenhofen (v. Schneider 1949, Nr. 52, Taf. 49), 1896 aus Schloß Hegne bei Konstanz erworben. Melchior von Bubenhofen, Stifter und Mitstifter der beiden Karlsruher Scheiben, war 1525 Domherr in Konstanz und gleichzeitig Propst von St. Stephan in Konstanz. Sein Wappen erscheint auch im Fensterfeld mit der Darstellung seines Namenspatrons aus einer Anbetung des Christkindes durch die Heiligen Drei Könige im gleichzeitig entstandenen Scheibenzyklus des Münsters in Reichenau-Mittelzell (heute dort in der Sakristei – publiziert bei Rott 1926/27, S. 131 ff., Taf. 60, 61). Mit dem damaligen Konstanzer Bischof und Herrn der Reichenau Christoph Metzler von Andelberg (1548–1561) ist er der Stifter dieser acht Scheiben, die mehrfach mit der Jahreszahl 1556 und der Künstlersignatur B.L. und B.L.VON. BER(N) (Bartholomäus Lüscher von Bern) bezeichnet sind. Aufgrund der gleichzeitigen Entstehung, derselben Stifter und deutlicher stilistischer Übereinstimmungen kann die Zuschreibung der Karlsruher Scheiben an Bartholomäus Lüscher als sicher gelten. Bartholomäus Lüscher, ein Enkelsohn des Berner Glasmalers Hans Funk, lernte vermutlich in seiner Heimatstadt bei Glasmaler Gösler und ließ sich 1553 in Konstanz nieder. Nach 1557 verließ er Konstanz und war zwischen 1561 und 1564 in Bern (Rott 1926/27, S. 131 ff.).

Rott 1926/27 mit älterer Lit.; v. Schneider 1949, Nr. 53, Taf. 50, Text S. 39. *D.R.*

D 11

GLORIA IN EXCEL
SIS DEO
IOACH · ZASII
THEOLO: D
PPITVS OLE
PERGEN .
THEOBALD9
CHRISTO
PHORVS Á
RINACH
WER
Á BE
SEN
OS
NERVS
RNHV
CVST
GEORGIVS
AB AMP
RINGEN
CANTOR
AMBROSIVS
Á GVMPEN
BERG PRÆ
POSITVS ·

D 12

D 12 – 14

Geburt Christi mit Verkündigung an Maria und Anbetung der Hl. Drei Könige.
Kreuzigung Christi mit Ölbergszene und Grablegung.
Ausgießung des Heiligen Geistes mit Auferstehung und Himmelfahrt

Werkstattnachfolge des Hans Gitschmann von Ropstein,
Freiburg, 1562

Hüttenglas, Schwarzlot, Silbergelb, Eisenrot
H. jeweils 190 cm, B. jeweils 105 cm

Bern, Historisches Museum

Die drei Fenster stammen aus der Kapelle der Burg Angenstein. Burg und Herrschaft Angenstein, südlich von Basel an der Birs, waren seit 1517 in Besitz des Bistums Basel. Bischof Melchior von Lichtenfels verlieh sie an seinen Kanzler, Dr. Wendelin Zipper. 1560 erfolgte die Weihe der Kapelle, für die der Lehnsherr sowie Prälaten und Kanoniker des Basler Münsters 1562 die drei Glasgemälde stifteten.
Melchior von Lichtenfels (dessen Familie aus der Gegend von Leinstetten im württembergischen Oberamt Sulz stammte) wurde 1554 zum Bischof gewählt und residierte wie alle Basler Bischöfe seit der Reformation in Schloß Pruntrut (Nordwestschweiz). Das Domstift ging nach der Reformation Basels nach Freiburg im Breisgau ins Exil. Im dortigen Münster genoß das Basler Hochstift Gastrecht (Gemmert 1966/67). Daher sind unter den Fensterstiftern auch Professoren der Freiburger Universität zu finden (zu den Stiftern vgl. die detaillierte Untersuchung von G. Wyss, s. u.).
Dargestellt sind die drei Hauptfeste des Kirchenjahres: Weihnachten, Karfreitag und Pfingsten. Die Fenster sind durch die Stellung der dem Gekreuzigten zugewandten Stifter wie ein Triptychon zusammengefaßt. Durch die Ausdehnung der Szenen über mehrere Fensterfelder und das Überwiegen des Figürlichen erinnern die Fenster an monumentale Glasmalerei, während die Einfügung von Nebenszenen in Form von „Oberbildern“ der Kabinettscheibenmalerei entspricht.
A. Scheidegger (1946) betont den Charakter der Glasgemälde als Kabinettscheiben und weist auf stilistische Zusammenhänge mit der Freiburger Werkstatt der Kartausenfenster hin, die durch die geschichtlichen Gegebenheiten gestützt werden. Die Anordnung der Stifter in der Sockelzone unter den Hauptdarstellungen entspricht Kabinettscheiben in Schloß Heiligenberg, die ebenfalls der Ropsteinwerkstatt zugeschrieben werden (vgl. Kat.Nr. D 24).
In der Geburt Christi erscheint unter den in der Inschrift aufgezählten Stiftern Joachim Zasii, Inhaber einer theologischen Doktoralpfründe (Wyss, S. 26) als Propst von Oelenberg. Er war gleichzeitig Chorherr am Münster zu Freiburg i.Br., Sohn des berühmten Juristen Ulrich Zasius, Professor an der Universität Freiburg i.Br.: JOACH. ZASII. THEOLO(GIAE) D(OCTOR) P(RAE)P(OS)ITUS OLE(N)PERGEN(SIS); THEOBALD(US) CHRISTOPHORUS A RINACH; WERNERUS A BERNHUSEN CVSTOS; GEORGIVS AB AMPRINGEN CANTOR; AMBROSIVS A GVMPENBERG PRAEPOSITVS.
Die Kreuzigung zeigt die Inschrift: MELCHIOR A LICHTENFELS DEI GRATIA EPISCOPUS PRAELATI ET CANONICI CATHEDRALIS ECCLESIAE BASILIENSIS ANNO MDLXII.
Bischof Melchior, mit porträthaften Zügen, kniet vor dem Kreuzesstamm, ihm gegenüber steht sein Wappen.
Unter den im Pfingstfenster genannten Stiftern ist Jakob Imenhaber, ein bedeutender Gelehrter und mehrfacher Rektor der Universität Freiburg i.Br. Seine Familie stammt aus Rottweil, der zeitweise mit der Schweiz verbündeten schwäbischen Stadt: IO.(HANNES) SCHEIB V(TRIUSQUE) I(URIS) D(OCTOR) DECANVS; CHRISTOPHERVS TOROZELLIVS V(TRIUSQUE) I(URIS) D(OCTOR) ARCHIDIAC(ONUS); IO(HANNES) RODOLPHVS A BRINNIKOVEN PROTON(OTARIUS); PHILIPPVS A RAIMERSTAL; IACOBVS IMENHABER THEOLO(GIAE) D(OCTOR).

A. Scheidegger, Die Glasgemälde aus der Kapelle der Burg Angenstein, in: Jb. des Berner Historischen Museums 1946, S. 5–16; Gottlieb Wyss, Geschichtliches über die Glasgemälde von Angenstein, in: Jb. des Berner Historisches Museums 1946, S. 17–27; F. J. Gemmert, Das Basler Domkapitel in Freiburg, in: Schau-ins-Land 84/85 (1966/67), S. 125–159.

D.R.

INRI
MELCHIOR Á LIECHTE NFELS DEI GRATIA
EPISCOP VS PRÆLA TI ET CA NONICI
CATHED RALIS ECC LESIÆ BASI LIENSIS
ANNO M D LXII

D 13

IO: VITUS SCHEIB ·V·I·D· DECANUS
CHRISTOPHORUS TOROZELLIUS ·V·I·D ARCHIDIAC
IO: RODOLPHUS Á BRINNIKOVEN PROTOÑ·
PHILIP PUS A. RAIMER= STAL.
IACOBUS IMENHA= BER THEO= LO: D·

D 14

D 15

Wappenscheibe mit Hausmarke und Paar mit nackter Frau als Schildhaltern

Elsaß, Riquewihr (?), Anfang 16. Jh.

Hüttengläser, Schwarzlot, Silbergelb
H. 34 cm, B. 27,5 cm

Colmar, Musée d'Unterlinden

Im silberweißen Wappenschild die Initialen „W“ und „S“ zu Seiten einer goldgelben Marke, die unter dem „W“ ein liegendes Kreuz mit kleeblattförmigen Enden bildet. Auf dem Kreuz steht ein Hammer (?). Mit Hammer und Hackmesser sind die beiden „Wilden Leute“ bewaffnet, die sich im Oberbild bedrohen. Da Messer und Hammer Werkzeuge von Küfern sind, der Kavalier außerdem seiner Dame einen Weinbecher kredenzt, vermutet man, daß es sich um die Wappenscheibe einer Küferfamilie handelt. Stilistisch schließt sich die Scheibe der gleichen oberrheinischen Tradition an wie Kat.Nr. D 16. Für beide Scheiben vermutet Beeh-Lustenberger engen Werkstattzusammenhang. Spätgotischer Tradition verbunden sind die Astwerkrahmung, die Gestaltung der „Wilden Leute“ und des Frauenkörpers, während die selbstbewußte Haltung des Junkers und seine Tracht den neuen künstlerischen Tendenzen folgen.

R. Bruck 1902, S. 144, Taf. 77; E. Moench, in: Christian Heck, Le Musée D'Unterlinden, Cinquante Œuvres Choisies, Colmar 1984, S. 76 mit Abb.

D.R.

D 15

D 16

Hl. Wendelin mit unbekanntem Stifterwappen

Elsaß, 1500/10

Hüttengläser, roter Überfang mit Ausschliff, Schwarzlot, Silbergelb
H. 34 cm, B. 28 cm

Darmstadt, Hessisches Landesmuseum, Inv.Nr. Kg 38:69

Das Wappen, links unten goldener Schragen mit Querbalken in Rot, darüber ein hammerähnliches Werkzeug, blieb bisher ungedeutet; vielleicht einer Wagner- oder Tischlerzunft zugehörig. Die bewegte grafische Gestaltungsweise der Einzelformen setzt den spätgotisch-oberrheinischen Zeichnungsstil fort. Die deutliche Scheidung der Bildgründe, die Raumtiefe schafft und die Figur aus der Fläche löst, weist jedoch auf einen Künstler hin, der dem neuen Wirklichkeitssinn der Renaissance verbunden ist. Beeh-Lustenberger (1973, S. 207) vermutet Entstehung in der gleichen Werkstatt wie die Scheibe Kat.Nr. D 15, die jedoch den traditionellen Ornamentgrund beibehalten hat.

Beeh-Lustenberger 1967, Farbtaf. 178; 1973, Nr. 266, S. 206f. mit weiteren Literaturhinweisen.

D.R.

D 17

Kabinettscheibe mit Darstellung eines mit Reliquien beladenen Kamels

Entwurf Hans Baldung Grien (1484/85 bis 1545)
Ausführung: Straßburger Werkstatt, um 1515

Hüttengläser, Schwarzlot, Silbergelb

H. 43 cm, B. 30 cm (mit Rahmen)

Obernai, Hôtel de Ville

Die Scheibe stammt aus dem Kloster Niedermünster in Obernai. Dargestellt ist die Legende der Klostergründung: Herzog Hugo von Burgund erhielt als Entschädigung für erlittenes Unrecht von Kaiser Karl dem Großen Reliquien geschenkt, darunter ein Partikel des Kreuzes Christi. Dieses ließ er in ein kostbares Kruzifix einfügen, belud ein Kamel damit und ließ dort, wo das Tier sich niederließ, das Kloster Niedermünster errichten.
In der Inschriftleiste: *Frow. roß(ina) v(on). stei(n). äpt(issin) zu. nied(er)-mü(nster).*
Karl Schäfer (Kunstchronik Bd. VIII 1897, Sp. 428) entdeckte den engen Zusammenhang mit einer Zeichnung Hans Baldungs. Perseke sieht die Scheibe im Zusammenhang mit Visierungen aus dem Dürerkreis, dessen Stil durch Hans Baldung im Elsaß heimisch wurde.

Bruck 1902, S. 144, Taf. 78, mit älterer Lit.; Hans Haug, Katalog des Museums in Oberehnheim, Straßburg 1930, S. 12–14; Perseke 1941, S. 131, Abb. 18, 19 und 21, mit weiterer Lit.; Victor Beyer/Jacques Choux/Lucien Ledeur, Vitraux de France, Colmar 1970 (faßt Ergebnisse vorangehender Literatur zusammen).

D.R.

D 16

D 17

D 18

D 18

Wappenscheibe des Hugo von Hohenlandenberg, Bischof von Konstanz

Ludwig Stilhart (1507–1535 tätig) zugeschrieben
Konstanz 1516

Hüttenglas, Rotüberfang mit Ausschliff, Schwarzlot, Silbergelb
H. 63,5 cm, B. 52 cm (ohne Rahmung)

Stein am Rhein, Rathaus, Inv.Nr. 17.BM.ST

Bischof Hugo von Hohenlandenberg, 1457–1552, gewählt 1496; Inschrift: HUGO. DE. LANDENBERG. DEI. GRACIA. EPYSCOP(US). CONSTANCIENSIS. MDXVI.
Wappen des Bistums und des Bischofs, überhöht vom Stadtwappen von Konstanz zwischen Muttergottes und dem Diözesanheiligen, Bischof Konrad, als Schildhalter.
Unter den Kabinettscheiben der Rathaussammlung (vgl. Kat.Nr. D 33) befinden sich vier Scheiben eines sogenannten „Klosterzyklus", die nach Boesch (S. 126f., 133f., 144f.) mit weiteren andernorts erhaltenen Scheiben ursprünglich im Festsaal des Klosters St. Georgen in Stein waren und vom letzten Abt der Bürgerschaft für ihre Zunftstube übergeben wurden. Gegen diese aus den Schriftquellen abgeleitete Vermutung äußert R. Frauenfelder (in: KDM Schaffhausen 1958, S. 176) Bedenken und nimmt an, daß die insgesamt zwölf Scheiben von Anfang an Eigentum der Herrenstube (Zunft zum Kleeblatt, vgl. Frauenfelder, S. 213f.) gewesen seien. Die in der älteren Literatur vorgenommene Zuschreibung der zu diesem Zyklus gehörigen ausgestellten Scheibe an Ludwig Stilhart (Rott 1925/26, S. 25f., ders. 1933, Text S. 115, Quellen S. 97f.) wird von den späteren Autoren gestützt. Gegenüber der 10 Jahre später entstandenen, von Ludwig Stilhart signierten Wappenscheibe der Stadt Konstanz (Kat.Nr. D 23) sind hier die Figuren noch stärker spätgotisch geprägt, während die Säulenschäfte und das Bogenfeld mit den Putten der Kunst Hans Baldung Griens nahestehen. Zu Ludwig Stilhart vgl. Kat.Nr. D 23.

Gessler 1932, Nr. 26; Boesch 1950, S. 120–178; Kdm Schaffhausen 1958, S. 188, Nr. 1, S. 190ff. mit weiterer Lit.

D.R.

D 19

D 19

Kabinettscheibe der Universität Freiburg: „Der zwölfjährige Jesus im Tempel“

Ropsteinwerkstatt (?), Freiburg, um 1520/30

Hüttengläser, Schwarzlot, Silbergelb
H. 42 cm, B. 32 cm

Freiburg, Augustinermuseum, Leihgabe der Universität Freiburg

Die Szene mit dem im Tempel lehrenden Jesusknaben ist von Renaissancesäulen gerahmt. Im Bogenfeld darüber halten zwei Engel drei Wappen: in der Mitte Österreich, links Freiburg, rechts Habsburg. Die Darstellung des lehrenden Christus ist bereits auf den ältesten Siegeln und Hoheitszeichen der Universität zu finden. Hans Lehmann (1940, S. 40) nennt als „Gegenstück“ eine Wappenscheibe König Ferdinands I. aus der Sammlung Lord Sudeley. Die ausgestellte Scheibe könnte zwar eine Stiftung der Universität sein, vielleicht aber auch mit dem genannten Gegenstück eine Stiftung König Ferdinands als Landesherr im Breisgau und Protektor der Universität. „Rektor und regenten der hohen schuol Fryburg“ verdingten 1524 „dem erbern meister Hansen glaser, zuo Fryburg burger“, Fenster in der Universitätskapelle des Münsters (Hermans 1953, Anhang S. 10), darunter ebenfalls eines mit dem lehrenden Jesusknaben im Tempel. Daher ist anzunehmen, daß „Rektor und Regenten“, sofern sie auch die Stifter der Kabinettscheibe waren, diese der Ropsteinwerkstatt in Auftrag gaben, denn unter „Meister Hansen...“ ist wohl Hans Gitschmann von Ropstein zu verstehen.

Lehmann 1940, S. 40; Freiburg 1970, Nr. 315, S. 265f. *D.R.*

D 20

Wappenscheibe der Stadt Mengen

Christoph Stimmer († 1562)
Konstanz (?), 1524

Hüttengläser, Schwarzlot, Silbergelb, Eisenrot
H. 32 cm, B. 22 cm (ohne Rahmung)

Stadt Pfullendorf

Die Scheibe gehört zu einer Serie weiterer Wappenscheiben (darunter Kat.Nr. D 21 und D 22), die aus Anlaß des Rathausneubaus 1524/25 gestiftet wurden. Stifter waren die ehemaligen Landesherren, Karl V. als römischer Kaiser und sein Bruder Ferdinand als König über die habsburgischen Erblande, außerdem die umliegenden Herrschaften, Städte und Klöster.
Der Glasmaler Christoph Stimmer beteiligte sich selbst mit einer der Scheiben an der Stiftung und nennt sich als eigenhändigen Urheber der „Glasbilder samt ihren Wappen" (vgl. Kat.Nr. D 22).
Für die Rahmenarchitektur der in der Fußleiste mit *Mengen 1524* bezeichneten Scheibe diente ihm der ein Jahr zuvor entstandene Holzschnitt Holbeins d.J. als Vorlage (nachgewiesen von Rott, 1925/26, S. 32, Abb. 18 und 19), eine Titeleinfassung mit Darstellung der Kleopatra. Der Glasmaler hat die Anregungen des Holzschnitts künstlerisch sehr selbständig verarbeitet: Die Gruppe mit Dionysus, dessen Schrifttäfelchen er mit seiner Signatur „C.S." versieht, ist bei ihm von einer Säule überschnitten; die im Holzschnitt in einer Sockelnische liegende Kleopatra erscheint bei ihm links im Architekturgerüst stehend und vom Arm des Schildhalters halb verdeckt. Diese freien Überschneidungen der Kompositionselemente wie auch die Wendung des Schildhalters aus der Bildmitte heraus sind manieristische Stilprägungen, die 1524 überraschen.

Rott 1925/26, S. 31 f. mit Abb. und älterer Lit.; Rott 1934, S. 314–320, Abb. 9; Lehmann 1940, S. 37; Zur Biografie Christoph Stimmers: Bruckner-Herbstreit 1960, S. 72. *D.R.*

D 20

D 21

D 21

Wappenscheibe der Stadt Pfullendorf

Christoph Stimmer († 1562)
Konstanz (?), 1524/25

Hüttengläser, Schwarzlot, Silbergelb, Eisenrot
H. 32 cm, B. 22 cm (ohne Rahmung)

Stadt Pfullendorf

Die Scheibe ist das Gegenstück zu Kat.Nr. D 20; in der Gestaltung ebenso auffällig durch die schraubenförmige Bewegung, mit der der Schildhalter aus dem Portal herauszutreten scheint. In der Fußleiste die Inschrift *Pfullendorf* und die ligierte Signatur des Glasmalers CS.

Rott 1934, S. 318 f., Abb. 8. *D.R.*

D 22

Wappenscheibe des Christoph Stimmer

Christoph Stimmer († 1562)
Konstanz (?), 1525

Hüttengläser, Schwarzlot, Silbergelb
H. 32 cm, B. 22,5 cm (ohne Rahmung)

Stadt Pfullendorf

Am Schluß der stolzen Folge von Wappenscheiben, Schenkungen von Kaiser, König, Städten und Klöstern, reiht sich der selbstbewußte Glasmaler mit einer eigenen Scheibenstiftung ein. Die nur mit einem Federhut bekleidete Schildhalterin zeigt den „redenden" Wappenschild der Familie Stimmer: Zwei in Lyraform sich zugekehrte Blasinstrumente schwarz und gelb, umgekehrte Farbigkeit im Schild mit schwarzem Segment.
Inschrift der Fußleiste (Lesart und Übersetzung nach Rott, 1934, S. 318): *Ego Christophorus Stymmer hasce imagines et singna Marte quidem meo depinxi, quamvis plus quam Διζ δια πασῶν ab arte Parrhasy et Ap(ellis) absunt. Vale lector. Año dm̃ 1525.* Übersetzung: „Ich selbst, Christoph Stimmer genannt, habe diese Glasbilder samt ihren Wappen eigenhändig gemalt, obwohl sie längst nicht den Kunstwerken eines Parrhasius und Appelles gleichkommen. Leb wohl mein Leser. Im Jahre des Herrn 1525".
Christoph Stimmer aus Burghausen bei Salzburg, Stammvater des berühmten Schaffhausener Malergeschlechts, übte neben der Glasmalerei das Amt eines Schönschreibers und Schulmeisters aus. Hans Rott (1925/26, S. 32) vermutet eine Lehrzeit in der Werkstatt der Stilhart während seines Aufenthalts als Privatlehrer in Konstanz. Für seinen Figurenstil weist er auf Schweizer Vorbilder, etwa Hans Leu d.J. oder Niklaus Manuel Deutsch hin (Lehmann folgt darin Rott nicht, sondern verweist auf Rheinfelder Scheiben), für die Rahmenkomposition auf grafische Vorlagen der großen zeitgenössischen Künstler (vgl. Kat.Nr. D 20 und D 21).

Rott 1925/26, S. 31 f., Abb. 20 mit älterer Lit.; Rott 1934, S. 318, Abb. 5; Thöne 1936, S. 13 ff.; Lehmann 1940, S. 37; Bruckner-Herbstreit 1960, S. 72; Darmstadt 1979, Nr. 25, Farbtafel S. 79. *D.R.*

D 22

D 23

D 23

Wappenscheibe der Stadt Konstanz

Ludwig Stilhart (1507–1535 tätig)
Konstanz, 1526

Hüttenglas, Schwarzlot, Silbergelb, roter, blauer und grüner Überfang mit Ausschliff
H. 54 cm, B. 55 cm (H. 52,7 cm, B. 54,3 cm ohne Einfassung)

Konstanz, Rosgartenmuseum

Wappenpyramide (in Anlehnung an Schweizer Standesscheiben) mit zwei Konstanzer Stadtschilden, bekrönt vom Reichswappen, zwischen den Stadtpatronen St. Konrad und St. Pelagius. Die sehr individuell wirkenden Köpfe führten zur Vermutung, daß die damaligen Stadtoberhäupter, Bischof Hugo von Hohenlandenberg (vgl. Kat.Nr. D 18) und Bürgermeister Jakob Gaisberg porträtiert wurden (Rott 1925/26, S. 25 ff.). 1526 verließ der Bischof die reformierte Stadt.
In den Feldern der seitlichen Pilaster und im Oberbild sind Szenen eines Büchsenschießens dargestellt. Die Scheibe ist signiert und datiert. Im Sockel der Pilaster findet sich links die Jahreszahl 1526, rechts die Buchstabenfolge CO. LST (Konstanz, Ludwig Stilhart). Weitere vier signierte Werke des Konstanzer Glasmalers sind noch im Züricher Landesmuseum und im Regierungsgebäude in Frauenfeld erhalten. Die ihm gleichfalls zugeschriebene Scheibe im Rathaus von Stein am Rhein (Kat.Nr. D 18), zehn Jahre früher entstanden (weitere Zuschreibungen: Rott 1925/26, S. 26), zeigt im Figürlichen noch starke Einbindung in spätgotische Tradition, während die Gestaltung der Säulenschäfte und der kletternden Putten der Kunst Hans Baldung Griens nähersteht.
Auftraggeber der Scheibe war der Rat der Stadt Konstanz. Er stiftete sie „1526 den St. Galler Büchsenschützen in ihr Schützenhaus für das im nächsten Jahr dort stattfindende große Gesellenschießen" (v. Blanckenhagen, S. 31). Stilistische Parallelen sieht v. Blanckenhagen in den Fassaden und Wandmalereien in Stein am Rhein.

Rott 1925/26, S. 27, Abb. 4; Rott 1926/27, S. 126 ff.; Rott 1933, Textband S. 115, Quellen S. 109; Leiner 1938, S. 154; Sigrid von Blanckenhagen, Eine Konstanzer Wappenscheibe, in: Der Museumsfreund 1 (1962), S. 29–32. *D.R.*

D 24

Scheibe der Veronika von Falkenstein, geb. von Ems

Ropsteinwerkstatt (?), Freiburg, 1528

Hüttengläser, rotes und blaues Überfangglas mit Ausschliff, Schwarzlot, Silbergelb und Eisenrot
H. 41 cm, B. 32 cm

Schloß Heiligenberg, Fürstlich Fürstenbergische Sammlungen

Wie die zugehörige Wappenscheibe Kat.Nr. D 25 unbekannter Herkunft. Im Oberbild rechts eine Ergänzung mit einem Fremdstück: Der hl. Nikolaus mit einem Wappenschild. Die ursprünglich hierher gehörigen Kirchenväter Gregor und Hieronymus, entsprechend den links erhaltenen Ambrosius und Augustinus, sind in einer Nachzeichnung von 1580 des damals noch vollständig erhaltenen Oberbildes überliefert, die A. v. Schneider im Kupferstichkabinett der Staatlichen Kunsthalle Karlsruhe entdeckte.
Die Stifterin mit dem Stammwappen der Familie von Ems (aus der auch Kardinal und Bischof Marx Sittich von Hohenems stammt, vgl. Kat.Nr. D 41) erscheint im unteren Teil des Bildfeldes vor einer tuchbedeckten Mauerbrüstung. Darunter die Inschrift: Hie by gedencke(n) Veronica frygin von falcke(n)stei(n) gebor(ene) von emß. O Maria mater dei meme(n)to mei. 1528".
Die Marienkrönung über der Brüstungsmauer erinnert an das Mittelbild Hans Baldungs im Hochaltar des Freiburger Münsters. A. v. Schneider weist außerdem auf die Ornamentik der Säulenschäfte hin sowie auf den Umstand, daß die Stifterfamilie im Breisgau begütert war und Sigmund von Falkenstein einen Ratsposten in Freiburg hatte. Außerdem stiftete die Familie eines der Hochchorfenster im Freiburger Münster.
Ein weiterer Anhaltspunkt für die Zuordnung der Scheibe zu Werken, die der Ropsteinwerkstatt zugeschrieben werden, ist die grafische Behandlung des Gewandes der Stifterin, die mit der des Wenzel vom Wiger aus Endingen (vgl. Kat.Nr. D 26) identisch erscheint.
Von besonderem Interesse ist der Scheibentypus, der Stifterdarstellung und figürliche Szene einander zuordnet wie in der monumentalen Glasmalerei (vgl. Kat.Nr. D 12–14) und sie mit dem Rahmenschema der Kabinettglasmalerei – seitliche Pfeiler und Oberbild – umgibt.
Eine weitere Scheibe der Heiligenberger Sammlung, die leider stark durch Fremdstücke beeinträchtigt ist, läßt die gleiche Komposition erkennen (Ulrich von Rust und Maria von Bolzenhain, 1526).

D 24

A. v. Schneider, Eine Kabinettscheibe der Fürstlich Fürstenbergischen Sammlungen und ihre Nachzeichnung, in: Schriften des Vereins für Geschichte und Naturgeschichte der Baar und angrenzender Landesteile XXIII (1954), S. 97–103. *D.R.*

D 25

D 25

Wappenscheibe Friedrichs Graf zu Fürstenberg

Ropsteinwerkstatt (?), Freiburg, 1529

Hüttengläser, rotes und blaues Überfangglas mit Ausschliff, Schwarzlot, Silbergelb, Eisenrot
H. 41 cm, B. 32 cm

Schloß Heiligenberg, Fürstlich Fürstenbergische Sammlungen

Im Rittersaal des Schlosses sind 20 Fenster mit 40 Kabinettscheiben unterschiedlicher Entstehungszeiten und Herkunft geschmückt. Ein Teil der Scheiben stammt aus dem Rathaus zu Meßkirch. Jedoch waren nicht alle auf einer Liste verzeichneten Scheiben zu identifizieren (Wohleb). Daher ist über den ursprünglichen Standort unserer Scheibe vorerst nichts auszusagen.
In der Schriftleiste: „Friderich grave zu Fierstenperg lantgrave in bare anno domini 1529“.
Das Oberbild, der Zweikampf zweier Reiterführer, könnte sich auf eine Situation aus dem Leben des Grafen Friedrich oder seines Bruders Wilhelm (1491–1549) beziehen. Auffällig das Emblem mit flammendem Globus auf der Schabracke des links verharrenden Reiters sowie die mit Rauten und eingeschriebenen „A“ dekorierte Schabracke des rechts Kämpfenden. Graf Friedrich (1496–1559) war neben seinem „martialischeren“ Bruder als Kriegsmann berühmt, obgleich er als Diplomat und Staatsmann größere Begabung hatte (ADB, Bd. 8, S. 219). Er war habsburgisch und katholisch gesonnen und kämpfte 1525 im Bauernkrieg auf Seiten des Adels. Er oder sein Bruder kommt als Auftraggeber eines von Noack (1950/51, S. 129, Abb. 8) als Vorlage für die Endinger Scheibe „Wendel vom Wiger“ (vgl. Kat.Nr. D 26) genannten Risses (Bächtiger 1975, S. 210, Abb. 1) in Frage.
In stilistischer und technischer Hinsicht steht die Scheibe in so engem Zusammenhang mit dem im Endinger Rathaus erhaltenen Scheibenzyklus, daß die Entstehung in derselben Werkstatt anzunehmen ist. Möglicherweise stammt sie vom gleichen Glasmaler wie die hier ausgestellte Scheibe „Wendel vom Wiger“, die ebenfalls 1529 entstanden ist. Dieser Werkstatt lassen sich weitere Scheiben in Schloß Heiligenberg zuordnen.

Wohleb 1950, S. 66 f. *D.R.*

D 25 A

Wappenscheibe des Wilhelm Werner Freiherr zu Zimmern, Herr zu Wildenstein

Ropsteinwerkstatt Freiburg i.Br. (?), 1529

D 25 A

Hüttengläser, Schwarzlot, Silbergelb,
H. 38,5 cm, B. 31,8 cm,

Fürstlich Fürstenbergische Sammlungen, Schloß Heiligenberg

Ursprünglicher Standort der Scheibe unbekannt (vgl. D 25). Vielleicht stammt sie, wie sechs Zimmern-Scheiben von 1540/41, aus dem Rathaussaal in Meßkirch (Wohleb, S. 65 und 67). Inschrift: *Wilhelm wernher Freierherr zu Zimbern herr zu wildenstein 1529.* Das Wappen wird von einem Löwen und einem Greifen gehalten.
Wilhelm Werner (1485 – ca. 1575) wurde als jüngster von vier Söhnen des Freiherrn Johann Werner von Zimmern in Meßkirch geboren. Er betrieb in Tübingen und Freiburg juristische und philosophische Studien und wurde in Freiburg mehrfach zum Rektor gewählt. 1529, im Jahr der Stiftung seiner Wappenscheibe, wurde er von Kaiser Karl V. zum Beisitzer am Reichskammergericht berufen.
Wilhelm Werner verfaßte mehrere Werke genealogischen Inhalts, die er mit eigenen Federzeichnungen, namentlich Wappen, dekorierte (ADB, Bd. 45, S. 302–306); sowie ein in der Tradition der mittelalterlichen Totentänze stehendes Erbauungsbuch (vgl. Kat.Nr. G 5).
Vielleicht wäre in seinen genealogischen Schriften ein Hinweis auf die Wahl der Wappenhalter der Scheibe zu finden. Mit seinen Brüdern war er, gegen die Auffassung des Vaters (Wohleb) und seines jüngeren Neffen, des Verfassers der Zimmerschen Chronik (vgl. Kat.Nr. G 13) übereingekommen, im Wappen „die vier lewen quartirt zu fieren, so doch – wie der Verfasser der Chronik einwendet – in deutscher nation nichts schedliches sich hat künden begeben, dann das die quartirten wappen ufgestanden; … so were doch zuversichtlich

D 26

glücklicher gewesen, die lewen hetten ainander nachgesehen, dann das sie also wider einandern kratzen und krimmen" (Zimmernsche Chronik, Bd. III, S. 216).

Die Chronik der Grafen von Zimmmern, hrsg. von Hansmartin Decker-Hauff, Bd. 1 ff., Darmstadt 1964 ; E. W. Graf zu Lynar, Schloß Heiligenberg, München 1981, Farbabb. S. 12 *D.R.*

D 26

Wappenscheibe des Wendel vom Wiger

Ropsteinwerkstatt (?),
Freiburg, 1529

Hüttengläser, Schwarzlot, Silbergelb, Eisenrot
H. 46,5 cm, B. 37,5 cm

Endingen, Rathaus

Die Scheibe gehört mit Kat.Nr. D 27 zu einer Folge von Wappenscheiben (die Anwendung des von Noack gebrauchten Begriffs „Standesscheiben" ist hier nicht korrekt), die in das 1527 umgebaute Endinger Rathaus gestiftet wurden, Schenkungen der Landesherren und verschiedener Adelsgeschlechter, die in Beziehung zur Stadt gestanden haben. Werner Noack schreibt die sämtlichen 14 Scheiben in der Ausführung einer einzigen Glasmalerwerkstatt zu, nämlich der Freiburger Ropsteinwerkstatt, nimmt jedoch verschiedene Künstler als Visierer und unterschiedliche Glasmaler als Ausführende an. Für unsere Scheibe mit der Sockelinschrift: *Wendel vom Wiger Ritter 1529* verweist er auf einen Riß als Vorlage, der dem als „Petrarcameister" bezeichneten Maler und Holzschneider Hans Weiditz zugeschrieben wird (ca. 1522 bis 1536 in Straßburg nachweisbar, wohl ein in Freiburg vor 1500 geborener Sohn des Bildschnitzers Hans Wydyz). Allerdings ist Noacks Feststellung, der Riß ginge „bis in alle Einzelheiten so eng mit der Scheibe des Wendel vom Wiger überein, daß hierfür zweifellos eine Visierung des gleichen Meisters vorgelegen hat", nicht nachvollziehbar (vgl. Bächtiger, Abb. 1, S. 213, – möglicherweise liegt eine Verwechslung mit einem in Coburg vorhandenen Riß zugrunde).
Hermans ordnet den von Noack der Ropsteinwerkstatt zugeschriebenen Endinger Fenstern vier Scheiben im Historischen Museum Basel zu, kann jedoch „keine Eigenart in der Glasbehandlung erkennen, die eine Herstellung in einer anderen Werkstatt ausschließt". Im Katalog Freiburg 1970 wird die mögliche Entstehung einiger Scheiben in der Ropsteinwerkstatt zugestanden.
Die reizvollen Figürchen in Vorder- und Rückenansicht in Blattranken an den Säulenbasen, die Quasten an den Säulenschäften sowie die Blattrosetten am Schaft und in den Kapitellen erinnern an Formen Holbeins und Baldungs, die in der Ropsteinwerkstatt häufig benutzt wurden. Der Glasmaler unserer Scheibe zeichnet sich durch besonders geschickte Schwarzlot- und Silbergelbbehandlung aus, mit der er die Oberfläche der ritterlichen Tracht effektvoll charakterisiert. Auf einer Wappenscheibe in Schloß Heiligenberg (Kat.Nr. D 24) findet sich ähnliche Schwarzlotbehandlung des Gewandes der Stifterin. Mit weiteren Scheiben der Heiligenberger Sammlung bestehen enge Zusammenhänge (vgl. Kat.Nr. D 25).

Noack 1950/51, S. 127–131, Abb. 7 und 8; Hermans 1953, S. 151; Karl Kurrus, Die Wappenscheiben im Rathaus zu Endingen, in: Schauinsland, 87. Jahresheft, 1969, S. 5–25 mit Abb.; Freiburg 1970, S. 267; Bächtiger 1975, S. 210, 213 mit Abb. 1. *D.R.*

D 27

D 27

Wappenscheibe des Alexius von Pfirt

Ropsteinwerkstatt (?),
Freiburg, 1529

Hüttengläser, roter und blauer Überfang mit Ausschliff, Schwarzlot, Silbergelb, Eisenrot
H. 46,5 cm, B. 37,5 cm

Endingen, Rathaus

Im Inschriftband: *Alexius von Pfirt 1529.* Die Scheibe gehört zwar zur gleichen Serie wie Kat.Nr. D 26, „Wendel vom Wiger", aber sie ist weniger frei im künstlerischen Entwurf und unterscheidet sich auch in der Ausführung. Die Stärke dieses Glasmalers liegt weniger in der grafischen Verwendung von Schwarzlot und Silbergelb als in besonderer handwerklicher Geschicklichkeit: Im roten Glasstück mit dem Rock der Schildhalterin ist die Hand mit dem weißen Ärmel aus dem roten Überfang herausgeschliffen, obwohl hier die Einfügung einer Bleirute leicht möglich gewesen wäre. Dasselbe gilt für das weiße Kopftuch des gekrönten Mannes der Helmzier im blau überfangenen Bildgrund.

Noack 1950/51, S. 130, Abb. 13. *D.R.*

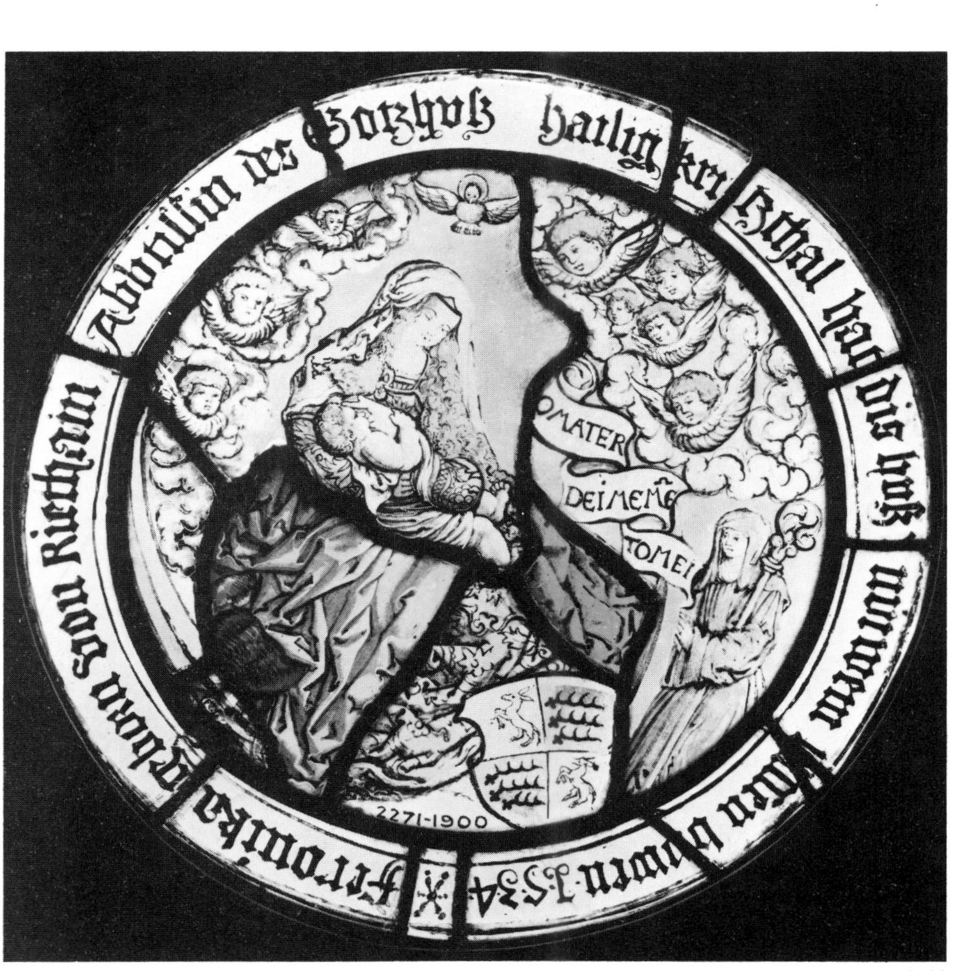

D 29

D 28

Wappenscheibe der Gemeinde Hallau mit hl. Mauritius

Felix Lindtmayer d. Ä. (1523 Meister, † 1540/41) zugeschrieben
Schaffhausen, 1531

Hüttengläser, Schwarzlot, Silbergelb
H. 59,5 cm, B. 44,5 cm

Schaffhausen, Museum zu Allerheiligen, Inv.Nr. 20024

Die Scheibe mit dem hl. Mauritius als Bannerträger neben dem Gemeindewappen folgt dem seit Holbein verbreiteten Kompositionsschema mit dem Podest, seitlichen Säulenschäften mit Renaissance-Dekor und Landschaft im Hintergrund. Das von einem Astwerkbogen abgegrenzte Oberbild mit Bauern beim Pflügen und Arbeitern im Weinberg folgt älterer Tradition. Inschriftleiste mit ergänzter Jahreszahl: *Die gemeinde zu Halow 1531.*

Bruckner-Herbstreit 1960, S. 67; Kdm Schaffhausen, Bd. 3, 1960, S. 81, Abb. 87; Otto Stiefel, Die Glasgemälde des Museums zu Allerheiligen in Schaffhausen, Schaffhausen (1967), S. 10, Nr. 8; Thöne 1975, S. 22, Kat. B 7, S. 288 f. mit weiterer Lit.
D.R.

D 29

Rundscheibe der Veronika von Riethain

Südwestdeutschland, 1534

Hüttenglas, Schwarzlot, Silbergelb
Dm. 27,5 cm

London, Victoria & Albert Museum, Inv.Nr. 2271–1900

Die Scheibe trägt die Umschrift: *Feronika von Riethain Abtissin des Gotzhuß hailig Kr(u?)tzthal hat dis huß nuiwen lassen bauwen 1534.* Im Spruchband der Äbtissin: O MATER DEI MEME(N)TO MEI. Die Stiftung bezieht sich auf die Erneuerung von Kirche und Konventsgebäuden im Kloster Heiligkreuztal (vgl. zur Biografie der Stifterin Kat.Nr. D 10).

Bernhard Rackham, A Guide to the Collections of Stained Glass, London 1936, S. 86. *D.R.*

D 30

Wappenscheibe des Bernhard von Stein

Schwäbisch (?), 1538

Hüttenglas, roter Überfang mit Ausschliff, blaues Überfangglas, Schwarzlot, Silbergelb
H. 41,5 cm, B. 32 cm

Stuttgart, Württembergisches Landesmuseum, Inv.Nr. III, 11388

Unter dem Ritter von Stein mit seinem Wappen auf einer Bandrolle die Inschrift: *Bernhart von Stain Anno 1538.* Die Herren von Stein sind 1557 und 1566 urkundlich in Talheim, Mundingen und Kirchen bezeugt. Der Scheibentypus entspricht weitgehend den zehn Jahre früher entstandenen Scheiben im Rathaus Endingen und Schloß Heiligenberg (vgl. Kat.Nr. D 24–27). Wegen der stilistisch ähnlichen Jagddarstellung im Oberbild ordnet Balet dem „gleichen Meister" eine weitere 1527 datierte Scheibe des Württembergischen Landesmuseums (Balet 1912, Nr. 50) zu.

Balet 1912, Nr. 58, S. 104 f. mit weiterer Lit. *D.R.*

D 30

D 31

D 31

Wappenscheibe Kaiser Karls V.

Ropsteinwerkstatt (?),
Freiburg, 1538

Hüttengläser, rotes und blaues Überfangglas mit Ausschliff, Schwarzlot, Silbergelb
H. 42,5 cm, B. 34 cm

Villingen, Städtisches Museum

Der kaiserliche Wappenschild, gehalten vom Doppeladler, steht vor einem Damastgrund, der unten links durch geflickte Fremdstücke ergänzt ist. Die Inschrift am unteren Rand ist zwar durch Schwarzlotabrieb gestört, jedoch noch lesbar: *Karl von Gottes gnaden Römischer Keiser V (?) zu Hyspanien Beyder Sicilien V (?) König Ertzherzog zu Osterreich Herzog zu Burgundy anno 1538.*
Paul Revellio schreibt die Scheibe Hans Gitschmann von Ropstein zu, wie auch die gleichzeitig datierte Scheibe „Stadt Villingen" (vgl. Kat.Nr. D 32).
Der im Oberbild dargestellte Drachenkampf des hl. Georg ist auf den Kaiser als Verteidiger des Reiches und des katholischen Glaubens gegen die „lutherischen und bäurischen Empörungen" (vgl. Kat.Nr. D 32) bezogen. In einer Drachentötergruppe des Bildhauers Brüggemann in St. Jürgen in Husum trägt der hl. Georg die Züge Kaiser Karls V., sein Heer siegte 1546 in der Schlacht bei Mühlberg mit Anrufung des Heiligen über die protestantischen Fürsten. (Zur Identifizierung von Herrschern mit dem hl. Georg unter dem Gesichtspunkt der „Militia Christi" vgl. Sigrid Braunfels-Esche, Sankt Georg. Legende, Verehrung, Symbol, München 1976, S. 117f.).

Revellio 1964, S. 234. *D.R.*

D 32

D 32

Wappenscheibe der Stadt Villingen

Ropsteinwerkstatt (?),
Freiburg, 1538

Hüttengläser, rotes und blaues Überfangglas mit Ausschliff, Schwarzlot, Silbergelb und Eisenrot
H. 43 cm, B. 34 cm

Villingen, Städtisches Museum

Unter dem Wappenschild die Inschrift: *die stat Fylingen vor der Waldt 1538.* Das Wappen ist das 1530 vom Kaiser verliehene verbesserte Stadtwappen mit dem Adler im blauweiß gespaltenen Schild und Helm mit Decke und Pfauenschweif. Das alte Hoheitszeichen bestand lediglich aus dem gespaltenen Schild mit einem Seitenbalken in blauem Feld. Paul Revellio berichtet zur Geschichte der Wappenverleihung: Der Villinger Bürger, Junker Jakob Betz, gebürtig aus Überlingen, hatte die Wappenverleihung 1530 im Hoflager Kaiser Karls V. in Augsburg erreicht. Unter Hinweis auf den seiner Heimatstadt Überlingen 1528 verliehenen Wappenbrief, in dem es zur Begründung heißt, weil sie „in den letzten lutherischen und bäurischen Empörungen und aufrührigen schweren Läufen Uns und Unser christlichen Kirche gehorsam, tapfer, männlich und redlich sich erhalten", erbat Junker Betz auch für seine Stadt Villingen die Wappenverleihung, da sie die gleichen Verdienste um das Haus Österreich hatte. Nachdem das Ziel erreicht war, ließ Betz auf dem Heimweg das neue Banner in allen Städten entfalten. Am 24. 8. wurde er in Geisingen durch die Villinger Bürgerschaft empfangen und von 500 Mann mit Geschütz feierlich heimgeleitet. Dieses Ereignis hat der Glasmaler im Oberbild mit Fahnen, Geschütz, zahlreichen Bewaffneten und Berittenen dargestellt.

Revellio 1964, S. 278–282, farbige Abb. S. 278.

D.R.

D 33

Wappenscheibe der Stadt Steckborn

Caspar Stilhart (tätig 1531–1547) zugeschrieben
Konstanz, 1543

Hüttenglas, Schwarzlot, Silbergelb, blaues und rotes Überfangglas mit Ausschliff, Eisenrot
H. 56 cm, B. 44,5 cm

Stein am Rhein, Rathaus,
Inv.Nr. 30 B.M. ST

Inschrift: *Statt Steckboren 1543.* Das Fensterfeld gehört zu der in der großen Ratsstube von 1542 (heute Waffensaal) vereinten Sammlung von Kabinettscheiben. Nach dem Bau des Rathauses 1539–1542 erbaten Bürgermeister und Rat der Stadt am 20. März von der „Tagsatzung" in Baden (Schweiz), "... daß unser Herren und Oberen jedes Ordt inen ein Venster und ir Eerenwapen darin schenken" mögen. Stein erhielt einen 1542 datierten, noch vollständig erhaltenen Zyklus von 13 „Standesscheiben" des Glasmalers Karl von Egeri (vgl. Kat.Nr. D 37–39) und 1542/43 einen zweiten Zyklus, aus dem die ausgestellte Scheibe stammt. Dieser umfaßte ursprünglich 17 (heute noch 13) Städtescheiben, teils von Karl von Egeri, teils Caspar Stilhart zugeschrieben (Frauenfelder, in: Kdm Schaffhausen 1958, S. 188f.). Zu Caspar Stilhart vgl. Kat.Nr. D 34.

Gessler 1932, S. 11, Nr. 28; Boesch 1950, S. 120–178; Kdm Schaffhausen 1958, S. 196, Nr. 24 mit älterer Lit.

D.R.

D 33

D 34

D 34

Wappenscheibe des Paul Appetzhofer, Obervogt in der Reichenau

Werkstatt des Caspar Stilhart (tätig 1531 bis 1547) zugeschrieben
Konstanz, 1547

Hüttenglas, roter und blauer Überfang mit Ausschliff, Schwarzlot, Silbergelb
H. 42 cm, B. 35 cm

Karlsruhe, Badisches Landesmuseum, Inv.Nr. C 11079

Unter dem Wappen die Inschrift: *Paul Appetzhofer Obervogt der Rychenow ecle(siae) 1547.*
Der ursprüngliche Standort der Scheibe ist unbekannt, ist aber wohl auf der Reichenau zu vermuten, wo der Stifter 1562 Obervogt war. 1570 ist er als Verwalter der Landvogtei Schwaben in Altdorf genannt (v. Schneider, S. 64).

A. v. Schneider (S. 36f.) verweist auf das Oberbild mit einem Triumphzug des von Tugenden gezogenen Kaisers, nach dem berühmten Vorbild des Triumphzuges Kaiser Maximilians von Dürer. Beschriftung: KISA (Kaiser), ACRIMON(EA), PV, ALACRITAS, AUDATIA. Von Dürer ist auch der Paukenschläger auf der linken Säulenbasis übernommen. Schließlich weist A. v. Schneider auf Übereinstimmungen der ausgestellten Scheibe mit weiteren Caspar Stilhart zugeschriebenen Scheiben im Historischen Museum St. Gallen sowie mit Scheiben aus dem Rathaus Reichenau-Mittelzell hin, die sich heute im Louvre befinden.
Das einzige Scheibenfragment, das als gesichert für Caspar Stilhart gilt, ist Teil eines Oberbildes mit musizierenden Landsknechten im Besitz des Badischen Landesmueums. Hans Rott (1925/26, S. 27ff.) wies nach, daß diese Musikanten auf Radierungen des Monogrammisten C.B. von 1531 zurückgehen, wahrscheinlich des Malers Christoph Bockstorfer, der 1514 in Konstanz eingewandert, zahlreiche Vorlagen für Glasgemälde lieferte.

Schneider 1949, Kat.Nr. 43, Taf. 42, Text S. 36f. mit weiterer Lit. *D.R.*

D 35

Kabinettscheibe mit Sonnenuhr

Martin Pfender (genannt 1531, zuletzt 1556)
Rottweil, 1553

Hüttengläser, rotes und blaues Überfangglas mit Ausschliff, Schwarzlot, Silbergelb
H. 46 cm, B. 35,5 cm

Stadt Rottweil, Altes Rathaus

Das Glasgemälde gehört zu einer Serie von acht Scheiben im Rottweiler Rathaus (Steinhauser 1939, S. 106), die dort zuerst 1875 beschrieben wurden (vgl. Kat.Nr. D 56).
Im Bildfeld umschließt das Schema einer Sonnenuhr mit den Tierkreiszeichen das von der Sonne bekrönte Stadtwappen mit der Jahreszahl 1553. In der Zone des Steinbocks, oben links, findet sich das ligierte Künstlermonogramm MP. Zu Seiten der Mittellinie ist die Zahl der Tag-und Nachtstunden im Jahreslauf angegeben. Im Oberbild die Hauptszenen aus der Tellsage. Stähle (1969, S. 80) verweist auf eine weitere gläserne Sonnenuhr in Ulm (vgl. auch Beeh-Lustenberger, 1979, Nr. 30 mit weiterer Literatur).
„Martin Pfender gnant glaser" gehört einer zu Rottweil ansässigen Glasmalerfamilie an. Seiner Werkstatt sind nach Steinhauser fünf der Rottweiler Scheiben aus den Jahren 1540 bis 1554 zuzuordnen. Rott (1933, Text S. 138) weist auf Beziehungen zur Konstanzer Glasmalerei der Stilhart hin (vgl. hierzu die Bildung der kräftigen rahmenden Pfeiler mit Nebenszenen in Kat.Nr. D 23).
Die gläserne Sonnenuhr, im Volksmund „Zit" genannt, war ursprünglich auf der Außenseite unterhalb der dargestellten Sonne mit einem Metallstab versehen, dessen Schatten im Tageslauf über die Ziffern des rechteckigen Zahlenschemas wanderte. Die Tellsage im Oberbild erinnert an die engen Beziehungen von Rottweil zur Schweizer Eidgenossenschaft. Seit 1463 war die Stadt mit den acht „alten" (später dreizehn) Orten der Eidgenossenschaft vertraglich verbunden, so daß sie es sich leisten konnte, dem vom Kaiser ins Leben gerufenen Schwäbischen Bund nicht beizutreten. 1519 wurde Rottweil als „zugewandter" Ort für „ewige Zeiten" in die Eidgenossenschaft aufgenommen.

Rott 1933, Quellen S. 163, Text S. 138 f.; Steinhauser 1939, S. 105–118, Abb. 27; Willi Stähle, Wappenscheiben der Reichsstadt Rottweil für die Eidgenossen, in: 450 Jahre Ewiger Bund, Festschrift zum 450. Jahrestag des Abschlusses des Ewigen Bundes zwischen den XIII Orten der Schweizerischen Eidgenossenschaft und dem zugewandten Ort Rottweil, Rottweil 1969, S. 79–81; H. Behrendt, Historische Glas-Sonnenuhren, in: Schriften der „Freunde alter Uhren“, XIX (1980), S. 171–172. *D.R.*

D 35

D 36

Wappenscheibe mit Bannerträger der Basler Himmelzunft

Balthasar Han (1505–1578)
Basel, 1554

Hüttengläser, rotes Überfangglas mit Ausschliff, Schwarzlot, Silbergelb oder Eisenrot
H. 91 cm, B. 57 cm

Basel, Historisches Museum, Inv.Nr. 1903.137

Der geharnischte „Pannerträger“ schwingt das Banner der Basler „Zunft zum Himmel“, der auch die Glaser und Glasmaler mit den Tafelmalern sowie Sattler und Sporer angehörten. Auf der Bodenplatte *Balthasar v(nd) Matheus Han. 1554.*
Nach P.L. Ganz nennt die Inschrift Balthasar, den Glasmaler, und seinen jüngeren Bruder Matheus, den Maler (ca. 1513 – vor 1594) als Stifter und Ausführende von Entwurf und Glasgemälde.
Die Inschrift gilt als erste erhaltene Glasmalersignatur in Basel. In enger, nicht ganz klarer Beziehung zum Glasgemälde steht die Zeichnung (vgl. Kat.Nr. E 21), die nicht als Originalabriß, aber, wie P. L. Ganz vermutet, als erster Entwurf gelten kann. Die Scheibe ist Ausgangspunkt für weitere Zuschreibungen. Die Gestalt des Bannerträgers leitet P. L. Ganz von Holbein ab, auf dessen Werk sich auch Architektur und Landschaftsgestaltung beziehen lassen. Holbeins Werkstattnachlaß, so wird vermutet, kann in den Besitz der Han übergegangen sein.

Ganz 1966, S. 20, Taf. 1, mit weiterer Lit. *D.R.*

D 37

Wappenscheibe der Abtei St. Blasien und der Freiherrn von Sellenbüren

Hans Füchslin (?) (erwähnt 1560–1582)
Kloster Muri, 1558

Hüttengläser, rotes und blaues Überfangglas mit Ausschliff, Schwarzlot,

Silbergelb, Eisenrot
H. 70 cm, B. 52 cm

Aarau, Kantonales Kunstdenkmäleramt

Die Scheiben D 37 – D 39 bilden eine Einheit. Ihr Standort ist das Fenster IV

D 36

im südlichen Kreuzgangflügel des Klosters Muri. Sie sind eine Schenkung der Benediktinerabtei St. Blasien im Schwarzwald, die mit Muri seit früher Zeit eng verbunden war. Von St. Blasien aus wurde im 11. Jahrhundert in Muri die von Cluny ausgehende Klosterreform eingeführt.
Die von einer Triumphbogenarchitektur eingefaßte Wappenpyramide zeigt links das Hirschwappen von St. Blasien. Als Helmbekrönung dient ein Wolfsrumpf mit einem Ferkel in der Schnauze zur Erinnerung an die Legende des hl. Blasius, der einer armen Witwe zuliebe deren einziges Schwein aus dem Rachen eines Wolfes errettet haben soll; rechts der Wappenschild der Freiherrn von Sellenbüren, die als Gründer und Wohltäter des Klosters galten. Beide Wappen sind überhöht vom habsburgischen Bindenschild als Hinweis auf die österreichische Oberhoheit. Im Sockel zwischen den Wappen die Jahreszahl 1558, in der Schriftleiste darunter: *Von Gottes gnade(n) Caspar Aptt des...* (Fortsetzung der Inschrift in Kat.Nr. D 39).

Georg German in Kdm Aargau V 1967, S. 367–403; Bernhard Anderes, Glasmalerei im Kreuzgang Muri, Bern 1974, S. 106–110, Tafel 24–26, mit weiterer Lit. *D.R.*

D 38

Figurenscheibe mit hl. Blasius

Hans Füchslin (?) (erwähnt 1560–1582)
Kloster Muri, 1558

Hüttengläser, rotes und blaues Überfangglas mit Ausschliff, Schwarzlot, Silbergelb, Eisenrot
H. 70 cm, B. 52 cm

Aarau, Kantonales Kunstdenkmäleramt

Die Scheibe gehört zur Folge D 37 – D 39. Bernhard Anderes (1974, S. 108) bezeichnet die zentrale Scheibe der Stiftung Abt Caspers aus St. Blasien als „eine der schönsten und prunkvollsten im Kreuzgang Muri. Hier zeigt sich der Glasmaler (Hans Füchslin ?), den wir am liebsten als Blasiusmeister bezeichnen möchten, auf der Höhe seiner Kunst".
Zu Füßen des Heiligen liegt der Hirsch aus dem Wappen von St. Blasien. Die Kerze in der Hand von St. Blasius nimmt Bezug auf die Legende, wonach die Witwe (vgl. Kat.Nr. D 37) zum Dank für seine Hilfe Kerzen spendete. Im Sockelfries wohl ein Triumphzug der Liebe. Anderes weist auf stilistische Nähe zu Tobias Stimmers Planetenwagen an der Astronomischen Uhr im Münster von Straßburg hin. *D.R.*

D 37, 38, 39

D 39

Wappenscheibe der Abtei St. Blasien und des Abtes Kaspar Müller

Hans Füchslin (?) (erwähnt 1560–1582)
Kloster Muri, 1558

Hüttengläser, rotes und blaues Überfangglas mit Ausschliff, Schwarzlot, Silbergelb, Eisenrot
H. 70 cm, B. 52 cm

Aarau, Kantonales Kunstdenkmäleramt

Die beiden von Mitra und Pedum überhöhten Wappenschilde zeigen links den Hirsch von St. Blasien, rechts das Stammwappen Müller (Molitor). Die Inschrift ist Fortsetzung von D 38: *gotzhus Sanct Blasie(n) vff dem Schwartze(n) Wald.* Abt Kaspar I. Müller regierte von 1541–1571 in St. Blasien. Seinem Wirken ist die Wiederherstellung des während der Bauernkriege durch Brand und Plünderung verwüsteten Klosters zuzuschreiben. Vor allem sorgte er auch dafür, daß die auf Schweizer Boden liegenden Besitzungen dem Kloster erhalten blieben. Seine religiöse Toleranz und diplomatisches Geschick werden in seiner Biographie hervorgehoben.
Auf weitere Stiftungen der Äbte von St. Blasien sowie auf stilistisch verwandte Scheiben und Risse verweist Anderes (1974, S. 110). *D.R.*

D 40

D 40

Wappenscheibe Herzog Ludwigs von Württemberg

Tübingen (Glasmaler Schwarz ?), 1572

Hüttengläser, rotes Überfangglas mit Ausschliff, Schwarzlot, Silbergelb, Eisenrot, blaue Schmelzfarbe
H. 57 cm, B. 41 cm

Tübingen, Rathaus

Wie Kat.Nr. D 51 Rest eines ehemals umfangreicheren Zyklus. Wahrscheinlich handelt es sich um eine Stiftung des Herzogs an das Württembergische Hofgericht (Sydow).
Im Zentrum das herzogliche Wappen mit Inschriftkartusche: *Von Gottes Genaden Ludwig Hertzog zuo Wirtenberg Vnd Teck. Grave zuo Mumpelgartt ANNO DOMINI 15(7)2.* In der rahmenden Pfeilerarchitektur steht links eine Harfenspielerin, im Kapitell darüber die Beischrift: GAUDIUM, rechts eine Frau mit einem Rad (?) und der Beischrift: CO(N)CORDIA. Die Concordia zeichnete der Glasmaler nach einer Vorlage von Heinrich Aldegrever, die etwa gleichzeitig auch für eine Ofenkachel verwendet wurde (Hinweis von Frau Dr. Appuhn-Radke. Vgl. Kat.Nr. F 42a). Im Oberbild in der Mitte das salomonische Urteil mit einer nur unvollständig lesbaren Schriftleiste; links (wohl erneuert) ein thronender Herrscher mit der Beischrift: FIDES (Glaube), rechts eine Mutter mit zwei Kindern und der verblaßten Beischrift: CAR(ITAS) (Liebe); damit sind wohl die drei fürstlichen Haupttugenden gemeint, wobei das Urteil Salomons die Gerechtigkeit vertritt.

Jürgen Sydow/Andreas Feldtkeller, Das Tübinger Rathaus, Tübingen 1984, S. 21, S. 34 mit älterer Lit.

D.R.

D 41

Wappenscheibe des Kardinals Markus Sittich II. von Hohenems, Bischof von Konstanz

Hieronymus Lang (erwähnt 1541–1582)
Schaffhausen, 1572

Hüttengläser, rotes Überfangglas ausgeschliffen, Schwarzlot, Silbergelb und Eisenrot, blaue Schmelzfarbe
H. 46 cm, B. 37 cm

Konstanz, Rosgartenmuseum

Unter dem vom Kardinalshut bekrönten Wappen des Bischofs in einer Rollwerkkartusche die Inschrift: *Marc(us) Sittich von gottes gnad der heilig Römisch Kilch Car(dinal) Erwelter Bischoff zu Constantz*

D 41

und her(auf) Rychen Ouw. 1572. Unten rechts im Rahmen der Kartusche signiert mit dem Monogramm des Hieronymus Lang (vgl. Reuter 1933, Nr. 34). Im Oberbild „Hieronymus im Gehäus" und „Samson besiegt den Löwen".
Kardinal Markus Sittich von Hohenems (geb. 1533, Bischof 1561, resigniert 1589, gest. 1595) war zweiter Sohn des Freiherrn Wolfgang Dietrich von Hohenems und der Clara Medici, Schwester des späteren Papstes Pius IV. Sein Vater, ein bekannter Söldnerführer, starb schon 1538. Mit seinem Bruder Jakob Hannibal (geb. 1530, gest. 1587), einem in kaiserlichen und spanischen Diensten erfolgreichen Kriegsmann, begründete er den Ruhm seines Geschlechts (vgl. Kat.Nr. D 24). Kaiser Ferdinand I. erhob 1560 die Brüder in den Reichsgrafenstand und erklärte die Herrschaft Hohenems zur Reichsgrafschaft. 1561 ernannte Pius IV. seinen Neffen „zum Coadjutor des gelehrten Bischofs Christoph Mezler von Constanz, der aus Verdruß über dieses Aufdrängen des jungen Mannes gestorben sein soll" (ADB). Markus Sittich blieb 28 Jahre lang Bischof. Als Kardinalpriester trug er in Rom durch reiche Stiftungen zur Ausstattung von St. Maria in Trastevere bei, ließ sich einen Palast bei der Kirche St. Appolonaris errichten und erbaute die Villa Mondragone in Frascati. Am Stammsitz in Hohenems ließ er nach Plänen von Martino Longi einen neuen Palast errichten (vgl. Kat.Nr. B 11), außerdem ist die Stiftung eines Flügelaltars mit dem hl. Christophorus überliefert, gewidmet dem hl. Markus, Patron der Reichenau. 1573 schenkte er dem Konstanzer Domkapitel einen Ornat (Rott, Quellen, S. 324, 135).
Das Wappen des Kardinals ist aus dem Konstanzer Bistumswappen, dem der Familien Medici und Hohenems sowie im Schildfuß aus dem Kreuz des Ritterordens von Santiago kombiniert (P. Hartmann: Die Medici von Mailand teilten mit dem berühmten Florentiner Geschlecht Namen und Wappen). Das Glasgemälde zeigt das Wappen in einer Rahmenarchitektur, die mit den verschiedenfarbigen Elementen von Sockeln, Pfeilern, Kapitellen und dem von einem „spätgotischen" Eselsrücken durchbrochenen Gebälk für manieristische Kompositionsweise bezeichnend ist. Der mit Rollwerkformen kombinierte Eselsrücken ist ein von H. Lang wiederholt verwendetes Motiv (vgl. z.B. Thöne 1972, Nr. 9).

ADB, Bd. 13, Leipzig 1881, zu Kardinal Markus Sittich II. von Hohenems; zu seinem Wappen: P. Placidus Hartmann, O.S.B., „Wappen des Kardinals Marx Sittich von Hohenems...", in: Schweizer Archiv für Heraldik, XXVI (1912), S. 153–160; Leiner 1938, S. 154. *D.R.*

D 42

D 42

Wappenscheibe der Apollonia von Henneberg

Basel oder Schaffhausen (?), um 1570/80

Hüttengläser, rotes Überfangglas, Schwarzlot, Silbergelb, blaue Schmelzfarbe
H. 46 cm, B. 34 cm

Schloß Heiligenberg, Fürstlich Fürstenbergische Sammlungen

Das ovale, von reichem Schweifwerk gerahmte Wappen kommt in der Kabinettscheibensammlung auf Schloß Heiligenberg nochmals vor, nämlich in einer Rundscheibe der Apollonia von Zimmern, geb. von Henneberg, mit Umschrift und Jahreszahl 1540. Die phantastische Schweifwerkornamentik wiederholt sich in drei weiteren Scheiben der Sammlung, darunter zwei mit dem Zimmernschen Löwen. Leider fehlt allen Stücken Inschrift, Signatur und Jahreszahl. Die dreidimensional sich gegenseitig durchdringenden Roll- und Beschlagwerkformen sind mit figürlichen, tierischen und vegetabilen Motiven besetzt. Sie erinnern am ehesten an Arbeiten von Hans Brand oder Hans Bock in Basel (Basel 1984, Nr. 315) oder an Werner Kübler d.Ä. (1555 – ca. 1586) in Schaffhausen (vgl. Thöne 1972, Nr. 51), denen niederländische Ornamentstiche in der Art von Conelis Bos und Vredeman de Fries zugrunde liegen (vgl. Berliner 1926, Nr. 152ff. und Nr. 166). *D.R.*

D 43

Wappenscheibe des Andres Geißmeyer

Straßburg, 1580

Hüttengläser, rotes Überfangglas mit Ausschliff, Schwarzlot, Silbergelb, Eisenrot, blaue Schmelzfarbe
H. 43 cm, B. 32 cm (ohne Rahmung H. 38,5 cm, B. 27,5 cm)

Strasbourg, Musée de l'Œuvre Notre Dame, Inv.Nr. M.OND. n° 22.976.4.1

Auf dem Boden des Podestes unter dem Wappen die Jahreszahl 1580. In der Kartusche zwischen Putten mit Musikinstrumenten: *Andres geissmeyer Verwes(er) z(u) Schirmanié* (Giromagny). In der Rahmenarchitektur zwei schwer zu deutende Frauengestalten, vielleicht in Bezug zu den Szenen aus dem Bergbau im Oberbild.

Beyer 1978, S. 54, Nr. 117. *D.R.*

D 43

D 44

D 44

Wappenscheibe des Johann Gerung, Bürger zu Nördlingen, mit „Fortuna"

Werkstatt Christoph Murer (?) (1558 bis 1614)
Schweiz (?), 1597

Hüttenglas, farbiger Überfang, Schwarzlot, Silbergelb, blaue Schmelzfarbe
H. 31,5 cm, B. 20,5 cm

Karlsruhe, Badisches Landesmuseum, Inv.Nr. C 6247

Im Sockel der Rahmenarchitektur Rollwerkkartusche mit der Inschrift: *Johann Gering Bürger zu Nördling(en) 1597.* Ursprünglicher Standort der Scheibe (wohl in Nördlingen) unbekannt. Der inschriftlich Bezeichnete wahrscheinlich identisch mit Johann Gerung, Bürger und Kaufmann, Sohn des Nördlinger Ratsherrn Johann Gerung.
Die Zuschreibung an die Murer-Werkstatt durch A. v. Schneider (S. 43) auf Grund hoher technischer und künstlerischer Qualität und stilistischer Anklänge der Fortuna an Frauengestalten Christoph Murers. An die Werkstatt Murers gingen Fensterbestellungen von Nürnberg und Speyer, so daß der Fall auch für Nördlingen denkbar ist. Darstellungen der Fortuna auf der Kugel mit geblähtem Segel kamen auf Schweizer Scheibenrissen öfter vor, vgl. z.B. den Riß von Lindtmeir von 1580 in Zürich (Thöne 1975, Abb. 120, Kat.Nr. 90).

Schneider 1949, Kat.Nr. 70, Taf. 64, Text S. 43.

D.R.

D 45

Bauernscheibe des Jakob Rentz und der Margarete Nüßler

Reutlingen (?), 1597

Hüttengläser, Schwarzlot, Silbergelb, Eisenrot, blaue Schmelzfarbe
H. 34 cm, B. 23 cm

Reutlingen Heimatmuseum

Scheibe unbekannter Herkunft, vermutlich aus einer Zunftstube; zugehörig Kat.Nr. D 46 (nicht erwähnt bei Schön 1908).
Zwischen dem Paar ein springender Steinbock und ein Schriftband: *Ich Jacob Rentz und sein Ehefrau/Dar zu.Leiden und Freud ha(ben) wir gnu/Sterben die schuldner zu fru/so sterben Die Schneider dar zu/Sie sterben od(er) leb(en)/so han wir kei(ne) ru.*
Oberbild mit Stifterfamilie und Kreuzigung Christi.
Im Sockel Inschriftkartusche, überschnitten von einem Wappenschild mit silberner Schere und goldenen Sternen auf blauem Grund: *Jacob Renntz Vnd Margareta Nüßlerin sein Eheliche Haußfrawen zu Reuttlingen,* sowie die Jahreszahl 1597. *D.R.*

D 45

D 46

Bauernscheibe des Jakob Käfer und der Anna Bebler

Reutlingen (?), 1599

Hüttengläser, Schwarzlot, Silbergelb, Eisenrot, blaue Schmelzfarbe
H. 33,5 cm, B. 22,5 cm

Reutlingen, Heimatmuseum

Scheibe unbekannter Herkunft, vermutlich aus einer Reutlinger Zunftstube; zugehörig Kat.Nr. D 45 (nicht erwähnt bei Schön 1908).
Trotz einiger Anstückungen nicht ursprünglich zugehöriger Architekturteile ist die von geübter Hand gemalte Scheibe ein gutes Beispiel für den Typus der sogenannten Bauernscheibe, der auch von Stadtbürgern für ihre Zunftstuben übernommen wurde.
Im Oberbild Jakobs Traum von der Himmelsleiter und sein Kampf mit dem Engel.
Im Sockel die vom Zunftwappen überschnittene Inschriftkartusche. Das Wappen zeigt in blauem, damasziertem Grund ein goldenes Dreieck, aus dessen aufwärts gerichteter Spitze ein Kreuz nach innen hängt. Drei silberne Sterne umgeben dieses Zeichen. *Jacob Keffer Burger Zu Reuttlingen und Anna Bebleren Sein Ehliche Hauß frauw. Anno Dommini 1599.* *D.R.*

D 46

D 47

Zunftscheibe mit Darstellung einer Tafelrunde

Straßburg, um 1595–1600

Hüttengläser, roter Überfang mit Ausschliff, Schwarzlot, Silbergelb, Eisenrot, blaue Schmelzfarbe
H. 41 cm, B. 37 cm

Darmstadt, Hessisches Landesmuseum, Inv.Nr. Kg 54:165

Die Darstellung eines Zechgelages in einer Zunftstube ist bühnenartig von der Rahmenarchitektur eingefaßt. An der Stirnseite des Podiums und im oberen abschließenden Segmentbogen Wappen und Namen der Zunftmitglieder (vgl. im einzelnen: Beeh-Lustenberger 1973, S. 246). Beeh-Lustenberger führt den häufig vorkommenden Typus der Zunftscheiben auf einen 1522 datierten Scheibenriß von Hans Holbein d.J. zurück. Die genannten Handwerker ließen sich zum Teil urkundlich identifizieren. Ihrem Beruf nach zu schließen, stammt die Scheibe aus dem Zunfthaus der Schmiede in Straßburg. Aus den Lebensdaten konnte auch die Entstehungszeit der Scheibe bestimmt werden.

Beeh-Lustenberger 1967, Abb. 212; 1973, Nr. 319, S. 246 mit weiterer Lit. *D.R.*

D 47

D 48

D 48

Wappenscheibe des Zacharias Didike

Straßburg, um 1600

Hüttengläser, rotes Überfangglas mit Ausschliff, Schwarzlot, Silbergelb, Eisenrot, blaue und grüne Schmelzfarbe
H. 42 cm, B. 32 cm (ohne Rahmung H. 37,6 cm, B. 28,5 cm)

Strasbourg, Musée de l'Œuvre Notre Dame, Inv.Nr. MAD, n° LXV. 123

Inschriftkartusche zwischen musizierenden Engeln: *Zacharias Didike zum Scheffel Erwält 1585*. Im Oberbild Zacharias, den Namen Samuels aufschreibend, während ihm das Kind von zwei Frauen präsentiert wird.

Beyer 1978, S. 53, Nr. 112. *D.R.*

D 49

D 49

Kabinettscheibe mit Taufe Christi

Christoph Maurer I (1591 zuerst genannt, 1597 von Stuttgart nach Reutlingen gezogen)
Stuttgart, Reutlingen, 1603

Hüttengläser, Schwarzlot, Silbergelb, blaue Schmelzfarbe
H. 33 cm, B. 22 cm

Stuttgart, Württembergisches Landesmuseum, Inv.Nr. II, 10301

Im Sockelfries hält ein Engel einen Schild mit einer Hausmarke und den Initialen IF des Scheibenstifters, dessen Namen die Inschriftkartusche enthält: *Johannes Fützion/Burger zu Reütlinge(n)/ Anno 1603.* Im Oberbild die Enthauptung Johannes des Täufers.
Von der schwäbischen Glasmalerfamilie Maurer, die in drei Generationen Glasmaler mit dem Vornamen Christoph hervorbrachte, sind vom Anfang bis in die zweite Hälfte des 17. Jahrhunderts Kabinettscheiben erhalten.

Schön 1908, S. 82ff.; Balet 1912, S. 42–46, Nr. 85 (S. 126). *D.R.*

D 50

D 50

Wappenscheibe des Johannes Seuppel

Straßburg, 1608

Hüttengläser, Schwarzlot, Silbergelb, Eisenrot, Schmelzfarben
H. 44 cm, B. 35 cm (ohne Einfassung H. 38,2 cm, B. 28,7 cm)

Strasbourg, Musée de l'Œuvre Notre Dame, Inv.Nr. MAD, n° XLVII.19

Das Wappen zwischen den Tugendallegorien von Stärke und Klugheit; in der Inschriftkartusche: *1608.Herr Johannes/ Seüppel zu einem Schöffel/Erwölt An(n)o 1593.*
Im Oberbild links Jesus mit Jüngern und Johannes der Täufer im Gefängnis, rechts Taufe Christi.

Beyer 1978, S. 54, Nr. 119. *D.R.*

D 51

Wappenscheibe des Wilhelm von Remchingen

Peter Stöcklin von Basel
Tübingen, 1613

Hüttengläser, rotes Überfangglas mit Ausschliff, Schwarzlot, Silbergelb, blaue Schmelzfarbe
H. 66 cm, B. 65 cm

Tübingen, Rathaus

Die im „Öhrn" und in der kleinen Gerichtsstube des Tübinger Rathauses angebrachten Scheiben sind die Reste verschiedener Stiftungsreihen (vgl. Kat.Nr. D 40). Nach Sydow ist die auf 1613 datierte Scheibe eine Arbeit des Schweizer Glasmalers Peter Stöcklin. Stifter waren die adligen Mitglieder des damaligen Gerichtshofes. Im Zentrum der Wappenschild des Wilhelm von Remchingen in ovaler Rollwerkrahmung. In der Inschriftkartusche darunter: *Wilhelm Vonn Remchingen der/Zeitt F(ürstlich) Württ, Raht Hoffrichter/Zu Tüwingenn Vndt Obervogt/zu Urach. AN(N)O DOMINI 1613.*
Im Oberbild darüber das salomonische Urteil. Rechts und links sind in ovaler Laubwerkrahmung weitere Wappen mit folgenden Inschriften angesetzt: *Burckhart von Weiler F./Württ, Rath Hofgericts/Bey(sit)zer Zu Tvwingen Vnd/Obervogt zu Schorendorff* (links oben); – *Johann Wülhelm Goldrich von/Sigmarshoffen F. Württ, Rath/zu Stuttgartten Vnd Hoffgerichts/Beysitzer Zu Tuwingen* (links unten); – *Hans He(inr)ich Vonn/Offenburg (F) Württ/Rath Vnd (H)offgerichts/Beysitzer Zu (Tuw)ingen* (rechts oben); – *Ludwig von Hallweil Zu/Beihingen Fürstlich Württ./Hoffgerichts Beysitzer zu/Tuwingen* (rechts unten).
Die Scheibe gehört zum späten Typ zusammengesetzter Wappenfelder, die um eine an sich selbständige Wappenscheibe weitere Wappen kombinieren (vgl. Kat.Nr. 55, 56). Der Typ ist von den Gesellschaftsscheiben oder Gerichtsscheiben der Zünfte abgeleitet, die jedoch oft phantasievoller zur Einheit zusammengefaßt waren (vgl. Kat.Nr. D 47, 57).

Jürgen Sydow/Andreas Feldtkeller, Das Tübinger Rathaus, Tübingen 1984, S. 21 f., S. 34 mit älterer Lit.
D.R.

D 51

D 52

D 52

Wappenscheibe des Hanns Schad

Rudolf Häbisch zugeschrieben (Lebensdaten unbekannt)
Ulm, 1623

Hüttenglas, Schwarzlot, Silbergelb und Schmelzfarben
H. 34 cm, B. 22 cm

Stuttgart, Württembergisches Landesmuseum, Inv.Nr. 218

Unter dem von einem ovalen Lorbeerkranz umrahmten Wappen eine Rollwerkkartusche mit der Inschrift: *Herr Hanns Schad/ deß Raths in Ulm. 1623.* Vom Scheibenstifter sind neben den Lebensdaten, geb. 15. Dezember 1575 in Mittelbiberach, gest. in Ulm 4. September 1634, weitere interessante Details bekannt (vgl. Balet 1912 mit weiterer Lit.). So wurde er 1622 Kreispfennigmeister, der die im Feld stehenden Kreistruppen zu besolden hatte.
Für die Darstellung von tanzenden Bauernpaaren im Oberbild verweist Balet auf Holzschnitte Sebald Behams als mögliche Vorlagen.
Balet (S. 46) zitiert eine Quelle, in der Rudolf Häbich, Glasmaler in Ulm, gerühmt wird, daß er diese Kunst „aus der Vergessenheit wieder an das Licht zog". Balet schließt daraus, daß die Scheibe Hans Schads, die zeitgenössischen Arbeiten in Schwaben künstlerisch weit überlegen sei, diesem Künstler zuzuweisen ist.

Balet 1912, Nr. 94, S. 46, 133 ff. mit weiterer Lit. *D.R.*

D 53

Wappenscheibe des Georg Zink und Martin Mayer

Christoph Alt Maurer II (erwähnt zwischen 1623/24 und 1645)
Reutlingen, 1625

Hüttenglas, Schwarzlot, Silbergelb, blaue und violette Schmelzfarbe
H. 34 cm, B. 22 cm

Stuttgart, Württembergisches Landesmuseum, Inv.Nr. 96

Das Rathaus der Gemeinde Scharnhausen (1975 in der neu gebildeten Gemeinde Ostfildern aufgegangen) war noch in der Mitte des 19. Jahrhunderts mit 13 Glasgemälden der Jahre 1625 bis 1633 geschmückt. Davon sind im Württembergischen Landesmuseum die Scheibe des Herzogs Johann Friedrich sowie zwei der sogenannten Bürger- oder Bauernscheiben (eine weitere in Mailand) erhalten geblieben (Vietzen).

D 53

Die ausgestellte Scheibe stellt zwei Bewaffnete des Scharnhausener Aufgebotes, einen Schützen und einen Spießträger, dar. In einem Schild zwischen ihnen die Jahreszahl 1625 und die Signatur des Glasmalers MR (Maurer von Reutlingen). Im Sockel die Inschrift: *Georg Zinckh und/Marttin Mayer Beide/Bürger zu Scharnhausen.* Links Wappen mit gelbem Mühlrad und Bäckerinsignien, rechts Wappen mit Hobel und Pflugschar (?). Die beiden, wohl befreundeten Männer starben 1625 und 1638 an der Pest. Im Oberbild Darstellung eines Festgelages.

Balet 1912, S. 42–46, Nr. 96 (S. 137); Schön 1908, S. 82 ff.; Hermann Vietzen, Scharnhausen, Stuttgart 1976, S. 50–52, farbige Abb. S. 45. *D.R.*

D 54

Kabinettscheibe mit Verkündigung an Maria

Lorentz Lingg (geb. 1582)
Straßburg, um 1629

Hüttengläser, meist farblos, mit Schmelzfarben, Schwarzlot, Silbergelb und Eisenrot
H. 48 cm, B. 39 cm

Strasbourg, Musée de l'Œuvre Notre Dame, Inv.Nr. MAD n° XXXI, 97 et 5416

Mit vier weiteren Scheiben, die in Ebersteinschloß aufbewahrt werden, gehört die Verkündigung zum Rest des einst an die 200 Kabinettscheiben umfassenden Fensterschmucks im großen Kreuzgang des Kartäuserklosters Molsheim im Unterelsaß. Die Scheiben entstanden in den Jahren 1626–1631 als Werk der Straßburger Glasmalerfamilie Lingg mit den Signaturen BL (Bartholomäus Lingg) und LL (Lorenz Lingg). Der Frankfurter Patrizier Johann Friedrich Uffenbach pries im Mai 1714 die Schönheit der Glasgemälde in seinem Straßburger Reisetagebuch. Auch Goethe bewunderte die „farbigen Scheibengemälde". Während der Französischen Revolution ging über die Hälfte verloren, 77 Stück gelangten in die

LVCÆ, CAP. I,
PAVL. ALDRIG
LICÆ SEDIS GRA
TRIPOLITANVS. ET
EPISCOPATVS
EN D. APOSTO=
TIA EPISCOPVS
VICARI. GENERALIS
ARGENT: F.F. 1629

D 54

D 55

Straßburger Stadtbibliothek, wo sie bei der Beschießung im Krieg von 1870 bis auf das ausgestellte Stück zerstört wurden. Weitere vier Scheiben gelangten auf ungeklärte Weise nach Ebersteinschloß. Am oberen Bildrand die Inschriftkartusche: LVCAE, CAP. I. In der unteren Rollwerkkartusche: PAUL(VS) AB ALDRI(N)GEN D(EI) ET APOSTOLICAE SEDIS GRATIA EPISCOPVS TRIPOLITANVS ET VICARI(VS) GENERALIS EPISCOPATVS ARGENT (INENSIS) F.F. 1629.
In der Mitte der Kartusche ein Medaillon mit Darstellung eines nimbierten Mönches, vielleicht des Ordenstifters. Inschrift auf dem Palmenstamm: *Sicut palma fructifera,* in der unteren Bordüre: 16 FMA 22 (1622).
Der Stifter, Paul Baron von Aldringen, war Bischof von Tripolis, Suffragan und Generalvikar des Bistums Straßburg im Jahre 1626, gestorben 1645. Sein berühmterer Bruder, Jean d'Aldringen, General unter Ferdinand II., fiel 1632 in der Schlacht bei Landshut.

A. von Schneider, Die vier Kabinettscheiben der Molsheimer Kartause in Ebersteinschloß, in: ZGO 100 (1952), S. 414–420 mit älterer Lit.; Beyer 1978, S. 57, Nr. 133, mit weiterer Lit. *D.R.*

D 55

Kabinettscheibe des Güttinger Gerichts

Hieronymus Spengler (1589–1635)
Konstanz, 1630

Hüttenglas, rotes Überfangglas mit Ausschliff, Schwarzlot, Silbergelb, blaue Schmelzfarbe
H. 35 cm, B. 40,5 cm

Konstanz, Rosgartenmuseum

Darstellung einer Sitzung des Gerichts im thurgauischen Güttingen unter Vorsitz des fürstbischöflich Konstanzschen Obervogts Tanner von Tauw und Bollenstein. Seitlich und unten die mit Namen bezeichneten Wappen der Güttinger Richter. Inschrift der Sockelkartusche: *Aman Schreiber und ein Ersam gericht/ zuo Güttingen. Anno 1630.* Darunter im Schweifwerk die Signatur i.SP. Die obere Kartusche mit Wappen und Inschrift, links: *Franziskus Tanner von/Tauw und Bollenstein, fürst/bischl. Coste. Obervogt der/Herrschafft Güttingen/1630;* rechts: *Der Richter sich zue bedencken wol/im Urtheilen was er Richten sol/darmit bschech der armen wie der Reich(en) witwen und waisen auch des gleichen/nit achten solle ehr, hab gelt noch gunst/wo nit sein arbeit vor Gott umbsonst.*

Leiner 1938, S. 158, Abb. S. 157. *D.R.*

D 56

D 56

Kabinettscheibe mit Krönung Mariae

Sebastian Spiler (geb. 1579) zugeschrieben
Rottweil, 1634

Hüttengläser, rotes Überfangglas mit Ausschliff, Schwarzlot, Silbergelb, Eisenrot, blaue Schmelzfarbe
H. 52 cm, B. 41 cm

Stadt Rottweil, Altes Rathaus

Das Glasgemälde gehört zu einer Serie von acht im Rathaussaal erhaltenen Scheiben (vgl. Kat.Nr. D 35). Es ist eine Stiftung der Rottweiler Achtzehnermeisterschaft an die Hl. Dreifaltigkeit und die Muttergottes zum Dank für die Erlösung von Feindesgefahr.
Im Bildfeld die Darstellung der Marienkrönung in einer Architekturrahmung, umgeben von den Wappen der „Achtzehner" mit zugehörigen Inschriften. Über dem Bogenfeld der Architektur Allegorie der Gerechtigkeit mit Schwert und Waage; darunter Reichsadler mit Inschrift: IUSTITIA/Rottweil/1634. Seitlich davon Engelputto mit Kreuz und Kelch und der Beischrift FIDES (Glaube); rechts, an Stelle des original zu erwartenden Engelputtos mit einem Anker, über der erhaltenen Beischrift SPES (Hoffnung) ein Flickstück mit Reiter. Zwischen den Pfeilerbasen Inschriftkartusche: *Zu Ehr Gott der Allerheiligisten Dreyfaltigkeit./ Maria der Seeligisten Muotter Gottes Junckfrauv/Rain und Werdt, h..bet die herren vnd Maister die/Achtzehen dißen Schilt hie Rein den wer Ehren/im 1634 Jar. erleste vnß Gott wider von Findsgefor.*
Über dem Architekturbogen links neben „Justitia" die Darstellung des Gleichnisses von König Skiluros, der seinen streitenden Söhnen an Hand der Fabel vom Stabbündel die Macht der Einigkeit demonstriert. Inschrift: *Ein König Seinen lieben seinen erzelt/die einheligkeit alles erhelt./ein Jeitziger stab gnelt/lichtlich ab einer/Bürde man nie/Bricht ab.* Rechts an entsprechender Stelle ein Richter und vor ihm ein kniender Klient, darunter: *Aurtdaille nit auff einge/Klag, Here auch vor/ was der ander/sag.* Rechts und links sind je sieben übereinander stehende Wappen mit Namen und Vermerk über Funktionen („Fünffer" oder „treyer") innerhalb der Zunftgemeinschaft angeordnet; am unteren Rand weitere vier Wappen, dazwischen über einem nicht zu identifizierenden Hauszeichen ein Schriftband: *Volerich Weidmeyer/der Herren vnd Maister/der Achtzehner Haus/Knedt.*
A. Steinhauser (S. 113f.) gelang die Identifizierung des Wappens links unten, dessen Inschriftkartusche ausgebrochen ist: In einem Wappenbuch der Fürstlichen Hofbücherei Donaueschingen ist dieses Wappen als dasjenige des „Sebastian

D 57

Spiler, Flach und Glas Moller in Rottweil" wiedergegeben. Der Glasmaler war also 1634 Mitglied der „Achtzehner" und wohl auch der Schöpfer der für die Stube der Gemeinschaft bestimmten Scheibe. Sie wurde zur Erinnerung an den Abzug der 2000 Mann starken württembergischen Besatzung gestiftet, die der Stadt nach der Eroberung, 1633, durch Julius Friedrich von Württemberg auferlegt war. In Rottweil wurden die „Achtzehner" aus je zwei Meistern der neun Zünfte gebildet. Die Zünfte wählten ihre jeweiligen Delegierten durch einen Fünferausschuß, diesen durch die „Dreier" aus jeder Zunft, die wiederum vom Zunftmeister und den Richtern berufen wurden. Die „Achtzehner" überwachten als Vertreter der Bürgerschaft gegenüber dem Magistrat (vgl. Laufs, S. 33 u. 35) die Verwaltung der Stadt, trugen Wünsche und Beschwerden vor, hatten ein Vetorecht und übten als erste Instanz die Gerichtsbarkeit in kleinen Rechtssachen aus (A. Laufs, S. 49; vgl. Wappenscheibe der Rottweiler Achtzehnerschaft von 1604 im Württembergischen Landesmuseum Stuttgart, Balet 1912, Nr. 86 mit Farbtafel VIII).
Die Scheibe ist nicht nur Votivgabe an die Muttergottes, sondern weist auch auf die Funktion der Zünfte in der reichsstädtischen Verwaltung und die Mitgliedschaft einzelner Zunftgenossen in den verschiedenen Wahlgremien hin (vgl. Adolf Laufs, Die Verfassung und Verwaltung der Stadt Rottweil 1650–1806, Stuttgart 1963, S. 57f.).

Steinhauser 1939, S. 111–115, Abb. 30. *D.R.*

D 57

Wappenscheibe des Johann Michael Stämler

Lorenz Lingg (geb. 1582)
Straßburg 1639

Hüttengläser, roter Überfang mit Ausschliff, Schwarzlot, Silbergelb, Eisenrot, blaue, violette und grüne Schmelzfarbe
H. 54,5 cm, B. 45 cm

Darmstadt, Hessisches Landesmuseum, Inv.Nr. Kg 54:118

Im Zentrum auf einem Podium das Wappen des Michael Stämler, darunter in einer halbkreisförmigen Kartusche die Inschrift: *H. Johan(n) Michael Stämler wardt A(nn)o 1633. In das Bestänige Regiment zu einem XV*^{r} *vnd EE. Zunfft der Kieffer. Zu einem Oberherren. vnd in An(n)o 1639. Zu einem Ammeister erkosen.* In der Rahmenleiste das Künstlermonogramm L.L. Das von Engeln gehaltene Stifterwappen ist umgeben von einem Lorbeerkranz mit Wappen und Namen von zwölf Schöffen der Küferzunft. In den Ecken neben dem Oberbild je ein Wappen. Links: *Hans Thomas Kau Rahtt Hr wardt Schöffel 1627,* rechts: *A(nn)o Melchior Binder Zunfftmeister wardt Schöffel 1636,* dazwischen die Hinrichtung des Krösus, der auf dem Scheiterhaufen ausruft: *o solon, o solon.*
Unten vor der rahmenden Bühnenarchitektur zwischen Frauen als Justitia und Prudentia (ergänzt) die Inschriftkartusche: *Diß Wappen ist Gemacht um Daß Man Stets Eingedenk führ Den Wer Oberherr und Schöffen wardt In Disem Gegenwertige Jahr.*
Ursprünglicher Standort der Scheibe war die Zunftstube der Küfer in Straßburg. Die sogenannten „Fünfzehner" waren in Straßburg Ausschüsse innerhalb der zwanzig Zünfte (anders in Rottweil die „Achtzehner", vgl. Kat.Nr. D 56). Diese Zunftausschüsse, insgesamt 300 Schöffen, berieten und entschieden über die wichtigsten Lebensfragen der Gemeinde. „Die Berufung der Schöffen zur Beschlußfassung über Krieg und Frieden, Bündnisse, größere Anleihen, Steuern... waren im 16. Jahrhundert ziemlich häufig. Auch die großen Entscheidungen über religiöse Fragen, wie die Abschaffung der Messe 1529 und die Annahme des Interims 1548, wurden auf Antrag des Straßburger Rates von den Schöffen gefällt."
(O. Winckelmann, Straßburgs Verfassung und Verwaltung im 16. Jahrhundert, in: ZGO, NF XVIII, 1903, S. 493–537 und 600–639, Zitat S. 520f.).
Der Glasmaler Lorenz Lingg, ältester Sohn des aus der Schweiz 1581 eingewanderten Bartholomäus Lingg, gehörte mit seinem Vater und den Brüdern Hans Conrad (geb. 1593) und Bartholomäus (geb. 1597) zu den bedeutendsten elsässischen Glasmalern dieser Zeit. Die ausgestellte Scheibe ist die letzte bisher nachweisbare Arbeit Lorenz Linggs, unmittelbar verwandt mit der 1629 datierten „Verkündigung" (vgl. Kat.Nr. D 54) aus der Kartause in Molsheim (Beeh-Lustenberger 1973, S. 271).

Beeh-Lustenberger 1967, Abb. 234; 1973, Nr. 362, S. 270f. mit weiterer Lit.; Darmstadt 1979, Nr. 34. *D.R.*

Zeichnung und Zeichnen im deutschen Südwesten 1500–1630

Heinrich Geissler

Mehr noch als das Barock ist das 16. Jahrhundert eine Epoche der Zeichnung. Zeichnen bedeutet dabei nicht nur Werkvorbereitung – in Form von Scheibenrissen, Gemäldeentwürfen, Stichvorzeichnungen usw. –, sondern war als finale, zum Sammeln und Besitzen bestimmte Kunstgattung darüber hinaus auch Wertmesser humanistischen Bildungsstandards. Der Umstand nämlich, daß aus manchen Regionen besonders Nord- und Ostdeutschlands, aber auch aus England, Skandinavien oder Polen in jenem Zeitraum kaum Zeichnungen bekannt sind, läßt sich sicherlich nicht nur aus handwerklichen Gepflogenheiten oder Zufälligkeiten der Erhaltung erklären, sondern war vor allem eine Folge geringerer Wertschätzung von Zeichnung und Zeichnen. Am Oberrhein mit Straßburg und dem nahegelegenen Basel – beides Hochburgen des Humanismus und des Buchdrucks im Durchzugsbereich zwischen den Niederlanden und Italien – sah dies günstiger aus.

Es gab hier trotz reformatorisch bilderfeindlicher Strömungen aufgeschlossene Kreise, die die Zeichnung als Objekt eigenständiger Bilderfindung und damit als Kunstwerk sehr wohl zu schätzen wußten. Während damals in zurückgebliebenen Regionen überwiegend fremde Stichvorlagen (nach Dürer, Aldegrever, Marten de Vos, Goltzius usw.) an die Stelle selbständiger Inventionen getreten waren und damit eigenes Entwerfen überflüssig machten, delektierten sich hier einzelne Kunstliebhaber an Entwürfen, deren Bildinhalte Anstoß zu geistiger Reflexion und gelehrter Erörterung bieten konnten. Die eigenwillig abgründigen Hexen- und Spukdarstellungen von Hans Baldung (in Straßburg) oder die lehrhaft erklügelten Fassadenrisse Hans Bocks (in Basel) sind wohl vor diesem Hintergrund zu sehen. Leider ist selten etwas über die frühen Besitzer solcher Arbeiten in Erfahrung zu bringen.

Außerhalb Straßburgs lassen sich selbständige Künstlerzeichnungen im vorgegebenen Rahmen kaum nachweisen. Insgesamt überwiegen aber auch in Baldungs Werk die zweckgebundenen Arbeiten: Gemäldeentwürfe, Holzschnitt- und Scheibenrisse und – ein seltener Glücksfall der Erhaltung – eine größere Zahl von Skizzenblättern nach der Natur, darunter Pflanzen- und Tierstudien, Bildnisaufnahmen und Ortsansichten. Baldung, der eigentliche Exponent Straßburger Kunst zwischen 1510 und 1540 (wie gleichzeitig Hans Holbein d.J. für Basel) ist sicherlich der bedeutendste unter den hier versammelten Zeichnern.

Einzig Matthias Grünewald (Abb. E 1), der ca. 1512–1515 im Antoniter-Kloster Isenheim bei Colmar wirkte, könnte ihn mit seinen überaus seltenen, stets zweckgebundenen Entwürfen diesen Rang streitig machen. Seine malerisch-visionäre Darstellungsweise fand – wie es scheint – in einzelnen Zeichnungen Holbeins d.J. einen kurzen Nachhall. Leider läßt sich diese so einmalig erscheinende „Stimme" in die Ausstellung nicht einbringen. – Nur wenige Blätter, die nicht einmal gleichartig wirken, wurden dem Straßburger Wechtlin von der älteren Forschung zugeschrieben. Zwei davon werden hier gezeigt (Kat.Nr. E 8, E 9). Allein schon die frühe Aufnahme klassisch mythologischer Themen und die „gekonnt" italianisierende Durchführung sollten ihm ein erhöhtes Interesse sichern.

Abb. E 1 Matthias Grünewald, Entwurf zur Maria der Verkündigung des Isenheimer Altars, um 1514. Berlin (West), Staatliche Museen Preußischer Kulturbesitz, Kupferstichkabinett

Einer etwas jüngeren Generation gehört Hans Weiditz an, der neuerdings meist wieder mit dem Augsburger „Petrarcameister" gleichgesetzt wird. Seine Zeichnungen zeigen ihn, wie sein umfangreiches Holzschnittwerk, als lebendig beobachtenden, köstlich frischen Bilderzähler (Kat.Nr. E 10, E 11). Er war einer der größten Illustratoren seiner Zeit, ein humorvoll moralisierender Wirklichkeitsschilderer, von dessen Darstellungskunst die Dresdener Zeichnung (Abb. E 2) eine zusätzliche Vorstellung zu bilden vermag. Die erst 1939 entdeckten Risse zu Otto Brunfels' Kräuterbuch erweisen ihn darüber hinaus als glänzenden Zeichner nach der Natur, der trotz einfühlsamer Hingabe an das Detail nie die organische Ganzheit aus dem Auge verliert.

Wie vielerorts in Mitteleuropa, so hat auch in Straßburg die große „Altdeutsche Kunst" im Zeichnungssektor keine adäquate Nachfolge gefunden. Das Schwergewicht der Künste verlagerte sich in gegenstandsfernere Bereiche. Anstelle von Naturnähe und individueller Durchdringung trat vielfach ein Zug zum Erdachten und Normativen. Eine zu ornamentaler Stilisierung hin tendierende ästhetische Idealvorstellung ersetzt auch bei Bildnis und Figur zunehmend die lebendige Wirklichkeitsschilderung. Innerhalb der oberrheinisch-schweizerischen Kunst fand dies indessen nur zögernden Eingang. Die bereits etwas schematisch wirkenden Bildniszeichnungen des Baldung-Schülers Nikolaus Kremer aus den Jahren um 1540 (Kat.Nr. E 7) sind hiervon betroffen, mehr als das realistischer aufgefaßte, eher an Holbein anklingende vorzügliche

Abb. E 2 Hans Weiditz (?), Zug geharnischter Reiter, um 1518 (?). Dresden, Kupferstichkabinett

Konterfei des Botanikers Hieronymus Bock von David Kandel (Kat.Nr. E 12). Während es sich bei den erstgenannten, die in Kreide ausgeführt sind, um Vorzeichnungen für gemalte Porträts handeln dürfte, so bei letzterem – in Feder – um einen Holzschnitt-Riß. Straßburg war im 16. Jahrhundert vor allem durch die Tätigkeit Tobias Stimmers und Christoph Murers eine Pflegestätte der Bildnisgraphik. Selbständige Bildniszeichnungen finden sich dagegen, wie auch Natur- und Aktstudien, während der zweiten Jahrhunderthälfte kaum mehr – sicherlich eine Folge zunehmender Naturferne.
Wenig aufgehellt, wie die Straßburger Zeichenkunst dieses Zeitraums allgemein, ist das einschlägige Werk des vielseitigen Heinrich Vogtherr d. Ä., der zeitweilig auch in Zürich tätig war – eines der vielen Beispiele oberdeutsch/schweizerischer Wechselbeziehung im 16. Jahrhundert. Seine einzig bekannte Figurenzeichnung, „Schlacht der Israeliter und Amalekiter" von 1542 (Abb. E 3), bietet sich wie eine überfüllte Musterkarte für Waffen und Kostüme dar, die sich einen italianisierend klassischen Anstrich gibt. Der Künstler, der mit seinem „Kunstbüchlein" pädagogisch aufklärend im Sinne der Renaissance wirkte, bringt deren Errungenschaften hierbei vorwiegend im reliefartigen Aufbau zur Anschauung. Die Latinisierung seines Namens in „Satrapitanus" demonstriert allein schon seine humanistische Gesinnung.
Als Zeichner von größerem Gewicht ist der aus Memmingen stammende Christoph Bockstorfer, der außer in Konstanz auch in Luzern, im württembergischen Mömpelgard (Montbéliard bei Belfort; 1544/46), in der der Eidgenossenschaft „zugewandten" Reichsstadt Mühlhausen und in Colmar (1543/1553) tätig war. Da ihm die umfangreiche Reihe der „Berliner Rundscheibenentwürfe" (von Walter Hugelshofer 1965) wieder aberkannt worden ist, sind nur noch wenige gesichert erscheinende Zeichnungen von ihm faßbar, darunter zwei prachtvolle Scheibenrisse mit überreicher Renaissance-Ornamentik und klassischen Historien. Eines dieser Blätter wurde kürzlich vom Paul Getty Museum, Malibu, Cal., USA. erworben. Der schwäbische Künstler erweist sich hierin als vielleicht etwas kleinmeisterlicher, aber phantasiebegabter Zeichner, bei dem man eine fast burleske Freude an den diesseitigen Bildstoffen, dem prallen Schmuckwerk zu spüren vermeint. Unorganisch ausdruckshafte Dehnungen und Biegungen der

Abb. E 3 Heinrich Vogtherr d. Ä., Schlacht zwischen Israeliten und Amalekitern, 1542. London, British Museum

Figuren scheinen für ihn – der wohl am ehesten von der Augsburger Kunst eines Burgkmair oder Daniel Hopfer herzuleiten ist – charakteristisch. Er verdiente wie viele andere seiner Generation stärkere Beachtung.

Die Konstanzer Kunst, der er am ehesten zuzurechnen ist, auch ihre blühende Glasmalerei damaliger Zeit sind noch kaum erforscht. Einzig der seit 1556 in Überlingen beheimatete, aus Balingen stammende Marx Weiß, anscheinend ein Schüler des Meßkirch-Meisters, wird mit einigen Blättern von geringerem Rang als weiterer Zeichner dieser Region faßbar (Kat.Nr. E 17).

Einen überaus reizvollen Sonderfall bildet die seltene, doppelseitig gefüllte Ansicht von Goldbach am Bodensee von 1522, die in ihrem gespinstartig lockeren, nervös zuckenden Strichgefüge erstaunlich modern anmutet (Kat.Nr. E 13). Sie konnte bisher mit keinem bestimmten Künstlernamen verbunden werden; ein Zeichen dafür, wieviel speziell im „kunstlosen" Bereich von Vedute und Landschaft verlorengegangen ist. Den eher philologisch-antiquarisch orientierten Sammlern jener Zeit scheint dies selten aufhebenswert, anderen Künstlern als Vorlage wenig nutzbringend erschienen zu sein.

Bereits der Jahrhundertmitte gehört der Wandbild(?)-Entwurf eines Monogrammisten S. M. (Kat.Nr. E 20) an, der hier versuchsweise mit dem seinem Werke nach unbekannten Konstanzer Samuel Metzler verbunden wird. Wie für Bockstorfer (und später Christoph Storer) wäre auch für ihn Augsburger Schulung, in diesem Falle bei Christoph Amberger, anzunehmen. Das näher gelegene Zürich oder auch Schaffhausen scheinen trotz Künstlern wie Hans Asper oder Thomas Schmid – der seit 1529 im benachbarten Rheinau ansässig war – keine vergleichbare Anziehungskraft ausgeübt zu haben.

Die stärkste Künstlerpersönlichkeit Oberschwabens war während des zweiten Jahrhundertviertels zweifellos der Meister von Meßkirch, der seit 1950 mit Peter Strüb d.J. aus Veringenstadt (nahe Sigmaringen) gleichgesetzt wird. Von ihm, der im Dienste der altgläubig verbliebenen Ritterschaft und Klöster (Heiligkreuztal bei Riedlingen) in herkömmlicher Weise vorwiegend Altar- und Wandmalereien ausgeführt zu haben scheint, sind bisher nur drei bis vier mit Sicherheit zuzuschreibende Entwürfe bekannt geworden (Kat.Nr. E 14–E 16). Wie die religiöse Thematik so halten sich bei ihnen auch der an Schäuffelein oder Schaffner anklingende Figurenstil und die feinstrichelnde Federmanier in den Bahnen „altdeutscher Kunst", freilich auf hohem zeichnerischen Niveau. Einzig die Renaissance-Ornamentik sowie die füllige „diesseitige" Leiblichkeit und Standfestigkeit sind Zeugnisse einer neuen Epoche.

Der württembergische Hof in Stuttgart bot seiner Zeit unter den Herzögen Ulrich und Christoph der Malerei und Zeichnung nur begrenzte Möglichkeiten. Die herausragende Gestalt in Neckar-Schwaben war der 1525 als Opfer des Bauernkriegs hingerichtete Jerg Ratgeb. Seinen drei im Dresdener Kupferstichkabinett befindlichen Blättern (Abb. E 5) kann hier ein weiteres an die Seite gestellt werden, wobei die Entscheidung ob Original oder Kopie vorläufig noch nicht zu entscheiden ist (Kat.Nr. E 18). Diese Arbeiten weisen kaum graphologische Eigenart auf. Der Autor beschränkt sich darauf, die zahlreich dargestellten Einzelheiten, ohne die Verwendung von Schraffuren, mittels geschlossener Konturen festzuhalten. Stellt man jedoch in Rechnung, daß der sachlich genaue Federstrich wie üblich über einer Stiftskizze liegt,

Abb. E 5 Jerg Ratgeb, Szenen aus dem Marienleben, um 1515 (?). Dresden, Kupferstichkabinett

könnte man doch geneigt sein, sie als eigenhändige Entwürfe gelten zu lassen, zumal die Mimik der handelnden Figuren im Vordergrund recht differenziert erscheint. Ihrer stilistischen Haltung nach erscheinen diese Werke noch durchaus spätgotisch, in der Art des Augsburgers Hans Holbein d. Ä., der als Lehrer Ratgebs vermutet wird.

Die beiden jüngeren Stuttgarter Heinrich Füllmaurer von Herrenberg – nach Werner Fleischhauer Maler des „Mömpelgarder Altars" (Kat.Nr. C 14 A) und Albrecht Mayer sind bisher nur als Schöpfer der vorzüglichen botanischen Illustrationen von Leonhart Fuchs' 1542 erschienenem „Kräuterbuch" zu fassen (Kat.Nr. E 19). In dieser Spezialgattung brachte jene Zeit unübertreffliche Leistungen hervor.

Vom maßgeblichen Ulmer Meister des ersten Jahrhundertviertels, Martin Schaffner, kennt man zwar einige Blätter im Basler Kupferstichkabinett, die aufgrund ihrer frühen Entstehung hier jedoch keine Berücksichtigung finden konnten. Die wohlhabende Reichsstadt, die sich früh der Reformation angeschlossen hatte, ist wohl nicht zuletzt gerade darum im Zeichnungsbereich eine terra incognita. Da kirchliche Aufträge seit ca. 1530 weitgehend ausblieben, auch die Fassadenmalerei im Bereich des Fachwerkbaus nur eine begrenzte Rolle (etwa bei Stadttoren oder öffentlichen Gebäuden) spielen konnte, beschränkte sich die Entwurfstätigkeit hier im wesentlichen auf Epitaphien, dekorative Wandmalerei oder Kunsthandwerkliches, vielleicht auch noch auf topographische Aufnahmen oder die dokumentarische Wiedergabe eines seltenen Tieres (Kat.Nr. E 51). Erst seit 1570/80 wächst den Künstlern mit der aufblühenden Stammbuchmode eine neue lohnende Aufgabe zu. Die Glasmalerei war zwar überall verbreitet, hatte hier aber nicht entfernt jene außerordentliche Bedeutung und Leistungsfähigkeit wie etwa in Zürich, Schaffhausen, Basel oder Straßburg – damalige Hochburgen auch des Scheibenrisses.

Nicht wesentlich anders dürfte es in dieser Hinsicht in der Kurpfalz ausgesehen haben. Wir kennen so gut wie keine Zeichnungen aus diesem Bereich, was durch die kalvinistische Bilderfeindlichkeit wie auch die schweren Kriegsverwüstungen des 17. Jahrhunderts bedingt sein dürfte. Dem bedeutenden Porträtisten Hans Besser läßt sich vielleicht eine „HB 1552" bezeichnete, höchst originelle Darstellung des antiken „Dornausziehers" zuschreiben, dessen riesiges Standbild von römischen Kriegern bestaunt wird (London, British Museum, als „Hans Brosamer"). Gesicherte Zeichnungen des Künstlers gibt es bisher nicht.

Matthias Gerung (gest. 1568/70), vielbeauftragter Hofmaler des Pfalzgrafen Ottheinrich während dessen Neuburger Regentenzeit und wohl noch späterhin, blieb ständig in Lauingen wohnhaft und berührt daher unsere Darstellung nur am Rande. Seine Zeichenweise hält sich in den Bahnen seines mutmaßlichen Lehrers Schäuffelein. Für ihre Entstehungszeit mutet sie altertümlich, zudem nicht sonderlich inspiriert an, wenngleich Renaissance-Ornamentik überall zum Einsatz gelangt. Auf die Kurpfalz, die bald darauf durch die Aufnahme von Glaubensflüchtlingen mehr als andere Regionen in den Einflußbereich niederländischer Kunst geriet, wird Gerung keine besondere Wirkung hinterlassen haben. Der lückenhaft erhaltene Bestand dieser Region vermag keinerlei Vorstellungen über stilistische Traditionen oder Schulzusammenhänge zu vermitteln. Dies betrifft den schwungvoll zupackenden Grabmalentwurf des Bildhauers Johann von Trarbach (Kat.Nr. E 39) aus dem pfälzischen Simmern (im Hunsrück) von 1568/69 für das fürstliche Haus Hohenlohe ebenso wie Bildniszeichnungen pfälzischer Persönlichkeiten, u. a. des Kurfürsten Ludwig VI. von 1581 in Heidelberger Museumsbesitz. In diesem Falle ist wohl an eine niederländische Hand zu denken. Nur vollständigkeitshalber ist noch auf eine Entwurfsskizze des Hofmalers Friedrich von Hammel mit der fast komischen Darstellung eines pfälzischen Kurfürsten (Mitteilungen zur Geschichte des Heidelberger Schlosses, I, 1886, S. 18, Taf. II) hinzuweisen. Mit Jost Amman besteht, entgegen früherer Behauptung, kein engerer Zusammenhang. In ihrem locker an- und absetzenden Duktus erinnert sie an die bildmäßig komponierten Historien des Bildhauers Sebastian Götz (Grötz), der nach 1604 zeitweilig für den kurpfälzischen Hof tätig war. Die Mehrzahl seiner bisher bekannten Zeichnungen sind jedoch offensichtlich Kopien aus seinen vorausgegangenen Münchner Jahren. Hierfür sprechen allein schon die abgekürzten Farbangaben. Für die Kenntnis eines pfälzischen Lokalstils eher marginal, sind sie gleichwohl von kunsthistorischem Interesse, erweist sich an ihnen doch die Wertschätzung, die seinerzeit der Kopie entgegengebracht wurde. Man weiß nämlich, daß Götz bei seiner Bewerbung in Heidelberg „Abrisse" fremder Arbeiten als Beweis seiner Fähigkeiten und Interessen vorlegte.

Abb. E 6 Wendel Dietterlin, Brunnenentwurf mit Christus und der Samariterin, um 1595. Dresden, Kupferstichkabinett

Eine schwer kalkulierbare Sonderleistung von überregionalem Rang bildet die sog. „Frankenthaler Schule“, über die von Margaretha Krämer in diesem Katalog getrennt berichtet wird. Wahrscheinlich gehörte der niederländische „Meister des Kurpfälzischen Skizzenbuchs“ (Kat.Nr. E 59–61), der Ansichten von Heidelberg und seiner Umgebung nach früheren Vorlagen kopiert zu haben scheint, diesem ständig fluktuierenden Kreis an. Sicherlich zog dieser auch durchreisende Niederländer an, zu denen wahrscheinlich Jan Brueghel d. Ä. und Pieter Stevens gehörten. Der als Zeichner interessanteste, seiner Handschrift nach am ehesten faßbare Künstler unter den „Frankenthalern“ ist Antonie Mirou (Kat.Nr. E 56–58), der in Verbindung mit Matthäus Merian stand, wohl bereits seit dessen Aufenthalt im Verlagshaus von Johann Theodor de Bry im nahegelegenen Oppenheim. Wenngleich die „Frankenthaler Schule“, ihrer Auswirkung nach stark überschätzt, heute kritischer beurteilt wird, läßt sich kaum bestreiten, daß hierdurch die Pfalz neben Prag, Nürnberg und Frankfurt a. M. um 1600 zu den bedeutendsten Zentren niederländisch geprägter Landschaftskunst im „Heiligen Römischen Reich“ zählte. Einen einheitlichen Frankenthaler „Stil“ scheint es indessen nicht gegeben zu haben.

Die größte Maler-Persönlichkeit der zweiten Jahrhunderthälfte im deutschen Südwesten war sicherlich der Schweizer Tobias Stimmer, der seit 1570 in Straßburg, danach bis zu seinem Tode (1584) in Baden-Baden tätig war. Als Zeichner vielseitig und erfindungsreich, verfügte er über eine ungewöhnlich breite Skala an Ausdrucksmöglichkeiten, die von engmaschig schraffierenden „dürerartigen“ Federrissen über großzügig konturierte lavierte Blätter bis hin zu breit angelegten Pinselskizzen reichte. Bei kaum einem anderen unter den hier vertretenen Künstlern läßt sich eine derartige Vielfalt hinsichtlich Bildthemen und Funktion anhand erhaltener Zeichnungen konstatieren. Neben freien, zu Verkaufszwecken geschaffenen Blättern finden sich Risse für Scheiben- und Fassadenmalerei, Gemälde- und Skulpturenentwürfe (darunter großformatige im Format eins zu eins, wie sie auch für den Stuttgarter Johann Steiner bezeugt sind), ferner Holzschnitt-Vorzeichnungen und Feder-Illustrationen zu einer selbstverfaßten „Comedia“. Die blühende Straßburger Buch- und Flugblatt-Produktion erhielt durch seine schlagkräftig abkürzenden Bilderzählungen starke Impulse. Auch als Veduten-Zeichner hat er sich – wie hier gezeigt werden kann – versucht (Kat.Nr. E 24), wobei er sich von niederländischer Landschaftskunst, die sich gegen das Jahrhundertende in Deutschland überall durchsetzt, unbeeinflußt zeigt. Manche seiner Kunstäußerungen atmen eine frische Unmittelbarkeit, bürgerliche Direktheit, wie sie innerhalb damaliger „Hochkunst“ nicht leicht zu finden ist. Dies schließt aber allegorisch angereicherte humanistische Bildinhalte und manieristische Posen in seinem Werk keineswegs aus.

Tobias' Bruder Abel war längere Zeit in Freiburg i. Br. ansässig und hat nach dessen Tod die Wandmalereien im Festsaal des Schlosses zu Baden-Baden vollendet. Ein weiterer Bruder, Gideon, arbeitete zeitweilig für die (damals noch nicht in Donaueschingen residierenden) Grafen von Fürstenberg. Von ihm kennt man u. a. eine treffliche Tierzeichnung (Kat.Nr. E 28).

Als Zeichner und Formerfinder bedeutender ist der Zürcher Christoph Murer, der, in Straßburg von 1582/83 bis 1586 ansässig, Tobias Stimmers Werk als Formschnitt- und Scheibenreißer in kraftvoll-markanter Weise fortsetzt. Seine frühen Zeichnungen in ihrer scharfkantig splittrigen Figuren- und Gewandbildung sind mitunter nicht sicher von Arbeiten des Straßburgers Wendel Dietterlin zu trennen, dessen Zeichenwerk gleichfalls noch nicht gründlicher durchleuchtet ist. Formschnitt-Riß und Glasmalerei spielen in dessen Werk allerdings keine vergleichbare Rolle. Wie es scheint, war Dietterlin überwiegend als Maler und Ornamententwerfer tätig; in seiner Spätzeit als Radierer und Schöpfer eines architekturtheoretischen Vorlagewerks mit einer Vielzahl virtuoser Musterblätter für Brunnen, Portale, Kamineinfassungen, Altarretabeln oder Fassadenmalereien von bizarrer Formenvielfalt. Die im Dresdener Kupferstichkabinett erhaltenen Vorzeichnungen (Abb. 6) bilden eine solide Grundlage für die Beurteilung seines Zeichenstils. Dietterlin, der in hohem Ansehen stand und die schwierigsten Partien bei der Ausmalung des Neuen Stuttgarter Lusthauses (1590) übertragen bekommen hatte, war Murer an kräftig-originärer Begabung wahrscheinlich unterlegen. Als phantasievoller „Inventor“, der das „Künstliche“ und „Mühsame“ suchte, die Figuren in manieristischer Weise zum Ornament verfremdete und artifizielle Kunstkammerstücke (Kat.Nr. E 34) schuf, erfüllte er jedoch die ästhetischen Vorstellungen

Abb. E 7 Unbekannt, Straßburg, Die hl. Cäcilie, Vorzeichnung zu dem Stich von Jakob van der Heyden. Paris, Louvre, Cabinet des Dessins

Abb. E 8 Jakob van der Heyden, Die hl. Cäcilie, Kupferstich. Stuttgart, Staatsgalerie, Graphische Sammlung

des späten 16. Jahrhunderts in beispielhafter Weise, vermutlich ohne je selbst in Italien oder den Niederlanden gewesen zu sein.
Neben Stimmer, Murer und Dietterlin wirkte von 1572/73 bis zu seinem zehn Jahre später erfolgten Tode, mit Unterbrechungen (u.a. 1576 in Augsburg), in Straßburg auch noch der bedeutende französische Stecher, Goldschmied und Medailleur Etienne Delaune. Als Kalvinist hatte er Paris verlassen müssen. Sein möglicherweise beträchtlicher Einfluß auf die süddeutsche Kunst jener Zeit bleibt noch zu untersuchen.
Straßburg war damals im Bereich des Buchdrucks und der Illustration, in Kupferstich, Scheibenmalerei und Goldschmiedekunst – alles Gewerbe, für die gezeichnet, ziseliert und graviert werden mußte – eine der führenden Metropolen im Reich. Zu den „Zierkünstlern" und Ornamententwerfern gehörte auch der vielseitige Straßburger Stecher und Goldschmied Franz Brun, der mit einer berüchtigten Goldmacherbande um 1571 an den Welfenhof nach Wolfenbüttel gekommen war. Er hinterließ dort einen Sammelband mit 40 Entwürfen für Kaminböcke, von denen einige „1577" datiert sind (Friedrich Thöne, Wolfenbüttel – Geist und Glanz einer alten Residenz, München 1963, S. 49, 258ff., Abb. 25, 26).
Der Austausch mit der Eidgenossenschaft war äußerst rege; besonders Glasmalerei und Scheibenriß waren gänzlich schweizerisch bestimmt. Von dort, genauer aus Zürich, kam denn auch die lokale Glasmalerfamilie der Lingg, deren umfangreicher Besitz an Scheibenrissen, darunter zahlreiche Kopien, in der Karlsruher Kunsthalle erhalten blieb. Zu den zahlreichen in Süddeutschland beschäftigten Scheibenreißern gehören außer den bereits genannten noch der Schaffhauser Hans Caspar Lang (Kat.Nr. E 32), Hans Bock d.Ä. aus Basel, Nikolaus von Riedt aus Bern sowie Daniel Lindtmeyer. Von Letztgenanntem, der auf Oberschwaben und den Bodenseebereich gewirkt zu haben scheint, wird noch die Rede sein.
Daneben war der niederländische Einfluß stark; nicht nur mittelbar, wie im Werke Wendel Dietterlins spürbar, dessen extrem manieristische Haltung ohne die Kenntnis haarlemischer Druckgraphik (des Kreises um Hendrick Goltzius) schwer vorstellbar ist, sondern auch unmittelbar durch Zuzug. Dies betrifft u.a. den Formschneider und Stecher Christoffel van Sichem aus Amsterdam, den nach unsicherer Angabe aus Utrecht stammenden Stecher Matthäus Greuter (der später nach Lyon und Rom weiterzog) sowie die produktive Porträtisten- und Stecherfamilie van der Heyden aus Mecheln. Auch ein französisches Element dürfte in der betont national orientierten Reichsstadt spürbar gewesen sein. Außer Delaune sind hiefür noch der Porträtstecher Peter Aubry (aus der Champagne) und Michel Buisson aus Troyes namhaft zu machen, sowie Jacques Granthomme, der später als Hofmaler in Heidelberg auftritt. Gesicherte Zeichnungen sind von ihnen nicht bekannt, aber „namenlose" Blätter Straßburger Observanz oder solche, die als Vorzeichnungen für ansässige Stecherwerkstätten dienten, lassen weitere Aufklärung erhoffen. Zwei Beispiele seien wenigstens in Abbildungen vorgestellt:
Die „Heilige Cäcilie" des Pariser Louvre (Abb. E 7, 8), die stilistisch Dietterlin nahesteht, wurde von Jacob van der Heyden mit einigen Änderungen seitenverkehrt gestochen und von Granthomme verlegt. Die Erfindung dürfte demnach Straßburgisch sein. Die Stuttgarter „Vertreibung" (Abb. E 9), zu der noch zwei weitere Blätter gehören (ebenda, Inv.Nr. 301, 302), stammt von einer dem frühen Brentel nahestehenden Hand.
Im 17. Jahrhundert verliert die Straßburger Kunst an Bedeutung. Die Söhne und Enkel Wendel Dietterlins arbeiten z.T. in dessen Manier und lassen dadurch sein eigenhändiges Werk noch undurchschaubarer werden. Ähnlich wie gleichzeitig in Nürnberg und München gibt es auch hier eine retrospektive Richtung, was sich etwa in einer monogrammierten Baldung-Kopie des Enkels Bartholomäus (Abb. E 10; Inv.Nr. 18547, als „Monogrammist B.D.") äußert. In der Karlsruher Kunsthalle bewahrte Blätter einer 1625 datierten Vorlagen-Sammlung mit Entlehnungen nach Bilderfindungen Tintorettos, Toeputs (?) u.a. vermitteln eine bessere Vorstellung seiner zeichnerischen Möglichkeiten. Funktion und Vorbilder des interessanten Bestandes sind jedoch noch kaum erhellt. Solange unsicher ist, ob Kopien oder eventuell doch eigene Inventionen vorliegen, bleibt der Künstler konturlos. Ähnlich liegt der Fall bei einer vollsignierten Zeichnungsgruppe von 1632 in Göttingen (Stuttgart 1979/1981, Bd. 2, S. 36, H 8), mit der er sich als Nachfolger des Lothringers Callot erweist.
Auf sicherem Boden befindet man sich demgegenüber bei Friedrich Brentel, dessen umfangreiches Zeichenwerk durch Wolfgang Wegner vorbildlich erschlossen ist. Sein

Abb. E 9 Unbekannt, Straßburg (?), um 1600, Die Vertreibung aus dem Paradies. Stuttgart, Staatsgalerie, Graphische Sammlung

Abb. E 10 Bartholomäus Dietterlin nach Hans Baldung, Hl. Anna Selbdritt. Paris, Louvre, Cabinet des Dessins

in der Karlsruher Kunsthalle weitgehend erhaltener zeichnerischer Nachlaß vermittelt in der Vielfalt seiner Gattungen, die von Entwürfen aller Art, Scheibenrissen, Kostümstudien usw. bis hin zu Nachzeichnungen und eigenem Sammlungsgut reichen, einen lebendigen Einblick in Funktion und Erscheinungsweise der Handzeichnung, wie er sich andernorts kaum gewinnen läßt. Der Künstler, der bereits an der Stufe zum Barock steht, war – wie Wendel Dietterlin – ein geübter Radierer und Stecher, brillierte aber als Miniaturist und Schöpfer kleinfiguriger Landschafts- und Genrebilder in niederländischer Manier. Seine Federzeichnungen, nach Zweckbestimmung unterschiedlich, sind, wenn es sich um Entwürfe handelt, selbst im kleinsten Format von lichtdurchsetzter, zuckender Lebendigkeit.
1629/30 zeichnet Wenzel Hollar für Jacob van der Heyden einfache, intime Ansichten aus der Straßburger Umgebung als Vorlage für den Kupferstich. Der Straßburger Architekt Johann Jakob Arhardt, ein bedeutender Landschafts- und Vedutenzeichner, nimmt um 1640 diesen Faden wieder auf. Im übrigen aber klingt die facettenreiche Straßburger Zeichenkunst und Graphikproduktion, die um 1570/80 in Deutschland kaum ihresgleichen hatte, damals allmählich ab. – Der Brentel-Schüler Johann Wilhelm Baur, ein glänzender, sehr inspirierter Zeichner, wendet sich nach kurzem Aufenthalt in Stuttgart (1625 oder 1627) nach Italien, um sich schließlich in Wien niederzulassen (gest. 1641). Hinsichtlich künstlerischer Dichte und Aufgabenvielfalt, nicht nur im Bereich der Handzeichnung, überragt Straßburg im 16. Jahrhundert alle anderen Zentren des damaligen deutschen Südwestens bei weitem.
Hierbei spielt auch noch die Fassadenmalerei herein, die im Elsaß, am Oberrhein und Bodensee beheimatet war, wenngleich ihr Umfang sich schwer abschätzen läßt. Von Dietterlin sind derartige Arbeiten literarisch überliefert. Während dies aber im Bereich der Eidgenossenschaft – in Basel, Luzern, Stein a. Rhein usw. – durch Entwürfe („Fassadenrisse") oder den erhaltenen Denkmälerbestand einigermaßen dokumentiert ist, liegt aus dem oberdeutschen Bereich kaum etwas vor. Zwei vorzügliche Risse des Baslers Hans Bock, der aus dem elsässischen Zabern zugewandert war und mehrfach für Auftraggeber des Breisgaus und Elsaß' (Colmar, Sulzburg, Sankt Blasien) gearbeitet hat, füllen in der Ausstellung diese Lücke. Dabei ist zu berücksichtigen, daß seine humanistisch-urbane Thematik ein Bildungsniveau voraussetzte, für das nur an hauptstädtischen Zentren, wie Basel oder Straßburg, die nötigen Voraussetzungen bestanden. Bocks gut zu übersehendes Mal- und Zeichenwerk bietet in seiner äußerlichen Verarbeitung italienischer und niederländischer Anregungen aufschlußreiche zeittypische Aspekte; dazu gehört das Zeichnen nach plastischen Aktmodellen, das damals anstelle echten Naturstudiums verbreitet war (Basel, Kunstmuseum, Inv.Nr. U. IV. 82). Ein wohl im schwäbischen Bereich des Bodensees oder am Hochrhein lokalisierbarer Fassadenriß (Kat.Nr. E 36) stellt eine bodenständig einfache Lösung dar, die eine Vorstellung von einer ganzen verlorenen Gattung zu vermitteln vermag: in selbstbewußter Pose hat sich der Hausherr, ein Fischer, mit Frau, Sohn und Darstellungen aus seinem Berufsleben auf der schmalen Schauwand porträtieren lassen – zeichenhaft, wie ein Standessymbol. Aus Württemberg und dem schwäbischen Kernland – klassische Regionen des Fachwerkbaus – sind uns aus dem 16./17. Jahrhundert keine derartigen Entwürfe bekannt.
Ähnlich wie Ulm ist auch die Bischofsstadt Konstanz und die ganze, an bedeutenden Gemeinwesen reiche oberschwäbische Region für unsere Fragestellung wenig ergiebig. In Ermangelung signierter oder anderweitig gesicherter Blätter lassen sich hier kaum einzelne „Zeichner-Hände" oder gar regionale Lokalstile feststellen. Dabei muß Konstanz, vielleicht auch Radolfzell oder Überlingen, im Gesamten der Schweizer Kabinettscheiben-Malerei eine nicht unbedeutende Rolle gespielt haben. Friedrich Thöne erwog für eine bestimmte stilistisch einheitliche Gruppe von Scheibenrissen eine Konstanzer Herkunft (Museum zu Allerheiligen Schaffhausen, Die Zeichnungen des 16. und 17. Jahrhunderts, Schaffhausen 1972, S. 147, Nr. 130). Diese Spur sollte weiterverfolgt werden!
Im Jahre 1595 war Daniel Lindtmayer, ein überaus fruchtbarer Zeichner, in Konstanz tätig. Sein Wirkungsradius reichte vom Schwarzwald bis weit in den oberschwäbischen Bereich (Rottweil, Villingen, Biberach, Stockach u.a.). Eine engere Beziehung scheint er zum Glasmaler Bartholomäus Holl in Waldsee unterhalten zu haben, dessen Besitz an Lindtmayer-Zeichnungen in den Besitz der Staatsgalerie Stuttgart gelangte. Einen weiteren Anhaltspunkt für oberschwäbischen Stilcharakter bietet der vom Bildhauer

Abb. E 11 Kaspar Memberger d. Ä., Die Beweinung Christi, 1589. Privatbesitz

Jörg Zürn stammende Entwurfsriß für den Überlinger Hochaltar von 1614. In der spitzig spröden Konturierung, den eckigen Faltenbrüchen usw. enthält er, wie die ausgeführten Skulpturen, Züge einer latenten „Gotik". Ähnliche Elemente finden sich in Lindtmayers kleinteiligem Gewandstil oder selbst auch bei Kaspar Memberger d. Ä. Diese altertümelnd konservative Haltung scheint für die bodenständige Zeichnung und Malerei Oberschwabens um 1600 charakteristisch, meist in Verbindung mit katholischer Thematik. Kaspar d. Ä., der vom Erzbischof Wolf Dietrich von Raitenau nach Salzburg berufen worden war, das einzige Mitglied der Konstanzer Malerfamilie, von dem sich „Visierungen" nachweisen lassen, überzeugt in seinem Malwerk weit stärker als in den erhaltenen Entwürfen. Das scharfkantige Faltenwerk und die Entlehnung nach Stichvorlagen ergeben beim hier gezeigten Epitaph-Entwurf (Kat.Nr. E 37) eine uneinheitliche Gesamtwirkung von kleinlich-provinziellem Zuschnitt. Eine bisher unbekannte Skizze zu einer „Beweinung" (Abb. E 11) wirkt schwungvoller und vermittelt eine günstigere Vorstellung seiner Zeichenkunst. Samuel Metzler, dessen Schaffenszeit sich noch bis in die hier behandelte Phase erstreckt (gest. 1601), ist bereits früher besprochen worden (Kat.Nr. E 20).

Setzen wir unsere „Spurensicherung" im Lande der großen Klöster und der Reichsstädte fort: Das Benediktiner-Reichsstift Ochsenhausen ist mit einem doppelseitig gefüllten Blatt eines „Casparus Klein von Oxenhaußen" von 1591 vertreten, interessant durch rückseitige Kopfstudien wohl nach der Natur (Abb. E 12); Reutlingen einzig durch ein konventionelles Stammbuchblättchen des Glasmalers Christoph Maurer (Murer) von 1618 (Kat.Nr. G 45), dessen Motiv wenigstens nicht entlehnt zu sein scheint. Der im vorderösterreichischen Rottenburg bis ca. 1575 ansässige Jörg Ziegler, der fälschlich mit dem „Meister von Meßkirch" gleichgesetzt wurde, hat als Miniaturist und Formschnitt-Reißer eine gewisse Rolle gespielt und war zeitweilig Hofmaler der Grafen von Zollern in Hechingen gewesen. Als Zeichner ist er nicht mehr faßbar.

Aus dem nördlichen Schwaben bietet einzig Schwäbisch Gmünd, die altgäubig verbliebene Reichsstadt, einige Anhaltspunkte. Während Christoph Friedel d.Ä., dem eine Stuttgarter Ereignisdarstellung (Kat.Nr. E 49) zugeschrieben wird, als Autor fragwürdig bleiben muß, liegen von dessen gleichnamigem Sohn zwei durch Monogramm gesicherte Blätter vor, die ihn als durchaus provinzielles Talent erscheinen lassen, das um 1620 gar noch an der altertümlichen Form der Simultandarstellung festhält. Das hier gezeigte andere Blatt (Kat.Nr. E 66) ist trotz seiner Schwächen ein aufschlußreiches kulturhistorisches Dokument seiner Zeit. Die Gmünder Beispiele, die sich vermehren lassen, sind wichtig als Zeugnisse für den damaligen Leistungsstand und die stilistische Eigenart lokaler Kräfte.

Die Übersicht läßt den Schluß zu, daß die bayerische Provinz der schwäbischen in den Jahrzehnten um 1600 im Bereich der Zeichnung deutlich überlegen war. So erfrischend originelle Kräfte wie Caspar Freisinger in Ingolstadt oder Georg Kopp in Straubing, Hans Pachmair (Bachmaier) in Landshut oder Wolfgang Höselwanger in Vilshofen sucht man hierzulande vergeblich. Offenbar war in bayerischen Landstädten das Kunstverständnis ausgeprägter, die Beziehungen zur Hauptstadt enger und anregender, die Auftragslage günstiger. Zahlreiche schwäbische Künstler wanderten damals nach Bayern ab. Freisinger selbst war aus Ochsenhausen, Kopp aus Rottenburg a. N. zugezogen. Protestanten, wie Michael Herr aus Metzingen oder der Bildhauer Emanuel Schweiger aus Sulz, bevorzugten stattdessen Nürnberg. Weitere Beispiele sind der bereits erwähnte Oberschwabe Gabriel Dreer (? aus Ottobeuren), den wir später im steirischen Admont antreffen, oder Johann de Pay aus Riedlingen, der sich nach Augsburg und München wendet. Zugezogene, wie Balthasar Küchler in Gmünd (aus Schlesien), vermochten die Wanderungsverluste nicht auszugleichen. Im Barock setzte sich die Auszehrung der schwäbischen „Provinz" zunächst fort.

Ein günstigeres Bild bietet die Württembergische Residenzstadt Stuttgart seit der Mitte des 16. Jahrhunderts. Durch Werner Fleischhauers sachlich erschöpfende Darstellungen sind wir hier über viele Bereiche genauestens unterrichtet. Was Zeichnungen betrifft, so bleibt man allerdings zumeist auf das Mittel der Stilkritik angewiesen. Der Hof zog manche auch bedeutende Künstler teils ständig, teils nur vorübergehend an. Eine große Epoche der zeichnenden Künste hat dies allerdings nicht bewirkt. Die Zeichnung gewann in Ermangelung einer breiteren Sammlerschicht kaum je den Rang eines autonomen Kunstwerks (wie am Prager Kaiserhof Rudolfs II.), sondern behielt zumeist eine handwerklich-dienende Funktion für die Werkvorbereitung.

Abb. E 12 Kaspar Klein, Kopfstudien, 1591. Stuttgart, Staatsgalerie, Graphische Sammlung

Die frühesten nach der Jahrhundertmitte entstandenen Arbeiten, die wir kennen, geben Wandmalereien im sog. „Kleinen Lusthaus" wieder, die wahrscheinlich von der Hand des aus Norwegen stammenden Hofmalers Eberhard van Backe herrührten (Kat.Nr. E 40). Der zeitgenössische Kopist, dessen Handschrift keine spezifischen Merkmale aufweist, ist uns vorläufig nicht bestimmbar. Drei zur gleichen Folge gehörende Arbeiten beziehen sich auf ein anderes, jedoch eng verwandtes Projekt, sicherlich gleichfalls ein herzogliches Gemach (Kat.Nr. E 41/42). In ihrer temperamentvolleren Niederschrift erinnern sie an Arbeiten von Johann Steiner, einem aus Urach stammenden „Landeskind", das Backe als Hofmaler nachfolgte und vermutlich von ihm beeinflußt war. Der in diesen Blättern erstmals auftretende Themenkreis der „Waidwerke", gewürzt durch humorvolle Nebenszenen, sollte längere Zeit für die Stuttgarter Hofkunst bestimmend bleiben. Steiners frühestes gesichertes Blatt (Kat.Nr. E 43) ist 1576 datiert, was zweifellos das Ereignis, jedoch nicht zwingend auch die Ausführung betreffen muß. Seine kleinteilig additive, betont erzählerische Darstellungsweise läßt jedoch keine wesentlich spätere Entstehung zu. Steiners bis gegen 1590 zu verfolgender Zeichenstil wird mit der Zeit großzügiger, die Lavierung kontrastreicher. Das Ganze behält jedoch stets einen ungekünstelt volkstümlichen Erzählton, der für die Stuttgarter „Bildreportagen" charakteristisch erscheint. Eine ästhetisch idealisierende „Hofkunst" von der Art eines Friedrich Sustris in München, Sprangers oder Hans von Aachens in Prag hat es hier, auch in der Zeichnung, kaum je gegeben; allenfalls Reflexe dieser Richtung, die aber zumeist auf Stichvorlagen zurückzuführen sind. Ereignisschilderungen besagter Art, die

Abb. E 13 Hans Dorn, Wachteljagd im Eltinger Forst, 1589. London, University College

auch von Christoph Friedel d.Ä. (?) (Kat.Nr. E 49) und dem Göppinger Hans Dorn (Abb. E 13) überliefert sind, mögen im „im Vorrat" auf künftige Hofaufträge hin geschaffen worden sein. Es sind in der Regel abgeschlossene Kompositionen, die vor Ort aufgenommenen Skizzen voraussetzen. Ein Studienblatt des Tübingers Jakob Züberlin vereinigt dagegen einzelne Szenen einer Dachsjagd ohne erzählerischen Zusammenhang auf einem Blatt (Kat.Nr. E 48) und mag als Vorlage für eine bestimmte Raumdekoration konzipiert gewesen sein.
Züberlins Zeichenweise ähnelt der Steiners, wirkt aber in Einzelheiten differenzierter (Abb. E 14). Beide sind stilistisch am ehesten wohl von der oberrheinischen Kunst (Stimmer) herzuleiten. Für Steiner sind verwandtschaftliche Beziehungen zu Straßburg überliefert. Züberlin, der um 1600 seinen Zeichenstil zum manieristisch Kapriziösen hin veränderte, stammte aus Heidelberg. Figurenstil und Ornamentik seiner früheren Zeit machen eine Schulung im schweizerischen Einflußbereich wahrscheinlich. Unter den einheimischen Kräften war er, neben Steiner, wohl der fähigste. Wenn jener vorwiegend als „Kunstintendant", Entwerfer und Hofdekorateur fungierte, so jener – der in Tübingen ansässig war – auch als Formschnitt-Reißer für Tübinger Druckwerke, als Miniaturist und Stammbuchmaler.
Der wichtigste Malauftrag, den der württembergische Hof unter Herzog Ludwig zu vergeben hatte, die Erstellung der Deckenbilder im Neuen Lusthaus, erging allerdings ins „Ausland". Dietterlin hat diese, durch ihre Wiedergabe in Untersicht besonders schwierigen Partien aufgrund von Vorgaben des Kanzlers Dr. Gadner und des Hofpredigers Osiander konzipiert. Ein eigenhändiger Entwurf für die Darstellung des Jüngsten Gerichts (Kat.Nr. E 33) konnte vor einiger Zeit vom Stuttgarter Kabinett erworben werden. Ein weiterer ist in einer Nachzeichnung der Hamburger Kunsthalle überliefert. Es hat den Anschein, daß das Stuttgarter Stück erst durch nachträgliche Goldhöhung zum autonomen Kunstobjekt umfunktioniert wurde, sicherlich vom Künstler selbst, denn die Basler Rundkompositionen (Kat.Nr. E 34) stimmen technisch überein. Ein ehemals in Dessau befindlicher Entwurf zur Figur einer Württembergischen Ahnenreihe im Untergeschoß des Lusthauses ging im Zweiten Weltkrieg zugrunde (Fleischhauer 1932, S. 315, Abb. 4). Trotz jahrelanger Tätigkeit in Stuttgart scheint Dietterlin im Lande keine nennenswerte Wirkung hinterlassen zu haben. Unter den übrigen damals berufenen Malern läßt sich nur noch von Hans Dorn sowie von Philipp Greter, der häufig als Poträtist herangezogen wurde, als Zeichner eine Vorstellung gewinnen. In einem hier gezeigten Stammbuch (Kat.Nr. G 36) kam erstmals ein signiertes Landschaftsblättchen seiner Hand zum Vorschein.
Unter Herzog Friedrich (reg. 1593–1608) werden andere Komponenten spürbar. Die harmlos munteren Fest- und Jagdschilderungen hören nach 1590 auf. Die durch eine größere Anzahl alternierender Entwürfe überlieferten Wand- und Deckenmalereien eines Saales auf Schloß Hellenstein über Heidenheim (Kat.Nr. E 50) stellen ein weltläufig-repräsentativeres, auf Grotesken und allegorischem Beiwerk beruhendes

Abb. E 14 Jakob Züberlin, Jagd auf Hase und Fuchs, um 1590. Chicago, The Art Institute of Chicago

Dekorations-System dar. Die zierlichen Ornamentfüllungen mit den allzu kompakten Figuren Insignien tragender Genien, mit Tugendallegorien und reizend erfundenem, vielfältigem Getier wurden bisher mit Friedrich Sustris, dem wichtigsten Münchner Hofkünstler jener Jahre (gest. 1599), in Verbindung gebracht. Mir erscheint ein Zusammenhang mit dem aus Seeland stammenden Goldschmied Esaias van Hulsen, der mehrere gestochene Groteskenfolgen hinterließ und noch lange Zeit als der maßgebliche „Hofdekorateur" in Stuttgart wirkte, wahrscheinlicher. Die qualitätvollen Blätter würden ihm als Zeichner ein vorzügliches Zeugnis ausstellen. Hierbei ist daran zu erinnern, daß auch Paulus van Vianen, der wohl bedeutendste Landschaftszeichner seiner Zeit (gest. 1613), eigentlich Goldschmied war. – Vielleicht darf man van Hulsen auch den Grabmalentwurf für Herzog Johann Friedrich (Kat.Nr. E 67) zuschreiben. Seine urkundlich belegten Aufträge könnten hierfür sprechen, aber auch an den vielbeschäftigten, als Zeichner bislang nicht zu beurteilenden Johannes Altermann wäre wohl zu denken.

Im Dresdener Kupferstichkabinett bewahrte Entwürfe vermitteln Einblicke in den Entstehungsprozeß einer umfangreichen Radierfolge („Repraesentatio der Fürstlichen Auffzug und Ritterspil ..."), die im Jahre 1612 anläßlich der Hochzeit von Herzog Johann Friedrich erschienen war. Unter den insgesamt 20 Vorzeichnungen für die Festzugs-Publikation lassen sich zwei verschiedene Zeichnerhände unterscheiden, von denen die gewandtere kürzlich von Günter Irmscher (JSKBW 22 (1985), S. 27–53) als die des renommierten Nürnberger Goldschmieds Christoph Jamnitzer (Abb. E 15) bestimmt wurde. Die andere, robuster und schwerfälliger, dürfte einem Stuttgarter Hofkünstler, vielleicht Sebastian Ramminger oder Israel Rumpler, angehören. Die als Vorlagen für die Radierungen angefertigten Blätter weisen teilweise Übertragungsspuren auf und sind auf Seitenverkehrung hin angelegt. Der in Schwäbisch Gmünd ansässige Verleger Balthasar Küchler hatte zur Hilfe bei der Herstellung des ca. 250 Blätter umfassenden Werks den erfahrenen Nürnberger zugezogen, der auch an den Radierungen beteiligt war. Auch von Georg Thonauer (Donauer), der seit 1600/1601 in württembergischem Hofdienst stand und meist als Porträtist herangezogen wurde, kennen wir einige nicht besonders gute, auffallend nervös niedergeschriebene Skizzen, von denen eine gleichfalls für Küchlers Werk Verwendung fand (Abb. E 16). Die fahrige Handschrift einer Stammbuch-Komposition des Metzingers Michael Herr aus dem Jahre 1612 mit der Aufschrift „... michel Herr mallergesell von Stuttgart ... " (Bamberg, Staatsbibliothek, Slg. Heller, Inv.Nr. 92) könnte vermuten lassen, daß der interessante Künstler als Lehrknabe bei Thonauer gelernt hatte.

Abb. E 15 Christoph Jamnitzer, Drei Mohren-Reiter, um 1610. Dresden, Kupferstichkabinett

Dieses Geflecht aus Gesichertem und Vermutetem erlaubt uns für den Stuttgarter Hof zumindest die Feststellung, daß das handwerklich Zweckgebundene für die Zeichnung auch hier die Basis bleibt; selbständige „Künstlerzeichnungen" scheinen weitgehend unbekannt. Die gegen das Jahrhundertende aufkommenden Beiträge für Künstler-Stammbücher sind durch ihre Signaturen eine wichtige Bestimmungshilfe. Im Gegensatz zu Straßburg – aber wie in Augsburg und München (bis ca. 1590) – fehlt im 16. Jahrhundert der Kupferstich in Württemberg völlig, der Buch- und Flugblatt-Holzschnitt weitgehend.

Abb. E 16 Georg Thonauer, Zwei Amazonen. Wolfegg, Fürstl. Waldburg-Wolfeggsches Kupferstichkabinett

Der Hof hat durch seine Aufträge ständig Künstler von auswärts angezogen, vermochte sie aber in der Regel nicht auf Dauer zu halten. Dies trifft auf Dietterlin zu, auch auf den Augsburger Matthäus Gundelach, der hier kurz tätig war, vor allem aber auf Matthäus Merian und Friedrich Brentel. Beide waren im Zusammenhang mit den aufwendigen, von Esaias van Hulsen betriebenen Festpublikationen der Jahre 1616 und 1617, und auch später noch, kurzfristig in Stuttgart beschäftigt.
Um die Mitte der 1620er Jahre, kurz vor der Schlacht bei Nördlingen (1634), die die künstlerisch-gesellschaftlichen Aktivitäten des Hofes für einige Zeit zum Einfrieren brachte, tauchen auch noch, aus Prag kommend, Wenzel Hollar und Karel Sčreta auf und auch der junge Malergesell Johann Heinrich Schönfeld aus Biberach hat damals – wir wissen nicht bei wem – in Stuttgart gearbeitet. Hollar, der sich später in Straßburg (bei van der Heyden) und Frankfurt (bei Merian) zum Landschafts- und Veduten-Zeichner, auch zum bedeutenden Stecher heranbildete, hatte sich um 1627 einige Zeit im Stuttgarter Bezirk aufgehalten, ohne daß Beziehungen zu einheimischer Kunstübung erkennbar wären. Einige z.T. noch etwas schematische Ansichten von Stuttgart, Cannstatt, der Reichsstadt Esslingen (Kat.Nr. E 65) und wohl auch dem alten Zollort Mettingen am Neckar zeugen davon. Bereits damals liebt er es, breite Wasserflächen im Vordergrund auszubreiten und den Blick in die Tiefe führen zu lassen. Einige dieser ohne Auftrag geschaffenen Wiedergaben wurden von ihm Jahrzehnte später zu Stichen verarbeitet.
Im wohlregierten protestantischen Ulm boten sich den zeichnenden Künsten geringere Möglichkeiten, zumal auch hier Buchdruck und Stichproduktion fehlten. Eine handwerkliche Brunnen-Visierung (Kat.Nr. E 52) erweckt vorwiegend als stadtgeschichtliches Dokument und Beispiel einer seltenen Gattung unser Interesse. Aufschlußreicher sind zwei Zeichnungen der Brüder Hans und Georg Denzel aus demselben Jahr 1604 (Kat.Nr. E 53, 54), von gleicher stilistischer Haltung, aber deutlichem Qualitätsunterschied. Hans, der in Ulm verblieb – während der jüngere Georg unbekannt verzog –, erweist sich hinsichtlich Erfindung und graphischer Fixierung als der Überlegene. Die beiden Brüder, besonders Hans, lassen in ihren Bildkonzepten ein wirkliches Verständnis für die verfeinerte Stilisierung des höfischen Spätmanierismus erkennen, wie dies die Stuttgarter Hofkunst nach heutiger Kenntnis – mit Ausnahme vielleicht von Esaias van Hulsen – vermissen läßt. Dort erweisen sich derart „elegante“ Formulierungen bei näherer Prüfung meist als schlichte Kopien nach Stichvorlagen; Denzel wartet dagegen mit einer eigenen, durchaus witzigen Bilderfindung in adäquater Durchführung auf. Vielleicht darf man in ihrer stammbuchartig zierlichen Erscheinung und dem „gekonnt“ vorgetragenen Manierismus eine spezifisch Ulmische Komponente innerhalb der Zeichenkunst jener Phase erkennen. Die frühen, stichartigen „Federrisse“ des jungen Schönfeld (Kat.Nr. E 72), in Biberach und Memmingen entstanden, damit im Ulmer „Einzugsgebiet“, sind in ähnlicher Weise Zeugnisse spezifisch manieristischer Stillage auf beachtlichem Niveau. Man wird dies jedoch nicht verallgemeinern dürfen.
Der gesteigerte ästhetische Anspruch ließ sich bei autonomen Kunststücken zwar einlösen und fand wohl auch seine Liebhaber, kaum aber bei traditionsverhafteten Aufgaben wie Epitaphien, Emporenbildern usw. – und den dafür anfallenden Vorzeichnungen. Mitunter wurden von den Bestellern selbst Stichkompositionen, die ihnen besonders zusagten, als Vorlage vorgeschrieben, was eigenes Entwerfen überflüssig machte. Eine eindimensionale Betrachtungsweise, die nur nach „Stil“ oder „Gattung“ fragt, kann solch komplexen Sachverhalten nicht gerecht werden.
Während Schönfeld sich noch um 1627, vor seinem Aufbruch nach Italien, wesentlich in manieristischen Bahnen bewegt, sind an verschiedenen Stellen des deutschen Südwestens bereits Ansätze zu barocker Gestaltung spürbar. Zwar wirken sich die bildnerischen Vorstellungen des Elsheimer-Nachfolgers Johann Ernst Thoman von Hagelstein (in Lindau) und des Augsburgers Christian Steinmüller, der 1628 das für damalige Verhältnisse aufregend moderne Hochaltarblatt der Prämonstratenserstiftskirche in Weißenau bei Ravensburg geschaffen hatte, kaum aus, doch die nächste aus Italien oder den Niederlanden heimkehrende Künstlergeneration – unter ihnen der Konstanzer Johann Christoph Storer, der Straßburger Johann Wilhelm Baur oder auch Schönfeld, dazu der Augsburger Bildhauer Georg Petel – verhalfen seit etwa 1630/1640 der neuen Richtung auch in Deutschland allmählich zum Durchbruch. Michael Herr, der – wie Thoman von Hagelstein und Steinmüller – in Italien gereist war, und der Augsburger Mathias Kager, der durch Rubens' süddeutsche Malwerke in

dessen Sog geriet, bereiteten neben anderen hierfür den Boden. Von Herr, der sich vor seiner Übersiedlung nach Nürnberg einige Jahre in Oberschwaben (Riedlingen 1618, Memmingen 1619) aufgehalten hatte, wird hier eine mit volkstümlichem Spruch- und Gedankengut angereicherte Allegorie (Kat.Nr. E 70) gezeigt, die im Zeichen- und Figurenstil die unmittelbarere Wirklichkeitserfahrung des Barock ohne besonderen Kunstanspruch vertritt. Seine eigentümliche Geheimschrift spricht dafür, daß auch der durchaus originär wirkende Entwurf für ein verlorenes Altarblatt der Klosterkirche zu Obermarchtal (Kat.Nr. E 71) von ihm in der großzügig schwungvollen Art, die wir von seinen späteren Blättern her kennen, nach einem Kagerschen Original kopiert worden ist. Möglicherweise war Herr die Ausführung der Malerei auf der Grundlage von dessen Entwurf übertragen worden. Die bedeutendsten Barockmaler, die aus dem deutschen Südwesten im 17. Jahrhundert hervorgegangen sind, haben sich jedoch – mit Ausnahme von Storer, der nach Konstanz zurückkehrte – anderswo, zumeist in Augsburg oder in Wien niedergelassen. Dies gilt sowohl für Schönfeld, der wesentlich zum Ruhme Augsburger Kunst beitrug, wie auch für Baur und den Konstanzer Tobias Pock, die für die Blütezeit des österreichischen Barock den Weg bereiten halfen. Die Zeichenkunst wird durch sie zu neuer Höhe geführt.

E 1

E 1

Jünglingskopf (Selbstbildnis)

Hans Baldung, genannt Grien
(1484/85–1545)
Schwaben (?), um 1502

Pinsel und Feder (?) in Schwarz, weiß und rosa gehöht, auf blaugrün grundiertem Papier
22 x 16 cm

Basel, Kunstmuseum, Kupferstichkabinett, Inv.Nr. U.VI.36

Seltenheit und Rang dieses jugendlichen Selbstbildnisses sichern ihm – neben den ganz anders aufgefaßten, zweiflerisch-grübelnden Selbstdarstellungen des jungen Dürer (Friedrich Winkler, Die Zeichnungen Albrecht Dürers, Bd. 1, 1484–1502, Berlin 1936, Nr. 26 u. 27) – in der altdeutschen Zeichenkunst besondere Bedeutung. Die erstmals von Térey geäußerte, nicht unwidersprochene Auffassung, in diesem en face gesehenen Jünglingskopf dürfte ein frühes Selbstporträt Baldungs erkannt werden, hat sich in der jüngeren Literatur allgemein durchgesetzt. Die Ähnlichkeit mit dem 1507 entstandenen Dreiviertelprofil auf dem hallischen Sebastiansaltar entkräftet alle Zweifel. Dort blickt uns dasselbe kantig geschnittene Antlitz entgegen, mit fein gebildeter gerader Nase, schmalem, in den Winkeln nach oben geschwungenem Mund, kurzen Brauen und kleinen, eng anliegenden Ohren – voll offenkundigen Selbstbewußtseins, doch älter und reifer geworden. Mit der Anerkennung als frühes Selbstbildnis hat sich eine um 1504/05 festgesetzte Datierung in die bei Dürer verbrachte Gesellenzeit behauptet, bis Tilman Falk ihr in einem 1978 erschienenen Aufsatz eine Reihe einleuchtender Beobachtungen entgegenhielt. Die auffallende Kombination von Weiß- und Rosahöhungen, die auf der Pelzkappe in breitem, flockigem Auftrag, auf der Haut in haarfein gezogenen Schraffuren einen komplementären Farbkontrast zur blaugrünen Grundierung des Blattes abgeben, ist als seltene graphische Technik im ausgehenden 15. Jahrhundert ausschließlich im südwestdeutschen Raum zwischen Stuttgart, Augsburg und Bodensee (bei Bernhard Strigel etwa), nicht aber in Nürnberg anzutreffen. Darüber hinaus mutet auch die Stofflichkeit der modischen Pelzkappe undürerisch illusionistisch an. Die Schlußfolgerung, daß diese meisterliche, ohne vorausgegangene Ausbildung undenkbare Bildniszeichnung um 1502 – also noch vor Eintritt in Dürers Werkstatt – vielleicht als Gesellenstück im Anschluß an eine in Schwaben durchlaufene Lehrzeit entstanden ist, erscheint durchaus berechtigt. Demnach sehen wir uns in dieser frühesten faßbaren Zeichnung von Baldungs Hand mit einem etwa sechzehn- oder siebzehnjährigen Jüngling konfrontiert, dessen bartlose Züge beinahe mädchenhaft zart anmuten und dessen offener, kecker Blick auf Selbstvertrauen und ein weltzugewandtes Wesen schließen läßt.

Térey 1894–1896, Bd. 1, Nr. 13; Große Deutsche in Bildnissen ihrer Zeit, Ehemaliges Kronprinzenpalais Berlin 1936, veranst. von Staatliche Museen, Nationalgalerie, Berlin 1936 (Ausst.kat.), Nr. 308; Koch 1941, S. 23 u. S. 71f., Nr. 7; Karlsruhe 1959, S. 65, Nr. 104; Dieter Koepplin, Basel – Kupferstichkabinett im Kunstmuseum, in: Das große Buch der Graphik, hrsg. von Hermann Boekhoff u. Fritz Winzer, Braunschweig 1968, S. 80, Abb. S. 83; 100 Meisterzeichnungen des 15. und 16. Jahrhunderts aus dem Basler Kupferstichkabinett, hrsg. vom Schweizerischen Bankverein, Basel 1972, Nr. 30; Tilman Falk, Baldungs jugendliches Selbstbildnis: Fragen zur Herkunft seines Stils, in: ZAK 35 (1978), S. 217–223; Basel 1978, S. 36f. u. S. 47, Nr. 8. *M.Ko.*

E 2

Drei schwäbische Burgen, zuunterst Burg Kaltental

Rekto: die Burgen Ramstein und Ortenburg

Hans Baldung, genannt Grien
(1484/85–1545)
Neckarschwaben, 1515
Silberstift auf „verbeintem" Papier
20,4 x 15,1 cm. Datiert oben am Rand 1515 und bezeichnet Mitte rechts: *Kaltenntall by stuckart/1515*

Berlin, Staatliche Museen Preußischer Kulturbesitz, Kupferstichkabinett, Inv.Nr.66

Das Blatt, auf dessen Vorderseite Baldung 1514 die beiden elsässischen Burgen Ramstein und Ortenburg in topographischer Ansicht festgehalten hat, stammt neben weiteren Landschafts- und gebäude in starker perspektivischer Verkürzung wiedergibt: „... Daß gantze gebew dießes schloßes, an vndt für sich, selbsten, ist alt, vnd zimblich eng. Der gröste platz befündet Sich vor der Wohnstuben, welcher Jedoch vff höltzernen Pfosten, so von der Mauer vberzwerch vffwerts stehen, gebawet ist." Die Zeichnung, die anfänglich Dürer zugeschrieben worden war, gibt sich durch den offenkundigen Zusammenhang mit den oben genannten Skizzenblättern, aber auch durch die kleinteilige Schilderung und den sachlich registrierenden Strich als Arbeit Baldungs zu erkennen.

Berlin 1921, S. 9, Nr. 66, u. Taf. 9; Koch 1941, S. 44, S. 123 f., Nr. 99, u. S. 125 ff.; Karlsruhe 1959, S. 72 f., Nr. 137, u. S. 86; Gerhard Wein, Burg Kaltental bei Stuttgart, Tübingen, Phil. Diss. 1963, S. 48–50 u. Abb. 3. *M.Ko.*

E 2

Burgaufnahmen aus einem später aufgelösten Skizzenbuch, das ihn im darauffolgenden Jahr auch auf eine Reise nach Schwaben den Neckar abwärts begleitet haben muß. Diese von Freiburg aus unternommene Reise ist einzig durch vier, heute in Rotterdam, Berlin und Karlsruhe aufbewahrte Skizzenblätter mit den Burgen Albeck, Hohen-Mühringen, Kaltental, Weibertreu und Horneck bezeugt. Die hier gezeigte Rückseite des Berliner Blattes vereinigt Ansichten dreier schwäbischer Burgen, von denen die beiden oben dargestellten bisher nicht identifiziert werden konnten. Die untere, über einem Steilhang sich erhebende Anlage ist inschriftlich als *Kaltenntall by stuckart* ausgewiesen und der dortige Aufenthalt auf das Jahr 1515 datiert. Der Darstellung kommt besondere Bedeutung zu, da sich von dem 1837 vollständig abgerissenen Schloß nur wenige Bilddokumente erhalten haben und Baldungs Skizze die ursprünglichste Vorstellung vermittelt. Die über dem Abfall der Filderebene zum Nesenbach gelegene Burg Kaltental wird 1281 in den Sindelfinger Annalen erstmals erwähnt. 1318 hat Graf Eberhard von Wirtemberg sie käuflich erworben und damit die neben Frauenberg letzte noch unzerstörte Befestigungsanlage in unmittelbarer Nähe Stuttgarts unter seine Kontrolle gebracht. 1515, im Entstehungsjahr der Zeichnung, ist die Burg württembergisches Mannlehen des Ritters Albrecht von Tachenhausen. Eine aus dem Jahr 1669 überlieferte Beschreibung vom „Schlösslin" zu Kaltenthal bestätigt die Genauigkeit von Baldungs Aufnahme, die die Nordseite der Anlage mit einem Wehrgang genau von vorn, die Ostseite mit dem ebenfalls vorkragenden Wohn-

E 3

Junge Hexe mit feuerspeiendem Drachen

Hans Baldung, genannt Grien
(1484/85–1545)
Freiburg, 1515

Feder in Schwarz, weiß gehöht, auf dunkelbraun grundiertem Papier
29,5 x 20,7 cm. Bezeichnet unten mit ligiertem Monogramm HBG und datiert oben links 1515

Karlsruhe, Staatliche Kunsthalle, Kupferstichkabinett, Inv.Nr. VIII 1063-1

Selbst den Betrachtern, die mit Baldungs Œuvre, seiner oftmals wilden Dämonie und ungestümen Erotik vertraut sind, gilt diese Zeichnung als „extraordinäres Blatt" (Koch). 1515 datiert, ist sie die letzte in einer Reihe eigenhändiger oder in Kopien überlieferter Hexendarstellungen, die Baldung – nach einem 1510 entstandenen Holzschnitt gleichen Themas (s. Kat.Nr. F 1) – in den Freiburger Jahren (1512–1517) intensiv beschäftigt haben. Während aber in den vielfigurigen, von Ziegenböcken und Katzen bevölkerten, mit magischen Zeichen und Requisiten üppig ausgestatteten Hexensabbatszenen des Louvre und der Albertina das illustrativ Erzählerische vorherrscht, konzentriert sich Baldung in der hier gezeigten Darstellung auf den isoliert vorgetragenen frevlerischen Umgang einer jungen Hexe mit einem Dämon in Drachengestalt. Dem von den Dominikanern Heinrich Institoris und Jacob Sprenger verfaßten, 1487 in Straßburg erstmals erschienenen „Hexenhammer" (Malleus Maleficarum) zufolge – einem Hauptinstrument der im späten 16. und im 17. Jahrhundert wütenden Hexenpogrome – war die Voraussetzung für Schadenzauber und überhaupt jegliche Hexerei die „copula carnalis", die Buhlschaft mit dem Teufel. Die Kenntnis des „Hexenhammers", mehr noch der

E 3

Hexenpredigten, die Johann Geiler von Kaisersberg zur Fastenzeit 1508 im Straßburger Münster hielt (unter dem Titel „Die Emeis" 1516 postum veröffentlicht), sowie das Interesse an den auch in Gelehrtenkreisen anhaltenden Hexendiskussionen dürfen bei Baldung vorausgesetzt werden. Indem er die nackte verführerische Hexe in ihrer ausschweifenden Erotik als Teufelsbuhle kennzeichnet, gewinnt er dem Thema zugleich – im Sinne der körperbewußten Renaissance – den Vorwand für eine hinreißende Aktdarstellung von äußerst plastischer Wirkung ab. Mit geschmeidig kräftigen, von kurzen Parallelschraffuren begleiteten Konturen umreißt er den glatten Frauenkörper, und nur da, wo das von links einfallende Licht in Weißhöhungen aufleuchtet, verdünnen sie sich zu zarteren Linien. Konzentriert, doch ohne Anzeichen von Ekstase wendet sich die Hexe über die Schulter nach dem Drachen um, aus dessen aufgerissenem Maul ein Feuer- oder Dampfstrahl emporschießt. Ihre anmutige Kopfdrehung folgt dabei dem diagonalen Aufbau der Komposition, die in der Anordnung zweier als Voyeure auftretender Putti zu einer kürzeren Gegendiagonale zusätzliche Spannung erfährt. Auch unter den Hexenszenen Dürers, Altdorfers und Cranachs d.Ä. findet sich keine vergleichbar kühne, erregende Invention.

Térey 1894–1896, Bd. 2, Nr. 102; Curjel 1923, Taf. 57; Koch 1941, S. 31 u. S. 101f., Nr. 65; Gustav Radbruch, Hans Baldungs Hexenbilder, in: Elegantiae juris criminalis, Basel 1938, S. 35; Karlsruhe 1959, S. 74, Nr. 144; Hartlaub 1961 (Werkmonographien zur bildenden Kunst. 61); Les sorcières, Bibliothèque Nationale Paris 1973, Paris 1973 (Ausst.kat.), Nr. 113; Albrecht Dürer und seine Zeit, Staatliche Kunsthalle Karlsruhe 1978, Karlsruhe 1978 (Ausst.kat.), Nr. 36 u. Abb. 13; Sigrid Schade, Schadenzauber und die Magie des Körpers, Hexenbilder der frühen Neuzeit, Worms 1983, S. 121, Abb. 54, u. S. 124. *M.Ko.*

E 4

Kentaur und Putto

Hans Baldung, genannt Grien (1484/85–1545)
Freiburg, um 1515

Feder in Dunkelgrau auf Papier
42,4 x 25,8 cm. Bezeichnet unten mit ligiertem Monogramm: HBG

Basel, Kunstmuseum, Kupferstichkabinett, Inv.Nr. U.XVI.35

1515, während der Arbeit am Freiburger Hochaltar, erging – neben Dürer, Cranach, Burgkmair, Breu, Kölderer und Altdorfer – auch an Baldung der ehrenvolle Auftrag, für einige Seiten des Gebetbuchs von Kaiser Maximilian schmückende Randillustrationen zu entwerfen. Etwa gleichzeitig mit seinen phantastischen, nahezu spielerisch vorgetragenen Erfindungen dürfte diese prachtvolle Zeichnung eines Kentauren entstanden sein; die Verve und Leichtigkeit des festen Strichs, das bewegte Kurvenspiel und die selbst in den Schattenpartien gewahrte Durchsichtigkeit bezeugen dieselbe Stilstufe reifen, selbstbewußten Könnens. Das der griechischen Mythologie entlehnte Thema des wilden, in den Bergwäldern beheimateten Fabelwesens bereichert Baldung um einen der in seiner Motivwelt allgegenwärtigen Putti. Auf dem runden schwankenden Pferderücken nach Halt suchend, hat er sich vornüber geworfen und blickt angstvoll zu dem knorrigen Fichtenast empor, mit dem der Kentaur eben zum mächtigen Schlage ausholt. Unklar bleibt, welchen Angreifer die Keule treffen soll. Aus einem von klaren Konturen eingefaßten zarten Liniengeriesel entfaltet sich die Zeichnung in der oberen Partie zu dichterem Schraffurwerk der Binnenmodellierung und ornamentalem Gekräusel von Haar und Roßschweif. Dieser subtilen Steigerung des graphischen Ausdrucks entsprechen die vehementen Gebärden von Putto und menschlichem Oberkörper des Kentauren, dessen Tierleib mit monströs anmutenden Rinderhufen in seltsamem Unbeteiligtsein am Vorgang nahezu bewegungslos verharrt.

Térey 1894–1896, Bd. 1, Nr. 27; Parker 1928, S. 33, Nr. 32; Perseke 1941, S. 176 u. S. 209 f.; Koch 1941, S. 30 u. S. 94, Nr. 50; Karlsruhe 1959, S. 77, Nr. 148; 100 Meisterzeichnungen des 15. und 16. Jahrhunderts aus dem Basler Kupferstichkabinett, hrsg. vom Schweizerischen Bankverein, Basel 1972, Nr. 33; Basel 1978, S. 44 f. u. S. 53, Nr. 20. *M.Ko.*

E 5

Der trunkene Bacchus und sein Gefolge

Hans Baldung, genannt Grien (1484/85–1545)
Straßburg, 1517

Feder, weiß gehöht, auf braun grundiertem Papier
33,5 x 24 cm. Bezeichnet unten auf der Innenwand der Kufe mit ligiertem Monogramm HBG und datiert oben auf der Querleiste 1517

Berlin, Staatliche Museen Preußischer Kulturbesitz, Kupferstichkabinett, Inv.Nr. KdZ 289

Für die Rezeption antiker Themen in Baldungs zeichnerischem Werk ist dieser weinselige Bacchus neben dem wehrhaften Kentauren (s. Kat.Nr. E 4) das wohl eindrucksvollste Beispiel. Das überaus reiche, bildmäßig komponierte Blatt, dessen mehrfach gezogene Linienrahmung seinen Charakter als autonomes Kunstwerk unterstreicht, scheint als Virtuosenstück von Anbeginn für das Kabinett eines humanistisch orientierten Sammlers bestimmt gewesen zu sein. Im Zentrum lagert schweren, ermatteten Leibes die nackte Gottheit mit willenlos niedergesunkenen Armen und dem entrückten Ausdruck des Trunkenen. Um ihn herum tummelt sich in munterem Durcheinander ein bacchantisches Gefolge zechender Putten. Selbst vom Weingenuß berauscht, vertreiben sie sich die Zeit in übermütig-drolligem Spiel mit Flaschen, Trichtern und anderem Küfergerät. In phantasievoller Erzählung verleiht Baldung jedem der Knäblein nicht nur individuellen Ausdruck, sondern spitzbübische Geschäftigkeit und erinnert so ungewollt an den Ursprung der antiken Puttengestalten in den Deliciae der römischen Kaiserzeit. Diese meist zur Belustigung vornehmer Frauen gehaltenen, nackt umherlaufenden Spielkinder waren ihrer Komik und ihres kecken Wesens wegen beliebte Hausgenossen. Mit technischer Meisterschaft bewältigt Baldung die vielfachen Überschneidungen des nach oben abebbenden Bewegungsstrudels und entfaltet mit üppig verteilten Weißhöhungen malerische Helldunkeleffekte. Die durch ein raffiniertes Schraffursystem erzielte plastische Wirkung unterscheidet sich grundsätzlich von der flächenhaften Durchsichtigkeit des zwei Jahre zuvor entstandenen motivverwandten Blattes unter den Randillustrationen zum Gebetbuch Kaiser Maximilians (Koch 1941, Nr. 53). Beide Zeichnungen und auch die um 1520 ausgeführte Holzschnittversion des trunkenen Bacchus (Mende 1978, Nr. 75; s. Kat.Nr. F 5) scheinen italienischen Stichvorlagen aus dem Mantegna-Kreis thematisch wie kompositionell verpflichtet (vgl. Silen mit einer Gruppe von Kindern; Hind, Early Italian Engraving, Bd. 6, Taf. 522).

E 4

E 5

Térey 1894–1896, Bd. 1, Nr. 48; Berlin 1921, S. 10, Nr. 289, u. Taf. 11; Handzeichnungen, S. 50 u. Taf. 39. Parker 1928, S. 33, Nr. 34; Winkler 1939, S. 20, Nr. 24; Koch 1941, S. 32f. u. S. 128, Nr. 104; Karlsruhe 1959, S. 78, Nr. 154; Dürer et son temps, Chefs-d'œuvre du dessin allemand de la collection du Kupferstichkabinett, Palais des Beaux-Arts Brüssel 1964, veranst. von Kupferstichkabinett Berlin u. a., Brüssel 1964 (Ausst.kat.), Nr. 85. *M.Ko.*

E 6

E 6

Thronende Maria mit dem Kinde als Patronin Straßburgs

Scheibenriß

Hans Baldung, genannt Grien (1484/85–1545)
Straßburg, Beginn der 30er Jahre des 16. Jhs.

Feder in Braun, grau laviert, auf Papier 40,4 x 27,8 cm. Bezeichnet unten mit ligiertem Monogramm HB

Karlsruhe, Staatliche Kunsthalle, Kupferstichkabinett, Inv.Nr. VIII 1076

Ihre feierliche Würde verdankt diese Madonna in hohem Maße dem kastenartig-massiven Thronsitz, der sie und das auf ihrem Arm sitzende Kind wie eine sakrale Rahmenarchitektur hinterfängt. Sein noch spätgotisch gestreckter Aufbau mit hohem, nischenartig gerundetem Rückenbrett, knolligen, den Armlehnen aufliegenden Krabben, Profilleisten, Knäufen und vorgeblendetem Lambrequin erinnert an die Form der vornehmen französischen Chaire. Das unmittelbare Vorbild für Baldung vermutet Koch aber in einer Holzschnittillustration zu Jakob Wimphelings 1501 erschienener patriotischer Schrift „Germania", wie überhaupt der an die byzantinische Kathedra-Madonna anknüpfende, streng frontal ausgerichtete Typus im Bilderschmuck deutscher Frühdrucke des fünfzehnten Jahrhunderts wiederholt begegnet. Daß die Erhabenheit der thronenden Muttergottes hier nicht als distanzierte Unnahbarkeit empfunden wird, ist ihrer Anmut, ihrem lebenswarm-weichen Ausdruck zuzuschreiben. Das Christuskind, dem sie – wohl als Zeichen der Gottesminne – eine Birne reicht, spielt in kindlicher Unbefangenheit mit ihren Locken. An Stelle einer Krone ziert ihr Haupt ein schlichtes edelsteinbesetztes Stirnband, die im frühen 16. Jahrhundert als Kopfschmuck beliebte Ferronnière. Auch der eckige Miederausschnitt folgt der Mode der Zeit. Das sorgfältig ausgeführte Blatt, dessen modellierende Pinsellavierung reliefartige Wirkung erzeugt, gibt sich allein durch das dem Faltenwurf des Gewandsaums in skizzierenden Umrissen aufgelegte Straßburger Wappen als Visierung einer Kabinettscheibe zu erkennen. Eine inschriftlich 1533 datierte, nach Baldung kopierte Variante dieser Zeichnung in der Wiener Akademie bestätigt die schon von Parker vorgeschlagene Datierung des Blattes in die frühen dreißiger Jahre.

Parker 1928, S. 35, Nr. 42; Winkler 1939, S. 16f., Nr. 13; Koch 1941, S. 60f. u. S. 161, Nr. 158; Karlsruhe 1959, S. 104, Nr. 243; Washington u. New Haven 1981, S. 250f., Nr. 77. *M.Ko.*

E 7

Bildnis eines bärtigen Mannes

Nikolaus Kremer (um 1500–1553)
Straßburg, um 1540 (?)

Kreide, mit eingekratzter Quadrierung, auf Papier (dem Umriß folgend ausgeschnitten und aufgeklebt)
27,4 x 27,8 cm

Hamburg, Kunsthalle, Graphische Sammlung, Inv.Nr. 22882

Unter den in der Kunsthalle Hamburg aufbewahrten sieben Porträtzeichnungen Nikolaus Kremers aus den Jahren 1526 bis 1542 nimmt diese als nicht unwidersprochene Zuschreibung eine Sonderstel-

E 7

lung ein. Während sich die übrigen sechs männlichen Bildnisse durch die volle Signatur, das charakteristische ligierte Monogramm oder ihre stilistische Übereinstimmung dem noch weitgehend unerforschten Werk des Künstlers bedenkenlos einordnen lassen, wurde diese auffallend qualitätvolle Zeichnung von Musper als ein spätes, vermutlich kurz vor seinem Tod entstandenes Selbstbildnis Baldungs angesehen. Unter Hinweis auf die von Baldungs schmalerem Kopftypus und gestreckter Nase abweichenden Gesichtszüge des hier Dargestellten wie auf zeichnerische Mängel – etwa in der Proportionierung der unteren Gesichtshälfte – ist diese Auffassung von Koch verworfen worden – sicher zu Recht, da auch die für Baldung schon in jungen Jahren charakteristischen Nasolabialfalten fehlen. Die unbestreitbare Nähe zu Bildniszeichnungen Baldungs, wie sie besonders in den spitzzulaufenden Tränenwinkeln, dem seitlich gerichteten, distanziert prüfenden Blick und einer insgesamt kühlen Stilisierung zum Ausdruck kommt, ließ Rott an eine Kopie Kremers nach einer verlorenen Baldung-Vorlage denken. Da Baldung selbst als Autor ausgeschlossen erscheint, trotz eines beträchtlichen Qualitätsgefälles ein enger Zusammenhang mit den Bildnisgruppen in Hamburg und Paris aber offenkundig bleibt, darf die Zuschreibung an Kremer auch weiterhin Gültigkeit beanspruchen, vor allem wenn sie seine Kenntnis des 1533/34 entstandenen Selbstbildnisses von Baldung (Louvre, Cabinet des Dessins) voraussetzt.

Rott 1938, S. 98, Abb. 49, u. S. 99; Th. Musper, Ein spätes Selbstbildnis von Hans Baldung Grien, in: Pantheon 22 (1938), S. 288–290; Koch 1941, S. 203 f., Nr. A 30; Karlsruhe 1959, S. 124 f., Nr. 300; Osten 1983, S. 321, Textabb. 17. *M.Ko.*

E 8

E 8

Junges Paar, in einer Landschaft musizierend

Hans Wechtlin (um 1480/85 – um 1530) zugeschrieben
Elsaß (?), um 1500 (?)

Feder in Schwarz, laviert und weiß gehöht, auf rotbraun grundiertem Papier 19,5 x 14,8 cm. Bezeichnet unten mit dem Monogramm: M.S

Paris, Musée du Louvre, Cabinet des Dessins, Inv.Nr. R.F. 3.814

Die kleinformatige, unten M.S monogrammierte Zeichnung wird traditionell Hans Wechtlin zugeschrieben. Dabei gelten die als Nachahmung des Namenszeichens von Martin Schongauer angesehenen Initialen als spätere Aufschrift, eine Auffassung, der im Bestandskatalog des Louvre widersprochen wird. Doch nicht allein das Monogramm irritiert. Die Zuschreibung Röttingers basiert ausschließlich auf Detailvergleichen mit Holzschnitten Wechtlins und vernachlässigt Stil und Stimmungsgehalt des Blattes, das eher dem ausgehenden 15. als dem frühen 16. Jahrhundert anzugehören scheint. Selbst wenn der knorrige Baumstamm im Hintergrund, die Nürnberger Haube der Dame und die Nase des Jünglings im druckgraphischen Werk Wechtlins ähnlich begegnen, kann doch der spätgotische Charakter der Figuren gegen ihn sprechen. Namentlich ihre zierliche Gestalt, die zarten, kapriziös gespreizten Hände und der verhaltene Ausdruck unterscheiden sich grundsätzlich von der kräftigen, nahezu derben Erscheinung des Fahnenträgers (s. Kat.Nr. E 9), der bereits als körperbewußter „Renaissance-Mensch" vor uns tritt. Auch die Kostümierung, die noch im letzten Jahrzehnt des 15. Jahrhunderts übliche Accessoires wie Schnabelschuhe und ballonartige Haube einbezieht – man vergleiche etwa die Kostümdarstellungen Dürers aus den neunziger Jahren –, spricht für eine frühere Datierung, die sich mit dem bisher angenommenen Geburtsjahr Wechtlins – um 1480/85 – nicht vereinbaren läßt. Die anmutige Erfindung erinnert besonders an Dürers um 1495 entstandenen Kupferstich „Der Liebesantrag" (Knappe 1964, Nr. 5) und könnte im kompositionellen Aufbau und selbst in manchem Detail von diesem beeinflußt sein. In dem Zeichner darf wohl ein elsässischer Meister, die Entstehung des Blattes um 1500, an der Wende von Spätgotik zur Frührenaissance, vermutet werden. Eine genauer fundierte Entscheidung für oder gegen die Autorschaft Wechtlins muß jedoch einer späteren, eingehenden Auseinandersetzung mit seinem Werk und künstlerischem Werdegang vorbehalten bleiben.

Handzeichnungen alter Meister aus der Albertina und anderen Sammlungen, hrsg. von J. Schönbrunner u. J. Meder, Wien 1896, Taf. 1386; Heinrich Röttinger, Hans Wechtlin, in: Jahrbuch der kunsthistorischen Sammlungen des allerhöchsten Kaiserhauses 27 (1907/09), S. 23 f.; Paul Leprieur, De quelques dessins nouveaux au Musée du Louvre, in: Revue de l'Art ancien et moderne 28 (1910) 12, S. 164–166, Abb. 2; Musée du Louvre, Inventaire Général des Dessins des Écoles du Nord, Écoles Allemande et Suisse, Bd. 1, Paris 1937 (Best.kat.), S. 58, Nr. 272, u. Taf. XCVII. *M.Ko.*

E 9

E 9

Landsknecht als Fahnenträger

Scheibenriß

Hans Wechtlin (um 1480/85 – um 1530)
Straßburg, vor 1508

Feder in Schwarz auf Papier
43,2 x 29,8 cm

Zürich, Schweizerisches Landesmuseum, Inv.Nr. A G 11936

Die Zuschreibung Parkers beruht auf dem Vergleich mit den als Erfindung des „Joannis Vuechtelin" ausgewiesenen Holzschnitten in der Straßburger Passion des Chelidonius. So verweist er auf die ähnliche Proportionierung der Körper, auf die hier wie dort erkennbare Unsicherheit in der Anatomie, auf die übereinstimmende Schrittstellung des Fahnenträgers und Christi im Ecce-Homo der Straßburger Passion. Auch die Augen und das kurze wellige Haar des Landsknechts entsprechen seinem Figurenstil. Darüber hinaus weist die Freude am dekorativen Detail auf Wechtlin hin, wie sie sich etwa in dem geschlitzten Barett mit kunstvoll arrangiertem Federgesteck, den modischen Schlitzen an Ärmeln und enganliegendem Wams und der um die Taille geschlungenen Schärpe offenbart. Sie tritt jedoch nicht nur in dem stutzerhaften Kostüm zutage, sondern auch in der vegetabilischen Rahmung des Blattes aus rankendem Hopfen mit ornamental eingerollten Blattspitzen und spiraligen Stielen sowie den vielfach gestuften, mit kantigen Eckspornen versehenen Säulenbasen, die zum festen Formenrepertoire seiner Schnitte zählen. Besonders häufig begegnet die aus Hopfenlaub gebildete Einfassung, die analog auch auf einem Scheibenriß der Coburger Kunstsammlungen mit dem Wappen des Johannes Fuell von Geispolsheim, Abt des Klosters Schuttern in Baden, wiederkehrt. Von Térey Baldung zugeschrieben (Térey 1894–1896, Nr. 153), von Koch als Entwurf eines unbekannten Straßburger Meisters angesehen (Koch 1941, S. 207), nahm Parker die stilistische Übereinstimmung des gleichen Rahmenmotivs zum Anlaß, auch die Coburger Visierung Wechtlin zuzuweisen. Zweifellos zählt das Züricher Blatt zu den schönsten seiner wenigen bisher bekannten Zeichnungen. Trotz mancher Schwächen, die vor allem in einer mangelhaften Beherrschung von Anatomie und Perspektive begründet liegen, prägt sich die Zeichnung durch ihre kraftvolle Strichführung und dekorative Wirkung ein. In dem linken der beiden Wappen läßt sich das des römischen Königs erkennen, vermutlich Maximilians I., wie er es seit 1486 bis zur Annahme der Kaiserwürde im Jahre 1508 geführt hat. Ob es sich bei dem rechten Schild um den der freien Reichsstadt Isny oder einer der kleinen habsburgischen Besitzungen Maximilians handelt, muß vorerst offen bleiben.

K. T. Parker, Quelques dessins de l'école alsacienne du XVe et du XVIe siècle, in: Archives alsaciennes d'histoire de l'art 2 (1923), S. 72f. u. S. 75, Abb. 30; Parker 1928, S. 31, Nr. 22. *M.Ko.*

E 10

Der Narrenbaum

Dem Meister der Petrarca-Illustrationen (Hans Weiditz, vor 1500–1536 ?) zugeschrieben
Straßburg (?), um 1526 (Datierung rechts unten von späterer Hand)

Feder in Grauschwarz auf Papier
22,6 x 18,7 cm

Coburg, Kunstsammlungen der Veste Coburg, Inv.Nr. Z 199 – K 6

Eine junge, modisch aufgeputzte Frau mit breitkrempigem Federhut rüttelt am Stamm eines seltsam belebten Baumes. In seiner dichten Laubkrone verwandeln sich harmlose Früchte in Narrenköpfe und -leiber, die – unterschiedlich weit zu Menschenkörpern entwickelt – wie Fallobst zur Erde stürzen. Dort suchen sich die fertigen Narren sogleich aufzurichten und nun ihrerseits die Frau zu attackieren; einer holt bereits zum Schlag mit seiner Pritsche aus. Edmund Schilling hat seine überzeugende Sinndeutung dieser für die deutsche Spätgotik und Renaissance charakteristischen weltlichen Allegorie einprägsam knapp formuliert: „eine schöne Frau schafft Narren, so viele sie will." Auf eine ursächliche Verwandtschaft von Liebe und Narretei verweisen auch die Liebesgärten des Meisters E. S. (um 1450), der satirische Kupferstich des „Meisters der Weibermacht" (um 1460), der Holzschnitt zu Sebastian Brants dreizehntem „Narrenschiff"-Kapitel „Von buolschafft" (1494) und nicht zuletzt der im ausgehenden 15. Jahrhundert als Sinnbild auf die Torheit des Liebeswerbens verstandene Moriskentanz, wie ihn etwa Israel von Meckenem (um 1460), Hans Suess von Kulmbach (um 1510) und Erasmus Grasser (1480) dargestellt haben. Eine dem Coburger Blatt motivver-

E 10

wandte anonyme Zeichnung eines Narrenbaums, der jedoch keinen Zusammenhang mit einer Liebesallegorie erkennen läßt, befindet sich im Germanischen Nationalmuseum in Nürnberg (Nürnberg 1968, S. 182 u. 184, Nr. 147).
Nach vagen Zuschreibungen an einen unbekannten Augsburger oder oberdeutschen Meister darf auch die Einbeziehung in den zeichnerischen Nachlaß des Petrarca-Meisters nur mit Vorbehalt erfolgen. Die geistreiche Erfindung, der spritzige zeichnerische Vortrag und das wie Gischt schäumende Laubwerk weisen auf eine eigenständige Künstlerpersönlichkeit hin.

Edmund Schilling, Altdeutsche Meisterzeichnungen, Frankfurt a.M. 1934, S. XIII, Nr. 32, u. Taf. 32; Hadumoth Hanckel, Narrendarstellungen im Spätmittelalter, Freiburg i.Br., masch. Phil. Diss. 1952, S. 183; Deutsche Zeichnungen, 1400–1900, veranst. von Staatliche Graphische Sammlung München, Kupferstichkabinett Berlin, Kunsthalle Hamburg, München 1956 (Ausst.kat.), S. 44f., Nr. 97; Kunstsammlungen der Veste Coburg, Ausgewählte Werke, Coburg 1969 (Auswahlkat.), Nr. 110; Detroit 1983, S. 158f., Nr. 51.

M.Ko.

E 11a

E 11

Vorzeichnungen zum Herbar des Felix Platter

a. Aprilglocke

b. Herbstzeitlose

Hans Weiditz (vor 1500–1536?)
Straßburg, 1529

Über Stiftvorzeichnung Feder und Pinsel in Braun (Bister), Aquarell und Deckfarben auf Papier (dem Umriß folgend ausgeschnitten und aufgeklebt)

a. 42,2 x 27,3 cm
b. 42,4 x 27,3 cm

Bern, Universität, Systematisch-geobotanisches Institut, Platter-Herbar

Das 1930 auf dem Dachboden des Berner Botanischen Instituts wiederentdeckte Herbar des Felix Platter barg als lange verschollene Kostbarkeit die Originalvorlagen zu den Holzschnitten des 1530 bis 1536 in drei Teilen erschienenen *Contrafayten Kreüterbuchs* von Otto Brunfels (in der lateinischen Originalausgabe *Herbarum vivae eicones*). Der aus Mainz gebürtige Autor (s. Kat.Nr. C 8), einer der Väter der Botanik, war als Prediger und Lehrer im Breisgau und in Straßburg tätig, widmete sich der Heilkunde und starb 1534 als Stadtarzt in Bern. Sein Kräuterbuch zählt als erste in Deutschland herausgegebene umfassende und illustrierte Pflanzenkunde zu den bedeutendsten Leistungen der im 16. Jahrhundert begründeten wissenschaftlichen Botanik. Spiritus rector dieses ehrgeizigen Vorhabens war der Straßburger Verleger Johannes Schott, auf den auch die Wahl

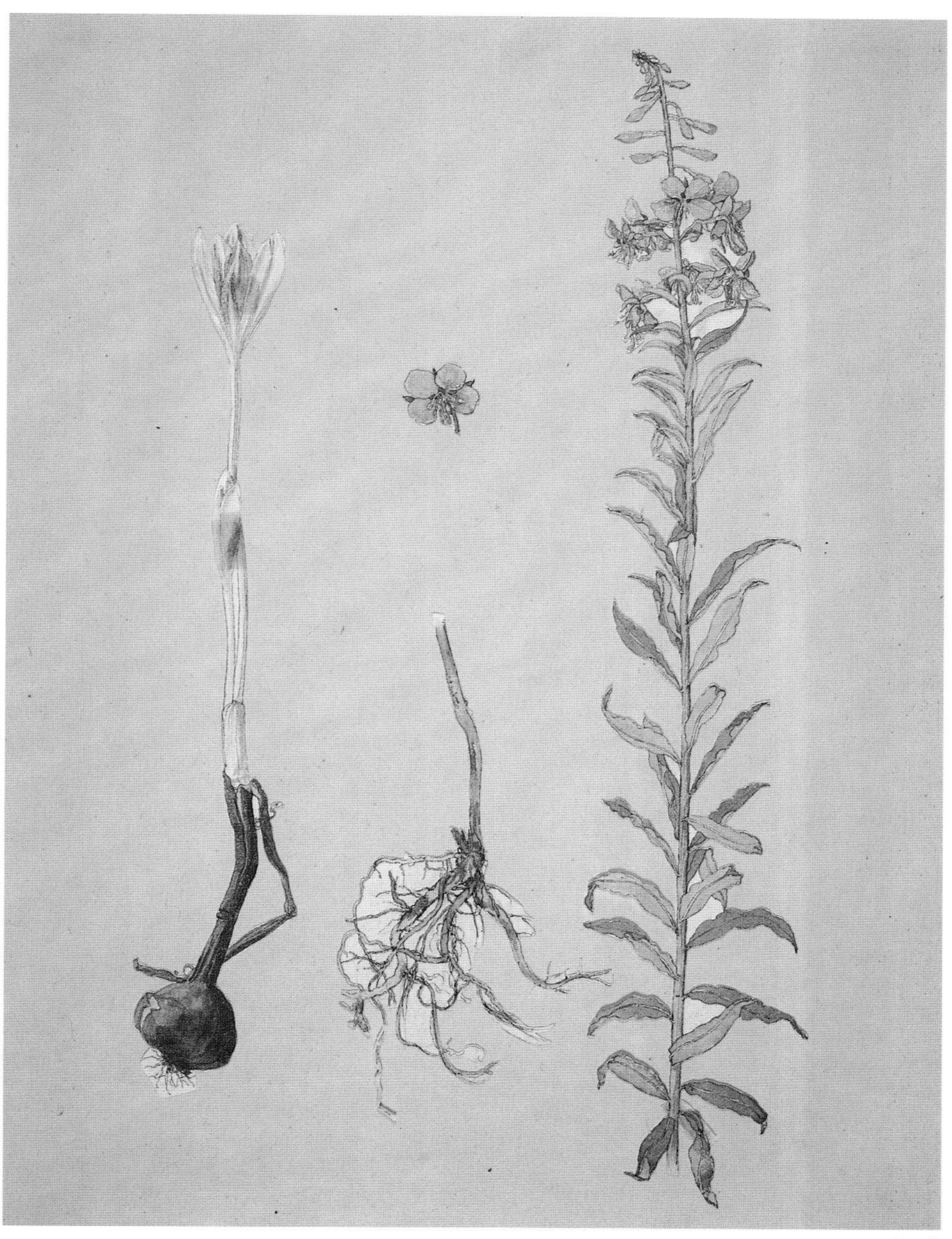

E 11 b

des mit dem Abzeichnen der Pflanzen beauftragten *hochberümpten meyster Hans Weyditz* zurückgeht. Doch blieb mit 77 Aquarellen nur die Hälfte der Vorzeichnungen für die etwa 140 Holzschnitte des Kräuterbuchs erhalten und selbst diese nicht in ihrem ursprünglichen Zustand. Der Basler Arzt und Naturforscher Felix Platter (1536–1614), in dessen Besitz wohl gegen Ende des Jahrhunderts vielleicht aus dem Nachlaß Conrad Gessners (1516–1565) ein Teil der Risse gelangt war, hat diese als Vergleichsstücke zu getrockneten Pflanzen seinem Herbar einverleibt. Da sie – wie die Rekonstruktion ergeben hat – beidseitig bemalt waren, versuchte er durch Ausschneiden der Einzeldarstellungen entlang den Konturen das vorhandene Bildmaterial für seine Zwecke so ausgiebig wie möglich zu nutzen. Beim Herauslösen der Blattfragmente aus dem Platterschen Herbar kamen dann auf den Rückseiten neben verstümmelten Pflanzenbildern eigenhändige Numerierungen, Angaben über Tag, Monat und Jahr (1529) der zeichnerischen Niederschrift sowie Weisungen an Reißer und Formschneider über Größe und Eigenart der betreffenden Pflanze zum Vorschein. Im Zuge ihrer Restaurierung und wissenschaftlichen Bearbeitung auf neue Bögen appliziert, vermitteln die vorhandenen Aquarelle trotz ihrer vom ursprünglichen Zustand abweichenden Anordnung eine genaue Vorstellung von der erstaunlich präzisen, unbeschönigenden Naturtreue der Wiedergabe. Sie scheinen ohne Skizzierung unmittelbar nach dem botanischen Modell gezeichnet zu sein, wobei – etwa im Vergleich zu manchen Pflanzenstudien Dürers – die künstlerische Aussage durch kompositionelle Einbindung in einen natürlichen Zusammenhang oder den stillebenartigen Charakter der Darstellung zugunsten des naturwissenschaftlich genauen, sachlichen Porträts zurücktritt. Wie weitgehend bei Weiditz eine Pflanze auch als Individuum begriffen und erfaßt wird, ist aus den „unschönen", vom Idealbild abweichenden Verletzungen durch Insektenfraß, den Kräuselungen welkender Blätter und den vom Winde geknickten Stielen ersichtlich. Dennoch bleiben die Pflanzenbilder Weiditz' in ihrer Lesbarkeit als Identifizierungshilfe für den Botaniker unübertroffen und wurden auch von späteren wissenschaftlichen Illustrationen in dieser Vollkommenheit selten wieder erreicht.

Walther Rytz, Das Herbarium Felix Platters, Ein Beitrag zur Geschichte der Botanik des XVI. Jahrhunderts, in: Verhandlungen der Naturforschenden Gesellschaft in Basel 44 (1932/33), S. 76–99; Walther Rytz, Pflanzenaquarelle des Hans Weiditz aus dem Jahre 1529, Bern 1936; Nissen 1951, Bd. 1, S. 39–41, Bd. 2, S. 25 f.; Elisabeth Landolt, Materialien zu Felix Platter als Sammler und Kunstfreund, in: Basler ZS für Geschichte und Altertumskunde 72 (1972), S. 246–306; Flowers in Art from East and West, British Museum London 1979, London 1979 (Ausst.kat.), S. 128 f., Nr. 50; Stilleben in Europa, Westfälisches Landesmuseum Münster, Staatliche Kunsthalle Baden-Baden 1979/80, Münster 1979 (Ausst.kat.), S. 114, Nr. 71; Albrecht Dürer und die Tier- und Pflanzenstudien der Renaissance, Graphische Sammlung Albertina Wien 1985, München 1985 (Ausst.kat.), S. 228–231, Nr. 82 u. 83. *M.Ko.*

E 12

E 12

Bildnis des Botanikers Hieronymus Bock

David Kandel (um 1527 – nach 1587)
Hornbach (Pfalz), 1544

Feder in Grau auf Papier
14,5 x 9,4 cm. Auf der Schrifttafel: *Hieronymus Tragus oder/Bock Medicus und weitbe=/rühmter Herborista.*
Bezeichnet unten rechts mit ligiertem Monogramm DK

Paris, Musée du Louvre, Cabinet des Dessins, Inv.Nr. 18.708

Hieronymus Bock (lat. Tragus), 1498 im badischen Heidelsheim geboren, 1554 in Hornbach bei Zweibrücken gestorben, war lutherischer Stiftsherr und Pfarrer in Hornbach, herzoglicher Leib- und Landarzt, Chemiker und Botaniker. Seine pflanzenkundlichen Kenntnisse hatte er autodidaktisch erworben und als einer der ersten Exkursionsbotaniker ein umfangreiches Herbarium der Flora Süddeutschlands und angrenzender schweizerischer Gebiete zusammengetragen. Er war mit dem in Straßburg tätigen Botaniker Otto Brunfels (s. Kat.Nr. C 8) befreundet, der die Veröffentlichung seines *New Kreutterbuch,* der ersten ausführlichen, in volkstümlicher deutscher Sprache verfaßten Beschreibung der süddeutschen Flora, nachdrücklich gefördert hat. Nachdem die erste, 1539 in Straßburg erschienene Ausgabe rasch vergriffen war, plante Bock, die zweite Auflage mit naturgetreuen Abbildungen der Pflanzen auszustatten. Sein Straßburger Verleger Wendelin Rihel, der die Kosten hierfür übernahm, empfahl als Illustrator den jungen David Kandel. 1543, spätestens 1544 ist der Künstler nach Hornbach gezogen, wo er unter Anleitung Bocks die Gewächse in blühendem Zustand abzeichnete. Die zweite Auflage erschien 1546 in drei Teilen mit über fünfhundert Holzschnitten, die größtenteils nach Kandels Rissen geschnitten worden waren. Im Vorwort zur dritten Auflage des Kräuterbuchs vermerkt Bock anerkennend: ... *der selbig Jung Dauid hat alle Kreütter, Stauden, Hecken vnd Beum, wie ich jhm die selben fürgelegt, auffs aller Einfaltigst, schlechst, vnd doch Wahrhafftigst, nichts darzu, noch daruon gethon, sonder wie ein jedes Gewächs an jhm selber war, mit der Federn seüberlich abgerissen.*

E 12

Als „einfältig" und „wahrhaftig" scheint auch die rechts unten DK monogrammierte Bildniszeichnung des Hieronymus Bock treffend beschrieben. Sie diente dem Titelholzschnitt (der Ausgaben ab 1552) als Vorlage und muß, da der Dargestellte dort als Sechsundvierzigjähriger bezeichnet wird, 1544 entstanden sein. Ohne die aufwendig ornamentierte Portalrahmung des Holzschnitts (s. Abb.) wirkt die Persönlichkeit des halbfigurig wiedergegebenen Gelehrten um so einprägsamer. In einen schlichten altmodischen Mantel gehüllt, hält er als einziges Attribut seines Fachs eine Narzissenblüte in der Linken. Sein ernstes Gesicht mit den eingefallenen Wangen läßt bereits erste Anzeichen einer langjährigen Auszehrung durch Schwindsucht erkennen. In der sparsamen, fast trockenen Lineatur, dem langgezogenen, ruhig-klaren Strichduktus und der Intensität im Erfassen des physiognomisch und psychologisch Charakteristischen knüpft Kandels Zeichenstil hier unmittelbar an Holbeins Bildniskunst an.

F. W. E. Roth, Hieronymus Bock, genannt Tragus, Prediger, Arzt und Botaniker 1498 bis 1554. Nach seinem Leben und Wirken dargestellt, in: Mitteilungen des historischen Vereines der Pfalz 23 (1899), S. 43 ff.; J.-E. Gérock, Un artiste strasbourgeois du XVIe siècle, David Kandel, in: Archives alsaciennes d'histoire de l'art 2 (1923), S. 84 ff.; Musée du Louvre, Inventaire Général des Dessins des Écoles du Nord, Écoles Allemande et Suisse, Bd. 1, Paris 1937 (Best.kat.), S. 50, Nr. 244, u. Taf. LXXXIV; Stuttgart 1979–1981, Bd. 2, S. 26 f., Nr. H1. *M.Ko.*

E 13

Goldbach bei Überlingen von Südwesten

Verso: Seeufer

Unbekannter Künstler
Bodenseegebiet, 1522

Feder in Braunschwarz, aquarelliert, auf Papier
9 x 14,1 cm. Bezeichnet über dem Steilfelsen: *gold bach;* darüber am Oberrand, auf dem Kopf stehend: *1. 5. 22 an. S. michalstag*

Nürnberg, Germanisches Nationalmuseum, Inv.Nr. Hz 3978

Die von unbekannter Hand *1. 5. 22 an. S. michalstag* (29. September) liebevoll notierte Uferlandschaft zeigt – in eine Talmulde zwischen steil aufragendem Felsen und sanft ansteigendem Weinberg eingebettet – die Ortschaft Goldbach am Bodensee. Auf halbem Wege zwischen Überlingen und Ludwigshafen ist die kleine Siedlung, deren Hauptgrundherrschaft vom 13. bis 19. Jahrhundert das Konstanzer Heilig-Geist-Spital war, unmittelbar am Seeufer gelegen. Ihre Walmdächer leuchten rot aus dichtem Baumbestand hervor, während hinter dem stattlichen Spitalhof (?) der Dachreiter der vorromanischen Sylvesterkapelle ein lichtblaues Zeichen setzt. So unscheinbar sich das schlichte Kirchlein präsentiert, birgt es doch erst um die Jahrhundertwende entdeckte monumentale Fresken aus ottonischer Zeit – denen der Oberzeller St.-Georgs-Kirche auf der Reichenau nahe verwandt (s. auch Gustav Rommel, Goldbach, Ein Beitrag zur Orts- und Kulturgeschichte der ehemaligen freien Reichsstadt Überlingen, Überlingen 1949).
Das zart aquarellierte Blatt stammt vermutlich aus dem Skizzenbuch eines Künstlers, dessen einfühlsame Naturbeobachtung und Freiheit des eilig huschenden Strichs in der Detailaufnahme der Rückseite (s. Abb.) zu einer Schilderung von lichterfüllter Atmosphäre und hohem graphischem Reiz geraten. Erstaunlich mutet hier auch die Anspruchslosigkeit des landschaftlichen Motivs einer nah gesehenen Uferpartie ohne topographischen Bezugspunkt an. Obschon sich die Ansicht von Goldbach nicht mit vergleichbaren Arbeiten Dürers, Altdorfers oder Wolf Hubers messen kann, weist sie dennoch auf die Entwicklung von Vedute und Landschaftszeichnung auch abseits der Zentren um Nürnberg und die Donauschule hin.

Schefold 1961, S. 16 u. Abb. 99; Germanisches Nationalmuseum Nürnberg, Die Handzeichnungen bis zur Mitte des 16. Jahrhunderts, Nürnberg 1968 (Best.kat.), S. 170, Nr. 136. *M.Ko.*

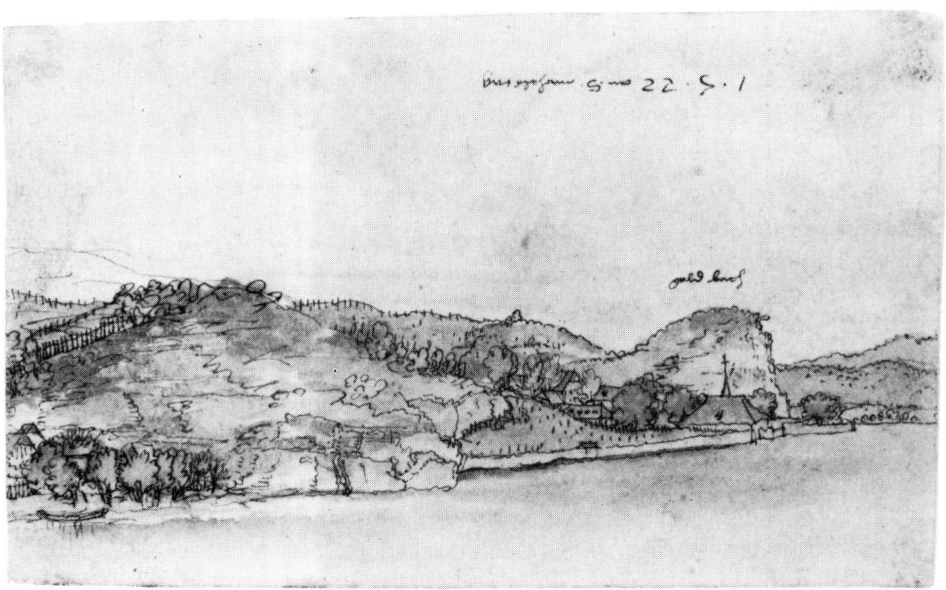

E 13 a

E 13 b

E 14

E 14

Entwurf für das Altargehäuse des einstigen Hochaltars von St. Martin in Meßkirch

Meister von Meßkirch (tätig 1515–1540)
Oberschwaben, nicht vor 1538

Feder in Schwarz, grau laviert, auf Papier (dem Umriß folgend ausgeschnitten und aufgeklebt)
41,5 x 45,6 cm

Basel, Kunstmuseum, Kupferstichkabinett, Inv.Nr. 1913.257

Die Erhaltung dieser von Paul Ganz als Entwurf für das Retabel in Meßkirch erkannten Zeichnung darf als außergewöhnlicher Glücksfall angesehen werden, vermittelt sie doch im Verein mit den zwar verstreuten, doch bis auf das Predellenbild vollzählig vorhandenen Tafeln eine recht genaue Vorstellung des einstigen Meßkircher Hochaltars (s. Kat.Nr. C 12). Dem von Ganz rekonstruierten dreiteiligen Aufbau zufolge nahm die in St. Martin verbliebene Dreikönigstafel die Mitte ein, flankiert von zwei schmalen Standflügeln mit Darstellungen der hll. Christophorus und Andreas. Die beiden Drehflügel zeigten auf ihren symmetrisch angelegten Innenseiten die hll. Martin und Johannes den Täufer, zu ihren Füßen die knienden Stifter – Graf Gottfried Werner von Zimmern und seine Gemahlin Apollonia von Henneberg. Eine übergreifende Inschrifttafel verband auch die Außenseiten mit den einander zugewandten hll. Werner und Maria Magdalena zu kompositionellen Gegenstücken. Salm schließt sich weitgehend der Ganzschen Rekonstruktion an und vermutet wie dieser in der abhanden gekommenen Predella eine Weihinschrift, doch weist er darauf hin, daß das architektonische, durch kräftige Stützen gegliederte Gerüst einen Wandelaltar mit beweglichen Flügeln nicht vorsehe, da ihre Drehung durch stark vorspringende Pilaster erschwert sei. Seiner Meinung nach müssen nach Vorlage dieser Visierung einschneidende Änderungen vorgenommen worden sein.
Das eigentliche Rahmengehäuse wird seitlich von zwei reich dekorierten Säulen eingefaßt, die ihrerseits den vollplastischen Figuren der Maria und des Apostels Johannes als Sockel dienen. Den Säulenkapitellen sind links das Zimmersche, rechts das Hennebergische Wappen einbezogen, die zur Identifizierung des vorliegenden Entwurfs mit dem Meßkircher Altarrahmen entscheidend beigetragen haben. Auch für die Datierung der Zeichnung bieten sie den ausschlaggebenden Anhaltspunkt, da der Zimmersche Schild hier vier steigende Löwen aufweist, wie sie der Stifter erst nach seiner Erhebung in den Grafenstand durch Kaiser Karl V. im Mai 1538 im Wappen führte. Während Ganz in den beiden Säulen Alternativentwürfe zu den Eckstützen sieht, geht Salm davon aus, daß sie in der auf der Zeichnung vorgesehenen, dem Altar unmittelbar benachbarten Aufstellung in dessen Gesamtkonzeption einbezogen waren und die seitlichen Figuren auf ein den Rundbogengiebel bekrönendes Kruzifix wiesen. Das ganze Retabel diente demnach dieser zu ergänzenden Hauptfigur als Sockel. Rainer Laun hat in seinen erst kürzlich erschienenen „Studien zur Altarbaukunst" Salms These bestätigt und weist auf die besondere Bedeutung der neben den Altarflanken isoliert aufgestellten Säulen hin, deren Skulpturenschmuck auf die spätgotische Tradition der Schreinwächter zurückgreift. Ähnliche Lösungen finden sich auf den Altarrissen Peter Flötners und Daniel Hopfers, deren Vorlageblätter den Meister von Meßkirch angeregt haben können. Auch die festliche Renaissance-Ornamentik der Altararchitektur, ihre vertikale Gliederung durch kräftig vortretende Pilaster und auf Postamente gestellte Säulen, das gesprengte, reich geschnitzte Giebelfeld und einzelne Schmuckmotive weisen auf die Auseinandersetzung des Künstlers mit dem zeitgenössischen Ornamentstich hin.

Ganz 1915, S. 1–17 u. Taf. 1–3; Hugelshofer 1928, S. 37, Nr. 49; Salm 1950, S. 145 ff.; Gert von der Osten, Deutsche und niederländische Kunst der Reformationszeit, Köln 1973, S. 242; Kaiser 1978, S. 77, S. 515 (A 33a) u. S. 653 a f., Abb. A 33 a – A 33 c; Rainer Laun, Studien zur Altarbaukunst in Süddeutschland 1560–1650, München 1982, Phil. Diss. München (tuduv-Studien, Reihe Kunstgeschichte 3), S. 15; Basel 1984, S. 92, Nr. 10. *M.Ko.*

E 15

Die Heiligen Martin und Apollonia

Scheibenriß

Meister von Meßkirch (tätig 1515–1540)
Oberschwaben, Ende der 30er Jahre des 16. Jhs.

Feder in Schwarz und Braun, kräftig türkisblau und zartrot aquarelliert, auf gebräuntem Papier
39,8 x 24,3 cm. Auf der Sockeltafel mit Sepia die teilweise verwischte Aufschrift *S. Martinus/S. apolonia*

Wien, Albertina, Graphische Sammlung, Inv.Nr. 3258

Das allseitig beschnittene, erst nach späterer Montierung mehrfach konturierte Blatt darf – nach unhaltbaren Zuschreibungen an Heinrich Aldegrever, Sebald und Barthel Beham – neben dem Basler Entwurf für das Altargehäuse der Meßkircher Stiftskirche (s. Kat.Nr. E 14) als einzige gesicherte Zeichnung des Meisters gelten. Augenfällig ist zunächst der ausgeprägte kräftige Figurentypus mit der dem Künstler eigenen knollig-derben Bildung der Gesichter und Hände. Auch die bauschig aufgeblähten Gewänder, der durch zittrige Auflösung der Linien oft verunklärte Faltenwurf sowie die parallel geführte Linien- und Häkchenschraffur gehören zu seinem gebräuchlichsten Stilvokabular. Darüber hinaus begegnen wir einzelnen figürlichen Motiven im Kontext größerer Gemäldekompositionen – dem in reichem Bischofsornat dargestellten hl. Martin mit dem knienden Bettler auf der Mitteltafel des Wildensteiner Altars (1536) sowie auf dem einstigen linken Innenflügel des Meßkircher Hochaltars (1536–1540), während die hl. Apollonia in dem zugehörigen Berliner Katharinenaltärchen ihre Entsprechung findet. Der hl. Martin, im 4. Jahrhundert Bischof von Tours, tritt hier in der Tracht eines Kirchenfürsten und in Begleitung eines Bettlers auf, die hl. Apollonia, der ihrer Legende zufolge vor dem Feuertod die Zähne ausgebrochen wurden, ist durch die Zange mit dem eingeklemmten Zahn kenntlich gemacht. Beide Heiligen sind als Kirchenpatron der Meßkircher Stiftskirche und als Namenspatronin der mit Graf Gottfried Werner von Zimmern vermählten Apollonia von Henneberg dem Hause Zimmern eng verbunden. Höchstwahrscheinlich geht also auch diese Zeichnung auf einen Auftrag des Grafen Zimmern zurück. Der in unbeschnittenem Zustand sicher reich ornamentierte architektonische Rahmen, der für eine Inschrift ausgesparte Dreiecksgiebel und der streng symmetrische Aufbau lassen dabei an die Visierung einer Kabinettscheibe denken, im Aufbau wie im Detail vergleichbar dem 1543 datierten, MW monogrammierten Scheibenriß des Hercules Göldlin von Marx Weiß (s. Kat.Nr. E 17). Während dieser auf Grund stilistischer Zusammenhänge mit der Basler (und damit auch der Wiener) Zeichnung von Paul Ganz und Walter Hugelshofer als Indiz für die Gleichsetzung des Meisters von Meßkirch mit dem in Überlingen tätigen Marx Weiß d.J. angeführt wurde (Hugelshofer 1928, S. 37, Nr. 48), erkennt Salm in dem Wiener und dem Basler Blatt die zeichnerisch wie kompositionell überlegenen Vorbilder des Züricher Göldlinrisses, in Marx Weiß einen wenig eigenständigen Epigonen und möglichen Schüler seines Meisters (Salm 1950, S. 185ff. und S. 200).

Carl Koetschau, Barthel Beham und der Meister von Meßkirch, Straßburg 1893, S. 74ff. u. Taf. 10; Handzeichnungen alter Meister aus der Albertina und anderen Sammlungen, hrsg. von J. Schönbrunner u. J. Meder, Wien 1896, Taf. 655; Ganz 1915, S. 9f. u. Abb. 2; Beschreibender Katalog der Handzeichnungen in der Graphischen Sammlung Albertina, Bd. 4, Die Zeichnungen der deutschen Schulen bis zum Beginn des Klassizismus, Wien 1933 (Best.kat.), S. 43, Nr. 347, u. Taf. 121; Salm 1950, S. 150f. *M.Ko.*

E 15

E 16

E 16

Die Heilige Margareta, den Drachen beschwörend

Meister von Meßkirch (tätig 1515–1540)
Oberschwaben, 30er Jahre des 16. Jhs.

Feder in Schwarz, leicht aquarelliert, auf Papier, an den Konturen durchstochen 13,6 x 16,1 cm. Unten eine verstümmelte Anrufung der hll. Margareta, Maria und Elisabeth

Berlin, Staatliche Museen Preußischer Kulturbesitz, Kupferstichkabinett, Inv.Nr. KdZ 4266

Die gekrönte Jungfrau ist durch den Drachen und den langen Kreuzstab als hl. Margareta ausgewiesen, die später mit der von St. Georg befreiten gleichnamigen Königstochter identifiziert wurde. Ihr wohl aus der Zeit der Diokletianischen Verfolgungen überliefertes Martyrium erlitt sie nach standhafter Weigerung, zugunsten einer Eheschließung mit dem römischen Stadtpräfekten von Antiochia ihrem christlichen Glauben zu entsagen. Nach grausamer Folter wird sie ins Gefängnis geworfen, wo ihr der Satan in Gestalt eines Drachen erscheint. Als er sie zu verschlingen droht, schlägt Margareta das rettende Kreuzeszeichen, das ihren teuflischen Widersacher in Stücke zerreißt. Die später enthauptete Heilige zählt neben Katharina und Barbara zu der häufig dargestellten Dreiergruppe der Nothelferinnen. Die Zeichnung wurde von Salm ohne stilkritische Argumentation aus dem Werk des Meisters von Meßkirch ausgeschieden. Ein Vergleich mit dem ihm überzeugend zugesprochenen Blatt in der Albertina (s. Kat.Nr. E 15) weist jedoch Übereinstimmungen in Figurenstil und graphischem Duktus auf. So sind das pausbackig-volle Gesicht der Heiligen und die fleischigen Hände mit runden Fingerkuppen und löffelartig gebogenem Daumen geradezu charakteristisch zu nennen. Der teilweise zittrig geführte krakelige Strich, die Neigung zu wulstigen Kringeln sowie die in den Schattentiefen des graphisch verselbständigten Faltenwurfs bald dicht gesetzten, bald dünner rieselnden Parallelschraffuren rechtfertigen die Einbeziehung in das zeichnerische Erbe des Meisters.

Berlin 1921, S. 71, Nr. 4266, u. Taf. 104; Salm 1950, S. 167; Dürer et son temps, Chefs-d'œuvre du Dessin allemand de la collection du Kupferstichkabinett, Palais des Beaux-Arts Brüssel 1964, veranst. von Kupferstichkabinett Berlin u. a., Brüssel 1964 (Ausst.kat.), Nr. 124. *M.Ko.*

E 17

Scheibenriß des Hercules Göldlin von Zürich

Marx Weiß d. J. (tätig 1536–1580)
Oberschwaben, 1543

Feder in Schwarz, koloriert, auf Papier 42,5 x 31,6 cm. Unten die Stifterinschrift *Hercules Göldlin von Zürich Thumher und Senger dess/Thumgstifftz zu costentz propst zu Byschoffs Zell.* Bezeichnet Mitte rechts mit ligiertem Monogramm MW und halbseitig geschachtem Kreis, datiert unten rechts 1543

Zürich, Zentralbibliothek, Inv.Nr. A.II/35

Die 1543 entstandene Zeichnung ist das früheste datierte Werk, das sich von Marx Weiß erhalten hat. Das charakteristische ligierte Monogramm MW mit dem halbseitig geschachten Kreis weist sie diesem erst lückenhaft erforschten Künstler zu, dessen Werkstatt sich zu Beginn der vierziger Jahre anscheinend noch in seinem Heimatort Balingen befunden hat; 1542 wird in der Balinger Türkensteuerliste ein mutmaßlich mit ihm identischer „Marx Maler“ erwähnt. Gleichwohl muß er schon damals Beziehungen nach Überlingen und anderen Bodenseestädten unterhalten haben, denn sein Auftraggeber, der aus Zürich stammende Propst und Kantor Hercules Göldlin, residierte mit dem Konstanzer Domkapitel im benachbarten Meersburg. Das symmetrische Schema eines von Schildhaltern gestützten Wappens in reicher architektonischer Rahmung mit seitlichen Pfeilerstützen und spitzem Dreiecksgiebel kennzeichnet das Blatt als Scheibenriß. Hier flankieren das von einem Propsthut bekrönte geistliche Wappen links der hl. Konrad, einstiger Bischof und Schutzpatron von Konstanz, rechts der hl. Pelagius, Schutzheiliger von Bischofszell und Mitpatron des Konstanzer Münsters, in dessen Krypta seine Reliquien verehrt wurden. Im Hintergrund erscheint, von seinen Schlüsseln und dem Wappen Göldlins halb verdeckt, der hl. Petrus. Aufbau, einzelne Architektur- und Ornamentmotive sowie der spezifische Zeichenstil mit schräg geschichteten Parallelschraffuren, gestrichelten Häkchenreihen und krauser, an- und absetzender Linienführung setzen das Blatt in unmittelbare Beziehung zu der Basler Altarvorlage und dem Wiener Scheibenriß des Meisters von Meßkirch (s. Kat.Nr. E 14 u. E 15). Vor allem die handschriftlichen Eigenheiten sind so übereinstimmend, daß die Züricher Zeichnung, wenn nicht als eigenhändiges Werk des Meisters, so doch zumindest als Meßkircher Werkstattkopie angesehen wurde. Während Hugelshofer das monogrammierte Blatt zum Anlaß nimmt, den Meister von Meßkirch mit Marx

E 17

E 18

Weiß d.J. gleichzusetzen, erscheint Salms Vermutung überzeugender, daß es sich auf Grund der verwirrenden, perspektivisch unsicheren Rißkomposition wie offenkundiger Mängel auch in der zeichnerischen Niederschrift nur um ein Werk seines weniger begabten Schülers und Stilepigonen Marx Weiß handeln kann.

Ganz 1915, S. 39 u. S. 40, Abb. 11; Hugelshofer 1928, S. 37, Nr. 48; Salm 1950, S. 176 u. S. 185 ff.

M.Ko.

E 18

Grablegung Christi – Christus in der Vorhölle – Christus als Bezwinger des Teufels

Verso: schwer deutbare Detailskizzen

(Kopie nach ?) Jerg Ratgeb (um 1470/75–1525)
Stuttgart (?), um 1520 (?)

Feder in Schwarz auf Papier
20,6 x 31 cm

Stuttgart, Staatsgalerie, Graphische Sammlung, Inv.Nr. C 65/1399 (aus Slg. Ernst Ziegler, Gönningen, Württ.)

Die Zeichnung, die bisher unter den anonymen deutschen Blättern des 16. Jahrhunderts eingeordnet war, wurde kürzlich von Heinrich Geissler aufgrund stilkritischer Vergleiche als Erfindung Ratgebs erkannt. Die Assoziation mit diesem erfolgte zunächst durch die für ihn charakteristische detailfreudige Erzählung, den Reichtum an kostümlichen Besonderheiten – namentlich der Barette, Hauben und Schleier – sowie die Reihung ausdrucksvoller Physiognomien. Das dichte Neben- und Übereinander verschiedener Szenen (links die Grablegung, rechts oben Christus in der Vorhölle, rechts unten Christus als Bezwinger des Teufels), die weniger durchkomponiert als vielmehr Additionen figurenreicher Einzeldarstellungen sind, darf als ein Hauptprinzip der Gestaltungsweise Ratgebs angesehen werden. Auch Einzelmotive der Stuttgarter Zeichnung lassen sich unter den wenigen erhaltenen Werken des Künstlers nachweisen. So erscheint etwa die Szene der Grablegung in vergleichbarem Aufbau auf dem Kreuzigungsflügel des Herrenberger Altars (1518/19), das Motiv der Frau, die sich trauernd abwendet und dabei ihr Gesicht mit dem in ausdrucksvollem Gestus erhobenen Arm halb verdeckt, ganz ähnlich auf der Nordwand des Frankfurter Karmeliterklosters (1516). Das auffallend gespreizte Standmotiv Christi, der – von nahezu herkulischem Körperbau – den Teufel in Ketten legt, findet sich bei einem der Soldaten in der Kreuztragung der Stuttgarter Tafeln (um 1516) übereinstimmend wieder (s. Kat.Nr. C 11). Weitere, für die Vordergrundgestaltung wichtige Merkmale lassen sich anführen, etwa die charakteristische Repoussoirfigur des in Rückenansicht und weiter Schrittstellung gegebenen Mannes (wohl Nikodemus) und die wie auf dem Schwaigerner Altar (1510; s. Kat.Nr. C 10) schematisch wiedergegebenen Steine mit den dahinter aufragenden Grasbüscheln. Selbst die auf der Rückseite hingekritzelten Einzelskizzen – wohl Spielkarten und Würfel – erinnern an ein Detail der Auferstehungsszene des Herrenberger Altars. Die Zuschreibung an Ratgeb erfuhr schließlich durch die weitgehende Übereinstimmung des Ochsenkopfwasserzeichens mit zweikonturiger Schlange mit dem zwischen 1515 und 1525 u.a. in Esslingen, Nördlingen, Rottweil und Schwäbisch Hall nachgewiesenen (Piccard XVI, Typ 316 II) ein schlagendes Indiz. Die Bedeutung dieses Fundes kann angesichts des sehr reduzierten Werkes von Ratgeb und des Verlustes seines gesamten zeichnerischen Nachlasses für die Ratgeb-Forschung nicht hoch genug eingeschätzt werden. Die drei im Kupferstichkabinett der Staatsgalerie Dresden bewahrten Nachzeichnungen (Fraenger 1972, Abb. 13–15) werden nunmehr um eine vierte bereichert, die unsere Vorstellung vom Stil und Ausdruckswillen Ratgebs ergänzt und bei der Rekonstruktion eines verlorenen Werkes wertvolle Dienste leisten kann. So wären die auf der Stuttgarter Zeichnung erfaßten zweitrangigen Szenen der Grablegung und der Vorhölle – nach links um die Passion, nach rechts um die Auferstehung Christi ergänzt – als Teil einer größeren Wandgemäldekomposition denkbar. Ungeklärt muß vorerst die Frage der Eigenhändigkeit Ratgebs bleiben, von dessen Hand bisher keine gesicherte Zeichnung als verbindlicher Qualitätsmesser bekannt geworden ist. Die weitgehende Beschränkung auf Umrisse, die ausschließlich der Wiedergabe des Inhaltlichen dienen, der ruhige, gelegentlich zögernd geführte Strich ohne eigene graphische Qualität sprechen auch hier für eine Werkstattkopie. Die Ähnlichkeit mit den Dresdner Nachzeichnungen läßt sogar die Zuschreibung an denselben Kopisten offen.

Unveröffentlicht *M.Ko.*

E 19

Kürbis
Vorzeichnung für das Kräuterbuch des Leonhart Fuchs

Heinrich Füllmaurer (tätig um 1530/40) und Albrecht Mayer (tätig um 1530/40)
Tübingen, 1538/39

Feder in Braunschwarz, aquarelliert, auf Papier
31,5 x 20,2 cm

Wien, Österreichische Nationalbibliothek, Cod. 11.124, fol. 121; Inv. d. Illum. Handschr. u. Frühdrucke, T. I, 1957

Neben Otto Brunfels (s. Kat.Nr. C 8) wird der Tübinger Arzt und Philologe Leonhart Fuchs (s. Kat.Nr. C 14) zu den Vätern der Botanik gezählt. Nach mehr als zehnjähriger Vorbereitung erschien 1542 bei dem Verleger Michael Isingrin in Basel sein botanisch-medizinisches Handbuch *De historia stirpium* und ein Jahr später auch eine deutsche, *New Kreüterbuch* betitelte Ausgabe. Ähnlich dem Brunfelsschen Werk liegt seine Bedeutung weniger in neuen wissenschaftlichen Erkenntnissen als in Umfang und Art seiner bibliophilen Illustration mit über fünfhundert Holzschnitten. Der Auftrag für die Vorzeichnungen war an die beiden Stuttgarter Maler Heinrich Füllmaurer und Albrecht Mayer ergangen – möglicherweise auf Vermittlung des mit Füllmaurer befreundeten und mit Fuchs entfernt verschwägerten Hofpredigers Caspar Gräter. Neben dem ganzfigurigen Porträt des Gelehrten findet sich auch das in Holz geschnittene Doppelbildnis der *Pictores operis* in das Kräuterbuch aufgenommen (s. Abb.). Ihrer Darstellung zufolge hat Mayer die Vorlagen nach den Pflanzen abgezeichnet und Füllmaurer sie auf den Holzstock übertragen, wobei ungewiß bleibt, ob diese Arbeitsteilung bei allen Visierungen beibehalten wurde. Mit ihnen ist der Straßburger Formschneider Veit Rudolf Speckle, der die außergewöhnlich feinen, präzisen Schnitte angefertigt hat, am Schluß des Werkes halbfigurig abgebildet. Ganz offensichtlich hat Fuchs – im Gegensatz zu Brunfels – auf die Gestaltung der Holzschnitte eingewirkt, die sich von denen Weiditz' grundsätzlich unterscheiden (s. Kat.Nr. E 11). Während Weiditz die Pflanze nicht nur als botanisches Phänomen, sondern auch als Individuum mit standort- und witterungsbedingten Abweichungen vom Idealbild in genauer Beobachtung erfaßt, hat Fuchs nur ausgewachsene Exemplare in tadellosem Zustand abbilden lassen. Darüber hinaus war ihm daran gelegen, in einem Bild von der Knospe zur reifen Frucht mehrere Wachstumsphasen zu veranschaulichen. Schließlich wurden – sicher in Übereinstimmung mit den Zeichnern –

E 19

E 19*

zugunsten einer dekorativen Wirkung die Pflanzen im Blatt komponiert, ihre Stengel oft widernatürlich ornamental gewunden, die Blätter kunstvoll arrangiert. Auch hier erstaunt die minuziöse Sorgfalt der Ausführung und die Treue im botanischen Detail. Es wundert nicht, daß das Fuchssche Kräuterbuch Schule machte und selbst bis auf den heutigen Tag als Muster für volkstümlich gestaltete botanische Lehrbücher herangezogen wird. Welches Echo ihm beschieden war, beweisen auch die zahlreichen Nachdrucke und die von Fuchs geplante großangelegte Ergänzung, die aber trotz hunderter von Füllmaurer und Mayer bereits angefertigter Pflanzenbilder nicht mehr zum Abschluß kam. Von den vollzählig für den Formschneider vorbereiteten Holztafelzeichnungen des Fortsetzungsbandes haben sich nur fünfundzwanzig im Tübinger Botanischen Institut erhalten.

A. H. Church, Brunfels and Fuchs, in: Journal of Botany 57 (1919), S. 233–244; Eberhard Stübler, Leonhart Fuchs, Leben und Werk, München 1928 (Münchener Beiträge zur Geschichte und Literatur der Naturwissenschaften und Medizin. 13/14), S. 64–265; Nissen 1951, Bd. 1, S. 44–48, Bd. 2, S. 63 f.; Fleischhauer 1971, S. 156 u. Taf. 89. *M.Ko.*

E 20

Marienklage mit zwei Engeln

Samuel Metzler (um 1525 – 1601) (?)
Augsburg, 1549

Pinsel in Braun und Grau über Stiftskizze; 19,1 x 23,6 cm. Ausrisse, besonders am linken, unteren und oberen Rand. Horizontale Faltenbrüche, beschnitten. Bezeichnet: SM (ligiert) JN 1549 AUG

Wien, Akademie der Bildenden Künste, Inv.Nr. 2563

Urkundlich ist überliefert, daß der Konstanzer Samuel Metzler, von dem keine sicheren Zeichnungen bekannt sind, sich 1542 als Lehrknabe bei Christoph Amberger in Augsburg aufhielt. Die Seltenheit der Monogramm-Verbindung „SM“ und der Hinweis auf Augsburg in der Aufschrift lassen vermuten, daß hier eine Arbeit des jungen Künstlers vorliegt. Die großformatige Gewandgliederung und malerisch weiche Pinselschraffuren erinnern an Amberger, von dem reine Pinselzeichnungen allerdings bisher nicht bekannt sind. Sie lassen sich jedoch in der Münchner Kunst der zweiten Jahrhunderthälfte, etwa bei Hans Mielich, Melchior Bocksberger oder Christoph Schwarz, belegen und dürften auch in Augsburg gebräuchlich gewesen sein. Die körperhaft modellierte, reliefartige Gruppe stellt die selten anzutreffende Verbindung einer Pietá mit assistierenden Engeln dar, die die Nagelwunden an den Händen des toten Heilands küssen.

E 20

Oberhalb des Kopfes der Gottesmutter ist der Kreuzesstamm zu erkennen. Der zum Beschauer gerichtete Leichnam wird den Gläubigen gleichsam zur Verehrung dargeboten. Das Ganze erscheint zeichenhaft abgerückt, ohne erzählerische Züge, aber auch ohne dramatische Hervorkehrung des Leidens. Die eigentliche „Marienklage" mit der diagonal gelagerten Christusfigur wirkt eigentümlich traditionsverhaftet und basiert unmittelbar auf Bildschöpfungen des 15. Jahrhunderts. Das Ausbreiten der Arme und die flankierenden Engel hingegen scheinen jüngeres Gedankengut und dürften von der um 1522 von Adolf Daucher geschaffenen Skulpturengruppe eines Schmerzensmannes im Fuggerchor von Sankt Anna in Augsburg angeregt sein. In ähnlicher Weise halten dort Maria und Johannes die Arme des Heilands waagerecht empor. Beim herkömmlichen Typus der Pietá dürfte dieses Motiv sonst kaum vorkommen, aber die Tendenz zu flankierender Rahmung durch Engel läßt sich auch hierbei beobachten. Es findet sich sowohl bei Michelangelos Zeichnung einer Pietá für Vittoria Colonna um 1540 (Boston, Stewart Gardner Museum) als auch bei einem um 1580 entstandenen Konstanzer Steinrelief von Hans Morinck (Karlsruhe, Badisches Landesmuseum). Man wird demnach Metzlers Bildvorwurf als eigene Erfindung – nicht als Nachzeichnung – bewerten dürfen, wofür auch der Zusatz „IN" (invenit = hat's erfunden) neben der Signatur sprechen könnte. Was die Zweckbestimmung betrifft, so wäre am ehesten wohl an ein zum Totengedächtnis bestimmtes Wandbild zu denken.

Unveröffentlicht *Ge.*

E 21

E 21

Entwurf für eine Wappenscheibe mit Bannerträger für die Basler Himmelzunft

Basel, um 1554

Feder, braun laviert, auf Papier
81 x 42,5 cm. Bezeichnet mit Monogramm P.K., unvollständig datiert 155.

Basel, Historisches Museum,
Inv.Nr. 1918.146

Die Zeichnung entspricht der von den Brüdern Balthasar und Matheus Han 1554 gestifteten und ausgeführten Wappenscheibe (vgl. Kat.Nr. D 36).
Wegen der Abweichungen zahlreicher Details bis zu den unterschiedlichen Maßen kann es sich nicht um die Original-Visierung handeln. Paul Ganz vermutet, daß ein bisher nicht zu identifizierender Künstler „P.K.“ den vorhandenen Riß geliefert hat, der zwar als Bildidee akzeptiert wurde, daß jedoch den vergrößerten Fenstern des Zunfthauses entsprechend einer der Brüder Han eine neue, veränderte Zeichnung angefertigt hat, die verloren ging.

Ganz 1966, S. 20 mit weiterer Lit. *D.R.*

E 22

Scheibenriß mit Allegorie der Gerechtigkeit

Tobias Stimmer (1539 – 1584)
Schaffhausen, um 1562/63

Feder in Schwarz und schwarze Kreide
44 x 34 cm.
Senk- und waagerechte Mittelfalten

Karlsruhe, Staatliche Kunsthalle, Kupferstichkabinett, Inv.Nr. XI.264

Auf der Erdkugel thronend, schwebt die Gerechtigkeit in den Lüften. Ein Strahlenkranz unterstreicht ihre gottgleiche Stellung ebenso wie die überwundenen Widersacher zu ihren Füßen: Kaiser und Papst, ein Türke als Vertreter des Heidentums und ein Herrscher des klassischen Altertums. Jene beiden wirken in ihrer Konzeption körperhaft räumlicher als die übrigen Figuren und dürften einer italienischen Stichkomposition entlehnt sein, wahrscheinlich den Grabeswächtern einer „Auferstehung". Eindrucksvoll ist die Erfindung des Kaisers, der krampfhaft seinen entgleitenden Reichsapfel festzuhalten sucht, während der Papst von einem affenähnlichen Teufelchen herabgezogen wird – Zeichen für die antiklerikale Einstellung von Künstler und Auftraggeber. Das vielteilige Figurenensemble wird – nur halbseitig ausgeführt, da fürs Umdrucken gedacht – von tiefenräumlich gestaffelten Doppelsäulen, die flache Bögen aufnehmen, gerahmt. Perspektivische Unklarheiten, die durch den kaum zu überschauenden Formenreichtum nur mühsam kaschiert werden, offenbaren hierbei Schwächen des noch jugendlichen Künstlers. Meisterlich ist dagegen die weiträumige „Weltlandschaft" in ihrem einheitlichen, kubisch vereinfachten Formcharakter. Die altertümlichen Schraffuren, die dem kleinteilig knittrigen Faltenwerk ein eigentümlich intensives, den Körperzusammenhang überspielendes Eigenleben verleihen, sind ein Charakteristikum Stimmerscher Zeichenweise, der gleichwohl über recht unterschiedliche Möglichkeiten graphischen Ausdrucks verfügte (s. Kat.Nr. E 23). Zur unruhig flackernden, in ihrer Formenvielfalt prunkenden Gesamtwirkung trägt die stichartige Zeichenmanier entscheidend bei. Die Thematik könnte dafür sprechen, daß der Auftraggeber einer obrigkeitlichen oder juristischen Instanz angehörte.

Thöne 1936 I, Nr. 62 und Abb. 42; Basel 1984, Nr. 265, Abb. 272. *Ge.*

E 22

E 23

Scheibenriß mit hl. Nikolaus von Bari und Engel als Schildhalter

Tobias Stimmer (1539 – 1584)
Baden-Baden, 1582

Feder in Schwarz, lila und grau laviert
38,5 x 26,5 cm. Allseitig beschnitten.
Bezeichnet in der Kartusche: TS (ligiert) 1582

Köln, Wallraf-Richartz-Museum,
Inv.Nr. Z 211

Stimmer hat während seiner Spätzeit nur noch wenige Scheibenrisse geschaffen. Der in seinem spannungsvoll asymmetrischen Aufbau und der großformatig herben Erscheinung des Heiligen überaus eindrucksvolle Entwurf ist sein letzter, sicherlich auch die souveränste Ausformung dieser Gattung. Der Künstler hat dabei alles kleinteilig Komplizierte früherer Jahre (s. Kat.Nr. E 22) hinter sich gelassen. Gegeben ist die in der Legenda Aurea des Jacobus de Voragine (Kap. 3, 2) überlieferte Szene, in der der Heilige ein Kind, das einem Manne zur Strafe genommen worden war, wieder zum Leben erweckt. Der schildhaltende Engel nimmt hieran sichtlich bewegten Anteil. Die in wenigen Linien ungemein sicher skizzierte Küstenlandschaft im Hintergrund dürfte Bari andeuten. Das Wappen gehört der Kölner Patrizierfamilie Krufft an, ist aber, da nachträglich eingezeichnet, ohne Aussagewert. Eine vom Straßburger Glasmaler Bartholomäus Lingg gefertigte Nachzeichnung, die auch den hier stark beschnittenen Oberlichtstreifen vollständig wiedergibt, zeigt den Schild wappenlos. Oben sind dort, von links nach rechts, der hl. Petrus, der liegende Hiob und der betende Paulus dargestellt, dem Christus in Wolken erscheint.
Stimmer, als gebürtiger Schaffhauser reformierter Protestant, hat gleichwohl in späteren Jahren überwiegend für katholische Auftraggeber gearbeitet. Hier vermutlich für das Straßburger Frauenstift St. Nikolaus in Undis, für das er bereits 1580, angeblich als Porträtist, tätig war. Der Schild hätte vermutlich das Klosterwappen, die Kartusche den Namen der das Fensterbild stiftenden Äbtissin (? oder Chorfrau) aufnehmen sollen.

Thöne 1936 I, Nr. 63, Abb. 133; Basel 1984, Nr. 27 b, Abb. 255. *Ge.*

E 23

E 24

Ansicht der Straßburger Altstadt von Osten

Tobias Stimmer (1539–1584) zuzuschreiben
Straßburg, 1573

Feder in Schwarzbraun
20,7 x 31,5 cm. Zugehörige Datierung (auf einer Kaimauer): 1573. Spätere Einfassungslinie und Aufschrift: *Een stuck van straesborch.* Rückseitig (um 180 Grad gedreht): Unbekanntes Wasserschloß
Feder in Braun, in dreifach unterschiedener Stärke und Tintenfarbe

Strasbourg, Musée des Beaux-Arts, Cabinet des Estampes et des Dessins, Inv.Nr. XXXXVI 62, „Unbekannter Meister"

Der Zeichner befand sich außerhalb des alten Befestigungsrings jenseits der Ill, deren die Stadt umfließende Arme sich hier, an ihrer Ostseite, vereinen und zum Rhein hin abfließen. Ganz links ist der Turm des Fischertors zu erkennen, weiter in der „Krutenau" illaufwärts die mit einem Dachreiter versehene Wilhelmerkirche; dahinter – teilweise verdeckt – der ehemalige Guldin- und ein weiterer Mauerturm am Fischerstaden. Neben der Brücke („Katzensteg") erhebt sich der wegen seiner Rundform so genannte „Turm im Sack" an der hier doppelt geführten Stadtmauer. Weiter rechts ragen Vierungsturm und das (ehemalige) Westwerk der Nonnenstiftskirche St. Stephan auf, dahinter die mächtige, von der Rückseite gesehene Münster-Fassade mit dem filigranen Südturm Ulrich von Ensingens, der entschieden zu wuchtig erscheint.
Nirgends verliert sich der Zeichner im Detail. Stets behält er das Ganze im Auge und setzt klare Akzente, selbst unter Verzicht auf topographische Vollständigkeit. So vermißt man etwa den Vierungsturm des Münsters.
Die von breitem Wasserlauf umspülte Schloßanlage der Rückseite ließ sich noch nicht identifizieren. Eine vage auf das Bischöflich Straßburgische Dachstein (bei Molsheim/Elsaß) gerichtete Vermutung (Mitteilung von Frau Ch. Hamm, Musée des Beaux-Arts) bleibt ungewiß. Sachliche Unklarheiten etwa im Verlauf der Brücke, von der sich ein Strang kurvig nach rechts verzweigt, oder der zinnenbekrönten Mauer dahinter scheinen einer exakten topographischen Aufnahme zu widersprechen. Möglicherweise wurden vor Ort aufgenommene Details erst nachträglich auf dem Blatt zu einer „Vedute" zusammengefaßt, nicht zuletzt durch die perspektivisch in die Tiefe führende Baumallee. Die Benutzung von dreierlei Federn und Tinten, die hierbei – im Gegensatz zur Vorderseite – zur Anwendung kamen, würde damit eine Erklärung finden. Daß das Ganze von einer einzigen, großzügig abkürzenden und ordnenden Hand herrührt, steht indessen außer Frage. Anstelle subtiler Detailschilderung und differenzierter Erfassung stofflich-atmosphärischer Werte – Züge, die für die niederländische Landschaftskunst jener Zeit charakteristisch erscheinen – geht es hier vielmehr um kräftig bewegte, „ornamentale" Gesamtwirkung. Der Strich wirkt vergleichsweise robust, in den Schraffurlagen spröde, gelegentlich schematisch, wie dies von einem Formschnitt-Zeichner jener Zeit zu erwarten ist. Dies entspricht durchaus dem Zeichenstil, den wir von Stimmers Riß zum Holzschnitt des „Straßburger Wettschießens" von 1576 (Basel 1984, Nr. 226, Abb. S. 270/271) her kennen. Übereinstimmend auch die Wiedergabe der Bäume mit gewundenen Stämmen und spärlichen Kronen, die Markierung des Laubwerks oder die flächig schraffierten, seltsam unbestimmten Bodenformationen.
Tobias Stimmer, der unseres Erachtens einzig als Autor in Betracht kommen kann – die niederländische Aufschrift erweist sich durch Wortlaut und Tintenfarbe als fremde Zutat –, war von 1570 bis etwa 1576 in Straßburg tätig, wo er als Formschnitt-Reißer die ergiebige Buch- und Flugblatt-Produktion von Bernhart Jobin (Verleger) und Johann Fischart (Textdichter und Redakteur) entscheidend mitbestimmte. Als reine Ortsansicht unterstreicht unser Blatt einmal mehr die Vielseitigkeit des bedeutenden Schweizer Künstlers.

E 24

E 24

Paul Ahnne, Strasbourg – Cent quarante Gravures et Dessins anciens, Strasbourg 1971, Taf. 10. *Ge.*

E 25

Der Tod als Glockenschläger

Tobias Stimmer (1539–1584)
Straßburg, 1571/1573

Pinsel in schwarzer, dunkelgrauer und weißer Tempera auf grau grundierter Leinwand
98,2 x 57 cm (mit dem Rahmen)

Strasbourg, Musée des Arts Décoratifs

Der Tod, eine skeletthaft abgemagerte Gestalt von erschreckender Wirklichkeitsnähe, erhebt einen Beinknochen, um damit auf einer Glocke die Stunde anzuschlagen. Ein zerfetztes Leichentuch wallt von ihm herab. Schlangen ringeln sich um seine Glieder.
Die eindrucksvolle Grisaille bildet einen Entwurf für eine der aus Holz geschnitzten Automatenfiguren von der astronomischen Uhr im Straßburger Münster, die 1571–1574 errichtet worden war (s. Kat.Nr. F 37). Ganz oben im turmartigen Uhrgehäuse erscheint hier über den umlaufenden vier Lebensaltern, die die Viertelstunden anzeigen, jeweils zu den vollen Stunden, gleichzeitig mit der Greisenfigur auch das Bild des Todes, dessen Glockenschlag das zeitliche Ende andeutet. Seine Herrschaft währt indessen nicht lange, denn kurz darauf erscheint Christus – als vollplastische Figur auf demselben Umlauf montiert – und treibt ihn in die „Versenkung" zurück. Innerhalb der hier zur Anschauung gebrachten theologisch-kosmologischen Ordnung wird Christus damit als höchste Instanz ausgewiesen.
Offenbar hatte Stimmer für das mechanisch-bildnerische Wunderwerk der Uhr, deren Initiator der in Straßburg lehrende Mathematiker Dasypodius (1532–1601) war, nicht nur einen Gesamtentwurf geliefert, der die Grundlage des Vertrags darstellen sollte, sondern auch sämtliche Bild- und Malwerke konzipiert. Hiervon blieben 15 Entwürfe in Straßburger Museumsbesitz erhalten.

Basel 1984, S. 97–107, Nr. 22. *Ge.*

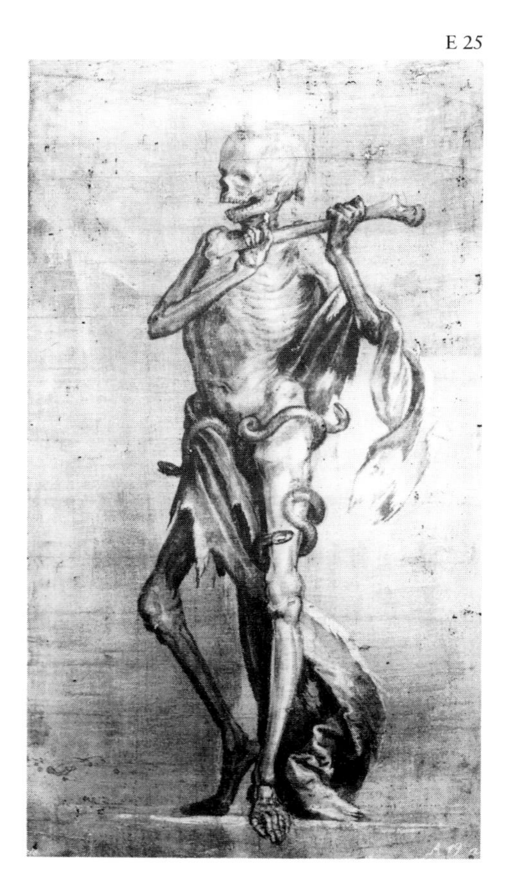

E 25

E 26

E 26

Der Wagen des Saturn

Tobias Stimmer (1539–1584)
Straßburg, 1571/1573

Pinsel in schwarzer, dunkelgrauer und weißer Tempera auf grau grundierter Leinwand
73 x 186 cm (mit dem Rahmen)

Strasbourg, Musée des Arts Décoratifs

Die Bilderfindung findet sich, als vollplastisches Schnitzwerk ausgeführt, innerhalb der sieben Planetenbilder an der Astronomischen Uhr des Straßburger Münsters (s. Kat.Nr. E 25). Als kleinformatige Automatenfigur umläuft das von gräßlich anzuschauenden Drachen gezogene Gefährt einmal innerhalb einer Woche eine Kreisbahn und wird jeweils an Samstagen voll sichtbar. Das Kommen und Gehen der Tage spricht sich hierin sinnfällig aus. Der griechische Gott Kronos, dessen Mythos unter den Römern an Saturn überging, wurde früh auf den nach ihm benannten Planeten (Saturn) bezogen. Man glaubte, daß er seine Kinder verschlungen hätte, um von ihnen später nicht entmachtet zu werden. Die Sense (eigentlich Sichel) ist sein Attribut, weil er damit seinen Vater Uranos entmannt haben soll. Die Tierkreiszeichen Wassermann (im Wagenrad) und Steinbock sind ihm zugeordnet. Wie im Triumphzug fahren die Planetengötter auf ihren phantasievoll gebildeten Wagen, von verschiedenartigem Getier gezogen, dahin. Der Gedanke der „trionfi" war dem humanistisch gesonnenen 16. Jahrhundert, ausgehend von Petrarcas gleichnamiger Dichtung, sehr geläufig.
Der unbekannte Straßburger Bildschnitzer hat sich in der Ausführung eng an Stimmers ungewöhnlich bildmäßige Vorlage gehalten.

Basel 1984, S. 97–107, Nr. 22. *Ge.*

E 27

Die Welt enthüllt dem schwarzen Reiter ihr wahres Gesicht

Kopie nach Tobias Stimmer (1539–1584)
Baden-Baden, 1667/1689

Pinsel in Schwarz, Grau und z.T. Weiß; schwarz eingefaßt, außerhalb der Bildfelder blau getönt
21,8 x 47,7 cm (Bildfeld). In der Inschriftkartusche: *Aerumnae affligunt equitem, deridet egestas/Mens male non ullam conscia sentit opem/Nam cum delicis satur est homo, frausque dolique/Apparent mundi, quae latuere prius.*
Zu deutsch: Die Sorgen peinigen den Reiter, es verlacht ihn die Armut. Das böse Gewissen sieht nirgends eine Hilfe, Denn wenn der Mensch gesättigt ist von

der Lust erscheinen Betrug und Listen der Welt, die vorher verborgen waren.

Privatbesitz

Die Darstellung entstammt einem zwischen 1667 und 1689 angelegten Manuskriptband, der unter dem Titel *Descriptio Aulae... In Palatio Serenissimorum Principum Marchionum Badensium* die ehemaligen Deckenbilder im großen Saal des Neuen Schlosses zu Baden-Baden abbildet. Tobias Stimmer hatte sie im Auftrage des jungen Markgrafen Philipp II. von Baden-Baden, der am Münchner Hof erzogen worden war, in den Jahren 1576/1578 geschaffen, wobei er – wie Christian Klemm (s.u.) annimmt– auch auf Einzelheiten des allegorisch eingekleideten, lehrhaft moralisierenden Programms Einfluß gehabt haben dürfte. Im übrigen leitet sich das Thema von der toskanischen Hofkunst Giorgio Vasaris her und wurde einer von Stradanus (Jan van der Straet) entworfenen Stichfolge entnommen, wenn auch in gänzlich selbständiger Abwandlung. Es geht dabei – wie bei der Parabel von „Herkules am Scheidewege" – um die individuelle Willensentscheidung zu Gut oder Böse, die, pädagogisch vereinfacht, entweder über den „Tugendpfad" mit Selbstentsagung, Lernbegier und ständigem Streben im Himmel oder nach oberflächlichem Genußleben in der Hölle endet. Zwei Ritter, einer auf schwarzem, der andere auf weißem Pferde, verkörpern in mehreren Darstellungen diese gegensätzlichen Prinzipien. Unsere Darstellung zeigt den schwarzen (bösen) Reiter, dem Unheil und Wertlosigkeit seines Lebensentwurfs bewußt werden: Frau Wollust offenbart ihren Totenschädel. Die Zauberin Circe hat Odysseus' Gefährten zum Genuß der Lotosfrüchte verführt und in Tiere verwandelt: wer sich an seine Sinne verliert, geht seiner Menschlichkeit verlustig. Hinten treiben der Teufel und Amor gleichermaßen ihr Unwesen. Apoll verfolgt Daphne, die zum Schutz in einen Lorbeer verwandelt wird. Rechts kämpfen Lapithen und Kentauren: auch dies als Gleichnis sinnlicher Triebhaftigkeit und – wie das Hochgericht im Hintergrund – als Warnung vor ihren schlimmen Folgen. (Ich folge hierin Christian Klemm und Gisela Bucher, s.u.). Stimmer selbst hat in einem 1578 datierten Reimgedicht die Thematik seiner Deckenmalerei erläutert. Da diese selbst im Zuge des Pfälzischen Erbfolgekriegs 1689 mit Schloß und Stadt Baden-Baden verbrannten, kommt den Kopien um so größere Bedeutung zu.

Thöne 1936 I, S. 40–46; Boesch 1951, S. 65–91, Nachtrag S. 221–226; Christian Klemm, in: Basel 1984, S. 118–140, Nr. 30, Bild 8, Abb. 52. *Ge.*

E 27

E 28

E 28

Die Bärin von Schloß Wartenberg

Gideon Stimmer (um 1545–1581/82)

Schloß Wartenberg (bei Geisingen/Baar), 1571

Feder in Grau, grau laviert
16,7 x 13,6 cm. Bezeichnet: *Ware Cunnther facktur der berenn* (Bärin) *uff dem schloß/Warttemsberg Anno 1571 GST* (ligiert)

Erlangen, Graphische Sammlung der Universität, Bock 1024

Weit mehr als beim Ulmer „Kamel" von 1573 (s. Kat.Nr. E 51) erscheint in dieser Zeichnung das Tier als individuelles Wesen erfaßt. Seine eigentümliche Haltung und sein – durchaus nicht gemütliches – Aussehen erscheinen in eine einprägsam charaktervolle Formel gebannt. Überzeugende Wirklichkeitsnähe – besonders deutlich an der „verknäulten" Lage der Beine – und eine Tendenz zu heraldischer Stilisierung, die sich im klaren Kontur und den starren Schraffurlagen ausspricht, halten sich die Waage. Häufig wurden damals Bären – obwohl in freier Wildbahn noch stark bejagt – zur aristokratischen Belustigung in Zwingern oder Schloßgräben gehalten. Das Schloß Wartenberg, wo Gideon Stimmer den braunen Gesellen gemäß seiner Aufschrift konterfeit hat, war Besitz der Grafen von Fürstenberg. Der Schaffhauser Künstler, jüngerer Bruder des bedeutenderen Tobias Stimmer, fungierte zeitweilig als Hofmaler der Adelsfamilie, die damals ihren Hauptsitz noch auf dem namengebenden Fürstenberg nahe Donaueschingen hatte.

Thöne 1936 II, S. 113ff., Abb. 2. *Ge.*

E 29

Entwurf für eine Fassadenmalerei mit Geometria und Pygmalion

Hans Bock d.Ä. (um 1550–1624)
Basel, 1571

Feder in Schwarz, grau und violett laviert
43,5 x 26,4 cm. Unregelmäßig beschnitten, linke untere Ecke fehlt. Bezeichnet: *1571/H Bock;* dazu Aufschriften, links: *Ein schönes bildt/an alle gnad,* rechts: *venus/vo*(n) *mir si/aber s leben hedt/des dankt/wir/früh und spedt.*

Basel, Kunstmuseum, Kupferstichkabinett, Inv.Nr. U IV.66

Der die Mauerfläche auflösende, in asymmetrischen „Formschüben" energisch ausponderierte Entwurf ist nicht nur in seinem formalen Gefüge von hoher Qualität, sondern auch – damit übereinstimmend – in seinem komplexen Bildinhalt. Zwei „wilde Männer" verkörpern als Trägerfiguren, zusammen mit betontem Bossenwerk, den ungefügen „naturhaften" Unterbau des Erdgeschosses. Über der rundbogigen Tür findet sich hier das „Lukaswappen" der Maler, auf der Fensterbrüstung ihr Handwerkszeug: Pinsel und Palette, Malstab und Schale zum Farbenreiben. Die ins Mythologische versetzte Bezugsperson kniet, zusätzlich mit Bildhauergerät ausgestattet, darüber:

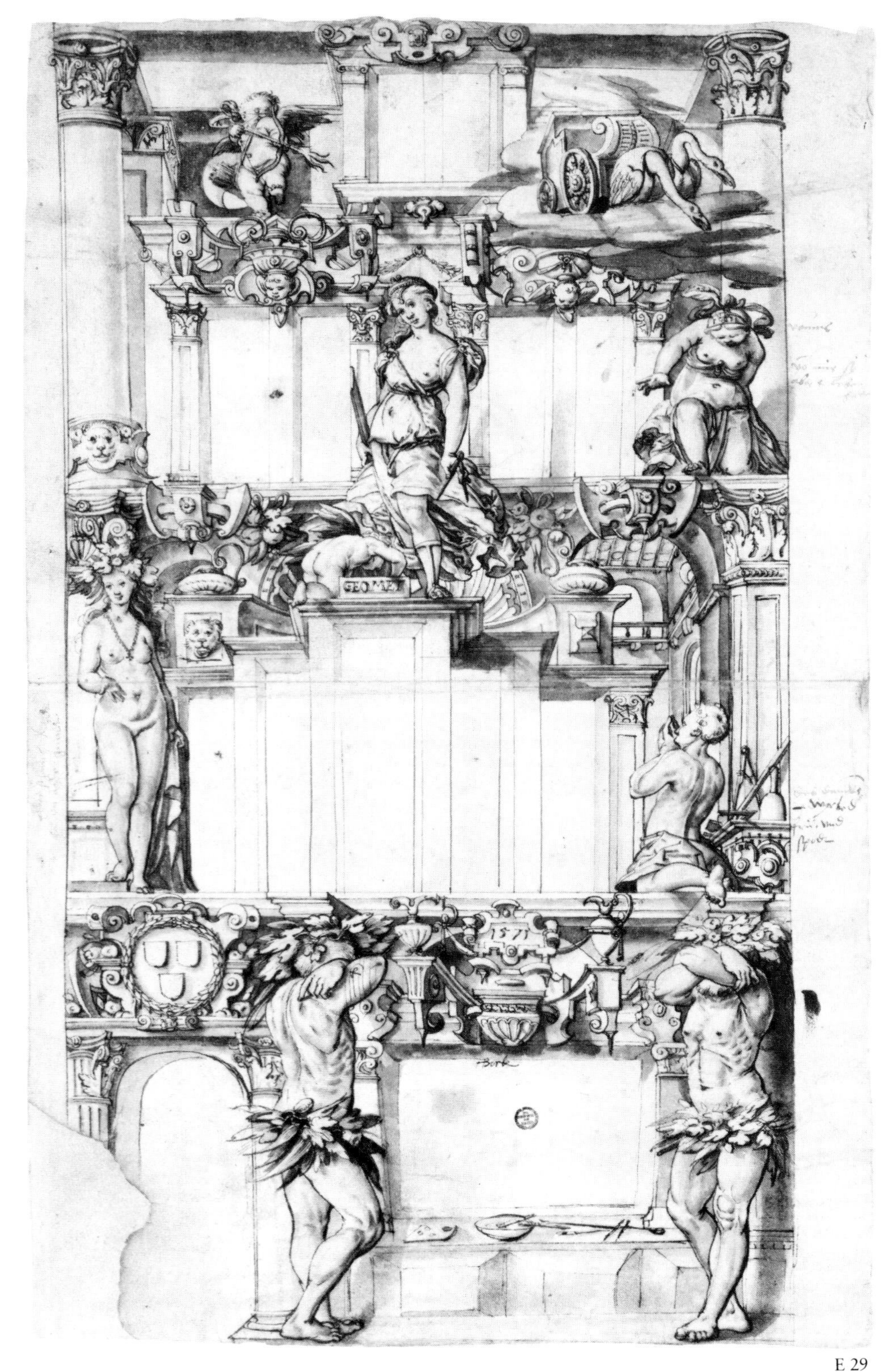

E 29

Pygmalion als humanistisch klassischer Prototyp des Künstlers. Sein Blick und Flehen sind auf die hoch über ihm stehende Personifizierung der „Geometria“ gerichtet, Symbol für edles Maß (und hier wohl auch) „hohe Kunst“ schlechthin – wohingegen Frau Venus heftig auf ihn einzureden scheint, um ihn auf die schöne, wollüstige Frauengestalt, die sie (Ovid, Metamorphosen 10, 243 ff.) aus seinem Bildwerk zum Leben erweckt hat, hinzulenken. Wie Herkules sieht sich Pygmalion vor die Wahl zwischen hoher, aber entsagungsvoller Berufung und „niederem“ Sinnengenuß gestellt. Im obersten Geschoß wartet auf Wolken Venus' Schwanengefährt und Amor verschießt (vergeblich?) seine Flammenpfeile auf den geplagten Künstler. Als Bock den Entwurf 1571 zu Papier brachte, war er etwa 22 Jahre alt, kurz zuvor aus dem Elsaß zugewandert und noch Geselle. Erst im Folgejahr erwarb er in Basel das Meisterrecht. Unter diesen Umständen erscheint es kaum glaubhaft, daß er – wie angenommen wurde – hiermit einen Auftrag für das Zunfthaus „zu Himmel“ erfüllte oder auch nur den eines privaten Kunstliebhabers. Es wäre zu fragen, ob die relativ zahlreich erhaltenen Fassadenrisse aus Bocks Frühzeit nicht vielmehr ohne eigentlichen Auftrag, allein als „Exempla“, d. h. Muster- und Belegstücke eigener Leistungsfähigkeit, somit auch als Sammlerobjekte entstanden sind. Ihre kunstimmanente Thematik und die oftmals ungewöhnliche architektonische Wandgestaltung könnten hierfür sprechen. Ähnliches ist wenig später bei Wendel Dietterlin zu folgern (s. Kat.Nr. E 34).

Friedrich Thöne, Der Basler Monogrammist HB von 1575/77, Hans Bock d. Ä. oder Hans Brand?, in: Schweizerisches Institut für Kunstwissenschaft, Jahresbericht 1965, S.. 78–104, Abb. 70; Ganz 1966, S. 46; Dieter Koepplin, in: Basel 1984, S. 52–55, Nr. 13, Abb. 27. *Ge.*

E 30

Entwurf für eine Fassadenmalerei mit Venus, Aeneas und Dido

Hans Bock d. Ä. (um 1550–1624)
Basel, 1573

Feder in Schwarz, grau laviert
62,2/63,8 x 33,2 cm. Bezeichnet (über der rechten Tür): *1573/H Bock Fecit,* auf den Sockeln der Nischenfiguren: *Aeneas Venus Dido.*

Basel, Kunstmuseum, Kupferstichkabinett, Inv.Nr. U IV.91

Die auffallend unregelmäßig gestaltete Fassade, deren schmale Wandstreifen einer Bemalung nur wenig Raum bieten, ist gleichwohl überquellend dicht und unruhig mit figürlich ornamentalem Dekor gefüllt. Mit dem zwei Jahre früher

entstandenen Fassadenriß (Kat.Nr. E 29) kann sich dieser hinsichtlich inhaltlicher Übersteigerung und formaler Kühnheit allerdings kaum messen. Zwar läßt auch hier eine moralisierende Bilderzählung die Fassade zum Spannungsfeld pointierter Belehrung werden, aber die Geschosse sind voneinander geschieden, der tektonische Aufbau wirkt stärker.
In volkstümlich verständlicher Sprache wird die negative Wirkung der Liebe behandelt, die die Beteiligten zu Narren macht, wobei es auch hierbei natürlich nicht ohne klassische „Zitate" – gleichsam Autoritätenbeweise – abgeht. In den Fensterintervallen des ersten Geschosses erscheinen (in der Mitte) Frau Venus mit Amor; als ihr erstes „Opfer" Dido (rechts), die sich aus Verzweiflung über die Abreise des Aeneas (links) ersticht. Die Fortsetzung erinnert eher an Szenen der italienischen Komödie: Da schleicht sich von rechts der jugendliche Liebhaber zur Schönen in der Mitte, während der Alte zur linken, von tiefer Verzweiflung erfaßt, zum Beschauer blickt. Ganz oben schließlich wird die „Moral der Geschicht" am deutlichsten angesprochen, durch einen Narren, dem sich ein Kavalier zuwendet, sowie durch die Negativsymbole von Papageien und Affen, die dem linken Paar und dem Mann in der Mitte beigegeben sind. Einander zugewandte Bildnisköpfe eines römischen Cäsaren und seiner Gemahlin, dazu Gott Bacchus und Ceres (gemäß der Terenz'schen Sentenz „Ohne Ceres und Bacchus friert Venus") vervollständigen die als lächerlich bis verderblich geschilderte Liebesthematik. Detail- und Schmuckfreude bestimmen die illusionistische Bauornamentik in einem Maße, daß nicht einmal einzelne Fenster- oder Portaleinfassungen einheitlich gestaltet sind, was aber möglicherweise als Alternativprogramm aufzufassen sein könnte. Die inhaltlich anspruchsvollen Fassadenmalerei-Entwürfe Bocks scheinen innerhalb einer humanistisch gebildeten Auftraggeberschicht der Universitäts- und Gelehrtenstadt Basel einen „Markt" gefunden zu haben. In Südwestdeutschland wäre dergleichen jedoch schwer vorstellbar; am ehesten noch in Straßburg – abgesehen davon, daß im schwäbischen Kernland der vorherrschende Fachwerkbau ohnehin keinen Platz für größere Malflächen bot.

Friedrich Thöne, Der Basler Monogrammist HB von 1575/77, Hans Bock d. Ä. oder Hans Brand?, in: Schweizerisches Institut für Kunstwissenschaft, Jahresbericht 1965, S. 67–104, Abb. 73; Dieter Koepplin, in: Basel 1984, Nr. 18. *Ge.*

E 30

E 31

E 31

Scheibenriß mit Wappen des Laurentius Gutjahr, Abt von Kloster Altdorf und Ettenheimmünster

Christoph Murer (1558–1614)
Straßburg, 1583

Feder in Schwarz, grau laviert
43,3 x 32,8 cm. Bezeichnet mit der Maurerkelle („Murer") und datiert 1583

Karlsruhe, Staatliche Kunsthalle, Kupferstichkabinett, Inv.Nr. XI 265

Die beiden aus der Mitra herausragenden Krummstäbe bezeugen, daß der Inhaber des Wappens – somit der Stifter der hiernach gefertigten Wappenscheibe – zwei verschiedenen Klöstern vorstand. Laurentius Gutjahr (1540–1592) war 1579 zum Abt des Benediktinerstifts Altdorf im Elsaß, 1582 auch von Ettenheimmünster bei Lahr gewählt worden. Die beiden flankierenden Heiligen, Landolin (links) und Cyriacus (rechts), vertreten als Patrone die beiden Klöster, während die Marter des hl. Laurentius im Oberlicht auf den Namen des auftraggebenden Abts anspielt. In den Eckfeldern erscheinen die vier Kirchenväter: Papst Gregor, Hieronymus mit dem Löwen (oben), Augustinus und Ambrosius (unten). Die Rollwerkkartusche dazwischen sollte in der Ausführung Namen und Titel des Stifters aufnehmen. Die abweichende Wiedergabe ornamentaler Details innerhalb der Blatthälften überläßt dem Besteller, dessen Bildniszüge der markante Kopf des hl. Cyriakus zu bewahren scheint, die Auswahl. Alle Formen sind von spannungsvoller Energie erfüllt, die vom Zentrum gegen die Ränder hin kraftvoll ausstrahlt.
Abt Laurentius hat auch später noch Wappenscheiben arbeiten lassen, wobei der Auftrag für die Risse an andere Künstler erging: 1590 an den Schaffhauser Daniel Lindtmayer, ein andermal (undatiert) an Nikolaus von Riedt (?) aus Bern, der auch in Südwestdeutschland tätig gewesen ist (Thöne 1975, Kat. 189, Abb. 242, 482, 483). Dabei wurden Bildinhalt und kompositionelle Anlage im wesentlichen übernommen. Murer selbst hat die Rückenfigur des hl. Hieronymus (rechts oben) in seinem Scheibenriß für Johann Ludwig Sorg, Abt von Kloster Gengenbach, 1589 fast wörtlich wiederholt (s. Thea Vignau-Wilberg, Zu Christoph Murers Frühwerk, in: Jb. des Bernischen Historischen Museums, 59/60, 1979/80, S. 92, Abb. 1).

Stuttgart 1979/1981, Bd. 2, H 5 (Verf. Volkmar Schauz). *Ge.*

E 32

Scheibenriß mit Kaiser Heinrich II.

Hans Caspar Lang (1571–1645)
Freiburg i.Br. 1595

Feder in Schwarz, grau laviert
40,8 x 29,7 cm. Bezeichnet: *H.C.Lang in Freyburg. 1595.* Spätere (irrtümliche) Aufschrift: *Kaiser Ludwig der Teutsche trägt die Dohmkirche zu Frankfurt a.M. auf seiner Hand*

Stuttgart, Staatsgalerie, Graphische Sammlung, Inv.Nr. 35

Entgegen der späteren Aufschrift handelt es sich bei dem Dargestellten nicht um Kaiser Ludwig den Deutschen, sondern um Heinrich II., dem als Förderer der Kirchenreform und Stifter (u.a. Bistum Bamberg) häufig ein Kirchenmodell als Attribut beigegeben wurde. Auch die Vollendung des Basler Münsters, an dessen Schlußweihe im Jahr 1019 er teilnahm, ist mit seiner Person verbunden. Dies legt die Vermutung nahe, daß die hiermit entworfene Scheibe einen Auftrag des Basler Domkapitels bildet, das damals in Freiburg i.Br. residierte. Der Künstler hat auch später noch (1598), von Schaffhausen aus, für das begüterte Priesterkollegium gearbeitet. Auffallend erscheint hierbei allerdings, daß dies noch während der Gesellenzeit geschehen sein müßte, in der selbständiges Arbeiten vielerorts untersagt war. Lang kompilierte seine Risse – nach Feststellung von Friedrich Thöne – oft nach älteren Visierungen. Die schematische Strichführung läßt dies auch für die eindrucksvolle Erfindung der Kaiserfigur vermuten, die auf einen 1514 datierten Titel-Holzschnitt von Urs Graf für das „Breviarium secundum ritum ecclesiae Basiliensis" zurückzugehen scheint. Unter den beiden Oberlicht-Darstellungen „David kämpft gegen Goliath" und „Saul schleudert seinen Speer auf David" basiert zumindest die erstgenannte auf dem entsprechenden Holzschnitt von Tobias Stimmers berühmter Bilder-Bibel (ersch. Basel 1576), aus der auch noch Rubens während seiner Frühzeit kopiert hat. Die drei Wappenschilde blieben unausgefüllt, desgleichen schmale Felder darüber, die vermutlich zur Aufnahme von Stifterinschriften bestimmt waren. – Der Scheibenriß entstand im letzten Jahr von Langs vierjährigem Aufenthalt in Freiburg.

Stuttgart 1979/1981, Bd. 2, H 9 (Verf. Volkmar Schauz).

Ge.

E 32

E 33

Das Jüngste Gericht

Wendel Dietterlin (1550/51–1599)
Straßburg, 1590

Feder in Schwarz, grau bis schwärzlich laviert, weiß und golden gehöht auf bräunlichem Papier
46,8 x 34,4 cm. Aufgezogen, die originalen Ränder überdeckende spätere Rahmenstreifen.

Stuttgart, Staatsgalerie, Graphische Sammlung, Inv.Nr. GVL 200

Die auf Untersicht hin konzipierte, aber ohne einheitlichen Blickpunkt in der Vielfalt ihrer Motive seltsam uneinheitlich wirkende Gerichtsdarstellung wird auf originelle Weise durch weit geschwungene Wolkenbänder und Nebelstreifen in wirbelnder Bewegung zusammengehalten. Ganz oben erscheint auf bizarr ornamentiertem Thron Christus als Weltenrichter. Endlos erscheinende Wolkenränge mit lemurenartigen alttestamentlichen Gestalten – Johannes der Täufer, Eva, Elias u.a. – winden sich spiralig in die Höhe. Die Heiligen und selbst Maria scheinen im Sinne eines reformiert gefärbten Protestantismus – soweit erkennbar – aus dem Bilde verbannt. Der Künstler hat das formale Problem der Untersicht kaum wirklich bewältigt – dies blieb erst dem Barock vorbehalten –, aber der ständige Wechsel der Ansichten und Größenverhältnisse, die Überschneidungen und Durchblicke, die mit naiv erzählerischen Zügen angereicherte, kaum zu fassende Vielfalt ergeben insgesamt doch eine höchst dramatische, irrationale Gesamtwirkung, die dem mächtigen Thema durchaus gerecht wird. Dicht geballte Engelgruppen „posaunen" von ihren Wolkenbänken herab, andere schütten Schalen des Zorns über die Teufel aus, von denen einer mit einer Armbrust zurückschießt (!) Das Motiv des Charon, der die Verdammten mit einem Nachen in die Unterwelt befördert, ist offensichtlich von Michelangelos Fresko der Sixtinischen Kapelle inspiriert.
Das sorgfältig durchgeführte, in Goldfeder gehöhte Blatt diente als Entwurf oder Modello für eines der drei großformatigen Deckenbilder im Gewölbescheitel des Neuen Stuttgarter Lusthauses, die 1590–1593 im Auftrag Herzog Ludwigs von Württemberg entstanden. Eine weitere Darstellung ist wenigstens als Nachzeichnung erhalten. Brentels Radierung von 1619 vermittelt eine Vorstellung dieser ikonographisch höchst originellen Ausmalung, die landesbezogene Jagdszenen, Ortsansichten, Landkarten und Porträts mit christlich kosmogonischen Bildgegenständen verband.

Meisterwerke aus der Graphischen Sammlung, Zeichnungen des 15. bis 18. Jahrhunderts, Staatsgalerie Stuttgart 1984 (Ausst.Kat.), Nr. 16, Farbabb. S. 67.

Ge.

E 33

346 *Zeichnung*

E 34

Die Geschichte Abrahams

Wendel Dietterlin (1550/51–1599)
Straßburg, um 1595 (?)

Feder in Schwarz, grau (Mittelfeld und flankierende Seitenfelder) und graublau (die bogenförmigen Randstücke) laviert, aufgeklebte Rahmenstreifen in Hellrot, in Weiß und Gold gehöht
42,8 x 32,1 cm

Basel, Kunstmuseum, Kupferstichkabinett, Inv.Nr. 1904, 37

16 alttestamentliche Szenen vom Turmbau zu Babel (1. Mose, 11) bis hin zur Opferung Isaaks (1. Mose, 22) sind auf engem Raum im hochovalen Mittelfeld und den umlaufenden Randstreifen vereinigt. Am auffallendsten sind davon der „Besuch der drei Männer bei Abraham", die „Verstoßung der Hagar", „Melchisedek bringt Brot und Wein", „Isaaks Knecht begegnet Rebekka am Brunnen", und die „Opferung Isaaks" – sämtlich im Mittelfeld. Der Protestantismus fühlte sich von den farbigen Bildern des Alten Testaments besonders angezogen und erkannte in ihnen, alter Tradition folgend, Hinweise auf das Erlösungswerk des Neuen Testaments. So wurde die Opferung Isaaks mit dem Opfertod Christi gleichgesetzt, die Melchisedek-Szene spielt durch Brot und Wein auf das Abendmahl an usw. Trotzdem fällt es schwer, in der reizvoll erzählerischen Zusammenstellung eine theologische Systematik auszumachen. Auch die Zweckbestimmung der beiden alttestamentlichen „Sammeldarstellungen" (s. auch Kat.Nr. E 35) bleibt unklar. Es wurde an Entwürfe für Glas- oder Wandmalerei gedacht. Beides wäre höchst ungewöhnlich. Wahrscheinlich liegen reine Sammlerstücke vor: finale Kunstwerke von exemplarisch artifiziellem Charakter. Ähnlich wie bei manchen der phantastisch skurrilen Erfindungen von Dietterlins „Architectura" (Kat.Nr. F 34–35) erscheint das Ungewöhnliche der äußeren Form hierbei als Programm. Der Zyklus muß ursprünglich umfangreicher gewesen sein, denn von drei weiteren Ovalkompositionen liegen überaus seltene eigenhändige Radierungen der unteren oder oberen Sichelfelder vor, womit sich ihre Thematik einigermaßen erschließen läßt. Trotzdem wird man die sorgfältig kolorierten Originalarbeiten nicht für bloße Stichvorzeichnungen halten dürfen. Vielmehr scheint der Künstler seine kuriosen Bibelillustrationen nachträglich aus kommerziellen Gründen vervielfältigt zu haben, ohne damit zum Abschluß gekommen zu sein – was vielleicht ein Indiz für eine späte Entstehung kurz vor seinem Tode sein könnte.

Hanspeter Landolt, 100 Meisterzeichnungen des 15. und 16. Jahrhunderts aus dem Basler Kupferstichkabinett, Basel 1972, Nr. 99; Stuttgart 1979/1981, Bd. 2, H 7.
Ge.

E 34

E 35

E 35

Die Geschichte Jakobs und des ägyptischen Joseph

Wendel Dietterlin (1550/51–1599)
Straßburg, um 1595 (?)

Feder in Schwarz, grau (Mittelfeld und flankierende Seitenfelder) und graublau (die bogenförmigen Randstücke) laviert, aufgeklebte Rahmenstreifen in Hellrot, in Weiß und Gold gehöht
42,8 x 32,1 cm

Basel, Kunstmuseum, Kupferstichkabinett, Inv.Nr. 1904. 38

Im hochovalen mittleren Bildfeld erscheinen in diagonalem, dichtgedrängtem Aufbau folgende Textstellen der Genesis vereinigt: Jakobs Traum von der Himmelsleiter (1. Mose, 28), er ringt mit dem Engel, tränkt die Schafe des Laban, versöhnt sich mit Esau, schließt mit Laban, der ihm Lea und Rahel zur Frau gibt, einen Bund. Der umlaufende Randstreifen enthält weiter auseinanderliegende Bilderzählungen, die von der Jakobsgeschichte bis zur Findung Mosis reichen; darunter (in der Mitte rechts): Isaak segnet Jakob. Die Einbeziehung von Nebenszenen und Randfiguren – hier etwa der Rebekka, die den Braten herrichtet – verleihen der Darstellung eine intime, genremäßige Behaglichkeit, die dem hohen typologischen Sinngehalt, einer Hinbeziehung auf das Heilsgeschehen des Neuen Testaments, entgegengerichtet ist. Dieserart sind alle Szenen erzählerisch ausgesponnen und mit

E 36

E 37

idyllenhaftem Beiwerk – Bäumen, Abhang oder Ruinenfragment – angefüllt. Das splittrig-scharfe Faltenwerk und der physiognomische Reichtum, der Figuren und Dingen gleichermaßen innewohnt, ihre blockige Verdichtung und pointierte Rhetorik sind ein Charakteristikum von Dietterlins Kunst. Sicherlich besteht ein enger Zusammenhang mit Christoph Murer (s. Kat.Nr. E 31), der sich in den achtziger Jahren in Straßburg aufgehalten hatte. Daneben dürfte Haarlemische Druckgraphik, somit „Sprangerstil“, für Dietterlins abstrahierend bizarre Formbildung von Bedeutung sein. (Zur Frage der Zweckbestimmung s. Kat.Nr. E 34.)

Hanspeter Landolt, 100 Meisterzeichnungen des 15. und 16. Jahrhunderts aus dem Basler Kupferstichkabinett, Basel 1972, Nr. 99; Stuttgart 1979/1981, Bd. 2, H 8. *Ge.*

E 36

Entwurf für eine Fassadenmalerei am Hause eines Fischers

Seeschwaben, um 1560/1580

Feder in Braun, zartfarbig laviert
39,9 x 23,5 cm. Unbezeichnet

Wolfegg, Fürstlich Waldburg zu Wolfeggsches Kupferstichkabinett

Anders als bei den humanistisch-urbanen Entwürfen Hans Bocks d. Ä. (Kat.Nr. E 29, E 30) liegt hier ein eher schlichtes, konventionelleres Konzept für die Bemalung eines schmalen, nur aus zwei Fensterachsen bestehenden Hauses vor. Daß es einem Fischer gehört haben muß, geht aus seiner Thematik hervor. Eine genauere Lokalisierung ist einstweilen nicht möglich, jedoch schließt die lockere, zögernde Zeichenweise Schweizer Herkunft wohl aus. Am meisten spricht für eine Entstehung am schwäbischen Bodensee-Ufer. Unsicher schwankende Größenverhältnisse und Raumaufteilung machen die begrenzten Möglichkeiten des Zeichners deutlich. Gleichwohl kommt der Zeichnung als Fassadenriß aus dem südwestdeutschen Bereich Seltenheitswert zu.

Das Erdgeschoß ist mit einer großflächigen Quaderung bemalt, Tür- und Fenstereinfassungen sind mit den obligaten Imperatorenköpfen und würdevollem Rollwerkdekor geschmückt. Im ersten Geschoß erscheinen zwischen klassizistisch anmutenden Friesstreifen die Bewohner des Hauses selbst: in der Mitte in gravitätischer Pose der Hausherr, ein Fischer mit Korbreuse und Hund. Er steht in freier Landschaft vor einem See (?). Hinter ihm ragt ein Bergkegel auf, der an den Hohentwiel denken läßt. In schmäleren Wandabschnitten erscheinen rechts seine „Hausfrau“, links ein Knabe – wohl ein Sohn. Beide halten Fische in den Händen. Das nach unten erweiterte Giebelfeld ist als großflächig ungeteiltes Landschaftsbild gestaltet. Die spitzbogige Öffnung ganz oben dürfte als Luke für den Vorratsspeicher durch eine Brettertür verschließbar gewesen sein. Athletische Gestalten führen auf der Wandfläche darunter verschiedene Tätigkeiten der Fischerei vor Augen: Da werden Fische mit Netz, Angel oder Reuse gefangen, Krebse mit den Händen gegriffen. Ganz links geht es – zur Abschreckung – einem Fischdieb an den Kragen. Die gebirgige Landschaft im Hintergrund läßt eine Stadtsilhouette erkennen.

Unveröffentlicht. *Ge.*

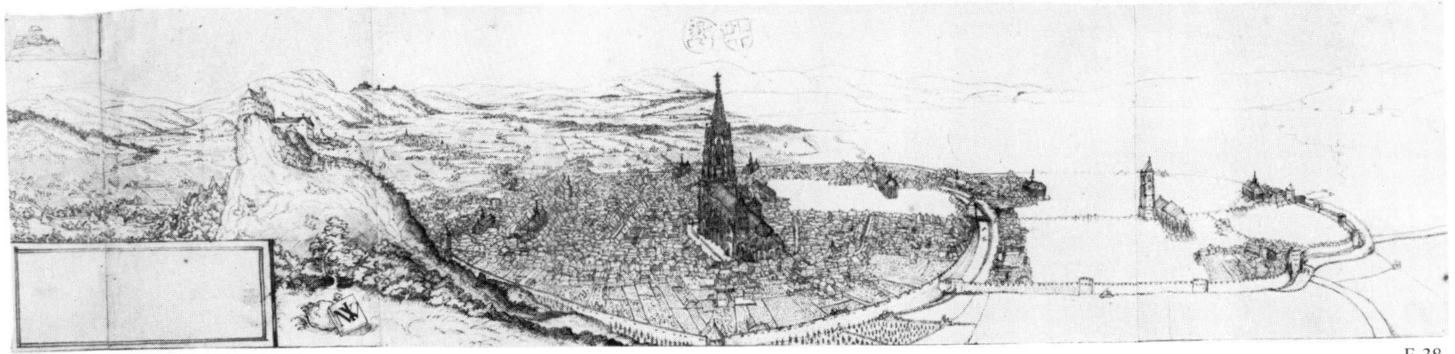
E 38

E 37

Christus als Kinderfreund

Kaspar Memberger d. Ä.
(um 1555 – 1618)
Salzburg, um 1590

Feder in Schwarz, braun und grau laviert, der Hintergrund (wohl nachträglich) schwarz ausgetuscht
17,8 x 24,2 cm. Bezeichnet: *C.M.F./ a Salisburga*

Stuttgart, Staatsgalerie, Graphische Sammlung, Inv.Nr. C 27/33

Die Darstellung illustriert einen Text des Marcus-Evangeliums (10, 13–16), der oben in einer von Rollwerk geschmückten Schrifttafel wiedergegeben ist: *Sinite parvulos venire ad/me... est enim regnum/ coelorum* (zu deutsch: Lasset die Kindlein zu mir kommen, denn ihrer ist das Himmelreich). Das Thema erscheint in der Zeichnung allerdings um Alte und Gebrechliche, die bei Christus Trost suchen, erweitert, vermutlich um dadurch den Todesgedanken anklingen zu lassen. Dies könnte darauf hindeuten, daß die Zeichnung als Modello für ein Gedächtnisbild, vielleicht für ein verstorbenes Kind, dienen sollte. Von dem aus Konstanz stammenden salzburgischen Hofmaler Memberger sind nur wenige gesicherte Werke bekannt, die in ihrem Reichtum an erzählerischen Einzelzügen, der unübersichtlich additiven Figurenfülle und scharfen Faltengliederung noch spätgotisches Stilelement bewahren.
Daneben ist bei Memberger mit Entlehnungen nach fremden Vorbildern zu rechnen; so auch hier, wo das Motiv des Alten im Rollstuhl von einem Stich des Enea Vico übernommen ist.

Stuttgart 1979/1981, Bd. 1, S. 115 f., C 26 *Ge.*

E 38

Ansicht von Freiburg i. Br. von Osten

Monogrammist J N W (?)
Freiburg i. Br., um 1580

Feder in Braun
13,5 x 50,3 cm (drei zusammengesetzte Papierbögen). Bezeichnet auf einem Täfelchen mit schwer zu deutendem ligiertem Monogramm. Wasserzeichen: Adlerkopf im Wappenschild.
Links oben aufgeklebtes Blättchen (1,7 x 3,6 cm) mit Darstellung der Burg von Westen

Salzburg, Universitätsbibliothek, Inv.Nr. 10

Das vorderösterreichische Freiburg hatte im 16. Jahrhundert – wie die Ansicht erkennen läßt – eine Größe, die es nach 1677, als es zur französischen Festung ausgebaut wurde, lange nicht mehr erreichen sollte. Damals wurden die nördliche Vorstadt („Neuburg") wie auch die nahegelegenen Dörfer niedergelegt. Auffallend ist neben der Ausdehnung die sehr große Zahl an Ordensniederlassungen, die der einer Bischofsstadt gleichkommt (was Freiburg erst seit 1827 ist). Im Mittelpunkt erhebt sich – in der Größe übersteigert – das Münster. Wie seine Umgebung ist es von einem Standort am Schloßberg, dem sog. „Salzbüchsle", aus aufgenommen worden; andere Partien dagegen mehr von Süden her, was Unstimmigkeiten im Stadtbild ergibt. Links vorn ragt der von der alten Zähringer Feste besetzte Sporn des Schloßbergs auf. Die Wellenkämme des Schwarzwalds (in der linken Hälfte), der fernen Vogesen, von Tuniberg und Kaiserstuhl rahmen das Stadtbild ein. Unter den heute noch vorhandenen Bauwerken sind Schwaben- und Martinstor zu erkennen, die Kirche des Augustiner-Eremitenklosters, der Franziskaner, dazu das im Zweiten Weltkrieg zerstörte Dominikanerkloster. Aufschlußreich ist die, wenn auch nur teilweise ausgeführte, Wiedergabe der Vorstadt Neuburg (rechts), mit eigener Stadtmauer und Pfarrkirche, dazu den Niederlassungen der Johanniter (rechts vorn) und des Deutschritterordens (darüber). Außerdem gab es hier noch ein Reuerinnen-, das Allerheiligenkloster sowie ein Armenspital. Rechts neben der Burg erkennt man das frühere Dorf Adelhausen mit der Kirche des Damenstifts, das nach seiner Niederlegung die Wilhelmiten-Niederlassung in der „Froschau" – hier gleichfalls zu sehen – übernahm. Als terminus post quem der Entstehung kann das 1576 erbaute Kollegienhaus in der Bertholdstraße dienen, während die südliche Münstervorhalle von 1620 noch fehlt.
Über die Gründe, die die Fertigstellung der Zeichnung verhinderten, läßt sich nichts Sicheres sagen. Möglicherweise hätte sie als Vorlage für druckgraphische Vervielfältigung, als Kupferstich oder Radierung, dienen sollen – hierfür könnte die Darstellungsweise in Vogelschauansicht, Beschriftungstafel und Wappenschilde (Zähringen und Stadt Freiburg) sprechen.
Das einem größeren, für Erzbischof Wolf Dietrich von Raitenau angelegten Veduten-Bestand entstammende Blatt ist ein

E 39

anschaulicher Beleg für das leidenschaftliche Interesse, das jene Epoche für das Erscheinungsbild von Landschaft und Stadtporträt hegte.

Werner Noack, Freiburg im Breisgau in alten Ansichten und Plänen, in: Badische Heimat 16 (1929), S. 36–49; derselbe, Eine neue Ansicht von Freiburg aus dem 16. Jahrhundert, in: Zs. des Freiburger Geschichtsvereins 43 (1931), S. 55–66, Taf. nach S. 54. *Ge.*

E 39

Entwurf für das Grabmal Graf Ludwig Casimirs von Hohenlohe und seiner Gemahlin Anna von Solms-Laubach

Johann von Trarbach (1530–1586)
Simmern (Hunsrück) 1568

Feder in Braun
56,5 x 29 cm. Spuren ehemaliger Bindung, angeklebter halber Foliobogen. Wasserzeichen: Äskulapstab über Wappenschild (?) mit Andreaskreuz.

Neuenstein, Fürstlich Hohenlohesches Zentralarchiv, Abtlg. N.L. Sch. Nr. 5

Die skizzenhafte Niederschrift, die eine zwar schwungvoll zupackende, aber ungeübte und wenig differenzierte Zeichnerhand verrät, bietet einen ersten Entwurf für das Grabmal des Grafen Ludwig Casimir von Hohenlohe und seiner Gemahlin, einer Gräfin von Solms, im Chor der Stiftskirche von Öhringen. Zwar erscheint in ihm die Gesamtanlage bereits gültig fixiert, Einzelheiten wurden jedoch in der Ausführung noch verändert. Vom humanistischen Bildungsideal geleitet, mußten die Engel mit den Leidenswerkzeugen durch klassische Tugend-Allegorien ersetzt werden.
Größeres Gewicht erhielt auch der standesgemäße genealogische Bezug durch zusätzliche Wappenschilde. Insgesamt sind es nun 16 (sog. „Ahnenprobe"). Die in Witwentracht gegebene Gräfin erscheint in der Ausführung bedeutend kleiner als ihr Gemahl, weshalb die Schrifttafeln über den Köpfen herabgerückt werden mußten. Die im Entwurf nur flüchtig angedeutete Hintergrundlandschaft gibt sich später, feinfühlig durchgearbeitet, als Jerusalem zu erkennen. Das Ganze stellt in der starken Betonung von Wort und Gedanken eine charakteristisch protestantische Lösung dar.
Der 1568 verstorbene Fürst (geb. 1517), der bei der Landesteilung 1555 zum Stifter der Grundlinie Hohenlohe-Neuenstein wurde, hatte in seiner Grafschaft die Reformation eingeführt. Er war ein Stiefbruder des Grafen Eberhard, der zwei Jahre später an den Folgen der „Waldenburger Fastnacht" auf schreckliche Weise ums Leben kam (s. Kat.Nr. F 55).
Bildhauer-Entwürfe dieser Art sind ihres geringen „Kunstwerts" wegen selten erhalten geblieben. Die vorliegende Arbeit, die alle Züge eines „primo pensiero" aufweist – dessen Ausführung zudem noch erhalten ist –, ist von daher ein seltener Glücksfall.

Karl Schumm, Johann von Trarbachs Grabmal des Grafen Ludwig Casimir von Hohenlohe in der Stiftskirche zu Öhringen, in: Veröffentlichung des Historischen Vereins Heilbronn, 22 (1957), S. 95–110, Abb. S. 98. *Ge.*

E 40

E 40

Jagdtreiben mit Darstellung des Kleinen Lusthauses im Garten der Herzogin in Stuttgart

Eberhard van Backe (um 1535 – nach 1586 ?), Kopie nach
Stuttgart, um 1572

Feder in Braun über Stiftskizze
20,3 x 32,6 cm. In der Darstellung mehrfach beschriftet „F" (? Farbangabe, Personenmarkierung). Wasserzeichen: Springender Hirsch und Württembergisches Wappen

Braunschweig, Herzog Anton Ulrich-Museum, Inv.Nr. ZWB VIII 54

Die Wiedergabe des von Stichen her bekannten „Kleinen" Stuttgarter Lusthauses sowie das Württembergische Wappen (s. Kat.Nr. E 41/42) erlauben es, eine 15 Blätter umfassende Zeichnungsfolge des Braunschweiger Kabinetts nach Stuttgart zu lokalisieren. Dieser Bestand ist allerdings nicht einheitlich. Zwölf Blätter enthalten Wand- und Deckenmalereien, die sich im dargestellten, um 1555 von Herzog Christoph erbauten Kleinen Lusthaus im Garten der Herzogin befunden haben. Für drei weitere (Kat.Nr. E 41/42) ist ein anderer Verwendungsort anzunehmen. Bei der „Lusthaus"-Folge dürfte es sich um zeitgenössische Nachzeichnungen handeln. Die zugrundeliegenden Wand-und Deckenbilder werden von Werner Fleischhauer dem württembergischen Hofmaler Eberhard van Backe zugeschrieben.
Urkundlich ist überliefert, daß der kleine achteckige Zentralbau, der im Obergeschoß ein Brunnenwerk beherbergte, erstmals 1556 und erneut 1572 mit „Forsten, Tälern und Jägerei", mit „Hirsch-, Schweine- und Bärenjagden künstlich ausgemalt" war. Philipp Hainhofer weiß 1606 von „allerlay schlösser und landtschafften in Württemberg oben herumb (im Obergeschoß) abkonterfettet" zu berichten. Diese Thematik, die die damalige Leidenschaft für die Jägerei mit – zumindest chiffrierten – Ortsansichten und wohl auch Porträts verband, entspricht dem, was wir von den 1590 begonnenen Malereien im Neuen Stuttgarter Lusthaus oder den gezeichneten „Waidwerken" von Johann Steiner (Kat.Nr. E 43), Jakob Züberlin (Kat.Nr. E 48) und Hans Dorn her kennen. Während Steiner sich aber um stärkere Gliederung und Tiefenräumlichkeit bemüht, erscheinen hier die Flächen akzentlos kleinteilig ausgefüllt mit Bäumen, Buschwerk und wimmelnden Figürchen, von der Wirkung eines Stoffmusters. Die bilderbogenartig muntere Dekoration überzog sowohl das Gewölbe der offenen Säulenhalle im Erdgeschoß, als auch die Gewölbezwickel im Obergeschoß und das Bogenfeld über dem Innenportal. Ob auch die darunter liegenden Wandflächen ausgemalt waren, entzieht sich unserer Kenntnis.
Unter den vielfältigen „Gelegenheiten", die ein kulturgeschichtlich breites Bild ergeben, findet sich manches Drollige: Jäger flüchten vor Keilern auf Bäume, Hundeführer werden von ihrer Meute

E 41

E 42

umgerissen usw. Innerhalb der hier gezeigten Darstellung läßt sich mit einiger Wahrscheinlichkeit Herzog Ludwig selbst ausmachen, der – zwischen zwei Begleitern – den Tod eines von Hunden umstellten Marders (?) verfolgt. Die Ortsansichten oder Burgen im Hintergrund ließen sich noch nicht identifizieren. Ähnliche Gewölbedekorationen mit Ereignissen des Hoflebens, um Veduten bereichert, finden sich von der Hand Hans Bocksbergers d. Ä. um 1543 bereits in der Landshuter Residenz; auch die Jagdstücke Lukas Cranachs d. Ä. gehören demselben Typus an, der anscheinend erstmals mit Barent von Orleys (zwischen 1521 und 1530 entstandenen) Gobelinentwürfen der „les belles chasses" des Kaisers Maximilian greifbar wird.

Fleischhauer 1971, S. 40, 64, 160 f., Abb. 24. *Ge.*

E 41/42

Wanddekorationen mit Jagdszenen

Stuttgart, um 1575

Feder in Grau, grau laviert (der württembergische Wappenschild farbig)
20,2 x 32,7 cm und 20,2 x 32,9 cm

Braunschweig, Herzog Anton Ulrich-Museum, Inv.Nr. ZWB VIII 51 und 52

Drei Darstellungen der Braunschweiger Folge heben sich durch ihre sorglosere Handschrift und die Lavierung von den übrigen Blättern ab. Sie lassen sich im Raumprogramm des „Kleinen Lusthauses" (Kat.Nr. E 40) nirgends unterbringen und müssen einem anderen, bisher noch nicht bestimmbaren fürstlichen Gemach zugehören. Die kleinfigurigen, teppichhaften Jagdbilder, die auch die tiefen Fensterleibungen füllen, kommen denen des Kleinen Lusthauses – die Werner Fleischhauer dem Maler Eberhard van Backe zuschreibt – nahe und mögen gleichfalls von ihm konzipiert sein. Die lockere Niederschrift und das malerische Helldunkel der Lavierung erinnern andererseits stark an seinen Nachfolger Hans Steiner. Es könnte sich demnach um ein von Backe beeinflußtes Steinersches Frühwerk handeln – somit um echte Entwürfe – oder aber um dessen Nachzeichnungen nach Arbeiten des älteren Meisters. Das zugehörige dritte – nicht ausgestellte – Blatt gibt einen Wandabschnitt mit doppelflügeligem, waagerecht unterteiltem Fenster und umlaufender Bank wieder. Ähnlich mag die entsprechende Wandzone des Kleinen Lusthauses ausgesehen haben. Die Veduten scheinen auch hier eher symbolischen Charakter zu besitzen. Mit der von Vögeln umflogenen Burg auf steilem Fels in der Erkernische mag der seinerzeit württembergische Hohentwiel gemeint sein. Motivisch interessant sind illusionistische trompe-l'œil-Effekte, die wir von der Stuttgarter Hofkunst bisher noch nicht kannten, wohl aber vom Dekorationsprogramm, das Friedrich Sustris für Erbprinz Wilhelm von Bayern seit 1576 auf Schloß Trausnitz bei Landshut in Angriff nahm. Wenn es dort u.a. gemalte Trabanten sind, so hier ein aufrechtstehender Bär, der – vermutlich zum Erschrecken von Eintretenden – in eine Türleibung hineinkomponiert ist. Das Türblatt (oder die Nischenrückwand) täuscht eine Felswand vor, aus der durch ein Loch ein Jäger hereinschaut. Von ähnlicher, aber raffinierterer Wirkung sind gemalte Tücher, die in Höhe der Rückenlehne einer umlaufenden Sitzbank die Malerei-Zone nach unten hin abschließen, durch die optische Verbindung mit den weitläufigen Tuchabsperrungen („Garn") der Jagdszene zugleich aber die Raumillusion steigern.

Unveröffentlicht. *Ge.*

E 43

E 43

Wildschweinjagd bei Bebenhausen

Johann Steiner (um 1550–1610)
Stuttgart, 1576

Feder in Braun, grau laviert
29,7 x 41 cm. Bezeichnet im Himmel: *1576 schweingehetz/ bei beben haussen;* darüber weiteres, unleserlich

Stuttgart, Staatsgalerie, Graphische Sammlung, Inv.Nr. C 65/1401

Die Wildschweinjagd findet im waldreichen Hügelland des Schönbuchs, nahe dem ehemaligen Zisterzienserkloster Bebenhausen statt, das nach seiner Aufhebung in der Reformationszeit als Jagdsitz Verwendung fand. Hinten sieht man es, von weiter Mauer umgeben, liegen. Auf der Lichtung im Vordergrund sind Jagdschirme aufgestellt, hinter denen sich „Frauenzimmer" zum Picknick niedergelassen haben und der Künstler selbst *(hänßli),* neben seinem Pferd stehend, die Szene in einem Skizzenbuch festhält. Man sieht durch Tücher geschützte Jagdhunde, Jäger und Treiber; das Verfolgen, Abstechen und Fortziehen der Sauen; sowie allerlei Schabernack, den die Hundeführer mit ihrer Meute treiben. Auch Herzog Ludwig und seine Gemahlin sind zugegen. Der Jägermeister erstattet ihnen gerade Bericht. Alles dies ist frisch und lebendig geschildert; sicherlich exakt in den sachlichen Details, aber ohne höheren Kunstanspruch.
Hans Steiner, maßgeblicher Hofmaler unter Herzog Ludwig, hatte anscheinend offiziellen Auftrag, derartiges Geschehen als „Bildberichter" festzuhalten. Nicht weniger als sieben z.T. doppelseitig gefüllte Zeichnungen mit „Waidwerken" seiner Hand sind bisher bekannt geworden. Stets handelt es sich dabei um tatsächliche Ereignisse, die durch reale Veduten und Porträtfiguren noch an dokumentarischer Authentizität gewinnen. Ihr hier noch recht harmlos additiver Erzählstil gewinnt mit der Zeit an Dramatik und Fülle.

Fleischhauer 1971, S. 165 und Abb. 103; Stuttgart 1979/1981, Bd. 2, G 1. *Ge.*

E 44

Das Vogelschießen am Stuttgarter Lustgarten im Jahre 1581

Johann Steiner (um 1550–1610)
Stuttgart, um 1585

Feder in Braun, grau laviert, auf gebräuntem Papier
20,3 x 31,9 cm. Quadriert und beschnitten, größere Fehlstellen besonders an den Ecken. Erklärende Aufschriften, auch auf der Rückseite (durch aufkaschierte Unterlage unleserlich). Am Oberrand: *Die heben des gemels 30 schuch... / zu dem himell 30 schuch auf baiden seitten/ ain* (?bi)*ldt 5 schuch die gresten bi*(l)*der so vest* (?)*/ an der...;* weiteres in der Darstellung, u.a. die Jahreszahl *1581.*

Basel, Kunstmuseum, Kupferstichkabinett, Inv.Nr. 1913.63

Die figurenreiche Darstellung schildert in zahlreichen Einzelszenen ein Armbrustschießen, das im Jahre 1581 anläßlich der Hochzeit von Graf Friedrich von Württemberg-Mömpelgard (der seit 1593 als Herzog von Württemberg regierte) mit Fürstin Sibylla von Anhalt auf der an den Stuttgarter Lustgarten anschließenden „Malstatt" abgehalten worden war. Ein Eßlinger Bürger hatte damals den auf hoher Stange befestigten Vogel abgeschossen und damit den Hauptgewinn, einen Ochsen mit vergoldeten Hörnern und einer „tafeten Decke", in die benachbarte Reichsstadt entführt. Dieses Festereignis ist mit vielen kulturhistorisch aufschlußreichen Details festgehalten, mit Gruppen von Armbrustschützen, Trommlern und Pfeifern, mit Festzelten und Verkaufsbuden *(Wein Zeld, Kech Zeld, hertzogs Zeld, frawen Zimmer* usw.). Die Darstellung des gut erkennbaren Lustgartens mit Altem, Neuem und dem Kleinen Lusthaus im Garten der Herzogin (s. Kat.Nr. E 40), dem zinnenbekrönten Franzenstor und dem sog. Ölberg rechts davon ist eine der frühesten, die wir von dem interessanten Architekturensemble kennen. Die Gebäude im Hintergrund – Schloß, Stiftskirche und alte Kanzlei – sind in ihren oberen Partien z.T. falsch ergänzt. Schwierigkeiten bereitet die Datierung 1581, denn für dieses Jahr ist zwar ein Vogelschießen überliefert (wie auch für 1579, 1580, 1586 und 1587), aber das Neue Lusthaus wurde erst seit 1584 (Grundsteinlegung) erbaut. Zudem weicht seine Wiedergabe in der Zeichnung vom ausgeführten Bau durch das Fehlen der vorkragenden Zwerchgiebel ab. Dies könnte für eine nachträgliche Planänderung sprechen oder aber – was wahrscheinlicher erscheint – ein Folge zeichnerischer Ungenauigkeit sein. Die Aufschrift am Oberrand bezeugt, daß ein Entwurf für eine großformatige Wandmalerei, wahrscheinlich für ein herzogliches Gemach vorliegt. Vermutlich wollte man dabei auf die Darstellung des Neuen Lusthauses, seiner Bedeutung wegen, nicht verzichten, obgleich das

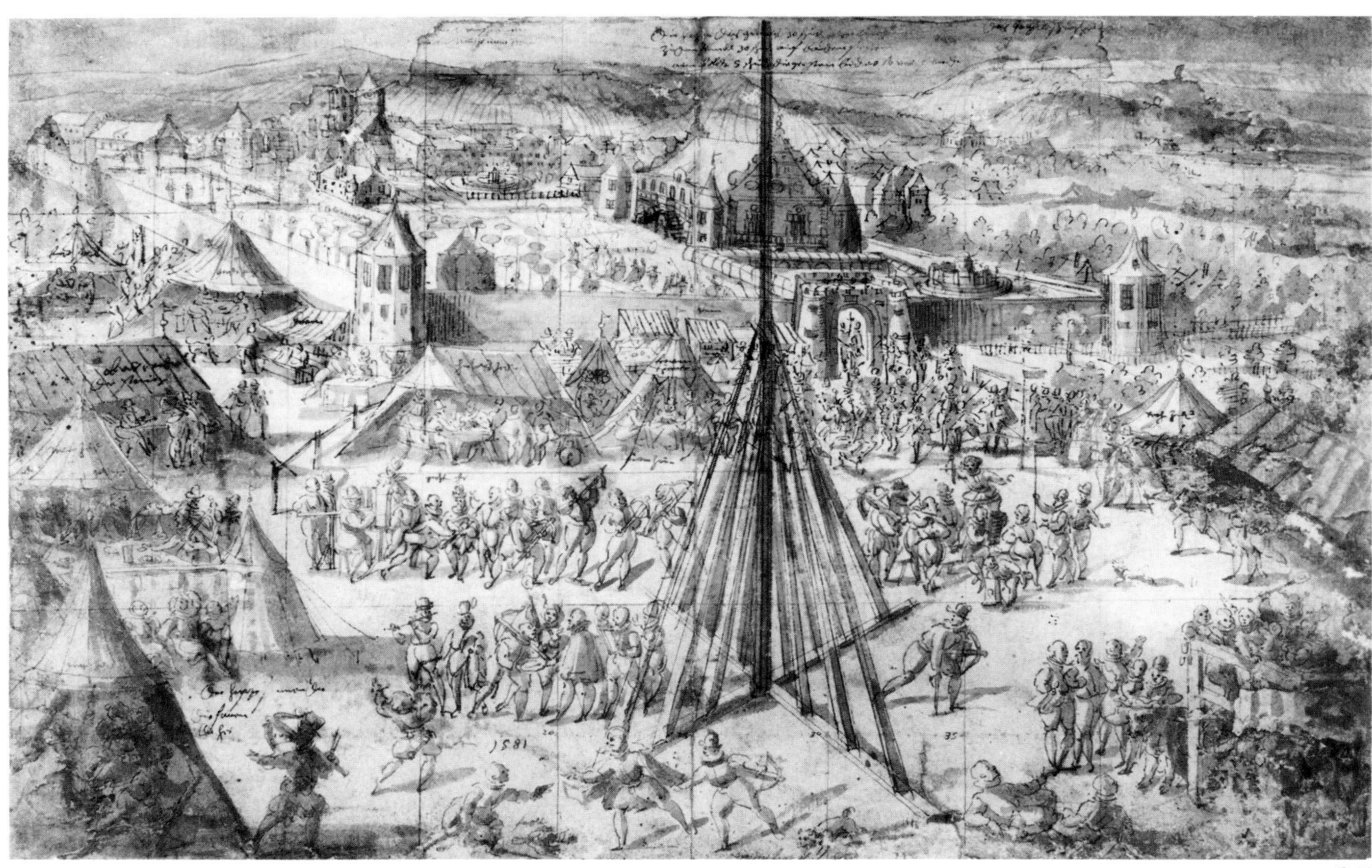

E 44

geschilderte Ereignis dies eigentlich ausgeschlossen hätte.

Geissler 1969, S. 79 ff., Abb. 3; Fleischhauer 1971, S. 60 und Abb. 34. *Ge.*

E 45–47

Entwürfe für das Grabmonument württembergischer Grafen in der Stuttgarter Stiftskirche

E 45

Graf Ulrich I., der Stifter („mit dem Daumen")

Johann Steiner (um 1550–1610) Stuttgart, um 1578

Feder in Grau über Stiftskizze; Figuren, Löwe und Wappen farbig laviert 31,5 x 21 cm. Aufgezogen.

Budapest, Szépmüvészeti Muzeum, Graphische Sammlung, Inv.Nr. 244 (als „Sem Schlör")

Graf Ulrich der Stifter (reg. 1241–1265) verdankt seinen Beinamen der Stiftung oder Erweiterung des Chorherrenstifts Beutelsbach, das bis 1321 die württembergische Familiengruft beherbergte. Die sorgfältig durchgeführte, prächtig aquarellierte Zeichnung gehört einer neun Blätter enthaltenden einheitlichen Folge in Budapest an, die aufgrund von Abweichungen vor dem elf württembergische Agnaten umfassenden Denkmalzyklus im Chor der Stuttgarter Stiftskirche – jedenfalls zu dessen Vorbereitung – entstanden sein müssen. Urkundlich sind wir über ihren langwierigen Entstehungsprozeß ziemlich gut unterrichtet. Bereits 1574 scheinen unter Herzog Ludwig erste Überlegungen einzusetzen, 1577 wird dann vom Augsburger Bildhauer Paulus Mair eine in Holz geschnittene Probefigur als Gußmodell geliefert. Damals war noch an eine Ausführung in polychromiertem Eisenguß gedacht. Im Folgejahr erging der Auftrag dann aber an den in der Reichsstadt Schwäbisch Hall ansässigen Sem Schlör, der die Folge 1579–1584 in Sandstein erstellt – als letztes Stück Graf Ulrich den Stifter. Die Budapester Entwürfe zeigen, abweichend von der Ausführung, die abwechslungsreich postierten Figuren und heraldischen Embleme in farbiger Fassung, die Gestalten selbst in architektonisch geschlossenen Rahmengehäusen. Schlör, dem die Entwürfe traditionell zugeschrieben werden, kann jedoch als Zeichner und Aquarellist kaum eine derartige Fertigkeit besessen haben. Viel eher kommt hierfür der Hofmaler Steiner in Betracht, von dem bekannt ist, daß er Werk- und Umzeichnungen für die Skulpturen anzufertigen hatte, und an den auch physiognomische Einzelzüge unserer Folge erinnern. Auffallend ist der geradezu humorvoll-despektierliche Gegensatz zwischen den bedeutungsvoll posierenden Herrschergestalten und den unheroischen Löwen zu ihren Füßen. Wenn hierfür Steiner als Zeichner anzunehmen ist, so doch schwerlich als alleiniger Entwerfer. Bei der Auswahl der persönlichen Kennzeichen haben sicherlich Ratgeber wie der Jurist Dr. Gadner und der Hofregistrator Rüttel mitgewirkt. Aufbau und Zierformen mögen auf Vorschlägen des Bildhauers Schlör beruhen, dessen eigenen Entwurf man sich wohl in der Art Johann von Trarbachs (Kat.Nr. E 39) vorzustellen hätte.

Die Budapester Redaktion dürfte als Steinersche Reinfassung aufzufassen sein, die vorausgegangene Überlegungen und Entwürfe zu einheitlichem – freilich noch nicht endgültigem – Erscheinungsbild zusammenfaßt.

Edith Hoffmann, Neue Bestimmungen in der Zeichnungensammlung, in: Jahrbücher des Museums der Bildenden Künste, VI, Budapest 1931, S. 202 ff., Abb. 84, 85; Geissler 1969, S. 91–94, Abb. 8–11; Fleischhauer 1971, S. 137–139. *Ge.*

E 45

E 46

E 47

E 46

Graf Eberhard III., der Milde

Johann Steiner (um 1550–1610)
Stuttgart, um 1578

Feder in Grau über Stiftskizze; Figuren, Löwe und Wappen farbig laviert
31,5 x 21 cm. Aufgezogen.

Budapest, Szépmüvészeti Muzeum, Graphische Sammlung, Inv.Nr. 243 (als „Sem Schlör")

Der württembergische Regent (1392 bis 1417) ist recht martialisch mit wallendem schwarzen Bart, mit Marschallstab und Schwert auf seinem emporblickenden Löwen stehend dargestellt. Er trägt einen Phantasie-Harnisch, über dem Brustpanzer den burgundischen Orden vom Goldenen Vlies (den er jedoch nicht getragen haben kann, da er erst im Jahr 1430 gestiftet wurde). Wenn hier die markanten Hermenköpfe und lustigen Putti in den Bogenzwickeln die Würde des Herrschers in aufdringlicher Nähe beeinträchtigen, so erscheint dies beim ausgeführten Bildwerk stark gedämpft. Das sparsam verteilte, relativ großformatige Zierwerk – Roll-, Schweif- und Beschlagwerk, Bandbordüre und Trophäen – dürfte vom Bildhauer selbst angegeben worden sein. Die wirkungsvolle Lavierung mit prächtig schimmerndem Harnisch sowie eine Tendenz zum launig Grotesken in der Figurenwiedergabe scheinen dagegen für Johann Steiner charakteristisch.

Lit. wie E 45 *Ge.*

E 47

Graf Eberhard IV.

Johann Steiner (um 1550–1610)
Stuttgart, um 1578

Feder in Grau über Stiftskizze; Figuren, Löwe und Wappen farbig laviert
31,5 x 21 cm. Aufgezogen.

Budapest, Szépmüvészeti Muzeum, Graphische Sammlung, Inv.Nr. 248 (als „Sem Schlör")

Der als Jüngling dargestellte Graf ist jung an der Pest verstorben. Er regierte nur etwa zwei Jahre (1417–1419). In kapriziösem Schreitmotiv, die Linke in die Hüfte gestemmt, die Rechte mit dem Kommandostab nach vorn gestreckt, stellt er sich dem Beschauer entgegen. Das Aufruhen seiner gepanzerten Füße auf dem rundlichen Löwen wirkt – wie auch sonst innerhalb der Folge häufig – ziemlich mißglückt, denn das von Grabfiguren auf Tumbendeckeln abgeleitete symbolische Motiv läßt sich mit den renaissancemäßigen Stand- oder Schreitfiguren kaum mehr in Einklang bringen. Die leere Inschrifttafel unter dem württembergischen Hauswappen verkündet in der plastischen Ausführung Namen und Bedeutung des Dargestellten. Der Putto rechts präsentiert den Wappenschild der Grafschaft Mömpelgard, die durch des Grafen Heirat an das Haus Württemberg gefallen war. Das allzu stark dominierende Rahmenwerk tritt bei den Bildwerken zugunsten der Figuren zurück. Sicherlich wäre dies noch weit stärker der Fall, wenn diese – was offenbar beabsichtigt war – farbig gefaßt worden wären.

Lit. wie E 45 *Ge.*

E 48

Dachsjagd im Stuttgarter Lustgarten

Jakob Züberlin (1556–1607)
Stuttgart/Tübingen, 1588

Feder in Braun, grau laviert
23,5 x 42 cm. Unregelmäßig beschnitten, senkrechter Faltenbruch in der Mitte. Erklärende Aufschriften, u.a.: *dax gehetz im Dier gartten bey/dem dax bau ao 1588/bey dem schießhaus,* sowie Namensbeischriften.

Köln, Wallraf-Richartz-Museum, Inv.Nr. Z 428

Im Gegensatz zu den am Stuttgarter Hof sonst gepflegten szenisch abgeschlossenen Ereignisschilderungen, die von Johann Steiner, aber auch den „Aushilfskräften" Hans Dorn und Christoph Friedel d.Ä. (Kat.Nr. E 49) überkommen sind, handelt es sich hier um ein Studienblatt, in dem verschiedene Situationen der Dachsjagd ohne kompositorische Absicht auf dem Blatt vereint sind. Die schlichten Bildprotokolle, bei denen es vor allem auf waidmännisches Verständnis, d.h. auf leichte Ablesbarkeit und Wirklichkeitsnähe der einzelnen Jagdetappen, aber auch auf bildnishafte Erkennbarkeit der fürstlichen Teilnehmer ankam, dienten wahrscheinlich als Vorarbeiten für Wandmalereien in einem Gemach Herzog Ludwigs im (alten) Stuttgarter Schloß. In den Folgejahren 1589/90 hat Züberlin von der Hofkammer eine größere Zahlung für ein oder mehrere Gemälde mit „Reiher- und Schweinehatz, Dachsgraben, Otterfang und Fischereien" erhalten, die sich sehr wohl hierauf bezie-

E 48

hen könnte. Die Zeichnung schildert das Aufgraben der Dachsröhre, das Abhorchen, um seine Anwesenheit festzustellen *(geher),* Verschließen des Ausgangs durch einen Holzdeckel, Hereinlassen der Hunde usw. Mit „Dachszangen" wird der Flüchtling danach festgehalten, um den kleinen Prinzen *(junng her von wirthemberg, graf friedrichs son, Junger her Pfalzgrav)* die Gelegenheit zu geben, das hilflose Tier abzustechen. Die Dachsjagd war vermutlich aus Anlaß eines Besuchs von Pfalzgraf Ludwig VI. für dessen Söhne und den jungen Herzog Johann Friedrich inszeniert worden.
Eine stilistisch verwandte „Hasenjagd" unseres Künstlers kam kürzlich in der Graphischen Sammlung des Art Institutes of Chicago zum Vorschein (Ausst.kat. Drawings from the Holy Roman Empire, 1540/1680, Princeton etc. 1982/83, Nr. 38).

Geissler 1969, S. 96, Abb. 16; Fleischhauer 1971, S. 161, Abb. 99; Stuttgart 1979/1981, Bd. 2, G 4. *Ge.*

E 49

E 49

Ein Festbankett im Stuttgarter Schloß

Christoph Friedel d. Ä. (um 1550 – vor 1629) zugeschrieben
Stuttgart, 1579

Feder in Braun, violett laviert
31,9 x 48,6 cm. Am Oberrand beschriftet: *Ao 1579 ist dieß banckedt zu stuttgardt gehaldten…/in meines gn*(ädigsten) *f*(ürsten) *und herrn gemach ist graff friederich dabey gewessen;* Namensbeischriften in der Darstellung. Ein nachträglich zur Verstärkung auf die Rückseite geklebter Briefwechsel mit dem Obervogt Philipp Heinrich von Sperberseck, datierbar 1617/24, nennt als Anschrift *Christoff Friedel Bürger und Maler in S*(chwäbisch) *Gemundt…*

Coburg, Kunstsammlungen der Veste Coburg, Inv.Nr. Z 259

Das dargestellte Ereignis wurde von Werner Fleischhauer mit einem Festbankett identifiziert, das Herzog Ludwig von Württemberg am ersten Tag des Jahres 1579 zur Feier seiner Volljährigkeit gegeben hat. Derartige Begebenheiten, vor allem aber die Hofjagden, wurden damals in Stuttgart häufig in Zeichnungen festgehalten. Insgesamt vermitteln sie ein anschauliches Bild höfischen Lebens an einer mittleren Residenz gegen Ende des 16. Jahrhunderts. In einem rechteckigen Saale mit Kassettendecke ist die Tafel gerichtet. Links befindet sich der Vorschneidetisch und ein Schaubuffet mit vielgestaltigen Trinkgefäßen, rechts eine weitere Anrichte. Diener und Edelknaben warten auf, bringen Trinkgeschirr und Speisen in verdeckten Schüsseln. Links erkennt man den Hofnarren, rechts vorn Musikanten der Hofkapelle, hinten Sänger und eine Bläsergruppe. Im Gedränge der Festgäste sind durch Inschriften der Herzog und seine Gemahlin, eine Markgräfin von Baden-Durlach, kenntlich gemacht, dazu der Mömpelgarder Vetter Graf Friedrich sowie ein Vertreter der „Landschaft" (Ständevertretung).
Stilistisch steht der Künstler in einer hauptsächlich von Johann Steiner her bekannten Tradition, dessen malerisch fluktuierende Lebendigkeit er jedoch in keiner Weise erreicht. Die Zeichnung ist gleichwohl ein kulturhistorisch bedeutsames Dokument. Die Autorschaft des älteren Friedel erscheint allerdings nicht gesichert. Der rückseitige Briefwechsel könnte auch an dessen gleichnamigen Sohn gerichtet, die Zeichnung von anderer Hand sein.

Werner Fleischhauer, Ein Fest im Stuttgarter Alten Schloß, in: Beiträge zur Landeskunde. Regelmäßige Beilage zum Staatsanzeiger für Baden-Württemberg, 4, Okt. 1964, S. 9 ff.; Geissler 1969, S. 20 ff., Abb. 20; Fleischhauer 1971, S. 170, Abb. 106. *Ge.*

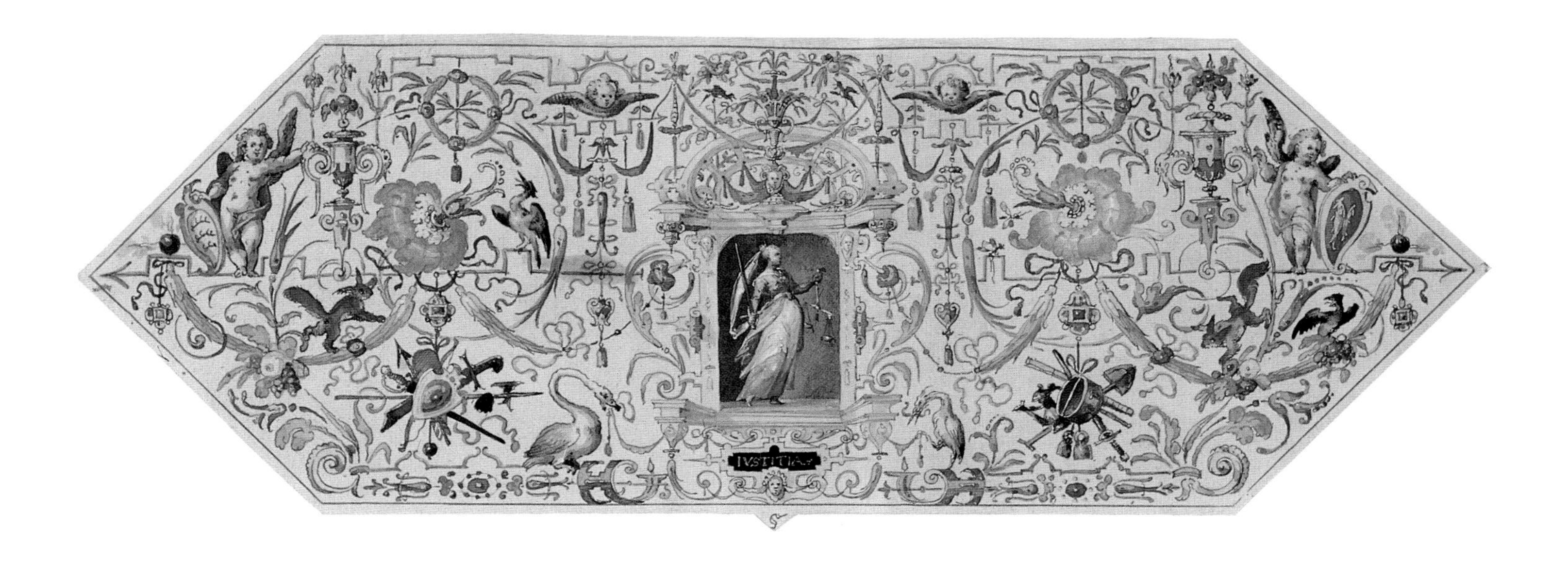

E 50

E 50

Entwürfe für die Dekoration eines Saales auf Schloß Hellenstein bei Heidenheim

Esaias van Hulsen (1570 – nach 1620) (?)
Stuttgart, 1606/1608

20 Blätter, dazu Maßstab, montiert auf neun Kartons.
Feder in Braun, in Aquarell- und Deckfarben kolloriert. Verschiedene Maße (die Kartons: 56,8 x 44,3 cm). Alternierende Felderfüllungen, verschiedenartig begrenzt und ausgeschnitten; aufgelegt und gebunden. Auf einer Unterlage alt bezeichnet: *Visierung zum Sal zu/Haidenheim.*

Stuttgart, Württembergische Landesbibliothek, Inv.Nr. 1936/4195

Der aus Fürstlich Öttingen-Wallersteinschem Besitz stammende Band dokumentiert in mehrfachen Entwurfsvarianten eine geplante Ausmalung von Decke und Wand eines runden Saales, den Herzog Friedrich von Württemberg im Südwest-Rondell des Schlosses Hellenstein über Heidenheim einrichten ließ. Der Ausbau der Bergfeste lag – nach Werner Fleischhauer – in den Händen von Heinrich Schickhardt und hat anscheinend besonders die späteren Regierungsjahre des 1608 verstorbenen Regenten ausgefüllt. Wenn es zutrifft, daß das „Türmchen auf dem runden Saal" erst 1606 gedeckt worden ist (E. Gradmann, Die Kunst- und Altertumsdenkmale im Königreich Württemberg, Jagstkreis 2, Oberamt Heidenheim. Eßlingen 1913, S. 46), dürfte die Ausmalung erst danach erfolgt sein. Die von Putti präsentierten Insignien des englischen Hosenband- und des französischen Michaelsordens weisen jedenfalls auf Herzog Friedrich als Auftraggeber hin. Andere Genien halten „Reichssturmfahne" und Herzogskrone. Ein großformatiges Rundblatt zeigt die gesamte, geradlinig unterteilte Felderdecke, deren Mittelstück das württembergische Vollwappen in zwei Varianten enthält. Die vier anschließenden Sektoren werden in unterschiedlicher Gestaltung dargeboten. Dabei war auch an Intarsien in mehr oder weniger aufwendiger Ausführung gedacht, die von einfachen Rahmenmotiven über reichere Roll- und Schweifwerk-Füllungen bis hin zu zierlichen Spiralranken-Feldern mit Engelsköpfchen, Vögeln und Maskarons reicht. Weitere nur als Malerei vorstellbare Alternativlösungen werden in numerierten Teilstücken vorgestellt, darunter einer acht Blätter umfassenden Serie mit Tugend-Allegorien und reizendem Groteskenzierat mit naturalistisch gebildetem Getier, Blumenbuketts, Trophäen usw., die inhaltlich den jeweiligen Tugenden zugeordnet sind. Von den Ornamentfeldern mit „Spes" (Hoffnung), „Prudentia" (Klugheit) und „Patientia" (Geduld) fanden sich weniger qualitätvolle Wiederholungen unter den unbekannten Zeichnungen der Münchner Graphischen Sammlung (Inv.Nr. 14708–14710, „Münchner Schule um 1600"). Eine Variante des Mittelfelds zeigt das württembergische Wappen von Knieband bzw. Kette der genannten Orden eingefaßt. In den Zwickeln finden sich hierbei, neben der Reichssturmfahne noch die Wappenkleinodien (Hifthorn = Urach, Brake = Teck, Jungfrau = Mömpelgard). Zur Wanddekoration liegt nur ein einziger Entwurf vor, der einen illusionistisch gemalten Behang unter den Kreuzeck-Fenstern aufweist. Darüber befinden sich Rundfenster, von Rollwerk und Fruchtgirlanden umrahmt und durch obeliskenartige Vasen voneinander geschieden. In der Mitte zielt Amor mit Pfeil und Bogen direkt auf den Beschauer. Die Farbigkeit steigert in ihrer freundlich lichten, von Changeanttönen belebten Buntheit die Zierlichkeit des Ornaments. Vermutlich gelangte die Grotesken-Dekoration mit den Herrschafts-Insignien und Tugenden zur Ausführung, denn eine Beschreibung von 1791 erwähnt einen „... schönen runden Saal..., dessen Wände und Decke, in dem jetzt wieder auflebenden hetruskischen Geschmack, bemalet sind" (P.L.H. Röder, Geographisch-statistisch-topographisches Lexikon von Schwaben, I, Ulm 1791, S. 693). 1810 wurde die einstige Pracht durch Abriß rigoros beseitigt. Der Autor der Entwürfe ließ sich noch nicht ermitteln. Wahrscheinlich ist die Verwendung der italienisierenden Groteske von der Münchner Hofkunst (Schloß Trausnitz bei Landshut, um 1578; Antiquarium und Grottenhof der Münchner Residenz, 1586ff.) angeregt. Gleichwohl kommen weder ihr Initiator Friedrich Sustris (der bereits 1599 verstorben war) noch sein Nachfolger Hans Krumper, Peter Candid oder Hans Werl – die wichtigsten Münchner Hofkünstler jener Jahre – aufgrund ihres abweichenden Zeichenstils in Betracht. Desgleichen spricht gegen sie der Umstand, daß zumindest die Figurenmotive von Spes, Caritas und Fortitudo von Stichen nach Hendrick Goltzius entlehnt sind (s. The Illustrated Bartsch, hrsg. von Walter L. Strauss, 4, New York 1980; Matham, Nrn. 265, 266, 269). Schmuckwerk und Getier wirken dagegen fein empfunden und dürften auf eigener Erfindung des Zeichners beruhen, der sich dabei an Vorlagen wie Hans Vredeman de Vries' Folge „Grottesco in diversche manieren" (Berliner 1926, Taf. 167–169) orientieren konnte. Unter den am Stuttgarter Hof beschäftigten Künstlern möchte man als Autor am ehesten an den aus Middelburg (um 1570) gebürtigen Maler und Goldschmied Esaias van Hulsen denken, von dem radierte Groteskenfolgen aus den Jahren 1606, 1609, 1616 und 1617 mit ähnlichen Vögeln, Schmetterlingen usw. bekannt sind. Zwar wird er erst im April 1611 mit festem Jahressold in den Hofdienst übernommen, muß jedoch bereits vorher in Stuttgart tätig gewesen sein. Bis in die 1620er Jahre war er hier, neben Johannes Altermann, die maßgebliche Persönlichkeit für dekorative Großaufgaben. Vielleicht darf man in den Heidenheimer Visierungen ein Frühwerk von ihm erkennen.

E 51

Auktion XIII, Karl & Faber, München 24./26. IX. 1936, Nr. 1184 und Taf. XXVI; Karl Feuchtmayr, in: Hellenstein, 30. August 1948; Fleischhauer 1971, S. 295, 366f., Abb. 199–201 („Friedrich Sustris" ?). *Ge.*

E 51

Ein Kamel

Ulm, 1573

Feder in Schwarz
19,8/19,5 x 20,9 cm. Unregelmäßig beschnitten, Fehlstellen an den Rändern. Bezeichnet: *ain Drometari ist alhie uff denn Pfingtag/ alhie zu ulm ann komen unnd gesehen worden ist .1.5.7.3.*

Stuttgart, Staatsgalerie, Graphische Sammlung, Inv.Nr. 3869

Entgegen der zugehörigen Aufschrift handelt es sich eher um ein schlecht genährtes zweihöckriges Kamel als um ein Dromedar. Der Zeichner, der das auf Jahrmärkten herumgeführte lebende Schaustück vielleicht selbst gar nicht gesehen, sondern nur aufgrund von Beschreibungen festgehalten hat, orientiert sich offensichtlich an der vertrauteren Gestalt des Pferdes. Die „dokumentarische" Zeichnung, die die Mitteilungs-Funktion eines gedruckten Flugblattes erfüllt, kommt dem Bedürfnis jener Zeit nach dem Absonderlichen und Fremdartigen entgegen. Bedeutendste Beispiele dieser Gattung liegen in den von wissenschaftlichem Interesse getragenen „Bildreportagen" Melchior Lorcks von seinem Konstantinopel-Aufenthalt (1555/56–1560) vor, die er nachträglich z.T. in Holzschnitte umsetzte.
Der Autor unserer Zeichnung ließ sich nicht feststellen. Die zeichnerische Produktion der Reichsstadt Ulm während des hier behandelten Zeitraums ist noch weithin ungeklärt.

Unveröffentlicht. *Ge.*

E 52

Entwurf für einen Brunnen im Neuen Bau zu Ulm

Peter Schmid (um 1560–1608)
Ulm, 1593

Feder in Grau, grau laviert
77 x 38 cm. Bezeichnet: *Im Jar 93 habe ich denn bronn gemacht einem Rat zu Ulm/Er ist 17 halben Schuoh hoch/Er stat im Neuen Bau am Lautenberg/zu sehen wol.* Auf dem Gesims: *15P S 93,* dazu ein Steinmetzzeichen.

Ulm, Stadtarchiv (Leihgabe im Ulmer Museum)

Der reich gezierte steinerne Schöpfbrunnen befand sich, wie die Aufschrift mitteilt, im sog. Neuen Bau, einem 1585/93 von Hans Fischer und Matthäus Gaiser errichteten großen städtischen Gebäude, das nach Art des zeitgenössischen Schloßbaus als Vierflügel-Anlage mit Hofarkaden und polygonalem Treppenturm ausgelegt war. Der seinerzeit in Ulm vielbeschäftigte Steinmetz Peter Schmid hatte dabei als Werkmeister auch den Treppenturm entworfen. Der Brunnen besaß nach Art eines Portals nur eine Schauseite und war dem Bauwerk gleichsam appliziert, wie ein kostbares Schmuckstück. Vermutlich befand er sich an der östlichen Wand des Innenhofs.

E 52

E 53

Unperspektivisch führt der Entwurf die genaue Formung der einzelnen Ornamentteile vor Augen, die danach beurteilt und ausgearbeitet werden konnten. Im einzelnen herrschen Roll- und Beschlagwerkmotive vor, Volutenschwünge, spangenartig verwendete diamantierte Quadern; in den Feldern der Brüstung wohlgebildetes Schweifwerk mit Blattornamenten, das sicherlich graphischen Vorlagewerken entstammt. Die üppigen Kapitelle setzen sich aus spiralig eingedrehten, mit Fruchtschnüren und Blattmasken dekorierten Voluten zusammen. Die Diskrepanz von überinstrumentiertem Stützsystem und vergleichsweise geringer Last folgt manieristischem Stilwillen, wie auch die untektonische, spielerisch schmuckhafte Gestaltung insgesamt. Reich und gegenläufig bewegt ist der Aufsatz über dem starken Gebälk. Die Wappenschilde von Stadt und Reich künden von Ulms Status als freier Reichsstadt. Der schildhaltende Löwe blieb, wie es scheint, als einziges Stück des Prachtwerks erhalten – auf dem klassizistischen Giebel des Hauses Hahnengasse 7. Vermutlich war er vom damaligen Hausbesitzer beim Abbruch des Brunnens im frühen 19. Jahrhundert hierher versetzt worden.

Schefold 1967, S. 58 und Abb. 18. *Ge.*

E 53

Die Versuchung des Malers

Hans Denzel (1572–1625)
Ulm, 1604

Feder in Schwarz, braun laviert, weiß gehöht
15,6 x 15,2 cm. Bezeichnet: *Hanns Dentzel Ulm/1604*

Düsseldorf, Kunstmuseum, Inv.Nr. FP 5506

Die humorvoll anmutende Darstellung gehört inhaltlich in den Bereich der Künstlerallegorie, die besonders bei Stammbuch- und Widmungsblättern beliebt war. Die sorgfältige, minuziöse Durchführung und das kleine Format lassen auch hier eine derartige Zweckbestimmung vermuten.
Der junge Maler steht mit rhetorischer Gebärde vor seiner Staffelei, um die herum Pinsel, Malstock und Palette, ein noch nicht angerührter Farbklumpen, dazu Bücher, Zirkel und Winkelmaß – Attribute des Künstlertums – auf dem Boden ausgebreitet liegen. Eine mondäne „Buhlerin“, die sich in Begleitung eines Mandolinenspielers mit ihrem Liebhaber hinter ihm niedergelassen hat, sucht den pflichtbewußten Jüngling zu sich herüberzuziehen. Die Szene schildert in allegorischer Bildersprache den Widerstreit des Malers zwischen höherer Berufung und den „niederen“ Gelüsten des Wohllebens. Seine theatralische Pose verrät die Kenntnis von Werken rudolfinischer Hofmaler (Spranger, Hans von Aachen) und dürfte Denzel durch Stiche vermittelt sein. Man kennt bisher noch keine weiteren Zeichnungen seiner Hand.

Stuttgart 1979/1981, Bd. 2, G 7. *Ge.*

E 54

Allegorie der Nächstenliebe

Jörg (Georg) Denzel (geb. 1584)
Ulm, 1604

Feder in Braun, braun laviert, weiß gehöht auf gelblich braun laviertem Papier
16,4 x 14,8 cm. Bezeichnet links unten: *Jerg Dentzel Ulm/1604*

München, Staatliche Graphische Sammlung, Inv.Nr. 40588

Die Personifikation der Nächstenliebe (Caritas) sitzt als junge, in weite Gewänder gehüllte Frau unter einem kräftig emporwachsenden, dicht belaubten Baum. In ihren Armen hält sie ein Kind. Drei weitere Kinder spielen zu ihren Füßen oder schmiegen sich an sie an. Links von ihr ragt eine Ruine auf, hinten brennt eine Stadt. Es ist das von den Griechen eroberte Troja, aus dem der Held Äneas, seinen Vater Anchises auf dem Rücken, die Flucht ergriffen hat – auch dies eine Verkörperung der Nächstenliebe und damit ein Pendant zur mütterlichen Frauengestalt. Von oben senkt sich ein geflügelter Genius mit Malgerät – Palette, Malstab und Pinsel – herab, von den Kindern lebhaft begrüßt. Das tartschenförmige „Lukaswappen“ neben der Frau ist ihm zugeordnet. Der etwas erklügelt wirkende Sinngehalt scheint zu besagen, daß ein fürsorgliches, „soziales“ Gemeinwesen einen günstigen Nährboden für die Künste bildet.
Jörg Denzel, ein jüngerer Bruder des Hans (s. Kat.Nr. E 53), hat die Künstlerallegorie als nur Zwanzigjähriger geschaffen. In ihrer kapriziösen Künstlichkeit, der kleinmeisterlichen Zierlichkeit kommt sie dessen Zeichnung nahe. Beide Arbeiten scheinen für die etwas blutleere, aber kultivierte und inhaltlich anspruchsvolle Ulmer Kunstszene, die in Stammbuch- und Miniaturmalerei brillierte, charakteristisch. Weitere freie Zeichnungen der oberschwäbischen Metropole sind aus diesem Zeitraum bisher nicht bekannt geworden.

E 54

Unveröffentlicht. *Ge.*

E 55

Bergige Landschaft mit hohen Bäumen

Gillis van Coninxloo (1544–1607)
Frankenthal, um 1590

Feder in Braun, grau laviert. Lavierung in der rechten Blatthälfte mit Deckweiß gemischt, weiß gehöht
20,6 x 31,1 cm

Stockholm, Nationalmuseum, Inv.Nr. 2279/1863

Eine Gruppe von hohen Baumpaaren, als Gabelformen gewachsen, erhebt sich in der Blattmitte auf einem steil abfallenden Hügel. Auf der linken Seite steigt zum Blattrand hin ein Berghang auf, von einer Burg bekrönt. In der rechten Blatthälfte liegt die Weite einer waldigen Landschaft, in die Häuser eingebettet sind und über die sich in der Ferne eine Burg erhebt. Mit spitzer Feder ist das Gerüst der Formen flüchtig, fast achtlos festgehalten. Die Lavierung mit raschem Pinsel setzt die Schattenakzente und gibt dem mit der Feder zu unbestimmt angedeuteten Laub eine gewisse Fülle. Die Weißhöhung läßt in der Weite Sonnenlichter aufleuchten.
Die Zartheit des Strichs, das Desinteresse an erzählenden Details hat diese Zeichnung mit der in Brüssel, Musée des Beaux-Arts, Coll. de Grez Inv.Nr. 924

E 55

(Abb. Franz, 1969, 425) gemeinsam, doch fehlt in der vorliegenden Zeichnung die Darstellung des Vordergrundes, die Ansicht wirkt „ins Bild gesetzt".
Ein Merkmal der Landschaften Coninxloos, wie wir sie von den Nachstichen kennen, ist der gerahmte Durchblick: hier jeweils zwischen den Bäumen ein Motiv, etwa die Kirche mit spitzem Turm, und unter dem Steg auf der linken Seite eine weitere Brücke.
Die Datierung bereitet insofern Schwierigkeiten, als nur für eine Zeichnung von Coninxloo die Entstehungszeit sicher ist, nämlich für die in Brüssel befindliche. Für die Bildidee eines oder auch mehrerer hoher Bäume über einer Fernlandschaft wies Th. Gerszi auf das Vorbild Pieter Bruegels d. Ä. hin (Radierung: Milites Requiescentes. Abb. bei Gerszi, in: Oud Holland Bd. 90,4 (1976) auf S. 202) und stellte Jan Bruegels Zeichnung in Budapest daneben, entstanden um 1595/96. Diese Zeichnung gibt, wie auch die Nachstiche nach Coninxloo, einen dunklen, als Repoussoir wirkenden Vordergrund, der in der Stockholmer wie auch in der Brüsseler Zeichnung fehlt. Doch es ist hier der Bildraum ganz nah gerückt, während es einen eigentlichen Nahbereich in der Stockholmer Zeichnung nicht gibt.
W. Wegner hat 1967 diese Zeichnung versuchsweise Coninxloo zugeschrieben. Sie könnte um 1590 entstanden sein, in nicht zu großer Zeitdistanz zum Brüsseler Blatt. Da beide Blätter annähernd das gleiche Format haben (206 x 311 mm und 206 x 321 mm), könnte man nach einer Untersuchung des Papiers die Frage stellen, ob sie aus demselben Skizzenbuch stammen.

Wolfgang Wegner, Zeichnungen von Gillis van Coninxloo und seiner Nachfolger, in: Oud Holland Bd. 82,4 (1967), S. 203–244, Abb. 20 auf S. 212, S. 219; Bruegels tid. Nationalmuseum Stockholm 1984/85, Uddevalla 1984 (Ausst.kat.) Nr. 220 m. Abb.
Terez Gerszil, Bruegels Nachwirkung auf die niederländische Landschaftsmaler um 1600, in: Oud Holland Bd. 90 (1976), S. 201–229; – zu der Brüsseler Zeichnung: Heinrich Gerhard Franz, Niederländische Landschaftsmalerei im Zeitalter des Manierismus, Graz 1969, Bd. 1, S. 282; Eliane de Wilde, in: Bull. Mus. Royaux des Beaux-Arts 1969, S. 17–27; Stuttgart 1979/1981, Bd. 2, Nr. J 1. *M.Kr.*

E 56

Ein bäuerlicher Wirtschaftshof

Antonie Mirou (1578 – vor 1627)
Frankenthal, 1615

Feder in Braun, über schwarzer Kreide 15,6 x 17,0 cm. Beschriftung von eigener Hand am oberen Blattrand: *het huis van achter van de oude bronnemeester / ons losment(?) dy 4 July Ao 1615.*

Bremen, Kunsthalle, Kupferstichkabinett, Inv.Nr. 54/17

Rückfront eines Bauernhauses mit Hühnerstall und Holzvorrat. Zwei Bäumchen rechts und links, hinter einem tiefer gelegenen Wohnhaus steigt ein Bergrücken an.
Mit raschen, zügigen Federstrichen sind Häuser, Bretter, Zaun, Bäume und das wellige Gelände festgehalten. Der Zeichner hat im Vordergrund die Umrisse verstärkt, so daß der Hintergrund zarter wirkt. Mit einfach gezogenem Federstrich ist die Darstellung eng gerahmt.
Aus dem Skizzenbuch zur „Schwalbacher Reise", die Matthäus Merian d. Ä. 1620 in Radierungen herausgegeben hat. Vorlage zu Blatt 24 der 26 Ansichten umfassenden Serie. Es ließen sich bisher nur für neun der Stiche Vorzeichnungen identifizieren, doch sind insgesamt 20 Zeichnungen bekannt, fünf davon auf Vorder- und Rückseite desselben Blattes. Der Großteil entstand vom 1. bis 12. Juli 1615 in und um Schwalbach, bisweilen mehrere Zeichnungen an einem Tag; gelegentlich wurde dasselbe Objekt in verschiedenen Ansichten festgehalten. Unbedeutendes, Alltäglich-Ländliches darzustellen war hierbei Programm. Merian setzte die Zeichnungen im allgemeinen sehr getreu in Radierungen um, fügte nur die Staffage hinzu oder vervollständigte sie. Bei zwei von neun gestochenen Ansichten folgt der Stich der Vorzeichnung gleichseitig.

Rückseite: **Eine Wassermühle im Tal**

Feder in Braun
Aufschrift von eigener Hand am oberen Blattrand: *de vervalle Walckmuehl/de(?) meel muehl van Swaelbach / dy 2 July Ao 1615*

Zwischen einem steilen Abhang links und einem Bach rechts führt der Weg ins Tal hinab zu einer Wassermühle. Vgl. zu dieser Ansicht die Darstellung auf der Zeichnung im Prentenkabinet der Rijksuniversiteit Leiden, wo eine aus größerer Nähe genommene Ansicht festgehalten ist.

Stuttgart 1979/1981, Bd. 2, Nr. J 5, mit weiterer Lit.
M.Kr.

Dargestellt ist der Empfang der Kurfürstin Elisabeth, Tochter von König Jakob I. von England und Schottland, in der Pfalz im Jahre 1613. Im gleichen Jahre hatte die Prinzessin in London den eben erst sechzehnjährigen Kurfürsten Friedrich V. von der Pfalz, den späteren „Winterkönig", geheiratet. Von Ende April bis in den Juni des Jahres währte ihre durch einen Holland-Aufenthalt unterbrochene Reise nach Heidelberg. Bis Oppenheim, wo man pfälzischen Boden betritt, erfolgte sie im wesentlichen mit Schiffen rheinaufwärts. Kurfürst Friedrich war vorausgeeilt, um den festlichen Empfang vorzubereiten, danach aber seiner Gemahlin entgegengereist. Zwischen Köln und Bonn hatten sie sich wieder getroffen. Dieses Ereignis könnte hier festgehalten sein, eher aber ein Festakt in der Pfalz, bei dem der Kurfürst seine Gattin symbolisch willkommen heißt. Die Begrüßung findet inmitten eines vielfältig bewegten Gefolges von Reitern zu Fuß und zu Roß, von promenierenden Paaren, Zugpferden, den mächtigen Reisekarossen und Proviantwagen statt. Auf dem gegenüberliegenden Flußufer (dem Rhein oder dem Neckar bei Heidelberg?) erhebt sich eine Burg.
Die Zeichnung, obwohl schwerlich „vor Ort" aufnotiert, wirkt durchaus realistisch; treffsicher in der Fixierung erzählerischer Einzelzüge. In ihrer frischen Unmittelbarkeit, der Sicherheit, in der Landschaft und Tiefenraum großzügig abgekürzt zum Einsatz gebracht sind, steht die Darstellung innerhalb der deutschen Zeichenproduktion jener Jahre vereinzelt da. Zwei weitere Darstellungen aus der pfälzischen Geschichte lassen sich anschließen und bestärken die Annahme, daß es sich um einen Künstler niederländischer Herkunft handelt. Wahrscheinlich war dies – wie bereits Wolfgang Wegner vermutet hat – der „Frankenthaler" Antonie Mirou, der 1613 auch an einer themennahen Radierfolge beteiligt war. Seine wenigen gesicherten Landschaftszeichnungen (s. Kat.Nr. E 56, 57) sind zwar motivisch schwer vergleichbar, aber von ähnlich großzügig-vehementer Strichführung.

Wolfgang Wegner, Ein Gruppe von Handzeichnungen Frankenthaler Künstler zur pfälzischen Geschichte des 16. und frühen 17. Jahrhunderts, in: WKK 1966, S. 35–42; Stuttgart 1979/1981, Bd. 2, J 9. *Ge.*

E 59

Die kurfürstliche Hofkanzlei mit dem Heidelberger Schloß von Norden (der Stadt) her gesehen

Meister des Kurpfälzischen Skizzenbuchs
Heidelberg, um 1590/1610

E 58

Feder in Rotbraun, rotbraun laviert
20,3 x 31,6 cm

Stuttgart, Staatsgalerie, Graphische Sammlung, Inv.Nr. 91

Im Gegensatz zu anderen Heidelberg-Ansichten des sog. Kurpfälzischen Skizzenbuchs, die auf Fernsicht hin konzipiert sind, verfängt sich hier der Blick nahsichtig im Häusergewinkel der Bürgerstadt, folgt den tiefen Schluchten der Straßenzeilen und Gärten, wandert nach rechts, wo der Häuserblock der kurfürstlichen Kanzlei aufragt, den Hang aufwärts zum Schloß hin – und hat Mühe, die Vielfalt des Dargebotenen zu fassen. Gemäß Schmieder befand sich der Standort des Zeichners im Obergeschoß eines Hauses am Burgweg. Die von niedrigen Gebäuden gesäumte, in die Tiefe verlaufende Straße in der Bildmitte ist die obere Kalte Talgasse (Fortsetzung der Kanzleigasse). Hier wohnten damals meist Hofbedienstete („Kanzleibott", „Jungfernknecht", „Hausmetzler" usw.). Die stattlichen Bürgerhäuser zur Linken liegen an der heutigen Karlstraße. Am Straßenabschluß erkennt man das spitze Türmchen von St. Jakob. Die beiden aneinander anschließenden dreigeschossigen Kanzleigebäude stehen dominierend im hellen Sonnenlicht. Innerhalb der vielgliedrigen Schloßanlage erhebt sich, ganz links, der Glockenturm mit dem vorgelagerten Zeughaus und der Gläserne Saalbau. Die anschließenden Bauteile mußten (seit 1601) dem Friedrichsbau weichen. Weiter folgt die Schmalseite des Frauenzimmerbaus und ein erkerartiges Belvedere an der Stelle des 1589/91 errichteten Faßbaus (? oder bereits an diesem selbst). Rechts erkennt man die mächtige Flanke des Dicken Turms.
Aus baugeschichtlichen Gründen glaubt Schmieder die Zeichnung vor 1588 datieren zu müssen. Die Autorschaft der 25 Blätter umfassenden Stuttgarter Zeichnungs-Gruppe – zu der noch je ein Blatt in Darmstadt und im Rijksprentenkabinet, Amsterdam, sowie zwei der Stiftung Custodia, Paris, gehören – ist nach wie vor ungeklärt. Daß es sich um Kopien handelt, beweist eine bessere Fassung der Stuttgarter Heidelberg-Ansicht (Schmieder 8), die 1985 in die Sammlung Jan Woodner, New York, gelangte. Ihre frühere Zuschreibung an Jan Brueghel d.Ä. (1568–1625) ist keinesfalls erwiesen und wäre auch vom Schmiederschen Zeitansatz her unwahrscheinlich. Eine andere, Brueghel näherstehende Heidelberg-Ansicht wirkt qualitativ überlegen. Es wurde vermutet, daß dem Stuttgarter Bestand zeitlich unterschiedliche Vorlagen zugrunde liegen, die ein um 1600/1610 tätiger Kopist in zwei Serien verschiedenartiger Durchführung (aber auf gleichem Papier!) zusammentrug. Daß dies ein Niederländer war, ist auf Grund des Darmstädter Blattes sicher (Gisela Bergsträsser, Niederländische Zeichnungen, 16. Jahrhundert im Hessischen Landesmuseum Darmstadt, Darmstadt 1979, Nr. 74).

Schmieder 1926, S. 3–8, Nr. und Abb. 1; Stuttgart 1979/1981, Bd. 2, S. 48 (Verf. Margaretha Krämer). *Ge.*

E 60

Heidelberg, Blick vom Friesenweg auf Stadt und Schloß

Meister des Kurpfälzischen Skizzenbuchs
Heidelberg, um 1590/1610

Feder in Braun, graubraun (Vordergrund), hellgrau und (in Architekturdetails) rötlich laviert
18,7 x 32,4 cm

Stuttgart, Staatsgalerie, Graphische Sammlung, Inv.Nr. 95

Der Blick ist diesmal von Südwesten her gegen das Neckartal und den Heiligenberg gerichtet, der sich im Hintergrund mit den Ruinen des Michaelsklosters erhebt. Man erkennt die steinerne Neckarbrücke mit den beiden Tortürmen; ganz links, neben dem Abhang, die Heiligkreuzkirche mit (damals noch) gotischem Turmhelm und Satteldach; dann weiter rechts, im Häusergewimmel, das Barfüßerkloster; ferner am Flußufer das steile Dach der Mönchsmühle und rechts neben dem Dicken Turm des Schlosses, sehr klein, das innere Obertor. Die vielgliedrige Anlage des Schlosses thront als wuchtig geschlossener Körper mächtig über der Stadt. Der Blick mißt das Plateau des Stückgartens voll aus, der links von starken Türmen (Dickem Turm

E 59

E 60

E 61

und Rondell) und zinnenbesetzter Mauer abgeschlossen wird. Der 1612/15 errichtete Englische Bau fehlt noch, ebenso der daneben liegende Faßbau (von ca. 1590). Innerhalb des um den Hof gescharten Gebäudekomplexes sind (an der Westseite) der Bibliotheks- und der Ruprechtsbau zu erkennen, talseits das Dach des Frauenzimmerbaus, ein Giebel des Gläsernen Saalbaus und der hohe Glockenturm. Daneben ragt der Ottheinrichsbau mit seinem ursprünglichen Doppelgiebel und den Querdächern empor. Die am meisten bedrohte Bergseite wird von hoher, zwischen Tor- und Krautturm verlaufender Schildmauer gedeckt. Die Gesamtdisposition mit dem leeren Vordergrund, der den Blick frei in die Ferne schweifen läßt, und der gleichsam über der Stadt schwebenden Schloßanlage ist überaus wirkungsvoll. Die zeichnerische Durchführung aber läßt vielfach zu wünschen übrig, etwa in der Figur des Zeichners oder der Wiedergabe des Terrains (zur Autorenfrage s. Kat.Nr. E 59).

Schmieder 1926, S. 12–14, Nr. und Abb. 5. *Ge.*

E 61

Heidelberg, Blick von Südosten gegen die Rheinebene

Meister des Kurpfälzischen Skizzenbuchs
Heidelberg, um 1590/1610

Feder in Braun, braun, graubraun und stellenweise rötlich laviert
17/16,6 x 31,9 cm

Stuttgart, Staatsgalerie, Graphische Sammlung, Inv.Nr. 97

Als Blickpunkt ist ein südöstlich der Stadt gelegener Standort nahe dem heutigen Biersiederweg gewählt. Von hier geht der Blick über Schloß und Stadt den Neckar abwärts gegen das Rheintal hin, wo fern im Hintergrund der Höhenzug der Hardt auftaucht. Wuchtig entfaltet sich im Zentrum der Darstellung, dunkel vor hellem Grund, der in Jahrhunderten gewachsene vielteilige Schloßkomplex, darunter in der Flußebene die Stadt, zart hingestrichelt, mit ihren Bürgerhäusern, Kirchen und der steinernen Brücke. Die Heiliggeistkirche wird vom Glockenturm des Schlosses weitgehend verdeckt; hinter ihr, am Neckar, das Zeughaus; weiter links die Türme der Peterskirche und des Speyrer Tores. Interessant ist die frühe Darstellung des rechteckig ummauerten Schloßgartens mit polygonalem Lusthaus an der Stelle des berühmten, unter Kurfürst Friedrich V. (dem „Winterkönig") durch Salomon de Caus seit 1613 angelegten, stark vergrößerten „hortus palatinus". Vom Schloß sind der gedeckte Torbau, die mächtigen Mauertürme der Ostseite, die beiden Staffelgiebel des

E 62

Ottheinrichbaus und der Gläserne Saalbau gut zu erkennen; dazu Hofküche und Ökonomiegebäude sowie der Dicke Turm, der die aufgipfelnden Baumassen gleichsam zusammenhält. Leicht und locker, wenn auch nicht sonderlich differenziert, sind die Einzelheiten erfaßt; etwas grob hingegen die Bodenwelle im Vordergrund, die dem Ganzen zur Steigerung der Raumillusion vorgelagert ist. (Zur Autorenfrage s. Kat.Nr. E 59. Für eine Kopie spricht hier auch das Aussetzen der Zeichnung nahe dem linken Blattrand.)

Schmieder 1926, S. 15 f., Nr. und Abb. 7. *Ge.*

E 62

Ansicht der Wallfahrtskirche Sankt Maria zu Waghäusel

Unbekannter Frankenthaler (?) Künstler
Waghäusel bei Hockenheim, 1605

Feder in Braun, grau, braun und bläulich laviert
21 x 28,4 cm. Beschriftet in der Kartusche: *1605/S.Maria zum/Wackheusell.* Größere Fehlstellen an der linken oberen und unteren Ecke. Wasserzeichen: Adler (ohne Schild) mit zwei Fischen auf der Brust.

Old Bennington, Vt., USA,
Slg. Julius S. Held

Die kleine spätgotische Wallfahrtskirche mit polygonalem Chorschluß, bekrönt von einem Dachreiter, ist auf einem von Bäumen bestandenen Anger gelegen. Rechts werden hinter einer mächtigen Eiche Bauernhäuser in Fachwerk sichtbar. Neben dem Chor der Kirche steht ein Ziehbrunnen zur Tränkung der Wallfahrer, die in Pilgertracht mit Stab oder mühsam auf Krücken die Gnadenstätte aufsuchen. Das zwischen Speyer, Hokkenheim und Philippsburg nahe dem Rhein gelegene Wallfahrtskirchlein, dem später ein Kapuzinerkloster angeschlossen wurde, war im Jahr 1473 vom Speyerer Fürstbischof Matthias von Rammung erbaut worden. 1640, 1683 und zuletzt 1778 erfolgten Erweiterungen, die aber den durch das Gnadenbild – eine lothringische Marienfigur von etwa 1450 – gleichsam „geheiligten" gotischen Chor nicht antasteten. Als „Gnadenkapelle" blieb dieser auch in dem nach einem Brand von 1920 errichteten Neubau erhalten. Heute wird die immer noch beliebte Wallfahrtskirche durch eine dicht daneben aufragende Zuckerraffinerie architektonisch stark beeinträchtigt. Der Autor der feinen Ansicht ließ sich noch nicht ermitteln. Er mag dem ständig fluktuierenden niederländischen Künstlerkreis angehört haben, der sich in Frankenthal angesiedelt hatte. Eine frühere Zuschreibung an Antonie Mirou (s. Kat.Nr. E 57) dürfte schwerlich aufrechtzuerhalten sein, eher liegt eine gewisse Nähe zu Hendrik Ghysmans vor. Die üppige Inschriftkartusche am Unterrand läßt an eine geplante Stichausführung denken, die jedoch nicht zur Ausführung gelangt wäre. Auch die links der Turmspitze im Himmel schwach erkennbare Muttergottes mit Christkind dürfte für diese Annahme sprechen. Es wäre dann wohl an einen Auftrag des Speyrer Hochstifts zu denken, das die Wallfahrt besonders förderte.

Selections from the Drawing Collection of Mr. and Mrs. Julius S. Held, Art Gallery at Binghampton u. a. 1978 (Ausst.kat.) Nr. u. Abb. 44 *Ge.*

E 63

Die Anbetung der Könige

Sebastian Götz (um 1575 – nach 1621)
München, um 1600 (?)

Feder in Grau, grau laviert
30,1 x 21,5 cm. Bezeichnet: *Sebastian Götz/Sculptor*

Karlsruhe, Staatliche Kunsthalle, Kupferstichkabinett, Brentel-Nachlaß, Bd.F 53v/1

Die dicht gefüllte Darstellung wirkt in ihrer reliefhaften, bildmäßig abgeschlossenen Anlage außerordentlich überlegt. Das linke Drittel nimmt die Heilige Familie ein, die durch eine Ruinen-Architektur zusätzlich akzentuiert ist. Von rechts drängen die Heiligen Drei Könige mit ihrem Gefolge heran. Alle Einzelheiten sind fest umrissen und klar erfaßt. Eigentümlichkeiten des Strichs sind kaum aus-

E 63

zumachen. Dies und die Farbangabe „lack“ (Rot) auf dem Mantel des mittleren Königs sprechen dafür, daß Götz hier eine Gemäldekomposition kopierte; höchstwahrscheinlich bereits in seiner Münchner Frühzeit, um 1595/1600. Der an die Nachfolge von Christoph Schwarz gemahnende Figurenstil und die Kopftypen legen diese Vermutung nahe. Gegen eine Entstehung am reformierten Kurpfälzischen Hof sprechen allein schon das Marien-Thema und der Heiligenschein. Vermutlich gehört das aus dem Besitz von Friedrich Brentel stammende Blatt zu den „Abrissen“, die er bei seiner Bewerbung als Hofbildhauer in Heidelberg im Jahre 1604 vorlegte. Unter den neun übrigen Zeichnungen, die sich Götz auf Grund von Signaturen zuschreiben lassen, befinden sich zumindest sechs weitere Kopien (aus den Jahren 1595, 1598 und 1600). Sichere Bildhauerentwürfe seiner Hand sind bisher nicht bekannt geworden.

Wegner 1966, S. 162, Abb. 132; Stuttgart 1979/1981, Bd. 2, S. 51ff. *Ge.*

E 64

Schloß, Lusthaus und Hofgarten zu Stuttgart

Matthäus Merian d. Ä. (1593–1650)
Stuttgart, 1623/24

Feder in Braun und Bleigriffel, grau und blaugrau laviert
10,5 x 20,3 cm. Bezeichnet oben, von eigener Hand: *tiergarten.*

Stuttgart, Staatsgalerie, Graphische Sammlung, Inv.Nr. 6101

Die Gebäude der württembergischen Hofhaltung bildeten bis zum Neubau der Residenz im 18. Jahrhundert ein vielfältiges, architektonisch höchst reizvolles Ensemble. Von links nach rechts erkennt man hier als Abschluß des ausgedehnten Lustgartens den sog. Neuen Bau Heinrich Schickhardts (1599ff.), das Alte Lusthaus (1553ff.), das (alte) Residenzschloß mit den später abgerissenen Kaminen der Hofküche, die doppeltürmige Stiftskirche und rechts vorn den prachtvollen Renaissancebau des Neuen Lusthauses von Georg Beer (1583ff.). Merian hat die sorgfältige Vedute wahrscheinlich 1623/24 während seines zweiten Stuttgart-Aufenthaltes aufgenommen, als Vorlage für einen seitengleichen, „Lustgarten zu Stuttgart“ bezeichneten Stich (Wüthrich 516). Die vom Künstler als belebende Staffage mit Bleigriffel hinzugefügten Figuren im Vordergrund wurden in die Stichreproduktion übernommen.
Die sachlich exakte, wenngleich etwas „trockene“ Darstellung ist charakteristisch für Merians rationelle, auf klare Ablesbarkeit hin ausgerichtete Arbeitsweise.

Lucas Heinrich Wütherich, Die Handzeichnungen von Matthäus Merian d. Ä., Basel 1963, Nr. 39, Abb. 40; Stuttgart 1979/1981, Bd. 2, K 11 (Verf. Volkmar Schauz). *Ge.*

E 65

Ansicht von Eßlingen

Wenzel Hollar (1607–1677)
Stuttgart, 1628

Feder in Grau, leicht aquarelliert
9,4 x 17,5 cm. Bezeichnet: *Wentzeslaus Hollar von Prag macht/dieß in Stuettgart zu guter gedechtnus/ den 23 Martii Ao. 1628,* dazu oben: *Eßlingen.*

Stuttgart, Staatsgalerie, Graphische Sammlung, Inv.Nr. 205

Hinter dem weiten Wasserspiegel des (noch unregulierten) Neckars sind am linken Ufer klein und durchaus nicht als Hauptmotiv Häuser und Türme der Reichsstadt Eßlingen zu erkennen. Die steinerne „Pliensau-Brücke“ mit dem mittleren Brückenturm spannt sich zum rechten Ufer hinüber, wo ein bewaldeter Hügel (der sog. Zollberg) ansteigt. Der Waldsaum mit mächtig gerundeten Baumkronen, der sich hier dem Blick entgegenstellt, ist offensichtlich von Elsheimer inspiriert – Beweis dafür, daß es dem Zeichner mehr auf ein stimmungsvoll pittoreskes „Bild“ als auf dokumentarisch geschilderte Wirklichkeit ankam. Der bewachsene Abhang zur Linken ist ein von Hollar in seiner Frühzeit häufig ver-

wendetes Requisit zur Steigerung der Raumillusion. Die gleiche Funktion erfüllt der Bodenstreifen im Vordergrund. Fein und zitternd in lichter Atmosphäre ist die ferne Stadt gegeben – als organische Einheit trefflich erfaßt, aber ohne Anspruch auf topographische Genauigkeit. Ganz links sieht man die doppelten Chortürme der Stadtpfarrkirche St. Dionysius, daneben – weiter vorn – den „Holdermannsturm" an der Ummauerung der Pliensau-Vorstadt; zwischen Fluß und Stadtmauer die Pliensau-Mühle. Der innere Brückenturm, der hinter ihr aufragen müßte, fehlt. Dagegen ist hinter der Brücke der nach dem nahegelegenen Kloster benannte „Nonnenturm" zu sehen sowie das Dorf Obereßlingen.
Das anmutige Landschaftsblatt entstand als Stammbuchbeitrag, aufgrund einer vor Ort gezeichneten Naturaufnahme, die nach künstlerischen Gesichtspunkten variiert wurde. Wie diese in etwa ausgesehen hat, führt Hollars topographisch sehr viel genauere radierte Eßlingen-Ansicht (Parthey 759) aus dem Folgejahr (1629) vor Augen, die offensichtlich auf derselben Vorlage fußt.

Theodor Musper, Hollar in Stuttgart, in: Schwäbisches Heimatbuch 1937, S. 73ff., Abb. 2; Vladimir Denkstein, Wenceslaus Hollar – Zeichnungen, Prag 1977, S. 26f, Abb. 13. *Ge.*

E 66

Innenansicht der Salvatorkapelle am Nepperstein in Schwäbisch Gmünd

Christoph Friedel d.J. (1578–1668)
Schwäbisch Gmünd, 1622

Feder in Schwarz, grau laviert auf gelblichem Papier
19,5 x 31,6 cm. Aufgezogen. Bezeichnet links unten: *FC* (ligiert) *1622*

Cambridge/Mss., Fogg Art Museum, Harvard University (Randall Bequest)

Das unter unbekannten Zeichnungen zum Vorschein gekommene Blatt ist vor allem als Zeugnis volkstümlicher Andachtsformen von Interesse. Selten wird einem im hier behandelten Zeitraum ein derart authentischer Einblick in eine viel besuchte Wallfahrtskapelle gewährt, der ihre Ausstattung, die Vielzahl der Votivgaben, das Gebaren der Gläubigen erkennen läßt und somit einen wesentlichen Abschnitt des Volkslebens und religiösen Brauchtums im katholisch verbliebenen Landesteil.
Der unregelmäßige Grundriß läßt keinen Zweifel daran, daß es sich um den unteren Raum der zweigeschossigen Felsenkapelle St. Salvator handelt, die kurz zuvor, 1617–1620, vom Gmünder Baumeister Caspar Vogt aus einem bereits 1483 bezeugten, aber wahrscheinlich wesentlich älteren Felsenheiligtum aus-

E 64

E 65

E 66

E 67

gebaut worden war. Auf der breiten Altarmensa sind verschiedene, wohl in Silber zu denkende Figuren postiert: eine Kreuzigungsgruppe mit Maria und Johannes, Apostel-Statuetten einer „Verklärung", zu der auch Moses und Elias sowie – ganz oben – eine thronende Christusfigur gehören; außerdem eine weitere Marienstatue und ein hl. Michael. Das Altarretabel, auf dem getriebene Reliefs und ein Ziborium abgestellt sind, enthält als Mitteltafel Christi Kreuznagelung. Rechts daneben befindet sich eine ursprünglich wohl romanische Kreuzigungsgruppe – das eigentliche Wallfahrtsbild –, mit zahlreichen Votivgaben. In einem Nebenraum sind abgelegte Krücken geheilter Lahmer zur Schau gestellt, gleichsam Beweisstücke der Wundermacht des hier verehrten Gnadenbildes. – Friedels naive Darstellungskunst entspricht dem Bildvorwurf durchaus. Im gleichen Jahr (1622) hatte er für die obere Kapelle eine Tafel zu malen, die folgende Inschrift trägt: *Anno 1622 ist mir, Chr. Fridel, Maler, von einem ehrsamen Rat anbefohlen worden, diese Wallfahrt oder Nepperstein abzureissen, wie allhier zu sehen...* In diesem Zusammenhang könnte auch unsere Zeichnung entstanden sein.

Unveröffentlicht *Ge.*

E 67

Entwurf zu einem Grabdenkmal des Herzogs Johann Friedrich von Württemberg

Stuttgart, vor 1628

Feder in Grau, grau laviert
32,8x 20,2 cm. Mittelfalte zum Umdrukken der ornamentalen Teile auf die rechte Blatthälfte

Braunschweig, Herzog Anton Ulrich-Museum, Inv.Nr. ZWB V 64

Der Entwurf zu einem Grabrelief gelangte nicht zur Ausführung. Der 1628 verstorbene Fürst wurde stattdessen, wie bereits sein – bedeutenderer – Vorgänger Herzog Friedrich (gest. 1608), ohne repräsentatives Monument in einem schlichten Zinnsarg in der herzoglichen Gruft im Chor der Stuttgarter Stiftskirche beigesetzt; eine Bestattungsform, die das Haus Württemberg bis ins frühe 19. Jahrhundert beibehielt. Motive wie das Stehen auf dem Löwen, der auch den Helm tragen muß, und die Grundzüge der architektonischen Anlage kommen dem vielfigurigen Grabmonument von Sem Schlör (siehe Kat.Nr. E 45–47) nahe. Dies legt die von Werner Fleischhauer geäußerte Vermutung nahe, daß der prunksüchtige Landesherr hierbei an eine Fortsetzung der steinernen Ahnenreihe gedacht hatte. – Unter den wenigen vom Stuttgarter Hof beschäftigten Künstlern, die sich bisher als Zeichner fassen lassen, läßt sich keinem das Werk mit Sicherheit zuschreiben. Von der Kompetenz des Auftrags her wäre wohl am ehesten an Esaias van Hulsen (1570 – vor 1626), der 1611 in württembergische Dienste trat, zu denken.

Fleischhauer 1971, S. 340, Abb. 169. *Ge.*

E 68

Musikanten und Einschenkender

Friedrich Brentel (1580–1651) zuzuschreiben
Straßburg, um 1620

Feder in Braun, grünlich braun laviert über Stiftskizze
15 x 13,5 cm

Rotterdam, Museum Boymans-van Beunigen, Inv.Nr. 14 (als „Karel van Mander zugeschrieben")

Drei Musikanten mit Laute, Fiedel und Baßgeige spielen anscheinend zu einem Gelage auf. Die eigentliche Tafelszene, die sich ursprünglich wohl links anschloß, fehlt heute infolge nachträglichen Beschnitts. Vorhanden ist davon nur ein Mundschenk, der ein Glas kunstvoll in hohem Bogen aus einer Kanne füllt. Die ornamentale Aussparung rechts unten legt die Vermutung nahe, daß es sich um

E 68

das Fragment eines Risses für den waagerechten Oberlicht-Streifen einer Kabinettscheibe handelt. Besonders bei Zunftscheiben waren Darstellungen von Gastmählern an dieser Stelle beliebt. Das musikalische Trio übrigens entspricht in seiner Instrumentalbesetzung dem der höfischen Festbarkeit von Kat.Nr. E 69. Im Vergleich zu diesem wohl etwas späteren Malereientwurf wirkt das hier neu zugeschriebene Rotterdamer Blatt scharf und energisch gezeichnet, sachlich exakt, wie es sich für einen zur Übertragung bestimmten Scheibenriß gehört.

Unveröffentlicht *Ge.*

E 69

Ein Bankett des Markgrafen Wilhelm von Baden-Baden

Friedrich Brentel (1580–1651)
Baden-Baden/Straßburg, um 1630

Feder in Braun, braun und grau laviert, weiß gehöht auf gebräuntem Papier
16,5 x 22,7 cm. Erläuternde Notizen wie: *schen* (schön) *silbern stuckh mit blum* (?), Ziffern zur Markierung der Dargestellten.

Göttingen, Kunstsammlung der Universität, Inv.Nr. H 428

Die Stadt im Hintergrund ließ sich als Baden-Baden bestimmen, die Figur des Tänzers als Markgraf Wilhelm, den sog. „Kammerrichter" (reg. 1622–1677), der hier mit seiner Gemahlin, Gräfin Katharina Ursula von Hohenzollern-Hechingen, ein Bankett in den Auen an der Oos (nahe den heutigen Kuranlagen) abhält. Auch die übrigen durch Zahlen gekennzeichneten Figuren stellen historische Persönlichkeiten dar, die sich jedoch aufgrund ihrer summarischen Erscheinung noch nicht identifizieren ließen. Sicherlich sollten sie in einem Miniaturbildchen, für das die feine Skizze vermutlich eine Vorarbeit darstellt, erkennbar ausgeführt werden.

Brentel hat für den Markgrafen mehrfach gearbeitet. Er war zu seiner Zeit im südwestdeutschen Bereich der renommierteste Miniaturmaler, wenngleich seinen Darstellungen gelegentlich fremde Stichvorlagen zugrundeliegen. Die lebendig erfaßte, sorgfältig komponierte Genredarstellung bietet einen interessanten Ausschnitt gesellschaftlichen Lebens an einem der kleineren Fürstenhöfe während des Dreißigjährigen Krieges.

Stuttgart 1979/1981, Bd. 2, H 14. *Ge.*

E 70

Allegorie der Unmäßigkeit

Michael Herr (1591–1661)
Riedlingen, 1618

Feder in Grau, grau laviert über Stiftskizze
20 x 32 cm. Bezeichnet rechts unten: *Michel Herr Fecit/Anno 1618./Riedlingen.* Zahlreiche Aufschriften

Stuttgart, Staatsgalerie, Graphische Sammlung, Inv.Nr. C 73/2299

Eine völlige Aufhellung des beziehungsreichen Sinngehalts gelang noch nicht, aber der Tenor wird dennoch deutlich. In moralisierender Absicht werden die üblen Folgen der Trink- und Freßsucht dem Beschauer humorvoll-drastisch vor Augen gestellt. Aufschriften paraphrasieren den Inhalt. Ein riesiger Kopf wird von einer aufgeregten Männerschar aus einem mächtigen Fasse getränkt, wobei ein übergroßes Stangenglas als Weinbrunnen herhalten muß. Einige stülpen dem Haupte, das durch seine Räder wie eine fahrbare Festdekoration erscheint, eine Bütte über, suchen in es einzudringen oder haben sich bereits eingenistet. Schenkkanne und Eßwaren auf einem Fasse, Würfel und Spielkarten, dazu Musikinstrumente und „frivole" Gemälde mit Bacchus und Liebespaar vervollständigen die Vorstellung von weltlicher Lust und ihrer Vergänglichkeit (Der Kübel ist umgestürzt und leer.) Oben liest man, anscheinend in Anspielung auf die Fledermaus: *Semper io priago de diavilesge* (?) (Ich begehe stets Teufeleien), bei der Kröte: *daß iest (?) galle Luog* (Das ist lauter Trug). Auf die Sündhaftigkeit des Treibens deutet auch die Aufschrift rechts): *wo bachus auffschlegt/sein gezelt/ da ligt auch marß gern/midt zu feldt.* Ganz unten heißt es: *wirde daß nicht tag und nacht getriben/so wehr ich auch offt niechter* (?) (nüchtern) *bliben.* Ein heruntergekommener Maler mit seltsamer Rückenlast, auch er ein Sinnbild liderlicher Lebenshaltung, zeichnet die Szene nach. Auf dem Sack steht zu lesen: *Vorfanteria in questa sacca* (In diesem Sack ist Gaunerei). Die Sporen sprechen von der Anstachelung, der wachsame

E 69

E 70

E 71

Hahn dagegen dürfte eine Warnung bedeuten. Gleiches gilt für die reife Birne am Aste darüber *(Wan die birn zeitig ist/ so felts ab)*. Die Vogelfalle daneben *(Ail, mier wollen baldt mer/fangen)* verdeutlicht Verlockung und Gefahr des leichtsinnigen Treibens der Zecher. Ein anderes Exemplum ähnlicher Art bietet ein winziges Männlein, das vergeblich einen Mühlstein zu heben trachtet *(Las bleiben/ er ist zu klein)*. Fledermaus und Kröte sind unheilvolle Symbole, die auf die Sündhaftigkeit des menschlichen Tuns verweisen. Die zweifach vorkommende Sonnenuhr verkörpert als Zeichen für Ordnung und Maßhalten eine Gegenposition.
Herrs Zeitgenossen hatten Freude am Aufschlüsseln derartiger „Bilderrätsel“, was ihnen durch damals noch verbreitete Kenntnis an volkstümlichem Vorstellungsgut, an Redewendungen, Fastnachtsschwänken usw. leichter gefallen sein dürfte als uns Heutigen. Ähnliche auf Festwagen mitgeführte „Schwellköpfe“ fanden auch bei den Festlichkeiten Verwendung, die aus Anlaß der Taufe des Prinzen Friedrich im März 1616 in Stuttgart abgehalten worden waren. Möglicherweise war Herr hieran beteiligt. Das reichhaltige, nur vordergründig amüsante Blatt dürfte er zum Verkauf während seiner Wanderzeit geschaffen haben. Ähnliche Arbeiten sind vom Münchner Georg Pecham bekannt.

Unveröffentlicht. *Ge.*

E 71

Entwurf für einen Hochaltar

Michael Herr (1591–1661) nach
Mathias Kager (1575–1634)
Obermarchtal bei Ehingen, 1617

Feder in Grau, grau laviert, die Mitteltafel aquarelliert
37,6 x 27,9 cm. Am linken Rand und obere Ecken beschnitten. Bezeichnet links unten: (pro Alt)*ari Sa*(ncto?) *a Morchtall/ … fecit M. Kager.*/(A)*o.1617.* Maßangaben und Notizen z.T. in griechischer „Geheimschrift“.

Braunschweig, Herzog Anton Ulrich-Museum, Inv.Nr. Z 173

Über niedrigem, die Altarmensa hinterfangendem Sockel erhebt sich ein hoher zweigeschossiger Aufbau mit einer gemalten Darstellung der Kreuzigung des Apostels Petrus als Haupttafel. Doppelte Säulenstellungen, die die Figuren des hl. Augustinus (links) sowie der hl. Elisabeth (rechts) einfassen, flankieren sie. Das Tabernakel auf dem Altartisch spricht dafür, daß es sich um einen Hoch-(keinen Seiten-)Altar handelt. In inhaltlicher Entsprechung zur Petrus-Marter erscheinen darüber im skulptural projektierten Auf-

satz der gekreuzigte Heiland, mit der trauernden Gottesmutter und Johannes, dazu Engel mit Leidenswerkzeugen. Eine Strahlenmonstranz mit dem Christus-Zeichen „JHS" bildet die Bekrönung. Neben dem Gesamtentwurf ist die Altararchitektur des rechten Teilabschnitts, unter Aussparung der Figur, vergrößert wiederholt.
Der schwungvoll niedergeschriebene Entwurf wird bisher aufgrund der Aufschrift dem Augsburger Mathias Kager zugeschrieben, von dem bekannt ist, daß er im Jahre 1614, sowie erneut 1623/28, Altarblätter und Wandmalerei-Entwürfe für die nahegelegene Benediktinerstifts-Kirche Zwiefalten erstellt hat. Eine Tätigkeit für das Prämonstratenserstift Obermarchtal scheint jedoch sonst nicht überliefert. Die wirkungsvoll elegante Erfindung spricht denn auch durchaus seine Sprache, nicht jedoch die ungewöhnlich lockere Niederschrift, die Kagers differenziertere Formerfassung vermissen läßt. Vor allem aber zeugen die Aufschriften in der bei Herr häufig belegten „Geheimschrift" gegen Kagers Autorschaft. Da die Möglichkeit, daß Herr dessen Entwurf nachträglich beschriftet haben sollte, unwahrscheinlich, der inschriftliche – keinesfalls eigenhändige – Hinweis auf ihn aber durchaus glaubwürdig erscheint, so bleibt kaum eine andere Lösung, als hierin eine Nachzeichnung von Herr nach einem verlorenen Original-Entwurf Kagers zu erkennen.
Herr hat in seiner Frühzeit als Vorlage zur Wiederverwendung nachweislich häufig kopiert. Die Annahme, daß dies hier nach dem ausgeführten Altarwerk geschehen sein kann, scheidet aus, da die Zeichnung voneinander abweichende Alternativlösungen anbietet, die nur ein Entwurf enthalten konnte. Die Frage, wie Herr zu der Kagerschen Vorlage gekommen sein kann, entzieht sich unserer Kenntnis. Möglicherweise war er selbst an der Ausführung des Altarblattes nach Kagers Entwurf beteiligt.

Deutsche Kunst des Barock, Herzog Anton Ulrich-Museum Braunschweig 1975 (Ausst.kat.), Nr. 81 (als „Kager"). Susanne Netzer, Johann Matthias Kager, Stadtmaler von Augsburg, München 1980, Phil. Diss. 1979 (Neue Schriftenreihe des Stadtarchivs München), S. 31, 138, Nr. E 4 (als „Kager"). *Ge.*

E 72

E 72

Die Jagdgöttin Diana

Johann Heinrich Schönfeld (1609–1684 ?)
Memmingen, 1626

Feder in Schwarz und Braun auf Pergament
20,5 x 15,5 cm. Bezeichnet: *Johan: Hainric*(us) *Schönfeld Maller Jung in Memmingen AO. 1626.* Oben: *Diana*

Stuttgart, Staatsgalerie, Graphische Sammlung, Inv.Nr. C 61/974

Die griechische Göttin erscheint in Gewand und Pose des höfischen Spätmanierismus, seiner extrem artifiziellen Ausformung, die rund 30 bis 40 Jahre vor Entstehung von Schönfelds Arbeit in Prag und München sowie in den nördlichen Niederlanden kulminiert hatte. Der junge Künstler, der sich in seinem späteren Werk eine latente Neigung zur naturfernen Künstlichkeit und Verfeinerung des Manierismus bewahrt hat, wirkt hierin stilistisch ausgesprochen konservativ. „Spätgotische" wie auch „manieristische" Züge scheinen in Oberschwaben besonders lange nachgewirkt zu haben, wofür auch das in Österreich entstandene Zeichenwerk des Biberachers Samuel Dreer (Dreher) Zeugnis ablegt. Die stichartige Zeichenmanier, die der junge Schönfeld – die Bezeichnung „Maller Jung" kennzeichnet ihn als Lehrling – bereits bravourös beherrscht, dürfte ihm von der Graviertechnik der Goldschmiede her vertraut gewesen sein. Er entstammt einer Goldschmiedefamilie und mag früh beim Ziselieren und Punzieren von Edelmetall-Gerät geholfen haben. Technik und Material (Pergament!) unserer Zeichnung sowie die ausführliche Signatur sprechen dafür, daß es sich um ein finales Sammlerstück handelt. Der Zeichner dürfte die kunstvolle Invention im Sinne haarlemscher Druckgraphik (Goltzius!) selbst konzipiert haben – eine Vorlage war bisher nicht feststellbar.

Rolf Biedermann, Die Zeichnungen des Johann Heinrich Schönfeld, in: JSKBW 8 (1971), S. 124 und Abb. 1; Derselbe, Unbekannte Zeichnungen von Johann Heinrich Schönfeld, in: JSKBW 20 (1983), S. 36 und Abb. 2. *Ge.*

Aspekte der „Renaissance"-Druckgraphik im Südwesten

Otto Pannewitz

Malerei und Plastik wird den meisten Menschen im ausgehenden Mittelalter durch ihre Bindung an die traditionelle Aufgabenstellung im Kirchenkult erfahrbar. Die Christus-, Maria- und Heiligendarstellungen sind bildhafte Konkretisierung der Glaubensinhalte, kirchliches Mittel der Belehrung, vor allem aber Gegenstand der Verehrung und damit etwas „Kostbares"[1]). Das Kunstwerk in einer auf das „jenseitige Leben" fixierten Gesellschaft hat in seiner von spiritualistischem Idealismus und Symbolismus geprägten Auffassung den Status einer überpersönlichen Schöpfung inne, ist abgelöst von jeder Künstlerpersönlichkeit. Auch die Zeichnung, die als Hilfsmittel und privates Medium des „Künstlers" schon Träger der „idea in mente artificis" sein kann[2]), ordnet sich dieser Auffassung unter.

Der Beginn der Neuzeit – der mit dem zu allgemeinen Begriff der „Renaissance" belegt wird – ist keine plötzlich einsetzende, sondern eine allmählich sich vollziehende Veränderung der soziokulturellen Verhältnisse, die unter anderem aus dem Wandel wirtschaftlicher Strukturen und dem damit verbundenen Erstarken des Bürgertums gegenüber dem Adel resultiert.

Mit dieser Veränderung geht die Bewußtwerdung der Individualität und der sie umgebenden Welt, also die Hinwendung zur Diesseitigkeit des Daseins einher, die ihren Niederschlag auch in der Bildwelt findet. Folgen hat diese Entwicklung auch für das religiöse Verhalten der Menschen, die aufgrund der Entdeckung ihrer Individualität der Privatandacht mehr Raum geben und damit eine beständig steigende Nachfrage nach Andachtsbildern auslösen. Dieses Bedürfnis ist eine der Voraussetzungen für die Entstehung eines neuen künstlerischen Mediums, der Druckgraphik, aus bereits vorhandenen technischen Verfahren.

Gegenüber den anderen künstlerischen Techniken liegt ihr zukunftsträchtiger Vorteil in ihrer Reproduzierbarkeit. Mit der Nutzung der neuen Qualität dieser Technik, d.h. ein Bild identisch in großer Zahl wiederholen zu können, verändert sich zwangsläufig der Charakter des Bildes und die Einstellung des Betrachters zu ihm. Das veränderte Verhältnis zwischen Bild und Betrachter muß aber schon vorher eingetreten sein, um den Bedarf nach Druckgraphik überhaupt entstehen und diese Form von Kunst akzeptabel werden zu lassen.

Dieser mit den allgemeinen gesellschaftlichen Veränderungen einhergehende Wandel befördert im Verlauf des 15. und 16. Jahrhunderts die sich umfangreich entwickelnden Anwendungs- und Verwendungsmöglichkeiten des neuen Mediums.

Aber auch der Kostenfaktor spielt für den breiten Aufschwung der Druckgraphik eine erhebliche Rolle, denn kostspielige, mit Malereien verzierte Bücher oder gar Gemälde können sich nur wenige leisten, sie sind deshalb, und wegen des großen Zeitaufwandes, den ihre Herstellung benötigt, kaum geeignet, dem sich ausbreitenden Interesse am Bildwerk zu genügen.

So ist mit dem Aufkommen druckgraphischer Werke die Herstellung eines geeigneten, leicht verfügbaren Bildträgers, des Papiers, verbunden. In Italien wird dieses schon zu Beginn des 12. Jahrhunderts eingeführt. In Spanien wird es erstmals im 13., in Frankreich in der ersten Hälfte des 14. und in Deutschland gegen Ende des 14. Jahrhunderts hergestellt[3]).

Papier ist wesentlich billiger als das bis dahin gebräuchliche Pergament, und aufgrund seiner Materialstruktur – vor allem der daraus sich ergebenden Saugfähigkeit – der ideale Träger für die Druckfarbe.

Fast gleichzeitig mit Beginn der Papierherstellung in Deutschland entstehen die frühesten bekannten Einblattholzschnitte um 1400[4]). Ein kausaler Zusammenhang läßt sich jedoch nicht nachweisen[5]). Zu Beginn ihrer Entwicklung ist die Druckgraphik in Form des Holzschnittes damit beschäftigt, die Nachfrage nach dem religiösen Bild für den Privatgebrauch zu befriedigen. Den noch traditionell bedingten Sehgewohnheiten entsprechend (nur ein vollständiges, d.h. „ausgemaltes" Bild als solches zu erkennen), werden die Holzschnitte – von Hand – koloriert.

Erst gegen Ende des 15. Jahrhunderts emanzipiert sich der Holzschnitt auch im Verzicht auf Kolorierung von den anderen Bildmedien – mit Ausnahme der Zeichnung. Nur in dem von wenigen Künstlern und selten verwendeten Clairobscur-Schnitt, dem zu Beginn des 16. Jahrhunderts aufkommenden Farbholzschnitt, der den Effekt farbiger Zeichnungen zu erzielen sucht, bleibt auch ein Verbindungsstrang zur Malerei erhalten.

Im Verlauf des 15. Jahrhunderts eröffnen sich mit den aus neuzeitlichem Denken

erwachsenden neuen Inhalten und Themen auch neue Aufgabenbereiche für die Druckgraphik. Denn sie erweist sich in ihrer technischen und formalen Anpassungsfähigkeit als am ehesten geeignet, den Bedürfnissen des in dieser Zeit in seiner „Individualität" entdeckten Menschen nach Bildung als Medium gerecht zu werden. So finden schon früh profane Themen, wie die literarisch tradierten Sagen der klassischen Antike, Eingang in die druckgraphische Kunst.
Zum Holzschnitt gesellt sich dabei die schon im 3. Jahrzehnt des 15. Jahrhunderts entwickelte, feinere Technik des Kupferstichs, deren frühe Produkte im alpenländischen und oberrheinischen Raum entstehen [6]). Der Kupferstich verzichtet – im Gegensatz zum Holzschnitt – von Anfang an auf farbige Fassung, da er sich nicht am gemalten, sondern gezeichneten Bild orientiert und sich letztlich aus der Graviertechnik der Gold- und Silberschmiede entwickelt hat. Einen Höhepunkt erreicht er im Deutschland des 15. Jahrhunderts bereits um 1450 in den Stichen des Meister ES (um 1420/30 bis 1467/68), vor allem aber in der 2. Jahrhunderthälfte in den Arbeiten Martin Schongauers (1440–1491), mit dem zugleich eine der bedeutendsten oberrheinischen Künstlerpersönlichkeiten namentlich faßbar wird. Schongauers Werk übt eine enorme Wirkung auf die Druckgraphik der nachfolgenden Künstlergeneration aus[7]).
Die Verknüpfung des druckgraphischen Produktes mit der Künstlerpersönlichkeit führt schließlich zu einer Revolutionierung der Kunstvermittlung und einer Wandlung der Künstlerausbildung. Inventionen anderer Meister – etwa die des für die Druckgraphik um die Jahrhundertwende bedeutsam werdenden Andrea Mantegna (1431–1506) und seines Kreises – werden auf dem Weg über Holzschnitt und Kupferstich den Künstlern und einem stetig wachsenden Interessentenkreis in anderen Ländern und Orten zugänglich.
Der im Spätmittelalter entstandene Kunsthandel, für den die damals noch überwiegend von Auftraggebern abhängigen „Künstler" schon zu arbeiten begonnen haben, ist, wie auch der gesellschaftliche Wandel, eine weitere Voraussetzung für das Aufkommen des gedruckten Bildes. Gerade dieses aber verändert seine Struktur erheblich. Neuartige Vertriebssysteme und Handelsformen bilden sich aus und führen zu weitreichenden Verflechtungen des „Kunstmarktes". Dieser reagiert auf die wachsende Nachfrage nach „erschwinglich gewordener Kunst", sorgt für deren Verbreitung und zugleich für die bedeutungsmäßige Steigerung der Druckgraphikproduktion.
Schon in der zweiten Hälfte des 15. Jahrhunderts entstehen in Deutschland Zentren, die den Markt für Druckgraphik und Buchdruck[8]) beherrschen und die Künstler anziehen.
So sind dies an der Wende zum 16. Jahrhundert vor allem Augsburg, Basel, Straßburg, besonders aber Nürnberg[9]), dessen Bedeutung mit der herausragenden Künstlerpersönlichkeit jener Zeit, Albrecht Dürer (1471–1528), verknüpft ist. Im Laufe des Jahrhunderts bilden sich aus einer Vielzahl kleiner Druckorte weitere Zentren der Druckkunst in Köln, Frankfurt und Leipzig heraus[10]). Andere verlieren ihre Bedeutung.
Das 16. Jahrhundert bringt aber auch eine Veränderung in der Organisation der Druck-Herstellung. Hat vordem der Künstler sein druckgraphisches Werk noch selbst ausgeführt, so tritt nun immer mehr die Arbeitsteilung in den Vordergrund. Der Künstler liefert die Invention in Form von Zeichnungen, die der Formschneider oder Stecher im Holzschnitt oder Kupferstich ausführt. Auch diese Arbeitsteilung ist letztlich ein Ergebnis der wachsenden Nachfrage nach Bildern, die in den Ländern nördlich der Alpen stärker hervortritt als im „bildreichen" Italien.
Ihren Höhepunkt erreicht die druckgraphische Kunst in Deutschland mit Beginn des 16. Jahrhunderts. Herausragender Exponent ist der in Nürnberg tätige Albrecht Dürer, der die Errungenschaften der italienischen Renaissancekunst schon früh in seinem Werk verarbeitet und umformt und seinerseits entscheidend auf die europäische Kunstentwicklung einwirkt.
Von ihm kommen mittelbar und unmittelbar die entscheidenden Impulse für die Druckgraphik des deutschsprachigen Südwestens, die neben den kleinen Druck- und Verlagsorten wie Freiburg/i.Br., Konstanz, Tübingen, Ulm und Heidelberg ihre bedeutenden Zentren in Straßburg und Basel hat[11]).
Dürer, der sich zwischen 1492 und 1494 in Straßburg und Basel aufhält, gibt vor allem dem Holzschnitt in Basel durch seine Illustrationen zum „Ritter von Thurn" (1493) und zum „Narrenschiff" des Sebastian Brant (1494) maßgebliche Impulse. Zu dem Meister Dürer in Nürnberg stoßen schließlich zahlreiche junge Talente. In seiner Werk-

statt ist ab 1503 auch Hans Baldung Grien (Kat.Nr. F 1–9) tätig, der zu einem der bedeutendsten Künstler der „Renaissance“ im Südwesten wird. Grien schließt sich anfänglich an das große Vorbild Dürer an[12]), tritt aber bald aus dem Schatten des Lehrers heraus und geht künstlerisch eigene Wege. Seine Holzschnitte, darunter auch Farbholzschnitte, sind nicht nur thematisch, sondern auch formal eigene, unübertroffene Leistungen, in denen sich die kräftige, mitunter fast „derbe“ Linienstruktur den Darstellungsinhalten als adäquat erweist. Mit Baldungs Übersiedlung nach Straßburg, 1508/9, setzt in seinem Werk auch die Abkehr vom klassischen Idealbild des Menschen ein, das Dürer in Auseinandersetzung mit der italienischen Kunst für den nordalpinen Raum geprägt hat, indem er die „Wahrheit“ der menschlichen Erscheinung mit der Konstruktion idealer Proportionen in dem Bemühen verbindet, den Renaissanceidealen von Körperausdruck und Körperschönheit zu entsprechen[13]). Baldung hingegegen faßt Wirklichkeit anders auf. Er sucht kein Maß noch Vergleichlichkeit, sondern schafft in seinen allegorischen Figuren, Porträts und Hexendarstellungen ein Menschenbild des Sinnlichen, Triebhaften und der differenzierten Charaktere[14]).
Von etwas geringerer Bedeutung ist der ebenfalls in Straßburg tätige Hans Wechtlin (Kat.Nr. F 27–29), der sich besonders dem Clairobscur-Schnitt zuwendet. In seinem Werk vereinigen sich Dürersche Formfindung mit motivischen Einflüssen der italienischen Stecherkunst des ausgehenden 15. Jahrhunderts, umgesetzt in schwungvoll bewegter Linienführung, die im Landschaftlichen an Holzschnitte Lucas Cranachs d. Ä. (1472–1553) und die Donauschule erinnert. Im Widerspruch zur graphischen Qualität seiner Blätter stehen seine Figurenerfindungen, die durch einen eigentümlichen disproportionierten Körperbau auffallen.
Wie Baldung ist auch Hans Schäufelein (Kat.Nr. F 16) in Dürers Werkstatt tätig, bevor er nach Italienreise und zeitweisem Aufenthalt in Augsburg – wo zu dieser Zeit Hans Burgkmair (1473–1531), Jörg Breu d.Ä. (um 1475–1537) und Hans Holbein d. Ä. (um 1465–1524) arbeiten – sich 1515 entgültig in Nördlingen niederläßt. Seine Holzschnitte entstehen für die Nürnberger, mehr noch für die Augsburger Drucker. Sie zeigen zweifellos, daß Dürers Kunst die Grundlage seiner Arbeit bildet. Wenn auch die graphische Ausführung weder in ihrer eher zurückhaltenden gleichförmigen Linienführung – die des öfteren in dekorativ-schnörkelige Zeichenweise übergeht – noch im Vermeiden von starken Kontrasten die Ausdruckskraft Dürerscher Werke oder die seines zeitweiligen Weggenossen Baldung oder den Schwung von Burgkmairs Holzschnitten erreicht, so erhalten seine Arbeiten durch die immense Erzählfreudigkeit des Künstlers doch ihren eigenen Rang. Eine ähnliche Stellung zwischen der Nürnberger und der Augsburger Kunst bezieht der zur jüngeren Generation der Dürernachfolge gehörende Schäufelein-Schüler Matthias Gerung (Kat.Nr. F 10/11), der vorwiegend Buchillustrationen fertigt. In seinen, mit denen Schäufeleins vergleichbaren, gleichförmigen, mitunter karg wirkenden graphischen Mitteln bleibt er in seinen Werken nicht unbeeinflußt von den Schöpfungen anderer Künstler, wie beispielsweise denen Christoph Ambergers (um 1500–1561/62).
Hans Weiditz (Kat.Nr. F 30) gehört wie Gerung und Holbein d. J. ebenfalls der jüngeren Künstlergeneration an. Seine in Augsburg zwischen 1515 und 1522 gefertigten Graphiken haben einige Zeit als Arbeiten Burgkmairs gegolten und sind dann dem sogenannten Petrarcameister zugeschrieben worden. Die gegenwärtige Forschung geht von der Identität des Petrarcameisters mit Hans Weiditz aus[15]). Namentlich faßbar ist Hans Weiditz als Urheber der Illustrationen zu Brunfells „Herbarium“ (1532), die in seiner Straßburger Zeit entstehen. Sein überwiegend aus Illustrationen bestehendes graphisches Werk macht seine Herkunft aus der Nürnberger und Augsburger Kunst deutlich, hebt sich aber durch Beobachtungsschärfe und Formenreichtum hervor, welcher nicht nur im kleinen Format mühelos die Bildfläche füllt und dennoch klar und übersichtlich bleibt. Manche seiner Arbeiten besitzen einen ornamentalen Zug, der in zarten graphischen Strukturen eingefangen ist. In Straßburg hat er mit seinen Holzschnitten die stetig wachsende Produktion des Buchdrucks bereichert.
Aus dem Augsburger Kunstkreis heraus stammt Hans Holbein d. J., der seine reiche Tätigkeit aber erst in Basel entfaltet. Zusammen mit dem älteren Baldung und dem wesentlich jüngeren Tobias Stimmer ist er einer der überragenden und einflußreichsten Künstler im deutschsprachigen Südwesten. Anders als Dürer, der sein eigener Drucker und Verleger war, arbeitet Holbein im Holzschnitt für die verschiedensten Auftrag-

geber in Basel, an deren Wünschen er sich zu orientieren hat. Sein Holzschnittwerk umfaßt deshalb vor allem Titelblätter, Titel- und Randleisten, Zieralphabete u. ä. für den Buchdruck[16]). Seine bekannteste Schöpfung aber ist die in Basel entstandene, jedoch erst 1538 in Lyon erschienene Serie „Bilder des Todes“ (Kat.Nr. F 12–15) geworden. Ornamententwürfe (Kat.Nr. F 31) und Arbeiten für die „Wissenschaft“ (Kat.Nr. F 32) bleiben in seinem druckgraphischen Werk eher die Ausnahme. Holbeins Holzschnitte sind in ihrer ausgeprägten Feinheit und Zierlichkeit vor allem den Forderungen des Buchschmucks unterworfen. In der graphischen Struktur ist den vorwiegend kleinen und kleinsten Formaten Rechnung getragen. Kreuzschraffuren, die in der notwendigen Feinheit im kleinen Format vom Formschneider nicht zu bewältigen waren, fehlen. Der sparsam und sauber gesetzte Strich erzielt im Gebrauch als Parallelschraffur plastische Qualität, wirkt ruhig und gleichmäßig, aber auch schwungvoll belebt. „Nicht an Kraft und persönlichem Ausdruck, wohl aber an Reinheit und Zartheit erreicht der deutsche Holzschnitt in Holbeins Werk den Gipfel und die klassische Form. Der Genauigkeit der Zeichnung, die sein gleichaltriger Landsmann Hans Weiditz schon etwas früher erreicht hatte, fügte Holbein Geschmack und Maß und weise Beschränkung hinzu, ...[17])“
Für Baldung, Holbein d. J. und die anderen oben genannten Künstler spielt der Kupferstich und auch die Radierung, die im deutschsprachigen Raum nur sehr langsam ihre Charakterisierung als eher minderwertige Art des Gravierens verliert, eine unbedeutende oder gar keine Rolle – sofern diese nicht Inventionen niederländischer, vor allem italienischer Kunst transportieren.
Im Südwesten bleibt bis weit ins 16. Jahrhundert der Holzschnitt die dominante graphische Technik. Dies gilt auch für den unter den Künstlern der zweiten Jahrhunderthälfte im Südwesten herausragenden Tobias Stimmer (Kat.Nr. F 17–26). Die geometrisierende Tendenz in der Form seiner Figuren rührt mit Sicherheit von der Kenntnis venezianischer – etwa der Luca Cambiasos (1525–1587) – und lombardischer Kunst, verbindet sich aber mit Elementen aus der Tradition des Südwestens, die beispielsweise im Werk Holbeins zu finden sind[18]). Doch die fast metallische Härte in der graphischen Erscheinung seiner Holzschnitte zeigt deutlich, unter welch starken Konkurrenzdruck der Holzschnitt durch den Kupferstich gerät. Dieser [19]) hat in Deutschland im 16. Jahrhundert seinen künstlerischen Höhepunkt – wie auch der Holzschnitt – im Werk Dürers erreicht. Und Nürnberg bleibt auch weiterhin für den Kupferstich der Dreh- und Angelpunkt, gepflegt von den Dürernachfolgern, wie den Kleinmeistern Sebald und Barthel Beham (1500–1550; 1502–1540) oder Georg Pencz (um 1500–1550).
Die eigentliche Hochburg des Kupferstichs in der ersten Jahrhunderthälfte ist aber Italien, das mit Stechern wie Marcantonio Raimondi (um 1480 – um 1530) die Entwicklung des Kupferstichs zum Reproduktionsstich – also zum reproduzierenden Medium schon bestehender Kunstwerke – vorantreibt und ihm damit seine zukünftige Bedeutung verleiht[20]).
Auch die Radierung hat hier mit Parmigianino (1504–1540), der ihre spezifischen technischen Möglichkeiten adäquat zu nutzen weiß, eine erste künstlerische Blütezeit erlebt, der im Norden nur die grandiosen Landschaftsradierungen der Donauschulmeister Albrecht Altdorfer (um 1480 – 1538), Augustin Hirschvogel (1503–1553) und vor allem Hans Lautensack (um 1520 – nach 1564) oder die Radierungen des in Nürnberg tätigen Schweizers Jost Amann (1539 – 1591) annähernd vergleichbar sind.
Maßgeblich beteiligt an dieser Entwicklung im Kupferstich und in der Radierung sind aber auch die Niederlande, die zu Beginn des Jahrhunderts mit Lucas van Leyden (1484–1533) einen der großen Kupferstecher der Dürerzeit hervorgebracht haben. Hier werden – durch die italienische, aber auch deutsche Kunst angeregt – Kupferstich, besonders der Reproduktionsstich, und Radierung zur Perfektion geführt[21]). So übernehmen die Niederlande besonders gegen Ende des 16. Jahrhunderts die Führung in der Weiterentwicklung der druckgraphischen Techniken und üben darin einen nachhaltigen Einfluß auf die gesamte europäische Kunst aus. Zahlreiche niederländische Künstler sind auch an deutschen Fürstenhöfen – unter denen sich der Kaiserhof in Prag und der bayerische Hof in München gegen Jahrhundertende zu den überragenden Kunstzentren entwickeln – tätig, z. B. Stecher wie Egidius Sadeler (1570–1629), der sowohl in Prag als auch in München gearbeitet hat.
Treibende Kraft der gesamten Entwicklung werden aber zunehmend die Verleger, die

die Massenproduktion im druckgraphischen Gewerbe forcieren. Sie entwickeln sich zu den eigentlichen Auftraggebern eines aufsteigenden, alle Lebensbereiche umfassenden Mediums. Sie sind die Vermittler zwischen den entwerfenden Künstlern und der Heerschar der berufsmäßigen Stecher und Radierer, die im Laufe des 16. Jahrhunderts arbeiten und deren Namen oft ungenannt bleiben. Als herausragendes Verleger-Beispiel ist Hieronymus Cock (1510–1570) in Antwerpen zu nennen, der selbst Graphiker ist und sich 1546 bis 1548 in Italien aufgehalten hat. Er holt 1550 mit Giorgio Ghisi (1520–1582) einen Stecher in seinen Verlag, der zu dem einflußreichsten Mittler zwischen italienischer und niederländischer Kunst wird. In seinem Verlag ist auch Cornelis Cort (1533–1578) tätig, der 1566 nach Rom geht und zu einem der gefeiertsten Kupferstecher in Italien avanciert[22]).

Nach dem Beispiel der Verlagsorganisation von Cock, der mit Hilfe einer Reihe dem Verlag verbundener Stecher Inventionen und Reproduktionen verschiedenster Künstler und Werke ins druckgraphische Medium umsetzt und ein breit gefächertes Angebot aufzuweisen hat, arbeiten immer mehr auch kleinere Verlage wie der von Bernhard Jobin (tätig 1566–1590) in Straßburg. Und gerade Straßburg, das als Durchgangstor vom Norden in den Süden Sammelbecken der verschiedensten Einflüsse geworden ist, scheint empfänglich für solche Neuerungen zu sein.

Aber auch Projekte wie das von Georg Braun und Franz Hogenberg herausgegebene topographische Werk „Civitates orbis terrarum“ (Kat.Nr. F 59), das einen Höhepunkt des immer umfangreicher sich gestaltenden Bereichs der Vedutenkunst darstellt, die dem wachsenden Interesse an fremden Ländern und Städten und der zunehmenden Erforschung und Entdeckung der Welt entgegenkommt, machen sich die Cocksche Vorgehensweise zu eigen. Der Bezug zu den Niederlanden manifestiert sich hier nicht nur in der Person des Stechers Hogenberg, sondern auch in der von Georg Hoefnagel als dem herausragenden an diesem Werk beteiligten Künstler.

Gemeinsamkeiten und Abhängigkeiten niederländischer und deutscher Graphik und ihr Bezug zu Italien offenbaren sich in besonderem Maß in der ornamentalen Druckgraphik. In ornamentalen Vorlageblättern dient sie den Goldschmieden, Kunstschreinern, Schnitzern, Hafnern und anderen Handwerkern als Hilfsmittel bei der Gestaltung ihrer Werkstücke. Um die Mitte des 16. Jahrhunderts beginnt auch in Deutschland die Nachfrage nach künstlerischen Vorlageblättern immer stärker zu werden. Die Suche nach Anregungen wendet sich zunächst den „ausländischen Erfindungen“ zu. Schon Holbeins Holzschnittentwürfe (Kat.Nr. F 31) zeigen die Aufnahme italienischer Formen, die durch den regen Künstler- und Kunstaustausch zwischen Italien und Deutschland vermittelt werden und die Entwicklung der Ornamentik in der deutschen Druckgraphik der ersten Jahrhunderthälfte entscheidend bestimmen. Das aufsteigende Ornament um kandelaberartige Mittelachse, Akanthus, Fratzen, Masken und figürliche Motive verbinden sich in der Groteske, die im Werk von Peter Flötner (Kat.Nr. F 33) einen Höhepunkt und ersten Abschluß erreicht. Um die Jahrhundertmitte treten mit Maureske und Rollwerk neue Ornamentformen hinzu, die auch in die Groteskenornamentik einfließen. Sie basieren zwar auf italienischen Vorbildern, werden aber vor allem über die Stiche der Niederländer Cornelis Bos (1506/10–1564) und besonders Cornelis Floris (1514–1575) für die deutsche Ornamentik fruchtbar.

Ihre Ornamentstiche, die phantasiereich immer neue Varianten der Groteske, des Rollwerks und schon des Beschlagwerks hervorbringen, finden große Verbreitung[23]).

Gegen Jahrhundertende sind es aber nicht mehr nur die Ornamentvorlagen der niederländischen Stecher oder auch der Schule von Fontainebleau (Pierre Milan, Antonio da Trento), die Bedeutung für die Entwicklung auf dem Gebiet des Dekorativen erlangen. Die Künstler im deutschsprachigen Raum tragen das Ihre dazu bei. In Straßburg ist Jakob Guckeisen (Kat.Nr. F 36) zusammen mit Veit Eck (tätig 1587–1596) an der Einleitung der manierierten Übergangsphase zur barocken Ornamentik beteiligt, indem sie das bis zum Frühbarock gültige „Schweifwerk“ entwickeln[24]).

Und der hauptsächlich in Straßburg tätige Wendel Dietterlin (Kat.Nr. F 34/35) bildet mit seiner „Architectura ...“ den künstlerischen Höhepunkt in einer ganzen Reihe von sogenannten „Säulenbüchern“, die auf der Basis von Vitruvs Architekturtheorie und Sebastiano Serlios (1475–1554) architekturtheoretischen Schriften in den Niederlanden, Frankreich und Deutschland im Verlauf des 16. Jahrhunderts entstehen. Diese dienen nicht nur den Baumeistern, sondern haben aufgrund der ornamentalen Gestaltungen ihrer Illustrationen dieselbe Funktion wie die ornamentalen Vorlageblätter.

Nun sind aber Künstler wie Weiditz oder Stimmer in der Druckgraphik nicht nur mit den neu aufgekommenen Themen der antiken Literatur und Mythologie, dem Porträt oder traditionellen Bereichen wie dem religiösen Bild und den ornamentalen Vorlageblättern befaßt; oder mit der Schilderung ihrer Zeitgenossen in modischer Kleidung und bei Festlichkeiten; oder mit der Illustration von Buchausgaben bedeutender Gelehrter, wie die des Erasmus von Rotterdam; oder mit der Herstellung von gedruckten Bildern für botanische, ornithologische, astronomische, mathematische oder topographische Werke. Sondern sie greifen auch unmittelbar in das Zeitgeschehen ein. Denn es ist die Zeit der Glaubensspaltung mit ihren religiösen Wirren und den daraus resultierenden und damit verbundenen politischen Unruhen und Kämpfen. Das Betroffensein und das Interesse an Informationen bringt ein weiteres und weites, von rein künstlerischer Zielsetzung eher abgehobenes Betätigungsfeld für die Druckgraphik: das illustrierte Flugblatt[25]. In der Kombination von Bild und Text, der in seinen Ansprüchen zwischen Volkssprache und anspruchsvoller Poetik schwankt – vergleichbar schwankend ist auch die Qualität der Bilder –, reagiert das illustrierte Flugblatt ungewöhnlich schnell auf Ereignisse. Relativ billig, erreicht es ein breites Publikum. Die im 16. Jahrhundert vor allem noch im Holzschnitt ausgeführten Bilder dienen dabei als Blickfang und zugleich als anschauliche Ergänzung des Textes, die besonders auch Analphabeten ansprechen sollen. Reformatorische und katholische Gruppierungen bedienen sich dieser Form der Druckgraphik in extensiver Weise, um ihren Standort, ihr Bekenntnis deutlich zu machen. Nicht selten wird dabei der Gegner diffamiert (Kat.Nr. F 38), wobei sich besonders das Luthertum oftmals noch der mittelalterlichen Exegese bedient (Kat.Nr. F 39/40). Einen wichtigen Bestandteil lutherischer Blätter machen auch die Darstellungen aus, die im Zusammenhang mit dem für die Lutheraner zentralen Bibelwort „Verbum Domini manet in aeternum" (Kat.Nr. F 42) stehen oder die Vorkämpfer des Protestantismus wie Luther selbst (Kat.Nr. F 43) oder Kurfürst Johann Friedrich von Sachsen (Kat.Nr. F 42) zeigen.
In polemisierender, ironisierender und diffamierender Art und Weise wird auch die staatliche Obrigkeit attackiert, selbst wenn dies durch deren Zensurmaßnahmen meist nur indirekt geschieht, wie z.B. in den anhaltenden Angriffen auf die Jesuiten, die eine wichtige Rolle in der habsburgischen Politik spielen (Kat.Nr. F 45). Dieses Beispiel und auch das Flugblatt gegen die calvinistische Prädestinationslehre (Kat.Nr. F 41) machen bewußt, daß der Standort des Kritikers und das „eigentliche" Zielobjekt der Kritik nicht immer eindeutig erkennbar ist. Dies trifft in besonderem Maß auf die Spottblätter gegen den Calvinisten Kurfürst Friedrich V. von der Pfalz zu, an denen nicht nur katholische Gegner, sondern auch anticalvinistische lutherische Kreise beteiligt gewesen sind (Kat.Nr. F 47/48). Diese Flugblätter rechnen zu den zahlreichen Produkten, die im Zusammenhang mit Personen und Ereignissen im Vorfeld und während des 30jährigen Krieges entstehen. Sie reichen inhaltlich von der Verherrlichung „bedeutender Persönlichkeiten", wie der Feldherren samt ihrer Taten (Kat.Nr. F 49/50/51/53) – gleichzeitig mit aktueller Ereignisschilderung und Schmähung des Gegners verbunden –, bis zu den oben erwähnten Spottblättern (Kat.Nr. F 47/48).
Aber auch eine von konkreten historischen Begebenheiten abgewandte Zeitkritik (Kat.Nr. F 52) findet sich als häufiges Thema von Flugblättern. Sie gipfelt in einer moralisierenden Sichtweise, welche die Menschen als narrenhafte Wesen versteht und entlarvt, die ihr Verhalten nicht zu ändern vermögen (Kat.Nr. F 57). Selbst in kleiner Auswahl wird die dominante Rolle der Protestanten bei der Flugblattproduktion deutlich, die ihre Verlags- und Druckzentren in Augsburg und Nürnberg – auch Dürer ist vehement für die protestantische Sache eingetreten –, später außerdem in Frankfurt/M. und Leipzig haben. Im Südwesten tut sich auf diesem Gebiet der Druckgraphik einmal mehr Straßburg hervor.

Anmerkungen

1 Zum Bildgebrauch und zur Bilderverehrung legt das VII. allgemeine Konzil von Nicaea (787) Lehrsätze fest, die in ihrer Grundaussage für die katholische Kirche bis in die Gegenwart gültig geblieben sind: „Wir bestimmen …, daß wie die Zeichen des ehrwürdigen und lebensspendenden Kreuzes, so auch die frommen und heiligen Bilder … dargestellt werden, nämlich das Bild unseres Herrn und Erlösers Jesus Christus, der heiligen Gottesgebarerin, der heiligen Engel und aller heiligen und ehrwürdigen Männer. Je öfter man sie in Abbildungen schaut, desto mehr wird der Betrachter an die Urbilder erinnert und zu Nachahmung angeregt, auch dazu, diesen seinen Gruß und seine Verehrung zu widmen, nicht die eigentliche Anbetung, welche bloß der Gottheit gebührt. … Denn die Ehre, die man den Bildern erweist, geht auf das Vorbild zurück. Wer ein Bild verehrt, verehrt die dargestellte Person."; zitiert nach RDK 2 (1948), Sp. 564.

2 vgl. Hübner 1977, S. 27 ff., S. 45.

3 vgl. Wolf 1974, S. 272 ff.

4 Das früheste datierte Exemplar eines Einblattholzschnittes ist die „Brüsseler Madonna“ von 1418; vgl. Musper 1964, S. 21.
5 Papier kann schon vorher aus Italien importiert werden und wird selbst nach Beginn der Papierherstellung in Nürnberg (1398) noch im 15. Jahrhundert aus Italien eingeführt; vgl. Hans Körner, in: Graphik 1984, S. 45.
6 Zu den frühen Arbeiten in Kupferstichtechnik zählen die des „Meisters des Todes Mariae“, die noch Elemente des internationalen „weichen Stiles“ aufweisen. Der Meister ist vermutlich in den 1420/30er Jahren im oberdeutschen Raum tätig; vgl. Lippmann 1963, S. 15, Abb. 3.
7 Neben Schongauer wirkt vor allem der 1475/76 in Neuß und den Niederlanden, 1480 in Heidelberg, 1488 in Brügge und 1490 in Frankfurt/M. tätige Hausbuchmeister in seinen Kupferstichen und Kaltnadelradierungen – um 1480 vermutlich von ihm „erfunden“ – auf die jüngere Künstlergeneration. Beide beeinflussen auch den jungen Dürer; vgl. Panofsky 1977, S. 6.
8 Der Buchdruck wird durch die Erfindung des Druckens mit beweglichen Lettern durch Gutenberg revolutioniert. Als erstes Ergebnis der neuen Buchdrucktechnik verläßt 1455 die 42zeilige Bibel Gutenbergs Mainzer Offizin, vgl. Hans Körner, a.a.O., S. 47.
9 vgl. Benzing 1977, und Benzing 1982
10 wie Anm. 9.
11 wie Anm. 9.
12 vgl. Mende 1978, Nr. 1 ff.
13 vgl. Panofsky 1975, S. 276 und S. 281 ff.
14 vgl. Olbrich 1973, S. 157 ff.
15 Die neuere Forschung identifiziert den Petrarcameister mit Hans Weiditz ohne nähere Begründung. Vgl. Lit. zu Kat.Nr. F 30; außerdem: Deutsche Zeichnungen aus einer Privatsammlung, Nürnberg 1984 (Ausst.kat.), Nr. 34–36; außerdem: Biographie im Anhang.
16 Vgl. Schmitt 1899, S. 223–261
17 Friedländer 1917, S. 143.
18 Vgl. Wien 1968, S. 128
19 Vgl. Lippmann 1963, S. 11 ff. Als Tiefdrucktechnik ist der Kupferstich für die Illustrierung von im Hochdruckverfahren hergestellten Büchern weit weniger geeignet als der mit dem Buchdruck verfahrensgleiche Holzschnitt. Erst im Verlauf des 16. Jahrhunderts gehen die Buchdrucker dazu über, Kupferstiche in die Bücher einzukleben.
20 Vgl. Dieter Weidemann, in: Graphik 1984, S. 52. Der sogenannten „feinen Manier“, die, charakterisiert durch zarte Schraffur von dominantem Innen- und Außenkontur, typisch für den frühen Kupferstich ist, setzt vor allem Mantegna die „breite Manier“ entgegen: diagonale Schraffuren modellieren die Körperform und verleihen ihr plastische Qualität. Raimondi schließlich kombiniert beide Arten des Kupferstechens und entwickelt daraus ein rationalisiertes, fein differenziertes Liniensystem, das die Entwicklung des Kupferstichs zum Massenprodukt fördert, zugleich aber zu einer gewissen künstlerischen Gleichförmigkeit führen muß.
21 In diesem Zusammenhang muß die Cornelis Cort (1533–1578) zugeschriebene Erfindung der „Taille“, der an- und abschwellenden Linie im Kupferstich, als folgenreichste Weiterentwicklung der Stichtechnik angesehen werden. Der bisherige Gegensatz von Schraffur und Kontur wird durch die Verwendung der „Taille“ aufgehoben und führt zu weiterer Rationalisierung der Stichtechnik. Vgl. Dieter Weidemann, a.a.O., S. 52/53.
22 Siehe Anm. 21
23 Vgl. Windisch-Graetz 1983, S. 81 f.
24 Vgl. Windisch-Graetz, S. 120 ff. Das Schweifwerk ist eine Angleichung von Roll- und Beschlagwerk. Im Beschlagwerk kommt es dabei auch im Verlauf der sonst flächigen Bänder zu Einrollungen, Aufspaltungen, Schlitzungen und Durchstoßungen.
25 Vgl. zum illustrierten Flugblatt: Wolfgang Harms, in: Coburg 1983, S. VII–XI.

F 1

Die Hexen (Vorbereitung zum Hexensabbat)

Hans Baldung Grien (1484/85–1545)
Straßburg, 1510

Clairobscur-Schnitt, Druck mit brauner Tonplatte, 379 x 260 mm.
Auf Täfelchen rechts Mitte Monogramm HBG (ligiert), darunter im Baumstamm die Jahreszahl 1510

München, Staatliche Graphische Sammlung, Inv.Nr. 1920:171

F 1

Während das Hexenwesen als Gegenstand der Bildenden Kunst im Mittelalter durch die Kirchendoktrin unterdrückt wurde, setzte mit dem verstärkten Aufkommen theologischer Traktate über das Hexenwesen im Laufe des 15. Jahrhunderts auch deren künstlerische Umsetzung ein.
Der „Hexenhammer" (Malleus Malleficorum), um 1486 erstmals publiziert, wurde zu einer der bekanntesten Quellen zum Hexenwesen. Baldung dürfte die popularisierte Form dieses Traktates, „die Emeis" des Straßburger Predigers Geiler von Kaisersberg, dank seiner Beziehungen wohl vor dessen Veröffentlichung schon gekannt haben. Sein 1510 entstandener Clairobscur-Schnitt, Baldungs erster Farbholzschnitt und wohl auch sein erster Holzschnitt als selbständiger Meister in Straßburg, greift jedoch nicht die solchen Traktaten beigegebenen Illustrationen und deren Strickmuster auf, das Hexen meist bei zielgerichtetem Schadenzauber (Hagelsieden, Lahmschießen...) zeigt. Seine durch ihre Attribute deutlich gekennzeichneten Hexen treiben ihr Unwesen ohne erkennbare Absicht. Sie haben sich bei Nacht in einem Waldstück zusammengefunden, dessen räumliche Ausdehnung dem Betrachter verborgen bleibt. In diesem Kontext wird die Natur zur dämonischen Natur, entgegen der im Hexenhammer vertretenen Auffassung. Zwei jungendliche Hexen sitzen im Vordergrund auf dem Boden, die linke in Rückenansicht, die rechte zum Betrachter gewendet, in einem aus Furken gebildeten Dreieck (dem Zeichen der Vulva). Letztere hält einen Schmierhafen zwischen den Beinen, aus dem bei leicht geöffnetem Deckel ein Dampfstrahl in die Höhe steigt, der sich mit einem zweiten aus nicht sichtbarer Quelle vereinigt. Der Dampfstrahl hat keine natürliche Ursache und versinnbildlicht so das dämonische Treiben, das hier vorgeht. Auch die kryptographische Schrift auf dem Schmierhafen weist darauf hin. Die alte Hexe im Mittelgrund hält einen Teller mit einer Schildkröte (Hostie der schwarzen Messe?) in die Höhe und zwischen den ausgestreckten Armen einen Schleier, der vermutlich ihr Tun verhüllen soll (vgl. Schade 1983, S. 58). Die Köpfe der drei Hexen bilden ein Dreieck, das das der Furken aufnimmt und noch einmal in der rittlings auf einem Bock sitzenden, fliegenden Hexe, mit der Furke und dem Topf mit Flugsalbe, aufgenommen wird. In der fliegenden Hexe zitiert Baldung einen Kupferstich seines Lehrers Dürer (B. 67). Mit zwei weiteren Hexen und allerlei anderen Attributen, wie dem Kristallspiegel, dem Hexenkessel, den darüberhängenden Würsten – deren Assoziation mit männlichen Gliedern den Zeitgenossen geläufig war –, den Knochen, den Borsten und der Katze rundet Baldung das Bild des dämonischen Treibens ab. Vorbildlich für Baldungs Darstellung könnte Altdorfers Federzeichnung von 1506 gewesen sein (F. Winzinger, Albrecht Altdorfer Zeichnungen, München 1952, WVZ S. 65, Nr. 2), die verwandte Züge aufweist und die er in Dürers Werkstatt gesehen haben könnte. Doch erst bei Baldung erhalten die Hexen einen lasziven, obszönen Charakterzug, ist nicht die Hexerei der Hauptakzent der Darstellung, sondern die Bestimmung des Weiblichen als des Magischen, zugleich Bedrohlichen, Macht Ausübenden.
Formal und inhaltlich steht dieser Holzschnitt mit anderen Arbeiten wie „Aristo-

teles und Phyllis“ (vgl. Kat.Nr. F 3) oder den „Pferdeszenen“ (vgl. Kat.Nr. F 6, 7, 8) in Zusammenhang.
Das Hexenthema beschäftigte Baldung weiterhin in einer Reihe von Zeichnungen (Koch 1941, 59 (?), 61, 62, besonders 63, 64 und 65 – vgl. Kat.Nr. E 3), in denen aufgrund des privaten Charakters der Zeichnungen das Erotisch-Obszöne noch ausgeprägter formuliert wurde. Dagegen wirken die beiden Hexen im Gemälde von 1523 (von der Osten 1983, 53) betont zurückhaltend.

B 55; G 121; HG 235; Karlsruhe 1959, II H 76; Laran 1959, Bd. 1, S. 68, Taf. C; Hartlaub 1961, S. 15 f.; Oettinger/Knappe 1963, S. 131, 68; Wien 1964, 279; München 1966, 80; Strauss 1973, 32; Providence 1974, 21; Nürnberg 1977, 12; Mende 1978, 16; New Haven 1981, 18; Schade 1983, S. 54ff. *O.P.*

F 2

Markgraf Christoph I. von Baden und Hochberg

Hans Baldung Grien (1484/85–1545)
Straßburg, 1511

Holzschnitt, 178 x 102 mm. Auf Inschriftstreifen unten: CHRISTOPHER° MARCHIO BADENSIS. Oben Mitte Jahreszahl 1511, oben links Monogramm HBG (ligiert)

Berlin, Staatliche Museen Preußischer Kulturbesitz, Kupferstichkabinett, Inv.Nr. H 266

F 3

F 2

Markgraf Christoph I. von Baden, leiblicher Vetter Kaiser Maximilians I., war der Begründer des badischen Fürstenhauses und zugleich auch der erste und einflußreichste Förderer und Auftraggeber Baldungs in dessen Anfängen als selbständiger Künstler. Unter seiner von 1475–1515 dauernden Regentschaft entwickelte sich Baden zum modernen Territorialstaat.
Zwischen 1510 und 1515 schuf Baldung 4 Porträts seines Gönners. Das erste ist Teil einer predellenartigen „Anbetung der heiligen Anna selbdritt“ (Karlsruhe 1959, I 12). Dieses um 1510 entstandene Gemälde zeigt den noch vollbärtigen Markgrafen im Kreise seiner Familie. Der Holzschnitt von 1511, der an das Gemälde anschließt, präsentiert den Markgrafen schon mit ausrasiertem Mund. Darauf folgt 1512 die Silberstiftzeichnung des Karlsruher Skizzenbuchs (Koch 1941, 86), die Baldung 1515 für sein letztes Porträt des Markgrafen verwendet: das Gemälde in der Alten Pinakothek München (Karlsruhe 1959, I 33), in dem Baldung mit feinem Gespür die fortgeschrittene unheilbare Geisteskrankheit des Markgrafen im Gesichtsausdruck andeutet, die Christoph I. 1515 dazu zwang, die Herrschaft in Baden niederzulegen und das Land unter seine Söhne zu teilen.
Baldungs Holzschnitt, der – wohl zusammen mit Burgkmairs Werken – der früheste Bildnisholzschnitt überhaupt ist – erweist dem 58jährigen Herrscher seine Referenz. Im sparsamen Lineament, das dem Holzschnitt eine eigentümliche Kahlheit verleiht, und der Überbetonung

der markanten Gesichtspartien des Markgrafen hat der Künstler das eindrucksvolle Bild eines entschlossenen und willensstarken Fürsten geliefert, das durch seine für Baldung ungewöhnliche kompositionelle Ausgewogenheit besticht.

B 59; G 127; HG 266; Karlsruhe 1959, II H 81; Mende 1978, 28; New Haven 1981, 79. *O.P.*

F 3

Aristoteles und Phyllis

Hans Baldung Grien (1484/85–1545)
Freiburg, 1513

Holzschnitt, 333 x 238 mm. Auf Täfelchen links unten Monogramm HBG (ligiert) und Jahreszahl 1513

Berlin, Staatliche Museen Preußischer Kulturbesitz, Kupferstichkabinett, Inv.Nr. H 232

Die aus indischen und arabischen Quellen entstandene Geschichte von Aristoteles und Phyllis war neben den „Weibermachtdarstellungen" wie Samson und Delilah eines der bevorzugten Themen in der abendländischen Literatur und Bildenden Kunst vom 13. bis 16. Jahrhundert. Im 13. Jahrhundert hatte der Geistliche Jacques de Vitry die Aristoteles-Phyllis-Geschichte populär gemacht, um die aristotelische Philosophie und mit ihr die antiken Autoren zu diskreditieren. Zugleich hatte die Thematik in die Erzählungen über Alexander den Großen Eingang gefunden und war ein wichtiger Bestandteil dieser Erzählungen geblieben. Danach mahnte der antike Philosoph Aristoteles seinen Schüler Alexander vor allzu großer Liebe zur Gemahlin und zu geringer Zuwendung an die Studien. Alexanders Gemahlin, die in der literarischen Tradition bald mit dem Namen Phyllis belegt wurde, fühlte sich durch Aristoteles um die Gunst ihres Mannes gebracht und nahm Rache, indem sie den weisen Philosophen verführte und ihn, den Verliebten, zum Reittier degradierte. Schon 1503 hatte Baldung dieses Thema in einer Zeichnung (Koch 1941, 1) aufgegriffen, in der er in seiner Figurenerfindung noch dem gängigen Bildtypus folgte (vgl. Hausbuchmeister). Die 10 Jahre später entstandene Fassung des Holzschnittes läßt jedoch alles bis dahin Vorgegebene hinter sich. In erotischer Eindeutigkeit sind Aristoteles und Phyllis dargestellt: Phyllis' pralle Sinnlichkeit, die Baldung mit dem hinter ihr aufsteigenden, in voller Pracht stehenden Apfelbaum unterstreicht, hat über die Weisheit gesiegt, die hier in Aristoteles zum Wilden Mann heruntergekommen ist, dem Baldung den ausgedorrten, sterbenden Baum zuteilt. Die zeitgemäße Architektur in heimischer Landschaft, vor allem aber die Haube einer ehrbaren, verheirateten Frau aus der Stadt, die die sonst unbekleidete Phyllis schmückt, tragen zur Aktualisierung des Geschehens bei, die der als Voyeur auf dem Söller sich darstellende Künstler zum Selbst-Erlebten macht.

B 48; G 119; HG 232; Karlsruhe 1959, II H 71; Wien 1964, 284; Mende 1978, 31; Basel 1978, 68; New Haven 1981, 37; Schade 1983, S. 101 ff. *O.P.*

F 4

Adam und Eva

Hans Baldung Grien (1484/85–1545)
Straßburg, 1519

Holzschnitt, 256 x 99 mm. Auf Täfelchen rechts unten Monogramm HBG (ligiert), links unten Jahreszahl 1519

Nürnberg, Germanisches Nationalmuseum, Inv.Nr. H6175 Kapsel 22

Der Holzschnitt von 1519 ist Baldungs letzte von drei Formulierungen der Sündenfallthematik in dieser Technik. Im Gegensatz zum Clairobscur-Holzschnitt von 1511 (B. 3) und dem um 1514 entstandenen Holzschnitt (B. 1) hält Baldung hier weder den Augenblick der Versuchung durch die Schlange noch den des Sündenfalls fest – denn die Schlange ist bereits verschwunden –, sondern zeigt die nachfolgende Wirkung des Geschehenen auf Adam und Eva.
Diese füllen das extrem schmale Hochformat des Blattes fast vollkommen aus, wodurch die in den beiden früheren Holzschnitten ausgeprägte Landschaft – darin läßt sich der Bezug zu Dürers Kupferstich von 1504 (B. 1), besonders im Holzschnitt von 1511, noch erahnen – auf ein Minimum reduziert wird. Nicht nur in der Komposition, sondern auch in der Figurenauffassung hat sich Baldung 1519 von Dürer und dem klassischen Ideal der Renaissance entfernt. Baldungs Adam und Eva verweisen in ungeschönter figuraler Erscheinung auf die sexuelle Komponente des Sündenfalls.
Vermittelt wird dies durch die körperliche Nähe der beiden Figuren und vor allem durch ihre Gebärden und ihr Mienenspiel, wie es, jedoch weitaus vordergründiger und abgeschwächter, im Clairobscur von 1511 angelegt ist. Adams besitzergreifender Gestus und sein angespannter, Gier und Erregung verratender Gesichtsausdruck treffen auf eine sich durch Wegdrehen des Oberkörpers abwendende Eva, die mit dem rechten Arm zum Rippenstoß anzusetzen scheint, und deren Gesicht Widerwillen, Abneigung und Verweigerung schlechthin zum Ausdruck bringt.
In einem anderen Kontext findet sich dieses psychologisierende Moment in Baldungs um 1518 entstandenem Gemälde „Der Tod und die Frau" (Karlsruhe 1959, I 39), das wiederum nach einer wohl 1515 zu datierenden Helldunkel-Zeichnung (Koch 1941, 68) angefertigt wurde. Auch hier treffen Gier und Verweigerung – wenn auch sinnlose Verweigerung – aufeinander. Zugleich wird allerdings über die formale Analogie hinaus die Verbindung von Sündenfall und menschlicher Sterblichkeit sinnfällig. Ohne das eine wäre das andere nicht möglich. In einem um 1531/33 entstandenen Gemälde (Karlsruhe 1959, I 71) hat Baldung den Holzschnitt von 1519 in abgeschwächter Aussageform noch einmal aufgegriffen.

B 2; G 58; HG 2; Karlsruhe 1959, II H 2; Wien 1964, 289; Mende 1978, 73; Basel 1978, 94; New Haven 1981, 75; Stuttgart 1982, 72. *O.P.*

F 4

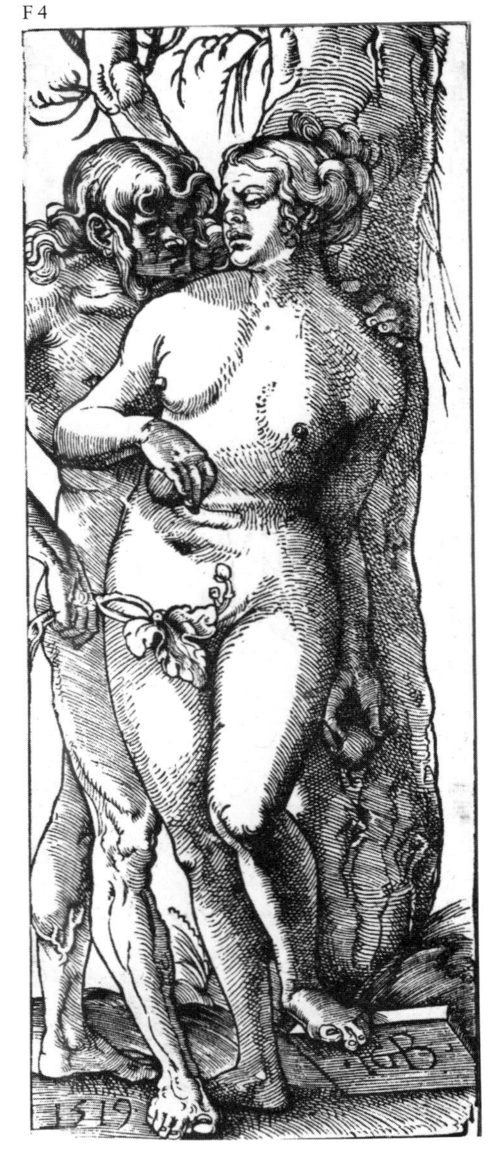

F 5

Der trunkene Bacchus

Hans Baldung Grien (1484/85–1545)
Straßburg, um 1520 (?)

Holzschnitt, 222 x 153 mm. Auf Täfelchen rechts oben Monogramm HBG (ligiert)

Nürnberg, Germanisches Nationalmuseum

Die im Mittelalter recht seltenen Bacchusdarstellungen gelangten im Verlauf der Renaissance mit der Wiederaufnahme der antiken Mythologie zu neuer Daseinsberechtigung. Im 16. Jahrhundert hielt Bacchus, von Italien kommend, schließlich auch Einzug in den nordischen Kunstkreis.
Der in der antiken Mythologie als Gott der Fruchtbarkeit, später dann insbesondere als Gott des Weins figurierende Bacchus hatte Baldung schon um 1515 in seinem Teil der Randzeichnungen zu Kaiser Maximilians I. Gebetbuch beschäftigt (Koch 1941, 53), wo Bacchus als Trunkener, aber noch Trinkender erscheint. Zur Thematik des trinkend trunkenen Bacchus wurde Baldung möglicherweise durch ein Vorbild Mantegnas oder seines Kreises geführt (vgl. Hind, Early Italian Engraving, Bd. V, London 1948, S. 29, Nr. 24 und 24a, Taf. 522).
In der 1517 entstandenen Helldunkel-Zeichnung (Koch 1941, 104; vgl. auch Kat.Nr. E 5) ist der volltrunkene, schlafende Bacchus dargestellt, umgeben von einer Schar Putti, die die Auswirkungen des Weines in drastischer Weise vor Augen führen. In der Endformulierung des Themas im vermutlich in der ersten Hälfte der 1520er Jahre entstandenen Holzschnitt läßt die vom Künstler umgesetzte Mahnung vor übermäßigem Weingenuß und damit vor der hemmungslosen Hingabe an die Leidenschaften in ihrer überspitzten Deutlichkeit nichts mehr zu wünschen übrig. Ungestraft kann der fackeltragende Putto dem volltrunkenen Gott des Weines, der, in sich zusammengesunken, von den anderen Putti gestützt wird, aufs Haupt pinkeln. Darin findet das unzivilisierte Dasein und Ausgeliefertsein an die natürlichen Begierden seinen unvergleichlichen Ausdruck.
Beim Kopf des Putto mit dem Weinglas, links, griff Baldung offensichtlich auf eine Zeichnung aus dem Karlsruher Skizzenbuch zurück (fol. 13r., l.o.; Koch 1941, 187).

B 45; G 117; HG 233; Karlsruhe 1959 II, H 74; Mende 1978, 75; Schade 1983, S. 85f., Anm. 410.

O.P.

F 5

F 6

Brünstiger Hengst in einer Gruppe von Wildpferden

Hans Baldung Grien (1484/85–1545)
Straßburg, 1534

Holzschnitt, 225 x 332 mm. Auf einem Täfelchen im Vordergrund:
I° BALDUNG / FECIT / 1534

Erlangen, Graphische Sammlung der Universität, Inv.Nr. AH 127

B 57; G 124; HG 239; Karlsruhe 1959 II, H 79; Mende 1978, 78; Basel 1978, 98; New Haven 1981, 84; Schade 1983, S. 80ff., Abb. 29.

F 7

Abschlagende Stute in einer Gruppe von Wildpferden

Hans Baldung Grien (1484/85–1545)
Straßburg, 1534

Holzschnitt, 229 x 336 mm. Auf einem Täfelchen rechts unten:
BALDUNG / FECIT / 1534

Nürnberg, Germanisches Nationalmusem, Inv.Nr. H 6229a

B 58; G 125; HG 240; Karlsruhe 1959, II H 80; Mende 1978, 79; Basel 1978, 99; New Haven 1981, 85; Schade 1983, S. 80ff., Abb. 30.

F 8

Kämpfende Wildpferde

Hans Baldung Grien (1484/85–1545)
Straßburg, 1534

Holzschnitt, 230 x 344 mm. Auf einem Täfelchen rechts unten:
BALDUNG / 1534

Erlangen, Graphische Sammlung der Universität, Inv.Nr. AH 128

B 56; G 123; HG 238; Karlsruhe 1959, II H 78; Laran 1959, Bd. 1, S. 65, Taf. 82; Wien 1964, 290; München 1966, 80; Hamburg 1969, 44; Dresden 1971, 65; Mende 1978, 77; Basel 1978, 97; New Haven 1981, 83; Detroit 1981, 107; Schade 1983, S. 80ff., Abb. 31.

Sigrid Schade (a.a.O.) hat es unternommen, Baldungs ungewöhnliche Holzschnittfolge mit den Wildpferden, die keine Vorbilder zu haben scheint, in eine sinnvolle Reihenfolge zu bringen. In der ersten Szene nähert sich ein brünstiger Hengst einer Stute. Seine sichtbare Erregung, von Baldung ausdrucksstark gestaltet, teilt sich den umstehenden Hengsten mit. In der zweiten Szene verweigert sich die „nicht rossige" Stute dem Hengst durch Ausschlagen mit den Hinterläufen, worauf dieser auf den Waldboden ejakuliert. Bei den umstehenden Tieren hat sich die Erregung zur Über-Spannung aufgebaut, die sich in der dritten Szene entlädt. Zorn und Entsetzen spiegeln sich im Ausdruck der kämpfenden und der

F 6

F 7

F 8

am Boden liegenden Tiere wider. Alle drei Szenen spielen auf einer Waldlichtung, wobei die räumliche Ausdehnung von Szene zu Szene abnimmt.
Baldungs Interesse an Pferden, besonders an kämpfenden, hatte schon in den 1515 entstandenen Randzeichnungen zu Kaiser Maximilians I. Gebetbuch seinen Niederschlag gefunden (Koch 1941, 51). 1531 hatte er diese Thematik zeichnerisch wieder aufgegriffen (Koch 1941, 131; Koch 1941, A20). Schließlich finden sich weitere Pferdestudien im Karlsruher Skizzenbuch, die belegen, daß Baldung nach der Natur zeichnete. In dieser Hinsicht kann das Selbstporträt des Künstlers in der ersten Szene der Holzschnittfolge, wo Baldung als Beobachter im linken Hintergrund das Geschehen verfolgt, als Hinweis auf das „ad naturam" und schließlich auf die Aktualität des Geschehens verstanden werden. Auch der Affe, der Baldungs Inschrifttäfelchen hält, deutet auf den Künstler als „simia naturae" hin (vgl. G. F. Hartlaub, Der Todestraum des Hans Baldung Grien, in: Antaios 2, 1960, S. 23). Zugleich ist der Affe aber die Verkörperung der Sexualkraft, in dieser Bedeutung im 16. Jahrhundert nur noch vom Pferd übertroffen, das als das nach dem Menschen geilste Lebewesen galt.
Das 16. Jahrhundert schöpfte derartige Kenntnisse aus teilweise klassischen Quellen, die Baldung gekannt haben dürfte. Danach z.B. seien Hengste während der Brunstzeit eifersüchtig darauf bedacht, daß kein anderer Hengst sich den auserwählten Stuten nähere, was zu ständigen Kämpfen führe.
Baldungs Holzschnittfolge geht allerdings über die zoologischen Quellen hinaus. Sie zeigt das unzivilisierte Wildpferd in unzivilisierter Umgebung in seiner im 16. Jahrhundert bekannten symbolischen Bedeutung als „Libido", als das Wesen, daß sich als Sklave seiner eigenen Triebhaftigkeit durch die „ungezähmte" Leidenschaft und die Frustration der Nichtbefriedigung ins Chaos stürzt.
Und ohne Zweifel stellt Baldung mit dem Selbstporträt in der ersten Szene den Bezug zur eigenen Person her, während die zweite und dritte Szene ausschließlich den Betrachter anspricht und diesem die Rolle des Voyeurs zuweist. Indem Baldung die Symboltiere für die unkontrollierte Begierde eben diese zum Ausdruck bringen läßt, erfährt die Aussagekraft seiner wohl als Mahnung zu verstehenden Holzschnittfolge eine doch typisch Baldungsche Steigerung ins Drastische.

O.P.

F 9

Der behexte Stallknecht

Hans Baldung Grien (1484/85–1545)
1544

Holzschnitt, 338 x 198 mm. Auf einem Täfelchen rechts unten Monogramm HB (ligiert)

Karlsruhe, Staatliche Kunsthalle, Graphische Sammlung, Inv.Nr. KHE II H 77

Baldungs „behexter Stallknecht", eines der Meisterwerke der deutschen Renaissance, gehört zu den rätselhaftesten Arbeiten des Künstlers. Der zu Boden gestreckte Stallknecht, das sich umschauende Pferd und die durch das Fenster in den Raum drängende alte Vettel mit der Fackel haben Anlaß zu unterschiedlichsten Interpretationen des Dargestellten gegeben. Das rechts oben zu sehende Wappen des Künstlers mit dem Einhorn, dem Symbol der Reinheit und der Seelenrettung, ist ebenfalls Gegenstand dieser Deutungen gewesen, die von „Allegorie des Zorns" (G. Radbruch) bis zu „Sinnbild des Grauens vor dem Tode und zugleich Alptraum des Künstlers" (G. F. Hartlaub) reichen.
Der jüngste Deutungsversuch (Ch. A. Mesenzeva) setzt Baldungs Holzschnitt mit der im 16. Jahrhundert wohl weitverbreiteten Sage des Raubritters Rechenberger in Beziehung, die sowohl in mündlicher als auch literarischer Überlieferung bekannt war: Der Rechenberger leiht dem Teufel seine Handschuhe (er verschreibt sich dem Teufel), worauf dieser ihm die Abrechnung in einem Jahr ankündigt. Von Furcht gepackt, geht der reuige Sünder als Stallknecht ins Kloster, wo er nach genau einem Jahr zu Tode kommt und wie angekündigt vom Teufel geholt wird. Zum Tod des Rechenbergers gab es in der Sage verschiedene Versionen. In den meisten Schilderungen aber wurde der Raubritter-Stallknecht von einem wilden Pferd erschlagen.
Baldungs Holzschnitt könnte demnach den „Tod des Rechenbergers" darstellen, bei dem der Teufel durch die alte Hexe vertreten wäre.
Zu dem Stallknecht, der in seiner extrem perspektivischen Verkürzung an das 1480 entstandene Meisterwerk Mantegnas „Beweinung des toten Christus" (Mailand, Brera) erinnert, existiert eine 1544 datierte Vorzeichnung (Koch 1941, 143), wie auch zum Einhorn als Wappentier (Koch 1941, 142), ebenfalls 1544 datiert, was eine Entstehung des Holzschnittes in diesem Jahr vor Baldungs Tod, 1545, nahelegt.

B 15 („Hans Brosamer"); G 122; HG 237; G. Radbruch, Hans Baldungs Hexenbilder, in: Elegantiae juris criminalis, Basel-Leipzig 1938, S. 30ff.;
G. F. Hartlaub, Der Todestraum des Hans Baldung

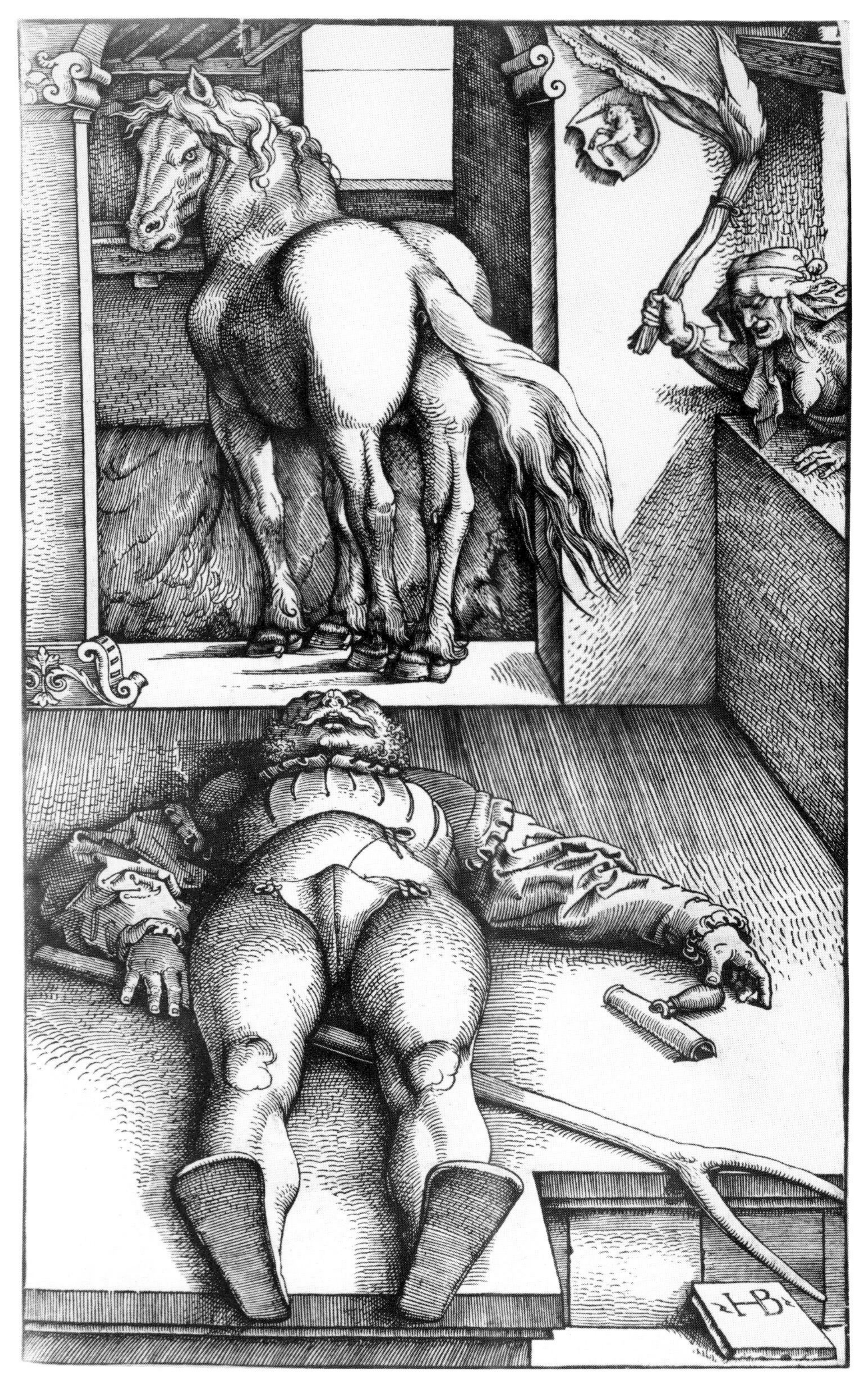

F 9

Grien, in: Antaios 2 (1960), S. 13–25; Karlsruhe 1959, II H 77; Hartlaub 1961, S. 22 ff.; Wien 1964, 291; Hamburg 1969, 45; Providence 1974, 22; Basel 1978, 100; Mende 1978, 76; New Haven 1981, 87; Detroit 1981, 108; Ch. A. Mesenzeva, „Der behexte Stallknecht“ des Hans Baldung Grien, in: ZGK 44 (1981) 1, S. 57–61. *O.P.*

F 10

Johannes verschlingt das Buch

Matthias Gerung
(um 1500 – um 1568/70)
1546

Holzschnitt, 233 x 162 mm. Links unten Monogramm MG (ligiert), rechts unten Jahreszahl 1.5.4.6.

Berlin, Staatliche Museen Preußischer Kulturbesitz, Kupferstichkabinett, Inv.Nr. H. 24

Die Darstellung des das Buch verschlingenden Johannes entstammt einer Folge von 28 Illustrationen zur Geheimen Offenbarung des Johannes, die aufgrund der vorkommenden Jahreszahlen zum überwiegenden Teil wohl um 1546/47 entstanden sein dürften. Sie illustriert das 10. Kapitel der 22 Kapitel umfassenden Endzeitgeschichte: Der starke Engel, in Wolken gekleidet, mit Sonnenhaupt und Beinen aus Feuersäulen, hat die rechte Hand zum Schwur erhoben – hinfort solle keine Zeit mehr sein und mit der siebten Posaune sich Gottes Geheimnis vollenden – und reicht mit der Linken Johannes das offene Buch, das dieser auf Geheiß einer Stimme im Himmel verschlingt.
Die Bilderfindung Gerungs lehnt sich – bei aller Eigenheit – in der kompositionellen Anlage der Landschaft und der Figuren an Dürers Darstellung aus dessen 1496/98 entstandener Apokalypse an, die zu einer Art Topos geworden war. Im Gegensatz zu Dürer beschränkt sich Gerung in seiner Darstellung auf die Figuren des Engels und Johannes. Zugleich fehlen in seinem Holzschnitt der Delphin und die Schwäne, die Rolf Chadabra (Dürers Apokalypse, Prag 1964) im Dürerholzschnitt in Verbindung mit den Sonnenstrahlen des Engels als apollinische Attribute aufwies und damit den Holzschnitt als eine vom Frühhumanismus getragene allegorische Verbindung von christlicher Thematik und heidnisch-antiker Mythologie deutete. Gerungs Holzschnitt ist „Nur-Illustration“ des vorgegebenen Textes, durch die auf dem Felsen rechts oben ruhende zeitgemäße Stadt allerdings zur aktuellen Erlebnisschilderung erhoben. In seiner klaren Strichführung und scharfen Konturbildung wirkt Gerungs Holzschnitt im Vergleich zu Dürers Werk karger, zugleich ruhiger in der Formbildung, aber nicht weniger eindrucksvoll in seiner

graphischen und bildmäßigen Erscheinung.

Dodgson, 1908, S. 209, 14; Dodgson 1903–1911, Bd. 2, S. 215, 5–13; H. 24; Strauss 1975, 25; Nürnberg 1978, 62. *O.P.*

F 11

Madonna mit Heiligen

Matthias Gerung
(um 1500 – um 1568/70)
1555

Holzschnitt, 270 x 190 mm. Rechts oben Monogramm MG (ligiert) und Jahreszahl 1555

Berlin, Staatliche Museen Preußischer Kulturbesitz, Kupferstichkabinett, Inv.Nr. H. 12

Gerungs Darstellung der Madonna mit Kind und den heiligen Ulrich und Afra, den Patronen der Stadt Augsburg, entstand 1555 für den Kardinal und Bischof der Stadt, Otto Truchsess von Waldburg. Dieser hatte, nach steiler Karriere – mit 27 Jahren Domherr zu Augsburg, mit 30 Jahren bereits Kardinal – und aufgrund seiner guten Beziehungen zu Kaiser Karl V. und dem Papst, in Augsburg schon früh Schritte gegen die Reformation eingeleitet. Ausdruck dieses erstarkenden Katholizismus ist auch das 1555 von Sebald Meyer in Dillingen gedruckte „Missale secundum ritum Augustensis eclesie...“, für das Gerung die Illustrationen schuf. Der Holzschnitt der Madonna mit den Augsburger Heiligen bildet in dem Missale die Rückseite des Titelblattes. In späteren Drucken wurden die Wappenschilde durch den Text „gegrüsst seyst du Maria“ ersetzt. Gerungs Holzschnitt, der das Motiv Madonna mit Heiligen mit der Darstel-

F 10

F 11

lung der Heiligen Dreifaltigkeit verbindet, geht in seiner Figuralkomposition und Thematik auf Christoph Ambergers Augsburger Domaltar (1544) zurück, der, wie auch das „Missale“, ein frühes Zeugnis der Restauration und Gegenreformation in Augsburg ist. Besonders deutlich wird die Vorbildlichkeit Ambergers in seiner Entwurfszeichnung der Heiligen (vgl. Augsburg 1980, 594), die Gerung fast wörtlich in seinem Holzschnitt übernimmt. Das wiederum legt den Schluß nahe, daß Gerungs Madonna ebenfalls eine Entwurfszeichnung Ambergers zugrunde lag, die nicht erhalten geblieben oder bislang unentdeckt ist.

H. 74; Dodgson 1903–1911, Bd. 2, S. 213, 2; Strauss 1975, 67; Augsburg 1980, 460 (mit weiterer Lit.) *O.P.*

F 12

F 13

F 14

F 15

F 12–15

Vier Szenen aus dem „Totentanz"

Hans Holbein d.J. (1497/98 – 1543)
Basel, 1523–26

Der Tod und der Ritter

Holzschnitt, 65 x 48 mm

P 30; Woltmann 1876, 111.

Der Tod und die Edelfrau

Holzschnitt, 66 x 49 mm

P 34; Woltmann 1876, 122.

Der Tod und die Nonne

Holzschnitt, 66 x 49 mm

P 24; Woltmann 1876, 126.

Der Tod und der Krämer

Holzschnitt, 65 x 49 mm

P 36; Woltmann 1876, 116.

Stuttgart, Staatsgalerie, Graphische Sammlung, Inv.Nr. GL 911 a–d

Die traditionell „Totentanz" genannte Folge, aus der die 4 Holzschnitte stammen, ist Holbeins wichtigstes graphisches Werk. Dieses baut auf der Tradition des 15. Jahrhunderts auf, wie sie für Holbein im großen Basler Totentanz an der Kirchhofmauer des Dominikaner-Predigerklosters (1431–48) sichtbar war. Der Basler Totentanz zeigte die typische, paarweise Figurenzuordnung. Holbein gestaltete diese üblichen „Reigendarstellungen des Todes mit Lebenden" um: in kleine, in sich geschlossene szenische mehrfigurige Darstellungen, die durch ihre alltags- und gegenwartsbezogene Zeitschilderung bestechen. Damit brachte Holbein in die bisherigen Todesdarstellungen, die die Gleichheit vor dem Tod thematisierten, die zeitliche Komponente: der Tod ereilt die Menschen mitten im täglichen Leben. Diese Sicht des Todes erlangte schnell Berühmtheit und Vorbildlichkeit, wie beispielsweise die Kopie von Wenzel Hollar (1607–1677) nach Holbein belegt. Noch im 19. Jahrhundert waren Holbeins Bilder des Todes vorbildlich (vgl. Briesemeister).

Insgesamt besteht die Folge aus 51 Holzschnitten, von denen 44 Bilder der Begegnung mit dem Tod sind, 5 einleitend die Entstehung des Todes schildern (Schöpfung, Sündenfall, Vertreibung aus dem Paradies, erste Arbeit, Zug der Gerippe) und 2 die Folge beschließen (Jüngstes Gericht, Wappen des Todes).

41 von Hans Lützelburger im Feinschnitt angefertigte Holzschnitte der Folge lagen bei dessen Tod, 1526, vor und wurden als „Probedrucke" auf unzerschnittenen Bögen herausgegeben. Aus dieser Auflage stammen auch die 4 hier gezeigten Holzschnitte. Als Buchausgabe erschien die Lützelbergersche Folge mit 41 Holzschnitten erstmals bei Melchior und Caspar Trechsel 1538 in Lyon.

Bis 1562 erfolgten 11 weitere Ausgaben, die um einige Holzschnitte vermehrt wurden, wobei die Ausgabe von 1562 schließlich zusätzlich 7 Kinderszenen enthielt, die mit den „Bildern des Todes" in keinerlei Zusammenhang zu bringen sind.

P 3, S. 362–375; Woltmann 1874–1876, Bd. 1, S. 240 ff.; Waetzold 1938, S. 59 ff.; Schmid 1947, S. 256 ff.; Waetzold 1958, S. 11 ff.; Basel 1960, 418; Wien 1964, 251–266; Briesemeister 1970, S. 6; Dresden 1971, 400–407; Providence 1974, 29; Stuttgart 1982, 87–90; Darmstadt 1984, S. 26. *O.P.*

F 16 Kolorierter Abzug mit weiterer Platte

F 16

Tanzführer und Fackelträger (Der Fürstentanz)

Hans Schäufelein (um 1483 – um 1539)
Nürnberg, um 1535

Holzschnitt, 273 x 235 mm. Auf Täfelchen links unten Monogramm HS (ligiert) mit Schaufel. Oben beschriftet

Berlin, Staatliche Museen Preußischer Kulturbesitz, Kupferstichkabinett, Inv.Nr. B. 103–4

Der Tanzführer mit erhobenem Taktstock und dem über seinem Kopf gedruckten *Umb umb.* (herum, herum) – vermutlich der Zeremonienmeister – schreitet tänzerisch den beiden Fackelträgern voran. Sie führen den „Reyen" an, der sich offensichtlich aus hochgestellten Gästen zusammensetzt, worauf die Beschriftung hinweist: *Laß uns den Reyen langsam führen / Als es dem Adel thut gebüren / Der bey samen ist auf die nacht / Hab auff die Fürstin gute acht.*
Eine Reichskleiderordnung, wie sie beispielsweise auf dem Augsburger Reichstag von 1530 erlassen wurde, regelte aufs strengste, was die jeweiligen Ständemitglieder tragen durften. Auch die drei Dargestellten zeichnen sich in ihrer Bekleidung und durch das Tragen von Schwert und Degen als einem höheren Stand zugehörig aus. Zugleich bieten sie eine umfassende Vorstellung der zeitgenössischen Männermode, die – trotz Kleiderordnung und im Gegensatz zur Mode der Frauen – den Variationsreichtum und die Schmuckfreudigkeit jener Zeit widerspiegelt.
Der Tanzführer und der Fackelträger mit Haarnetz sind mit knielanger Schaube, einem vorne offenen Mantel, bekleidet, dessen Kragen in reichen Abwandlungen vorkam. Die weiten Schaubenärmel folgen der Schlitzmode, d.h. sie haben Einschnitte, die mit Bändern zusammengeknotet oder auch abgebunden wurden und den Blick auf den Wams mit seinen fülligen Ärmeln freigaben. Auch die Hosen zeigen diese Schlitzmode. Sie wurden im ersten Drittel des Jahrhunderts knielang und relativ eng getragen. Der Fackelträger mit Haarnetz hingegen ist mit einem Schoß- oder Faltrock bekleidet, der schon früh zum Harnisch getragen wurde und noch lange als Jagdbekleidung in Gebrauch blieb. Bereichert wurden diese Spielereien der Schneiderkunst durch die Verwendung farbiger Stoffe, die der einfache Holzschnitt naturgemäß nicht wiederzugeben vermag. Ein zusätzliches Feld bot sich der Männermode schließlich in der freien Gestaltung von Haar- und Barttracht.
Schäufeleins Holzschnitt entstammt einer „Fürstentanz"-Folge, für die Geisberg 16 Blätter von der Hand des Künstlers aufweist (G. 1064–1079). Außerdem werden aufgrund der kompositionellen Anlage und des identischen Beschriftungstypus 1 Blatt von Georg Pencz (G. 1001) und 2 Drucke von Erhard Schön (G. 1169/1170) ebenfalls zu dieser Folge gerechnet.
Die im Typus der bekannten Triumphzüge (z.B. für Kaiser Maximilian I.) mit friesartiger Figurenreihung zu denkende Gesamtdarstellung, die wohl anläßlich einer Hochzeitsfeier entstand, erschien bei Hans Guldenmund in Nürnberg, dessen Adresse auf 3 Blättern vorkommt.
Nach Dodgson (1911, S. 51) erfolgte ein weiterer, kolorierter Druck der Folge bei Peter Steinbach, ebenfalls in Nürnberg. Röttinger verweist außerdem auf einen Neudruck mit der Adresse „zu Nürnberg, bei Wolff Strauch".

B 103–4; G 1064; Dodgson 1903–1911, Bd. 2, 221; Röttinger 1927, 198 a; Die Welt des Hans Sachs, 400 Holzschnitte des 16. Jahrhunderts, Nürnberg 1976 (Ausst.kat.), 95 (94–112); Horst Appuhn/Christian Heusinger, Riesenholzschnitte und Papiertapeten der Renaissance, Unterschneidheim 1976, S. 79, Abb. 55.
O. P.

F 17–25

Die neun Musen

Violaspielerin – Lautenspielerin – Gitarristin – Organistin – Flötistin – Zitherspielerin – Krummhornspielerin – Posaunistin – Fagottistin

Tobias Stimmer (1539–1584)
Straßburg, um 1575

Holzschnitte, je 378 x 290 mm

Wien, Albertina, Inv.Nr. D.I.25 p. 24–28

In Stimmers musizierenden Musen könnte man die zeitgemäße Transformation der neun Schwestern aus Homers „Ilias" (I, 601 ff.) sehen. In ihrer dortigen Funktion als Musizierende und Tanzende greift Stimmer sie auf, nicht in ihrer allegorischen Zuordnung zu den seit der Antike als musisch geltenden Künsten, wie der Geschichtsschreibung, der Astronomie oder etwa der Tragödie. Die im unteren Teil jeden Blattes eingefügten 3 Strophen à 4 Verse verfaßte Johann Fischart (1546 – um 1590). In ihnen wird auf humorvoll satirische Art der vermeintliche Ursprung der Instrumente gedeutet. Ein zehntes, zur Serie gehöriges Blatt, „Die Närrin" (Strauss 1975, 52), beschließt die Folge. Diese närrische Alte, die auf einem „Hafen" spielt, wird als Muse der „Midasköpf" bezeichnet, mit denen vermutlich die törichten Geldgierigen angesprochen sind, die keinen Sinn für die „humanistisch" verstandene Muse entwickelt haben. Dieses 10. Blatt trägt zudem die Adresse des Verlegers Bernhard Jobin (tätig 1566–1594) in Straßburg, bei dem auch die anderen Drucke der Folge verlegt worden sein dürften. Die Musen-Serie stellt damit ein Beispiel der vielfältigen Zusammenarbeit von Stimmer, Fischart und Jobin dar (vgl. auch Kat. Nr. F 37, 39, 40).
Nach neuerer Forschung greift Stimmer in seinen Kompositionen auf um 1570 entstandene französische Holzschnitte eines anonymen Künstlers zurück (vgl. Basel 1984, 160 und 160 a), die er jedoch in wesentlich dynamischere Formgestaltungen übersetzt, wie sie in den bewegten, reich drapierten Gewändern und der Spannung, die die Halbfiguren im engen

F 17 F 18 F 19 F 20 F 21 F 22 F 23 F 24 F 25

Rahmen des Bildes erzeugen, zum Ausdruck kommen.
Musendarstellungen tauchen in der bildenden Kunst häufig auf, meist in humanistisch gelehrtem Zusammenhang, wie in Burgkmairs d.Ä. Holzschnitt des Wagens der Hofkapelle im Triumphzug Kaiser Maximilians I. (B., S. 229, 26; begonnen 1512), wo sie der Verherrlichung des Herrschers dienen.
Stimmers Musen mit Fischarts Versen weisen jedoch eher eine satirisch-moralisierende Tendenz auf, die sich auf die damaligen Zeiterscheinungen und allgemeinen Lebensumstände bezieht.
Eine vollständige Serie der Stimmerschen „Musen" befindet sich in der New York Public Library.

Andresen 1864–1878, Bd. 3, 67–75; B 37–45; Bendel 1940, S. 100f., Abb. S. 236f.; Strauss 1975, 43–51; Weber 1976, S. 282, Nr. 20; Basel 1984, 160. *O.P.*

F 26

Der Neunzig- und der Hundertjährige
(Die Altersstufen des Mannes)

Tobias Stimmer ? (1539–1584)
Straßburg, um 1575/77

Holzschnitt, 303 x 260 mm. Unten Mitte Monogramm des Holzschneiders MB (ligiert) mit Formschneidemesser.

München, Staatliche Graphische Sammlung, Inv.Nr. 16688

Der Holzschnitt zeigt in schlichtem Renaissancerahmen zwei Greise, links den 90jährigen – *XC. Jar der kinder spot.* –, rechts sitzend, in sich zusammengesunken, den 100jährigen – *C. Jar genad dir Got.* –, hinter dessen Rücken der Tod die ablaufende Uhr emporhält. Zwischen ihnen steht ein Baum, dessen Laub auf der Seite des 90jährigen welk herabhängt, der auf der Seite des 100jährigen nur noch laublose, „tote" Äste trägt.

F 26

Der Holzschnitt gehört zu einer Serie von 5 Blättern der „Lebensalter des Mannes" (Strauss 1975, 60–64), zu der ein Pendent, ebenfalls 5 Holzschnitte umfassend, der „Lebensalter der Frau" existiert (Strauss 1975, 55–59).
Die Lebensalter des Menschen, die schon in der mittelalterlichen Kunst durch unterschiedliche Symbole oder Personifikationen charakterisiert wurden, gehörten mit Beginn der Renaissance zu den zunehmend häufiger aufgegriffenen Motiven innerhalb der Vanitasthematik, die schließlich auch verstärkt in Einzelblättern der graphischen Künste Eingang fand. Als Allegorie der Vergänglichkeit Mahnung vor dem vermeintlich Seligmachenden des irdischen Daseins, thematisieren die Darstellungen der Altersstufen des Menschen den unausweichlichen Triumph der Zeit und damit den Triumph des Todes.
Die Zuschreibung der Holzschnittfolge an Tobias Stimmer, wie sie in der älteren Forschung von Andresen und Bartsch, in der jüngeren noch von Strauss vorgenommen wurde, bleibt umstritten.
Schon Friedrich Thöne schrieb 1935 die Folge aufgrund stilistischer Kriterien dem Stimmer-Schüler Christoph Murer (1558–1614) zu. In der jüngsten Forschung unternimmt Paul Tanner (in: Basel 1984, 367), ebenfalls in stilistischem Vergleich, eine Zuschreibung der „Lebensalter des Mannes und der Frau" an Daniel Lindtmayer (1552–1606/7), die allerdings nach Tanners und unserer Ansicht einer zukünftigen Überprüfung bedarf.

Andresen 1864–1878, Bd. 3, 54 („Stimmer"); B 13 („Stimmer"); Thöne 1935, S. 25–31 („Murer"); Bendel 1940, S. 110, Abb. S. 115 („Stimmer"); Musper 1964, S. 226 („Murer"); Briesemeister 1970, S. 11, Nr. 207 („Stimmer"); Wien 1968, 216 („Stimmer"); Strauss 1975, 64 („Stimmer"); Weber 1976, S. 286, Nr. 44 (Murer; Weber verweist außerdem auf von Fischart verfaßte Verse zu den einzelnen Blättern); Basel 1984, 367 („Lindtmayer"). *O.P.*

F 27

F 27

Totenschädel in Renaissancerahmen

Hans Wechtlin (1480/85– nach 1526)
Straßburg (?), um 1510/12?

Clairobscur-Schnitt (Schwarzplatte und Tonplatte in Graugrün), 268 x 181 mm. Auf Täfelchen links unten Wechtlins Signet: Jo V, dazwischen gekreuzte Pilgerstäbe und Männertreu-Blume.

Berlin, Staatliche Museen Preußischer Kulturbesitz, Kupferstichkabinett, Inv.Nr. B.6

Die mittelalterliche Vanitas-Idee war von der Vorstellung des Todes als Schwelle zum wahren Leben, vom Auferstehungsgedanken geprägt, der in der bildhaften Gestaltung moralischen Zwecken diente. Im auf das Diesseits bezogenen Zeitalter der Renaissance verschwand die Idee der Vergänglichkeit nicht, wurde aber mit anderen Gedanken in Verbindung gebracht, deren Hauptaugenmerk dem Leben galt und nicht der Auferstehungsthematik. In diesem Sinne bildete sich die Vanitassymbolik zum „Memento mori" (Bedenke, daß du sterblich bist) aus, das im Totenschädel eines ihrer Sinnbilder fand. Als Einzelmotiv taucht er im nordeuropäischen Bereich beispielsweise auf der Rückseite des linken Flügels von Rogier van der Weydens Braquetryptichon (Paris, Louvre) Mitte des 15. Jahrhunderts auf (vgl. Martin Davies, Rogier van der Weyden, München 1972, Abb. 50), während er in der Graphik fast ausschließlich in komplexere figurative Zusammenhänge eingebunden ist.
Wechtlin setzt nun seinen Totenschädel in einen Renaissancerahmen, der reich mit Kandelaber-, Ranken- und Vasenwerk verziert ist. Genien mit Windrädern und die Vase mit Feuer unterstreichen den Vanitascharakter ebenso wie die Inschrift MVNDANAE FELICITATIS GLORIA (Der Ruhm des irdischen Glücks) im Sockelbereich der Rahmenarchitektur. In der Art eines Epitaphs aufgefaßt, ist das in diesen übliche Porträt durch den plastisch gestalteten und in „wissenschaftlich-anatomischer" Richtigkeit erfaßten Totenschädel ersetzt und quasi als „Epitaph für jedermann" zu verstehen. Zugleich wird in der Unvermitteltheit der Frontalität des Schädels dem Betrachter die eigene Vergänglichkeit wie ein Spiegelbild seines zukünftigen Seins vor Augen geführt. Darin liegt auch die immense Wirkung des Blattes, die durch die Technik des Clairobscur-Schnittes noch gesteigert wird.
Das vermutlich von Jost de Negker zuerst angewandte Verfahren des Clairobscur-Holzschnittes, das den Effekt der Helldunkelzeichnungen durch die Verwendung von zwei oder mehreren Druckstöcken in die Druckgraphik übertrug, fand im 16. und 17. Jahrhundert keine allzugroße Anwendung durch die Künstler. Wechtlin, der möglicherweise noch bei dem seit 1508 in Augsburg tätigen de Negker gelernt hatte, war einer der wenigen, der sich in dieser Technik einen Namen machte und sie in seinen selbständigen Blättern zu künstlerischer Bedeutung führte.
Wechtlins Totenkopf im Renaissancerahmen muß nach K. T. Parker (Archives alsaciennes de l'Art, Straßburg 1923, S. 76) 1512 oder früher entstanden sein, da der Rahmen bereits 1512 in einer Titelbordüre des Druckers Jakob Köbel in Oppenheim kopiert wurde.

B 6; G 1492; Röttinger 1942/43, S. 108; Karlsruhe 1959, I 342; Laran 1959, Bd. 1, S. 68, Taf. 87; Strauss 1973, 23; Providence 1974, 34. *O.P.*

F 28

Alcon von Kreta befreit seinen Sohn

Hans Wechtlin (1480/85 – nach 1526)
Um 1512

Clairobscur-Schnitt (Schwarzplatte und Tonplatte in Graublau), 268 x 181 mm. Auf einem Täfelchen zwischen Alcons Beinen Wechtlins Signet Jo V, dazwischen gekreuzte Pilgerstäbe und Männertreu-Blume

Stuttgart, Staatsgalerie, Graphische Sammlung, Inv.Nr. A 1910/9.

Der kretische Heros Alcon war einer der berühmten Bogenschützen der vor-trojanischen Generation, der auf Schwerter oder Lanzen gespießte Pfeile mit einem Pfeilschuß spalten konnte (vgl. Robert Graves, The Greek Mythos, Harmondsworth 1955, Bd. 2, S. 92). Als Begleiter von Herakles wurde er nur von diesem in der Schießkunst übertroffen. Beweis für seine Fähigkeiten als Bogenschütze war auch die von Wechtlin aufgegriffene Sage, nach der Alcons Sohn Phalerus, der später mit Jason und den Argonauten auf die Suche nach dem goldenen Vlies ging, im Schlaf von einer Schlange angefallen wird, die ihn zu erwürgen droht. Alcon befreit seinen Sohn durch einen Pfeilschuß, der die Schlange tödlich trifft, ohne den Knaben zu verletzen. Die in Valerius Flaccus „Argonautica" (I. 398 ff.) erzählte Sage gehört zu den selten dargestellten Themen der bildenden Kunst. Wechtlin fügt vermutlich deshalb in seine Darstellung eine Schrifttafel ein, die in lateinischer Sprache die Szene erläutert: *Alcomen pietas torquet simul horridus anguis:/Liberat arte mira/turbidus atqui necat* (Alcon quält die Liebe zu seinem Sohn und zugleich die schreckliche Schlange: trotz seiner Verwirrung befreit er durch seine wunderbare Kunst (seinen Sohn) und tötet (die Schlange)).
Die lateinische Inschrift und die Ausführung des Blattes als Clairobscur-Schnitt, der im Vergleich zum einfachen Holzschnitt teuer war (vgl. von der Osten 1983, S. 162), läßt auf einen humanistisch gebildeten Adressatenkreis des Wechtlinschen Blattes ebenso schließen wie das von ihm gewählte Thema der Darstellung an sich. Zwei Varianten des Wechtlinschen Holzschnittes mit andersfarbigen Tonplatten verzeichnet Reichel (a.a.O.).

B 9; G 1493; Reichel 1926, S. 54, Taf. 16 und 17; Karlsruhe 1959, I 336; Wien 1964, 296; Strauss 1973, 26; Stuttgart 1982, 80. *O.P.*

F 29

Orpheus bezaubert mit seiner Musik die wilden Tiere

Hans Wechtlin (1480/85 – nach 1526)
Um 1512

Clairobscur-Schnitt 268 x 179 mm. Auf einem Schild links unten Wechtlins Signet Jo V, dazwischen gekreuzte Pilgerstäbe und Männertreu-Blume.

München, Staatliche Graphische Sammlung, Inv.Nr. 1921:25

Die Orpheus-Thematik spielte in der mittelalterlichen Kunst keine Rolle und wurde vornehmlich durch die Literatur tradiert. Das Interesse der bildenden Kunst setzte erst mit der italienischen Renaissance ein und gelangte von Italien in den nordischen Raum. Orpheus, der als „Repräsentant der Zaubermacht der Musik" galt (Ziegler 1950, S. 239), und dem mit ihm verknüpften Mythos wurden im 16. und den folgenden Jahrhunderten zahlreiche Darstellungen gewidmet, und dies nicht nur in Illustrationen zu den vermehrt erscheinenden Ausgaben der Ovidschen Metamorphosen, sondern auch in zahlreichen Stichen und Einzelholzschnitten.
Das von Wechtlin gewählte Thema zählt zu den bevorzugten des orphischen Mythos und thematisiert den Wesenskern des Orpheus: die Macht seiner Musik. Der Kitharode Orpheus vermag sich mit seinem Spiel und Gesang nicht nur die Menschen, sondern auch Tiere und Pflanzen, ja sogar die unbelebte Natur gefügig zu machen. Sie alle kommen bei seiner Musik herbei und versammeln sich in paradiesischem Friedenszustand um ihn. Wechtlins ORPHEVS VATES (der Sänger Orpheus), wie er durch die Inschrift auf einer Tafel kenntlich gemacht ist, sitzt als nackter, von Tieren umgebener Jüngling auf ruinösem Mauerwerk. Er spielt auf einer Viola, während links und rechts von ihm Laute und Harfe stehen. Der Typus des Viola und nicht Kithara bzw. Lyra spielenden, unbekleideten Orpheus findet sich in stark verwandter Form beispielsweise in den wohl vor 1500 entstandenen Stichen Nicolettos da Modena (vgl. Hind,

F 28

Early Italian Engraving, London 1948, Bd. V, S. 116, Nr. 13 und S. 118, Nr. 25, Taf. 644 und 652). Solche Werke aus dem Kreis der Mantegna-Nachfolge dürften Wechtlin bekannt gewesen sein.

B 8; G 1494; Ziegler 1950, S. 256; Karlsruhe 1959, I 337; Strauss 1973, 25. O.P.

F 30

Kinderalphabet

Hans Weiditz (um 1500 – um 1536)
Augsburg, 1521

Holzschnitte, 23 Buchstaben und eine Konstruktionsfigur, je 56 x 56 mm. Im Buchstaben Z links oben „15", rechts oben „21" = Jahreszahl 1521

Stuttgart, Staatsgalerie, Graphische Sammlung, Inv.Nr. 3820

Das Hans Weiditz zugeschriebene, 1521 zu datierende Kinderalphabet scheint in einer Phase entstanden zu sein, in der eine besondere Nachfrage nach ornamentalen Initialen im Süd- und Südwestdeutschen Raum einsetzte. Ihren Ursprung hatten diese Alphabete in den ornamental geschmückten Initialen der mittelalterlichen Buchmalerei. Und oft entstanden sie – wie schon ihre mittelalterlichen Vorläufer – in direktem Zusammenhang mit bestimmten Druckwerken, so daß ihre ornamental-figurale Gestaltung Bezug zum jeweiligen Text hatte.
Die gesteigerte Nachfrage um die 1520er Jahre (vgl. C. Dodgson) und die Verbreitung kompletter Alphabete durch die Verleger in Druckerzentren wie Augsburg und Basel läßt auf eine Verwendung solcher Alphabete außerhalb der Buchproduktion als Muster- und Vorlageblätter auch für Kunsthandwerker und Schreibmeister schließen.
Beispiele solcher Alphabete – neben dem Kinderalphabet des Hans Weiditz – hat vor allem Hans Holbein d.J. geliefert, darunter das bekannte, von Hans Lützelburger geschnittene „Todesalphabet" (Woltmann 1876, 252), das 1524 erstmals Verwendung fand (vgl. Schmid 1947, Taf.Bd. S. 42, 182a).
Weiditz' Alphabet stellt eine Sammlung von 23 bildmäßigen Erfindungen überschäumender Phantasie dar, in der sich in eng begrenztem Raum zwischen abwechslungsreich drapierter Renaissance-Ornamentik Putti ihrem drolligen Spiel hingeben. Da wird musiziert, gejagt, Karten gespielt und in den Kampf gezogen. Da werden aber auch Themen aufgegriffen, die mit dem Beginn des 16. Jahrhunderts an Beliebtheit gewonnen hatten und in denen den Putti selbst eine Rolle zukam: so feiern sie im Buchstaben „G" ihr Bacchanal – ohne den Gott des Weines.

F 29

P 3, S. 226, 346 („Dürer"); G 1547/1548; Dodgson 1907/08, S. 289–293; Musper 1927, 638; Röttinger 1937, S. 104; Stuttgart 1982, 85 („Petrarcameister"). *O.P.*

F 31

Entwurf für eine Dolchscheide

Hans Holbein d.J. (1497/98–1543)
Basel, um 1523

Holzschnitt, 210 x 40 mm

Basel, Kunstmuseum, Kupferstichkabinett

Drei Wulstringe in Form von Lorbeerblattstäben teilen die Dolchscheide in zwei Felder. Das Feld zwischen Ortband, mit dem symmetrischen, lilienförmigen Pflanzenornament, und dem Mittelring ist mit symmetrischen Ranken einer Groteske verziert. Das Feld vom Mittelring zum Mundblech zeigt eine geharnischte Fortuna, die auf einer Muschel stehend über Meereswogen gleitet und die einen Gewandstreifen mit heraldischer Lilie als Segel hält. Das Segel verweist auf die Flüchtigkeit des Glückes, das Gleiten auf dem Meer zeigt dessen Unbeständigkeit an. In Zusammenhang mit der Dolchscheide könnte die „geharnischte" Fortuna die Flüchtigkeit und Unbeständigkeit des Kriegsglückes symbolisieren. Das Mundblech wird von zwei plastisch geformten Lilienkronen verziert.
Der wohl um 1523 von Hans Lützelburger ausgeführte Holzschnitt (vgl. Warncke 1979, 92) gehört zu Holbeins frühen Entwürfen für das Kunsthandwerk, in denen die aus Italien kommende Renaissanceornamentik, wie die Groteske, ihre Verwendung gefunden hat. Mit seinen Waffenentwürfen, sowohl den druckgraphischen als auch den zeichnerischen, muß Holbein in seiner Zeit entscheidenden Einfluß auf die dekorative Ausstattung der Waffen gehabt haben (vgl. Schmid 1947, Bd. 2, S. 401). Eine Fassung dieses Holzschnittes mit zugehörigem Dolchgriff in wohl zeitgenössischer, korrekter Zusammenmontierung bewahrt das British Museum in London auf (vgl. Warncke 1979, 92).

P 43; Woltmann 1874–1876, Bd. 1, S. 435/36; ders., Bd. 2, 203 (Dolchgriff: 204); Schmid 1947, Bd. 2, S. 401 und 418; Schmid 1947, Taf.-Bd., A 70; Basel 1960, 438; Warncke 1979, Bd. 2, 92. *O.P.*

F 30

F 30

F 31

F 32

Instrument beider Lichter

Hans Holbein d.J. (1497/98–1543)
Basel, um 1532

Holzschnitt und Kalkulationstabelle, Hauptstück: 609 x 429 mm; Unterteil: 130 x 429 mm

Basel, Kunstmuseum, Kupferstichkabinett

Die große astronomische Holzschnittafel zeigt auf dem Hauptstück die große Weltenuhr mit Darstellung der Mondphasen und ihrer Zuordnung zum Tagesablauf eines Monats. An die Ringe mit Tages- und Stundenangaben schließt nach außen der Ring der Sternbilder an, der von dem des Jahres eingefaßt wird. Diesem folgt die Zuordnung der Tage des Kirchenjahres und ein Kalendarium. Oben sind Mond- und Sonnenscheiben angebracht, deren Berechnungen mit dem Jahr 1530 beginnen. Unten wird auf 2 Scheiben der Lauf des Mondes im Verhältnis zu Stunde, Tag, Monat und Jahr wiederholt. Auf dem schwarzen Kreuz der linken unteren Scheibe sind die Initialen VS des Formschneiders zu finden, bei denen Koegler (S. 255) an Veit Specklin aus Straßburg dachte. Über diesen beiden unteren Kreisen sollten 2 Stellscheiben montiert werden, links eine mit dem Sternbild des kleinen Bären, rechts eine Monatsscheibe mit Schlange und Blattornament. Zwischen diesen kleinen Scheiben finden sich oben und unten von reich gestaltetem Rankenwerk eingefaßter Tafeln, in denen oben der Titel des Werkes genannt wird, unten eine weitere Kalkulationstabelle erscheint. In den Zwickeln neben der großen Scheibe sind figurale Kompositionen eingepaßt, die das außerordentlich dekorative Erscheinungsbild des Hauptstückes abrunden. Im Unterteil der Holzschnittafel versinnbildlicht ein feuerspeiender Drache mit Schattenzirkeln das kosmische Geschehen. Außerdem gehörten eine Anzahl Darstellungen von Sonnen- und Mondfinsternissen zu dieser astronomischen Tafel, die diese wohl auf der linken und rechten Seite begleiteten (vgl. Koegler, S. 259f.). Bei der Holzschnittafel des *Instrumentum nouum, utriusque luminaris uarios / exprimens motus, coniunctiones, oppositiones, ca=/put draconis, eclipses horas equales & inequales,/ ortum, occasum, ascendens, interuallum & ce/tera.* konnte Holbein in der kompositionellen Anlage auf Sebastian Münsters „Instrument über den Mond" (1529) zurückgreifen, während die dekorative Gestaltung der Tafel Holbeins künstlerische Qualität auf dem Gebiet der Ornamentik verdeutlicht. Die Tafel erschien laut Beschriftung 1534, und zwar zu Sebastian Münsters „Canones super novum instrumentum luminarium" bei Cratander in Basel. Zu dieser Ausgabe fertigte Holbein auch das Titelblatt mit den beiden Astronomen (vgl. Basel 1960, 425).
Die deutsche Ausgabe der „Canones..." wurde 1554 bei Jakob Kündig (= Jakobus Parcus) verlegt, dessen Initialen „JP" im schwarzen Zentrum des kleinen Kreises rechts unten im Hauptstück der dieser Ausgabe zugehörigen Holzschnittafel zu finden sind (vgl. Koegler, S. 261). Im selben Jahr erfolgte außerdem eine französische Ausgabe der „Canones..." wiederum durch Kündig (frz. Namensform: Jacques Estauges; vgl. Benzing 1982[2], S. 40, Nr. 33) in Basel (vgl. Koegler, S. 263).

Koegler 1910, S. 247ff.; Waetzold 1938, S. 116; Basel 1960, 424; Maurice 1976, Bd. 2, 207; Hans Reinhardt, Einige Bemerkungen zum graphischen Werk Hans Holbein des Jüngeren, in: ZAK 34 (1977), S. 251. *O.P.*

F 33

Groteske mit Füchsen

Peter Flötner (um 1485–1546)
Nürnberg, 1546

Holzschnitt, 177 x 119 mm. Auf der Tafel unten „15 PF 46"

München, Staatliche Graphische Sammlung, Inv.Nr. 16508

Flötners Groteske mit Füchsen ist eine der letzten Großkompositionen der Groteskenornamentik seiner Zeit. Warncke (1979, Bd. 1, S. 30) sieht in ihr eine Paraphrase des bekannten Kupferstichs von Agostino Veneziano (B. 559), dessen Gesamtanlage Flötners Groteske zugrunde gelegen haben dürfte. Dies

F 33

F 32

besagt aber nur, daß Flötners Groteske dem „klassischen" italienischen Vorbild folgt, wie es sich auch in anderen Werken des ausgehenden Quattrocento und beginnenden Cinquecento zeigt, etwa in solchen Giovanni Antonios da Brescia oder Nicolettos da Modena (vgl. Hind, Early Italian Engraving, London 1948, Bd. V, Nr. 65, Taf. 556; sowie Bd. V, Nr. 102, Taf. 689). Flötner variiert die Motive dieser Vorbilder in einen Flächenstil, der die graphische Linearität der Formgestaltung gegenüber der plastischen Durchbildung bei diesen Vorbildern betont. Lassen sich zahlreiche Motive aus der italienischen Groteske herleiten, wie der kandelaberartige Aufbau der Mittelachse, die Masken, Fratzen, Vögel und das Vasenmotiv, so entstammen einige Motive, wie die Füchse, dem deutschen Bildgut (vgl. Warncke 1979, Bd. 1, S. 30). In den gelängten weiblichen Figuren ist bereits der Einfluß des italienischen Manierismus spürbar, wie auch im zaghaft eingesetzten Rollwerk die Überwindung der Ornamentformen der Frührenaissance anklingt.

Flötners „große Groteske" erschien im 1546 datierten 1. Zustand im 1549 bei Rudolf Wyssenbach in Zürch verlegten „Maureskenbuch", das in 2. Auflage 1560 bei Andrea Gessner in Zürich ediert wurde. Zudem erschien der Holzschnitt 1566 bei J. Gessner, wiederum in Zürich, in dem Buch „Wunderbarliche kostliche Gemält" (vgl. Dodgson 1903). Der 2. Zustand (ohne Jahreszahl) wurde zuerst 1566 in der bei Johann Wolff in Zürich verlegten „Architectura antiqua" verwendet, die 1627 bei Johann Bodmer, Zürich, eine Neuauflage erlebte (vgl. Warncke 1979, Bd. 2, 348).

Dodgson 1903–1911, Bd. 1, S. 539, 31; Bange 1926, S. 37, Nr. 52, Abb. Taf. 55; Warncke 1979, Bd. 2, 348; Eva-Maria Hanebutt-Benz, Ornament und Entwurf, Museum für Kunsthandwerk, Frankfurt/Main 1983 (Ausst.kat.), 19 *O.P.*

F 34–35

Portale

Wendel Dietterlin (1550/51–1599)
Straßburg, 1594

Nr. 44 der 1. Ausgabe der „Architectura" Teil II

Radierung, 243 x 183 mm. Links unten Numerierung „44"

Nr. 54 der 1. Ausgabe der „Architectura" Teil II

Radierung, 243 x 183 mm. Rechts unten Numerierung „54"

Stuttgart, Staatsgalerie, Graphische Sammlung, Inv.Nr. 3322

Beide Radierungen entstammen dem Werk *Architectura von Portalen unnd Thürgerichten mancherley Arten. Das*

F 34

Annder Buch. Durch Wendel Dietterlin Malern vonn Straßburg. 1594. Mit. Rö: Kay: Mt: gnad unnd Freyheit auff 10 Jar., das bei Bernhard Jobins Erben verlegt wurde (vgl. Warncke 1979, Bd. 2, 634). Teil I von Dietterlins „Architectura“, die „Architectura der V Seuln...“, war 1593 in Stuttgart erschienen. Beide Teile der Erstausgabe wurden sowohl in deutscher als auch lateinischer Fassung auf den Markt gebracht und umfaßten zusammen 118 Radierungen. Eine 1598 in Nürnberg edierte Gesamtausgabe der „Architectura“ in 5 Büchern wurde auf 195 Radierungen – zuzüglich der 5 Titelblätter – erweitert.
Dietterlins Architekturbuch entstand unter Berufung auf die von Vitruv im 1. Jahrhundert v. Chr. verfaßte Architekturtheorie „De architectura“, die in den 1540er Jahren in die Kunstzentren nördlich der Alpen Einzug hielt und eine ganze Reihe von Architekturbüchern nach sich zog (z.B. von Vredeman de Vries; vgl. Forssman 1956, S. 250/51, Nr. 106, 107, 111). In diesem Werk waren die fünf Säulenordnungen (die toskanische, dorische, ionische, korinthische, komposite) in ihren Gesetzmäßigkeiten und Eigenschaften – Vitruv sprach jeder Säulenart ein bestimmtes Geschlecht und spezifische Eigenschaften zu – festgelegt. Daraus folgte auch, daß zu bestimmten Bau- und Dekorationsausfgaben immer nur eine ganz bestimmte Ordnung verwendet werden konnte.
Dietterlins Blatt „44“ gehört der korinthischen, der „jungfräulichen“ Ordnung an (vgl. Dietterlins „Architectura“, Nürnberg 1598, Blatt 135), die sich durch Feinheit und Reinheit (Unschuld) der Form auszeichnet. Im Giebel des plastisch durchgebildeten Portals, das dekorative Variationsmöglichkeiten aufzeigt, thront als zentrales Motiv die Personifikation der Justitia, die gewissermaßen die Eigenschaft der Säulenordnung „Corinthia“ vertritt. Der phantasiereiche, architektonische Aufbau läßt das Vorlageblatt dennoch praktikabel für den Architekten erscheinen, da Dietterlin sich in der Ausgestaltung der dekorativen Elemente zurückgehalten hat.
Anders dagegen im zur kompositen Ordnung gehörenden Blatt „54“. Diese Ordnung, die eine *zusamen setzung/ fügung/oder vermischung ist/ der dreyen obgemelten/ als der Dorischen Ionischen und Corinthischen Seu=len* (vgl. Dietterlin „Architectura“, Nürnberg 1598, Blatt 176), gibt Dietterlin die Freiheit zu reinen Phantasieprodukten. Hier tauchen auch die meisten gotischen Dekorationen auf, die Dietterlin wohl als deutsches Formengut, als „nicht-italienisch“ empfunden haben muß (vgl. Forssman 1956, S. 167). Und so erinnert das Portal auf Blatt „54“, trotz der Masken, Fratzen, dem Beschlag-

F 35

und Rollwerk mit seinen Schweifungen, den Akanthusornamenten, im Giebel – dem zwar die Groteskenornamentik zugrunde liegt – eher an das durchbrochene Gesprenge eines gotischen Altars. Selbstredend ist dieser Entwurf – nur noch ornamentale Phantasie – weit von der Möglichkeit architektonischer Realisierung entfernt.
So liegt auch die Bedeutung von Dietterlins „Architectura" in der außerordentlich hohen künstlerischen Qualität, nicht in der praktischen Handhabung als Vorlagequelle. Darin war er allerdings den voraufgehenden und nachfolgenden, vergleichbaren Werken bei weitem überlegen und blieb unerreicht.
Zu den Einzelblättern haben sich Vorzeichnungen Dietterlins in einem Sammelband der Dresdener Kunstakademie erhalten, wobei für die hier gezeigten Radierungen keine solchen nachweisbar zu sein scheinen (vgl. Gustav Pauli, S. 284). Zur „Architectura" Dietterlins siehe auch Kat.Nr. B 5.

Ohnesorge 1893, 29; Pauli 1898/99, S. 281 ff.; Andresen 1864–1878, Bd. 2, 16–157/195; H 17; Martin 1954, S. 24; Forssman 1956, S. 160 ff.; Dietterlin 1968; Warncke 1979, Bd. I, S. 40 ff., Bd. II, 634; Eva-Maria Hanebutt-Benz, Ornament und Entwurf, Museum für Kunsthandwerk Frankfurt/Main 1983, S. 45 (Ausst.kat.). *O.P.*

F 36

Vorlage für eine Truhe

Jakob Guckeisen (tätig um 1590–1600)
Köln, 1599

Kupferstich, 143 x 225 mm. Unten Mitte Monogramm IG; oben Mitte beschriftet

Wien, Österreichisches Museum für angewandte Kunst, Ornamentstichsammlung. Inv.Nr. M II 5, 97/11

Jakob Guckeisens Kupferstich ist das 5. Blatt einer 6 Blatt umfassenden Serie von Truhenentwürfen. Das erste Blatt der Serie trägt die Aufschrift *JAKOB GVCKEISEN INVENTVR anno 1599.11.s./ In amplissima Ubiorum/ Colonia/ excudit Johann Buchsemecher/ Anno Salutis 1599,* während die weiteren Entwürfe nur noch das ligierte Monogramm IG des Künstlers tragen.
Die Truhe zeigt den Typus der dreigeteilten Front mit Betonung des Mittelteiles, in bewußt architektonischem Aufbau. Im Mittelteil ist auf einer Kartusche in leicht geschweiftem Roll- und Beschlagwerk eine Frauenmaske mit Schleier und Palmettendiadem als zentrales Motiv eingesetzt. Der äußere Rahmen wird von Renaissanceperlstäben durchzogen. Im „Friesbereich" des Mittelteiles ist der Spruch AVF GOT STEHT MEIN VER TRAWN zu lesen. In den in Form von Risaliten vortretenden Seitenteilen rahmen Säulen mit schuppenartiger

F 36

Oberflächenstruktur und Beschlagwerkverzierung, ionischen Kapitellen und darüber liegendem Konsolgesims jeweils eine von Bossenquadern eingefaßte Nische mit muschelförmigem Nischenbogen. Die Sockelfelder der Seitenteile werden wiederum von einer Kombination aus Roll- und Beschlagwerk geziert, während im Sockel des Mittelteils die ornamentale Gestaltung der beiden Felder Ansätze von Schweifwerk aufweist, das den Übergang vom Beschlagwerk zum barocken Knorpelstil bildet und vor allem durch niederländische und französische Künstler nach Deutschland vermittelt wurde.
So zeigt die ornamentale Gestaltung der Truhe in ihrer Kombination von Roll-und Beschlagwerk, dem Auftauchen geschweifter Formen und zeitgemäßer Zutaten wie den unterschiedlich geformten Bossen oder den Nietköpfen, aber auch in der Betonung des architektonischen Aufbaus das Repertoire einer Übergangsphase in Guckeisens Werk. Noch ist die Renaissanceornamentik vorherrschendes Element der Invention, doch klingt in Einzelmotiven schon die barocke Dynamik der Form an, die die Klarheit derjenigen der Renaissance ablöste. Guckeisens Truhenentwürfe dienten als Vorlage für das Schreinerhandwerk.
Zu weiteren Arbeiten Guckeisens vgl. Kat.Nr. B 6.

Andresen 1864–1878, Bd. 3, 3; H 9; Forssman 1956, S. 171, S. 243 (44); Jervis 1974, S. 37, Nr. 202; Windisch-Graetz 1983, S. 121 f., Nr. 300 a.

O.P.

F 37

Eigentliche Fürbildung Vnd Beschreibung Deß Kunstreichen... vhrwercks...

Isaac Brun (um 1590–1669)
Straßburg (1621)

Kupferstich, 518 x 337 mm

Coburg, Kunstsammlungen der Veste Coburg, Kupferstichkabinett, Inv.Nr. I, 341, 19

Der Plan, die aus dem 14. Jahrhundert stammende und nicht mehr funktionierende astronomische Uhr des Straßburger Münsters durch eine neue zu ersetzen, bestand seit 1547. Erst 1571 aber wurde der Vertrag zwischen den Kirchenpflegern und den Uhrmachern Isaak und Josias Habrecht abgeschlossen (vgl. Maurice 1976, Bd. II, 10). Tobias Stimmer war daran durch seinen Entwurf der neuen Uhr beteiligt. Während der dreijährigen Bauzeit bestand seine Aufgabe in der künstlerischen Ausgestaltung des Uhrengehäuses. Nach Fertigstellung der Uhr, 1574, erschien bei Bernhard Jobin (tätig 1566–1594) in Straßburg ein Flugblatt, das in einem Holzschnitt Stimmers die neue Uhr abbildete und zu dem Johann Fischart (1546 – um 1590) die erklärenden Verse lieferte (Strauss 1975, 20). Der große Holzschnitt Stimmers, der in mehreren Ausgaben bekannt ist, fand in zahlreichen gestochenen und radierten Kopien Verbreitung, wofür Bruns Stich ein Beispiel ist. Brun hält sich, von kleinen Änderungen abgesehen, an Stimmers Holzschnitt. Er übernimmt im wesentlichen auch den von Fischart verfaßten Text (in der 147-Zeilen-Fassung; vgl. Weber 1976, S. 284, 30 und 31), in dem dieser den Aufbau der Uhr mit ihrem plastischen und malerischen Schmuck beschreibt.
Von dem Mittelfeld des dreigeteilten Sockels, auf dem sich die aus drei Teilen bestehende Uhr erhebt, trägt ein als Sinnbild für Christus aufgefaßter Pelikan die Weltkugel. Der Sockel zeigt im Mittelfeld den immerwährenden Kalender, rechts und links Sonnen- und Mondphasen bis ins Jahr 1650. Darüber erhebt sich ein Fries, der in der Mitte von einer Uhr durchbrochen wird, die zum Uhrenturm überleitet. In dessen Untergeschoß befindet sich das Astrolabium, in dessen Zwikkel die 4 Jahreszeiten durch die Altersstufen des Mannes dargestellt werden. Im darüber anschließenden Ausschnitt erscheinen die 4 Mondphasen. Das dritte Stockwerk nehmen 2 bewegliche Umläufe ein, der untere mit den 4 Lebensaltern und der obere mit Christus und dem Tod. In der Krone, die sich in ihrer durchbrochenen, mit Krabben besetzten Form in den gotischen Raum einpaßt, erscheint der von den Evangelisten Markus und Johannes flankierte Prophet Jesaias, darüber 2 Engel. Im dreigeschossigen Gewichtskasten, links, befinden sich Darstellungen von Kopernikus (1473–1543), dem Koloß aus Nebukadnezars Traum (Daniel 2,31–33; vgl. Harms 1980, II, 1) und der Muse der Astronomie, Urania. Der Hahn auf der Spitze stammt von der alten Münsteruhr. Rechts komplettiert die Wendeltreppe die im Sockel angelegte Dreiteilung der astronomischen Uhr, die in ihrem verwirrenden Aufbau und ihrer ornamentalen Gestaltung den Stil der Spätrenaissance repräsentiert und nicht nur Zeitmesser, sondern Sinnbild der göttlichen und menschlichen Zeit war.

Andresen 1870–1873, Bd. 1, 3; H 7; Weber 1976, S. 284/85, 32; Coburg 1983, 140; Basel 1984, S. 97–117.

O.P.

Eigentliche Fürbildung Vnd Beschreibung Deß Kunstreichen Astronomischen vnd Weitberümbten
vhrwercks zu Straßburg im Münster in welcher nicht allein der abriß aller vnd ieder Scheiben Sondern auch ihre abtheilung Ziffern
vnd schrifften Eigentlich zuerkennen wie auch die Rechnung aller sichtbarer Finsternussen biß auff das 1650 Jahr klarlich zuerlernen.
VRANIA
TYPI ECLIPSIVM SOLIS ET LVNÆ

F 37

F 38

F 38

Außfürung der Christglaubigen...

Monogrammist H (tätig um 1524 in Wittenberg)
Speyer, 1524

Holzschnitt, 583 x 239 mm,
Bild: 163 x 218 mm, und Typendruck

Coburg, Kunstsammlungen der Veste Coburg, Kupferstichkabinett, Inv.Nr. XIII, 41, 70

Der Holzschnitt stellt die evangelische Lehre vom Wort Gottes als Wanderung ins Licht dar. Durch Verweisbuchstaben werden Bild und Text in Beziehung gesetzt. Der in zwei Bildebenen geteilte Holzschnitt zeigt oben den Papst und den römischen Klerus in Gottesferne, während unten das Volk (A) Luther bittet, es aus der Finsternis zu führen. Kaiser, König und Kurfürst sind unter ihnen, haben sich aber abgewendet, und doch sind sie in dieser Konstellation im Holzschnitt Ausdruck der Hoffnung der Evangelischen, den Kaiser für ihre Sache zu gewinnen. Luther (B), der die falsche Lehre des Papstes angreift, verkündet, daß nur Christus und der Glaube an ihn zu Erlösung und ewigem Leben führen. Das Volk unter dem Kruzifix (C) mit dem im Licht erstrahlenden Christus fühlt sich *Erlöset von der hellen port/ durch Martin Luther/ mit deym Wort.* Während der Papst (D) den Abfall der Evangelischen beklagt, setzt der Kardinal (E) auf die Lockmittel der Kurie. Schließlich bieten sich die deutschen Gelehrten dem Papst käuflich an und werden in dem antipäpstlichen Holzschnitt negativ charakterisiert: Hieronymus Emser (1478–1527) als Bock, Johannes Eck (1486–1543) als Schweinskopf, Bischof Eucharius Henner als Eichhörnchen und der Generalvikar zu Konstanz, Johannes Fabri (auch Schmidt genannt) (1478–1541) mit Eselsohren. Im „Beschluß" des Textes wird vom Verfasser, dem Landauer Pfarrer Johannes Bader (1487–1545) noch einmal die evangelische Lehre als der richtige Weg hervorgehoben, der die im Katholizismus bisher verborgen gebliebene Wahrheit an den lichten Tag bringt.

G 927; Coburg 1983, 17. *O.P.*

F 39

Tierprozession im Straßburger Münster

Tobias Stimmer (1539–1584)
Straßburg, 1576

Holzschnitt, 546 x 315 mm,
Bild: 266 x 315 mm, und Typendruck

Coburg, Kunstsammlungen der Veste Coburg, Kupferstichkabinett, Inv.Nr. I, 383, 863.

Von den zwei Bildzonen des Holzschnittes zeigt die obere eine Begräbnisprozession für einen toten Fuchs, der von einem Schwein und einem Ziegenbock auf einer Bahre getragen wird, begleitet von einem Hund. Geführt wird der Zug von einem Bären mit Weihwassergefäß und -wedel, gefolgt von einem Wolf mit Kreuz und einem Hasen mit Kerze. In der unteren Zone lesen zwei Esel die Messe zwischen zwei Pfeilern, deren Kapitellplastiken die beiden Szenen wiederholen. Bis ins 17. Jahrhundert existierten diese Tierdarstellungen als Figurenkapitelle an zwei Säulen gegenüber der Kanzel im Mittelschiff des Straßburger Münsters.
Johann Fischart (1546 – um 1590), der Verfasser des Flugblattes, verwendet die Tierplastiken zu antikatholischer Propaganda, indem er, in der frühmittelalterlichen Physilogus-Tradition stehend, die negativen Eigenschaften von Esel, Schwein usw. auf den römischen Klerus überträgt und diese Auslegung durch einen Hinweis auf die Offenbarung des Johannes untermauert: *Die falsch Kirch durch Thier angbild sein/ weil nach S. Johannis Verstandt/ Ihr höchst Haupt wird ein Besti gnandt/* (4. Spalte unten). Zugleich nimmt er die *vor mehr dann dreyhundert Jahren* entstandenen Tierplastiken als Beweis für die Existenz eines protestantischen Bildhauers, der in Zeiten der Verfolgung und der Gottesferne durch seine Plastiken sich von den falschen Anhängern Gottes unterscheidet, indem er diesen damit quasi einen Spiegel vorhält. Diesen Bildhauer stellt Fischart in eine Reihe mit Elias und Noah und erhebt ihn letztlich zu einem der Vertreter der wahren Religion, für die er mit diesem sarkastisch abgefaßten Flugblatt Partei ergreift.
Fischarts Flugblatt wurde 1576 bei Bernhard Jobin (tätig 1566–1594) in Straßburg gedruckt und erschien mit Textabweichungen in 2 weiteren Ausgaben (Weber 1976, 48 und 49). 1608 druckte der Straßburger Verleger Johann Carolus das Flugblatt mit dem Holzschnitt Stimmers in veränderter Textaufteilung noch einmal (Coupe 1967, 156; Paas 1985, P-104). Fischarts Flugblatt provozierte schließlich eine Replik des Franziskaners Johannes Nas, der in einem 1588 bei Wolfgang Eder in Ingolstadt erschienenen Flugblatt, mit einer Kopie des Stimmerschen Holzschnittes, die Tierprozession und ihre Deutung auf die Reformatoren bezog (vgl. Basel 1984, 157a).

Coburg 1967, 162; Strauss 1975, 4; Weber 1976, S. 287, 48 (nicht Tobias Stimmer, vermutlich Josias Stimmer [1555 – nach 1574]); Coburg 1983, 19; Basel 1984, 157; Paas 1985, PA-25. *O.P.*

F 40

Die Pfaffenmühle

Tobias Stimmer (1539–1584)
Straßburg, 1577

Holzschnitt, 408 x 302 mm,
Bild: 222 x 282 mm

Berlin, Staatliche Museen Preußischer Kulturbesitz, Kupferstichkabinett, Inv.Nr. D-378-8

In Stimmers satirischem Flugblatt auf den katholischen Klerus liefert der Tod mit Geistlichen gefüllte Säcke in einer Mühle an, in der Vogelmenschen Bruegelscher Provenienz die „Pfaffen" durch die Mühle drehen. In Analogie zur seit dem Spätmittelalter geläufigen Ikonographie der Hostienmühle oder mystischen Mühle, in der aus dem Leib Christi das Brot wird, findet auch hier eine Umwandlung statt: aus den „Pfaffen" wird Ungetier. Das Ekelige und Böse der Geistlichen wird dadurch offengelegt und zur Anschauung gebracht. Der Mahlvorgang unterstreicht dies noch, ganz im Sinne Salomos (Kap. 27, Vers 22): „Wenn du den Toren im Mörser zerstiessest mit dem Stampfer, wie Grütze, so liesse doch seine Torheit nicht von ihm." (vgl. Berlin 1967, 98); oder mit den Worten Fischarts, der den Text zu Stimmers Holzschnitt verfaßte: *Es hilfft an Pfaffen und den München/ weder das Maaln/noch das Tünchen/ Das Korn ist böß von art allein/ Unnd daß das aller ergst mag sein/ So kan man solches verbessern nit/* (vgl. Basel 1984, Text in Abb. 171). Wie die Mühle gehen auch die phantastischen Figuren auf ältere Vorbilder zurück, wobei in erster Linie an Pieter Bruegel d.Ä. und die nach seinen Zeichnungen gestochenen Lasterdarstellungen (1558 im Verlag von Jerome Cock erschienen) und die etwas später anzusetzenden Tugenddarstellungen zu denken ist (vgl. Arthur Klein, Graphic Works of Pieter Bruegel the Elder, New York 1963, S. 179ff.). Darin finden sich Figuren wie Stimmers froschartige Erfindungen (Bruegel, Die Unkeuschheit, B. 131), während Wesen wie der „Bücheresel" Stimmers Phantasie entsprungen zu sein scheinen.

Der Stimmersche Gebrauch des Mühlenmotivs ist typisch für das Zeitalter der Reformation. In agitatorischer Funktion fand es immer wieder Verwendung zur Diffamierung des Gegners, wie beispielsweise in dem Titelholzschnitt einer 1521 in Zürich bei Christoph Froschauer erschienenen Schrift von Hans Füssli und Martin Seeger: „Beschreibung der göttlichen Mühle". Darin werden die Evangelien gemahlen. Von Erasmus von Rotterdam wird das Gemahlene aufgenommen und von Luther zu Bibeln „gebacken", die der Papst und sein Gefolge verächtlich fallen lassen (vgl. Berlin 1967, 178;

F 39

F 40

Basel 1984, 154, S. 262). Eine Weiterführung des Mühlenmotivs findet sich in der populären Druckgraphik nach Stimmer in den Darstellungen der Altweiber- und Altmännermühlen.
Stimmers Flugblatt erschien erstmals wohl um 1573 (vgl. Weber 1976, S. 282, Nr. 19). 1577 wurde es bei Bernhard Jobin in Straßburg gedruckt, 1580 und 1581 noch einmal aufgelegt.

P 91; Andresen 1864–1878, Bd. 3, 99; Wäscher 1955, S. 20; Berlin 1967, 97; Strauss 1975, 33; Weber 1976, S. 289, 57 (nicht Tobias Stimmer, vermutlich Josias Stimmer [1555 – nach 1574]); Basel 1984, 154, Abb. der vermutlich früheren Fassung (um 1573) als Abb. 171. *O.P.*

F 41

Fünff Caluinische Articul...

Jacob Lederlein (1551–1607 noch nachweisbar)
Tübingen, 1590

Holzschnitt, 315 x 338 mm, und Typendruck. Unten Mitte Monogramm I L.

Coburg, Kunstsammlungen der Veste Coburg, Kupferstichkabinett, Inv.Nr. I, 410, 2

Das 1590 entstandenen Flugblatt stellt einen in einem reich verzierten Himmelbett liegenden Sterbenden dar, den der Tod bereits am Schopf ergriffen hat und dem er die ablaufende Uhr zeigt. Zur anderen Seite, hinter dem Bett, steht ein Geistlicher, der dem Sterbenden mit auffordernder Geste ein aufgeschlagenes Buch entgegenhält. Die Szene wird durch die Titelzeile erklärt. Demnach bringt der Geistliche 5 Artikel der calvinistischen Glaubenslehre, die für den Betrachter auf Schriftrollen über dem Bett und auf der Vorderseite des Betthimmels zu lesen sind, dem Sterbenden zum Trost: 1. Christus ist nicht für alle Menschen gestorben; 2. die im Evangelium verheißene Gnade Gottes gilt nur für die von ihm Auserwählten (Prädestinationsartikel); 3. Gott hat den Großteil der Menschen zur Verdammnis bestimmt und niemals gewollt, daß sie selig werden; 4. niemand kann aus dem Empfang der Taufe schließen, daß er als Kind Gottes aufgenommen worden ist; 5. der Christ, der den Menschen Christus anbetet, statt Gott selbst, ist ein Gotteslästerer.
Die calvinistischen Autoritäten, die hinter diesen Artikeln und der Lehre stehen, werden unter der Titelzeile aufgeführt: Theodor de Bèze, Johann Jakob Grymäus, Daniel Tossanus, David Pareus, Johann Wilhelm Stuckius, Johann Jetzler, Lambertus Danaeus, Abraham Mäußlein (Musculus) und Hieronymus Zanchius. Unterhalb der Graphik wird in einem mit Rollwerk und Fruchtgirlanden verzierten Rahmen jedem calvinistischen Artikel eine Widerlegung im Sinne der lutheri-

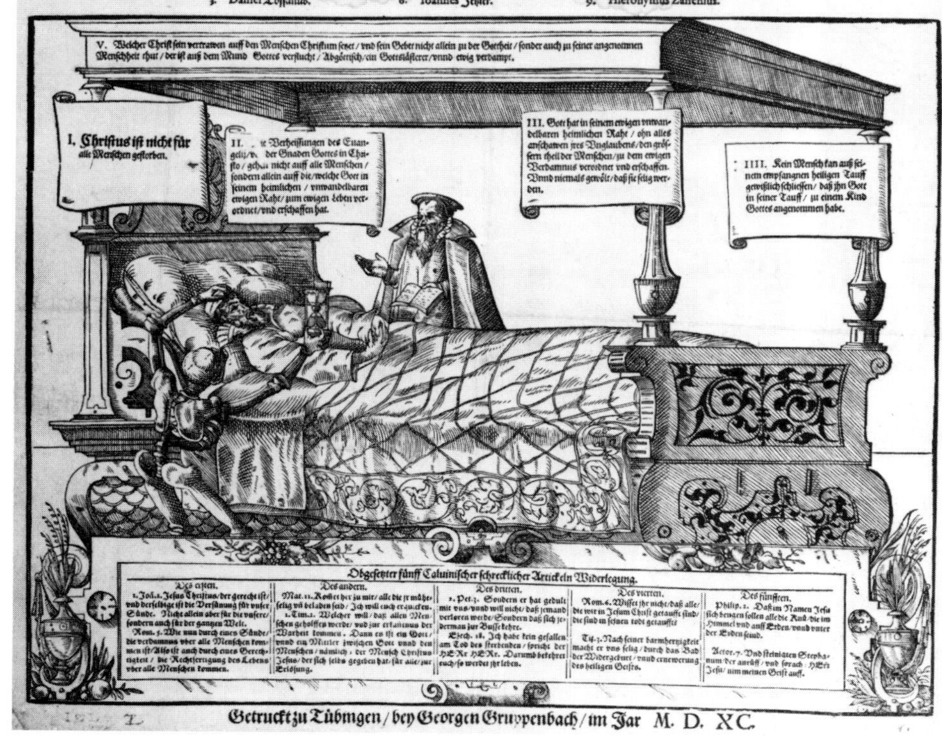

F 41

schen Lehre in Form von Bibelzitaten zugeordnet, die als das geschriebene Wort Gottes dogmatischer Wahrheitsbeweis sind: 1. I. Johannes 2,2; Römer 5,18; 2. Matthäus 11,28; I. Timotheus 2,4–6; 3. Petrus 3,9; Ezechiel 18,23; 4. Römer 6,3; Titus 3,5; 5. Philipper 2,10; Apostelgeschichte 7, 58.
Die Entstehung dieses Flugblattes fällt zusammen mit der Erneuerung des Calvinismus in der Pfalz unter dem seit 1583 regierenden Kurfürsten Johann Casimir (1543–1592). Gegen die Verdrängung der lutherischen Lehre durch den zur Staatsreligion erhobenen Calvinismus wehrten sich die lutherischen Prediger mit derartigen Flugblättern und Streitschriften, die ihrerseits von calvinistischer Seite Entgegnungen fanden.
Das Flugblatt erschien 1590 bei Georg Gruppenbach in Tübingen.

HG 1; Berlin 1967, 174; Fleischhauer 1971, S. 190, Abb. 112; Strauss 1975, 1 (unter Züberlein); Coburg 1983, 34. *O.P.*

F 42

Kurfürst Johann Friedrich von Sachsen als Leitfigur des Protestantismus

Friedrich Brentel (1580–1651)
Straßburg, 1609

Kupferstich, 429 x 363 mm. Bez. links unten: *1609 / F. Brentel.*

Coburg, Kunstsammlungen der Veste Coburg, Kupferstichkabinett, Inv.Nr. I, 447, 1

Johann Friedrich der Großmütige (1503–1563), seit 1532 Kurfürst von Sachsen, war zusammen mit Landgraf Philipp von Hessen (1504–1563) der Führer der evangelischen Partei im Schmalkaldischen Bund. Sein Einsatz für den Protestantismus fand im „Schmalkaldischen Krieg“ (1546–47) in der Niederlage des kurfürstlichen Heeres gegen das katholische Lager unter Kaiser Karl V. bei Mühlberg ein Ende.
Der Kupferstich Brentels zeigt den Kurfürsten als „miles christianus“, das Kurschwert mit der Devise V(erbum) D(omini) M(anet) I(n) AE(ternum) in der Hand, der unbeirrt scheint ob des Getümmels zu seinen Füßen, das die bösen katholischen Mächte negativ in Tiergestalten charakterisiert (von links nach rechts): ein Fuchs als Jesuit, der Papst als Drache, eine Schlange mit Herzogskrone (Moritz von Sachsen, der Widersacher und Nachfolger des Kurfürsten), ein Löwe, ein Wolf mit Kardinalshut, ein Bär und ein Vogel mit Bischofsmütze. Brentel greift mit seinem Stich auf einen 1547 entstandenen Holzschnitt von Lukas Cranach d.J. zurück, zeigt jedoch den von den sächsischen Wappen gerahmten und der lateinischen Fassung

F 42

von Psalm 34,20 überwölbten Kurfürsten nach der Niederlage bei Mühlberg, worauf die Stadt Wittenberg im Hintergrund verweist, in die Kaiser Karl V. nach der Schlacht einzog.
Der Kupferstich, den der für den protestantischen Baden-Durlacher Hof und die Stadt Straßburg tätige Brentel ein Jahr nach der Gründung der protestantischen Union im Gründungsjahr der katholischen Liga fertigte, erhebt Johann Friedrich zur Leitfigur des Protestantismus im sich anbahnenden Konflikt mit der katholischen Liga.

Andresen 1864–1878, Bd. 4, 1; H 3; Wegner 1966, S. 148, 3; Berlin 1967, S. 57 ff.; Coburg 1983, 62.
O.P.

F 43

Wahre und Eygentliche Bildnus/ Deß... Herrn Martin Luthers

Unbekannter Holzschneider
Ulm, 1616

Holzschnitt, 365 x 292 mm;
Bild: 233 x 106 mm; und Typendruck

Wolfenbüttel, Herzog-August-Bibliothek, Inv.Nr. 38.25Aug. 2° fol. 305.

In würdevoller Ganzfigurendarstellung, die sich an den Typus des bekannten Cranach-Holzschnittes (G.671) anlehnt, erscheint Luther (1483–1546) auf dem anläßlich der ersten Hundert-Jahr-Feier des Wittenberger Thesenanschlages von Johann Meder (gest. 1623) in Ulm herausgegebenen Flugblatt. Der Erscheinungsort ist zugleich ein Ort der Hundert-Jahr-Feier (1617), in deren Vorbereitungsphase das Flugblatt fällt.
In 100 Versen, die formal auf die Feier verweisen, wird die Laudatio auf den großen Reformator gehalten. Die schon im Titel angerissenen Aspekte, wie die Gelehrsamkeit Luthers, dessen theologische Qualifikation, die göttliche Führung *(durch sonderbare Gnad und Beystandt Gottes)* und die besondere Bedeutung der *seligmachenden Lehr* der Bibel in seiner Theologie, werden darin weiter ausgeführt. So wird, neben weiteren Angaben zum Leben des Reformators, Luther als Prophet tituliert, der das Kriegsgeschehen in Deutschland vorausgesagt habe, wie es eingetreten sei. Mit seiner Vorhersage, Deutschland werde bald wie Jerusalem oder Sodom und Gomorra zerstört, wird ihm als Prophet besondere Aktualität zugeschrieben. Schließlich habe auch die Bibel Luthers Auftreten und Handlungsweise an verschiedenen Stellen angekündigt (z.B. Offenbarung des Johannes). Nach der Hervorhebung von Luthers Bekennertum und dem Hinweis auf dessen *LebensGeschicht* und *Schriften* schließt der Text mit

der Schilderung seines angeblich sanften Ablebens.
Ein ebenfalls 1616 bei Meder in Ulm erschienenes Flugblatt mit demselben Holzschnitt, aber 20 Distichen in lateinischer Sprache anstelle der 100 Verse (Harms 1980, II, 117), war für einen gebildeten Adressatenkreis bestimmt. Eine Variante des vorliegenden Blattes wurde in 2 Druckfassungen von Johann Philipp Steudner (1652–1732) vermutlich im ausgehenden 17. Jahrhundert publiziert (Coupe 1967, 198).

Harms 1980, 116. *O.P.*

Wahre vnd eygentliche Bildnus/
Deß Hocherleuchten/ Geistreichen/ Ehrwürdigen/ vnd theuwren
Mann Gottes/
Herrn Martin Luthers/ der heyligen Schrifft Doctorn/
Weyland bey der löblichen Universitet Wittenberg Professorn, vnnd der seligmachenden Lehr deß heyligen Evangelij/ durch sonderbare Gnad vnnd Beystandt Gottes im Teutschland restauratorn, So zu Eißleben im Jahr 1483. an Martins Tag geborn/ vnnd daselbsten am Tage Concordiæ im Jahr 1546. gestorben/
Seines Alters im 63. Jahr.

Martin Luther der frewdig Heldt/
Ein Lehrer Gottes in der Welt
Gewesen ist vor hundert Jahrn/
Er hat sein lebtag viel erfahrn/
Von Creutz Trübsal kundt er sagen
Sein Leib vnd Leben thet er wagen/
Dann der Anfechtung hatt er viel
Welche kaum hatten Maß vnd Ziehl/
Doch führt jhn Gott gar wunderlich
Behütet jhn auch kräfftiglich/
Daß man muß mercken ohne Spott/
Sein Sach die wer gewiß aus Gott/
Vnd wie man leichtlich schliessen kan
Hatt er viel Kämpff mit dem Satan/
Er war ein Lehrer außerleßen
Als seines gleichen je geweßen/
Seider von der Apostel Zeit/
Er hat auch etliche Propheceit/
Welches hernach ist worden war/
Etliche ist noch zukünfftig gar/
Als zum Exempel mercket mich/
Hat er Prophecyet klärlich
Daß/ weil er leben werd zu hand
Kein Krieg werd kommen in Teutschland/
Wie er dann mit seinem Gebett
Den Riß gar starck auffhalten thet/
Aber nach seinem Tod gar eben
Solle man zusehen darneben/
Das ist erfüllt worden bereit
Dann gleich nach Doctor Luthers zeit/
So bald er war in Gott entschlaffen/
Da thet Gott Teutschland mit Krieg straffe
Darumb ist zubesorgen warlich
Das vberig werd offenbarlich
Auch erfüllt werden/ welches er
Wider Teutschland propheceit schwer/
Nämlich daß es jhm werd geschehen/
Wie es Jerusalem thet gehen/
Oder was dem Land Sodoma
Geschehen ist vnd Gomorra.
Ich will deß Eyffers gantz geschweigen
Darvon seine Bücher thun zeugen/
Darinn er Gottes Wort erklärt/
Darumb wirdt er billich geehrt/
Sonsten hat die heylig Schrifft eben
Wie jedermännig muß zugeben/
Von diesem Handel offenbar
Geweissaget gantz hell vnd klar/
Als im Propheten Daniel
Auch sonst hin vnd wider ohn fehl/

Im newen Testament gemein/
Sonderlich hat Paulus allein
Diesen Handel beschrieben herrlich/
In der andern Epistel klärlich
An die Thessalonicher fron
Im anderen Capitel schon/
Deßgleichen fleissig vberliß
Die Offenbarung Johannis/
Da findet man an etlich orten/
Mit deutlichen vnd klaren Worten/
Eben das/ was Lutherus hat
Außgerichtet durch Gottes Rath/
So hat er auch billich das Lob
Weil er wol gehalten die Prob/
Da er nicht nuhr vff eim Reichstag
Bekandt sein Lehr ohn alle zag/
Sondern zu vnderschieden mahl
Selbst in deß Kaysers offnen Sahl/
Zu Augspurg/ Wormbs/ vnd sonsten mehr
Vertheidiget sein Christlich Lehr/
Fürm Kayser Maximilian
Vnd Carln dem fünfften Lobesan.
Für andern Fürstn vnnd Herrn deßgleich
Darzu vorm gantzen Römischen Reich/
Vnd auch sehr vielen Hochgelehrten
Die jhn deßselben mahl verhörten/
Mit welchen er viel disputirt
Vnd vor jhn allen triumphirt,
Zu gschweigen ander helden that/
So er sein Tag verrichtet hat/
Mitt lesen/ disputirn vnd schreiben/
So er thät hin vnd wider treiben/
Wer davon haben will Bericht/
Der lese seins Lebens Geschicht/
Auch sein Schrifften/ so Geistes vol/
Derhalb kan man jhn nennen wol/
Der Teutschen Propheten warhafft/
Er verließ sich auff Gottes Krafft/
Vnd trawet jhm in seinen sachen/
Gott thets auch mit jhm also machen/
Daß seine Widersacher all/
Vor jhm theten ein grossen fall/
Vnd kondten jhm nichts abgewinnen/
Sondern er scheidete von hinnen
Vff seinem Todbeth sanfft vnd still/
Wie es dann auch war Gottes Will/
Blib also sein Blut vnvergossen/
Das hat seine Feind hart verdrossen/
Er ruhet jetzt inn Gottes Namen/
Vnd wirdt Ewig Gott loben/ Amen.

Gedruckt zu Vlm/ Durch Johann Meder/ Im Jahr 1616.

F 43

F 44

Sigillum Lutheri...

Jacob van der Heyden (1573–1645)
Straßburg, 1617

Kupferstich, 351 x 233 mm,
Bild: 93 x 156 mm, und Typendruck

Wolfenbüttel, Herzog-August-Bibliothek, Inv.Nr. 38.25.Aug.2°fol.303

Das Blatt zeigt in 2 gravierten Rahmen links ein Porträt Luthers, rechts Luthers, von einem Engel gehaltenes Wappen: rotes Herz mit schwarzem Kreuz und weißer Rose, das den Siegelring Luthers schmückte. Links und rechts davon sind die wichtigsten Lebensdaten Luthers, seine Geburt, der Beginn der Reformation, sein Tod und Begräbnis aufgeführt. Das 27 Strophen zu 4 Versen zählende Lied des Flugblattes, von Friedrich Helbach verfaßt, mit der Melodieangabe *Ich weiß mir ein ewiges Himmelreich,* beginnt mit dem Lob auf den *Wundermann* Luther, geht dann aber zur ausführlichen Deutung des Lutherischen Siegels über. Diese wird in Beziehung zum exemplarischen Leben Luthers gesetzt, das ganz unter dem Zeichen des Kreuzes, der Bedeutung des Leidens für das Seelenheil, gesehen wird. Auch die Wappenzeichen Herz und Rose werden in diesen Zusammenhang gestellt. Die letzte Strophe kehrt schließlich zur Person des Reformators zurück.
Das Flugblatt hebt die zentrale Bedeutung Christi für den protestantischen Glauben, damit verbunden den Aspekt der „Imitatio Christi" hervor. Die „Imitatio Christi" hatte ihren Ursprung in der platonischen Idee der Gottverähnlichung, erhielt aber mit der Zeit den personenhaften Bezug zum heilsgeschichtlichen Leben Christi. Mittelalter und Nachmittelalter orientierten sich schließlich am Erdenleben Christi und brachten die Forderung der „persönlichen Nachfolge Christi" hervor, wie sie im vor 1427 entstandenen Erbauungsbuch „De imitatione Christi" vertreten wird (vgl. Lexikon für Theologie und Kirche,

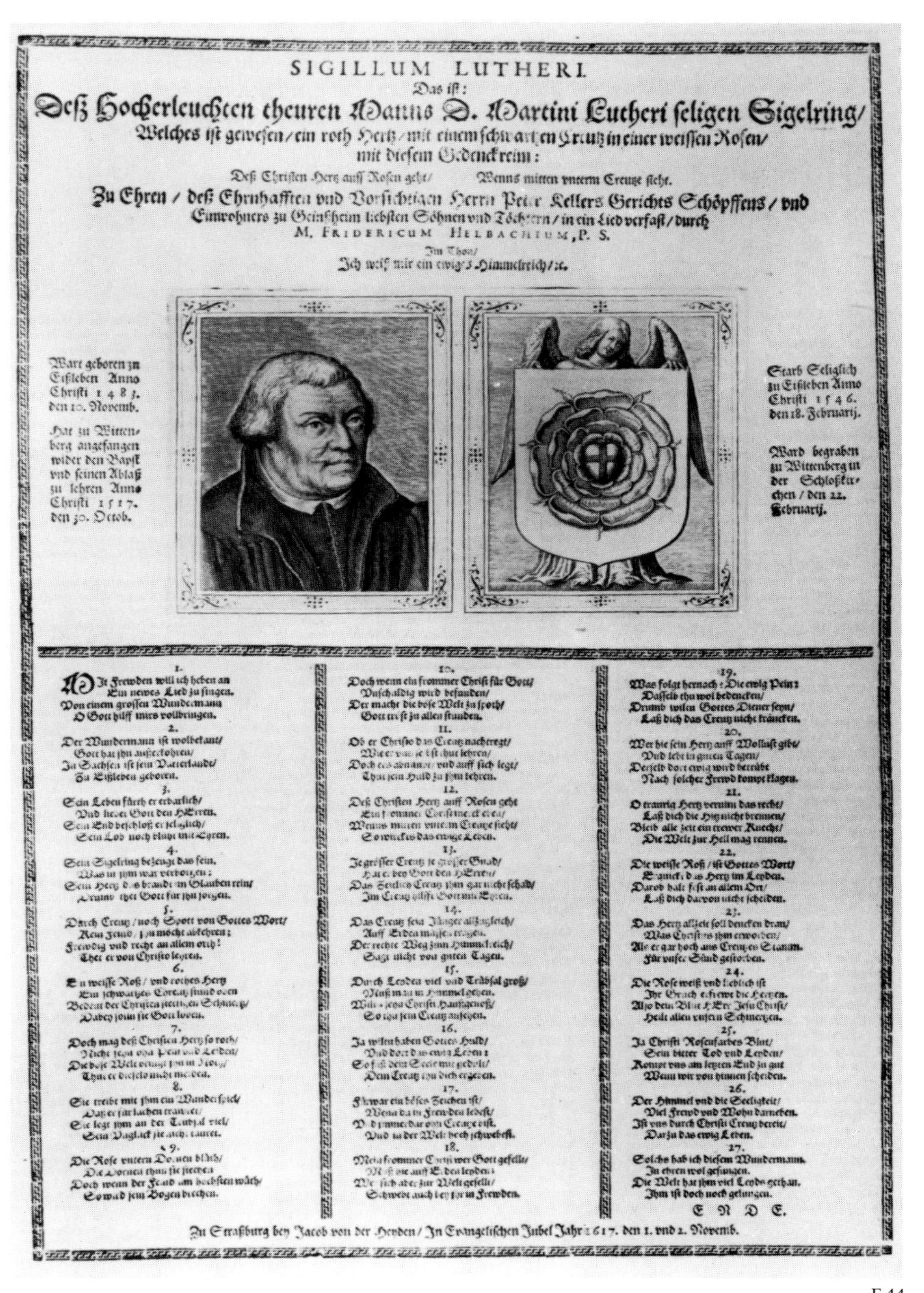

SIGILLUM LUTHERI.
Das ist:
Deß Hocherleuchten theuren Manns D. Martini Lutheri seligen Sigelring/
Welches ist gewesen/ ein roth Hertz/ mit einem schwartzen Creutz in einer weissen Rosen/
mit diesem Gedenckreim:
Deß Christen Hertz auff Rosen geht/ Wenns mitten vnterm Creutze steht.
Zu Ehren/ deß Ehrnhafften vnd Vorsichtigen Herrn Peter Kellers Gerichts Schöpffens/ vnd
Einwohners zu Geinsheim liebsten Söhnen vnd Töchtern/ in ein Lied verfaßt/ durch
M. FRIDERICUM HELBACHIUM, P. S.
Im Thon/
Ich weiß mir ein ewiges Himmelreich/ etc.

Wart geboren zu Eißleben Anno Christi 1483. den 10. Novemb.

Hat zu Wittenberg angefangen wider den Bapst vnd seinen Ablaß zu lehren Anno Christi 1517. den 30. Octob.

Starb Seliglich zu Eißleben Anno Christi 1546. den 18. Februarij.

Ward begraben zu Wittenberg in der Schloßkirchen/ den 22. Februarij.

1.
Mit Frewden will ich heben an
Ein newes Lied zu singen.
Von einem grossen Wundermann
O Gott hilff mirs vollbringen.

2.
Der Wundermann ist wolbekant/
Gott hat jhn außerkohren/
In Sachsen ist sein Vaterlande/
Zu Eißleben geboren.

27.
Solchs hab ich diesem Wundermann
In ehren wol gesungen.
Die Welt hat jhm viel Leyds gethan.
Jhm ist doch noch gelungen.

ENDE.

Zu Straßburg bey Jacob von der Heyden/ Jn Evangelischen Jubel Jahr 1617. den 1. vnd 2. Novemb.

F 44

Freiburg 1968², Bd. 7, Sp. 758ff.). Im 2. Buch dieses Werkes, dessen Autorschaft umstritten ist, wird die leidende Nachfolge Christi als besonderer Trost für den Menschen betont. In dieser Tradition entwickelte sich in der protestantischen Theologie geradezu eine Theologie des Leidens, mit der das vorliegende Flugblatt in Zusammenhang steht (vgl. Harms, a.a.O.).

Das Blatt erschien anläßlich der Hundert-Jahr-Feier des Wittenberger Thesenanschlags im evangelischen Jubeljahr 1617 bei Jacob van der Heyden in Straßburg. Drei Varianten des vorliegenden Flugblattes verzeichnet Harms (Harms 1980, 121, a, b, c).

H, S. 76; Coupe 1966, S. 69; Coupe 1967, 347b; Harms 1980, 121. *O.P.*

F 45

Der Jesuitter/ sampt jhrer Gesellschaft/...

Unbekannter Stecher
1632

Radierung mit 2 Klappbildern, 332 x 261 mm; Bild: 143 x 187 mm; linke Klappe: 39 x 49 mm, rechte Klappe: 40 x 48 mm, und Typendruck

Wolfenbüttel, Herzog-August-Bibliothek
Inv.Nr. IH 123

Das Bild der Schmähschrift gegen die Jesuiten zeigt links einen knienden Jesuiten mit Rosenkranz in den vor der Brust gekreuzten Händen, rechts einen stehenden Dominikaner mit Kardinalskreuz und Rosenkranz am Gürtel. Klappt man die Köpfe in die Höhe, erscheint der Jesuit plötzlich mit Hundekopf, der Dominikaner mit einem Wolfskopf, ein Lamm zwischen den Zähnen.

Der Text dieses antikatholischen Propagandablattes bezichtigt die Jesuiten, Frömmigkeit zu heucheln und unter diesem Deckmantel ihr Unwesen zu treiben. Dabei bedient sich der unbekannte Autor der bereits gebräuchlichen antijesuitischen Propaganda, die den Jesuiten beispielsweise unterstellte, den Mordversuch an König Heinrich IV. von Frankreich im Jahre 1610 angestiftet zu haben (vgl. Harms 1980, II, 73). Zugleich zieht er als Belege seiner Ausführungen Bibelstellen heran, die links und rechts des Bildes angebracht wie auch im Text selbst integriert sind. Der Kritik wird damit göttliche Autorität verliehen.

Der eigentliche Anlaß für die Entstehung des Blattes wird nur angedeutet (Vers 11 und 12), da er als aktuelles Ereignis den Zeitgenossen gegenwärtig war: am 14. Oktober 1631 hatten die nach Franken vorrückenden protestantischen Schweden Würzburg erobert, am 27. Oktober Frankfurt besetzt und waren

Der Jesuitter / sampt jhrer Gesellschafft / Trew vnd Redligkeit.

O Gleißnerey du gemeiner Gast /
Bey Lojolitern angefast /

Danck hab / der Deckel der ist gut /
Bis einer der jhn dannen thut /

Mit einem Mittel das Gott gefalt /
Denn sicht man wol dein fromme Gstalt.

Matth. 7.

Matth. 23.

Psal. 55.

Psal. 59.

2. Petr. 2.

GOtt lebt vnd siht noch alle Ding /
Sie sind gleich gros / hoch odr gering /
Der Armn Gebet veracht er nicht /
Weil er tieff ins verborgen sicht /
Das Gbet geht nicht leer ab ohn Frucht /
Wenn man nur Hülff bey Gott stets sucht.
Wird der Fromm' vnterdrucket schon /
So bkompt er doch die Ehrenkron.
Ob schon der Gottlos hoch auffsteigt /
Vnd sich die Straff etwas verzeucht:
So bleibt sie doch nicht aussen gar /
Sondern wird schärffer immerdar.
Das lehrt vns die Erfahrung fein /
Wie wirs haben im Augenschein /
Denn wer mit Betrug vnd List vmbgeht /
Derselb nicht lang in flore steht.
Nun hat zu dieser letzten Zeit
Der Schlund der Hellen außgespeyt
Den Wust alls Vbels gantz vnrein /
Welchs rechte MeuchelMörder seyn /
Mit grausamen Rencken vnd Listn
Betrieben nur die frommen Christn /
Den heilgsten Namen Jesu auch
Fälschlich führen nach jhrem Brauch.
In Schaffskleidern gehn sie herein /
Im Hertzen rechte Wölff sie seyn:
Der Jesuiter schwartzer Ordn
Ist gantz hündisch vnd mördrisch wordn.
Gottes / seins Worts / der Warheit Feind /
Darneben sie blutdürstig seynd:
Denn man kan sie nach jhrem Willn
Mit vnserm Blut nicht gnugsam fülln.
Darumb du grausam schröcklich Thier /
Des Teuffels falsche Ehr vnd Zier /
Des wahren Gottes höchst Vnehr /
Sein heiligs Wort verfolgst du sehr /
Dich hat der hellisch LügenGeist
Sampt deinen Schuppen außgeschmeist /
Denn du bist des Verderbens Kind /
Böß List vnd Renck erdenckst du gschwind /
Dein glatte Wort sind lauter Gifft /
Wie man solchs täglich an dir sicht.
Gottes Wort zeuchst du fälschlich an /
Vnd setzest dich mit Gwalt daran /
Du verfolgst solchs vor Jahrn vnd hewr /
Wie dein Gebrauch / mit Schwerdt vnd Fewr.
Den Köngen stehst nach Leib vnd Lebn /
So nicht auff dein böß Rathschläg gebn.
Du Rabenart vnd Otterzzucht /
Durch dich viel böß auff Erd geschicht.
Vom Namen Jesu nennst du dich /
Verfolgst doch selben stetiglich.
Betrug / Verrätherey böß List
Bey dir die beste Vbung ist.
Dein gröste Künst vnd Tugend seyn
Geitz / Wucher / Vnzucht in gemein /
Vnd lebest da im Kloster-Haus
In Völlerey vnd grossem Sauß.
Vnd kanst noch nicht auff dieser Erdn
Mit diesem alln gesättiget werdn.
Pfui / Pfui dich an der grossen Schand /
Daß du so betreugst Leut vnd Land.
Du sprichst du meynsts mit vns gar gut /
Vnd dürst dich nur nach vnserm Blut /
Brauchst Waffen / Fewr / Arglistigkeit /
Kein Mord so gros / du weist Bescheid.
Du nennst dich Gottes Volck vnd Gmein /
Magst aber wol ein Gottsdieb seyn.
Kein grösser Schälcke in der Welt
Seynd je gewesen / wie gemelt /
Denn artlich wendt jhr ewr Gesicht /
Als ob jhr Weiber kennet nicht.
Vnd steckt doch voller Fleisches Lust /
Häufft allenthalbn der Sündenwust /
Grosse Herren vnd Königs Kind
Verreitzet jhr zum Krieg geschwind /
Heist sie streiten mit frecher Hand /
Worüber auffsleucht jhr Leut vnd Land.
Denn viel / so vor mächtig vnd reich /
Durch euch verderbt fast allzugleich.
Von Gott seyd jhr außgangen nicht /
Solchs man an ewren Früchten sicht.
Der Jünger vnd Apostel Schar
Niemals also bekleidet war /
Drumb spricht der Apostel gar fein:
Nach meinm Tod werden schleichn herein
Grewliche Wölff / welche auff Erdn
Der Herd Christi nicht schonen werdn /
Schlag nach / such fleissig in der Schrifft /
Schaw wie sie dich so weidlich trifft.

Gedruckt im Jahr M DC XXXII.

F 45

am 23. Dezember in Mainz eingerückt. Die Jesuiten, die in starkem Maß an der Erneuerung und Bewahrung des Katholizismus nach der Reformation beteiligt waren, hatten aus Furcht vor den Schweden diese Region fluchtartig verlassen. Der Text des Flugblattes impliziert dies als gerechte Strafe Gottes.

Die Nichtberücksichtigung der Dominikanergestalt in den Ausführungen des Autors erklärt sich aus der gesicherten Abhängigkeit des vorliegenden Flugblattes von einem vermutlich 1550 entstandenen, das die Dominikaner verunglimpft (vgl. Hans Bloesch, Unbekannte Einblattholzschnitte des 16. Jahrhunderts in der Berner Stadtbibliothek, in: Berner Zeitschrift für Geschichte und Heimatkunde, 1940, S. 151f., Abb. I). Es illustriert das Bibelzitat Matthäus 23,14, das sich auch auf dem vorliegenden Blatt findet. Der Wolfskopf des Dominikaners, dessen Orden bei der Hexenverfolgung eine dominante Rolle spielte, ist nicht nur von dem Vorbild herleitbar, sondern nimmt auch Bezug auf Matthäus 7, 15 – wiederum auf dem vorliegenden Flugblatt zu finden –, ist aber vor allem als satirische Verkehrung der „domini canes" zu verstehen, als die sich der Dominikanerorden selbst darstellte. 2 Varianten des Blattes sind bei Harms verzeichnet (Harms 1980, II, 295a, b).

Coupe 1967, 87; Harms 1980, 295. *O.P.*

F 46

Krönung Friedrichs V. von der Pfalz zum böhmischen König

Unbekannter Stecher
1619

Kupferstich, 311 x 382 mm; Einzelbilder mit unterlegten Texten

Wolfenbüttel, Herzog-August-Bibliothek, Inv.Nr. IH 526

Böhmen gehörte seit 1526 zum katholischen Haus Habsburg. Als Wahlreich ausgewiesen, wurden dort die Herrscher von den Ständen gewählt. In kirchlich-religiösen Dingen genoß Böhmen gewisse Freiheiten, so daß hier auch die Reformation Früchte tragen konnte. Unter bestimmten Voraussetzungen war den Protestanten sogar erlaubt, evangelische Kirchen zu errichten. Als diese nun eine solche auf katholischem Terrain erbauten, und die Katholiken den Abriß erwirkten, setzte die Rebellion der protestantischen Stände ein, die sich mit dem Prager Fenstersturz (23. Mai 1618) zum Aufstand gegen ihren 1617 gewählten König, Erzherzog Ferdinand II. von Österreich (1578–1637), und den Kaiser auswuchs. Nach dem Tod des Kaisers schlossen sich die Aufständischen mit den Nebenlän-

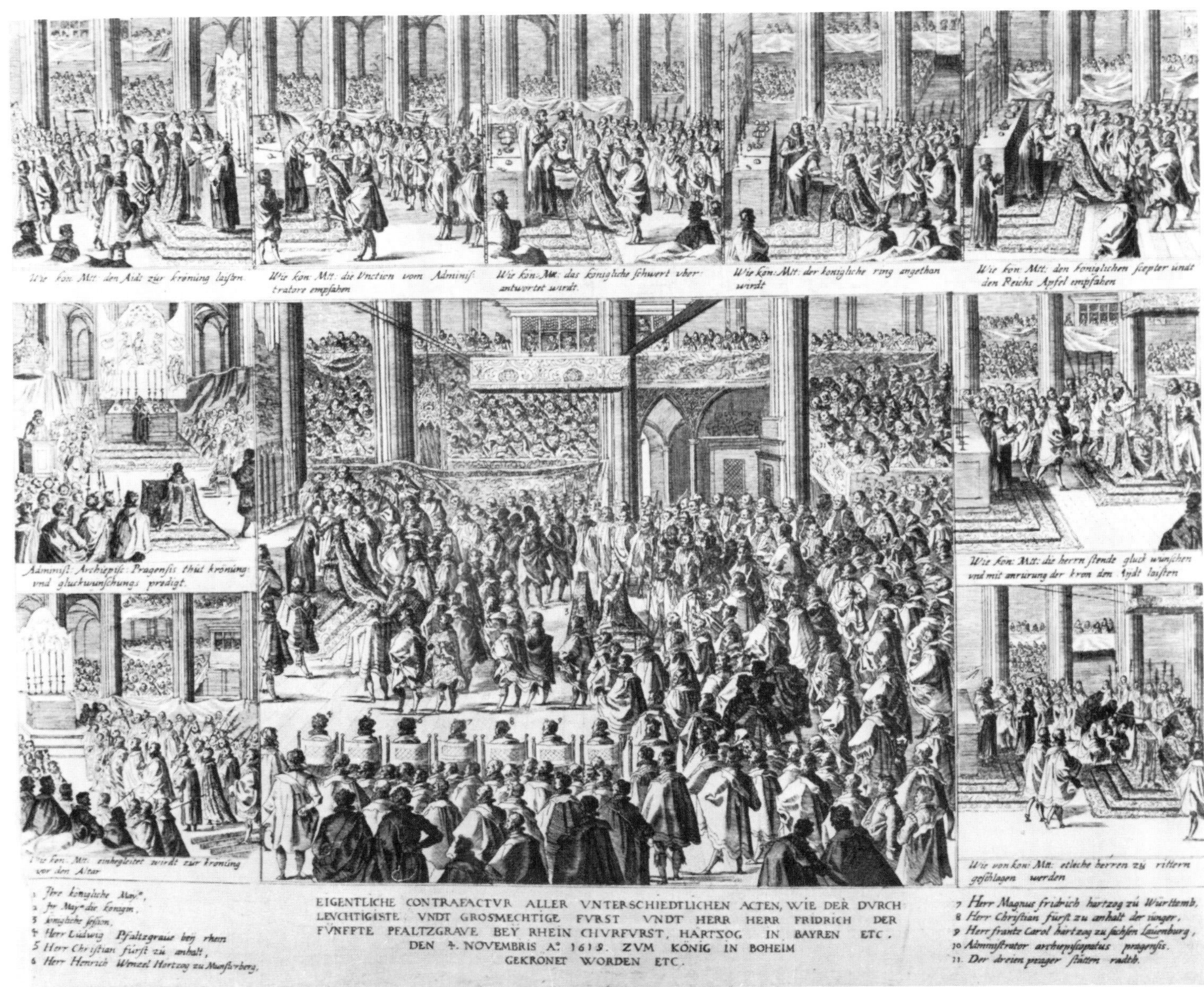
Wie kon: Mtt: den Aidt zur kröning laisten
Wie kon: Mtt: die Vnction vom Adminis: tratore empfahen
Wie kon: Mtt: das konigliche schwert vber: antwortet wirdt.
Wie kon: Mtt: der konigliche ring angethan wirdt
Wie kon: Mtt: den koniglichen scepter undt den Reichs Apfel empfahen
Adminisť: Archiepisc: Pragensis thüt krönung: vnd gluckwunschungs predigt.
Wie kon: Mtt: die herrn stende gluck wunschen vnd mit anrürung der kron den Aydt laisten
Wie kon: Mtt: einbegleitet wirdt zur kröning vor den Altar
Wie von kon: Mtt: etliche herren zu rittern geschlagen werden
1 Ihre königliche May:t,
2 Ir May:t die Konigin,
3 königliche sessiom,
4 Herr Ludwig Pfaltzgraue bey rhein
5 Herr Christian fürst zu anhalt,
6 Herr Henrich Wenzel Hertzog zu Munsterberg,
EIGENTLICHE CONTRAFACTVR ALLER VNTERSCHIEDTLICHEN ACTEN, WIE DER DVRCH LEVCHTIGISTE VNDT GROSMECHTIGE FVRST VNDT HERR HERR FRIDRICH DER FVNFFTE PFALTZGRAVE BEY RHEIN CHVRFVRST, HARTZOG IN BAYREN ETC. DEN 4. NOVEMBRIS A:o 1619. ZVM KÖNIG IN BOHEIM GEKRONET WORDEN ETC.
7 Herr Magnus fridrich hartzog zu Württemb,
8 Herr Christian fürst zu anhalt der iünger,
9 Herr frantz Carol hartzog zu sachsen Lauenburg,
10 Administrator archiepiscopatus pragensis.
11 Der dreien prager stätten radtb.

F 46

dern 1619 zur sogenannten Konföderation zusammen, setzten Ferdinand II. als König von Böhmen ab und wählten den Calvinisten Friedrich V. am 26. August 1619 zu ihrem neuen König. Am 4. November 1619 fand die feierliche Krönung Friedrichs V. im Prager Stephansdom statt. 2 Tage darauf wurde der Habsburger Ferdinand II. von den Kurfürsten des Reiches – mit Ausnahme Friedrichs V. – zum neuen Kaiser gewählt.

Das Flugblatt schildert die Krönung Friedrichs V. zum böhmischen König in epischer Breite. Durch die im unteren Rand angebrachten Verweisziffern, die sich auf das Mittelbild beziehen, sind die wichtigsten Teilnehmer der Krönungszeremonie bezeichnet, darunter Friedrichs Gemahlin Elisabeth Stuart (1596–1662; Ziffer 2).

Die Hauptszene zeigt den Höhepunkt der Krönungszeremonie: Friedrich empfängt die böhmische Krone aus den Händen des Bischofs von Prag. Die umlaufenden 9 Bilder führen, links unten beginnend, im Uhrzeigersinn die einzelnen Stationen der Krönung vor: den Einzug Friedrichs V. in den Stephansdom; die Predigt; den Krönungseid; die Salbung; die Übergabe des königlichen Schwertes, des Ringes, des Zepters und des Reichsapfels. Im szenischen Ablauf folgt hier das große Mittelbild. Die beiden letzten Darstellungen zeigen den gekrönten Friedrich V., wie er den Treueeid der Ständeherren entgegennimmt und schließlich einige Herren zu Rittern schlägt.

Ein verwandtes, von Georg Keller (1568–1634) 1617 radiertes Flugblatt, „Krönung Erzherzog Ferdinands zum König von Böhmen" (München 1980, II/2, 484), könnte für das hier gezeigte Vorbild gewesen sein, wenn nicht gar Keller beide Blätter ausgeführt hat. Bohatcová verzeichnet eine von E. Kieser ausgeführte Variante des Flugblattes, in der anstelle der kleinen Bilder links und rechts unten Porträts von Friedrich V. und seiner Gemahlin Elisabeth Stuart eingesetzt sind.

Bohatcová 1966, 29; Heidelberg 1980, 25; Harms 1980, 151; Coburg 1983, 74 (Flugblatt mit unten angeklebtem Text in Typendruck und Festlegung der Bildfolge durch in alphabetischer Reihenfolge aufgedruckte Buchstaben). *O.P.*

WEr Glück vnd Vnglück wissen wil/
Der seh an deß Pfaltzgrafen spil.
Sehr glücklich war er in dem Reich/
So bald hett er nit seines gleich/
Jhm manglet nit an Leit vnd Land
Regieret weißlich mit Verstand
Ein Fraw von Königlichem Stam̃/
Die mehret jhm sein hohen Nam/
War glückhafftig mit jungen Erbn
Sein Stam̃ so bald nit solt absterbn.
Von reich vnd arm von jung vnd altn
Ward er in grosser Ehr gehaltn.
Wie solches dann auch billich gschach
Weil er die höchste Chur versach
Auß Weltlichen Churfürsten vier
Dem Römischn Reich war er ein zier.
Jn Summ jhm war wol allermassen
Wann er sich nur hett gnügen lassen.
O Ehrgeitz du verfluchte sucht:
Hie sicht man dein vergiffte frucht/
Die Ehr vnd Würd machst manchem süß
Biß er kompt andern vnder d Füß.

Wie ansehlich wie zierlich wol
Wie dapffer alles Glücks so vol
War Pfalzgraf Friderich zuvor/
Ehe das jhn Hoffart hebt empor.
Die besten Maister in dem Rath
Die waren da sein höchster schad
Der Blessen/ Camerarius/
Kein Müh kein Arbeit sie verdruß/
Biß sie jhn in die höch gebracht
Vnd auß jhm einen König gmacht
Das hett doch in die läng kein bstand
Weil er sich brauchet frembder Land
Sein Reich war nit von dieser Welt
Darumb er bald zu boden felt.
Wo felt er hin? Jns tieffe Möhr/
Verlassen von seim gantzen Heer/
Die Staden habn jhn auffgfangen
Thun mit dem newen Fisch jetzt prangen
Vnd halten jhn für ein Gschawessen
Das Glück hat seiner gar vergessen
Hat jhn zu spott gmacht vor der Welt
Vnd wie ein Spiegel fürgestellt

Daß sich ein jeder hinfür baß
Am seinigen genügen laß
Wie gern wolten jhn seine Räht
(Die das Rath zu starck vmbgedräht)
Jetzt wider in die höch auffschwingen
Es wil jhn aber alls mißlingen
Er ist zu tieff hinab gesuncken
Er wer vielleicht wol gar ertruncken
Wann nicht Holland geholffen hett
Da es vmb jhn noch mißlich steht
Dann als er auß dem Netz gekrochen
Hand sie jhm weiter nichts versprochen
Als daß er mög bey jhnen wohnen
Jetzt seynd hindurch vil gute Cronen.
Der hett zuvor viel Leit vnd Land
Der hat jetzund ein läre Hand
Der vor hett auff dem Haupt ein Cron
Hat jetzt kaum ein gantz Hemet an
Helff Gott dem armen Friderich
Er kompt doch nimmer vbersich.

Gedruckt Jm Jahr 1621.

F 47

F 47

Deß gwesten Pfaltzgrafen Glück und Unglück

Unbekannter Stecher
1621

Kupferstich, 310 x 268 mm,
Bild: 129 x 232 mm, und Typendruck

Coburg, Kunstsammlungen der Veste Coburg, Kupferstichkabinett,
Inv.Nr. XIII,321,56

Friedrich V., Führer der 1608 gegründeten protestantischen Union, residierte seit 1610 als Kurfürst in Heidelberg. Im August 1619 wurde er zum böhmischen König gewählt, am 4. November in Prag gekrönt (vgl. Kat.Nr. F 46). Ein Jahr später, nach der Schlacht am Weißen Berg (8. November 1620), wurde er aus Böhmen vertrieben und gelangte schließlich in die Niederlande. Seine Versuche, die Pfalz zurückzugewinnen, schlugen fehl.

Das Flugblatt schildert Friedrichs politisches Schicksal mit Hilfe des seit dem Mittelalter verbreiteten Motivs des Rades der Fortuna. Dieses Bild diente oftmals der in 4 Phasen ablaufenden Darstellung von Aufstieg und Fall eines Herrschers als Warnung vor Hochmut: 1. Der Aufstieg („ich werde regieren") entspricht dem aufsteigenden *friedrich Churfürst;* 2. Der Höhepunkt („ich regiere") zeigt Friedrich als König von Böhmen; 3. Der Sturz („ich habe regiert") setzt für Friedrich mit der Schlacht am Weißen Berg und dem Verlust sämtlicher Länder und Titel ein; 4. Die Niederlage („ich bin ohne Land") ist für Friedrich V. gleichbedeutend mit dem Dasein im Exil in den Niederlanden. Anstelle der Personifikation, der Fortuna oder Providentia, die das Rad in Bewegung bringt, werden hier die Berater Friedrichs, die beiden strengen Calvinisten Ludwig Camerarius (1573–1651) und Hofprediger Abraham Scultetus (1566–1624) als die letztlich Verantwortlichen für Friedrichs Glück und Unglück dargestellt. Camerarius folgte Friedrich ins Exil, während Scultetus als Prediger nach Emden ging. Da Scultetus 1619 den „Bildersturm" in den böhmisch-lutherischen Kirchen angeordnet hatte, was die lutherische Partei der protestantischen Union aufgebracht hatte, kam der publizistische Spott in Form derartiger Flugblätter nicht nur von katholisch-habsburgischer, sondern auch von lutherischer Seite (vgl. Harms 1980, 182–186). Mit Schadenfreude und einem Lob auf die Gerechtigkeit, die im Drehen des Glücksrades liegt, soll dieses Flugblatt die Anticalvinisten im Reich bestärken.

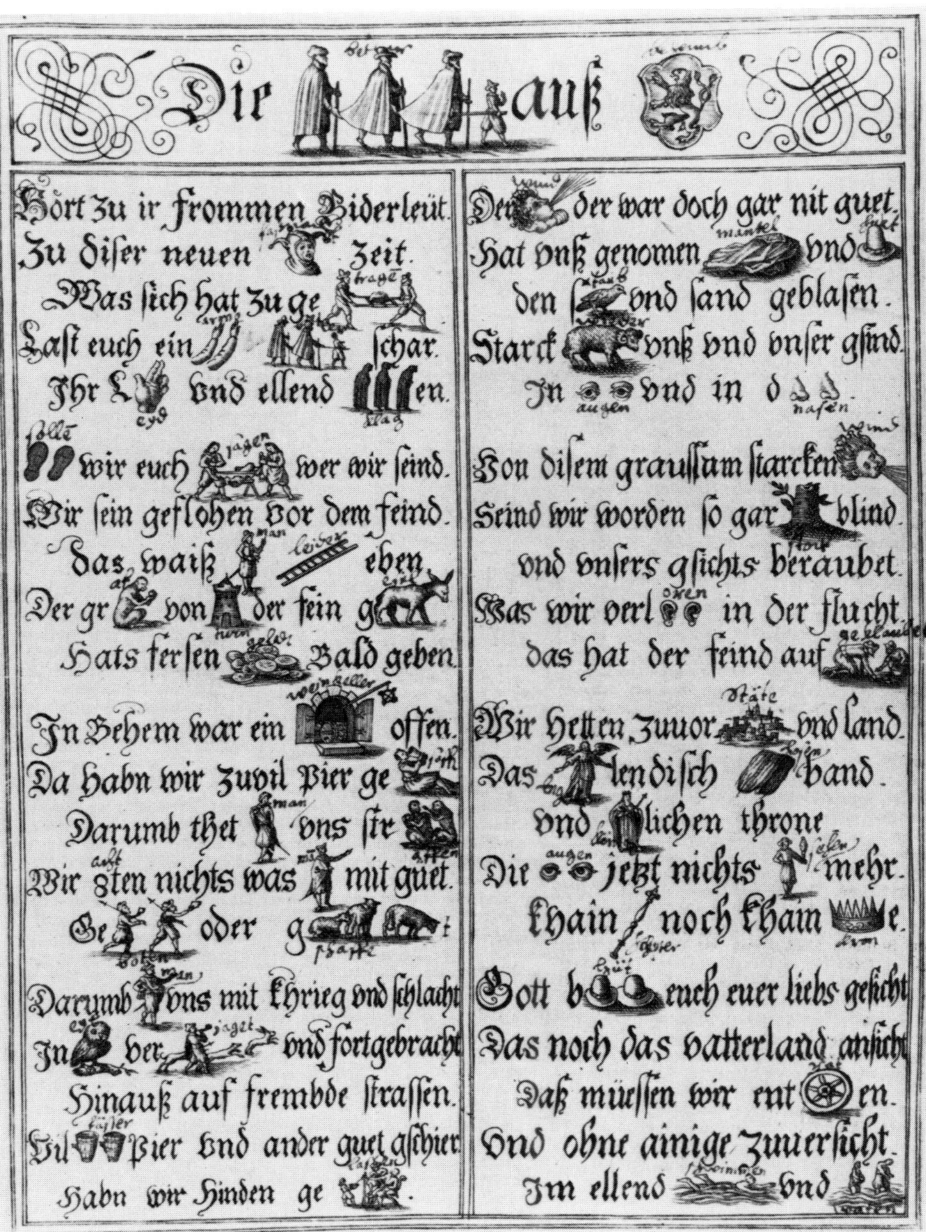

F 48

Wäscher 1955, S. 34; Bohatcová 1966, 58; Scheible 1972, 61; München 1980, 514; Heidelberg 1980, 80; Coburg 1983, 79. O.P.

F 48

Die (drei Blinden) auß (Böhmen)

Unbekannter Stecher
(1621)

Kupferstich, 280 x 195 mm

Wolfenbüttel, Herzog-August-Bibliothek, Inv.Nr. IE 89

Das Rhebusflugblatt in Liedform, mit den von zeitgenössischer Hand eingetragenen Lösungen, ist eines der Spottblätter auf Friedrich V. von der Pfalz (vgl. Kat.Nr. F 47), das dessen Flucht aus Böhmen als blinder Landfahrer thematisiert. Der Titel *Die (drey Blinden) auß (beheimb)* ist einer im Prager Nationalmuseum befindlichen Holzschnittfassung des Flugblattes mit auf den Rand gedruckten Auflösungen entnommen (vgl. Harms, a.a.O., andere Fassungen: d; Bohatcová 1966, 61). Der Text des Flugblattes ist so abgefaßt, daß nach einer Einführungsstrophe die Betroffenen scheinbar selbst zu Wort kommen. Durch den Text *wir hetten zuvor (Stäte) und Land./ Das (engel)lendisch (Hosen)-band/ und (könig)lichen throne...* ist Friedrich V. als einer der Blinden identifizierbar. Bei den beiden anderen kann es sich nur um seine mit ihm vertriebenen Berater Camerarius und Scultetus (vgl. Kat.Nr. F 47) handeln, die auf zeitgenössischen Flugblättern nach der Person Friedrichs V. am meisten dem Spott ausgesetzt waren (vgl. z.B. Heidelberg 1980, 61, 65, 66). Die „drey Blinden" schildern ihre Flucht vor dem Feind, der sie, als gerechte Strafe für zuviel Biergenuß in einem offenen böhmischen Keller, verjagt hat. Angespielt ist damit auf das politische, in diesem Kontext aber moralisch bewertete Fehlverhalten Friedrichs V., aus Besitz- und Machtgier die böhmische Krone angenommen zu haben. Auf der eiligen Flucht vor den Truppen der katholischen Liga nach der Schlacht am Weißen Berg (8. November 1620) verlor Friedrich V. einen Teil seines Trosses an den nachrückenden Feind: *vil (fässer) Pier und ander guet gschier/Habn wir hinden ge(lassen)*. Darunter befand sich auch der ihm durch seinen Schwiegervater Jakob I. von England verliehene Hosenbandorden *([engel]lendisch [Hosen]band)*. Die letzte Strophe des Rhebus spielt auf Friedrichs V. Exil in Den Haag an, wo er Anfang April 1621 eintraf, als einer, der das *vatterland* nicht mehr zu sehen vermochte. Vermutlich wurde das Lied nach der im 16. Jahrhundert weit verbreiteten Melodie des „Stortebeckers" gesungen, die zahlreichen Liedern zugrunde lag (vgl. Harms, a.a.O.).

Coupe 1967, 140 (140 a, b), Abb. 117; Harms 1980, 183. O.P.

F 49

Emblema LABOR VINCIT OMNIA...

Unbekannter Stecher
Heidelberg (1622)

Radierung, 319 x 346 mm,
Bild: 227 x 346 mm, und Typendruck

Coburg, Kunstsammlungen der Veste Coburg, Kupferstichkabinett, Inv.Nr. VIII, 65, 3

Das aufgrund der Dreisonnenerscheinung auf 1622 zu datierende Flugblatt stellt in einer zweigeteilten Bildzone eine Allegorie zur Verherrlichung des in den Diensten des Kurfürsten von der Pfalz stehenden Peter Ernst von Mansfeld II (1580–1626) dar. Zur Erklärung ist dem Bild ein lateinischer Text beigegeben, der eine Analogie zwischen Mansfeld und Herkules aufstellt, sowie ein deutscher Text, der sich mit seinen Verweisbuchstaben auf das Bild bezieht und somit stärker an die Vorlage hält.
Das Blatt verherrlicht die Kriegszüge des Söldnerführers im Dienste Friedrich V. durch das Bistum Speyer und das Elsaß. Mit einem Pflug, den ein Sechsergespann Pferde zieht, welches die Tugenden Mansfelds symbolisiert und von den Personifikationen des Ruhmes, des Sieges und der Ehre begleitet wird, pflügt Mansfeld das Elsaß um, dessen Städte auf

Kurtze erklärung dieser Figur.

SI quisquam Herculeos potis est perferre labores,
Si quis Tænarias est potis ire vias;
Dux erit Ernestus generosis inclytus ausis,
Pars Mansfeldiaci magna Comesque laris.
Hic quales animos invictis viribus armet,
Hoc emblema tibi, Lector amice, refert.
Cui quoq; si Latium fas est subiũgere versum,
In parvos coëat Maximus ille pedes.
Ingreditur famæ Ernestus prælustre theatrum,
Germanósque inter se probat esse Duces:
Cum Fabiis æquat Curios, fortésq; Camillos,
Et quibus alta olim nomina Roma dedit.
Hòc tamen est maior, quò se maioribus effert
Rebus, & obiectat pluribus arma minis.
Nusquam etenim tantis riguit Germania fatis,
Cogit hic in lætos cedere fata dies.
Finibus in nostris occultus regnat Iberus,
Qui quærit patrium cum regione forum,
Atque aram cultúmq; sacrum violare Tonãtis,
Nunc parat insidias, nunc parat ense manus.
Candidus Ernestus vafros illudit Iberi,
Ne valeat voti vela tenere, dolos.
Vindicat à rigidis natalia semina dumis,
Pontificúmque luem latiùs ire vetat.
I felix Erneste tuâ virtute, Fidelis
Quò te, quem sequeris, ducit agitq; Canis.
Vtque facis, sic sperne leves post tergora nummos,
Quem porgũt vulpes retia nũmus alit.
Nũmus hic (haud nescis) Hispanis cuditur oris,
Quid, quod ab Hispanis provenit, esse ratũ,
Sincerum esse potest? qui quam dixêre tueri
Hactenus incolumen non potuêre fidem.
Sed tua calcar habet virtus Erneste, nec ullis
Ad tua, quæ sulcas, prædia bobus eges.

A Arbeit alls vberwinden thut/
Wie man sicht an diß Helden muth/
Der legt Ernstlich die hand an Pflug
Vnd sagt noch Ists mir nicht genug/
Soll eins Mansfeld gebawen seyn/
Muß er auch stäts arbeiten fein
B Mit seiner Stärck den grund vmbkehrn/
So kan er sich dann drauff ernehrn
Vnd das nicht nur ein mal im Jahr
C Sondern beständiglich fort fahr
D Vnd spant mit ein Großmütigkeit
E Sampt der klugen Vorsichtigkeit
F Ein wachend Aug er auch stäts helt/
Damit recht g'säht werd diß Mansfeld
Vnd keine distlen drein auffgehn
Die Ihm da möchten wiederstehn/
G Dann die Erfahrung Ihn gelehrt
Daß dorn vnd distlen d'Erd nur b'schwert/
Seind auch dem Pflug gantz hinderlich
Daß er nicht gehn kan stracks für sich/
H Drumb müssen sie sein außgereut/
I Wie daß der Planet Mars bedeut/
Der gehet auff zu rechter stund/
In diß Mansfeld richt Sie zu grund/
K Wie der Comet Ihn hat getrewet/
Vnd vnlängsten hat angezeigt/
L Da auch drey Sonnen zu dem end/
Seind g'sehen wordn am Firmament/
Darvon aber die zwo verschwinden/
M Weil daß Schwerd Sie thut vberwinden/
Aber d'Sonn der G'rechtigkeit noch
Leucht vber diesen Mansfeld hoch
Das bringet frucht solcher gestalt/
Wie man sicht vor augen gemalt/
N Reutter vnd Landsknecht ohne zahl/
O Die schneiden d'Erndt ein allzumahl/
P Vnd dröschen drauff ohn alles dawrn/
Das niederfallen Thürn vnd Mawrn/
Q Verbrennen auch die Stopffeln rein/
Das Vnziefer nicht nistet drein/
Maußfallen zu machn mit trug vnd list/
Wie solchs offtmahls geschehen ist/
Ob wein nun auff dis Manß feld/
R Außg'schet wird viel Gold vnd Geld;
Läst ers sichs doch nicht Corrumpirn/
Sondern thut seinen Pflug fort führen/
Vnd folget nach auffrecht ohn schew/
S Dem Hündlin klein so heist die Trew/
Welch er auch Aidlich hat geschworn/
Seim Herrn vnd König hochgeborn.
Darumb dann auch zu diss Manß feld/
T Daß außbreitend Gerücht sich g'sellt/
V Deßgleichen Ehr vnd hohes Lob/
X Wann er sein feind mit Sieg liegt ob/
So Ihm dient zur Vnsterblichkeit/
Erlangt ein Nahmen weit vnd breit/
Z Viel ehren Krantz trägt er darvon/
Das ist der Arbeit rechter lohn/
Vergleicht sich ein fruchtbaren regen/
Kriegt groß reichthumb mit reichem segen.

Heydelberg/bey Jacob Granthom.

F 49

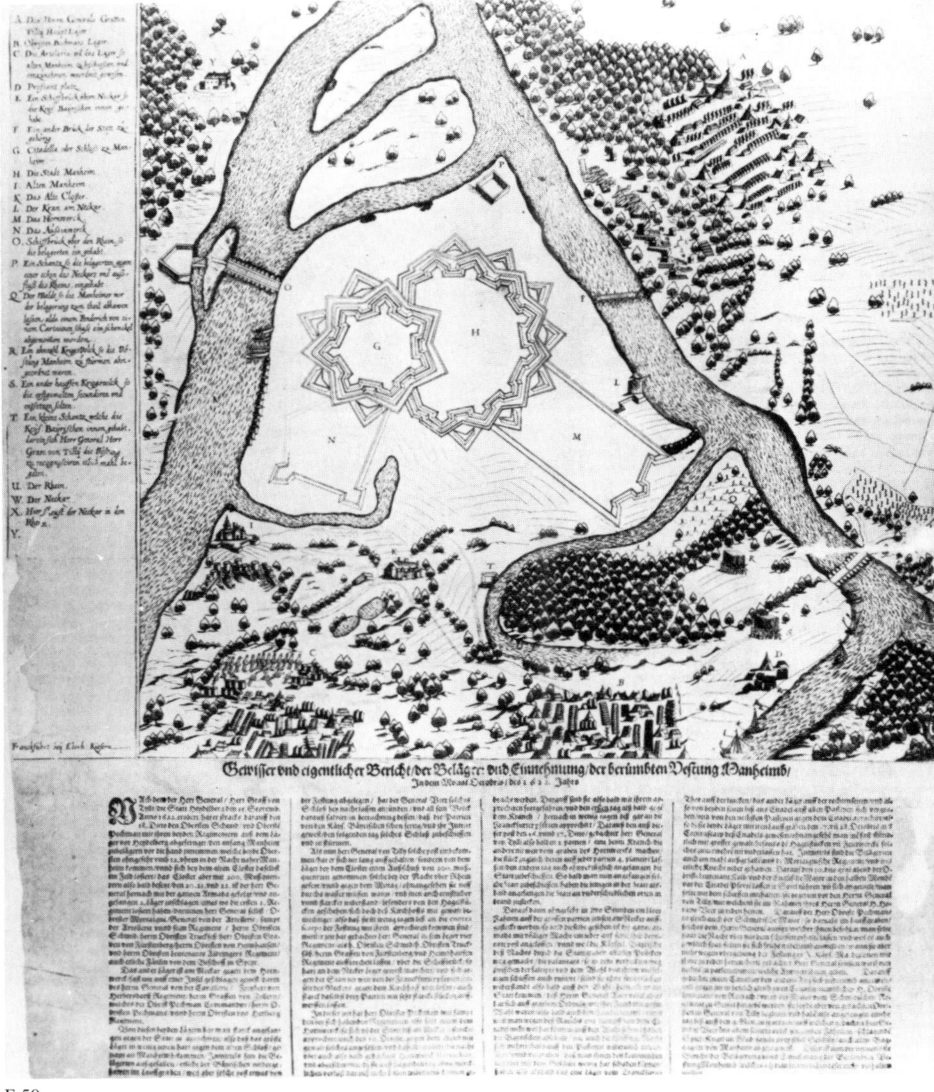

F 50

dem Acker zu erkennen sind. Er läßt sich dabei nicht durch die „Geldsaat“ der katholischen Geistlichkeit (R) korrumpieren, sondern verfolgt seinen Weg als treuer Diener des Kurfürsten, worauf der Hund (Fidelitas) hinweist. Die Waage (M) hat sich mit Mars' Hilfe (I) zu seinen Gunsten (Schwert) gegen die katholische Liga (Mitren) geneigt. Als Lohn der reichen Ernte, die im unteren Bildteil dargestellt ist, erhält er Ehre und Reichtum (Z).
Peter Ernst von Mansfeld II stand von 1601–1609 im Dienst des katholischen spanischen Königshauses unter Philipp III. 1609/10 war er in Diensten der protestantischen Union, 1610–1617 in denen des Herzogs von Savoyen. 1618–20 versuchte er im pfälzisch-böhmischen Lager die militärische Führung zu erlangen, nachdem er 1618 Pilsen erobert hatte. Als sich dies nicht erfüllte, trat er nach der Niederlage der böhmischen Rebellen unter Friedrich V. gegen die katholische Liga am Weißen Berg (8. November 1620) in den Dienst des fliehenden „Winterkönigs“ Friedrich V. Auf dem Rückzug vor Tillys Truppen verlegte er sein Lager in die Oberpfalz, schließlich in die Rheinpfalz.
Das Flugblatt ist vermutlich nach Mansfelds Sieg über Tilly bei Wiesloch im April 1622 und vor der Niederlage bei Wimpfen (26. April / 5. Mai 1622) entstanden.

Coupe 1966, S. 74; Coupe 1967, 249; Heidelberg 1980, 114; Coburg 1983, 81. *O.P.*

F 50

Belagerung und Eroberung Mannheims

Unbekannter Stecher
Frankfurt (1622)

Kupferstich, 529 x 422/430 mm

Wolfenbüttel, Herzog-August-Bibliothek, Inv.Nr. IH 536a

Das bei Eberhard Kieser (tätig 1609 bis 1630) in Frankfurt gedruckte Flugblatt schildert im angefügten Textteil detailliert die Belagerung und Eroberung der Festung Mannheim zu Beginn des 30jährigen Krieges. Die Eroberung Mannheims war eine der wichtigen Stationen des Feldzuges der bayrisch-ligistischen Armee unter Führung des Grafen von Tilly (1559–1632) durch die Pfalz und die zwangsläufige Folge der Niederlage der Truppen des Markgrafen Georg Friedrich von Baden-Durlach bei Wimpfen (5. Mai 1622). Nach der Eroberung Heidelbergs, die Tilly am 20. September 1622 beendete, stieß er auf Mannheim vor, das nach den neuesten Erkenntnissen niederländischer Fortifikationskunst angelegt war: Mannheims Umwallung war in regelmäßigem Bastionssystem errichtet worden, das jedoch zum Zeitpunkt von Tillys Angriff noch nicht vollendet war (vgl. Kat.Nr. B 25). Am 20. September rückte dieser von Osten, von Seckenheim her, auf die Festung Mannheim an. Bei der Ausführung seines Vorhabens kamen ihm verschiedene glückliche Umstände zu Hilfe, z.B. daß die Gegend am Eichelsheimer Schloß und bei Rheinhausen (südwestlich und südlich der Festung), die Mühlau (nördlich der Festung) und der Bellenwert (südöstlich der Festung) durch den noch starken Baumbestand Deckung bot; daß die Besatzung Mannheims nur ca. 4000–5000 Mann betrug und diesen lediglich 25 Geschütze zur Verfügung standen. Unter Ausnutzung der topographischen Vorteile stießen die bayrisch-ligistischen Truppen aus südlicher und östlicher Richtung vor. Am 16. Oktober blies Tilly nach Dauerbeschuß Mannheims zum Sturm auf die Festung. Am 2. November 1622 wurde die Übergabe Mannheims besiegelt. Die nächste Station Tillys auf seinem Unterwerfungszug gegen die protestantischen Bastionen sollte Frankenthal sein (vgl. Kat.Nr. F 51). Weitere Flugblätter zur Belagerung und Eroberung Mannheims vgl. Heidelberg 1980, 129, 130.

Walter 1907, S. 141 ff.; Harms 1980, 201 a. O.P.

Franckenthalischer Triumph vnd Frewden Spruch. Das ist:
Kurtzer Bericht wie die Spanische Armada vnter dem berühmten Spanischen General Ferdinando Consalvo de Cordova vor Franckenthal geruckt/dasselbige hart belägert/gestürmet vnd beschossen/auch wie sie im Monat Octobri, deß 1621 Jahrs/mit verlust etlicher tausendt Mann/als berühmbten Obristen/Capitänen vnd vielen Befelchshabern/widerumb weichen vnd abziehen müssen.

Gedruckt im Jahr Christi/1622.

F 51

F 51

Frankenthalischer Triumph vnd Frewden-Spruch

Unbekannter Stecher
1622

Radierung, 377 x 299 mm,
Bild: 170 x 255 mm, und Typendruck

Wolfenbüttel, Herzog-August-Bibliothek, Inv.Nr. IH 100

Am 7. Oktober 1621 begann der spanische Feldherr Gonzales de Cordova (gest. 1645) Frankenthal zu belagern. Als kurz darauf das Herannahen der protestantischen Truppen unter Graf Mansfeld (1580–1626) bekannt wurde, unternahm Cordova letzte Anstrengungen zur Eroberung der Feste, bevor er am 24. Oktober unter angeblich schweren Verlusten durch die nachsetzenden Frankenthaler abzog.
Das 14 Strophen umfassende Lied des Flugblattes lobt den Heldenmut der Frankenthaler in vorwiegend allgemeinen Kampfschilderungen, die den Gegner verspotten. Die Illustration unterstreicht dies in symbolhafter Gestaltung. So erscheint im Bildvordergrund eine an die Ikonographie des „Sol Justitiae" anschließende Personifikation, deren Pelzmantel und Zepter auf den Pfalzgrafen als den Herren Frankenthals verweisen. Die Waage, Symbol der Justitia und des Erzengels Michael beim Jüngsten Gericht, hat zur Seite der Frommen und Gerechten, zur Seite der Frankenthaler, und zum Nachteil der Spanier ausgeschlagen. Der links gegen Stier und Mischwesen kämpfende „pfälzische Löwe" symbolisiert die erfolgreiche Abwehr der Belagerung. Auf der von einem Löwen – wiederum der pfälzische, der im Wappen Frankenthals vorkommen kann – herangetragenen Fahne, rechts, erscheint ein angreifender Widder, der nach der zeitgenössischen Emblematik die sich zur Wehr setzende, verletzte Geduld versinnbildlicht. Im Hintergrund der Landschaft, in die diese symbolischen Figurationen eingebettet sind, taucht die Stadt Frankenthal auf. Das Flugblatt war erstmals nach dem Ereignis 1621 erschienen (Harms 1980, II, 195 a). Die vorliegende, leicht veränderte Neuauflage von 1622 dürfte wohl weniger dem anhaltenden Jubel über den Vorjahressieg gedient haben. Vielmehr dürfte die neuerliche Bedrohung der Stadt der Anlaß zur Neuauflage gewesen sein und das Schwergewicht der Aussage auf den letzten 3 Strophen des Liedes gelegen haben, dem Flugblatt also die Funktion eines Durchhalteappells zugekommen sein. Denn nachdem die kaiserlichen Truppen unter Tilly am 2. November 1622 Mannheim eingenommen hatten (vgl. Kat.Nr. F 50), war Tilly zusammen mit Cordova auf Frankenthal vorgerückt. Die dortige Anwesenheit einer englischen Garnison und die Möglichkeit politischer Komplikationen mit England veranlaßten die kaiserlichen und spanischen Truppen, die Stadt nicht zu stürmen. Im Frühjahr 1623 wurde Frankenthal nach vertraglicher Vereinbarung übergeben. Eine weitere Fassung des Flugblattes bei Harms (Harms 1980, II, 195 b).

Wolfenbüttel 1972, 388; Wang 1975, S. 182, Abb. 23; Harms 1980, 195. O.P.

Klag vnd Bettlied
Der Armen/ durch vielfaltige/ grausame schädliche Krieg/ durchzüg/ vnd andere weg hochbeträngten vnd beschwerten Bawers vnd Landleuten in der gantzen Christenheit/ vmb den lieben Frieden.
Nach dem alten Kirchengesang/ Da pacem Domine, in diebus nostris, gerichtet.
Oder Verleyh vns frieden gnädiglich/ rc.

DA.
PACEM.
DOMINE.
IN DIEBUS NOSTRIS.
QUIA NON EST.
ALIUS.
QUI.
PUGNET.
PRO NOBIS.
NISI TU.
DEUS NOSTER.

Psal: 60. 67. Esa: 59. D. S.

Straßburg/ bey Jacob von der Heyden.

F 52

F 52

Klag vnd Bettlied Der Armen:...

Jacob van der Heyden (1573–1645)
Straßburg (um 1622)

Radierung, 350 x 235 mm,
Bild: 85 x 139 mm, und Typendruck

Coburg, Kunstsammlungen der Veste Coburg, Kupferstichkabinett, Inv.Nr. VII, 409, 302

Die Radierung des Straßburger Stechers und Verlegers van der Heyden illustriert die in Liedform gebrachten Verse des seit 1588 als Vikar am Bruderhof in Straßburg tätigen Daniel Sudermann (1550–1631), der Mitglied einer vom lutherischen Protestantismus abgespaltenen Glaubensrichtung, der Schwenckfeldianer, war. Sudermann geht in seinen Strophen von einem Kirchenlied Luthers aus dem Jahre 1531 aus, das mit den Versen *Da pacem Domini, Verley uns frieden gnediglich* beginnt, die im Titel des Flugblattes auftauchen. Luthers Lied wiederum ist eine Bearbeitung der nach 2. König 20, 19 gebildeten Verse „Da pacem Domine, in diebus nostris. Quia non est alius, qui pugnet pro nobis nisi Tu, Deus noster“, die im Flugblatt von Sudermann als Strophenüberschriften verwendet werden. Die entsprechende deutsche Fassung dieser Verse ergibt sich aus den fetter gedruckten Strophenanfängen: *GIb uns FRied HERR IN unsern tagn DAnn es ist kein ANder DEr STreit FVr uns DAnn du GOtt unser HErr.*
Das Flugblatt, das nur ein Beispiel der vielfältigen Zusammenarbeit zwischen Sudermann und van der Heyden darstellt (vgl. Coburg 1983, 102, Anm. 2), läßt die Landbevölkerung zu Wort kommen, die die Ursachen ihres Elends in den Folgen der Kriegswirren des noch jungen Dreißigjährigen Krieges beklagt und Gott um Gerechtigkeit und Frieden bittet. Mit den klagenden Landleuten vor einer der Plünderung und Zerstörung ausgesetzten Ortschaft hat van der Heyden Sudermanns Strophen ins Bild umgesetzt.
In Wort und Bild werden somit die Mißstände der Zeit aufgedeckt und angeprangert. Doch mit dem Aufruf, auf Gottes Hilfe zu vertrauen, die er der Menschheit durch seinen Sohn schon einmal gewährte (10. Strophe), erhält das Flugblatt eher den Charakter einer moralischen Unterstützung für die betroffene Bevölkerungsgruppe als den eines Aufrufs zur Rebellion.

Wäscher 1955, S. 59; H., S. 81; Coupe 1967, 239; Coburg 1983, 102. O.P.

F 53

Schlacht bei Sennheim (Elsaß)

Unbekannter Stecher
Augsburg (1634?)

Kupferstich, 306/310 x 360 mm

Wolfenbüttel, Herzog-August-Bibliothek, Inv.Nr. IH 567

Das Flugblatt schildert die Ereignisse der Schlacht bei Sennheim (Elsaß) am 15. März 1634, in der der Wild- und Rheingraf Otto Ludwig (1597–1634) die schwedischen Truppen gegen den bischöflich-straßburgischen Statthalter Graf Hermann Adolph von Salm und die kaiserlichen Truppen ins Feld führte. Dies geschah zu einem Zeitpunkt, als Frankreich sich immer stärker im Dreißigjährigen Krieg engagierte, nachdem es 1631 ein Abkommen mit dem protestantischen Schweden unter Gustav Adolf geschlossen hatte, das 1633 erneuert wurde, dem aber die mit den Schweden verbündeten deutschen protestantischen Reichsstände nicht beitraten. Rheingraf Otto Ludwig hatte schon zuvor die kaiserlichen Truppen unter Graf Salm im Elsaß in Bedrängnis gebracht, so daß dieser in seiner Notlage am 28. Januar 1634 die Städte Hagenau und Zabern „für die Zeit bis zum Friedensschluß“ der in der Nachbarschaft stehenden französischen Armee unterstellte, um sie nicht den Schweden preisgeben zu müssen (vgl. Ritter, S. 585). Damit begann die Festsetzung Frankreichs im Elsaß. Unter Frankreichs verstärkter Einwirkung auf die Kriegsentwicklung traten allmählich auch die konfessionellen Motive, die zum Ausbruch des Dreißigjährigen Krieges geführt hatten, hinter dem Motiv der Staatsräson, der Machtentwicklung und dem Handeln aus Eroberungswillen zurück. Rheingraf Otto Ludwig setzte seinen Feldzug mit der Einnahme Freiburgs und Rheinfeldens fort. Die Belagerung der wichtigen Feste Breisach brach er ab, um den schwedischen Truppen bei Nördlingen zu Hilfe zu eilen, die er jedoch nicht mehr rechtzeitig erreichte. Am 5./6. September wurden die Schweden dort durch die kaiserlichen Truppen vernichtend geschlagen.

Vermutlich ist das bei Wolfgang Kilian in Augsburg erschienene Flugblatt kurz nach der Schlacht bei Sennheim und vor dem entscheidenden Ereignis bei Nördlingen entstanden. Es feiert in der angefügten Beschreibung den Sieg des Rheingrafen, der seit 1628 im Dienst der Schweden stand und dessen Porträt rechts oben in der Radierung erscheint, als Sieg der protestantischen Sache.

Kretschmar 1929, S. 283 ff.; Ritter, 1962; Harms 1980, 307.

O.P.

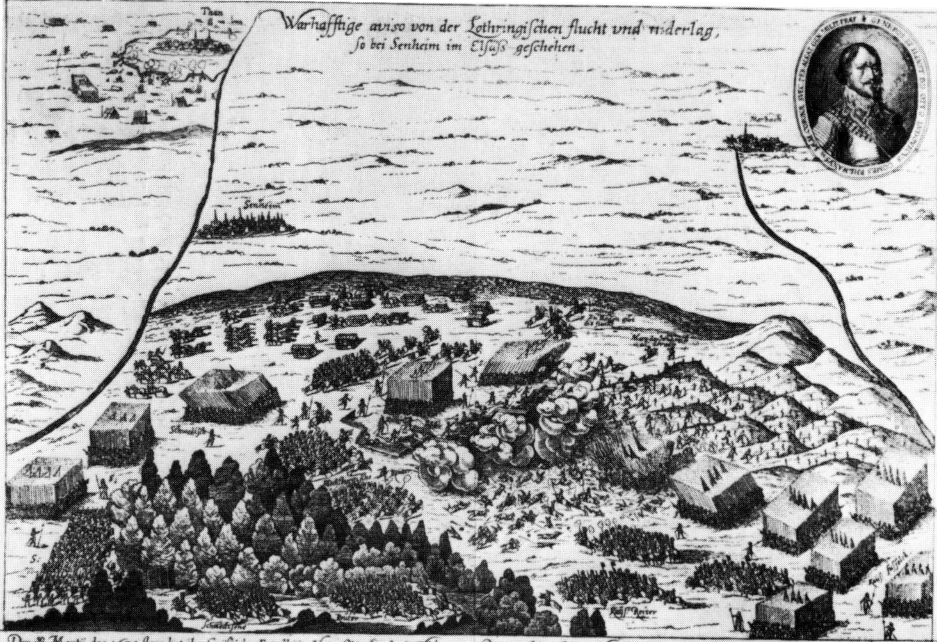

F 53

F 54

F 54

Ahnentafel von Herzog Ludwig von Württemberg

Jacob Lederlein (1551 – erwähnt noch 1607)
1585

Kolorierter Holzschnitt, 1180 x 1500 mm. Bez. auf einem Stein unten Mitte: I.L.; unten rechts: IZP mit Zuber

Stuttgart, Württembergisches Landesmuseum, Inv.Nr. E 2260

Die große Ahnentafel Herzog Ludwigs von Württemberg (1554–1593) entstand in einer Zeit, in der die Fürstenhäuser und ihre Bürger ein besonderes genealogisches Interesse entwickelten. Die von dem verschiedentlich für den württembergischen Hof tätigen Tübinger Maler Jakob Züberlin (1556–1607) nach den Angaben des Historiographen Andreas Rüttel entworfene Ahnentafel setzte der aus Nürnberg stammende Formschneider Jacob Lederlein in 15 Holzschnitte um, die zur großen Tafel zusammengefügt wurden.
Der Stammbaum, der vom Bildnis Herzog Ludwigs seinen Ausgang nimmt, teilt sich in die Ahnenreihe des Vaters, Herzog Christoph von Württemberg und Teck, links, und die der Mutter, Herzogin Anna Maria, Markgräfin zu Brandenburg, rechts. Die Ahnenreihen enden im oberen Teil mit den Vorfahren, die in der ersten Hälfte des 15. Jahrhunderts lebten. Dabei bezeichnen die jeweiligen Jahreszahlen auf den Schildern nur eine ungefähre Angabe der Zeit, in der die Ahnen lebten. Bei den zierlichen Doppelfigürchen wie auch bei den anderen Dargestellten wurde Porträtgenauigkeit und historische Richtigkeit der Kostüme angestrebt.
Unterhalb Herzog Ludwigs erscheint das herzogliche Vollwappen, das von den Allegorien des Glaubens und der Liebe flankiert wird. Seitlich davon tauchen die Wappen seiner beiden Gemahlinnen, Dorothea Ursula von Baden-Durlach und Ursula von der Pfalz-Lützelstein, auf. In den unteren Ecken thronen auf 2 reich verzierten Schrifttafeln die Personifikationen der Gerechtigkeit und der Stärke (Text der Schrifttafeln s. Bach, S. 211). In der Anlage der Komposition und reichen Ausstattung der Rahmung der Ahnentafel mit Beschlag- und Rollwerk, Masken, Füllhörnern, Blumen- und Fruchtgehängen, den Putten, Vögeln und Tieren erweckt das Werk den Eindruck eines monumentalen Ornaments.
Herzog Ludwig beschäftigte in seiner Regierungszeit (1568–1593) Künstler- und Baumeisterschaft mit verschiedensten bedeutenden Unternehmungen, wie dem Bau und der Ausstattung des Großen Lusthauses in Stuttgart oder der Erbauung des „Collegium illustre" in Tübingen (vgl. Kat.Nr. B 18). Im Zusammenhang mit seinem fürstlichen Selbstverständnis, das die Ahnentafel zum Ausdruck bringt, sind besonders die im Auftrag des Herzogs von Sem Schlör (um 1530–1597/98) ausgeführten 11 „Alten Herren von Württemberg", die Statuenreihe seiner gräflichen Ahnen in der Stuttgarter Stiftskirche zu nennen, wie auch seine eigene, von Christoph Jelin (um 1550–1610) ausgeführte Tumba in der Stiftskirche zu Tübingen.
Lederleins Holzschnitt diente vermutlich als Vorbild für Wendel Dietterlins (1550/51–1599) Stammbaum des Herzogs Friedrich von Württemberg von 1593 (H. 15).

HG 7; Bach 1893, S. 209 ff.; Fleischhauer 1971, S. 184, Abb. 107; Robert Uhland (Hrsg.), 900 Jahre Haus Württemberg, Stuttgart-Berlin-Köln-Mainz 1984, Abb. S. 158. *O.P.*

Ein ser Erschröckliche doch warhafftige Geschicht/so sich begeben hat in dem lande zů Wirdenberg/auff d em schloß Waldenberg genand/Anno Domini M D LXX. Jar an der Faßnacht.

F 55

F 55

Die Waldenburger Fastnacht

Unbekannter Holzschneider (Augsburg 1570?)

Kolorierter Holzschnitt, 400 x 310 mm

Neuenstein, Hohenlohe-Zentralarchiv

Am 7. Februar 1570 gab Graf Eberhard (1535–1570), der Begründer der Linie Hohenlohe-Waldenburg, ein Fastnachtsfest für Verwandte und Bekannte auf Schloß Waldenburg. Die Damen traten als Engel auf, die Herren als Höllengeister, deren Gewänder mit Flachs drapiert waren. Aus Unachtsamkeit fingen die Kleidungsstücke Feuer. Alle Vermummten erlitten schwere Verbrennungen, denen am 5. März 1570 der Schwager Graf Eberhards, Graf Georg von Tübingen, am 9. März Graf Eberhard selbst erlag.
Noch im selben Jahr erschienen neben dem Bericht des Waldenburger Hofpredigers Anton Apin (1536–1599) Flugblätter, die das Ereignis in Liedform faßten und das Unglück als eine von Gott verhängte Strafe interpretierten. Solche Flugblätter wurden u. a. in Frankfurt, Köln und Augsburg gedruckt (vgl. H. Bausinger, S. 108 ff.). Da Graf Eberhard eine aktive Rolle in der Reformationsbewegung gespielt hatte – unter anderem war er für die 1560 erfolgte Auflösung des Mönchsklosters Goldbach bei Waldenburg verantwortlich –, scheinen die Flugblätter Produkte der gegenreformatorischen Bewegung gewesen zu sein. Nachdem Graf Albrecht von Hohenlohe-Waldenburg ein Verbot des Flugblattliedes erließ, erschien eine, möglicherweise von Michael Manger in Augsburg gedruckte Prosafassung (vgl. Bausinger, S. 115) mit dem vorliegenden Holzschnitt unter dem Titel *Ein ser Erschröckliche doch warhafftige Geschicht/ so sich begeben/ hat in dem landt zu Wirdenberg/ auff dem*

F 56

schloß Waldenberg genand/ Anno Domini CDLXX. Jar an der Faßnacht. Der Text (abgedruckt bei Bausinger, S. 115f.) fiel noch extremer aus als der des Liedflugblattes und verstärkte die moralische Bewertung wie auch die metaphysische Seite des Geschehens.
Der „Waldenburger Fastnacht", die an sich keine historische Bedeutung hatte, wurde auch in den darauffolgenden Jahrhunderten Beachtung und inhaltliche Veränderung zuteil, wobei ihr Traditionsstrang sich immer wieder mit dem des von dem Chronisten Froissart beschriebenen, vergleichbaren Ereignisses, das sich 1392 am französischen Hof zutrug, überschneidet (vgl. Œuvres de Froissart, Chroniques, Bd. 15, Brüssel 1871, S. 84–92).

Fischer 1868, S. 91, 92; Bausinger 1957, S. 107–130; Strauss 1975, Appendix B, S. 1337. *O.P.*

F 56

Erasmus von Rotterdam und Gilbertus Cognatus

Anonymer Holzschneider (Hans Rudolf Manuel?)
Basel (?), um 1553 (?)

Holzschnitt

Basel, Universitätsbibliothek, Inv.Nr. SM'X.19 Nr. 1

Der Holzschnitt zeigt Erasmus von Rotterdam (1469–1536), wie er seinem Sekretär Gilbertus Cognatus (Gilbert Cousin; 1506 [?] – 1572) einen Text diktiert. Die Szene spielt im Studierzimmer des Erasmus im „Haus zum Walfisch" in der Franziskanergasse 3 in Freiburg, das 1516 durch den Schatzmeister Kaiser Maximilians I. im spätgotischen Stil erbaut worden war und angeblich als Alterssitz des Kaisers dienen sollte. Erasmus, Humanist, vor allem aber Philologe von weitreichender Bedeutung, der im Vergleich der Bibel mit den antiken Klassikern das reine Evangelium erfassen wollte und damit einem theologischen Rationalismus das Wort sprach, ebnete, auch in seiner Kritik an den kirchlichen Mißständen, der Reformation das Feld. Dennoch schloß er sich der reformatorischen Bewegung nie an und hielt der katholischen Kirche die Treue.
Als in Basel, wo er seit 1521 lebte, die Reformation gewaltsam eingeführt wurde und negative Begleiterscheinungen wie der Bildersturm Basel in einen Unruheherd verwandelten, siedelte Erasmus 1529 nach Freiburg über. Vermutlich war der aus Nozeroy stammende Gilbert Cousin, der nach einem Jurastudium in Dole 1529 in Basel weilte, aber erst kurz darauf in Freiburg in Erasmus' Dienste getreten. Er ging 1535 mit Erasmus nach Basel zurück, um kurz darauf in seine Heimatstadt Nozeroy zurückzukehren (Biographie des Gilbert Cousin s. P. S. Allen, a.a.O.).
Der Holzschnitt, der 1553 in den *Effigies Des. Erasmi Roterdami literatorum principis, et Gilberti Cognati Nozereni, eius amanuensis: una cum eorum Symbolis, et Nozeretho Cognati patria. Accesserunt et doctorum aliqut virorum in D. Erasmi et Gilberti Cognati laudem Carmina* bei Johann Oporinus in Basel erschien, zeigt laut Beschriftung den 26jährigen Cognatus und 70(!)jährigen Erasmus im Jahr 1530. Die angegebene Jahreszahl läßt keinen Schluß auf die Entstehungszeit des Holzschnittes zu. Dieser dürfte vermutlich erst für die Buchausgabe, also um 1553 entstanden sein. Der geöffnete Bücherschrank hinter Cognatus und der geschlossene hinter Erasmus könnten als symbolischer Hinweis darauf verstanden werden, daß Erasmus sein Werk und Leben schon „abgeschlossen" hat, während Cognatus, der erst 19 Jahre nach Erscheinen der *Effigies*... starb, noch als Lehrender und Schreibender im Leben steht. Eine Zuschreibung des Holzschnittes an Hans Rudolf Manuel (1525–1571) kann zum gegenwärtigen Zeitpunkt nicht als gesichert gelten.

Allan 1938, S. 42ff., Abb. nach S. 44; Sütterlin 1965, Abb. S. 361; Renaissance 1968, S. 144, Abb.; Erasmus en zijn tijd, Museum Boymans-van Beuningen, Rotterdam 1969, 483, Abb. 14. *O.P.*

F 57

Die Narrisch Wellt

Unbekannter Stecher (Peter Aubry d.J. ?)
Straßburg, Mitte 17. Jh. (?)

Radierung, 251 x 330 mm

Coburg, Kunstsammlungen der Veste Coburg, Kupferstichkabinett, Inv.Nr. XIII, 419, 400

Das vermutlich um die Mitte des 17. Jahrhunderts in Straßburg entstandene Flugblatt *Die Narrisch Wellt* greift mit seinen 20 an- und untereinandergereihten Darstellungen formal auf die im 15. Jahrhundert üblichen Narrenbilderbögen zurück. Diese führten den einzelnen Ständen ihre Torheiten vor Augen, waren also spezifisch ausgerichtet. Die inhaltliche Erweiterung der Thematik im Sinne einer umfassenden Zusammenstellung der menschlichen Fehler im vermutlich bei Peter Aubry d.J. in Straßburg verlegten Blatt fußt hingegen auf Sebastian Brants „Narrenschiff" von 1494, das die spätmittelalterlichen Bilderbögen auf Buchform gebracht hatte und die Narren zu einem überaus beliebten Darstellungsgegenstand werden ließ. Der moralische Zeigefinger, der schon in den Illustrationen vor Brants „Narrenschiff", besonders aber in diesem selbst erhoben wurde, zeigt sich auch im vorliegenden Flugblatt. Die Satire auf die menschlichen Schwächen wird mit Belehrung verbunden. Der Leser und Betrachter soll sich seiner eigenen Dummheit bewußt werden und daraus Konsequenzen ziehen.

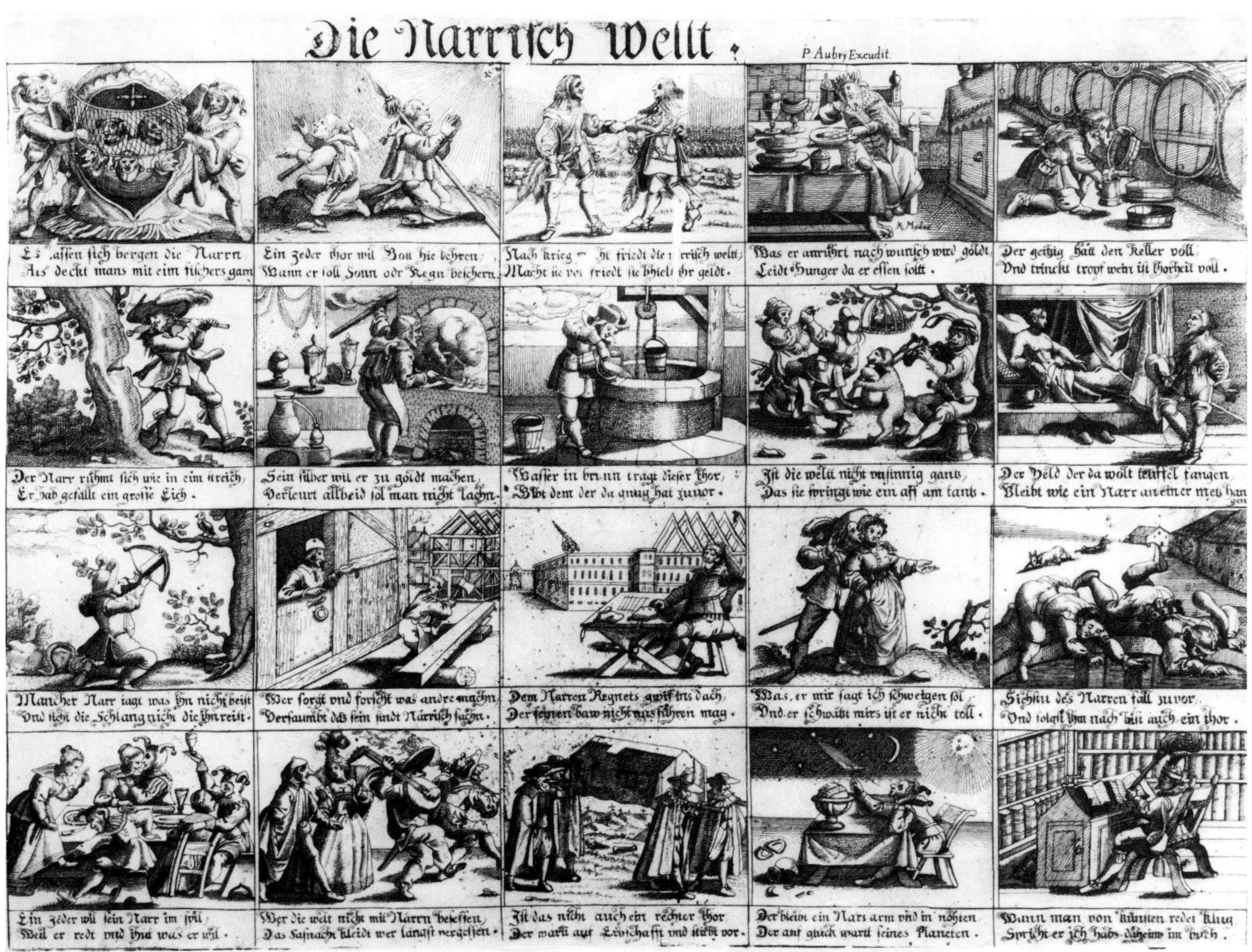

F 57

So gliedern sich die Verse zu den einzelnen Bildern in einen das Fehlverhalten artikulierenden und einen die daraus resultierenden Folgen formulierenden, also die Torheit offensichtlich machenden Vers, z.B.: *Siehstu des Narren fall zuvor,./ und folgst ihm nach bist auch ein thor* (Nr. 15).
Die erste Szene veranschaulicht die Offensichtlichkeit der menschlichen Torheit. In den 19 weiteren Darstellungen werden beispielsweise die Torheit des Krieges (Nr. 3), der Habsucht (Nr. 4), des Geizes (Nr. 5), des Tanzes (Nr. 9), des Bauens ohne Bedenken der Kosten (Nr. 13), des Hoffens auf Erbschaft (Nr. 18), des Sternenglaubens (Nr. 19) oder des Büchersammelns (Nr. 20) vorgeführt, Torheiten, von denen viele in Brants „Narrenschiff" vorgebildet waren und von denen manche als direkte Entlehnungen aus diesem Werk zu erkennen sind, wie z.B. der Büchernarr (Nr. 20; vgl. Friedrich Winkler, Dürer und die Illustrationen zum Narrenschiff, Berlin 1951, Taf. 68 o.).
Eine Zuschreibung der Radierung an den Verleger des Blattes, Peter Aubry d.J. (1623/24–1686; vgl. Coburg 1983, 146 und Anm. 4), bedarf noch der genaueren Überprüfung.

Coupe 1966, S. 199; Coupe 1967, 150 a, Abb. 127; Coburg 1983, 149. O.P.

F 58

Bergbau im elsässischen Lebertal

Unbekannter Stecher
Ende des 16. Jh. (?)

Kupferstich, 248 x 362 mm. Beschriftet rechts oben in Kartusche: *Die wasser/ kunst. So/ durch pomp/werk das / wasser auß/ der tieffe-/zeucht. wie/ sie im Leb-/ erthal ge-/brauchet/ wirdt.*

Stuttgart, Staatsgalerie, Graphische Sammlung, Inv.Nr. An 1848

Das Gebiet um Markirch (Mariakirch)/ Sainte Marie-aux-Mines im elsässischen Lebertal hatte im Bergbau und der Metallverarbeitung eine lange Tradition. Schon im Mittelalter war hier ein Zentrum der Kupfer-, Blei- und vor allem Silbergewinnung entstanden, das aber allmählich an Bedeutung verloren hatte (vgl. Karlheinz Ebert, Das Elsaß, Köln 1979, S. 289).
In enzyklopädischer Vollständigkeit stellt der bislang unbekannte Stecher sämtliche Arbeitsschritte des Bergbaus von der Erzgewinnung bis zur Verhüttung dar, die er jeweils durch Verweisbuchstaben im Bild und der ihnen zugeordneten Beschreibung am Bildunterrand kenntlich macht. An drei Stellen des Bildes wird der Blick in den Berg und auf die dort ablaufenden Arbeitsgänge freigegeben: Im Vordergrund links wird das Gestein durch Feuersetzen zermürbt, rechts daneben gehauen. Die beiden anderen Szenen unter Tage thematisieren die Wasser-

F 58

kunst. Hier wird das in der Grube anfallende Wasser abgepumpt und aus dem Berg geleitet. Die anderen Szenen spielen über Tage und demonstrieren die Weiterverarbeitung des gewonnenen Erzes. Da wird das Erz von den Bergen geschieden (E), untersucht (F) und in Säcke verpackt. Größere Brocken werden von dem Zerfetzer (G) und den Frauen ganz rechts im Bild (I) zerkleinert. Danach gelangt es zur Wäsche (L, M, N, O). Am linken oberen Bildrand ist schließlich die Weiterverarbeitung der Roherze in der Hüttenanlage mit den Treibherden (S) und den Schmelzöfen (T) dargestellt. Darunter sind Schmiede bei der Arbeit (Q). Der Stecher des Blattes erweist sich durch sein Werk nicht nur als Kenner des Montanwesens und der Landschaft um Markirch, sondern auch als brillanter Schilderer des alltäglichen Lebens.
In welchem Zusammenhang der Kupferstich entstand, ist ungeklärt. Saturn, der links oben mit seinem Planetenzeichen und dem aufgrund seiner mythologischen Gleichsetzung mit dem griechischen Gott Kronos beigegebenen Knaben erscheint, ist einerseits personifizierter Hinweis auf das schwere Metall Blei; andererseits könnte Saturn Indiz dafür sein, hier ein Blatt aus einer Planetenfolge vorliegen zu haben.

Slotta 1982, Nr. 15; Bari 1982, S. 19–21. *O.P.*

F 59

Konstanz

aus: Braun-Hogenberg, Civitates orbis terrarum
Köln, 1575

Kupferstich, 432 x 444 cm,
Bild: 150 x 410 mm

Konstanz, Rosgartenmuseum,
Inv.Nr. T 146

Braun-Hogenbergs Konstanz, wo 1415 der Reformator Johann Hus im Zuge des Konstanzer Konzils verbrannt worden war; das sich im 16. Jahrhundert den Reformisten anschloß; das 1548 nach Belagerung durch die spanischen Truppen Kaiser Karls V. seine Reichsfreiheit verlor, österreichische Landstadt und damit wieder dem Katholizismus zugeführt wurde, ist in Vogelschau von idealem Standpunkt über dem Bodensee gesehen. Dargestellt ist die mittelalterliche Fortifikation mit der Stadtmauer, den Türmen und zahlreichen Stadttoren, wie dem im Süden der Stadt gelegenen Kreuzlinger Tor links, dem gegenüber – außerhalb der Stadtmauer – das Kloster Kreuzlingen lag. Dort dehnt sich heute die schweizerische Stadt Kreuzlingen aus, die nur durch den Grenzverlauf vom Konstanzer Stadtgebiet getrennt ist. Auf der Seeseite, der Ostseite der Stadt, dominieren das Konzilgebäude (oder Kaufhaus) mit seinem in den See hineinragenden Landungsplatz und das rechts davon auf der der Stadt vorgelagerten „Insel“ liegende Dominikanerkloster das Erscheinungsbild. Im Kern der Stadt und im Zentrum der Komposition heben sich drei Kirchenbauten besonders hervor. Links, in der Konstanzer Marktsiedlung, ragt der Turm der Stephanskirche in die Höhe. Rechts schließt daran der Münsterplatz, Konstanz' höchster Punkt, mit dem Münster an, dessen Türme die welschen Hauben tragen, die im 19. Jahrhundert der neugotischen Umgestaltung weichen mußten. Rechts vom Münster erhebt sich im ältesten Stadtteil von Konstanz, Niederburg, die nicht erhalten gebliebene Johanneskirche. Auf der gegenüberliegenden Seite des Rheines, der vom Bodensee in den Untersee im Hintergrund fließt, liegt Petershausen, die einstige Benediktinerabtei, die nach wechselvoller Geschichte heute als Kaserne dient. Im Hintergrund der die Stadt umgebenden Landschaft sind auf Petershausener Seite Allmansdorf, am Südufer des Rheines das Schloß Gottlieben, südlich davon die Ortschaft Tägerwilen und auf der Höhe links hinten Schloß Castell dargestellt.

Braun-Hogenbergs Ansicht von *Constantia, vulgo Costnitz memorabile sueuie opp.* fußt auf einem Einblattholzschnitt von 1544 (Schefold 1971, 28655), der bei Alban Hamma in Konstanz erschien und mit geringfügigen Veränderungen übernommen wurde. So gibt die Ansicht auch nur eine grobe Vorstellung der Stadt um die Mitte des 16. Jahrhunderts, charakterisiert durch die proportional überhöhten, dominanten Bauwerke.

Der Kupferstich erschien 1575 im 2. Band der *Civitates orbis terrarum,* das als das größte verlegerische Werk seiner Zeit von dem Dechanten des Kölner Marienstifts Georg Braun (1541–1622) und dem Maler und Stecher Franz Hogenberg (um 1540 – um 1590) von 1572 bis 1598, der letzte Band 1618, in 6 Bänden herausgegeben wurde. Die Abbildungen der einzelnen Städte werden darin jeweils von einem historisch-geographischen Text begleitet.

Zahlreiche Künstler, unter denen der flämische Maler und Zeichner Georg Hoefnagel (1542–1600) der führende war, arbeiteten an diesem Städtebuch mit, das nachhaltigen Einfluß auf ähnliche Unternehmungen dieser Zeit ausübte (vgl. Jacob 1982, S. 28). Die verschiedenen Bände von Braun-Hogenbergs Städtebuch erlebten zahlreiche Ausgaben in lateinischer, deutscher und französischer Textfassung.

HD 130; Oehme 1954, S. 7–21; Schefold 1961, S. 63, Abb. 7; Bachmann/Schefold 1961, Abb. 74; Schefold 1966, S. 12; Schefold 1971, 28660. *O.P.*

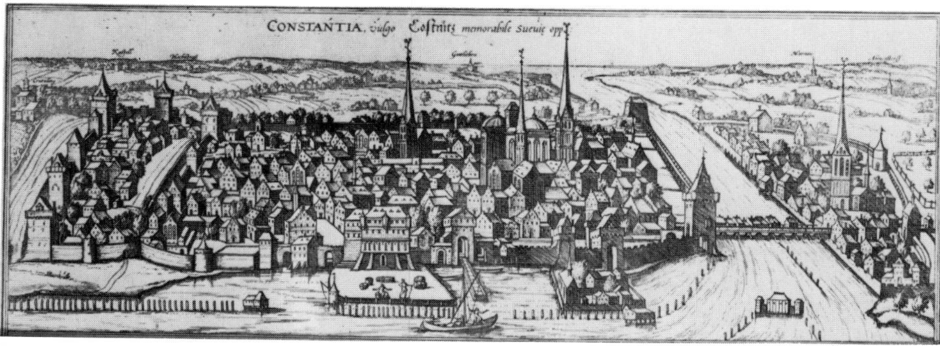

F 59

F 60

Stuttgart von Südosten

Jonathan Sauter (1549–1612)
1592

Radierung, 420 x 1090 mm. Links unten Monogramm JSR (ligiert)

Stuttgart, Archiv der Stadt Stuttgart

Die auf 3 Platten ausgeführte Radierung *Warhaffte Conterfactur der Fürstlichen Hauptstatt Stutgarten. in dem hoch=löblichen Fürstenthumb Würtemberg 1592* zeigt die Stadt von Südosten, von idealem Standpunkt aus gesehen. In der Sauter eigenen Genauigkeit ist die Stadt als Gesamtheit detailliert und in ihrer landschaftlichen Einbindung erfaßt. Die wichtigen, aber formal nicht besonders hervorgehobenen Bauwerke sind durch Ziffern bezeichnet, deren Auflösungen in einer Rollwerkkartusche links unten zu finden sind.

Als zentrales Motiv der äußerst geschickt angelegten Komposition erscheinen die im Stadtganzen eigentlich am Rand gelegenen, markanten Bauwerke der Stiftskirche (1) und des Schlosses (4) innerhalb der inneren Stadtmauer. Das Schloß präsentiert sich noch ohne den Südostturm, mit dem Garten der Herzogin, dem heutigen Karlsplatz. Dieser innere Bereich war der alte Kern Stuttgarts. Links hebt sich aus dem kleinteiligen Häusergewirr der wuchtige Bau der Leonhardskirche (3) hervor, die im Bereich des von der in Brechungen geführten äußeren Stadtmauer umfaßten Stadtgebietes lag, in der nach ihr benannten Sankt-Leonhards-Vorstadt. Auch der in nordöstlicher Richtung an das Schloß anschließende Lustgarten mit seinem Alten Lusthaus (5) und dem

F 60

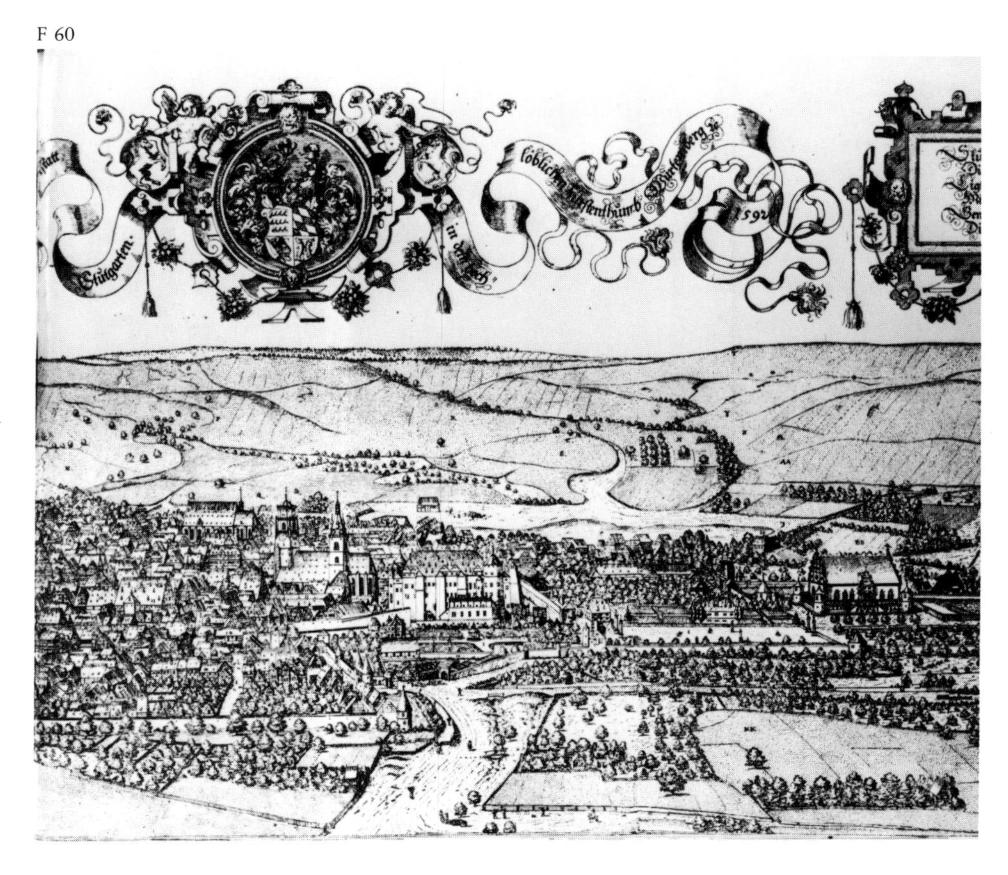

F 61

unter Herzog Ludwig erbauten, 1593 vollendeten Neuen Lusthaus (6), das zu den prächtigsten Renaissancebauwerken seiner Zeit gehörte und lange als wahres Wunderwerk galt (vgl. Fleischhauer 1971, S. 54ff.), lag im äußeren Stadtbereich. Außer von den Mauern war Stuttgart von mehreren Seen und zahlreichen Weinbergen umgeben. Die Namen der Weinberge führt Sauter auf einer Tafel rechts unten auf und macht sie durch Verweisbuchstaben im Bild kenntlich. Das obere Drittel des Blattes wird in voller Breite von Zierwerk ausgefüllt. Links und rechts prangen 2 Rollwerkkartuschen mit deutschem und lateinischem Lobspruch auf die Stadt, während in der Mitte eine reich dekorierte Rollwerkkartusche mit dem herzoglichen Wappen und 2 Genien, die jeweils das Stadtwappen halten, angebracht ist. Den Zwischenraum füllen flatternde Spruchbänder, die den Titel der Radierung tragen (vgl. F 61; detaillierte Stadttopographische Beschreibung s. Wais, a.a.O.).

Wais 1941, S. 153ff., Taf. 3 (nach Kopie von Max Bach); Schefold 1957, 7778, Abb. 285; Bachmann/Schefold 1961, Taf. 64, Abb. 115; Fleischhauer 1971, S. 72, S. 182f.; Stuttgart 1971, Bild 1. *O.P.*

F 61

Ulm von Norden

Jonathan Sauter (1549–1612)
Ulm, 1593

Kupferstich, 345 x 1400 mm. Rechts unten Monogramm JS

Ulm, Ulmer Museum

Sauters *Warhaffte Conterfactur der löblichen Reichs Statt Ulm wie sie gegen Mitternacht anzusehen,* die „Anno 1593“ von 5 Platten gedruck wurde, zeigt Ulm von halber Höhe des im Norden der Stadt gelegenen Michelsbergs aus gesehen in seiner ganzen imposanten Breite. Die Geschlossenheit der Stadtanlage wird in der parallel zum Betrachter verlaufenden Geraden der Stadtmauer deutlich, hinter der sich die Bauwerke, mit dem dominierenden, noch unvollendeten Münster im Zentrum, erheben. Durch Ziffern sind die wichtigen unter ihnen gekennzeichnet, so der Zeughaushauptbau (14), die Frauentoranlage mit Turm (9), der Spitalturm (16), daneben die Spitalkirche zum Heiligen Geist (8), die Predigerkirche (6), der Diebsturm (15), das Herbrucker Tor (11), das Schuhhaus (18), das Münster (1), die Barfüßerkirche auf dem Münsterplatz (2), die Wengenkirche (4), davor das Neutor (12), die Spitalmühle (22) und der Ziegelstadel (23), beide vor dem Glöcklertor (13) gelegen (detaillierte Stadttopographische Beschreibung s. Helmut Pflüger, in: Schefold 1967, S. 61, B. 26).
Sauters Genauigkeit und Beobachtungsschärfe bei der Darstellung der Stadt Ulm galt jedoch nicht nur den markanten, bezifferten Bauwerken, sondern jedem einzelnen Haus, so daß die „Ansicht Ulms“ Auskunft über die Bausubstanz der Reichsstadt gegen Ende des 16. Jahrhunderts gibt und damit von besonderem dokumentarischen Wert ist. Mit derselben Akribie ist auch die Landschaft wiedergegeben, die sich bis zu den Alpen am Horizont erstreckt und die zusammen mit der Stadt ein harmonisches Ganzes bildet, das die strenge Realitätssicht des Künstlers widerspiegelt, der mit seiner Arbeit einen Höhepunkt der Vedutenkunst bildet.

In der vor allem bei Einzelblättern um 1600 üblichen Weise ist in der Mitte der Komposition in der oberen Blatthälfte eine reich verzierte Rollwerkkartusche eingefügt, in der 2 heraldische Löwen das Stadt- und Reichswappen tragen. Rechts und links setzen daran horizontal flatternde Spruchbänder an, auf denen der Titel des Kupferstichs erscheint. Daran anschließend komplettieren 2 weitere Kartuschen mit deutschem und lateinischem Lobspruch auf die Stadt den ornamentalen Teil der Komposition. Rechts unten befindet sich, ebenfalls in Rollwerkrahmung, das Privileg des Künstlers und die Auflösung der den Bauwerken zugeteilten Ziffern. Ornamentale Gestaltung und realistische Topographie bilden eine ausgewogene Gesamtkomposition. Sauters Aufriß der Stadt Ulm erschien, wie auch die anderen Ansichten des Künstlers, in einer geringen Auflage, die nicht für den Handel bestimmt war. Der Ulmer Kupferstich ging in nur 42 Exemplaren an die Stadt Ulm (vgl. Ratsprotokoll von 1594; Schefold 1967, S. 20). Eine zweite Ansicht der Stadt Ulm von Südwesten fertigte Sauter in verwandter Komposition vermutlich 1603 an (Schefold 1957, 9680).

Schefold 1957, 9678, Abb. 345; Bachmann/Schefold 1961, Taf. 78, Abb. 140; Schefold 1967, S. 18, S. 61 – B. 26, Abb.; Schefold 1974, 9678; Jacob 1982, 70. *O.P.*

Die illuminierten Handschriften

Lotte Kurras

Die Reformation ist in der deutschen Geschichte der eigentliche Beginn der Neuzeit, sie ist es auch für die Buchgeschichte. Denn obwohl der Buchdruck mit beweglichen Lettern schon in der Mitte des 15. Jahrhunderts erfunden wurde und bereits bis zum Jahre 1500 schätzungsweise 40000 verschiedene Titel im Druck erschienen, setzte sich die handschriftliche Tradition des Mittelalters bis zu den Jahren um 1525 mehr oder minder ungebrochen fort. Aber wie die Möglichkeiten des Buchdrucks der Reformation in entscheidendem Maße zum Erfolg verhalfen, so wird das gedruckte Buch nun auf allen Gebieten zum eigentlichen Träger der Textüberlieferung und zum Publikationsmittel schlechthin. Die Bibliotheken der führenden Humanisten enthalten Drucke, kaum Handschriften. Letztere entstehen weiterhin, und sogar in beträchtlichem Umfang, aber sie haben nun einen anderen Stellenwert als mittelalterliche Handschriften. Der Bibliothekswissenschaftler Wieland Schmidt hat dies folgendermaßen formuliert: „Der überwiegenden Mehrzahl dieser handschriftlichen Bücher jüngerer Jahrhunderte fehlte jedoch der universale Charakter, das Wesensmerkmal eines Buches, auf eine Allgemeinheit von Lesern wirken zu wollen. Diese handschriftlichen Bücher besitzen vielfach nur regionale Bedeutung, oder sie waren nur für einen kleinen Kreis von Adepten, nicht für die gesamte Öffentlichkeit gedacht."

Illuminierte Handschriften sind im Laufe des Mittelalters in allen Fachrichtungen entstanden. Voran stehen liturgische Handschriften, Bibeln und gegen das Spätmittelalter zu Gebetbücher und Breviere, dann folgen geistliche und weltliche Dichtungen, Chroniken und Rechtshandschriften, medizinisch-naturkundliche Handschriften wie Kräuter- und Tierbücher, alchimistische und astrologische Traktate, Roßarzneibücher, schließlich Fechtmeister- und Feuerwerksbücher. Aufwendig illuminierte Handschriften, vor allem aus dem theologischen Bereich, waren auch im Mittelalter in der Regel Auftragshandschriften, entstanden im Auftrag eines Fürsten oder eines hochgestellten Geistlichen. Die erhaltenen illustrierten Epenhandschriften sind oft mit einzelnen Adelsfamilien in Verbindung zu bringen. Die viel geringere Schriftlichkeit der Kultur des Mittelalters beschränkte den privaten Buchbesitz auf die weltliche Oberschicht und auf Klöster und kirchliche Zentren. Erst im 15. Jahrhundert wurden als unmittelbare Vorläufer illustrierter Drucke in größerer Anzahl sogenannte Volkshandschriften mit kolorierten Federzeichnungen angefertigt.

Auch im ersten Jahrhundert nach der Reformation und nachdem Handschriften weithin durch das gedruckte Buch abgelöst worden waren, entstanden in größerem Umfang Auftragshandschriften. Für Aufträge aus dem Bereich von Liturgie und Brevier waren Miniaturmaler nun auf Mäzene aus den katholisch gebliebenen deutschen Territorien angewiesen, auch wenn sie wie etwa die Nürnberger Illuministenfamilie Glockendon in einer protestantischen Reichsstadt lebten. In den katholischen Gebieten und besonders in den Frauenklöstern blieb der Charakter der spätmittelalterlichen Gebrauchshandschrift aber praktisch noch das ganze 16. Jahrhundert hindurch die Norm.

Die Ausstellung zeigt drei spätmittelalterliche Handschriften aus dem theologischen Bereich, die nachträglich im 16. Jahrhundert als Auftragsarbeit illuminiert worden sind: die sogenannte Ottheinrichs-Bibel, eine bairische Bibelübersetzung aus der ersten Hälfte des 15. Jahrhunderts, die der Pfalzgraf und spätere Kurfürst Ottheinrich 1530–32 von dem Lauinger Künstler Matthias Gerung illustrieren ließ (Kat.Nr. G 1), ein um 1480 geschriebenes Stundenbuch aus Metz, das im 16. Jahrhundert mit reichhaltigen Renaissancebordüren ausgestattet wurde (Kat.Nr. G 2), und als Beispiel einer liturgischen Prachthandschrift das wohl erst nach 1520 begonnene Graduale aus dem Zisterzienserkloster Salem, das im Auftrag des Abtes Petrus Miller am Ende des Jahrhunderts fertiggeschrieben und in Ulm durch den manieristischen Maler Johann Dentzel und seine Werkstatt ausgeschmückt wurde (Kat.Nr. G 3).

In den Bereich der religiösen Erbauungsbücher gehört die Handschrift über die 24 Namen Mariens, die einem der Amtsvorgänger Millers, dem Abt Johann Bücheler gewidmet worden ist (Kat.Nr. G 4). Für den eigenen Gebrauch und aus eigenem Erleben stellte der gelehrte Graf Wilhelm Werner von Zimmern sein Erbauungsbuch zusammen, das auch einen illustrierten Totentanz enthält; die Arbeit daran begann er vermutlich nach dem frühen Tod seiner ersten Gemahlin Katharina von Lupfen, die nach kurzer Ehe und in Erwartung des ersten Kindes bei einem Reitunfall verunglückt war. Von seinem eigenhändigen Original ließ der Graf von professionellen Schreibern und Buchmalern mehrere Kopien herstellen (Kat.Nr. G 5).

Ein 1520 entstandenes Gebetbuch der Brandenburger Markgräfin Susanna, die 1528 in zweiter Ehe mit Pfalzgraf Ottheinrich vermählt wurde, kam durch die Heirat ihrer Tochter Kunigunde in markgräflich badischen Besitz (Kat.Nr. G 6). Handschriftliche Gebetbücher entstanden nach der Reformation auch im protestantischen Deutschland in größerem Umfang; ein Beispiel ist das 1616 in Straßburg angefertigte außergewöhnlich reich ausgestattete Gesangbüchlein, das neben geistlichen Darstellungen auch mythologische und weltliche Szenen aufweist (Kat.Nr. G 7).

Eine besondere Rolle spielen in dem von der Ausstellung umgriffenen Zeitraum Werke der Historiographie gerade auch im Bereich des handschriftlichen Buches. Die mittelalterliche Weltchronistik ist nun endgültig abgelöst worden durch die lokale Geschichtsschreibung; Städtechroniken sind die typischen und oft in erstaunlicher Vielzahl handschriftlich vervielfältigten Vertreter dieser Gattung (die nur handschriftlich überlieferte Nürnberger Stadtchronik des 16. Jahrhunderts ist in ihren verschiedenen Redaktionen in vielen hundert Exemplaren erhalten). Die humanistische Geschichtsschreibung des 16. Jahrhunderts bemüht sich erstmals um eine quellenforschende Methode, die Vielzahl der zitierten erzählenden Quellen, dazu Urkundenmaterial und Auswertung von Sachquellen sind beeindruckend. Das hindert aber nicht daran, die Gründung der jeweiligen Stadt ad maiorem gloriam so früh wie möglich anzusetzen sowie wichtige Ereignisse notfalls durch Fälschungen zu erhärten.

Handschriftliche Städtechroniken wurden auch mit Buchschmuck versehen, oft mit eingeklebter Graphik, häufiger aber auch durch Buchmalerei. Die Schaffhausener Stadtchronik des Münsterpfarrers Hans Jacob Rüeger ist von dem zuletzt als Bürgermeister von Schaffhausen amtierenden Maler Hans Caspar Lang ausgemalt worden (Kat.Nr. G 8), die Straßburger Chronik des Johann Staedel wurde wohl in der Werkstatt des in Lauingen geborenen Miniaturmalers Friedrich Brentel ausgeschmückt (Kat.Nr. G 9). Anonym überliefert ist ein lateinisches Epos über den Schmalkaldischen Krieg mit einer Federzeichnung der Schlacht bei Mühlberg (Kat.Nr. G 10).

Aus dem Bedürfnis, die Ursprünge des eigenen Geschlechts, der eigenen Familie zu erweisen, entstehen als charakteristische Erzeugnisse dieses Zeitraums Familienchroniken und Stammbäume adliger wie patrizischer Familien, allgemein als „Herkommen“ bezeichnet. Auch die Adelschronik ist um einen möglichst frühen Ursprung der jeweiligen Familie bemüht und setzt mythische Ahnherrn an die Spitze der Genealogie (Froben Christoph von Zimmern lehnt immerhin die Familientradition einer Meerjungfrau als Ahnfrau ab und führt statt dessen aus, daß die Zimmern von den Cimbern abstammen und Rottweil nach einer „Rotte“ der Cimbern benannt sei). Wichtig für das Ansehen der Familie ist innerhalb des katholischen Bereichs auch ihre Geblütsheiligkeit, bei Kaiser Maximilian durch etliche Heilige unter seinen Vorfahren ausgewiesen (vgl. Maximilians-Grabmal in der Hofkirche zu Innsbruck), bei den Adelsfamilien etwa durch Äbte der Reichenau (Zollern) oder durch Augsburger Domherren (Waldburg) dargestellt.

Die älteste der erhaltenen schwäbischen Adelschroniken, nämlich diejenige der Truchsessen von Waldburg (Kat.Nr. G 11), übergreift in buchtechnischer Hinsicht zugleich den Rahmen der bisher besprochenen illuminierten Handschriften: sie ist in mehreren Exemplaren handschriftlich überliefert, aber mit Holzschnitten ausgeschmückt; Hans Burgkmair d.Ä. hat die Serie offenbar speziell zum Einkleben in diese Handschriften angefertigt. Wie aus den ersten Jahrzehnten des Buchdrucks etliche gedruckte Bücher mit gemalten Initialen und Randleisten überliefert sind (am bekanntesten das Maximiliansgebetbuch mit Randzeichnungen von Dürer, Cranach u.a.) entstanden umgekehrt auch Handschriften mit für sie geschnittenen Holzschnitten; ein weiteres Beispiel – ebenfalls aus Augsburg – wird unten besprochen. Die Familienchronik der Grafen von Zollern ist in zwei Exemplaren bekannt, die kolorierten Federzeichnungen werden dem gleichfalls aus Augsburg stammenden Künstler Jörg Ziegler zugeschrieben (Kat.Nr. G 12).

Ebenfalls in diesen Zusammenhang gehören Wappenbücher, die Beschäftigung mit der Heraldik ist bei dem allgemeinen Interesse an Historiographie und Genealogie besonders beliebt. Als letzte Arbeit des mit seinem Totentanz genannten Historikers Wilhelm Werner von Zimmern kann ein Wappenbuch der europäischen Staaten und Stände erschlossen werden. Ausgestellt ist ein Exemplar, das der Überlinger Bürger Georg Han für seine Sammlung anfertigen ließ (Kat.Nr. G 14). Charakteristisch für alle Wappenbücher der Zeit sind die vielen Phantasiewappen mythologischer und antiker

Personen (das Wappenwesen entstand erst im Zusammenhang mit den Kreuzzügen). Auch hier wird das Bestreben deutlich, etwas durch möglichst frühe Ansetzung des Ursprungs historisch aufzuwerten.
Das Interesse an der Genealogie des Hauses ließ den württembergischen Herzog Ludwig die Abzeichnungen von Grabdenkmälern seiner Vorgänger in Auftrag geben, ehe er an deren Stelle Ahnenstatuen aufrichten ließ (Kat.Nr. G 15). Als fürstliche Auftragsarbeiten sind weitere Handschriften aus den verschiedensten Fachrichtungen gekennzeichnet: der aus dem Französischen übersetzte illustrierte Jagdtraktat (Kat.Nr. G 16), ein vierbändiges Tierbuch mit der Darstellung von insgesamt 480 Tieren (Kat.Nr. G 17), ein Buch über die Zäumung der Pferde (Kat.Nr. G 18), der erste Atlas einer hohenloheschen Landschaft (Kat.Nr. G 19), eine Handschrift mit Porträts von Angehörigen des Hauses Württemberg, hergestellt für die Ambraser Sammlung des Erzherzogs Ferdinand (Kat.Nr. G 20), die Beschreibung einer Orientreise (Kat.Nr. G 21), schließlich die bei Wilhelm Schickard bestellte Abhandlung über Kometen anläßlich der bedrohlichen Erscheinung gleich dreier Kometen im ersten Jahr des Dreißigjährigen Krieges (Kat.Nr. G 22). Bei dreien der hier genannten Handschriften, nämlich dem Tierbuch, den Porträts und den Grabdenkmälern, handelt es sich um reine Bilderbücher, nicht um Illustrierung eines zugrundeliegenden Textes.
Ein Büchsenmeister- und Feuerwerksbuch sollte dem Pfälzer Kurfürsten Friedrich V., dem böhmischen Winterkönig, zum Geschenk gemacht werden (Kat.Nr. G 23), ein ähnliches noch prächtigeres ist sicher für einen Fürstenhof entstanden (Kat.Nr. G 24). Im Anschluß an ein von dem württembergischen Herzog Christoph 1560 nach Stuttgart einberufenes Armbrustschießen dichtete der Augsburger Pritschenmeister Lienhard Flexel wie für andere Schießen einen gereimten Bericht, der in etlichen bildgeschmückten Exemplaren für wohl überwiegend fürstliche Festteilnehmer überliefert ist; in diesen Handschriften ist neben Malerei auch ein Holzschnitt verwendet, und zwar die anschließend kolorierte Darstellung zweier einander zugewandter, ziemlich grob geschnittener Fahnenträger, der über viele Seiten hinweg bei der Aufzählung der Teilnehmer stereotyp wiederholt worden ist (Kat.Nr. G 25). Das am prächtigsten ausgestattete Exemplar für Herzog Christoph selbst bezahlte dieser mit 100 Gulden (heute Bayerische Staatsbibliothek München).
In vielen Exemplaren für fürstliche Empfänger fertigte auch der Schulmeister Hieronymus Harder seine Herbarien mit gepreßten Pflanzen an (Kat.Nr. G 26); nach dem Herbar des Baseler Medizinprofessors Felix Platter sind dies die ältesten in Deutschland erhaltenen. Platter ist auch bekannt als einer der frühen Tagebuchschreiber der Neuzeit im deutschsprachigen Raum; diese Handschriftengattung aus dem ganz persönlichen Bereich ist hier durch das Kriegstagebuch des späteren Tübinger Schloßhauptmannes Nikolaus Ochsenbach vertreten (Kat.Nr. G 27). In den Zusammenhang der persönlichen Hinterlassenschaft gehören auch Skizzenbuch und Inventar des württembergischen Baumeisters Heinrich Schickhardt (Kat.Nr. G 28, 29).
Ganz besonders tritt der private Bereich in den vielen Stammbüchern zutage. Die um die Mitte des 16. Jahrhunderts neu entstandene Stammbuchsitte stellt uns den jeweiligen Besitzer in seiner Beziehung zu Zeitgenossen wie auf den Stationen seines Bildungsweges dar. Die Ausstellung zeigt Stammbücher mit Einträgen von den einzelnen Universitäten des südwestdeutschen Raumes und die Vielfalt des Buchschmucks in diesen kleinformatigen Handschriften (Kat.Nr. G 33–47); besonders reizvoll sind Originalzeichnungen bei Einträgen namentlich bekannter Künstler (Kat.Nr. G 36, 45).
Hatte das „Herkommen" einer Familie, der im Stammbuch sichtbar werdende Lebenslauf dem einzelnen seinen festen Ort in der ständisch gegliederten Gesellschaft seiner Gegenwart gesichert, so versuchte der gelehrte Humanist die Bedingungen der individuellen Existenz eines Menschen aus der Berechnung des Geburtshoroskops, der Nativität, zu erforschen (Kat.Nr. G 46). Die Alchimie schließlich, als Geheimwissenschaft seit langem geübt, glaubte die Schöpfung durch Läuterung und Verwandlung von Stoffen fortführen zu können (Kat.Nr. G 47). Ihre ernsthaftesten Vertreter, die nicht nur die Goldmacherei zur äußeren Nutzanwendung betrieben (wie an vielen deutschen Höfen des 16. Jahrhunderts), glaubten, daß dieses Bemühen nur in Wechselbeziehung zu Läuterung und Wandlung des Adepten selbst gelingen könne.
Ikonographisch können am meisten die Darstellungen zur Thematik des allgegenwärtigen Todes beeindrucken. Der Totentanz des Wilhelm Werner von Zimmern enthält die Darstellung des über alle Stände herrschenden Todes und des von Ratten an der

Wurzel angenagten Weltenbaums (Kat.Nr. G 5); Jacob Züberlins Titelblatt zu den Abzeichnungen der Grabdenkmäler aus dem Hause Württemberg bringt künstlerisch zum Ausdruck, was Johann von Schwarzenberg in seinem 1534 veröffentlichten „Kummertrost" in zwei Zeilen formuliert hat: *Von Adam han wir todeslohn / durch Christus werden wir erston* (Kat.Nr. G 15). Die in Stammbüchern häufigen Zufügungen über den Tod des Eintragenden, im 16. Jahrhundert gewöhnlich mit der Formel „Gnad dir Gott", führen in denselben Umkreis. Das überall durchblickende Todesbewußtsein hat schon Wilhelm Pinder als innersten Kern und Trieb des reifenden Manierismus bezeichnet.

G 1

Ottheinrichs-Bibel

Bayern, 2. Viertel 15. Jh. und 1530/32

Pergamenthandschrift
308 Bll., ursprünglich 8, jetzt 7 Teilbände in modernem Einband
53,5 x 37,5 cm

München, Bayerische Staatsbibliothek, Cgm 8010/1 (Bd. 1 und 2, 7)
Heidelberg, Kurpfälzisches Museum, Hs. 28 (Bd. 3–6, 8)

Die ursprünglich in 8 (jetzt 7) Teilbänden überlieferte Handschrift des Neuen Testaments in frühneuhochdeutscher Übertragung nach der Vulgata wurde im oberdeutschen Sprachraum in einer monumentalen Textualis zweispaltig geschrieben. Die Dekorationen stammen von verschiedenen Händen. Vor 1530 erwarb Pfalzgraf Ottheinrich das fertig geschriebene Bibelwerk, dessen Bildausstattung noch nicht vollendet war. Für die Fertigstellung der Miniaturen, deren vorgesehene Plätze jeweils offen geblieben waren, verpflichtete Ottheinrich den Lauinger Maler Matthias Gerung (Vertrag 1530, Dez. 23), dem für die Ausmalung mit Ausnahme der Apokalypse ein Lohn von 70 Gulden rheinisch versprochen wurde. Die Bilderfolge der Apokalypse blieb zunächst ausgeschlossen, weil für ihre Illustration besondere Vorstellungen des Auftraggebers berücksichtigt werden mußten. Ein zweiter Vertrag (1531, Sept. 24) vereinbarte für 20 Gulden rheinisch die Illuminierung des letzten Bandes. Für die 18 Miniaturen des Textes legte Gerung – wohl auf Wunsch des Pfalzgrafen – die Holzschnitte Dürers zur Apokalypse (1498) zugrunde, die in der Umzeichnung von Lucas Cranach in der Lutherbibel von 1522 (Melchior Lotther) weite Verbreitung gefunden hatten. Darüber hinaus waren Gerung wohl die Nachschnitte Burgkmairs, Schäufeleins und möglicherweise auch Holbeins bekannt.
Das aufgeschlagene Doppelblatt aus Band 8 (fol.284^{v}/285) zeigt die Vision von den sieben Leuchtern (Apoc. 1, 10–17) mit der Darstellung Gottvaters über den Wolken; aus seinem Mund geht das Schwert, in der rechten Hand hält er sieben Sterne, um ihn stehen sieben Leuchter als Symbol für die sieben Gemeinden, denen Johannes die Botschaft seiner Vision bringen soll. Johannes liegt wie tot hingestreckt zu Füßen des Herrn, entsprechend der Bibelstelle *und da ich in gesach da viel ich nider zů seinen fůßen als ein toter.*
Von der Beendigung der Arbeiten berichtet eine Schlußschrift auf Bl. 307: *Wir Otthainrich von gottes gnaden Pfalz/graf bey Rhein Hertzog in Nidern vnnd / Obern Bayrn etc. haben am ort da die allt / Illuminierung aufhört vnd Nemlich / in Marco am Passion des 14. Capittls / ze Illuminiern anfahen, die Figuren / hie an das endt machen vnnd erstatten lassen. Anno dominij 1532.* Auf fol. 65^{v} (Band 1) und fol. 263^{v} (Band 7) tragen die Rahmenleisten Jahreszahlen 1530, auf 263^{v} auch die Signatur Gerungs. In der Initiale A auf fol. 283^{v} (Band 8) steht die Jahreszahl 1532.
Das Schicksal der Ottheinrich-Bibel ist kennzeichnend für die Irrwege pfälzischer Bücherschätze: die Handschrift gelangte 1622 nur bis München und wurde dort in die Hofbibliothek eingereiht. Schon 1632 aber wurde sie von den siegreichen Truppen Gustav Adolfs als Kriegsbeute nach Gotha verschleppt; 1836 war die Handschrift noch in einem Band gebunden, sie trug auf dem Rücken das bayerische Wappen und die Kennzeichnung „Ex Electorali Bibliotheca Seren. utriusque Bavariae ducum". Gegen Ende des Jahrhunderts werden 8 Teilbände genannt, um 1920 unter der Signatur Cod. membr. I 11 nur noch 7. Im Jahre 1936 kamen die Bände 3–6 und 8 durch Tausch gegen Bürgermeisterporträts Thüringer Provenienz wieder nach Heidelberg zurück und sind seitdem im Besitz des Kurpfälzischen Museums. Die Bände 1 und 2 (in einem Band) und 7 erwarb die Bayerische Staatsbibliothek 1950 aus Privatbesitz.

Rott, Ottheinrich und die Kunst, S. 62 f., 190. – Thesaurus Librorum. 425 Jahre Bayerische Staatsbibliothek, Wiesbaden 1983, S. 138 (nur zu Cgm 8010/1).

R.N-K.

lawchtet als die sunn in irr
kraft. Und da ich in gesach da
viel ich nider zu seinen füzzen
als ein toter. Und er leget sein
rechtew hant auf mich sprech-
ent. Du solt nicht fürchten.
ich pin der erst und der lest.
und ich pin lebentig und was
tod: und sich ich pin lebend
in die werlt der werlt. Und
ich han die slüssel des tods und
der hell. Dar umb schreib die
ding die du gesehen hast:
und welhe sy sein. und geschehen müessen hernach. Die
bezaichung der siben stern
und der siben guldein kertzstal
die du gesehen hast in mein
rechten hant. sind siben engel der siben kirchen. und die siben kertzstal sind die siben
kirchen. .

Das ij. Capitulum.

Und dem engel
der kirchen ef-
fesi schreib. Das
spricht der da
hallt die syben
stern in seiner rechten hant:
der da wandelt in mitten der
siben guldein kertzstal. Ich wais
dein werck und dein arbait.
und dein gedultikait: wann
du auch nicht geleydē magst
die pösen: und du hast sy ver-
sücht. die sich sagent zwelfpo-

G 1

G 2

G 2

Lateinisch-französisches Stundenbuch

Metz (?), um 1480 und 1. Hälfte 16. Jh.

Pergamenthandschrift, Deckfarben mit Gold
155 Bl., 16 x 12 cm

Karlsruhe, Badische Landesbibliothek, Hs. Karlsruhe 3069

Dieses Stundenbuch wurde für den Gebrauch in der Diözese Metz hergestellt, worauf Kalender und Litanei hinweisen. Es könnte innerhalb der großen Fülle ähnlicher privater Gebetbücher, die gegen Ende des 15. Jahrhunderts auf französischem Boden entstanden sind, keine besondere Aufmerksamkeit beanspruchen, hätte nicht ein Künstler in der 1. Hälfte des 16. Jahrhunderts die Blätter 1 bis 41 mit originellen Bordüren bemalt. Diese passen sich zwar formal den spätmittelalterlichen Bordüren, die die 7 großen Bildminiaturen und die Initialen umgeben, gut an, zeigen jedoch ein gewandeltes Stilempfinden und überraschen durch eine große Vielfalt ungewöhnlicher Bildmotive. In unmittelbarer Nachbarschaft von Heiligenfiguren und Gestalten aus der Bibel entfaltet sich ein buntes weltliches Leben: spielende Kinder, in hübschen Genreszenen vereint, Liebespaare, Kämpfende zu Fuß und zu Pferd, Kämpfe mit Drachen und Unholden, „Kindlifresser", Trunkene, die sich auf Weinfässern tummeln, Raufszenen mit allerlei wüstem Volk, Mischwesen mit den Leibern von Unholden und sehr individuell gestalteten menschlichen Gesichtern, daneben Bildnisporträts schöner Frauen und Männer. Allerlei Getier tummelt sich zwischen Ranken und Blüten.

Aufgeschlagen (Bl. 25v/26r) links eine Darstellung der vier Evangelisten. Die Bildminiatur und die sie umgebende Bordüre repräsentieren die um 1480 entstandene Ausmalung der Handschrift, während der Schmuck der Textseite von dem jüngeren Renaissance-Meister stammt. Dieser orientiert sich einerseits an den Ranken und Blumen des älteren Künstlers. Daneben gestaltet er jedoch auch Bildmotive – wie etwa in der Zierleiste mit den raufenden und musizierenden Kindern –, die sich formal und inhaltlich deutlich vom künstlerischen Formenschatz des spätmittelalterlichen Gebetbuches abheben.

Gerhard Stamm, Drachen in alten Handschriften, in: Drachen, Karlsruhe 1980 (Ausst.kat.), S. 132f., 139 Nr. 117; Felix Heinzer, Der Heiligenkalender, in: Kalender im Wandel der Zeiten, Karlsruhe 1982 (Ausst.kat.), S. 66, 67 (Farbtafel). *G.St.*

G 3

Graduale

Salem, Überlingen, Ulm, nach 1520; 1597/99

Pergamenthandschrift, Deckfarben mit Gold
342 Bll., 59 x 40 cm

Heidelberg, Universitätsbibliothek, Cod.Sal. XI 16

In der ersten Hälfte des 16. Jahrhunderts hat Johann Fischer gen. Gechinger diese Handschrift begonnen; nachdem sie viele Jahre unvollendet im Zisterzienserkloster Salem gelegen hatte, wurde sie auf Veranlassung des ab 1593 amtierenden Abtes Petrus Miller von dem Überlinger Franziskaner Johann Singer 1597 vollendet. Sie enthält das Graduale de tempore et de sanctis, also die Zusammenstellung aller während des Kirchenjahres und an den Heiligenfesten in der Meßliturgie vorkommenden Gesänge in der Anordnung für Zisterzienser. Nach Abschluß der Arbeit des Schreibers wurde die Handschrift in Ulm in der Werkstatt des Malers Johann Dentzel ausgemalt und schließlich in Augsburg mit einem prunkvollen Einband versehen.
Aufgeschlagen ist der Beginn des Graduale de tempore: Das große Titelbild, von Johann Dentzel 1599 signiert, stellt links den Salemer Abt mit Wappen dar, der vor der Gottesmutter als Patronin des Klosters anbetend kniet, während ihm von hinten Bernhard von Clairvaux, der Patron der Zisterzienser, die Hand auf die Schulter legt. Neben den beiden Mönchen sieht man eine typische turmlose Zisterzienserkirche mit Dachreiter. Der Hintergrund des in manieristischem Stil gemalten Bildes zeigt eine Bodenseelandschaft. Auf der rechten aufgeschlagenen Seite beginnt der liturgische Text mit dem Introitus zum 1. Advent „Ad te levavi domine" (Ps. 24,1). Die von anderer Hand gemalte Bildinitiale zeigt die Verkündigung, eine reiche Bordüre rahmt die Seite.

Wilfried Werner, Cimelia Heidelbergensia, Wiesbaden o.J., S. 42f., Nr. 11 (mit älterer Literatur); Ludwig Schuba, Leben und Denken der Salemer Mönchsgemeinde im Spiegel liturgischer Handschriften, in: Salem 850 Jahre Reichsabtei und Schloß, hrsg. von Reinhard Schneider, Konstanz 1984, S. 343–366. *L.K.*

G 3

G 4

Nomina Mariae

Riedlingen 1588

Papierhandschrift, kolorierte Federzeichnungen
30 Bll., 31 x 20 cm

Heidelberg, Universitätsbibliothek, Cod.Sal. IX 56

Diese Handschrift hat ein nicht näher bekannter Johann Georg Tibianus dem Salemer Abt Johann Bücheler während seiner kurzen Amtszeit zum Jahresbeginn 1588 gewidmet. Sie enthält die 24 symbolischen Namen Mariens (Rose von Jericho, Meerstern etc.), die jeweils in einem Bild dargestellt und mit meist lateinischen, gelegentlich auch deutschen Versen besungen werden. Das Titelbild der Handschrift, das der Widmung voransteht, zeigt Maria mit dem Kind in der Mandorla, Gottvater und Taube des heiligen Geistes; umgeben ist die Madonna von Sinnbildern nach Einzelstellen des Alten Testaments, die seit dem Mittelalter als Hindeutung auf die Mutterschaft Mariens verstanden wurden, z.B. der versiegelte Brunnen (1. Mose 2,6,10), der Turm Davids (Ps. 61,4) oder die Rose von Jericho (Sirach 24,18). Maria war die Patronin des Klosters Salem; den Anstoß zu einer verstärkten Marienverehrung in der zweiten Hälfte des 16. Jahrhunderts hatte das Konzil von Trient gegeben. Diese Handschrift blieb bislang unbeachtet.

Vgl. allgemein: Anselm Salzer, Die Sinnbilder und Beiworte Mariens in der deutschen Literatur und lateinischen Hymnenpoesie des Mittelalters, Linz 1893.

L.K.

Hereticus uerbis curat uiolare Mariam:
Hic uerò nunq̃ uenit ad portam Paradisi.
Non uenit ad uitam, qui nescit amare Mariã
Vix uenit ad ueniam, spernens salutare
Mariam.

G 4

G 5

Wilhelm Werner von Zimmern: Erbauungsbuch mit Totentanz

Meßkirch (?) 1555

Papierhandschrift, kolorierte Federzeichnungen
246 Bll., 31,5 x 20,5 cm

Donaueschingen, Fürstl. Fürstenbergische Hofbibliothek, Hs. 123

Wilhelm Werner Graf von Zimmern (1485 – ca. 1575), als Historiker, Schriftsteller und Sammler bekannt, überliefert in der erhaltenen Originalhandschrift seines Totentanzes (jetzt Donaueschingen Hs. A III 54) mehrere Schriften der spätmittelalterlichen Erbauungsliteratur, darunter neben dem Totentanz das sog. Spiegelbuch, ferner einen Krankenspiegel, Gebete etc. Mehrere Gedichte, Zusätze und Erweiterungen zu den genannten Schriften sowie ein Testament sind Wilhelm Werners eigene Beiträge zu seinem Sammelband, den er mit eigenhändigen einfachen Zeichnungen versah, offenbar um ihn durch Berufsschreiber und Illustratoren kopieren zu lassen. Von den beiden bislang bekannten Kopien ist das ebenfalls in Donaueschingen befindliche Exemplar ausgestellt. Aufgeschlagen ist eine seltene, im Original nicht enthaltene Darstellung des triumphierenden Todes, der mit Pfeil und Bogen auf die Menschheit im Baum der Welt zielt, während dieser auf einem treibenden Nachen stehende Baum von Ratten angenagt wird.
Eine genaue Untersuchung von Wilhelm Werners Originalhandschrift und deren Kopien, von denen ein drittes Exemplar in Nürnberg, Germanisches Nationalmuseum Hs 86 321, bisher unbeachtet und falsch datiert blieb, steht noch aus.

G 6

G 5

Ernst Heiss, Der Zimmernsche Totentanz und seine Copien, Heidelberg 1901; Johannes Bolte, Das Spiegelbuch, Ein illustriertes Erbauungsbuch des 15. Jahrhunderts in dramatischer Form, in: Sitzungsberichte Berlin, Phil.-Hist. Klasse 1932, S. 130–171; Wolfgang Stammler, Der Totentanz, München 1948, S. 92 Anm. 94; Stephan Cosacchi, Makabertanz, Der Totentanz in Kunst, Poesie und Brauchtum des Mittelalters, Meisenheim 1965, S. 543–545; Reinhold Hammerstein, Tanz und Musik des Todes. Die mittelalterlichen Totentänze und ihr Nachleben, Bern [usw.] 1980, S. 83–88, 208–212. *L.K.*

G 6

Gebetbuch der Markgräfin Susanna von Brandenburg

Bayern 1520

Pergamenthandschrift, Deckfarben mit Gold
186 Bll., 15 x 11 cm

Karlsruhe, Badische Landesbibliothek, Hs. Durlach 2

Das ungewöhnlich reich ausgestattete deutsche Gebetbuch wurde 1520 für die Markgräfin Susanna von Brandenburg (1502–1543) in Bayern hergestellt. Durch

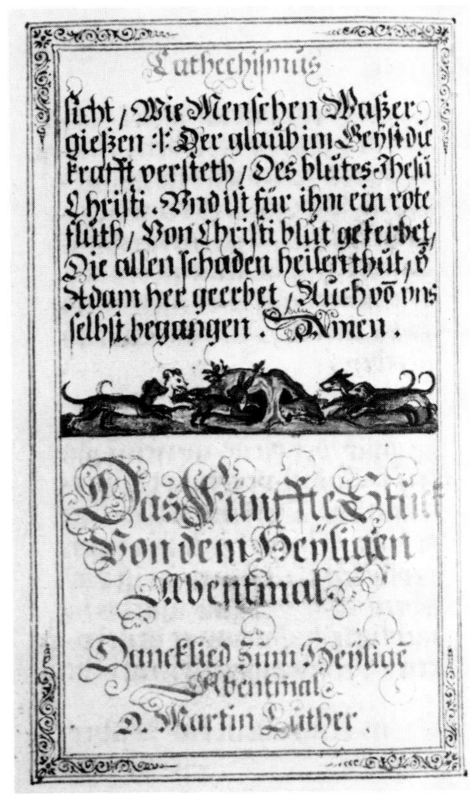

G 7

deren Tochter Kunigunde (1523–1558), die 1551 den Markgrafen Karl II. von Baden-Durlach heiratete, kam die Handschrift in den Besitz des badischen Hauses. Die 42 ganzseitigen und 3 etwa halbseitigen Miniaturen stehen unter dem Einfluß der „Donauschule". Der überaus aufwendige und vielfältige Bordürenschmuck – nahezu jede Seite des Gebetbuchs ist mit einer Zierleiste umgeben – vereinigt traditionelle niederländische, französische und deutsche Elemente. Aufgeschlagen ist die letzte Miniatur der Folge (Bl. 183^{r}), die auch inhaltlich eine Sonderstellung einnimmt. Das ebenso wie die Blätter 3, 4 und 40 mit 1520 datierte Bild zeigt oben als Doppelbildnis die Markgräfin Susanna und ihren Gatten, den Markgrafen Kasimir von Brandenburg (1481–1527), die sich im Jahre 1518 vermählten; darunter die beiden ältesten Kinder des Paares, Maria und Katharina, die eine 1519, die andere 1520 geboren. Die in der Literatur mehrfach wiederholte Behauptung, die Miniatur sei 1537 bzw. um 1537 übermalt worden, dürfte schwerlich zutreffen.

Alfred Holder, Die Durlacher und Rastatter Handschriften, Karlsruhe 1895, Neudruck Wiesbaden 1970, S. 2, 207; Ellen J. Beer, Initial und Miniatur, Buchmalerei aus 9 Jahrhunderten in Handschriften der Badischen Landesbibliothek, Karlsruhe 1965, S. 64, Nr. 77, 90 (Abb.). *G.St.*

G 7

Johann Philipp Kirn: Gesangbüchlein

Straßburg 1616

Papierhandschrift, Deckfarbenmalerei mit Gold
344 Bll., 13 x 8 cm

Stuttgart, Württembergische Landesbibliothek, Cod. brev. 148

Dieses Büchlein *Von Psalmen, Kirchengesängen und Geistlichen Liedern,* von Johann Philipp Kirn 1616 in Straßburg geschrieben und ausgemalt, wurde der württembergischen Herzogin Magdalena Sibylle (1652–1712) in Tübingen von einem „ersamen Alten" auf dessen Totenbett geschenkt und gelangte durch sie in die herzogliche Kunstkammer. Die außerordentlich reich ausgeschmückte Handschrift enthält in Miniaturen und historisierten Initialen zahlreiche Bilder zum Alten und Neuen Testament, daneben als Schmuckelemente mythologische und weltliche Szenen. Die aufgeschlagenen Seiten zeigen das Abendmahl, eine Sirene mit Harfe in der Initiale G sowie links vier Hunde auf Hasenjagd.

Die Handschriften der Württembergischen Landesbibliothek Stuttgart, R. 1, Bd. 3, bearb. von Virgil Ernst Fiala und Wolfgang Irtenkauf, Wiesbaden 1977, S. 183f. *L.K.*

G 8

Hans Jacob Rüeger: Chronik der Stadt Schaffhausen, Bd. 1

Schaffhausen, 1603–1606

Papierhandschrift, Aquarelle
540 S. + 15 Bll., 35,5 x 23,5 cm

Schaffhausen, Staatsarchiv, Chroniken A 1

Hans Jacob Rüeger (1548–1606) war Sohn eines Schaffhausener Pfarrers und trat nach Ausbildung in Straßburg und Zürich selbst in den kirchlichen Dienst; zuletzt war er Hauptpfarrer am Münster zu Schaffhausen. Daneben sammelte er Münzen, unterhielt eine umfangreiche gelehrte Korrespondenz mit rund 50 Adressaten und widmete sich mit unermüdlichem Eifer der Erforschung der Geschichte seiner Vaterstadt. In seinen letzten Lebensjahren schrieb er die grundlegende Schaffhausener Chronik, von deren vier Foliobänden der erste ausgestellt ist. Mehrere spätere Abschriften einer Kurzfassung der Chronik überliefern die Jahreszahl 1584 (so auch Karlsruhe, St. Blasien 45) und deuten auf eine im Original nicht erhaltene frühere Fassung. Rüegers Chronik ist ein typisches Werk in der Nachfolge der humanistischen Historiographie, die auf Quellenforschung größten Wert legt. Ausführlich beruft er sich auf seine Vorlagen und verarbeitet auch Urkundenmaterial. Ausgeschmückt ist die Handschrift mit Aquarellen des Schaffhausener Malers Hans Caspar Lang. Ausgestellt ist die 1603 datierte Darstellung des Bannerherrn Hans Im Thurn mit dem Stadtbanner; er steht vor dem alten, 1746 eingestürzten Fronwagturm mit der astronomischen Uhr von 1564, die in den heutigen barocken Turm übernommen worden ist. Von dem Ratsherrn Hans Im Thurn, auch Gerichtsherr zu Altikon, sagt Rüeger im vierten Band der Chronik: „Er lebt noch und ist mir zu diesem Werck (der Chronik) sonderlich fürderlich gewesen" (Buch 7, Kap. 18).

J. J. Rüeger, Chronik der Stadt und Landschaft Schaffhausen, hrsg. vom Historisch-Antiquarischen Verein des Kantons Schaffhausen, Schaffhausen 1884; Robert Lang, Johann Jacob Rüeger, in: Fs. der Stadt Schaffhausen zur Bundesfeier 1901, Schaffhausen 1901, T. 5, S. 28–34; C. H. Vogler, Johann Caspar Lang, ebda. T. 4, S. 13f. *L.K.*

G 8

G 9

Johann Staedel: Chronik der Stadt Straßburg, Bd. 1

Straßburg 1614

Papierhandschrift, kolorierte Federzeichnungen
1238 gezählte Seiten, 30,5 x 20 cm

Strasbourg, Bibliothèque Nationale et Universitaire, Ms.5464

Im Jahre 1614 hat der Straßburger Bürger Johann Staedel, dessen Lebensumstände noch nicht weiter erforscht sind, seine vierbändige Chronik vollendet und einbinden lassen. Die Chronik beginnt „im Jahre 31 nach der Sintflut" mit der Errichtung des Assyrerreiches durch Nimrod, einen Urenkel Noahs, und berichtet gleich darauf auch über die angeblichen Zustände in Germanien zu jener Zeit und die uralte Stadt Straßburg. Eines der nächsten Kapitel befaßt sich mit dem Thema: *„Die Teutschen sind alß Edell alß die Römer"*.
Staedels Chronik ist eine typische Stadtchronik der frühen Neuzeit, die in ihrem weiteren Verlauf auch eine Anzahl von historischen Ereignisliedern überliefert. Die Handschrift ist mit kolorierten Federzeichnungen ausgeschmückt. Das Titelblatt zum ersten Band zeigt in Medaillons Szenen des Alten Testaments und der griechischen Mythologie: oben den Sündenfall, unten Noah mit der Arche, in der Mitte links die an den Felsen geschmiedete Andromeda, rechts den auf geflügeltem Rosse zur Überwindung des Meeresungeheuers und der Befreiung Andromedas herbeieilenden Perseus. Die Miniaturen sind bisher von kunsthistorischer Seite noch nicht bearbeitet worden; sie können wohl am ehesten Friedrich Brentel zugewiesen werden.
Den ausgestellten 1. Band der Chronik konnte die Nationalbibliothek in Straßburg 1967 in London erwerben; die Bände 2–4 besitzt seit 1930 das Historische Museum ebenda.

Paul Fritsch, Die Straßburger Chronik des Johannes Stedel, Straßburg 1934 (Auszüge aus Bd. 2–4); zu Brentel vgl. Wolfgang Wegner, Untersuchungen zu Friedrich Brentel, in: JSKBW 3 (1966) S. 107–196.

L.K.

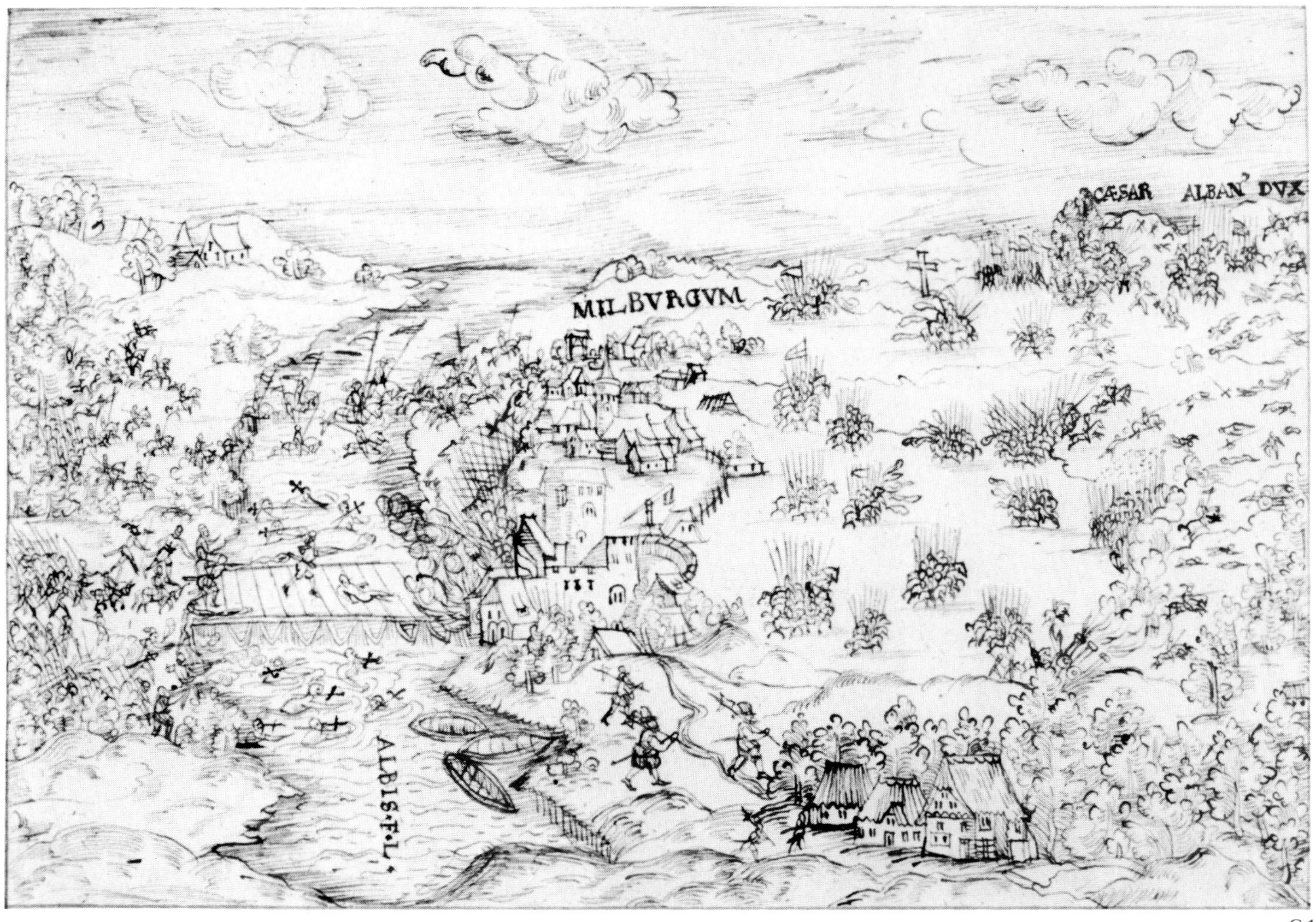

G 10

G 10

De bello Smalcaldico

um 1596/1598

Papierhandschrift, Federzeichnung
80 Bll., 24,5 x 18 cm

Stuttgart, Württembergische Landesbibliothek, HB XII 15

Diese Handschrift enthält ein episches Gedicht über den Schmalkaldischen Krieg, in welchem Kaiser Karl V. gegen die protestantischen Reichsfürsten kämpfte. Die Kriegsereignisse werden in lateinischer Sprache mit enger Anlehnung an Vergils Aeneis beschrieben. Als Titelbild zu Beginn des zweiten Teils ist die Schlacht auf der Lochauer Heide bei Mühlberg an der Elbe dargestellt, in welcher im April 1547 der sächsische Kurfürst Johann Friedrich I., eines der Häupter der im Schmalkaldischen Bund zusammengeschlossenen protestantischen Fürsten, durch kaiserliche Truppen gefangen genommen wurde.

Die Handschriften der Württembergischen Landesbibliothek Stuttgart, R. 2, Bd. 4,2, bearb. von Maria Sophia Buhl und Lotte Kurras, Wiesbaden 1969, S. 66. *L.K.*

G 11

Chronik der Truchsessen von Waldburg

Augsburg, um 1530

Papierhandschrift, kolorierte Holzschnitte
175 + 6 Bll., 41 x 29 cm

München, Bayerische Staatsbibliothek, Cgm 1292

Die älteste erhaltene Familienchronik aus dem schwäbischen Raum ist diejenige der Truchsessen von Waldburg, die Truchseß Georg III. (1488–1531), der „Bauernjörg", mit Hilfe des Augsburger Domherrn Matthäus von Pappenheim ab 1526 zusammenstellen ließ. Sie beginnt mit dem sagenhaften Urahn Gebhart, der zu Zeiten Kaiser Konstantins mit Waldburg belehnt worden sei, sein Wappen erhalten habe und zum Truchseß des angeblichen schwäbischen Herzogs Rumellus ernannt worden sei, und wird mit insgesamt 82 Truchsessen bis zu Georg III. und seinem Sohn und Nachfolger Jacob fortgeführt. Die Holzschnittfolge, die für diese Chronik und offensichtlich zum Einkleben in Handschriften geschaffen wurde, wird Hans Burgkmair d.Ä. zugeschrieben, dessen Monogramm sich auf 56 der Blätter findet; die drei letzten Truchsessenbilder mit dem Monogramm CA sind nach Burgkmairs Tod von Christoph Amberger geschnitten worden. Die Holzschnitte sind in den erhaltenen Handschriften (1 Pergament-, 4 Papierhandschriften) sowie auf überlieferten Einzelblättern einheitlich und zeitgenössisch koloriert. Eine einzige Vorzeichnung zu dieser Holzschnittfolge ist bisher bekannt geworden. Ausgestellt sind Bild und Text zu Christoph von Waldburg, einem älteren Bruder des Bauernjörg, der in jungen Jahren als Freiburger Student gestorben ist; er wurde zusammen mit seinem Cousin Franz von Zollern erzogen, dem Bruder und Vorgänger Eitelfriedrichs III. von Zollern (vgl. Kat. Nr. G 12). Das Bild zeigt die Kleidung eines vornehmen Studenten.
Ein mit zeitgenössischen Anmerkungen versehener Druck der Truchsessenchronik erschien erst im Jahre 1777, jedoch ohne Bilder.

ADB 40, S. 660–665; Max Geisberg, Die deutsche Buchillustration in der 1. Hälfte des 16. Jahrhunderts, Bd. 1, 2, München 1932, H. 8 u. 9; Hans Burgkmair, Das graphische Werk, Augsburg 1973 (Ausst.kat.), Nr. 220, 221; Beat Rudolf Jenny, Graf Froben Christoph von Zimmern, Lindau/Konstanz 1959, S. 30–32; Heinrich Geissler, Eine verschollene Burgkmair-Zeichnung, in: WRJ 38 (1976), S. 65–67. *L.K.*

G 12

Hauschronik der Grafen von Zollern

Rottenburg (?), um 1570

Pergamenthandschrift, kolorierte Federzeichnungen
36 Bll., 35 x 28 cm

Malibu, Californien, The Paul Getty Museum, Ms. Ludwig XIII 11

Graf Karl I. von Hohenzollern (1525–1576), ein Patensohn Kaiser Karls V., war der Initiator dieser Hauschronik. Sie beruht auf Vorarbeiten von Johann Basilius Herold, der einen Stammbaum angefertigt und eine umfängliche Erläuterung dazu verfaßt hatte. Die Handschrift enthält die Bilder von 21 Regenten des Hauses Zollern, beginnend mit dem sagenhaften Stammvater Tassilo mit Jahresangabe 801 bis zu Karl I. mit Jahresangabe 1563.
Die Fürsten sind jeweils in einer Säulenrahmung dargestellt. Die Säulen werden von den Wappen der Dargestellten und ihrer Ehefrauen bekrönt und von zwei Tieren flankiert. Die Rückseite der Blätter bringt in Medaillons jeweils die Kinder des auf der Vorderseite Dargestellten. Nach neueren Vermutungen war Jörg Ziegler der Maler der Handschrift. Aufgeschlagen ist Graf Eitelfriedrich *der Sechst* (nach neuerer Zählung Eitelfriedrich III., 1494–1525), der Vater des oben genannten Karl I. Die Bildlegende berichtet, daß der Graf von Jugend auf am Hofe Kaiser Karls V. gelebt habe, großen Kriegsruhm erworben habe und schließlich von einem neidischen spanischen Oberst zu Pavia vergiftet worden sei.
Die hier festgelegte Genealogie der Zollern wurde von Jacob Frischlin, dem Bruder des Nicodemus (vgl. Kat.Nr. G 46) anläßlich einer 1598 stattfindenden Hochzeit umfänglich in Verse gebracht und gedruckt.
Die Urhandschrift der Zollernschen Hauschronik wird in der Hofbibliothek zu Sigmaringen verwahrt; die ausgestellte Prachthandschrift gehörte der mit Leonhard V. von Harrach vermählten Tochter Karls I. und befand sich noch am Ende des 19. Jahrhunderts im Besitz der Grafen von Harrach.

Jacob Frischlin, Drey schöne vnd lustige Bücher von der Hohen Zollerischen Hochzeyt... 1598, Augsburg 1599, S. 33–97; Rudolf Seigel, Zur Geschichtsschreibung beim schwäbischen Adel in der Zeit des Humanismus, in: ZWL 40 (1981), S. 93–118; Anton von Euw / Joachim M. Plotzek, Die Handschriften der Sammlung Ludwig, Bd. 3, Köln 1982, S. 282–290. *L.K.*

G 12

G 13

G 13

Chronik der Grafen von Zimmern

Meßkirch, 1565/66

Papierhandschrift, kolorierte Federzeichnungen
T. 2 = S. 803–1568, 39 x 27,5 cm

Donaueschingen, Fürstl. Fürstenbergische Hofbibliothek, Hs. 580

Anders als die Truchsessen- und die Zollernchronik ist die Zimmerische Chronik nicht allein eine Genealogie des eigenen Geschlechts, sondern eine umfassende historische Darstellung auf der Grundlage der Familiengeschichte der Grafen von Zimmern. Ihr Verfasser ist Graf Froben Christoph von Zimmern (1519–1566), ein Neffe des Sammlers und Historikers Wilhelm Werner von Zimmern (vgl. Kat.Nr. G 5). Durch ihren reichen Inhalt ist die Chronik nicht nur

G 14

eine wichtige Quelle für die schwäbische Geschichte im 16. Jahrhundert, sie ist auch seit ihrer ersten Veröffentlichung vor 120 Jahren als Fundgrube von Rechtshistorikern, Volkskundlern und Kulturhistorikern ausgeschöpft worden. Gegen ihr Ende nimmt die Chronik mehr und mehr den Charakter eines Schwankbuchs an, und der Erzähler schreckt sowohl inhaltlich wie in der Deutlichkeit der Sprache vor nichts zurück.
Auf der ausgestellten Textseite findet sich die vielzitierte Stelle über den späteren Kurfürsten Ottheinrich und seinen Bücherraub im Kloster Lorsch: *Do ist der nachgendt Churfurst Pfalzgraue Ott Hainrich tanquam alter Nabucadnezar kommen. Der hat die kaiserlich vralte bibliotheck sampt buzen vnd still wie man sagt hingefurt* (zu dem Vergleich mit Nebukadnezar vgl. 2. Könige 24 u. 25). Beispiele von Lorscher Handschriften, die mit der Palatina, der Heidelberger kurfürstlichen Bibliothek, 1623 in die Vatikanische Bibliothek gelangten, zeigt die Ausstellung in der Heiliggeistkirche.

Beat Rudolf Jenny, Graf Froben Christoph von Zimmern, Lindau/Konstanz 1959 (mit ausführlicher Literatur); Die Chronik der Grafen von Zimmern, hrsg. von Hansmartin Decker-Hauff, Bd. 1 ff., Darmstadt 1964 ff.; Karl Schottenloher, Pfalzgraf Ottheinrich und das Buch (Reformationsgeschichtliche Studien und Texte H. 50/51), Münster 1927, S. 6 ff.; Bernhard Bischoff, Lorsch im Spiegel seiner Handschriften, in: Die Reichsabtei Lorsch. Festschrift zum Gedenken an ihre Stiftung 764, Teil 2, Darmstadt 1977, S. 7–128. *L.K.*

G 14

Wappenbuch

Überlingen, 1590–1595

Papierhandschrift, kolorierte Federzeichnungen
347 Bll., 38 x 27 cm

Stuttgart, Württembergische Landesbibliothek,
HB V 25

Dieses Wappenbuch mit vielen historischen, genealogischen und staatsrechtlichen Erläuterungen ist nach einer unbekannten Vorlage in Überlingen für den dortigen Geschichtsfreund und Sammler Georg Han (1547–1597) angefertigt worden. Der Verfasser beruft sich u. a. auf das 1555 erschienene gedruckte Wappenbüchlein des Virgil Solis. Neben den echten Wappen europäischer Fürstentümer, Fürsten und Besitzungen enthält die Handschrift die für jene Zeit charakteristischen Phantasiewappen der drei guten und bösen Christen, Juden und Heiden, angebliche Wappen von antiken Herrschern etc. Aufgeschlagen ist neben letzteren eine Darstellung des alttestamentlichen Josua mit Phantasiewappen und Wappenfahne; von Josua, dem angeblich ersten Herzog der Juden, soll nach Meinung der Handschrift der Name „Herzog" herstammen.

Die Handschriften der Württembergischen Landesbibliothek Stuttgart, R. 2, Bd. 2,2, berab. von Wolfgang Irtenkauf und Ingeborg Krekler, Wiesbaden 1975, S. 40 f. *L.K.*

G 15

Grabdenkmale württembergischer Grafen

Stuttgart 1583

Papierhandschrift, lavierte Federzeichnungen
41 Bll., 32 x 21 cm

Stuttgart, Württembergische Landesbibliothek, Cod.hist.2°130

Diese Handschrift enthält von Hand des württembergischen Hofmalers Johann Steiner Nachbildungen von 37 alten Grabsteinen des württembergischen Fürstenhauses aus der Stiftskirche zu Stuttgart. Von diesen Grabdenkmalen ist heute nur noch eines erhalten, nämlich die auf Bl. 17 dargestellte spätromanische Tumba des Grafen Ulrich I. und seiner zweiten Gemahlin Agnes von Liegnitz, alle übrigen mußten den im Auftrag von Herzog Ludwig durch Sem Schlör geschaffenen Ahnenstatuen weichen. Der Handschrift sind zwei Titelbilder vorangestellt, die von der Hand des Malers Jakob Züberlin stammen. Das ausgestellte zweite Blatt zeigt eine großangelegte Memento-mori-Darstellung, deren Mittelpunkt eine Grabtumba mit württembergischem Herzogswappen bildet, umgeben von Vergänglichkeitssymbolen, überhöht von der im Hintergrund dargestellten Auferstehung Christi. Die Rahmung zeigt oben den Sündenfall als Ursprung der Sterblichkeit des Menschen, unten das zugehörige Bibelwort *Erden sindt wir, zur Erden müssen wir werden* (1. Mose 3,19).

Wilhelm von Heyd, Die historischen Handschriften der königlich öffentlichen Bibliothek zu Stuttgart, Bd. 1,1, Stuttgart 1889, S. 56; Fleischhauer 1971, S. 162f.; Stuttgart 1979–1981, Bd. 2, Nr. 63, S. 10f.

L.K.

G 15

G 16

G 16

Jacob von Fouillaux: Von der Jagd (übersetzt von Johann Wolff)

Mundelsheim 1579

Papierhandschrift, Aquarelle mit Goldhöhung
226 Bll., 29 x 19,5 cm

Stuttgart, Württembergische Landesbibliothek, Cod.cam.2°3

Herzog Ludwig von Württemberg, dessen Jagdleidenschaft bekannt ist, beauftragte Ende des Jahres 1577 den Markgräflich Badenschen Rat und Amtmann zu Mundelsheim Johann Wolff mit der Verdeutschung eines in Poitiers 1561 gedruckten französischen Jagdtraktats. Am 10. Februar 1579 lieferte Wolff seine Übersetzung ab. Die Originalhandschrift ist mit qualitätvollen Illustrationen von zwei verschiedenen Händen ausgeschmückt, doch ist es bisher nicht gelungen, die Künstler zu identifizieren. Ausgestellt ist ein Bild zu dem Kapitel *Von den Zaichen, so du an jungen Welffen* (Welpen), *ob die gut werden, oder nit, vernemmen sollest:* Ein Edelmann nähert sich einer Hündin, die vor einer grasbewachsenen Burgruine mindestens vier Welpen säugt (eines der angeblichen Zeichen für einen starken Welpen ist, daß er nahe am Herzen der Mutter saugt). Über den Verfasser des französischen Traktats, Jacob von Fouillaux, einen Edelmann aus der Gegend von Poitiers, der sein Buch dem französischen König Karl IX. gewidmet hat, ist weiter nichts bekannt. Die Übersetzung von Johann Wolff wurde 1590 in Straßburg bei Bernhard Jobin gedruckt.

Wolfgang Irtenkauf, Johann Wolff, Amtmann zu Mundelsheim (1537–1600), in: Ludwigsburger Geschichtsblätter 27 (1975), S. 89–116; ders., Johann Wolff, in: Lebensbilder aus Schwaben und Franken 13 (1977), S. 73–83.

L.K.

G 17

G 17

Paradiesgarten und Tierbuch des Herzogs Friedrich Achill von Württemberg, Bd. 1

Stuttgart, 1622–1630

Papierhandschrift, Deckfarben
106 Tafeln, 27 x 42 cm

Wien, Österreichische Nationalbibliothek, Cod.Min.16

Die Brüder Valentin und Johann Ludwig Hoffmann aus Schwäbisch Hall, seit 1614/15 am Stuttgarter Hof als Maler beschäftigt, schufen in achtjähriger Arbeit für Herzog Friedrich Achill ein vierbändiges gemaltes Tierbuch. Es enthält insgesamt 480 Darstellungen, davon mindestens zur Hälfte Vögel. Der erste Band stellt Pferde und Hunde, meist aus dem Besitz des Herzogs, ferner kleine Waldtiere u.ä. dar. Gelegentlich weist die Beischrift darauf hin, daß es sich bei dem betreffenden Tier um eine herzogliche Jagdbeute handelte. So ist auf Bl. 90^{r} ein schwarzes Eichhorn abgebildet, auf dem Zweig einer Edelkastanie sitzend und eine Marone knabbernd; die Beischrift teilt mit, daß Herzog Friedrich Achill das Tierchen am 25. April 1615 eigenhändig geschossen habe.

Unterkirchner 1957–1959, Bd. 2, S. 128; Fleischhauer 1971, S. 376f.; Schreiner 1973, Sp. 745 Nr. 43; ders., 1976, S. 31. *L.K.*

G 18

Georg Engelhard von Löhneysen: Von der Zäumung der Pferde

Sachsen (?) 1578

Papierhandschrift, kolorierte Federzeichnungen
200 Bll., 51 x 34,5 cm

Wien, Österreichische Nationalbibliothek, Cod. 10 794

Georg Engelhard von Löhneysen entstammte einem alten Oberpfälzer Geschlecht und war seit den 80er Jahren des 16. Jahrhunderts Fürstlich Braunschweigischer Stallmeister zu Wolfenbüttel, später auch Berghauptmann des Harzes. Sein Buch über die Zäumung hat er nach eigener Angabe 1575 auf Geheiß seines damaligen Dienstherrn, des Kurfürsten August von Sachsen, begonnen. 1588 hat er es erstmals im Selbstverlag wohl in seiner ersten Druckerei zu Zellerfeld drucken lassen (dieser neuerdings angezweifelte Erstdruck ist durch ein Exemplar im British Museum zu belegen). Zwischen dem Beginn der Arbeit und dem Erstdruck liegt die hier ausgestellte Handschrift, die 1578 datiert und Herzog Ludwig von Württemberg gewidmet ist. Es ist anzunehmen, daß Löhneysen damals noch in kursächsischen Diensten stand und die Handschrift in Sachsen entstanden ist. Dargestellt und beschrieben ist eine große Anzahl verschiedener Zaumzeuge, alt „Gebisse" genannt. Ausgestellt ist der Anfang des Kapitels über die Zäumung junger Hengste: Auf dem Einführungsbild ist ein Edelmann in spanischer Tracht zu sehen, der einen Braunen über eine Blumenwiese führt, daneben ist das erste Gebiß für ein junges Pferd, das sich nicht gern zäumen läßt, dargestellt. Das Mundstück hat Löcher an den Seiten, und die Beischrift empfiehlt, Honig mit Salz oder Wohlgemut zu mischen und in die Löcher zu gießen, so daß es dem Pferd nach und nach auf die Zunge fließe.
Löhneysens Gebißbuch ist im 17. Jahrhundert mehrfach als Teil eines größeren Werkes gedruckt worden.

Unterkirchner 1957–1959, Bd. 1, S. 138; Schreiner 1973, Sp. 700; ders. 1976, S. 18f.; ADB 19, S. 133–135; Walther Brandes, Bibliographie der niedersächsischen Frühdrucke bis zum Jahre 1600, Baden-Baden 1960, S. 82, Nr. 385; Josef Benzing, Deutsche Buchdrucker des 16. u. 17. Jahrhunderts, Wiesbaden 1963, S. 485. *L.K.*

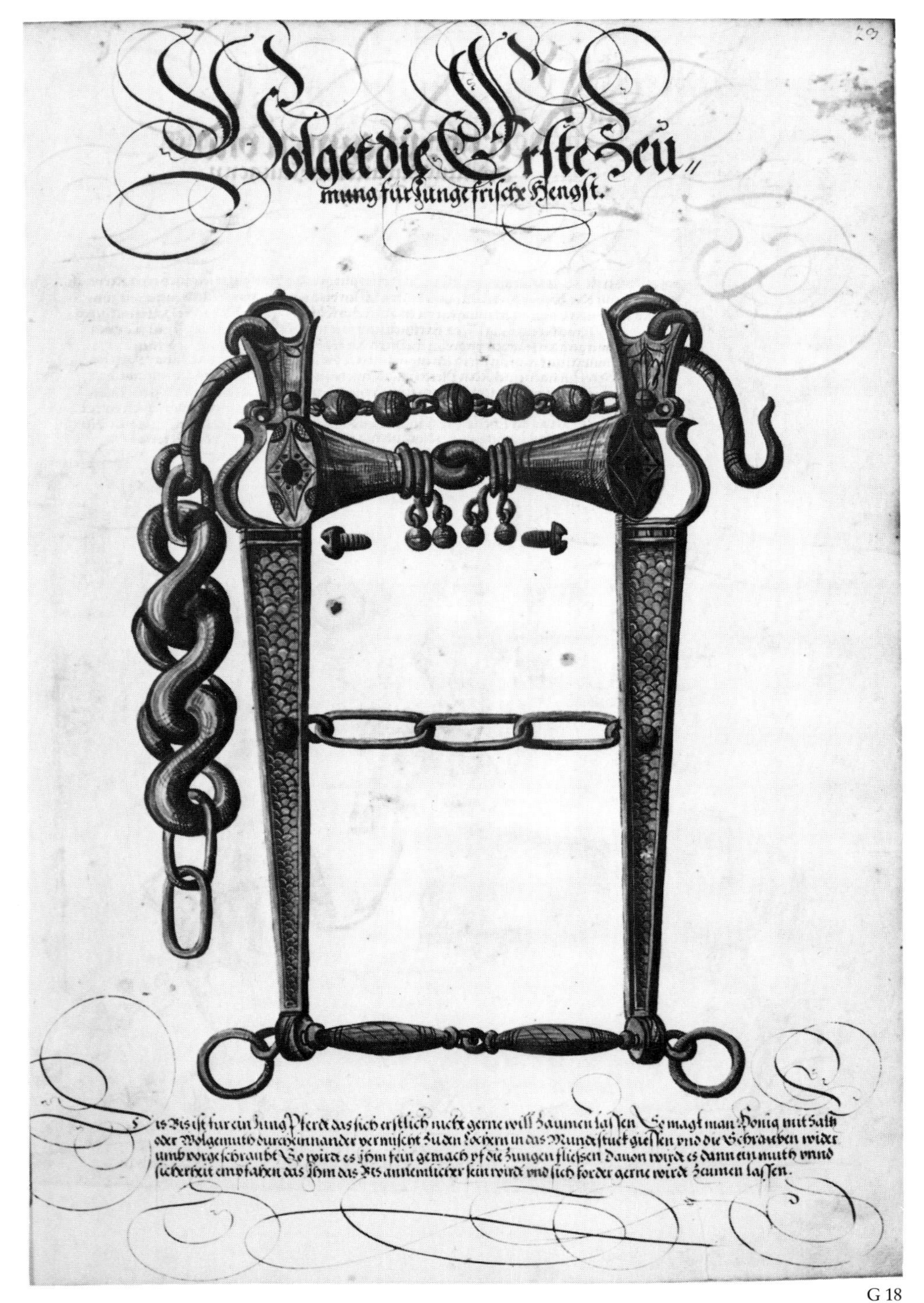

G 18

G 19

Heinrich Schweickher:
Atlas der Herrschaft Langenburg

Sulz am Neckar, 1578/79

Papierhandschrift
21 Bll., 41 x 28,5 cm

Neuenstein, Hohenlohe-Zentral-Archiv, Archiv Langenburg

Im Jahre 1575 war als grundlegendes Werk der Kartographie des deutschen Südwestens der erste Atlas des Herzogtums Württemberg vollendet worden. Sein Verfasser Heinrich Schweickher (1526–1579) war seit 1569 als Waisenvogt des Herzogtums tätig und bereiste von Amts wegen weite Teile des Landes. Im Jahre 1577 bot er dem Grafen Wolfgang von Hohenlohe-Neuenstein (1546–1610) an, für ihn einen Atlas von Hohenlohe anzufertigen. Leider blieb diese Arbeit Fragment, da Schweickher sich während der Außenaufnahmen für das Amt Schrozberg eine schwere Erkältung zuzog und nach fünfwöchigem Krankenlager starb.
Der Atlas besteht aus einer Gesamtkarte sowie zwölf Einzelkarten der Herrschaft Langenburg und stellt die erste großmaßstäbliche Landesaufnahme eines hohenloheschen Gebietes dar. Ausgestellt ist die Gemarkungskarte von Langenburg, die nicht nur Grenzversteinungen, Felder und Weinberge sorgfältig verzeichnet, sondern auch die ursprüngliche Burg Langenburg zeigt, bevor sie Anfang des 17. Jahrhunderts in einen Renaissancebau umgewandelt wurde. Die Karte ist nach Norden *(Septentrio)* orientiert; der Maßstab beträgt in Nord-Süd-Richtung etwa 1:30000, in Ost-West-Richtung jedoch ungefähr 1:20000, die Karte ist also in Ost-West-Richtung um ein Drittel in die Länge gezogen.
Nach Schweickhers Tod übersandte seine Witwe dem Fürsten die bis dahin fertiggestellten Kartenblätter. Beim Binden des Atlasfragments wurde die Erklärung der Langenburg-Karte fälschlich drei Blätter später eingebunden. Der Atlas ist anläßlich dieser Ausstellung neu gebunden worden, so daß erstmals die Karte der Gemarkung Langenburg zusammen mit der zugehörigen Legende betrachtet werden kann.
Beim Tode des Grafen Wolfgang 1610 und der folgenden Teilung kam der Atlas in den Besitz des Grafen Philipp Ernst von Hohenlohe-Langenburg, der sich – wie später sein Sohn Friedrich Heinrich – auf dem Titelblatt als Besitzer eingetragen hat.

Karl Schumm, Landkarten als Quellenmaterial für Geschichte und Volkskunde, in: Schwäbische Heimat 3 (1952), S. 128–132; ders., Zur Territorialgeschichte Hohenlohes, in: Württembergisch Franken 58 (1974), S. 67–108; Oehme, Kartographie, S. 70; Wolfgang Irtenkauf, Heinrich Schweickher,

G 20

G 20

Der Atlas des Herzogtums Württemberg vom Jahre 1575 (Einführung zur Faksimileausgabe), Stuttgart 1979, S. 20–23; ders., Heinrich Schweickher, in: Lebensbilder aus Franken und Schwaben 15 (1983), S. 61–74. *L.K.*

G 20

Porträts der Grafen und Herzoge von Württemberg

Stuttgart, vor April 1589

Pergamenthandschrift, Grisaille, Deckfarben
42 + 6 Bll., 17,5 x 13 cm

Wien, Österreichische Nationalbibliothek, Ser.n.2634

Diese kleinformatige Pergamenthandschrift enthält eine Sammlung von 39 Bildnissen, welche Herzog Ludwig von Württemberg teils von „Monumentis und Grabsteinen", teils von „gemaalten Contrafaiten" abmalen ließ, um sie im April 1589 Erzherzog Ferdinand von Tirol für seine Ambraser Sammlung zu übersenden; der Erzherzog hatte seit Jahren darum gebeten. Die Bilder nach erstgenannten Vorlagen, bei denen es sich um die 1584 fertiggestellte Ahnengalerie in der Stuttgarter Stiftskirche handelt, sind in Grisaille ausgeführt, diejenigen nach Porträtbildern in Deckfarben. Letztere stellen regierende Herzoge von Württemberg und ihre Gemahlinnen dar sowie auch die Schwestern und Schwäger Herzog Ludwigs, der diese Handschrift in Auftrag gegeben hatte. Aufgeschlagen sind die Porträtminiaturen seiner Eltern, des Herzogs Christoph (1515–1568) und seiner Gemahlin Anna Maria, geb. Markgräfin zu Brandenburg (vgl. Kat.Nr. G 25). Der Prunkharnisch des Herzogs zeigt als Brustschild eine Kreuzigung mit kniendem Ritter und die Signatur A G. Dieser Harnisch, vermutlich eine Arbeit des Landshuter Plattners Wolf Großschedel, ist noch im letzten Inventar der herzoglichen Rüstkammer 1756 aufgeführt. Die Herzogin, die im Mai 1589 nach Fertigstellung der Handschrift starb, ist in Witwenkleidung dargestellt.

Otto Mazal/Franz Unterkirchner, Katalog der abendländischen Handschriften der Österreichischen Nationalbibliothek, Series nova, T. 2,1, Wien 1963, S. 299 f. (mit älterer Literatur); Fleischhauer 1967, S. 244–251; Schreiner 1976, S. 29. *L.K.*

G 21

Hans Jacob Breuning: Orientalische Reise 1579

Buchenbach b. Waiblingen 1605

Papierhandschrift, kolorierte Federzeichnungen
253 Bll., 33,5 x 22 cm

Wien, Österreichische Nationalbibliothek, Cod. 8656

Hans Jacob Breuning (1552–1617) hat nach dreijährigem Studium in Frankreich mehrere europäische Länder bereist und brach schließlich 1579 als 27jähriger zu einer Reise in den Vorderen Orient auf. Reisegefährte war der französische Edelmann Jean Carlier de Pinon, und die Reise ging über Griechenland in die Türkei, nach Ägypten, Arabien, Syrien und Palästina über insgesamt 8302 welsche Meilen.
Breuning war ab 1584 in württembergischen Diensten und in den Jahren 1596 und 1597 Oberhofmeister des jungen Herzogs Johann Friedrich am Tübinger Collegium illustre (vgl. Kat.Nr. G 35). Seit dieser Zeit äußerte der Prinz die hinfort bei jedem Weihnachtsfest wiederholte Bitte, Breuning möge seine Reiseerlebnisse schriftlich niederlegen; ihm zuliebe und nicht aus Ruhmsucht, wie Breuning betont, entschloß er sich schließlich zur Ausarbeitung. Neben seiner eigenen Erfahrung nennt er 57 Autoren sowie die Bibel als Quellen, die Widmungsvorrede der Handschrift datiert von Lichtmeß (2. Februar) 1605. Gegen Ende seiner Reisebeschreibung schildert Breuning die Kleidung, die er und sein Gefährte an den einzelnen Orten je nach Landessitte trugen, und illustriert dies durch kolorierte Federzeichnungen. Bl. 231^r zeigt die Reisenden mit einheimischer Begleitung auf einem Kamelritt von Kairo zum Sinai. Sie tragen Turbane aus Konstantinopel und leichte Röcke aus blau-weiß gestreifter Leinwand, blau gefüttert. Die Kamele transportieren neben der persönlichen Ausrüstung ihrer Reiter Lebensmittel und Wasser in Geißhäuten, an welchen Kopf und Vorderfüße belassen sind.
Breunings Reisebeschreibung erschien bereits 1612 im Druck (Straßburg: J. Carolo), die Federzeichnungen sind dort getreu in Kupferstiche umgesetzt und durch Karten etc. ergänzt.

NDB 2, S. 608 (mit älterer Literatur); Unterkirchner 1957–1959, Bd. 1, S. 122; Pfeilsticker 1957–1974, § 1515, 1626; Schreiner 1973, Sp. 713, Nr. 84. *L.K.*

G 21

G 22

Wilhelm Schickard: Kometen-Beschreibung

Nürtingen 1619

Papierhandschrift, Aquarelle mit Goldhöhung
94 Bll., 20,5 x 16,5 cm

Stuttgart, Württembergische Landesbibliothek, Cod.math.4°43

Der spätere Tübinger Orientalist und Mathematiker Wilhelm Schickard (1592–1635), die „gemma nobilis academiae Tubingensis", wie ihn Johann Valentin Andreä in seiner Selbstbiographie nennt, hat während seiner Amtszeit als Diakon in Nürtingen auf Wunsch des Herzogs Johann Friedrich diese Abhandlung geschrieben und selbst illustriert (er stammte aus der Künstlerfamilie Schickhardt und war ein Neffe des Baumeisters Heinrich S., vgl. Kat.Nr. G 28, 29).
Das Erscheinen gleich dreier Kometen hatte im Jahr 1618, dem ersten Jahr des Dreißigjährigen Krieges, größtes Aufsehen erregt und eine Flut von Kometenschriften angeregt, die vor allem die astrologische Deutung solcher Erscheinungen behandelten. Schickard zeigt sich in seiner Schrift auf der Höhe der wissenschaftlichen Astronomie seiner Zeit, eigene astrologische Interpretationen vermeidet er dagegen und nennt nur landläufige Regeln.
Das aufgeschlagene Bild zum 3. Kometen von 1618 zeigt die mit weißen Punkten eingetragene Kometenbahn mit genauen Datenangaben in den Sternbildern Waage, Krone, Böotes, Berenike, Großer und Kleiner Wagen und Drachen. Daß der Komet aus der Waage kommend im „giftigen Bild" des Drachens verschwand, wurde allgemein für ein schlimmes Vorzeichen kommenden Unheils gehalten. *Der lieb Gott wend es alles zum besten. Amen,* beschließt Schickard seine Abhandlung. Er sollte selbst im Verlauf des Dreißigjährigen Krieges sein Leben verlieren (vgl. Kat.Nr. G 37).

Die Handschriften der Württembergischen Landesbibliothek Stuttgart, R. 2, Bd. 5, bearb. von Magda Fischer, Wiesbaden 1975, S. 7; Wilhelm Schickard 1592–1635, hrsg. von Friedrich Seck (Contubernium 25) Tübingen 1978, S. 22–24, 175–178. *L.K.*

G 22

G 23

Friedrich Meyer: Büchsenmeisterei und Feuerwerksbuch

Straßburg 1594

Papierhandschrift, kolorierte Federzeichnungen
318 Bll., 44,5 x 33,5 cm

München, Bayerische Staatsbibliothek, Cgm 8143

Der Straßburger Bürger und ehemalige Feldzeugmeister Friedrich Meyer verfaßte dieses nur hier überlieferte Lehrbuch der Pyrotechnik. Die Handschrift handelt in vier Teilen vom Salpeter, von Pulvern, von schimpflichen sowie ernstlichen Feuerwerken und bringt im fünften Teil Risse von Geschützen, Befestigungen, Schlachtordnungen etc.
Unter den Feuerwerken „zum Schimpf", also zur Belustigung findet sich im protestantischen Straßburg die Darstellung dieses im wahrsten Sinne brisanten Feuerwerks mit Mönch und Nonne auf einem Wagenrad, beide haben *im Kopf ein schönes hell brennendes und funkendes Zeug und Leib, Arme und Füße voll ausfahrender Raketen,* wie die Erklärung besagt.
Die Handschrift befand sich zu Beginn des Dreißigjährigen Krieges in Prag und sollte von dem böhmischen Feldherrn Jaroslaus Smirzizki dem Pfälzer Kurfürsten Friedrich V., dem Winterkönig, verehrt werden; als Kriegsbeute gelangte sie in den Besitz des Grafen Werner von Tilly, der sie dem neuen bayerischen Kurfürsten Maximilian zum Geschenk machte.

August Essenwein, Quellen zur Geschichte der Feuerwaffen, Leipzig 1877, S. 97; Max Jähns, Geschichte der Kriegswissenschaften, Bd. 1, München 1889, S. 646; Erwerbungen aus drei Jahrzehnten, Bayerische Staatsbibliothek 1978, Wiesbaden 1978 (Ausst.kat.), Nr. 31, S. 46–48. *L.K.*

G 24 c

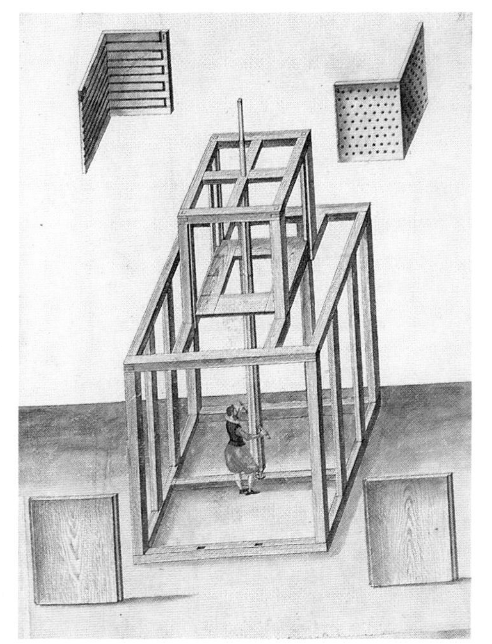

G 24 a

G 24 b

G 24

Feuerwerksbuch

Straßburg (?), um 1600

Papierhandschrift, aquarellierte Federzeichnungen
109 Bll., 45,5 x 33,5 cm

Karlsruhe, Badische Landesbibliothek, Sign. HS D 100

Da diese Handschrift mit der Überschrift *Volgt nun Verner ein kürtze Beschreibung, von Allerhand Schümpfflichen, Lust vnd Triumphs Feürwercken* beginnt, muß sie Teil eines umfangreichen pyrotechnischen Lehrbuchs gewesen sein, das vermutlich ebenso wie das Büchsenmeisterei-Buch von Friedrich Meyer aus dem Jahre 1594 (Kat.Nr. G 23) in Straßburg verfaßt wurde, worauf auch die zweimalige Verwendung des Straßburger Wappens im Abbildungsteil hinweist (fol. 71r und 77r). Die Handschrift gibt in drei Teilen Anleitungen zum Bau von Lustfeuerwerken. Handeln die ersten beiden Abschnitte vom Bau der Kästen, Fässer und Türme, der Anordnung der Schläger, Schwärmer und Raketen und deren Stöcke in diesen Behältnissen bzw. vom Bau der ausfahrenden Raketen und Schwärmer, so bietet das dritte und umfangreichste Kapitel durch zahlreiche ganzseitige und farbenprächtige Abbildungen einen Querschnitt durch die unterschiedlichen Ausführungsmöglichkeiten der Feuerwerke *zum Schimpf* mittels der verschiedenartigsten Umkleidungen. Neben den wieder verwendbaren, als Schnurfeuerwerke gefertigten oder von Menschen gezogenen bzw. geschobenen Einzelfiguren, wie Drachen, Engel, wilde Männer oder Faune, die aus ihren Mäulern oder Köpfen Feuerwerkskörper aussenden und die hier zur Illustration des technischen Kerns aufgeklappt werden können, neben den Feuerwerkspantomimen, etwa dem Kampf zwischen einem Wal und einem Drachen, ausgeführt von aus ihren Mäulern herausspringenden Männern, deren Waffen mit Feuerwerkskörpern bestückt sind, bilden die sog. Schloßfeuerwerke das Hauptkontigent der aquarellierten Federzeichnungen. Unser Beispiel zeigt in drei Etappen, von dem hölzernen Gestell, über den technischen Kern bis zur Umkleidung aus Leinwand, diese Form eines Feuerwerksaufbaus, bestehend aus einer umwehrten Burg mit vier Ecktürmen, hier bekrönt von einem zweischwänzigen Fischweibchen und Höllentieren, deren Leiber ebenfalls in Fischschwänzen auslaufen. Derartige Aufbauten wurden am häufigsten realisiert, da sie als Belagerung und Verteidigung einer Festung aufgefaßt und ausgestaltet werden konnten, wie in unserem Fall als Eroberung einer Höllenburg, die als Höhepunkt und Abschluß vollständig in Flammen aufging. *G.Z.*

G 25

Lienhard Flexel: Stuttgarter Armbrustschießen 1560

Augsburg, um 1560

Papierhandschrift, kolorierte Federzeichnungen etc.
50 Bll., 31,5 x 20,5 cm

Heidelberg, Universitätsbibliothek, Cpg 325

Schießfeste waren zunächst rein bürgerliche Veranstaltungen der städtischen Schützengesellschaften, welche nach der Einführung der Schießwaffen als ständig geübte Bürgerwehr der Städte entstanden waren. Wie das Turnier des Adels aber immer mehr auch von den Städten ausgerichtet wurde, fanden umgekehrt Schießfeste Eingang an den Fürstenhöfen. Die Handschrift des Pritschenmeisters (ein Amt innerhalb der Schützengesellschaften) Lienhard Flexel aus Augsburg beschreibt das Stuttgarter Armbrustschießen von 1560, zu dem Herzog Christoph geladen hatte, in einem Gedicht mit Illustrationen. Die aufgeschlagenen Seiten zeigen *daß füerstliche Best in dem füerstlichen Nachschiessen,* also den Hauptgewinn, hier ein lebender Ochse im Wert von 30 Gulden. Das mit Seide verkleidete Tier war mit den Wappen des Herzogs von Württemberg auf der einen und demjenigen seiner Gemahlin, einer geborenen Markgräfin von Brandenburg, auf der anderen Seite geschmückt. Der siegreiche Schütze erhielt die rechts abgebildete Fahne ausgehändigt, für welche er anschließend den lebendigen Siegespreis erhielt. Gewinner wurde in diesem Schießen Peter Spieß aus Neustadt an der Hardt.

Wille 1903, S. 50 (mit älterer Literatur); Fleischhauer 1971, S. 34, 38, 182. *L.K.*

G 25

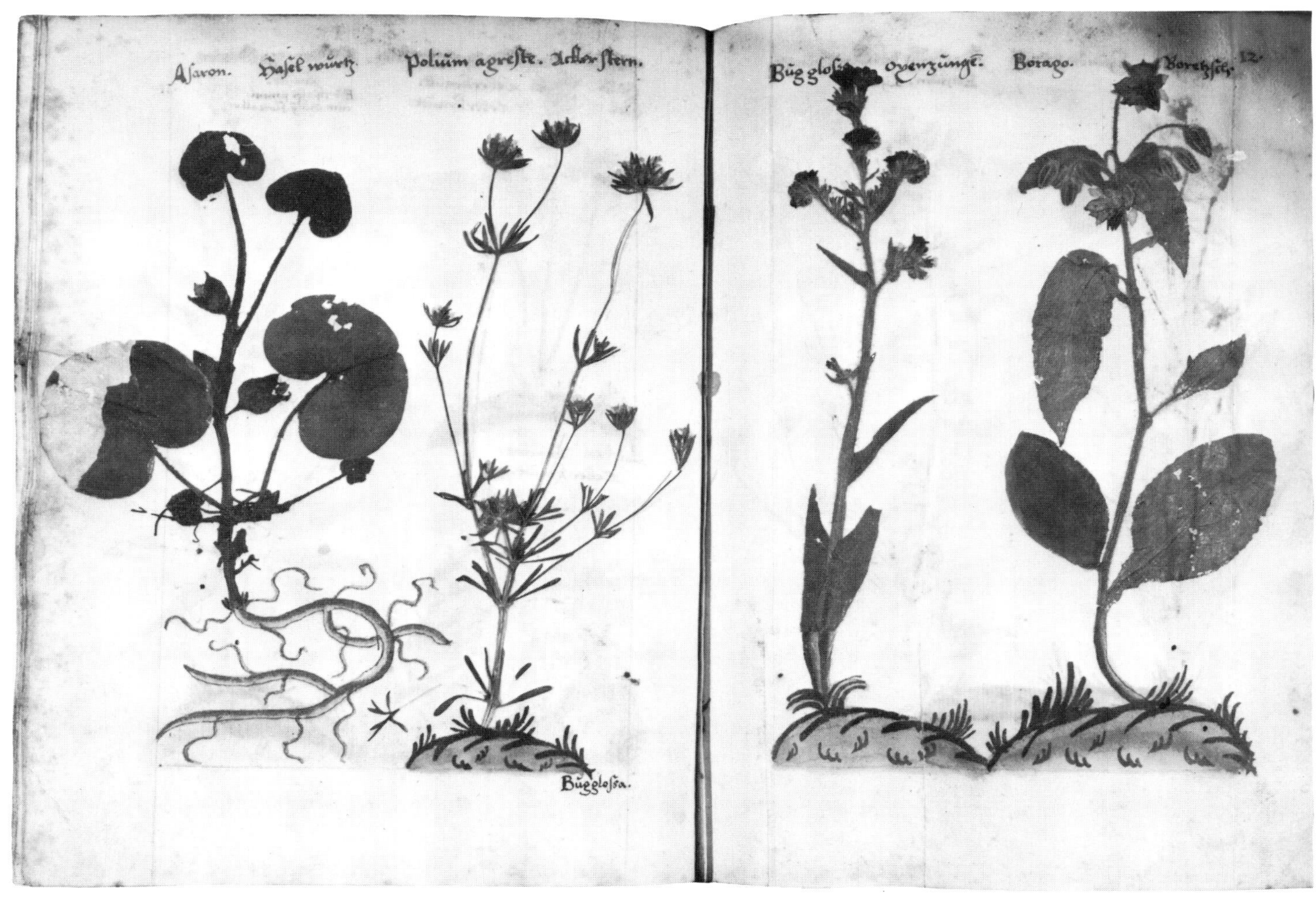

G 26

G 26

Hieronymus Harder: Herbarium vivum

Ulm, vor 1607

Papierhandschrift
113 Bll., 36,5 x 20 cm

Überlingen, Städtisches Museum

Die ältesten erhaltenen Herbarien mit gepreßten lebenden Pflanzen haben sich in Italien erhalten und stammen aus den fünfziger Jahren des 16. Jahrhunderts (dasjenige des Gherardo Cibo möglicherweise schon von 1532). In Deutschland gehört Hieronymus Harder (1523–1607) mit zu den ersten, die diese neue Kunst ausübten. Harder war nacheinander Schulmeister in Geislingen, Überlingen und Ulm und hat daneben in den Jahren zwischen 1562 und 1607 mindestens 13 Herbarien angelegt, von denen heute elf bekannt sind. Neben Exemplaren für Herzog Albrecht von Bayern, den Kurfürsten von der Pfalz, den Markgrafen von Baden-Durlach und weitere Empfänger fertigte Harder offenbar zum persönlichen Gebrauch das hier ausgestellte undatierte Überlinger Herbar an (Harders sog. Handherbar). Vermutlich erst kurz vor seinem Tode hat er es seinem Schwiegersohn Johann Brehe, Bürger und Barbier zu Überlingen, geschenkt.
Das Herbar enthält 535 gepreßte Pflanzen, von denen bis zu sieben auf eine Seite aufgeklebt sind, lateinisch-deutsche Namensbeischriften sowie einen lateinischen und einen deutschen Index. Die Pflanzen sind durch Wasserfarbenmalerei ergänzt; außer dem Erdboden sind oft auch Wurzeln oder Blüten hinzugefügt. Die aufgeschlagenen Seiten zeigen vier seit alters verwendete Heilkräuter. *Bugglossa/Oxenzungen* (Anchusa officinalis L.) wurde auch als betäubender Fischköder benutzt und ist als solcher nicht nur in spätmittelalterlichen Handschriften bezeugt, sondern bereits in dem im Kloster Tegernsee wohl im 3. Drittel des 11. Jahrhunderts entstandenen Ruodlieb-Epos.

Walter Zimmermann, Das Hand-Herbarium des Hieronymus Harder, in: Süddeutsche Apotheker-Zeitung 1934, Nr. 42, S. 61; Johann Schwimmer, Hieronymus Harder, in: Jb. des Vorarlberger Museumsvereins Bregenz 1941, S. 23–65 (mit älterer Literatur); Wolfgang Schneider, Über einige alte Herbarien, in: Veröffentlichungen der Internationalen Gesellschaft für Geschichte der Pharmazie, NF 1 (1953), S. 105–117; Werner Dobras, Hieronymus Harder vom Bodensee und seine Pflanzensammlungen, in: Baden-Württemberg 31 (1984), S. 40–44.

L.K.

G 27

Nikolaus Ochsenbach: Kriegstagebuch

Ungarn und Frankreich, 1585–1596

Pergamenthandschrift, kolorierte Federzeichnungen
157 Bll., 12 x 9,5 cm

Stuttgart, Württembergische Landesbibliothek, HB XV 104

Der spätere Schloßhauptmann von Hohentübingen, Nikolaus Ochsenbach (vgl. Kat.Nr. G 35), hat aus seiner Soldatenzeit dieses Kriegstagebuch hinterlassen. Es enthält lebendige und persönliche Schilderungen von den Kriegszügen gegen die Türken in Ungarn 1585–1588, als Ochsenbach in kaiserlichen Diensten stand, sowie aus dem Hugenottenkrieg 1589–1593, an welchem er auf Seiten der französischen Liga als Fähnrich teilnahm. Nach eigenen Angaben hat er sein Tagebuch großenteils *auff der trummen* (Trommel) geschrieben. Die Handschrift ist mit eigenhändigen kolorierten Federzeichnungen Ochsenbachs versehen. Das aufgeschlagene Blatt illustriert einen Fußkampf zwischen einem Christen (Ungarn) und einem Türken, die sich hier praktisch nur durch die Haartracht unterscheiden, und zeigt links eine Schar Türken und eine Schar Ungarn.

Karl Löffler, Eine schwäbische Bibliophilenfamilie aus dem 17. Jahrhundert und ihre Sammlung, in: Zeitschrift für Bücherfreunde NF 4 (1912), S. 69–75; Theophil Frey, Nikolaus Ochsenbach, Schloßhauptmann auf Hohentübingen, in: Fs. Georg Leyh, Leipzig 1937, S. 409–417; Martin R. Huber, Paris sous la Ligue, in: Art de France 4 (1964), S. 108–115; Die Handschriften der Württembergischen Landesbibliothek Stuttgart, R. 2, Bd. 5, bearb. von Magda Fischer, Wiesbaden 1975, S. 61 f. *L.K.*

G 28

Heinrich Schickhardt: Inventarbuch

Stuttgart, 1630–1632

Papierhandschrift, kolorierte Federzeichnungen
241 Bll., 32,5 x 20,5 cm

Stuttgart, Württembergische Landesbibliothek, Cod.hist.2° 562

Der württembergische Baumeister Heinrich Schickhardt hat gegen Ende seines Lebens in diesem Inventar seine gesamte liegende und fahrende Habe verzeichnet, damit nach seinem und seiner Frau Tod die Erben ein genaues Besitzverzeichnis hätten. Nach dem Haus- und Grundbesitz folgt in der Handschrift der umfangreiche Bücherbestand und schließlich eine Übersicht von Silbergeschirr, Bechern, Goldmünzen etc. Die aufgeschlagenen Seiten zeigen verschiedene Formen von Bechern, darunter oben links einen Vogelbecher, bei Schickhardt „Muscatnus“ genannt. Er hat ihn wie zwei weitere Becher dieser Seite aus dem Erbteil seines Schwiegervaters, des ehemaligen Bürgermeisters von Herrenberg, Johann Grüninger erhalten.

Heyd 1902, S. 321–417; Der württembergische Baumeister Heinrich Schickhardt und sein Wirken im Fürstentum Mömpelgard, Herrenberg 1982 (Ausst.kat.), S. 2 f., Nr. D 1; Architekt und Ingenieur, Herzog-August-Bibliothek Wolfenbüttel (Ausst.kat.) Nr. 42, Wolfenbüttel 1984, S. 92 f., Nr. 11. *L.K.*

G 27

G 29

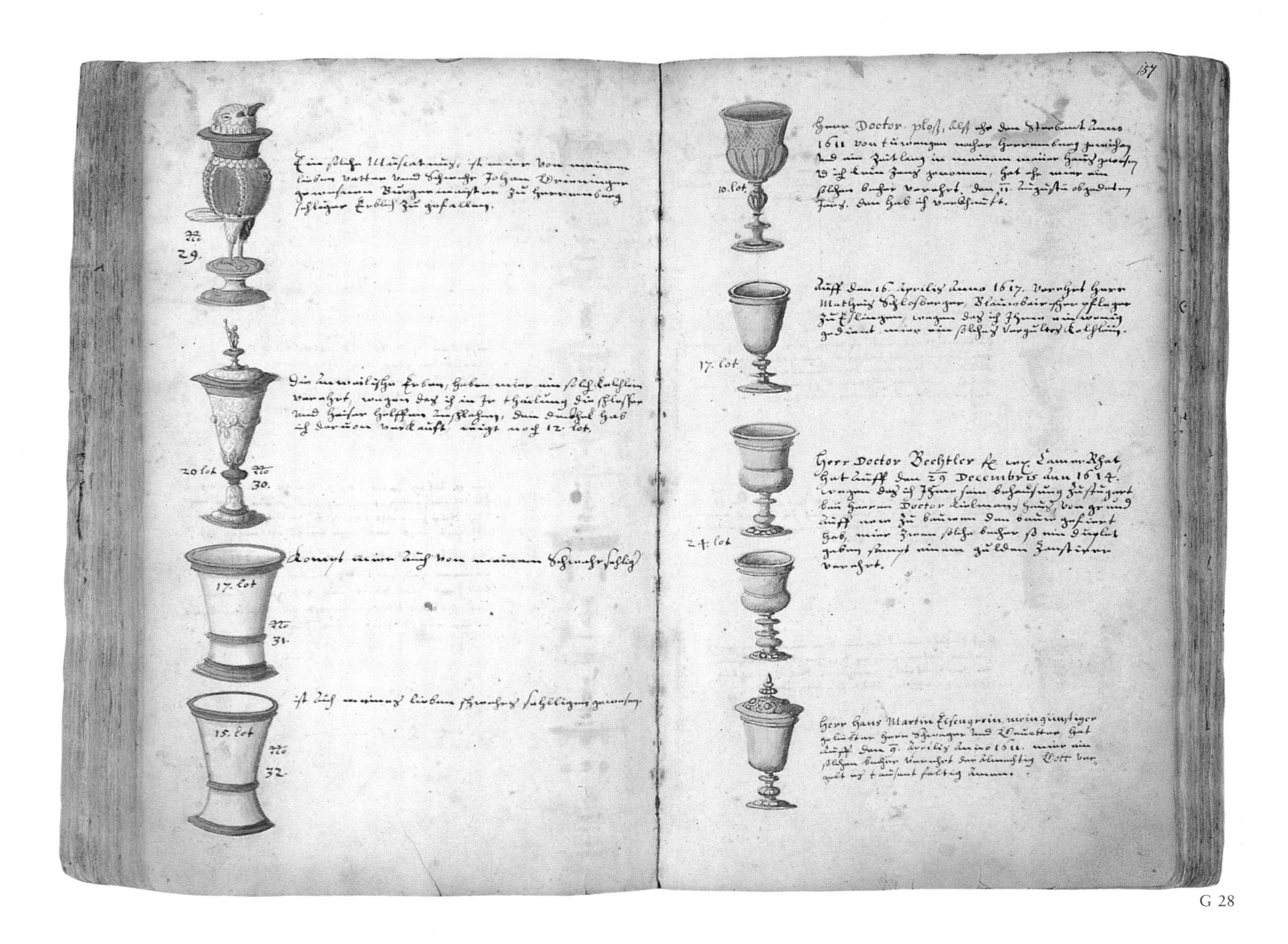

G 28

G 29

Heinrich Schickhardt: Skizzenbuch

Italien, um 1600

Papierhandschrift, Federzeichnungen
73 Bll., 21 x 16,5 cm

Stuttgart, Württembergische Landesbibliothek, Cod.hist.4° 148 b

Auf seiner zweiten Italienreise, die Heinrich Schickhardt 1599/1600 im Gefolge des Herzogs Friedrich unternahm als Studienfahrt für den sog. Neuen Bau in Stuttgart (Marstall, Festsaal und Rüstkammer), sein bedeutendstes, im 18. Jahrhundert durch Brand vernichtetes Bauwerk, führte der Baumeister zwei Skizzenbücher. Aufgeschlagen ist aus dem ersten die Zeichnung der berühmten, 1568–1575 erbauten Jesuitenkirche del Gesù in Rom.
Zum 2. Skizzenbuch Schickhardts siehe Kat.Nr. B 8.

Heyd 1902, S. 57–320. *L.K.*

G 30

Goldenes Buch der Schneiderzunft zu Straßburg

Straßburg, 1598–1720

Papierhandschrift, Deckfarben mit Gold
77 Bll., 29 x 20 cm

Sélestat, Bibliothèque humaniste, Ms. 142

Diese Prachthandschrift wurde angelegt, als im Jahre 1598 die damaligen 15 Schöffen der Straßburger Schneiderzunft unter dem Oberherrn Carl Heldt und dem Zunftmeister Johann Hugwartt 15 Repräsentativbecher anfertigen ließen. Das erste Bild der Handschrift zeigt diese ziselierten Satzbecher; nach der Aussage eines zehnseitigen Reimpaargedichtes des Schneiders Jörg Burckhart, das die folgenden Blätter der Handschrift überliefern, waren die Becher mit Monatsbildern, Wappen und Bibelversen geschmückt. Jeder künftige Schöffe sollte bei Einführung in sein Amt einen Gulden, jede Gerichtsperson einen halben Gulden geben, dafür sollte das Wappen auf einen der Becher graviert werden. Den Deckel der Becher bekrönt ein Wappenhalter mit dem Wappen der Straßburger Schneider, das in der Staedelschen Chronik (Kat.Nr. G 9) genauso dargestellt ist, dort mit der Angabe: *Bei dieser Zunft sind alle Schneider, Seidensticker und Näherinnen, die um Lohn nähen, und sonst viel Müßiggänger* (Staedel Bd. 2, p. 16).
Aus den 20 Handwerkerzünften wurden in Straßburg je 15 Schöffen lebenslänglich für den „Großen Schöffen-Rat" gewählt, zu ihnen gehörte jeweils als Oberherr ein Ratsherr. In der Handschrift sind zu Seiten der Satzbecher die 14 Schneiderschöffen mit Namen und Wappen angegeben, oben in der Mitte steht das Wappen des Oberherrn *Carl Heldt;* in der rechten Wappenleiste findet sich oben der Zunftmeister *Hanß Hugwartt* und zuunterst der Verfasser des erwähnten Reimpaargedichtes *Georg Burkhart.*

Unten sind kleiner die 17 Wappen der gerichtsfähigen Zunftmitglieder dargestellt. Die Zuweisung dieses und weiterer Blätter der Handschrift an Friedrich Brentel (Thieme/Becker, Bd. 4, S. 584) ist aus stilistischen Gründen abgelehnt worden, eher ist an Friedrichs Vater Georg zu denken.
Die Handschrift ist bis 1720 weitergeführt worden und gelangte dann in Privatbesitz. Mit der Bibliothek des Advokaten Antoine Dorlan kam sie im 19. Jahrhundert in die Humanistenbibliothek in Schlettstadt.

Wolfgang Wegner, Untersuchungen zu Friedrich Brentel, in: JSKBW 3 (1966), S. 107–196, hier S. 163 Anm. 14; P. Adam, L'Humanisme à Sélestat, Sélestat 1973, S. 93. *L.K.*

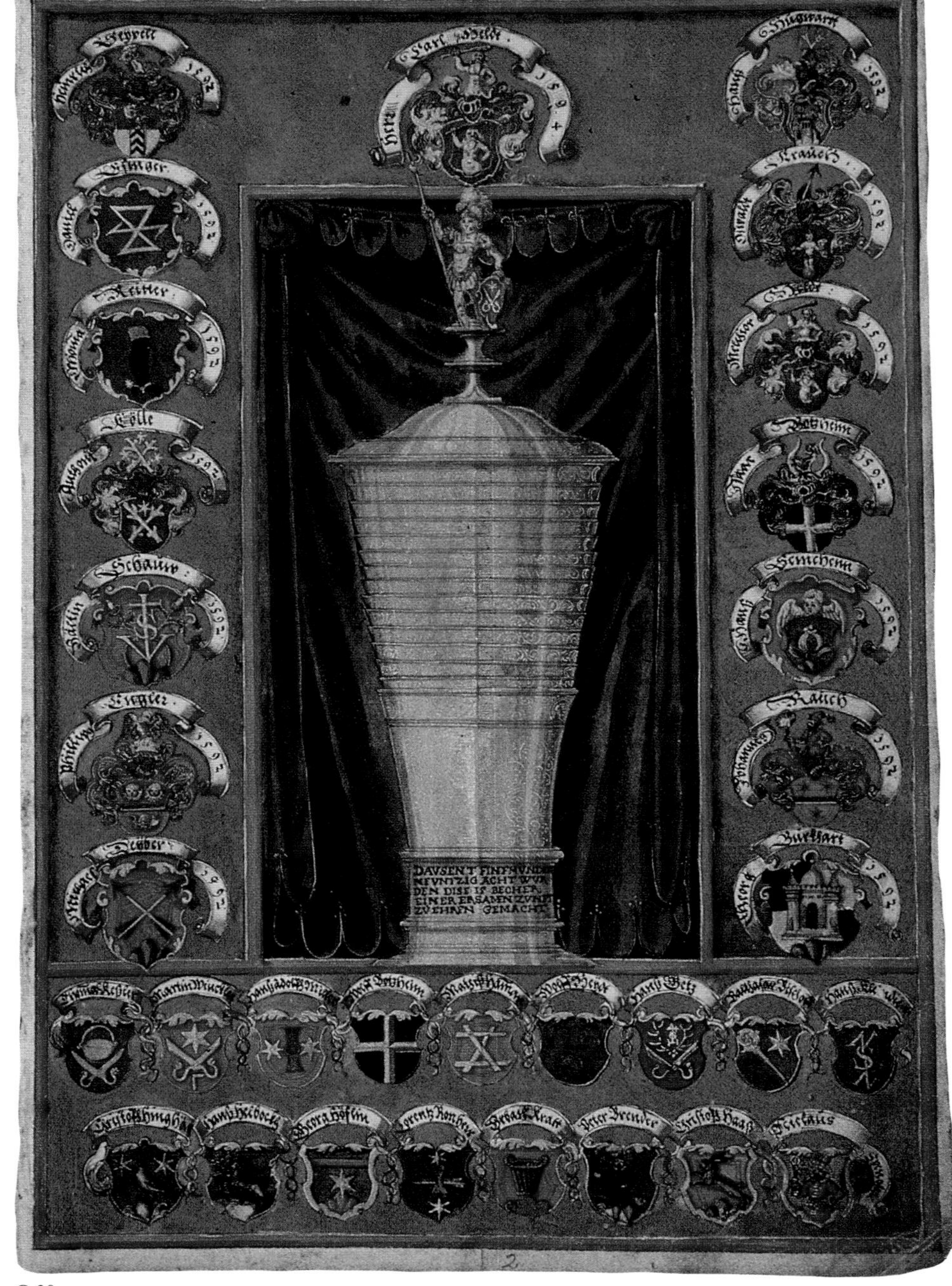

G 30

G 31

Von Sonnenuhren

Heilbronn, 1. Viertel 17. Jh.

Papierhandschrift, Federzeichnungen
58 Bll., 33 x 21,5 cm

Stuttgart, Württembergische Landesbibliothek, HB XI 21

In dem zu diesem Abbildungsband gehörenden Textband ist eine Abhandlung über Sonnenuhren (in Anlehnung an Hermann Wittekind: Conformatio horologiorum sciotericorum... 1567) mit Abschriften bzw. Übersetzungen von Drucken des Johannes Stöffler zusammengestellt, die offenbar von dem Heilbronner Bürger und Kupferschmied Endres Schwepler abgeschrieben wurden. Die Abbildungen sind vermutlich auch Kopien nach gedruckten Vorbildern.
Aufgeschlagen sind die Entwurfszeichnungen zu einem Horizontal, einer Sonnenuhr, die auf dem Boden liegt (hier ist das Zifferblatt parallel zur Erdoberfläche, der Schattenstab parallel zur Erdachse konstruiert), sowie zu einem Solarium, das genau nach Süden ausgerichtet sein soll (eine sog. vertikale Süduhr). In den Taschensonnenuhren sind diese beiden Arten miteinander verbunden.

Die Handschriften der Württembergischen Landesbibliothek Stuttgart, R. 2, Bd. 4,2, beschrieben von Maria Sophia Buhl und Lotte Kurras, Wiesbaden 1969, S. 23f. *L.K.*

G 32

G 32

Balthasar Held: Schreibmeisterblatt

Ulm, 1619

Pergament
ca. 142 x 98 cm

Stuttgart, Württembergisches Landesmuseum, Inv.Nr. E 2263

Guldinschreiber, Goldschreiber, nennt sich Balthasar Held aus Ulm, der dieses kunstvolle Blatt entworfen und ausgeführt hat. Über und unter dem Haupttext Joh. 3, 16 *Also hat Gott die Welt geliebet, das er seinen eingebornen Son gab...* hat er verschiedene Psalmverse und eine Stelle aus dem Buch Sirach angeordnet. Die Schriftstellen sind von einer reichen geometrischen Ornamentik gerahmt, in denen die Konturen der Vielecke in den Ornamentmedaillons wiederum aus winzig geschriebenen Bibelzitaten gebildet werden. Balthasar Held gehört nicht zu den namentlich bekannten Schreibmeistern.

Vgl. allgemein Werner Doede, Schön schreiben, eine Kunst, München 1957; ders., Bibliographie deutscher Schreibmeisterbücher von Neudörffer bis 1880, Hamburg 1958. *L.K.*

G 33

Stammbuch des späteren Kurfürsten Friedrich IV.

Heidelberg, 1582–1599

Papierhandschrift, Aquarelle etc.
270 Bll., 14 x 8,5 cm

Heidelberg, Universitätsbibliothek, Cpg 120

Dieses Stammbuch des späteren Pfälzer Kurfürsten Friedrich IV. (1574–1610) enthält zu Beginn einen dreiseitigen Eintrag des Vaters, des regierenden Kurfürsten Ludwig, aus dem Jahre 1582. Unter der Devise *Alle Ding zergencklich* erteilt er dem damals achtjährigen Sohn ausführliche Ratschläge zur Lebensführung und künftigen Regierung. Aufgeschlagen ist der Eintrag des Barons Johannes von Wartemberg mit der Darstellung des Pelikans, der seine Jungen mit seinem Blute nährt. Dieses aus dem Physiologus, dem ältesten christlichen Tierbuch stammende Motiv, schon dort und im ganzen Mittelalter ein Symbol für den Opfertod Christi, ist hier zu einem Bild des Fürsten säkularisiert mit dem Motto: *Princeps civium suorum Pellicanus.* Mit anderem Motto taucht das Motiv später auch in gedruckten Emblembüchern auf.

Wille 1903, S. 16; Henkel/Schöne 1967, Sp. 811–813. *L.K.*

G 33

G 34

Stammbuch des Bernhard Praetorius

Jena, Tübingen, Stuttgart etc., 1589–1600

Papierhandschrift
128 S., 15 x 10 cm

Nürnberg, Stadtbibliothek, Nor.H.1581

Bernhard Praetorius (1567–1616) stammte aus Jesburg in Hessen. Bereits mit 22 Jahren wurde er von Paul Schede Melissus als kaiserlichem Pfalzgrafen in Heidelberg zum Dichter gekrönt. Er studierte Jura, zunächst in Jena, und wurde am 22. Mai 1593 in Tübingen immatrikuliert. Offenbar auf dem Wege dorthin ließ er am 7. Mai 1593 den Stuttgarter Hofprediger Andreas Osiander (1562–1617) in sein Stammbuch schreiben. Zu diesem Eintrag wurde ein satirischer Stich eingeklebt; solche Darstellungen waren als Flugblätter oder Titelillustrationen zu Streitschriften wichtige Kampfmittel für Reformation und Gegenreformation. Der Stich illustriert die heftigen theologischen Kämpfe der Gegenreformationszeit: Der Jesuit Georg Scherer (1540–1605), einer der bedeutendsten katholischen Prediger seiner Zeit, aber auch ein scharfer Polemiker, der mit den damals bekanntesten protestantischen Theologen scharfe Streitschriften gewechselt hat, bildet das Zentrum des Bildes. Unter den als Teufelswesen dargestellten Lutheranern ist der von Scherer als „Giftspinne" titulierte Vater des Eintragenden Lukas Osiander neben Jakob Heerbrand und dem bedeutendsten württembergischen Theologen seiner Zeit Jacob Andreä (mit Beinamen Schmidl oder Schmidlin), seit 1562 Professor und Kanzler der Universität Tübingen und maßgeblicher Verfasser der Konkordienformel von 1577; die unten beigeschriebenen Namen verweisen auf den Schmalkaldener Dekan Alexander Utzinger sowie den aus Bern stammenden und vom Calvinismus zur lutherischen Kirche übergetretenen Samuel Huber, der einige Jahre Pfarrer in Derendingen bei Tübingen war. Bernhard Praetorius, der Besitzer des Stammbuchs, war ab 1604 Stadtsyndicus und Stadtbibliothekar in Nürnberg.

Georg Andreas Will, Nürnbergisches Gelehrten-Lexicon... T. 3, Nürnberg 1757, S. 231–234; Stammbücher-Sammlung Friedrich Warnecke, beschrieben von Adolf Hildebrandt, Auktionskat. Boerner, Leipzig 1911, S. 36, Nr. 44; Goldmann 1981, Nr. 206/207 (die Nrn. sind identisch!). *L.K.*

G 34

G 35

Stammbuch des Nikolaus Ochsenbach

Tübingen, 1596–1626

Papierhandschrift, Aquarelle etc.
189 Bll., 17,5 x 14 cm

Stuttgart, Württembergische Landesbibliothek, HB XV 2

Nikolaus Ochsenbach (1562–1626), seit 1597 Schloßhauptmann auf Hohentübingen (vgl. Kat.Nr. G 27), hat in den letzten 30 Jahren seines Lebens dieses Stammbuch benutzt. Die Einträge zeigen, daß er nicht nur mit der Tübinger Universität und dem Collegium illustre, sondern auch mit dem württembergischen Fürstenhaus in enger Beziehung stand. Die aufgeschlagene Seite zeigt den künftigen Herzog Johann Friedrich (1582–1628), der 1608 nach dem jähen Tod seines Vaters Friedrich I. die Regierung übernehmen sollte, hier im Jahre 1597 als fünfzehnjährigen Zögling des Collegium illustre; seine Devise „Schlecht und Recht" ist schon 1593 in einem anderen Stammbuch nachgewiesen. Im Hintergrund des Bildes ist Tübingen von Norden zu sehen.

Die Handschriften der Württembergischen Landesbibliothek Stuttgart, R. 2, Bd. 5, bearb. von Magda Fischer, Wiesbaden 1975, S. 4–6. *L.K.*

G 35

G 36

G 36

Stammbuch des Andreas Chemnitius

Glauchau, Tübingen, Stolberg etc., 1597–1626

Papierhandschrift, Aquarelle etc.
564 S., 19,5 x 14,5 cm

Hamburg, Museum für Kunst und Gewerbe, Inv.Nr. 1908, 524

Andreas Chemnitius aus Annaberg im Erzgebirge war nach Studium in Leipzig Präzeptor in Stolberg, Glauchau und schließlich auf Gut Oderwitz bei Bautzen. Als Mentor seiner dortigen Zöglinge Wolf Erasmus und Georg Heinrich von Draschwitz kam er mit ihnen Anfang November 1601 nach Tübingen ans Collegium illustre. Hier hat er im November 1603 den Hofmaler Hans Philipp Greter in sein Stammbuch schreiben lassen, der sich mit der Federzeichnung einer Winterlandschaft mit Wolfshetze eintrug. Greter wird 1610 als „Collegiat-Mahler" bezeichnet. Das hier ausgestellte Blatt ist als erste authentische Zeichnung Greters bei der Vorbereitung dieser Ausstellung entdeckt worden.
Chemnitius war später Amtmann, dann Bürgermeister zu Stolberg und starb dort im September 1626 an der Pest.

Edmund Kelter, Das Stammbuch des Andreas Chemnitius 1597–1626 (6. Beiheft zum Jahrbuch der Hamburgischen wissenschaftlichen Anstalten 27, 1909), Hamburg 1910; Fleischhauer 1971, Reg.; Geissler 1979–1980, Bd. 2, S. 13; Pfeilsticker 1957–1974, § 1050. *L.K.*

G 37

Stammbuch des Johann Ludwig Medinger

Tübingen etc., 1611–1649

Papierhandschrift, kolorierte Federzeichnungen etc.
395 Bll., 15 x 9 cm

Stuttgart, Württembergische Landesbibliothek, HB XV 4

Johann Ludwig Medinger († 1654) war Stadtarzt in Backnang und Calw. Aus seiner Studienzeit in Tübingen stammt die Hauptzahl der Einträge in diesem Stammbuch. Aufgeschlagen ist der Eintrag von Wilhelm Schickard (vgl. Kat.Nr. G 22), der sich – vermutlich am 19. 8. 1614 – mit einem hebräischen und einem lateinischen Zitat sowie der kolorierten Federzeichnung eines Himmelsglobus zwischen zwei mathematischen Kreisfiguren als Magister und Studiosus der Theologie eingetragen hat. Von Medingers Hand stammt wie bei vielen anderen Einträgen der spätere Zusatz über den Tod des Eintragenden: „obiit peste Tübingae 1635".

Die Handschriften der Württembergischen Landesbibliothek Stuttgart, R. 2, Bd. 5, bearb. von Magda Fischer, Wiesbaden 1975, S. 7; Wilhelm Schickard 1592–1635, hrsg. von Friedrich Seck (Contubernium Bd. 25), Tübingen 1978. *L.K.*

G 37

G 38

Stammbuch des Johann Michael Heuß und seines Sohns Johann Karl

Orléans, Tübingen, Heidelberg, Bourges, Paris, Straßburg (u.a.), 1558–1636

Papierhandschrift, Aquarelle etc.
162 Bll., 19 x 13,5 cm

Karlsruhe, Badische Landesbibliothek, Hs. Karlsruhe 2978

Das vorliegende Stammbuch wurde vom Straßburger Juristen Johann Michael Heuß (Heyß) angelegt und begleitete ihn während seiner „Peregrinatio academica". Deren Stationen lassen sich anhand der Einträge gut verfolgen. Zunächst finden wir Heuß für längere Zeit in Fankreich, und zwar in Orléans. Die dortige Universität, an der seinerzeit auch Calvin studiert hatte, wurde im 16. Jahrhundert von deutschen Studenten protestantischer Konfession gerne besucht. Die entsprechenden Einträge erstrecken sich über den Zeitraum von 1559–1561. Ein Jahr später immatrikulierte sich Heuß dann in Tübingen und bereits im August 1563 in Heidelberg. Nach einem weiteren Aufenthalt in Frankreich, diesmal in Bourges (1564–65), kehrte der Straßburger dann über Paris in seine Heimatstadt zurück, wo er sich, wie Einträge aus den siebziger Jahren belegen, auf Dauer niederließ.
Vom Jahr 1591 an setzen Einträge ein, die Johann Karl Heuß dediziert sind. Es handelt sich um Johann Michaels Sohn, der die theologische Laufbahn einschlug und das Album seines Vaters offenbar während seines eigenen Studiums weiterverwendete. Der Großteil der Einträge fällt in das Jahr 1599, in welchem Johann Karl sich an der Heidelberger Universität immatrikulierte. In späterer Zeit war das Buch offenbar als Gästebuch in Gebrauch, zuletzt noch 1636 in Oştrova im Banat, wohin Heuß sein Lebensweg als Pastor unter uns unbekannten Begleitumständen verschlagen hat.
Der Vollständigkeit halber sei noch erwähnt, daß ein einziger Eintrag für Johann Friedrich Heuß aus dem Jahr 1589 im Stammbuch zu finden ist. Möglicherweise handelt es sich um einen älteren Bruder von Johann Karl, der das Album kurz in seinem Besitz gehabt haben könnte.
Die aufgeschlagene Doppelseite stammt aus der Tübinger Zeit von Johann Michael Heuß. Links ein 1562 datierter Eintrag von Samson Hertzog, vermutlich ebenfalls aus Straßburg stammend und möglicherweise identisch mit einem am 30. Juni 1556 in Tübingen immatrikulierten Studenten dieses Namens. Das technisch anspruchslose, aber originelle Aquarell ist wohl im Sinne des Themas von der „verkehrten Welt" zu verstehen, wie

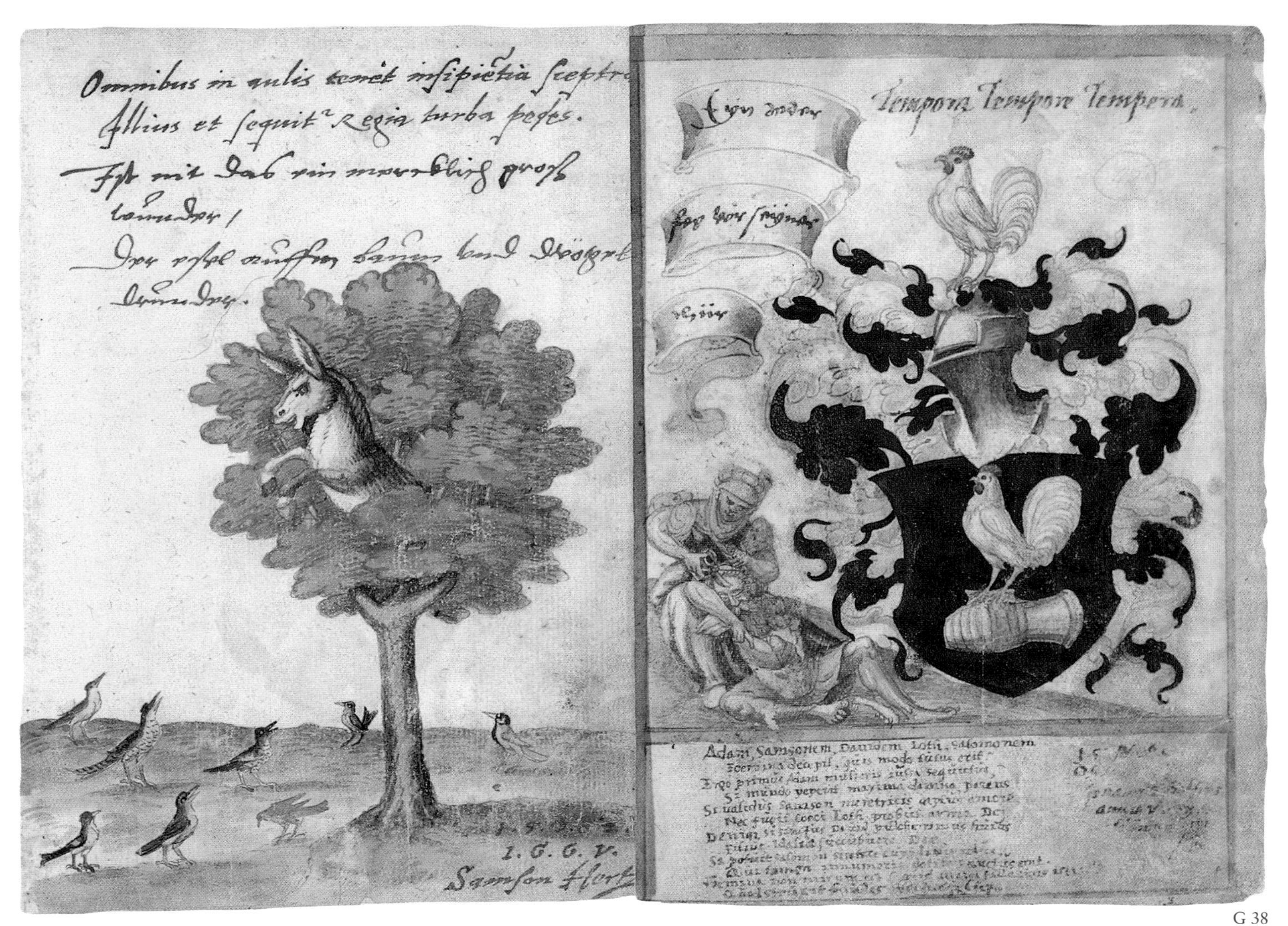

G 38

auch die beigefügten Verse verdeutlichen: *Ist nit das ein mercklich groß wunder – der esel auffm baum und dvögel drunder.* Auf der rechten Seite findet sich ein Eintrag von Johannes Wolfius mit dem Zusatz „Tubingae 1562“ (ein Student dieses Namens ist in der fraglichen Zeit in der Matrikel nicht nachgewiesen). Ein sprechendes Wappen, das sich allerdings mit dem Namen Wolf nicht in Zusammenhang bringen läßt, wird flankiert von einer Darstellung der bekannten Episode von Samson und Dalila, die den schlafenden Helden seiner Locken und damit seiner übermenschlichen Kraft beraubt. Die seit dem Mittelalter geläufigen Verse „Adam, Samsonem, Davidem...“ (H. Walther, Initia carminum ac versuum medii aevi..., Göttingen 1959, Nr. 502) über die List der Frauen, die, seit es die Menschheit gibt, die Männer zu Fall bringt, akzentuieren das angeschlagene Thema noch zusätzlich. Eine weitere Pointe bringt der Zusatz – vielleicht von der Hand des Stammbuchbesitzers – im Spruchband über der Zeichnung: *Eyn jeder feg vor seyner thür...*

H. Hermelinck, Die Matrikel der Universität Tübingen 1, Stuttgart 1906, S. 421; G. Toepke, Die Matrikel der Universität Heidelberg 2, Heidelberg 1886, S. 30 u. 188. *F.H.*

G 39

Stammbuch des Johann Jacob Graff

Freiburg i.Br. etc., 1563–1583

Papierhandschrift, Deckfarben mit Gold etc.
79 Bll., 17 x 12,5 cm

Nürnberg, Germanisches Nationalmuseum, Hs 116 269

Dieses frühe Stammbuch mit Einträgen von Studierenden der katholischen Universität Freiburg im Breisgau gehörte dem als *laicus* dort seit 1548 immatrikulierten Freiburger Bürgersohn Johann Jacob Graff.
1578 hat sich der Schlettstadter Arzt Christoph Herlinus in das Stammbuch eingetragen. Entgegen dem allgemeinen Brauch, sich mit *einem* Wappen zu verewigen, läßt Herlinus ein Allianzwappen in das Stammbuch malen, welches aussagt, daß er väterlicherseits aus dem bürgerlichen Straßburger Patriziergeschlecht der Herlin, mütterlicherseits aber aus dem Adelsgeschlecht der Krotzingen stammte. Er war also ein Sohn des Straßburger Schreibers Martin Herlinus, der eine ehemalige Nonne aus dem aussterbenden Geschlecht der Krotzingen geheiratet hatte. Christoph Herlinus muß bald nach seinem Eintrag gestorben sein, wie aus der Zufügung des Stammbuchbesitzers hervorgeht.

J. Kindler von Knobloch, Oberbadisches Geschlechterbuch, Bd. 1, Heidelberg 1894, S. 513, Bd. 2, Heidelberg 1905, S. 389. *L.K.*

G 39

G 40

G 40

Stammbuch des Ferdinand von Muggenthal

Ingolstadt, Malta, Freiburg i.Br. etc., 1590–1618

Papierhandschrift, kolorierte Federzeichnungen
202 Bll., 17 x 12 cm

Nürnberg, Germanisches Nationalmuseum, Hs 4209a

Der Malteserritter Ferdinand von Muggenthal, ein Sohn des Herzoglich Bayerischen Rates Erhard von Muggenthal, war zunächst als Edelknabe des bayerischen Hofes in Ingolstadt immatrikuliert. Ab 1590 war er mehrmals zu längeren Aufenthalten auf Malta und wird bereits 1596 als Komtur der Johanniterkommenden zu Regensburg und Altmühlmünster bezeichnet.
Als Muggenthal Anfang März 1593 in Freiburg weilte, trug sich dort Balthasar von Dalberg mit Wappen und Devise in sein Stammbuch ein. Dalberg studierte seit Dezember 1591 in Freiburg und wurde später Kurfürstlich Mainzischer Rat und Amtmann zu Miltenberg.

Heinrich Theodor von Kohlhagen, Stammbuch-Register, in: Heraldisch-Genealogische Blätter 1910, S. 4ff. *L.K.*

G 41

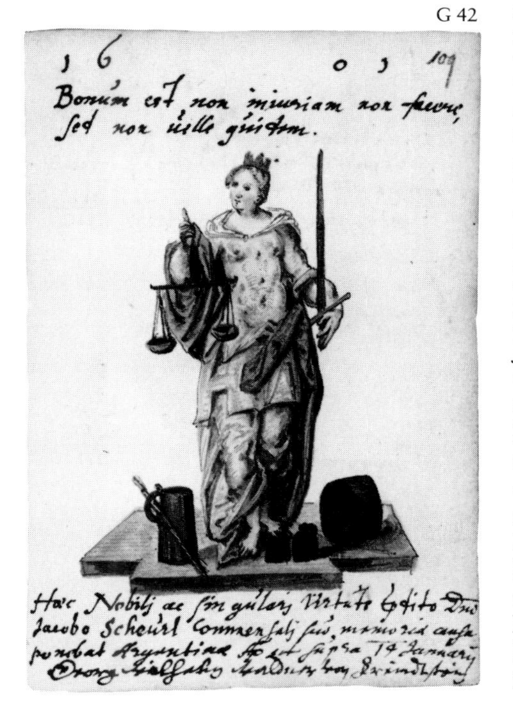

G 42

G 41

Stammbuch des Grafen Philipp Georg von Solms-Laubach

Straßburg und Jena, 1588–1594

Papierhandschrift, Aquarelle etc.
256 Bll., 15 x 9,5 cm

Karlsruhe, Badische Landesbibliothek, Durlach 7

Die vorliegende Handschrift bildet mit dem Stammbuch Durlach 8 ein Paar. Die beiden Alben gehörten den Brüdern Philipp Georg (1573–1599) und Friedrich (1574–1635) aus dem gräflichen Geschlecht Solms-Laubach. Die Übereinstimmung in Format, Blattzahl und Einbandstempeln findet ihre Entsprechung in der Parallelität der Einträge. Diese setzen jeweils im Jahr 1588 ein, übrigens in beiden Büchern mit einer Dedikation des späteren Pfalzgrafen Friedrich IV. Die erste Schicht von Einträgen, die bis in das Jahr 1592 reicht, stammt durchweg aus Straßburg. Dort besuchten die beiden Brüder, wie viele ihrer Altersgenossen aus dem protestantischen Adel des deutschen Südwestens, das bekannte, von Johann Sturm begründete und 1566 zur Akademie erhobene Gymnasium. 1593 übersiedelten Philipp Georg und sein um ein Jahr jüngerer Bruder dann nach Jena, um die dortige Universität zu beziehen. Die Stammbucheinträge aus der Jenaer Zeit datieren aus den Jahren 1593 bis 1594. Friedrichs zweite Frau, Anna Maria von Geroldseck, vermählte sich nach dem Tod ihres Gatten (1635) mit dem Markgrafen Friedrich V. von Baden-Durlach. Dabei brachte sie offenbar auch unsere beiden Stammbücher mit in die Ehe ein, und diese verblieben später in der markgräflichen Bibliothek.
Die aufgeschlagene Doppelseite aus Philipp Georgs Stammbuch (186v/187r) – der entsprechende Eintrag in Friedrichs Album findet sich 170v/171r – stammt aus der Straßburger Zeit der beiden Junggrafen. Eingetragen haben sich hier am 19. September 1591 ebenfalls zwei Brüder: Johann Friedrich und Dietrich aus dem bei Neckarsteinach ansässigen Geschlecht der Landschad von Steinach. Der Briefmaler, der mit der Ausführung beauftragt wurde, benutzte offenkundig Jost Ammans Stamm- und Gesellenbuch von 1587 als Vorlage. Besonders deutlich zeigt sich diese Abhängigkeit im Fall der Zeichnung links mit dem Landschadschen Wappen. Die malerische Helmzier, ein Königshaupt mit prachtvoll wallendem Bart, geht auf eine auch in der Zimmerschen Chronik enthaltene Überlieferung zurück, wonach ein Landschad namens Ulrich auf einem Kreuzzug unter Friedrich II. einen riesenhaften Heidenkönig erschlagen habe, worauf der Kaiser ihm und seinem Geschlecht gestattete,

künftig diese Helmzier zu führen. Johann Friedrich Landschad, der sich auf dieser Seite verewigt hat, kam übrigens wenige Monate nach seinem Stammbucheintrag, im Januar 1592, durch einen Schießunfall bei einer Musterung in Straßburg ums Leben.

A. Holder, Die Durlacher und Rastatter Handschriften, Neudruck mit bibliogr. Nachträgen, Wiesbaden 1970, S. 3 u. 207; W. Klose, Stammbücher – Eine kulturhistorische Betrachtung, in: Bibliothek und Wissenschaft 16 (1982), S. 41–67, hier Abb. 1 u. 2. Zu den Grafen von Solms vgl. F. Baron Freytag von Loringhoven, Europäische Stammtafeln 5, aus dem Nachlaß hrsg. von D. Schwennicke, Marburg 1978, Taf. 80; G. Mentz, Die Matrikel der Universität Jena 1, Jena 1944, S. 310. Zu den Landschad von Steinach: R. Irschlinger, Die Aufzeichnungen des Hans Ulrich Landschad von Steinach, in: ZGO 86 (1934), S. 205–258, bes. 207, 217 f. u. 258. *F.H.*

G 42

Stammbuch des Jacob Scheurl

Nürnberg, Straßburg etc., 1594–1601

Papierhandschrift, Aquarelle mit Goldhöhung etc.
97 Bll., 11,5 x 8 cm

Nürnberg, Germanisches Nationalmuseum, Hs 128 793

Der Nürnberger Patriziersohn Jacob Scheurl studierte ab 1598 in Straßburg die Rechte. Dort hat sich 1601 sein Studienkollege Georg Wilhelm Waldner von Freundstein, aus Elsässer Uradel stammend, in das Stammbuch eingetragen. Die qualitätvolle Miniatur stellt die Justitia dar, die Utensilien zu ihren Füßen mahnen zu rechtem Messen und Wägen. Jacob Scheurl wurde später Rechtskonsulent der Reichsstadt Nürnberg.

Goldmann 1981, Nr. 1284. *L.K.*

G 43

Stammbuch des Johann Georg Peyer

Heidelberg, Straßburg etc., 1619–1622

Papierhandschrift, kolorierte Federzeichnungen etc.
Ungezählte Bll., 11,5 x 15,5 cm

Schaffhausen, Stadtarchiv, Familien-Archiv Peyer, G 02.04

Hans Georg Peyer, 1601 in Schaffhausen geboren und als Stadthauptmann seiner Heimatstadt 1652 in Amsterdam gestorben, war bis Frühjahr 1619 Schüler des Gymnasium illustre Casimirianum in Neustadt a. d. Hardt und studierte anschließend in Heidelberg, Straßburg und Basel die Rechte. Aus seiner Straßburger Zeit stammt der Eintrag seines Schaffhausener Studienfreundes Beat Wilhelm Im Thurn mit einem Plautuszitat

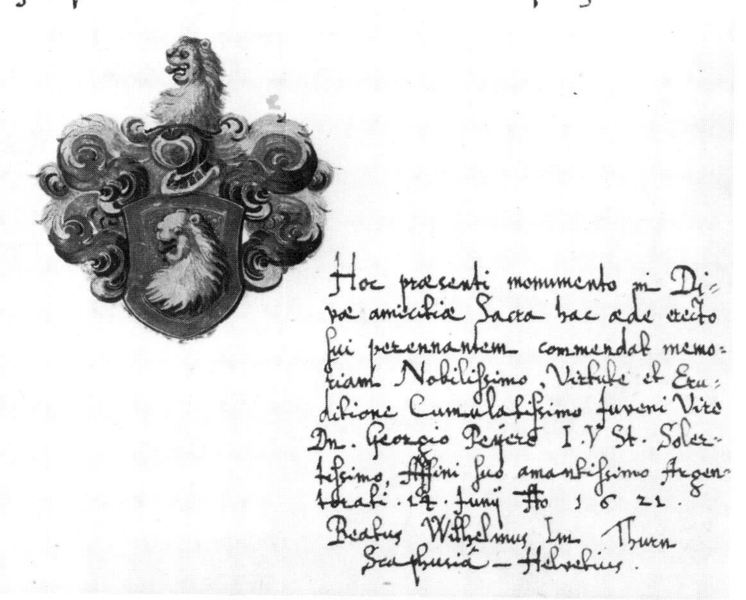

G 43

und qualitätvoll gemaltem Wappen. Beat Wilhelm Im Thurn (1604–1652), später Vogtrichter in Schaffhausen, war ein Großneffe des Bannerherrn Hans Im Thurn (vgl. Kat.Nr. G 8).

Reinhard Frauenberger, Geschichte der Familie Peyer mit den Wecken 1410–1932, Schaffhausen 1932, S. 98 f.; Johann Jakob Rüeger, Chronik der Stadt und Landschaft Schaffhausen, hrsg. vom Historisch-Antiquarischen Verein des Kantons Schaffhausen, Schaffhausen 1880–1894, Stammtafel Im Thurn nach S. 1040. *L.K.*

G 44

Stammbuch des Andreas Forstenhäuser

Lauingen, Basel etc., 1585–1602

Papierhandschrift, Aquarelle etc.
208 Bll., 14,5 x 9,5 cm

Nürnberg, Stadtbibliothek, Solg.Ms. 12

Andreas Forstenhäuser aus Neuburg an der Donau ließ seinen aus Königsberg in Preußen stammenden Kommilitonen Michael Frisius an ebendem Tag in sein Stammbuch schreiben, an welchem sowohl Frisius wie Forstenhäuser in Basel zum Dr. iur. utriusque promoviert worden sind. Die qualitätvolle Darstellung einer Sieneser Edelfrau dokumentiert die in Stammbüchern jener Zeit verbreiteten Kostümbilder, die meist nach gedruckten Vorlagen kopiert worden sind. Die Beischrift empfiehlt als *Rimedio contra le donne* bald abzureisen, weit weg zu fliehen und spät zurückzukommen.

Die Matrikel der Universität Basel, hrsg. von Hans Georg Wackernagel, Bd. 2, Basel 1956, S. 424; Goldmann 1981, Nr. 569. *L.K.*

G 44

G 45

G 45

Stammbuch des Christoph Brandenberg

Nürnberg, Reutlingen, Würzburg, Tübingen, 1616–1620

Papierhandschrift, Federzeichnungen, Aquarelle etc.
Unpaginiert, ca. 25 Blatt, 13,5 x 8 cm

Zug (Schweiz), Stiftung Museum in der Burg

Der Glasmaler Christoph Brandenberg aus Zug war während seiner Gesellenwanderung in Oberdeutschland gewesen: 1616 hielt er sich in Nürnberg auf, wo ihm die Malergesellen Balthasar Hupp d.J. aus Fulda und Balthasar Brücker (Prücker) von Wels Stammbuchbeiträge widmen. 1618 tritt er in Würzburg in Beziehung zu Jakob Heinrich Vollgnadt (?) und wohl auch dem Maler Johann Dittmann (Diedtmann). Im Juni gleichen Jahres finden wir ihn in Reutlingen, wie Widmungsblätter vom Heilbronner Malergesellen Heinrich Vollmar und dem Glaser Peter Riess sowie dem ortsansässigen Glasmaler Christoph Maurer (Murer) bezeugen. Bei letzterem, der eine hübsche Christophorus-Darstellung beisteuert (Feder, laviert), wird er damals gearbeitet haben. 1619 ist er dann in Tübingen und im Folgejahr anscheinend wieder in der Schweiz. Hier tragen sich noch die Glasmaler Gotthard Ringgli und Hans Jakob Nüscheler ein; sämtlich mit z.T. recht beiläufigen Proben ihres zeichnerischen Könnens. Außerdem finden sich, neben einigen unleserlichen Namen, noch die des Zürcher Glasmalergesellen Caspar Wirtz und des Ulmer Malers Georg Rieder (undatiert).
Die künstlerischen Beiträge des Brandenberg-Stammbuchs sind insgesamt bescheiden und mögen für die Autoren nicht sehr repräsentativ sein; doch bietet es Anhaltspunkte für das zeichnerische Niveau im Glasmaler-Handwerk Schwabens, wobei zu berücksichtigen ist, daß es sich überwiegend um Beiträge von Gesellen, nicht fertigen Meistern handelt.

Franz Wyss, Die Zuger Glasmalerei, Zug 1968, S. 76–79, 106, 220; René J. Müller, Zuger Künstler und Kunsthandwerker von 1500–1900, Zug 1972, S. 193, 198, 200. *Ge.*

G 46

Stammbuchblatt Jörg Hennebergers

Jörg Henneberger (um 1535–1592/93)
Geislingen 1591

Aquarell und Deckfarben, stellenweise Goldhöhung. Aufschriften in brauner Feder; 21 x 15 cm (mit Rahmen)

Vorderseite: Das Wappen der Henneberger. – Bezeichnet: *Jerg Hennenberg(er)/G. Maler zu Geyslingen/J. B.N.A. /.15.L.91.* Unten: *Aller Mensche(n) Sinn und gemut/ Tracht allein nach künst, Ehr und gut/ So sie das alles Erwerben/Müssen sie daruon und sterben.* Dazu später: *Gnad Im Gott.* Rückseite: Zwei Vogelfänger, darunter achtzeiliger Versreim.

London, Privatbesitz Mrs. Angela Krahé

Das beidseitig mit Miniaturen gefüllte Blatt ist, obwohl ohne Widmungstext, sicherlich als Stammbuchbeitrag geschaffen worden. Dieser Zweckbestimmung entspricht der nach dem Tode des Künstlers erfolgte Zusatz *Gnad I(h)m Gott,* der sich häufig in Stammbüchern findet. Das „sprechende" Wappen enthält auf damasziertem Grund eine nach links (heraldisch: rechts) gerichtete Henne auf einem Dreiberg, was sich als Helmzier wiederholt.
Das „G" am Beginn der zweiten Zeile dürfte für die Bezeichnung „Glasmaler" stehen. Die dritte Zeile beinhaltet ein abgekürztes Motto.
Die szenische Darstellung der Rückseite, die einen stutzerhaften Vogelfänger mit einer als Lockvogel dienenden Eule auf einem Hut, dazu einen ihm nachfolgenden Jungen wiedergibt, stellt eine erotische Anspielung dar, auf die der Text in kaum zu überbietender Drastik eingeht. Die beiden verdächtigen Gestalten fordern darin *Junckfraie* auf, die *Ihr zu vogeln habtt groß lüst...,* auf ihren Vogelherd zu kommen. Derart derbe Äußerungen, die sich freilich gänzlich im Rahmen von volkstümlichem Spruch- und Vorstellungsgut halten, waren seinerzeit nicht nur bei Studenten-Stammbüchern beliebt. Der melancholische Inhalt der gegenseitigen Aufschrift bildet hierzu einen merkwürdigen Kontrast.

Unveröffentlicht. *Ge.*

G 47

Stammbuch des Simon Schwan

Württembergisch-fränkischer Raum, 2. Hälfte 16. Jh.

Gebundene Einzelblätter, Deckfarben mit Gold
32 Bl., 15 x 19 cm

Speyer, Histor. Verein der Pfalz, Inv.Nr. 1927/99

Dieses Stammbuch wird Simon Schwan, einem Musiker am Hof des Bischofs von Würzburg, zugeschrieben. Sein Wappen und das von anderen bedeutenden Beamten (Kammerdienern, Kammerschreibern und Kanzleiverwandten) sind wiedergegeben. In einigen wenigen Fällen ist durch den ungenauen Beschnitt des 19. Jahrhunderts eine exakte Zuordnung nicht möglich.
Philipp Markus, Kunsthändler in Worms, schenkte es 1927 dem Historischen Verein der Pfalz zu dessen 100-Jahrfeier. Das

G 46

Stammbuch enthält 30 mit Wappen und anderen Darstellungen bemalte und 2 leere Blätter. Überraschend die gelungene Darstellung der Beamten bzw. Ehepaare, in vornehmer Kleidung (spanische Mode), die mit Genreszenen (Liebespaare, musizierende und fröhlich zechende Gruppen) abwechselt.

G 47

Aufgeschlagen (Bl. 6 v[v]/7[r]) das Wappen des Johannes Post(ius) und eine lateinische Widmung von ihm. Über dem Wappen die Devise: *MHδEN αναβαλλφυφζ* (ich sprenge heran, greife nicht an). Schwarze und goldene Straußfedern umgeben einen silbernen Helm, der mit dem Lorbeer des Dichterfürsten bekränzt ist. Darüber das gold-silberne Posthorn. Der Wappenschild zeigt einen Postreiter (schwarzer Hut und Rock mit grauer Hose) über einem Dreiberg. Am rechten unteren Rand des Wappenschildes erkennt man ein Signet, vermutlich die Anfangsbuchstaben des Wappenmalers (C.M.), Cilian Marcks aus Würzburg. Johannes Post wurde 1537 in der Stadt Germersheim (Kurpfalz) geboren, schrieb sich 1554 an der Universität Heidelberg ein und gelangte nach einer abenteuerlichen Studienreise durch Italien, Frankreich und die Spanischen Niederlande im Jahr 1570 nach Würzburg als bischöflicher Stadtarzt. Dieser bedeutende neulateinische Dichter und Arzt wurde 1577 von Kaiser Rudolf II. zum poeta laureatus gekrönt. Wir finden ihn 1582 bei der Gründung der Universität Würzburg beteiligt und ab dem 22. 2. 1585 als kurfürstlichen Hofmedicus in Heidelberg. Am 24. 6. 1597 starb er in Mosbach, wohin der Hof wegen der Pest geflohen war. Sein Epitaph befindet sich noch heute in der Peterskirche in Heidelberg.

H.P.P.

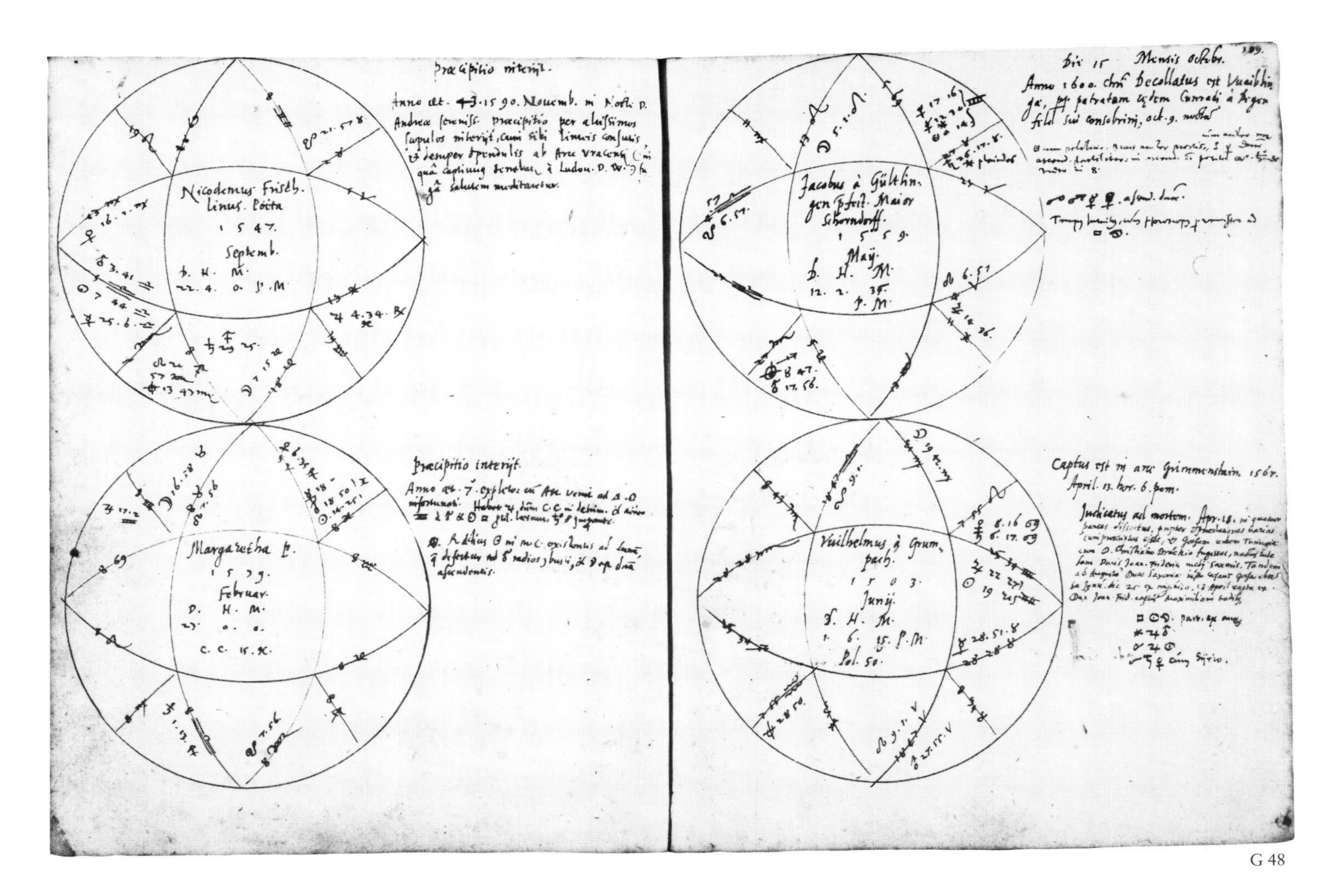

G 48

G 48

Conrad Haegeus Cellarius: Nativitäten

Tübingen, 1602

Papierhandschrift
212 Bll., 20 x 16 cm

Stuttgart, Württembergische Landesbibliothek, Cod.math.4°22

Der Tübinger Professor der Naturphilosophie Conrad Haegeus Cellarius (1577–1636) hat in dieser Handschrift Horoskope von Städten, Päpsten, Kaisern und Königen, von Theologen, Dichtern, Ärzten und Philosophen etc. gestellt, die den Zeitraum von der Antike bis zur damaligen Gegenwart umfassen. Die aufgeschlagenen Blätter zeigen Nativitäten von gewaltsam ums Leben Gekommenen: links oben das Geburtshoroskop des Dichterhumanisten und einstigen Tübinger Professors Nicodemus Frischlin (1547–1590), der bei einem Fluchtversuch von der Feste Hohenurach tödlich abgestürzt war *(praecipitio interiit)*, rechts unten das Horoskop des fränkischen Reichsritters Wilhelm von Grumbach (1503–1567), der im Verlauf der nach ihm benannten Grumbachschen Händel in die Reichsacht erklärt worden und am 18. April 1567 in Gotha gevierteilt worden war.

Heribert Hummel, Conradus Cellarius Haegeus, in: Alt-Württemberg 8 (1962), (Heimatbeilage der Südwestdeutschen Illustrierten Wochenzeitung, Nr. 1.)

L.K.

G 49

Alchimistische Sammelhandschrift

Straßburg, 1578–1588

Papierhandschrift, kolorierte Federzeichnungen
184 Bll., 20 x 15,5 cm

Nürnberg, Germanisches Nationalmuseum, Hs 16 752

Diese alchimistische Handschrift aus der zweiten Hälfte des 16. Jahrhunderts enthält eine Anzahl von Traktaten bekannter wie unbekannter Autoren und ist mit zahlreichen kolorierten Federzeichnungen versehen. Ausgestellt sind zwei Seiten aus dem wohl um 1500 entstandenen Traktat des Lamspring „Vom Stein der Weisen". Es ist eines der wenigen in deutscher Sprache abgefaßten alchimistischen Werke des Spätmittelalters, das in lateinischer Übersetzung 1599 erstmals gedruckt wurde und im 17. Jahrhundert auch ins Englische und Französische übertragen worden ist. Dargelegt werden die Stufen des Prozesses, der zur Gewinnung des Steins der Weisen führen soll, welcher nicht nur die unvollkommenen Metalle transmutieren, d.h. zu Gold oder Silber verwandeln soll, sondern auch alle Krankheiten bei Mensch und Tier heilen könne.
Die Hauptaussage liegt bei Lamspring in der Bilderfolge, der Text selbst ist nur Bildexegese. Der Drachenkampf bezeichnet hier die erste Stufe des alchimistischen Prozesses, die Putrefactio (Fäulung), wobei durch Abschlagen des schwarzen Hauptes dessen Farbe in Weiß verwandelt werden soll, d.h. durch „Opferung" der unreinen Bestandteile einer Substanz diese in eine höhere, gereinigte Materie verwandelt wird (eine andere bildliche Darstellung der Putrefactio ist daher auch die Kreuzigung Christi). Der echte alchimistische Prozeß beinhaltet stets auch die seelisch-geistige Wandlung und Läuterung des ausführenden Alchimisten (Adepten).

Gustav Friedrich Hartlaub, Der Stein der Weisen, München 1959, S. 50 zu Abb. 43; Herwig Buntz, Deutsche alchimistische Traktate des 15. und 16. Jahrhunderts, Phil. Diss. München 1968; Joachim Telle, „Lampspring", in: Die deutsche Literatur des Mittelalters, Verfasserlexikon, 2. Aufl., hrsg. von Kurt Ruh, Bd. 5, Berlin 1985, Sp. 524–530.

L.K.

G 49

G 50

Theodor de Bry: Emblemata Nobilitati

Frankfurt am Main 1593

Emblem- und Stammbuch, Kupferstiche, Stammbucheinträge, z.T. handkoloriert

Titelbl. fehlt, 37 S. Text lat. u. dt., 94 Abb., 5 mit mehrfarb., z.T. goldgeh. Wappenminiaturen, Devisen und Namen der Eintragenden
20,5 x 16,3 cm

Karlsruhe, Staatliche Kunsthalle Bibliothek (Rara)

In der 2. Hälfte des 16. Jahrhunderts entwickelten sich verschiedene Formen gedruckter Wappen- und Stammbücher und führten schließlich zur vorliegenden Form eines Emblembuches, das seine ausschließliche Verwendung als Stammbuch fand.
Dieses Emblem- und Stammbuch erschien 1593 bei Theodor de Bry in Frankfurt am Main mit Kupferstichen von ihm selbst und ist das berühmteste seiner Gattung geworden.
Einer Reihe von gezeichneten Wappen oder Vorzeichnungen zur Aufnahme bestimmter Wappen stehen allegorische Darstellungen gegenüber. Die dazugehörenden Erläuterungen in Versform sind zusammen mit einem lateinischen und deutschen Kommentar im Buch vorangestellt. Die Wappenvorlagen gehen im vorliegenden Werk von de Bry auf Jost Amman zurück; darüberhinaus finden sich Kopien der Landsknechtstiche von Hubert Goltzius.
Stammbücher nehmen innerhalb der Geschichte des Buches eine besondere Stellung ein, da hier neben einer gedruckten Vorlage handschriftliche Eintragungen und Ausmalungen vorgenommen wurden. Ein Emblembuch als Stammbuch zu nutzen, war nicht dem Adel vorbehalten, dies galt auch für den wappenführenden Bürger, wie auch dem Vorwort von de Bry zu seinem Buch zu entnehmen ist.
Der Besitzer des vorliegenden Stammbuches war Johannes Jakobus Grossius aus Pforzheim. Dies geht aus einer Prägung der Initialen auf dem roten Seideneinband – IIGVP – sowie aus einem handschriftlichen, offensichtlich zu einem späteren Zeitpunkt hinzugefügten Eintrag auf dem Vorsatzblatt hervor.
Die Stammbucheinträge reichen von 1596 bis 1597. Wie der kurze Zeitraum und die geringe Anzahl der Einträge vermuten lassen, wurde dieses Stammbüchlein nicht sehr lange geführt.
Die beiden ausgestellten Seiten zeigen zwei Stammbucheinträge, links den von Sigismund Haffner aus dem Jahre 1596, rechts den von Wilhelm Daser aus dem Jahr 1597. Die Eintragenden machen durch den gewählten Sinnspruch, die persönliche Widmung und das Wappen ihre Beziehung zum Angesprochenen deutlich. In beiden Fällen sind die Umrahmungen ausgemalt, nicht ohne Bezug vom jeweiligen Eintragenden ausgewählt. Musizierende Affen, Satyrn, Harpyen und andere Fabelwesen sind in humoristischer, moralisierender, auch satirischer Absicht dargestellt. Die Wappen der Eintragenden sind von überaus schöner Farbgebung (von diesen selbst ausgemalt?). Darüber erscheint der Sinnspruch für den Stammbuchführer aufmerksam ausgewählt. Unter dem Wappen folgt die Widmung.
Linke Seite: Devise: A.G.V.I. (Auf Gott vertrau ich?); Eintrag: *Sigismundus Haffner I.V.D/Cam.Imp.Advocatus Spirae/ May A^o 96.*
Rechte Seite: Devise: *Wer Khan Jedem Recht Thun?/ Niemandt vff Herr Gotts boden/ Simplicitas legibus AMICA;* Eintrag: *Wilhelmus Daser Monacensis/ U.I.D. Advoc: exarabat haec pau:/ cula memoriae et Adfinitatis causa/ PHORCAE, Anno 97, 7ma:die MAR:/ TII.* S.M.W.

Zum Druckwesen im deutschen Südwesten

Wiebke Schaub

Das Druck- und Verlagswesen wird seit den Anfängen von Kulturzentren sowie durch Kapital und Absatz bestimmt. Für sein Gewerbe brauchte es Handwerker (in den Anfängen meist Goldschmiede) und Korrektoren (das waren Schreiber oder Studierte; im 16. Jahrhundert arbeiteten bedeutende Humanisten vor allem für die Druckereien in Basel und Straßburg). Deshalb entwickelten sich die meisten Druckereien in den Handelsmetropolen, den Reichsstädten, vor allem in Straßburg und Basel – und besonders in Augsburg –, im 15. Jahrhundert auch in Ulm, Reutlingen und vorübergehend in Eßlingen. 1505 kam Konstanz zu einer Druckerei, die es 1548 mit seiner Unabhängigkeit bei der Rekatholisierung einbüßte. Eine durchgehende Tradition besaß dagegen die Bischofsstadt Speyer seit dem 15. Jahrhundert.

In Klöstern gab es frühe Druckversuche, z.B. in Schussenried und Blaubeuren, die aber kurzlebig blieben.

Außerdem zogen die Landesherren der vier großen Territorien Drucker in ihre Residenzen: Stuttgart (1486), Urach (1479) und Tübingen (1498) in der Grafschaft bzw. dem Herzogtum Württemberg; Heidelberg (1484) in der Kurpfalz; Pforzheim (1495) und Offenburg (1496) in der Markgrafschaft Baden; sowie Freiburg i.Br. (1491) in den Habsburger Vorderen Landen. Diese Druckereien setzten den Betrieb nicht kontinuierlich fort, sondern gingen irgendwann wieder ein oder wanderten ab, so daß mit Beginn des 16. Jahrhunderts in Stuttgart und Urach, in Offenburg und Freiburg keine Druckerei mehr arbeitete, in Heidelberg zwar noch ein Drucker bis 1501 saß (Seligmann), der aber unbedeutend war. 1501 hörte mit Johann Otmars Druckerei – er war 1498 aus Reutlingen gekommen – auch in Tübingen das Druckwesen zunächst auf. Es blieb nur Thomas Anshelms bedeutendes Geschäft in Pforzheim (1495–1511), der unter anderem Werke der Humanisten, vor allem Reuchlins, neben Gebrauchsbüchern für die Universität druckte. 1511 zieht Anshelm nach Tübingen (und 1516 weiter nach Hagenau). Damit wird auch in Pforzheim bis 1557 die Tradition des Druckens unterbrochen. Insgesamt scheinen die Residenzstädte wirtschaftlich und vielleicht auch kulturell für Drucker nur vorübergehend von Interesse gewesen zu sein.

Im 16. Jahrhundert gewannen die Universitäten Heidelberg (gegr. 1386), Freiburg i.Br. (gegr. 1457/60), Basel (gegr. 1460) und Tübingen (gegr. 1477) an Gewicht, dazu Straßburg. Doch selbst in den Universitätsstädten wurde die Tradition des Buchdrucks mehrfach unterbrochen, in Tübingen durch den Wegzug von Anshelm, wofür uns die Gründe verborgen sind, von 1516 bis 1523, in Heidelberg von etwa 1520 bis 1547 und in Freiburg zu Beginn des 16. Jahrhunderts – ausgenommen kurz 1503 bis 1529. Ob für Freiburg die Konkurrenz in Straßburg und Basel so erdrückend war (wahrscheinlich), ob in Heidelberg der religiöse Umbruch Unsicherheit brachte und für Tübinger Drucker das Problem der Zensur eine Rolle spielte, über das sich Martin Crusius erbittert in seinem Diarium beklagt, oder der Absatz von Tübingen aus umständlicher erfolgte als an dem oberrheinischen Handelsweg, läßt sich heute nicht mehr ausmachen. Die Drucker waren an der Universität immatrikuliert und brauchten die Zulassung.

Die Schwierigkeiten mit der Zensur ziehen sich in Tübingen durch das ganze 16. Jahrhundert hindurch: 1500 enthalten die Universitätsstatuten erstmals ein Verbot der *libelli famosi (Schmachschriften)*. 1537 mit der Erneuerung der Statuten nach der Reformation wird ausdrücklich verboten, etwas ohne die Genehmigung des Rektors und der vier Dekane, denen alle Werke vor der Drucklegung zur Einsicht vorgelegt werden müssen, herauszubringen. Die herzoglichen Erlasse von 1593 und 1601 schränken sowohl den Handel als auch den Druck *Papistischer, Calvinistischer, Schwenckfeldischer und anderer Sectischer Bücher* ein. Eine doppelte Zensur durch die herzogliche Kammer und die Universität wird festgelegt. Das Reich überließ übrigens die Handhabung der Zensur in der Praxis ebenfalls den Landesherren; daneben gab es seit 1569 ein kaiserliches Bücherkommissariat in Frankfurt a.M. Zur Reichszensur siehe Wormser Edikt vom 8. Mai 1521, Reichspolizeiordnung, Augsburg 1530, in der für Druckschriften bestimmt wurde, daß auf dem Titelblatt Vor - und Zuname des Druckers sowie der Druckort angegeben werden mußten, Reichsabschied zu Speyer 1529 und vor allem die revidierte Polizeiordnung von 1577 (bes. Abschnitt 35).

Vereinzelt richteten sich Professoren, vornehmlich für den Bedarf an Lehrbüchern oder für besondere Tafelwerke, Druckereien ein, die in einigen Fällen auch Fremdaufträge übernahmen, wie die von Ingolstadt 1586 nach Tübingen mitgebrachte Druckerei Philipp Apians, die schon sein Vater besessen hatte, und die von Erhard Cellius, dem

Professor für lateinische Sprache und Dichtkunst an der Tübinger Universität, der die Druckerei 1596 von den Erben des Professors für Theologie und Orientalistik Elias Schade in Straßburg erworben hatte (Crusius, Diarium I 104, Randnotiz). Cellius hat außer seinen eigenen Werken (darunter zahlreiche Leichenpredigten) für Kollegen und für das Collegium illustre und die herzogliche Regierung gedruckt. Selbstverständlich unterstanden auch die Professoren mit ihren Drucken der Zensur. Die Druckerei von Apian, der Ende 1589 starb, ist 1593 in den Besitz von Johann Kircher übergegangen, die von Cellius wurde von seinem Erben bis 1625 fortgeführt.

Kleinere Orte hatten meist nur vorübergehend Druckereien, und das nur für ein bis drei Jahre. Gründe für den Ortswechsel dorthin waren beispielsweise die Pestgefahr in den größeren Städten, der man vorübergehend auswich, wie Reinhard Beck 1511 von Straßburg nach Baden-Baden, oder auch Spannungen mit dem Meister oder Kompagnon. Aus den wenigen erhaltenen Akten ist erkennbar, daß häufig Kapitalmangel zum Aufgeben in diesen Orten oder zu einem weiteren Ortswechsel führte.
Daß die Reichsstädte zudem einen gewissen politischen Freiraum boten, zeigte sich mit Beginn der Reformation, die den Druckereien Umsatz und Bedeutung brachte. Vor allem durch Nachdrucke der Schriften Luthers, Zwinglis und anderer Reformatoren und durch die polemisierenden Flugschriften im Gefolge, die bis zu einer Auflagenhöhe von 4000 Stück verbreitet wurden, gewann die neue Religionsform innerhalb weniger Jahre den größten Teil des deutschen Südwestens. Erst Mitte des Jahrhunderts reagierten die katholischen Kircheninstitutionen darauf mit der Gründung eigener Druckereien wie der in Dillingen (1550) und in Lauingen (1552) von Sebald Mayer in Verbindung mit der Jesuitenuniversität, wo sich eine Kontinuität bis ins 17. Jahrhundert ergab.
Im gesamten deutschen Gebiet zählt man nach den Meßkatalogen um 1565 jährlich rund 400 Titel, bis 1600 rund 800 Titel, eine Zahl, die sich bis 1620 auf 1600 verdoppelte.
In den Städten des Südwestens wurde das Bildungswesen mit Schulen und Universitäten – außer in Freiburg und einigen elsässischen Orten zunächst – protestantisch. Im Gegensatz zum italienischen hat der „deutsche" Humanismus christliches und pädagogisches Gepräge und die Tendenz, eine Kluft zwischen (lateinisch) Gebildeten und Ungebildeten zu vertiefen. Dadurch erklärt sich auch, daß der Anteil an deutschen Drucken, der bis etwa 1555 während der Reformation den der lateinischen Werke überstieg (darunter in Straßburg viel Volksliteratur), mit der Abschwächung der Reformation sich wieder zugunsten der lateinischen Sprache veränderte. Wirft doch beispielsweise Frecht mit seinen Predigern in Ulm Sebastian Franck auch vor, daß er seine Drucke in deutscher Sprache herausgebe (erst im Elsaß, in Mühlhausen, wird *De arbore scientiae boni et mali* 1561 lateinisch gedruckt [Kat.Nr. H 24]). Und die Zusammenfassung der Institutionen in deutscher Sprache durch Murner wird von dem Juristen Zasius und anderen als Sakrileg angegriffen.

In *Basel* setzten die großen Drucker und Verleger des 15. Jahrhunderts ihren Betrieb bis in das erste Viertel des 16. Jahrhunderts fort: Die bedeutendsten sind *Johann Amerbach* (1478–1513), der auch mit Froben und Johann Petri (um 1490–1511) zusammen druckte und 1506 die elfbändige Augustinus-Ausgabe herausbrachte, – von ihm ist die für das Druckwesen der Zeit wichtige Korrespondenz erhalten – und *Johann Froben* (1491–1527), der bedeutendste Drucker und Verleger für den Humanismus, vor allem für Erasmus, der drei Jahre in seinem Haus wohnte und wissenschaftlich für ihn arbeitete. Von den etwa 320 Drucken Frobens sind nur zwei in deutscher Sprache, auch gibt es keinen Reformationsdruck bei ihm, da Erasmus maßgebenden Einfluß besaß. Zu seinen Korrektoren gehörte auch Beatus Rhenanus. 1516 erschien bei ihm die berühmte Erstausgabe des griechischen Neuen Testamentes von Erasmus. Froben druckte mit einer schönen Antiquaschrift und brachte ab 1519 eine Kursive von Aldus dazu. Für den Buchschmuck waren Hans und Ambrosius Holbein, anfangs auch Urs Graf tätig. Den umfangreichen Vertrieb der Bücher besorgte sein Schwiegervater Wolfgang Lachner. Die von Froben begonnene neunbändige Hieronymus-Ausgabe vollendete sein Sohn Bruno. Sein Sohn Hieronymus – teilweise mit *Johann Herwagen d.Ä.* (1528–1557), der Johann Frobens Witwe geheiratet hatte, und *Nicolaus Episcopius* (1529–1564), seinem Schwager, zusammen – und später dessen Söhne führten die Firma bis 1587 fort, um sie dann an Leonhard Ostein (gest. 1593) zu verkaufen.

Jakob Wolff (1492–1518) aus Pforzheim brachte etwa 50 Drucke heraus, darunter viele liturgische Werke. Für ihn arbeiteten der Meister DS und auch Urs Graf. *Thomas Wolff,* sein Sohn, (1509–1535) druckte die amtlichen Mandate des Rates, die Lutherbibel und andere Reformationsschriften.

Adam Petri (1507–1527) erwarb von seinem Onkel *Johann Petri* (um 1490–1511) wohl noch zu dessen Lebzeiten die Offizin, in der er zunächst populäre theologische Werke, später die Reformationsschriften von Luther, Melanchthon, Bugenhagen, Spalatin u.a. druckte. Bei ihm und seinem Sohn *Heinrich Petri (Henricpetri)* (1527–1579) wurden die verschiedenen Ausgaben von Sebastian Münsters Kosmographie (vgl. Kat.Nr. H 43) gedruckt. Henricpetri förderte vor allem medizinische und mathematisch-astronomische Werke (Ptolemaeus, Copernicus und Nicolaus Cusanus). Die Buchproduktion dieser Offizin war umfangreich, allein bei Adam Petri wurden zwischen etwa 200 bis 300 Werke gedruckt.

Von *Michael Furter* (1494 oder 1489–1517) gibt es etwa 30 Drucke, darunter von Reischs *Margarita philosophica* eine Ausgabe von 1517 (zum Titelblatt vgl. Kat.Nr. H 46 Murner und H 52 Reisch).

Nikolaus Lamparter (um 1500–1521) führte 1507/08 mit Balthasar Murrer in Frankfurt an der Oder eine Druckgemeinschaft zum Druck mehrerer Klassiker. Außerdem druckte er die deutsche Fassung von Brants Narrenschiff weiter. Er ging 1521/22 wegen Schulden nach Konstanz und kehrte erst 1526 zurück.

Der Schriftsteller *Pamphilus Gengenbach* (1513–1523) kam von Koberger in Nürnberg. Er publizierte seine eigenen satirischen Werke und Spiele sowie Reformationsschriften mit ausgefallenen Randleisten und vereinfachten Holzschnitten. Bei ihm arbeiteten Conrad Schnitt, Franz Gerster und, am *Hortulus animae* von etwa 1513, Urs. Graf. 1519 erschien bei ihm ein winziger *Hortulus animae* mit miniaturhaften Holzschnitten von Ambrosius Holbein.

Andreas Cratander (1518–1536) druckte zuerst mit dem späteren Kölner Drucker Servais Kruffter zusammen (vgl. Kat.Nr. H 19), ab 1527 gelegentlich mit Johann Bebel. 1536 verkaufte er seine Offizin mit einem Großteil des Druckmaterials an die Gesellschaft Winter-Oporin-Platter-Lasius.

Von *Johann Bebel* (1523–1550) sind an die 60 Drucke bekannt, darunter hebräische von Münster. Er verwandte Initialen aus Holbeins Totentanzalphabet von Hans Franck, gen. Lützelburger.

Bei *Michael Isengrin* (1531–1557), der eine Tochter Johann Bebels geheiratet hatte, erschien das Kräuterbuch von Leonhard Fuchs 1542 (Kat.Nr. H 26).

Mitte des 16. Jahrhunderts begann der gelehrte *Johann Oporinus* (1536–1567, die Erben bis 1600), ein Sohn des Malers Hans Herbster, mit seinem Verlag und der Druckerei. Zunächst ging er eine Druckergemeinschaft mit Platter, Lasius und Winter ein, die sich aber bald auflöste. Seine Druckerei verkaufte er 1567. Sein bedeutendstes Werk ist das Anatomiebuch des Vesalius, *De humani corporis fabrica* 1543, bei dem die Anatomieillustrationen von Johann Stephan von Kalcar, einem Tizianschüler, stammen, der die Stöcke in Italien schneiden ließ. Oporinus hat mehr als 700 Drucke, darunter viele Texteditionen, herausgebracht.

Wie in Basel setzten auch in *Straßburg* die bedeutenden Druckereien des 15. Jahrhunderts ihre Tätigkeit bis ins 16. Jahrhundert fort:

Georg Humer (1473–1505) wirkte noch vorwiegend im 15. Jahrhundert.

Johann Prüss d.Ä. (um 1480–1510), aus Herbrechtingen, druckte etwa 55 Bücher, liturgische Werke, Klassiker und humanistische Schriften, zu deren Illustration er die Holzschnitte von verschiedenen Druckern erwarb; er entlieh auch von Grüninger und Hupfuff oder ließ kopieren. Ihm folgte sein Schwiegersohn *Reinhard Beck* (1511–1522), während sein Sohn *Johann Prüss d.J.* (1511–1551) eine eigene Druckerei einrichtete.

Johann Grüninger (1482–1531), aus Markgröningen, läßt bedeutende Künstler für sich arbeiten: 1493 übernimmt er in sein Werk *Speciale missarum* [Missale speciale] die Kreuzigung und den kleinen Christuskopf (Panofsky 441 u. 442) von Dürer. Die ersten Buchholzschnitte von Hans Baldung Grien erschienen bei ihm im *Buch Granatapfel* 1511 (vgl. Kat.Nr. H 27). Neben Baldung arbeiteten Hans Wechtlin und der Meister

H.F. (Hans Franck?, gen. Lützlburger) sowohl für Grüninger als für Schott. Grüninger blieb katholisch und druckte auch Gegenschriften gegen Luther, z.B. von Murner. Für die Zeit von 1501 bis 1531 sind 197 Drucke von ihm bekannt. Sein Sohn *Bartholomäus* (1530–1539) war selbständig und ging 1539 nach Colmar, der Sohn *Christoph* (1531) arbeitete beim Vater. Von ihm stammt der reich illustrierte Druck *Till Eulenspiegel* von 1531.

Von dem Maler *Bartholomäus Kistler* (1497–1510), aus Speyer, sind 27 Drucke verzeichnet, vor allem Volksschriften.

Matthias Hupfuff (Hüpfuff), aus Württemberg, brachte vorwiegend volkstümliche Literatur heraus, wobei es sich bei den Holzschnitten auch um Kopien und Holzstöcke aufgelöster Druckereien handelt. Außerdem arbeitete Urs Graf für ihn. 140 Drucke sind aus dem 16. Jahrhundert für ihn angegeben.

Johann Knobloch d.Ä. (1500–1528), aus Zofingen (Schweiz), war sowohl als Verleger als auch als Drucker tätig. Er brachte u.a. scholastische Schriften, Humanistenwerke und Reformationsdrucke heraus. Als Künstler arbeiteten für ihn Urs Graf, Hans Baldung Grien und Johann Wächtelin (Wechtlin). Mindestens 332 Drucke sind bei ihm herausgekommen. Seine Offizin führt der Sohn *Johann Knobloch d.J.* (1529–1557?) weiter. Auch Albrecht und Georg Messerschmidt scheinen seine Presse benutzt zu haben („ex officina Knoblochiana").

Johann Schott (1500–1548), ein Sohn von Martin Schott, übernahm dessen Geschäft in Straßburg, 1503 ist von ihm der Freiburger Druck „Margarita philosophica" von Reisch herausgekommen. Seine eigentliche Drucktätigkeit setzt erst 1509 ein. Er hat das Kräuterbuch von Brunfels (vgl. Kat.Nr. H 13) gedruckt mit den Holzschnitten von Weiditz. Auch Wächtelin und Hans Baldung Grien arbeiteten für ihn. Zu seinen Autoren zählte Hutten. Lutherdrucke sind ebenfalls bei ihm erschienen. Mindestens 177 Drucke stammen von ihm.

Auch *Martin Flach d.J.* (1501–1525) übernahm den väterlichen Betrieb, den er aber an seinen Stiefvater Knobloch abtreten mußte. Er hat die von seinem Vater begonnene Ausgabe der *Opera Gersonis* abgeschlossen, in deren viertem Band 1502 ein Holzschnitt von Dürer (Der Kanzler Gerson als Pilger; Panofsky 446) aus dem Jahre 1494 erschien. Er errichtete sich eine neue Offizin, die er aus finanziellen Gründen 1525 schloß.

Von den weiteren Straßburger Druckern ist *Ulrich Morhart* (1519–1522) zu nennen, der 1523 nach Tübingen ging. Er hat Drucke von Erasmus, Lorenzo Valla, Sallust u.a. gedruckt (vgl. Kat.Nr. H 31 Hug).

Wolfgang Köpfel (1522–1554), aus Hagenau, hat Butzers großartiges Gesangbuch von 1541 herausgebracht. Er verlegte auch die deutsche sog. Straßburg-Durlacher Bibel von 1529/30 (vgl. Kat.Nr. H 74) mit den Holzschnitten von Weiditz (siehe auch sein Signet, Ortenauer Vertrag von 1525, Kat.Nr. H 76). Bedeutsam sind seine Frakturschrift und die für Klassiker verwendeten griechischen Schriften. Seine Söhne *Paul und Philipp Köpfel* (1554–1557) übernahmen den Betrieb und gingen später nach Worms.

Johann Herwagen (1522–1528), aus Waderdingen (Hegau), brachte in den wenigen Straßburger Jahren über 60 Drucke von Luther, Melanchthon und anderen Reformatoren mit schönen Titeleinfassungen heraus. Er zog nach Basel.

Christian Egenolff (1528–1530), aus Hadamar (Nassau), hat in Straßburg etwa 50 Werke gedruckt. Seine Bedeutung gewann er erst in Frankfurt a.M.

Eine nicht unbedeutende Druckerei führte *Jakob Cammerlander* (1531–1548) mit etwa 140 publizierten Werken meist volkstümlicher Art.

Bei *Johann Albrecht* (1532–1538) ist wohl das Augsburger Geschlechterbuch von P.H. Mair 1538 mit den Holzschnitten von Christoph Weiditz und David Kandel gedruckt worden.

Wendelin Rihel (1535–1555), aus Hagenau, brachte reformatorische Schriften u.a. von Butzer, Calvin und Sleidanus, aber auch hebräische Drucke heraus. Die Söhne Josias und Theodosius Rihel führten den Betrieb zunächst gemeinsam weiter. 1557 gründete aber *Josias Rihel* nach der Teilung eine eigene Druckerei, die seit 1597 seine Erben bis um 1640 weiterführten. Mit Jacques Dupuy (Puteanus) in Paris zusammen brachte er

1581 eine neunbändige Cicero-Ausgabe heraus. In der umfangreichen Produktion treten vor allem im 16. Jahrhundert Klassiker und das Emblematikwerk von Matthias Holtzwart hervor. *Theodosius Rihel* (1557–1621) druckte Holzschnittbücher, Schulbücher und unter anderem auch Klassiker.

Bernhard Jobin (1570–1594), aus Pruntrut, heiratete die Schwester von Johann Fischart, dessen Werke er zum großen Teil gedruckt hat (vgl. Kat.Nr. H 21). Für ihn arbeitete Tobias Stimmer. Einen Versuch, seine zahlreichen Einblattdrucke mit Holzschnitten zu erfassen, hat B. Weber („Die Welt begeret allezeit Wunder". Versuch einer Bibliographie der Einblattdrucke von B. Jobin) im Gutenberg-Jahrbuch 1976, S. 270–290 veröffentlicht.

Nach Straßburg nimmt im Elsaß *Hagenau* mit seinen Druckereien die erste Stelle ein: *Heinrich Gran* (1489–1527) hat vor allem für andere Verleger gedruckt. Bei ihm erscheint fingiert „Venetia in impressoria Aldi Minutii" der erste Teil der Erstausgabe von den „Epistolae obscurorum virorum" (vgl. Kat.Nr. H 24).

1516 bis 1523 arbeitete *Thomas Anshelm* nach seinem Weggang von Tübingen in Hagenau. Er druckte auch für auswärtige Verleger – er war für sorgfältige Drucke bekannt –, für Koberger in Nürnberg, Birckmann in Köln, Knobloch in Straßburg und die Brüder Alantsee in Wien. Gelegentlich erfahren wir von seinen Geschäftssorgen (Brief an Koberger v. 16. 1. 1518): Er bekomme für ein Werk nicht das nötige Papier, und der Autor habe ein schlechtes Manuskript geliefert und ändere ständig den Text. Wie schon in Pforzheim und Tübingen hat er Kontakte zu Humanisten. Die Illustrationen seines Missale-Druckes schuf im Stile der Donauschule u.a. nach venezianischen Vorlagen der Meister GZ. Sein Schwiegersohn *Johann Setzer* (1523–1532) und dessen Erben führten die Presse bis 1534 fort.

Lazarus Schürer (1519–1522), ein Neffe des Straßburger Druckers Mathias Schürer, richtete nach dessen Tod mit Druckmaterial als Erbe oder leihweise in *Schlettstadt* eine Druckerei ein. Etwa 45 bis 50 lateinische Drucke – er hatte nur die Antiquatypen übernommen – von Klassikern sowie Wimpfeling und andere, die mit der Schlettstadter Schule Verbindung hatten, erschienen bei ihm, außerdem Laurentius Valla und Erasmus.

An größeren Druckereien ist im Elsaß noch die von *Peter Schmidt (Faber)* (1557–1564, bis 1559 zusammen mit Johann Schirenbrand) in Mühlhausen zu erwähnen. Er kam aus Wittenberg, wo er bei Lufft gearbeitet hatte, und war dann bei Froschauer in Zürich. Mit Schulden ging Schmidt 1564 nach Frankfurt a.M. (Zu seinen Drucken vgl. Kat.Nr. H 22.)

In *Speyer* führte seit 1471 *Peter Drach* der Ältere – ein vermögender Ratsherr der Stadt – eine Druckerei mit Verlag, die vor allem liturgische Werke und zahlreiche Nachdrucke herausbrachte. Infolge Streitigkeiten zunächst mit dem Domvikar, später auch mit dem Rat verlor das blühende Geschäft, das der gleichnamige Sohn dann fortführte, bis man zuletzt 1530 plante, den Hauptsitz nach Worms zu verlegen, wo Drach ebenfalls begütert war.
Konkurrenten zu Drach waren vor allem *Schöffer* in *Mainz*, ab 1483 in *Speyer* die Brüder *Johann* (bis 1492) und *Konrad Hist* mit wissenschaftlichen Werken für die Heidelberger Universität und ebenfalls Nachdrucken sowie die angesehene Druckerei von *Jakob Köbel* in *Oppenheim* (1499–1532), der zugleich Verleger war für zahlreiche humanistische Werke u.a. von Celtis, Reuchlin, Peutinger und Heinrich von Bünau. Nach *Egidus Vivet* aus Savoyen (1576 bis um 1605), der 1603/04 nach Pruntrut (Schweiz) zog, dann nach Bruchsal und 1604 zurückkehrte, wanderte 1575 ein Kalvinist aus der Auvergne ein, *Bernhard Albin* (1579–1602?), der schließlich der bedeutendste Drucker des 16. Jahrhunderts in Speyer wurde. Sein Verlag war wissenschaftlich orientiert; außerdem war er für das Reichskammergericht tätig.

Nur wenige Drucke, aber ausgezeichnete, entstanden in der Hofbuchdruckerei Johanns II. von Pfalz-Simmern unter der Leitung von *Hieronymus Rodler* (1530–1535) in *Simmern*, u.a. *Das Thurnierbuch* von Georg Rüxner in der Theurdanck-Type Johann Schönspergers, wobei jedoch die Auswahl der Versalien mit einer Betonung von Vertikale und Horizontale erfolgt ist. Das Buch ist reich illustriert, signiert H. H.

Für *Heidelberg* ist mit einer größeren Druckerei *Johann Mayer* (1562–1577) zu erwähnen, bei dem der Heidelberger Katechismus von 1563 herauskam. Er publizierte Streitschriften, Regierungserlasse und die Schriften Calvins. Seine miserable wirtschaftliche Situation erhellt ein Presseprozeß, bei dem er inhaftiert wurde, wegen des Nachdrucks der „Nachtigall“, eines Schmähgedichts zu den Grumbachschen Händeln, 1567: Mit dem Erlös der 1000 Exemplare habe er seine Familie durch den Winter bringen und die Gesellen entlohnen wollen. 1577 ging er mit *Matthäus Harnisch,* seinem Schwager, wegen des Konfessionswechsels nach Neustadt an der Haardt. Harnisch führte nach Mayers Tod 1577 das Geschäft erfolgreicher weiter. Er beschäftigte einen Korrektor, vier Setzer und vier Drucker. Schon zu Mayers Lebzeiten war er als bedeutender Verleger auf der Leipziger und Frankfurter Messe vertreten. 1573 erhielt er ein kurfürstliches Buchhandelsprivileg für Alzey und Umgebung. Ebenso war er in Frankenthal tätig. Seine Söhne Josua und Wilhelm verkauften die Heidelberger Druckerei 1594 an Georg Justus. Der Betrieb in Neustadt a. d. Haardt wurde noch unter den Erben bis 1606 fortgesetzt.

Erst mit *Hieronymus Commelinus* (1587–1597), aus Douai, ließ sich in Heidelberg wieder ein leistungsfähiger Drucker nieder. Er war humanistisch orientiert und hatte als „Typographus Principis“ die Aufgabe, offizielle kurfürstliche Publikationen zu übernehmen, außerdem als Universitätsdrucker u. a. Dissertationen, bis die Universität Abraham Smesmann hierfür verpflichtete, so daß Commelinus sich mehr seinen wissenschaftlichen Verlagswerken und dem bis Lyon und Genf (für die Officina Sanctandreana) ausgedehnten Geschäft widmen konnte. Auch ihm bereiteten der Mangel an Arbeitskräften, an Papier und Kapital bei größeren Unternehmungen, wie Scaligers Inschriftenwerk, Probleme. Sein Verlagswerk demonstrierte 1599 ein „Catalogus librorum quos vel excudit Commelinus, vel quorum exemplaria ad se recepit“. Als er an der Pest starb, wurde von Verwandten kurzfristig die Druckerei, bis 1622 nur der Verlag fortgesetzt.

Gotthard Vögelin (1598–1622), aus Leipzig, wurde mit der Hofbuchdruckerei betraut. Infolge Schulden und der Zerstörung seiner Druckerei durch die kaiserlichen Truppen unter Tilly verlor er den Betrieb. Von ihm sind 424 Drucke erfaßt.

In *Pforzheim* war der schon erwähnte *Thomas Anshelm* (1495–1511) tätig, der mit Reuchlin befreundet war. Vermögend geworden war er durch den Absatz von Lehrbüchern wie Bebels Commentaria (13 Auflagen) und Jakob Henrichmanns Grammatik (14 Auflagen bis 1520). Wissenschaftliche Werke wie Reuchlins „Rudimenta Hebraica“ (1506) waren schwer abzusetzen. Von den 1500 Exemplaren hatte Anshelm 1510 noch 700 Stück auf Lager, die Reuchlin dann – er mußte den Druck finanzieren – an Amerbach veräußerte zu einem Preis von 1 Gulden für je drei Exemplare. 1511 zieht Anshelm von Pforzheim nach Tübingen.

Ein Kuriosum findet sich 1599 auf Schloß *Staffort* bei Karlsruhe, wo der badische Markgraf Ernst Ludwig sein zum Streit um die Konkordienformel verfaßtes Werk durch einen eigens herbeigeholten Drucker, *Bernhard Albin* aus Speyer, setzen ließ.

In *Tübingen* war *Thomas Anshelm* (1511–1516) an der Universität als Drucker eingeschrieben, bis er nach Hagenau wegzog.

Erst 1523 folgte auf ihn *Ulrich Morhart d. Ä.* (bis 1554, und unter der Witwe und den Erben bis 1571) der in seinem Buchschmuck schon in Straßburg von Basel beeinflußt war (vgl. Kat.Nr. H 31 Hug). Die Trennung von Antiqua und Schwabacher nach lateinischen und deutschen Werken wird bei ihm konsequent durchgeführt. Er hat auch Reformationsschriften publiziert. Die Söhne seiner Frau aus erster Ehe, *Oswald* und vor allem *Georg Gruppenbach* (1571–1606) führten die Druckerei weiter. Mit 17 000 Gulden Schulden machte er 1606 bankrott. Ulrich Morharts d. Ä. Sohn *Ulrich Morhart d. J.* betrieb von 1557 bis 1568 selbständig eine eigene Druckerei.

Von Tübingen gingen die ersten slovenischen Drucke Trubers aus, bis in *Urach* die selbständige Druckerei *Hans Ungnads Freiherrn von Sonnegg* (1560/61–1564) arbeitete. Sie hat in den wenigen Jahre gut 60 Drucke herausgebracht (vgl. Kat.Nr. H 62).

J. Benzing, Die Buchdrucker des 16. und 17. Jahrhunderts im deutschen Sprachgebiet. 2., verb. u. erg. Aufl., Wiesbaden 1982; J. Rest, Die Entwicklung des Buchdrucks in Baden, in: Klimsch's Druckerei-Anzeiger 57 (1930), S. 562-565.

Übersichtstafel zu den Druckern im deutschen Südwesten von 1500 bis 1620 (nach Benzing; ← bedeutet von, → bedeutet nach).

Baden-Baden
Reinhard Beck 1511 (vorübergehend ← Straßburg)

Basel

1. Johann Amerbach 1478–1513; ab 1502 in Gemeinschaft mit Joh. Petri u. Joh. Froben
2. Nikolaus Kessler 1485–1509
3. Johannes Petri um 1490–1511; ab 1502 in Gemeinschaft mit Joh. Amerbach und Joh. Froben
4. Johann Froben 1491–1527
5. Jakob Wolff 1492–1518
6. Michael Furter 1494 (1489?)–1517
7. Nikolaus Lamparter um 1500–1521 (1521/22–26 → Konstanz; ab 1526 in Basel)
8. Adam Petri 1507–1527
9. Gregor Bartholomäus 1509–1515
10. Pamphilus Gengenbach 1513–1523
11. Andreas Cratander 1518–1536; Offizin 1536 an die Gesellschaft Winter-Oporin-Platter-Lasius; Drucke der Erben bis 1552.
12. Thomas Wolff 1518–1535
13. Valentin Curio 1521–1533
14. Johann Bebel 1523–1550
15. Johann Faber 1526–1529
16. Heinrich Petri (Henricpetri) 1527–1579
17. Hieronymus Froben 1528–1563; auch mit Joh. Herwagen u. Nikolaus Episcopius, seit 1531 mit N. Episcopius oder allein
18. Johann Herwagen d.Ä. 1528–1557 (vgl. 17) (← Straßburg)
19. Nikolaus Episcopius 1529–1564 (vgl. 17)
20. Michael Isengrin 1531–1557
21. Johann Walder 1533–1541; Leonhard Hospinianus bis 1544.
22. Robert Winter 1533 bis um 1546
23. Lux Schauber 1535–1539
24. Bartholomäus Westheimer 1536–1547
25. Balthasar Lasius 1536–1543
26. Thomas Platter 1536–1544
27. Johann Oporinus (Herbster) 1536–1567
28. Nikolaus Brylinger 1537–1567, Erben bis 1584
29. Wolfgang Friess 1537–1539
30. Hieronymus Curio 1540–1564
31. Rudolf Deck um 1540–1547
32. Erasmus Zimmermann 1544–1546
33. Jakob Kündig 1546–1564
34. Bartholomäus Stähelin 1551–1564
35. Nikolaus Episcopius d.J. 1553–1565
36. Ludwig Lucius 1552–1557 (→ Heidelberg)
37. Michael Martin Stella 1556
38. Johann Herwagen d.J. 1557–1564
39. Peter Perna 1558–1582
40. Ambrosius und Aurelius Froben um 1560–1585, bzw. 1587
41. Thomas Guarin 1561–1592
42. Paul Queck 1564–1570
43. Eusebius Episcopius 1565–1599
44. Samuel Apiarius 1566–1590 (← Solothurn)
45. Bartholomäus Frank 1567–1569
46. Samuel König 1569–
47. Sixtus und Sebastian Henricpetri 1569–1627 (?)
48. Daniel und Leonhard Ostein 1571–1577, bzw. L. O. bis 1593
49. Jakob Foillet u. Johann Exertier 1579–1586, Exertier 1600–1607 (vgl. Mömpelgart)

50. Daniel Apiarius 1582 (→ Frankfurt a.M.)
51. Konrad von Waldkirch 1583–1616
52. Ulrich Frölich 1586–1588
53. Johann Schröter 1595–1634; 1634 auch Erben
54. Johann Aubrey 1596–1600 (← Frankfurt a.M.)
55. Jakob Trew 1604–1633
56. Johann Jakob Genath 1605–1654, Erben bis um 1664
57. Christoph Mayer 1615

Benfeld (Elsaß)
Druck der Rebenleuth-Stuben 1590

Bruchsal
Egidius Vivet (d.J.) 1603 (→ Pruntrut/Schweiz)

Colmar
1. Amandus Farckall 1522–1524 (→ Hagenau)
2. Bartholomäus Grüninger 1539–1543 (← Straßburg)

Dillingen
1. Sebald Mayer 1550–1576
2. Johann Mayer 1576–1615, Witwe bis 1619
3. Adam Metzler 1603–1610
4. Gregor Hänlin 1610–1617
5. Melchior Algeyer 1619–1621

Durlach
1. Nikolaus Keibs 1512
2. Valentin Kobian 1529–1530 (→ Ettlingen)

Ettlingen
1. Valentin Kobian 1530–1532 (← Durlach; → Hagenau)
2. Johann Philipp Spieß 1606–1607 (← Speyer)

Freiburg im Breisgau
1. Johann Schott 1503 (Straßburg)
2. Sixt Murner 1511 (Straßburg ?)
3. Johann Wörlin 1522–1526
4. Johann Faber 1529–1542 (← Basel)
5. Stephan Graf 1543–1589
6. Ambrosius Froben 1583–1585 (← Basel; zurück nach Basel)
7. Abraham Gemperlin 1583–1584 (→ Freiburg/Schweiz)
8. Martin Böckler 1592–1615
9. Johann Strasser 1603–1628 (← Freiburg/Schweiz; vorübergehend → Rottweil)
10. Johann Maximilian Helmlin 1606–1609 (← Rottweil)
11. Typographia Archiducalis 1610–1612
12. Matthias Nadel 1611–1612
13. Sebastian Meyer 1617–
14. Hans Jacob Böckler 1619 (?)–1675

Hagenau
1. Heinrich Gran 1489–1527
2. Thomas Anshelm 1516–1523 (← Tübingen)
3. Johann Setzer 1523–1532, Erben bis 1534
4. Amandus Farckall 1524–1527 (← Colmar)
5. Wilhelm Seltz 1527–1529
6. Peter Braubach 1532–1536
7. Valentin Kobian 1532–1543 (← Ettlingen)
8. Sigmund Bund 1553–1557 (→ Straßburg)

Heidelberg
1. Heinrich Seligmann 1499–1501

2. Jakob Stadelberger um 1501–1520 (?)
3. Johann Eberbach 1547–1554
4. Hans Kohl 1557–1559, Witwe bis 1561 (← Regensburg)
5. Ludwig Lucius 1557–1562 (← Basel; → Frankfurt a.M.)
6. Anton Corthois d.Ä. 1560– (← Frankfurt a.M.)
7. Johann Mayer 1562–1577 (→ Neustadt a.d. Haardt)
8. M. Schirat 1563–1578 (← Frankfurt a.M.)
9. Martin Agricola 1567–1568
10. Jakob Müller 1576–1586
11. Johann Spieß 1581–1585 (vorübergehend ← Frankfurt a.M.)
12. Hieronymus Commelinus 1587–1597; bis 1622 als Verlag
13. Abraham Smesmann 1587–1594
14. Josua Harnisch 1589–1594
15. Christoph Löw 1597–1600
16. Johann Lancelot 1597–1619
17. Gotthard Vögelin 1598–1622 (← Leipzig)
18. David Albin 1615–1620
19. Johann Georg Geyder 1619–1622
20. Leonhard Neumann 1620–1629

Hohenlandsberg
Thomas Biber 1554 (← Schwäbisch Hall)

Isny
Paulus Fagius (Druckerherr) 1540–1542

Kempten
Fürststiftische Hofdruckerei 1609–

Konstanz
1. Johann Schäffler 1505–1527 (← Ulm)
2. Jörg Spitzenberg 1527 bis um 1538
3. Paul Fagius 1543–1544 (← Isny)
4. Balthasar Romätsch 1544–1546
5. Leonhard Straub d.Ä. 1586–1601, Witwe bis 1610 (Filiale ← Rorschach)
6. Nikolaus Kalt 1595–1611
7. Leonhard Straub d.J. 1611–1636
8. Jakob Straub 1612–1626
9. Johann Röder 1615

Ladenburg
Gotthard Vögelin 1605–1607 (Filiale ← Heidelberg)

Lahr
Wilhelm Schaffner 1514–1515 (← Straßburg)

Lauingen
1. Sebald Mayer 1552 (← Dillingen)
2. Michael Mayer 1556
3. Fürstliche Druckerei 1561–1562 (Saltzer?)
4. Emanuel Saltzer 1563–1572 (1573?)
5. Leonhard Nassinger 1564 (→ Wien 1579)
6. Philipp Ulhart d.J. 1574–1578 (← Augsburg; zurück nach Augsburg)
7. Leonhard Reinmichel 1578–1600
8. Jakob Winter 1601–1615 (Offizin 1616 nach Neuburg)
9. Jakob Senft 1614–1619 (→ Durlach)

Lindau
1. Hans Ludwig Brem 1592–1620

Mannheim
Nikolaus Schramm 1608–1609 (← Neustadt a.d. Haardt)

Mömpelgart (Montbéliard)
1. Jakob Foillet 1587–1619 (← Basel)
2. Samuel Foillet 1619–1633

Molsheim
Johann Hartmann 1618–1625

Mülhausen (Mulhouse)
Peter Schmidt 1557–1564 (bis 1559 zus. mit Johann Schirenbrand) (→ Frankfurt a.M.)

Neuburg a.d. Donau
1. Hans Kilian 1544–1557
2. Lorenz Dannhauser 1617–1629 (Druckerei aus Lauingen)

Neustadt a.d. Haardt
1. Johann Mayer (und Erben) 1578–1579 (← Heidelberg)
2. Matthäus Harnisch 1579–1596 (Heidelberg)
3. Josua und Wilhelm Harnisch 1597–1604 (← Heidelberg)
4. Nikolaus Schramm 1604–1609
5. Heinrich Starck 1615–1619

Nördlingen
Erasmus Scharpf 1538–1548

Oppenheim
1. Jakob Köbel 1499–1532
2. Hieronymus Galler 1611–1627

Ottobeuren
Klosterdruckerei 1509–1546

Pforzheim
1. Thomas Anshelm 1495–1511 (→ Tübingen)
2. Georg Rab 1557–1560 (1563?) (→ Frankfurt a.M.)

Ravensburg
Hans Ludwig Brem 1608–1612 (?) (← Lindau; zurück nach Lindau)

Reutlingen
1. Michael Greif um 1478–1514
2. Hans von Erfurt 1525–1532 (← Stuttgart; → Erfurt)

Rorschach
1. Leonhard Straub 1584–1598 (← St. Gallen; → Konstanz)
2. Georg Straub 1598–1599 (St. Gallen)
3. Bartholomäus Schnell 1605–1609 (← Hohenems)
4. Johann Rösler 1613–1614
5. Johann Schröter 1618–1622

Rottweil
1. Johann Maximilian Helmlin 1603–1606, 1613 bis um 1636
2. Johann Strasser 1605–1606 (← Freiburg i.Br.; → Freiburg i.Br.)

Saint-Dié
Vautrin & Nikolaus Lud, 1597–1511

Salem
Klosterdruckerei 1611–

St. Gallen
1. Leonhard Straub 1578–1584
2. Georg Straub 1599–1611

Schaffhausen
Konrad von Waldkirch 1592 (← Basel)

Schlettstadt
1. Lazarus Schürer 1519–1522 (← Straßburg)
2. Nikolaus Küffer 1521–1522 (?)

Schnersheim (Elsaß)
Nikolaus Wolgemut (Nikolaus Küffer, Schlettstadt) 1521

Schwäbisch Hall
1. Peter Braubach 1536–1544 (← Hagenau; → Frankfurt a.M.)
2. Pankratius Queck 1543
3. Peter Frantz 1545–1553
4. Thomas Biber 1552–1554 (1554 vorübergehend Hohenlandsberg)

Simmern
Hieronymus Rodler 1530–1535

Speyer
1. Peter Drach 1477–1504
2. Konrad Hist 1483–1515
3. Peter Drach (Sohn) 1504–1530
4. Hartmann Biber 1502
5. Jakob Schmidt 1514–1537 (?)
6. Johann Eckhart 1521 (?)–1526
7. Anastasius Nolt 1523–1554 (?)
8. Jakob Dreizehen 1569 bis um 1575
9. Egidius Vivet 1576 bis um 1605 (vorübergehend → Pruntrut u. Bruchsal 1603/04)
10. Bernhard Albin 1579–1602 (?) (1599 auf Schloß Staffort Filiale)
11. Abraham Smesmann 1594–1595 (← Heidelberg)
12. Johann Lancelot 1597–1600 (vorübergehend ← Heidelberg)
13. Melchior Hartmann 1602–1605 (← Frankfurt a.M.)
14. Johann Philipp Spieß 1602–1603 (← Frankfurt a.M.)
15. Elias Kembach 1604–1618
16. David Albin 1606–1607 (→ Heidelberg)
17. Johann Taschner 1606–1611
18. Augustin Scheider 1608–1611

Schloß Staffort (bei Karlsruhe)
Bernhard Albin 1599 (← Speyer)

Straßburg
1. Georg Husner 1473–1505
2. Johann Prüss d.Ä. um 1480–1510
3. Johann Grüninger 1482–1531
4. Bartholomäus Kistler 1497–1510
5. Wilhelm Schaffner 1498–1515
6. Matthias Hupfuff (Hüpfuff) 1498–1520
7. Johann Knobloch d.Ä. 1500–1528
8. Johann Schott 1500–1548
9. Martin Flach d.J. 1501–1525
10. Johann Wähinger 1502–1504
11. Mathias Schürer 1508–1519, Erben bis 1528
12. Johann Prüss d.J. 1511–1551
13. Reinhard Beck 1511–1522
14. Konrad Kerner 1517
15. Presse der Kartäuser 1518–1533
16. Ulrich Morhart 1519–1522 (→ Tübingen)
17. Johann Beck 1522
18. Wolfgang Köpfel 1522–1554
19. Johann Herwagen 1522–1528 (→ Basel)

20. Johannes Schwan 1524–1526
21. Balthasar Beck 1527–1551
22. Heinrich Sybold 1528 bis um 1530
23. Christian Egenolff 1528–1530 (→ Frankfurt a.M.)
24. Georg Ulricher 1529–1536
25. Johann Schwintzer 1529–1531
26. Peter Schöffer d.J. 1529–1539 (← Worms; → Basel u. Venedig)
27. Johann Knobloch d.J. 1529–1557 (?)
28. Bartholomäus Grüninger 1530–1539 (→ Colmar)
29. Christoph Grüninger 1531
30. Jakob Cammerlander 1531–1548
31. Johann Albrecht 1532–1538 (← Hagenau)
32. Jakob Frölich 1532 (?) – 1558
33. Matthias Apiarius 1533–1537
34. Wendelin Rihel 1535–1555
35. Kraft Müller 1536–1547
36. Heinrich Vogtherr d.Ä. 1538–1540
37. Sigmund Bund 1539–1545
38. Georg Messerschmidt 1541–1560
39. Stephan Köpfel 1542
40. Florian Schott 1542/43
41. Remigius Guedon 1547–1549 (→ England)
42. Blasius Fabricius 1549–1561
43. Augustin Fries 1550–1556 (← Zürich; 1561 in Laibach)
44. Thiebold Berger 1551–1584
45. Samuel Emmel 1551–1571
46. Paul u. Philipp Köpfel 1554–1557
47. Christian Müller 1555–1568, Erben bis etwa 1570
48. Paul Messerschmidt 1555–1566
49. Josias Rihel 1557–1597, Erben bis um 1640
50. Theodosius Rihel 1557–1621
51. Peter Hug 1563–1571
52. Nikolaus Wyriot 1568–1583
53. Bernhard Jobin 1570–1594, Erben bis 1604
54. Christian Müller 1570–1580, Erben bis 1586
55. Nikolaus Faber 1573–1583
56. Nikolaus Waldt 1583–1595
57. Anton Bertram 1584–1622, Sohn bis 1626
58. Jost Martin 1585–1614
59. Karl Kieffer d.Ä. 1586 bis um 1606
60. Simon Meyer 1591–1593; für Elias Schade, der 1589 eine hebräische Druckerei einrichtete (gest. 1593); (Schades Druckerei 1596 → Tübingen)
61. Johann Handt 1595 (fingiert?)
62. Konrad Scher 1599–1631
63. Johann Carolus 1605–1634
64. Karl Kieffer d.J. um 1606–1616
65. Theodosius Glaser 1613–1623 (?)
66. Christoph von der Heyden 1616–1625, Erben bis 1654
67. Marx von der Heyden 1617–1648
68. Johann Repp 1617–1649
69. Nikolaus Wyriot d.J. 1619–1621

Stuttgart

1. Hans (Werlich) von Erfurt 1521–1523/24 (← Worms; → Reutlingen)
2. Marx Fürster 1597–1603 (← Regensburg)
3. Gerhard Grieb 1607–1610
4. Johann Weyrich Rößlin d.Ä. 1610–1644

Tiengen

Hebräische Druckerei 1560

Tübingen

1. Johann Otmar 1498–1501 (← Reutlingen)
2. Thomas Anshelm 1511–1516 (← Pforzheim; → Hagenau)
3. Ulrich Morhart d.Ä. 1523–1554, Witwe u. Erben bis 1571 (← Straßburg)
4. Ulrich Morhart d.J. 1557–1568
5. Alexander Hock 1568–1609
6. Georg Gruppenbach 1571–1606
7. Philipp Apian 1586–1588 (← Ingolstadt)
8. Johann Kircher 1595–
9. Erhard Cellius 1596–1605 (Druckerei aus Straßburg von den Erben des Elias Schade)
10. Johann Alexander Cellius 1604–1625
11. Philipp Gruppenbach 1607–1615
12. Dietrich Werlin (Vater u. Sohn) 1609–1663
13. Eberhard Wild 1620–1631 (?)
14. Johann Konrad Geißler 1620–1640 (?)

Überlingen

1. Georg Neukirch 1601–1603
2. Johann Biedermann 1603–1604

Ulm

1. Hans Zainer 1472–1523 (← Reutlingen)
2. Johann Schäffler 1492 bis um 1502 (→ Konstanz)
3. Hans Hochspring 1501
4. Hans Grüner 1522–1532
5. Matthias Hoffischer 1523–1538 (?)
6. Hans Varnier d.Ä. 1531–1547 (?)
7. Sebastian Franck 1537–1539 (→ Basel zu N. Brylinger)
8. Hans Zurel 1539–1541
9. Hans Varnier d.J. 1541–1564 (?)
10. Oswald Gruppenbach 1563–1569
11. Johann Anton Ulhart 1571– (← Augsburg)
12. Johann Meder 1616–1623

Urach

Druckerei Hans Ungnads 1560/61–1564

Villingen

Egidius Reitter 1596

Wertheim

1. Georg Erlinger 1524 (← Bamberg)
2. Ludwig Lochner 1618– (Nürnberg)

Worms

1. Peter Drach d.J. 1504 (Speyer)
2. Peter Schöffer d.J. 1518–1529 (← Mainz; → Straßburg)
3. Hans von Erfurt 1521–1522 (← Augsburg)
4. Hans Meihel 1529–1541
5. Sebastian Wagner 1534–1542 (Filiale von Joh. Schöffer, Mainz ?)
6. Gregor Hofmann 1542–1552
7. Paul u. Philipp Köpfel 1557–1565 (?) (← Straßburg)
8. Anton Corthois d.J. 1566–1567 (← Heidelberg; → Frankfurt a.M.)
9. Wilhelm Knittel 1611–1614 (?)

Zweibrücken

1. Josias Rihel d.J. 1595
2. Kaspar Wittel 1597–1607

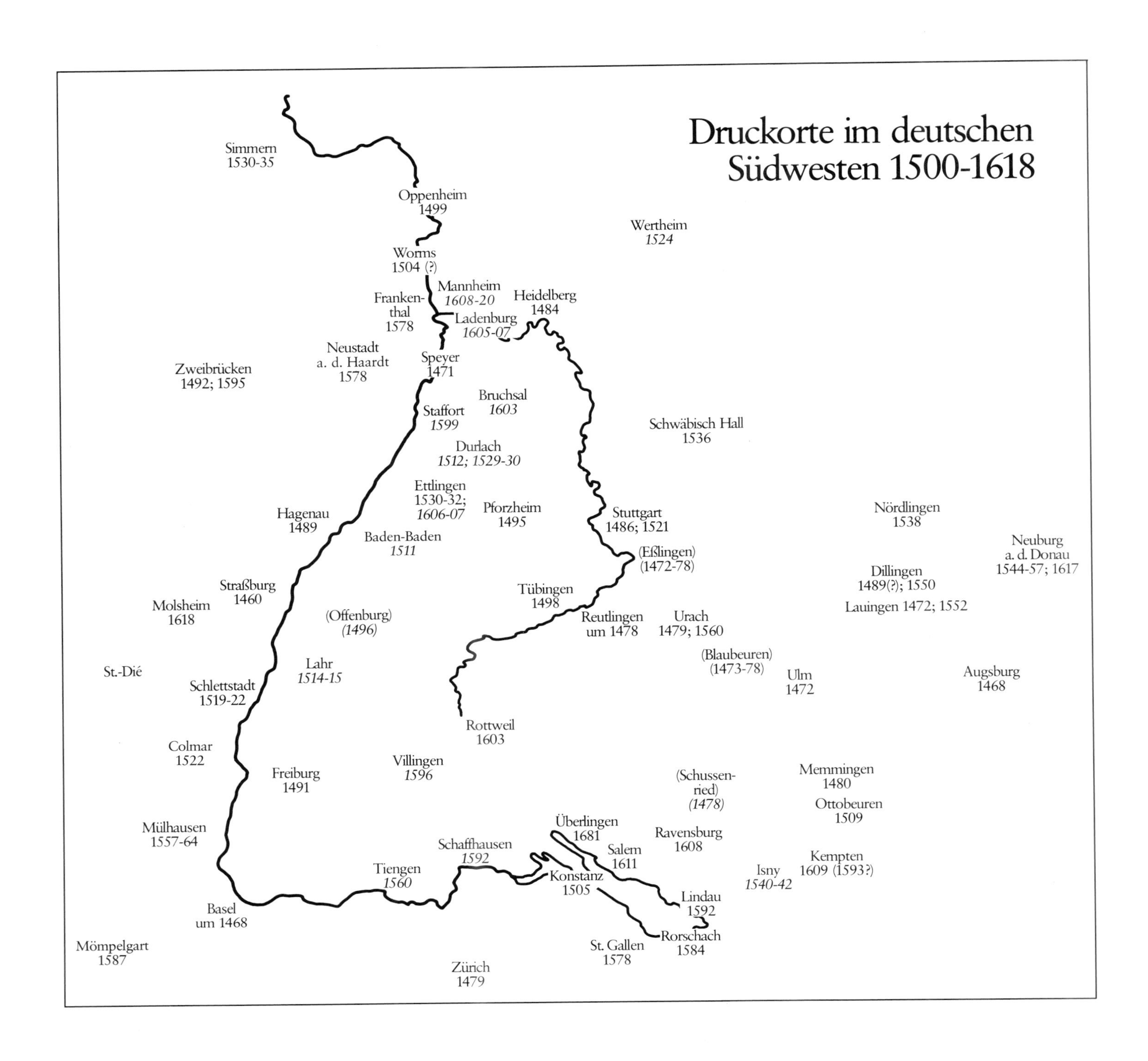

Druckorte im deutschen Südwesten 1500-1618
Simmern 1530-35
Oppenheim 1499
Wertheim 1524
Worms 1504 (?)
Mannheim 1608-20
Heidelberg 1484
Franken-thal 1578
Ladenburg 1605-07
Neustadt a. d. Haardt 1578
Speyer 1471
Zweibrücken 1492; 1595
Bruchsal 1603
Staffort 1599
Schwäbisch Hall 1536
Durlach 1512; 1529-30
Ettlingen 1530-32; 1606-07
Pforzheim 1495
Hagenau 1489
Baden-Baden 1511
Stuttgart 1486; 1521
Nördlingen 1538
Neuburg a. d. Donau 1544-57; 1617
(Eßlingen) (1472-78)
Dillingen 1489(?); 1550
Straßburg 1460
Molsheim 1618
Tübingen 1498
(Offenburg) (1496)
Reutlingen um 1478
Urach 1479; 1560
Lauingen 1472; 1552
St.-Dié
Lahr 1514-15
Schlettstadt 1519-22
(Blaubeuren) (1473-78)
Ulm 1472
Augsburg 1468
Rottweil 1603
Colmar 1522
Freiburg 1491
Villingen 1596
(Schussen-ried) (1478)
Memmingen 1480
Ottobeuren 1509
Überlingen 1681
Ravensburg 1608
Mülhausen 1557-64
Schaffhausen 1592
Salem 1611
Kempten 1609 (1593?)
Tiengen 1560
Konstanz 1505
Isny 1540-42
Lindau 1592
Basel um 1468
Rorschach 1584
St. Gallen 1578
Mömpelgart 1587
Zürich 1479

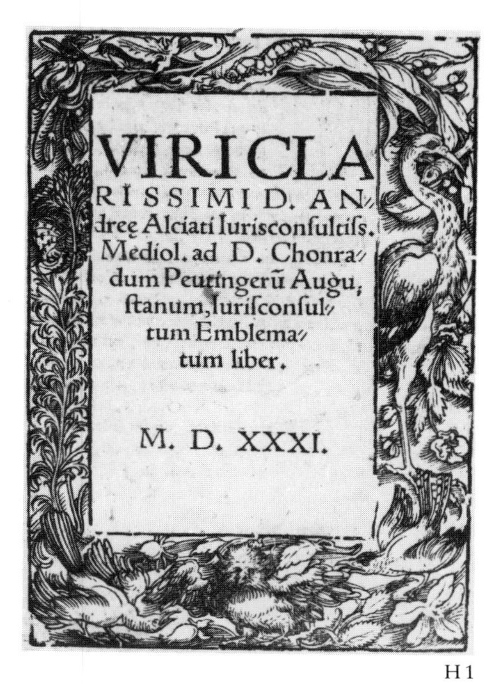
VIRI CLA
RISSIMI D. AN
dreę Alciati Iurisconsultiss.
Mediol. ad D. Chonra
dum Peutingerũ Augu
stanum, Iurisconsul
tum Emblema
tum liber.

M. D. XXXI.

H 1

H 1

Andrea Alciato

Emblematum liber.

(Augustae Vind. 1531 (, 28. Febr.: H. Steyner). 43 ungez. Bl. 8°
Titeleinfassung von Hans Weiditz, Holzschnitte von Jörg Breu d. Ä.

Freiburg, Universitätsbibliothek, F 1303 Rara

Erstausgabe. – Der Mailänder Jurist und Humanist Andrea Alciato (bzw. Alciati, Alciatus; Alzato b. Milano um 1492 bis um 1550 Pavia) begründet hiermit die bis ins 18. Jahrhundert bedeutsamste literarisch-bildliche Kunstform (eine „Gemälpoesy“, wie sie 1581 Matthias Holtzwart nannte).
Die Emblemata verbinden sentenzartige Überschriften aus mittelalterlicher, humanistischer und auch antiker Tradition mit der bildlichen Darstellung eines Vorgangs oder einer Situation. Die eigentliche Aussage wird teilweise in manieristischer Weise chiffriert (*tacitis notis scribere* beschreibt Alciato dies in der Widmung an den Augsburger Humanisten und Juristen Konrad Peutinger). – Eine zweite Edition erschien bereits im April 1531. Die Titeleinfassung stammt von Hans Weiditz d. J. (um 1495 – um 1536), die 98 Holzschnitte von Jörg Breu d. Ä. (um 1475–1537), das Signet vom Meister H. S. mit dem Kreuz.

Ausgaben siehe GK 2 (1932), Sp. 938–954. – Ausg. des 16. Jh.: Index Aureliensis, Baden-Baden 1963, S. 293–312. – Dte Übers.: Liber emblematum. Kunstbuch, Frankfurt a. M. 1566.
Emblemata. Handbuch zur Sinnbildkunst des 16. und 17. Jahrhunderts. Hrsg. v. A. Henkel u. A. Schöne, Stuttgart 1967–76; H. Homann, Studien zur Emblematik des 16. Jahrhunderts, Utrecht 1971; – F. W. G. Leeman, Alciatus' Emblemata, Groningen 1984, zugl. Diss.; J. Landwehr, German emblem books, 1531–1888. A bibliography, Utrecht 1972; Emblem und Emblematikrezeption. Vergleichende Studien z. Wirkungsgs. v. 16.–20. Jh. Hrsg. v. S. Penkert, Darmstadt 1978; G. Duplessis, Les emblèmes d'Alciat, Paris 1884. *W.S.*

H 2

Johann Valentin Andreae

Chymische Hochzeit: Christiani Rosencreütz. Anno 1459.

Straßburg: L. Zetzner 1616. 8°

2 versch. Drucke: (a) 143 S. und (b) 146 S.

Augsburg, Staats- und Stadtbibliothek, 8° Kult. 2399,3

Einen Namen hatte sich schon der Großvater gemacht, Jakob Andreae, als Kanzler der Universität Tübingen und vor allem als Mitarbeiter an der Konkordienformel von 1574, welche die Gegensätze zwischen Luther und Melanchthon zu überbrücken suchte.
Johann Valentin Andreae (Herrenberg 1586–1654 Stuttgart) hatte nach Studium mit Wanderleben (Straßburg, Schweiz, Frankreich, Österreich und Italien) verschiedene höhere Kirchenämter inne (1614 Diakon in Vaihingen, 1620 Superintendent in Calw, 1639 Hofprediger und Konsistorialrat in Stuttgart, 1650 Generalsuperintendent und Abt von Bebenhausen, 1654 Abt von Adelberg). Die württembergische Kirchenordnung (Cynosura) ging auf ihn zurück. Bedeutend ist seine Wirkung auf den Pietismus. Ernst Bloch nennt ihn einen „schwäbischen Dichter, Kirchenmann, Theosoph, Utopist“.
Auf anonyme Schriften, die ihm oder seinem Kreis zugeschrieben werden, leiten sich die Rosenkreutzer zurück: Die *Chymische Hochzeit* ist nach dem antiken Topos einer Sphärenreise strukturiert, wodurch das stufenweise Erkennen dargestellt wird in Verbindung mit dem Prozeß der Herstellung des Steins der Weisen. Sie speist sich aus dem seit der Antike verborgen fließenden Strom geheimer synkretistischer Lehren aus orphischen, pythagoreisch-neuplatonischen und orientalischen Systemen, in denen Mikrokosmos und Makrokosmos verbunden werden.

Im Manuskript erhalten eine Autobiographie von 1642, mehrfach ediert. – O. Schottenloher, in: NDB 1 (1953), S. 277 f.; [M. Ph. Burk,] Vollständiges Verzeichnis aller in Druck gekommenen lateinischen und teutschen Schriften des Johann Valentin Andreae, Tübingen 1793, vgl. dazu GK 4 (1933), Sp. 6868–6972; R. Kienast, Johann Valentin Andreae und die vier echten Rosenkreutzer-Schriften, Leipzig 1926; W.-E. Peuckert, Die Rosenkreutzer, Jena 1928; H. Schick, Das ältere Rosenkreuzertum, Berlin 1942; B. Gorceix, La Bible des Rosecroix. Traduction et commentaire des trois premiers écrits rosicruciens, Paris 1970. *W.S.*

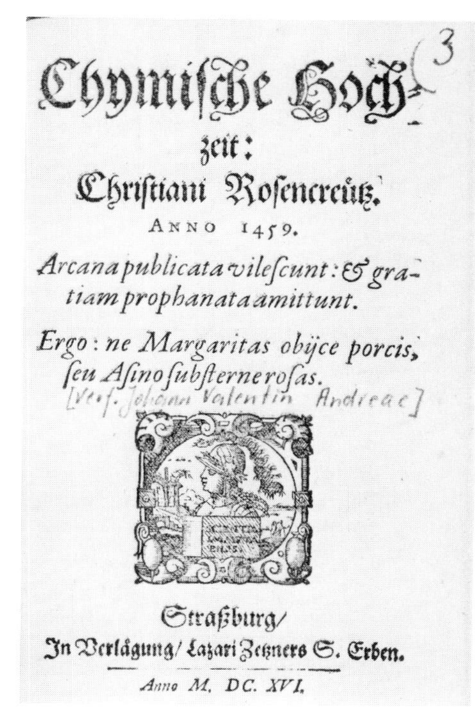
Chymische Hochzeit:
Christiani Rosencreütz.
Anno 1459.
Arcana publicata vilescunt: & gratiam prophanata amittunt.
Ergo: ne Margaritas obijce porcis, seu Asino substerne rosas.
Straßburg/
In Verlägung/ Lazari Zetzners S. Erben.
Anno M. DC. XVI.

H 2

H 3

Johann Valentin Andreae

Reipublicae Christianopolitanae descriptio.

Argentorati: L. Zetzner 1619. 220 S. 8°

Stuttgart, Württembergische Landesbibliothek, Theol. oct. 396

Christianopolis stellt einen utopischen neuen Staat dar, den das verinnerlichte Christentum im Sinn Johann Arndts, dem das Werk zugeeignet ist, sowie frühere Erfahrungen mit der Genfer Kirchenzucht angeregt haben. Die Utopie leitet sich aus der Idee des großen Jerusalem und dem Abbild des Makrokosmos im Mikrokosmos her. (Andreae in der Vorrede: *Denn da andere Leute sich gar nicht gern tadeln lassen und da es mir selbst ebenso geht, habe ich mir selbst eine Stadt erbaut, in der ich die Herrschaft ausübe. Und wenn du meinen schwachen Körper für diesen Staat hältst, rätst du nicht zu weit von der Wahrheit fort.)* In dieser Stadt herrscht ein Triumvirat aus den drei Würdenträgern Pan (Macht), Sin (Weisheit) und Mor (Liebe). In dem utopischen Gesamtentwurf gibt es praktische Kapitel wie die Anlage von Wohnungen (s. auch Kat.Nr. B 10).

P. Joachimsen, Johann Valentin Andreae und die evangelische Utopie, in: Zeitwende 2 (1926), S. 485–503. 623–642. *W.S.*

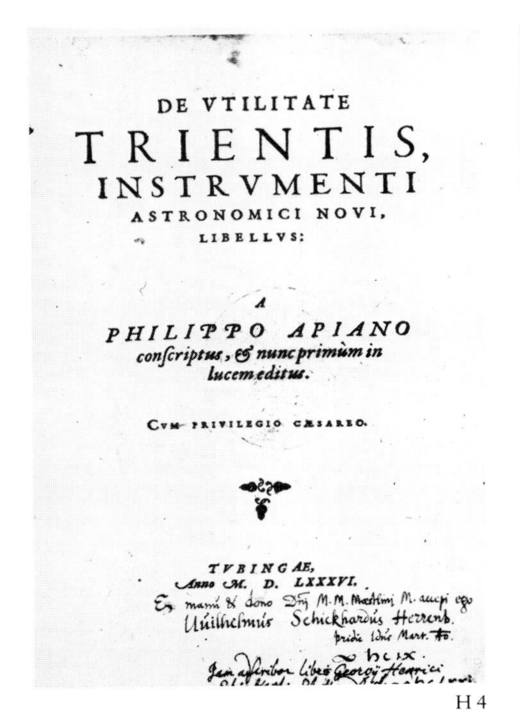
DE VTILITATE
TRIENTIS,
INSTRVMENTI
ASTRONOMICI NOVI,
LIBELLVS:
A
PHILIPPO APIANO
conscriptus, & nunc primùm in
lucem editus.
CVM PRIVILEGIO CAESAREO.
TVBINGAE,
Anno M. D. LXXXVI.

H 4

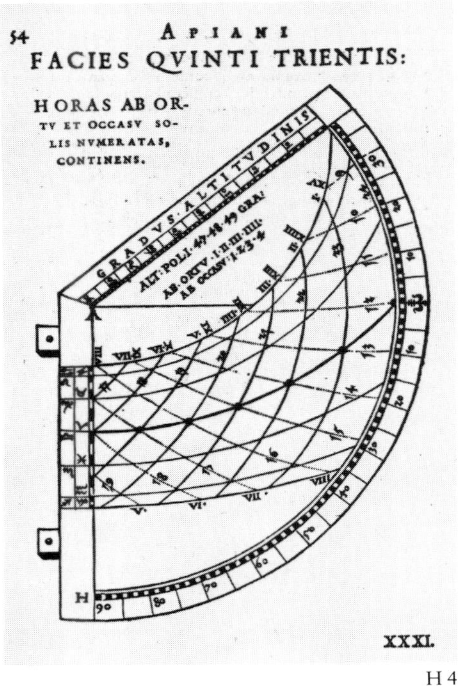

H 4

H 4

Philipp Apian

De utilitate trientis, instrumenti astronomici novi, libellus ... nunc primum in lucem editus.

Tubingae 1586. 79 S. 8° (4°)

Mit hs. Besitzeintrag von Wilhelm Schick(h)ard, der das Exemplar 1609 von dem berühmten Mathematiker M. Mästlin, Professor an der Universität Tübingen, als Geschenk erhielt.

Tübingen, Universitätsbibliothek, Ka I 600. 1654,6. 4°

Philipp Apian (Ingolstadt 1531–1589 Tübingen), Mathematiker, Astronom und Geodät, war seit 1552 Nachfolger seines Vaters Peter Apian in der Professur für Mathematik und Medizin an der Universität Ingolstadt. Aus Glaubensgründen von dort vertrieben, übernahm er 1569/70 einen Lehrstuhl für Geometrie und Astronomie an der Universität Tübingen. Hier wird er als Protestant, weil er die Konkordienformel von 1580 nicht unterschreibt, 1583/84 entlassen. Vorübergehend übernimmt seine Vorlesungen der klassische Philologe Frischlin im Sinne enzyklopädischer Wissenschaftsauffassung seiner Zeit (vgl. dazu sein Gedicht *Carmen de astronomico horologio Argentoratensi.* Argentorati 1575: N. Wyriot.). Den Lehrstuhl erhält dann Mästlin.
Der vorliegende Druck nennt weder Drucker noch Verleger. Er bringt jedoch das gleiche Wappen wie Apians *Bayerische Landtafeln,* die von ihm selbst gedruckt worden sind. Dieses Buch und ein weiteres von ihm, *De cylindri utilitate,* Tubingae 1588 (mit demselben Schenkungsvermerk vorhanden in der Württembergischen Landesbibliothek Stuttgart), dürften aus seiner eigenen Druckerei stammen, die 1593 in das Eigentum von Johann Kircher übergegangen ist.
Das Werk bringt einen erweiterten Sonnenquadranten (triens). Die obere Kante enthält die beiden Plättchen mit Lochabsehen, die andere Kante ist von 0 bis 90 geteilt, während der Viertelkreis verlängert ist, so daß noch die Teilung von 0 bis 40 hinzukommt (Zinner).

E. Cellius, Oratio de vita et morte ... Apiani ... Tubingae 1591 (vh. Stadtbibl. Ulm); S. Günther, in: ADB 46 (1902), S. 23–25; A. Gruber, Philipp Apian. Leben und Werke, München 1923. Masch. Diss. 1922; E. Zinner, Deutsche und niederländische astronomische Instrumente des 11.–18. Jahrhunderts. 2., erg. Aufl. München 1967; 1979; H. Widmann, Professor Philipp Apian als Drucker in Tübingen, in: Gutenberg-Jahrbuch 1971, S. 224–229; O. Hupp, Philipp Apians bayerische Landtafeln. Frankfurt a. M. 1910; K. Schottenloher, Die Landshuter Buchdrucker des 16. Jahrhunderts. Mit Anh.: Apianusdrucke in Ingolstadt, Mainz 1930. W.S.

H 5

Lazare Baïf

Lazari Bayfii Annotationes in legem II de captiuis & postliminio reuersis ... recognitae. Eiusdem Annotationes in tractatum De auro & argento legato ... His omnibus imagines ab antiquissimis monumentis desumptas ... subiunximus. Item Antonii Thylesii De coloribus libellus ... (Ed.: Carolus Stephanus.)

Basileae: (H.) Froben (& N. Episcopius) 1537. 323 (vielm. 319) S. 8° (4°) Holzschnitte Conrad Schnitt (oder Heinrich Vogtherr d. Ä.) zugeschrieben.

Tübingen, Universitätsbibliothek, Hb 198. 4° (2 Teile) 2. Ex.

Baïf (Les Pins bei La Flèche 1496? – 1547 Paris) war nach seinen Studien Gesandter des französischen Königs Franz I. bei der Republik Venedig von 1529 bis Ende 1534, wo er auch als Sammler von Antiken und als Mäzen auftrat. Anschließend wirkte er am Parlament in Paris. Ronsard, der Sohn seines Vetters, war sein Sekretär. 1540 kam er mit der französischen Gesandtschaft zum Fürstentag nach Hagenau als „Beobachter" in geheimer Mission, um Fürsten gegen den Kaiser zu gewinnen.
Von den sechs Vasen sind fünf wohl nach Stichen des Agostino Veneziano (1530/31) wiederholt, der damals vermutlich in der Werkstatt Raimondis in Rom gearbeitet hat. Unmittelbare Originale der Vasen lassen sich nicht ausmachen; es könnte sich um Renaissance-Nachbildungen antiker Vasen handeln. Mit der korinthischen Vase läßt sich die Inschrift-Vase bei Mazochius, Epigrammata antiquae urbis, Romae 1521, Bl. CXI r vergleichen.
Die Basler Holzschnitte hat H. Koegler 1911 Conrad Schnitt zugeschrieben, 1935/36 zog er daneben auch Heinrich Vogtherr d. Ä. in Betracht. Die Druckersignete stammen vom Meister CV und wurden zuerst bei dem Frobendruck von D. Erasmus von Rotterdam, *Paraphrasis in Evangelium Lucae* verwendet (September 1523).

Dictionnaire de biographie française 4 (1948), Sp. 1222–1225; F. Hieronymus, Oberrhein. Buchillustr. 2, Nr. 465; I. Du Bois-Reymond, Die römischen Antikenstiche Marcantonio Raimondis, München 1981. Diss. v. 1978; H. Koegler, Kleine

H 5

H 6

Beiträge zum Schnittwerk Hans Holbeins d.J. – Der Meister C.S., in: Monatshefte für Kunstwissenschaft 4 (1911), S. 389–408; Ders., Die Holzschnitte des Basler Malers Conrad Schnitt, in: Monatshefte für Kunstwissenschaft 5 (1912), S. 91–94; Ders., Wechselbeziehungen zwischen dem Basler und dem Pariser Buchschmuck in der ersten Hälfte des XVI. Jahrhunderts, in: Festschrift zur Eröffnung des Kunstmuseums, Basel 1936, S. 159–230. *W.S.*

H 6

Caspar Bauhin

Institutiones anatomicae Hippoc., Aristot., Galeni auctorita. illustratae. Hac ed. 5. & postrema ab auctore emaculata, & aucta.

Francofurti: J. Th. de Bry 1616: P. Jacobi. 260 S., 15 ungez. Bl. 8°

Tübingen, Universitätsbibliothek, Ib I 144d

Nach seinen Studien wurde Caspar Bauhin (Basel 1560–1624 Basel) durch den älteren Bruder Johann (Jean) in die Botanik eingeführt. Er erhielt die neu errichtete Professur für Anatomie und Botanik in Basel. Sein Verdienst ist die erste Ausarbeitung einer binären Nomenklatur nach Beobachtungen der natürlichen Ordnung im Pflanzenreich. Auch als Anatom machte er sich einen Namen (u.a. Bezeichnung der Muskeln nach Ursprung und Ansatz), verzögerte aber als Anhänger Galens andererseits die anatomische Weiterentwicklung.

H. Buess, in: NDB 1 (1953), S. 650; J. W. Heß, Kaspar Bauhins Leben und Charakter, Basel 1860; Schweizer Ärzte als Forscher, Entdecker und Erfinder, Basel 1945; W. Kolb, Geschichte des anatomischen Unterrichts an der Universität zu Basel, Basel 1951. *W.S.*

H 7

H 7

Johann (Jean) Bauhin

Ein new Badbuch, und Historische Beschreibung von der wunderbaren Krafft und würckung des WunderBrunnen vnd heilsamen Bads zu Boll, nicht weit vom Sawrbrunnen zu Göppingen, im Hertzogthumb Württemberg. Erstlich Lateinisch beschrieben, an jetzo aber ins Deutsch gebracht durch Dauid Förter. Mit vielen schönen Figuren ... sampt beygelegten 6 Landtaffeln der schönen Gelegenheit vnnd Landtschaft vmb Boll fürgestellt.

Stutgart 1602: M. Fürster. 252 S. 8° (4°)

Tübingen, Universitätsbibliothek, L XII 1. 4°

Lat. Ausg.: Historia novi et admirabilis fontis balneique Bollensis in Ducatu Wirtembergico ad acidulas Geopingenses. [1. 2.] Montisbeligardi (2: Montisbeligardi: J. Foillet) 1598. 8° (4°). Tübingen, Universitätsbibliothek, L XII 1 a. 4°

Johann Bauhin (Basel 1541–1613 Montbéliard) stammte aus einer hugenottischen Familie. Er studierte in Basel und in Tübingen Medizin und Botanik, wo er Schüler von Leonhart Fuchs wurde. Nach ärztlicher Praxis in Lyon und Genf sowie kurzer Tätigkeit als Professor der Rhetorik in Basel wurde er 1571 als Leibarzt des Herzogs Friedrich I. von Württemberg nach Montbéliard (Mömpelgard) berufen. Dort legte er einen botanischen Garten an und ging daran, den Plan eines großen botanischen Sammelwerks in die Tat umzusetzen, wobei er von seinem Schwiegersohn J. H. Cherler unterstützt wurde (Historia plantarum universalis

Triumphus Veneris Hen rici Bebelij poete laureati, cum commentario Ioannis Altenstaig Mindelheimensis.

H 8

nova ... 3 Bde, Yverdon 1650–51). Auch bei seiner medizinischen Studie über Bad Boll beschreibt er zugleich die Pflanzen – und einige Tiere und Versteinerungen –, so z.B. 102 Apfel- und Birnensorten, die dort wachsen, in Holzschnitten (I. F. L. auf dem Holzschnitt vom Kohl signiert).

H. Buess, in: NDB 1 (1953), S. 649f.; Schweizer Ärzte als Forscher, Entdecker und Erfinder, Basel 1945, S. 17f.; Roux, in: Mémoires de la Société d'émulation de Montbéliard 32 (1905), S. 62 (Bibliogr.); C. Nissen, Die botanische Buchillustration. Bd. 1. 2. Nebst Suppl., Stuttgart 1951, S. 66. *W.S.*

H 8

Heinrich Bebel

Opera Bebeliana sequentia. Triumphus Veneris ...

(Phorce: Th. Anshelm 1509, Aug.) 110 ungez. Bl. 8° (4°)

Tübingen, Universitätsbibliothek, Dk II 12. 4°

Bebel, ein Bauernsohn (Ingstetten b. Justingen 1472–1518 Tübingen), besuchte die Lateinschule in Schelklingen und wurde nach Studien in Krakau und Basel 1496 als Professor der Oratorien (Beredsamkeit und Dichtkunst) an die Universität Tübingen berufen.
Der *Triumphus Veneris* ist eine in Hexametern geschriebene Zeitsatire gegen die Verwilderung der Sitten. Vor dem Thron der Venus erscheinen alle Stände und huldigen ihr, während die Tugend am Schluß verlassen dasteht. Das dargestellte Wappen wurde Bebel anläßlich der Dichterkrönung in Innsbruck 1501 durch Kaiser Maximilian verliehen: Der von reichem Rankenwerk umgebene Wappenschild zeigt einen geflochtenen Lorbeerkranz (poeta laureatus). Anstelle der Helmzier steht eine lorbeerbekränzte Rumpfgestalt mit unbeschriebenen Schriftbändern.

scheid/namen vnd würckung. III theil. ccccxv

hett geessen/dem selben sol man Castanien zu essen geben/so schadet im die gifftige wurtzel nicht/sagt Dioscor.lib.j.cap.cxxvj.

Sonst seind die Castanien in der kost schwerlich zuuerdawen / geberen grobe feüchtigkeit/schaden dem haupt/blehen den bauch/vnd stopffen den selbigen/doch sollen die gebraten vñ gedörrte Castanien etwas besser sein/ dann die rohen/spricht Simeon der Antiochenisch artzet. Mein theil wil ich den Schwaben vnd Thüringern schencken.

Grobe feüchtigkeit. Haupt. Bauch blehē.

Das wasser darin Castanien mit iren schelet seind gesotten/ist vast nutz vnd bewert für alle bauchflüß/für die rot rür/vnd für das blůt speiwen/saget Plinius Valerianus.

Rot rür. Blůt speiwen.

Eichbaum. Cap. lxx.

Gleich wie alle Obsbeum vilerlei obs vnnd frucht bringen/ also thůt auch das Eichel geschlecht/dann etliche beum tragen grosse/etliche kleine/etliche lange/etliche runde eicheln/deren werden ein theil vmb Bartholomei/die andern im Herbst zeittig. Eichbeum so die Sonn nit gar mögen haben/seind mit holtz vnd frucht vngeschlachter vnd harter/auch so ist

Species. Tempus.

Aa ij

H 9

In der 1501 an der Tübinger Universität aufgeführten *Comoedia de optimo studio scholasticorum* (in: Bebel, Oratio ad regem Maximilianum, Phorce 1504) tritt ein Scholar auf, der durch die Poetikvorlesung zum Humanisten geworden ist und dann aus einem Streit mit dem Lehrer der alten Schule siegreich hervorgeht. Die größte Nachwirkung unter Bebels Werken hatten die *Facetiae* (1508/12, 1558 ins Deutsche übertragen), nach dem Vorbild Poggios zusammengebrachte volkstümliche Schwänke.

Ausgaben siehe GK 14 (1939), Sp. 158–164; H. Grimm, in: NDB 1 (1953), S. 685 f.; H. Binder, in: Lebensbilder aus Schwaben und Franken 13 (1977), 25–51.

W.S.

H 9

Hieronymus Bock

Kreüter Buch ... auß langwiriger vnd gewisser erfarung beschriben vnd jetzund von newem fleissig übersehen, gebessert vnd gemehret. Dazu mit hüpschen ... Figuren der Kreutter ... gezieret.

Straßburg 1556 (: W. Rihel). CCCCXXIIII gez. Bl. 4° (2°) Holzschnitte von David Kandel.

Tübingen, Universitätsbibliothek, Bi 37. 2°

Hieronymus Bock (lat. Tragus; Heidelsheim b. Bretten 1498–1554 Hornbach/Pfalz) war Theologe, doch zunächst als Schullehrer in Zweibrücken tätig, bis er 1539 als Prediger nach Hornbach berufen wurde.
Da das Buch 1539 ohne Illustrationen publiziert worden war (Bock wollte keine Arbeit anwenden, *die den Käufer am Geld beschweret und am Verstand den Leser nit viel fürderet),* erwies sich die Erstausgabe seines Kräuterbuches als ein Fehlschlag.
Für die 2. Auflage 1546 holte man einen jungen Straßburger Knaben, David Kandel, der mit der Feder alles aufgerissen hat und – in der Art früherer Hortus-Darstellungen – außerdem volkstümliche Szenen hinzufügte (vgl. Thieme-Becker 19, Leipzig 1926, S. 514f.). Über die Frage, ob er auch selber in Holz geschnitten hat, ist die Forschung nicht einig. Monogramme von den Formschneidern F. O. und C. S. finden sich vereinzelt. Auf dem Blatt mit der *Grasblum* steht das Datum 1545 (vermutlich der Endtermin). Einige Bilder sind verkleinerte Wiederholungen von Fuchs bzw. Brunfels. Kandels Neigung zum volkstümlichen Genre findet sich auch in seinen Holzschnitten in Sebastian Münsters *Cosmographie.*

Faks.: München: Kölbl 1964.
H. Ziegenspeck, in: NDB 2 (1955), S. 343; J. E. Gérock, Un artiste strasbourgeois du 16e siècle, David Kandel, in: Archives alsaciennes d'histoire d'art 2 (1923), S. 84–96; Ders., Les illustrations de David Kandel dans le Kreuterbuch de Tragus, in: Archives alsaciennes d'histoire d'art 10 (1931), S. 137–148; H. Marzell, Das Buchsbaumbild im Kräuterbuch des Hieronymus Bock, in: Sudhoff's Archiv für Geschichte der Medizin 38 (1954), S. 97–101; B. Hoppe, Das Kräuterbuch des Hieronymus Bock als Quelle der Botanik- und Pharmaziegeschichte, Frankfurt a.M. 1964. Diss. – C. Nissen, Die botanische Buchillustration. Bd. 1. 2. Nebst Suppl, Stuttgart 1951–66; W. L. Schreiber, Die Kräuterbücher des 15. und 16. Jahrhunderts, München 1924.

W.S.

H 10

Joseph Boillot

Artifices de feu et divers instruments de guerre. Das ist, Künstlich Feurwerck vnd Kriegs Instrumenta, allerhandt vöste Orth zu defendirn vnd expugnirn. Auß dem Frantzös. transferirt durch Ioannem Brantzium Iunior.

Straßburg 1603: A. Bertram. 183 S. 4° (2°)

Reutlingen, Stadtbibliothek 2062

Die Erstausgabe dieses Werkes erschien unter dem Titel *Modèles, artifices de feu et divers instruments de guerre* 1598 in Chaumont, eine 2. Auflage folgte 1602. Die vorliegende Ausgabe von 1603, die neben der französischen Fassung eine deutsche Übersetzung hat, widmete Hermann von Loy dem Pfalzgrafen Johann.
„In der Tat ist der Inhalt dieses Werkes ganz anders geartet als der der übrigen

Der.I.nar. Folio

Den vordantz hat man mir gelan
Wenn ich on nutz vil bücher han
Die ich nit lyß / vnd nit verstan

Von vnnutzen buchern

Das ich syts vornan in dem schyff
Das hat worlich eyn sundern gryff
On vrsach ist das nit gethan
Vff myn libry ich mich verlan

H 11

gleichzeitigen Artilleriebücher. Schlägt man es auf, so glaubt man im ersten Augenblick, einen Traktat des 15. Jhdts., etwa im Stile des Valturius, vor sich zu sehen; denn die Menge der alten Kriegsinstrumente, welche B. in zart geätzten Radierungen darstellt, scheint einer entlegenen Vorzeit anzugehören. Fehlen doch sogar die fahrbaren Armbruste nicht! Und wie weit greift der Autor aus! Als erste Kriegsinstrumente beschreibt er und stellt er bildlich dar: das Auge, den Mund, die Zunge, die Hand! Doch wie hochmodern mutet es wieder an, wenn er von diesen angeborenen Werkzeugen ... zu Hebel, Schraube, Maßstab, als den Erweiterungen und Vervollkommnungen der Gliedmaßen übergeht. Allerdings, seine Neigung, die Kriegsmaschinen der Alten für moderne Artilleriezwecke zu aptieren, geht oft zu weit." (Jähns).
Den Darstellungen merkt man es an, daß der Autor sich mit Architektur und Naturkunde befaßt hat. Im pyrotechnischen Teil, wo er als Fachmann die Salpeterbereitung erläutert – er war *Garde du magasin des salpêtres et poudres* in Langres –, stellt er auch Berthold Schwarz dar, wie er die Bestandteile des Pulvers abwiegt, während hinter ihm segnend der Teufel steht.
Wieweit eigene Erfindungen in dem Buch enthalten sind, läßt sich aus der Art der Darstellung des Verfassers nicht erkennen.

M. Jähns, Geschichte der Kriegswissenschaft vornehmlich in Deutschland, Abt. 1, München, Leipzig 1889, S. 654–656 (Geschichte der Wissenschaften in Deutschland, Bd. 21,1.) W.S.

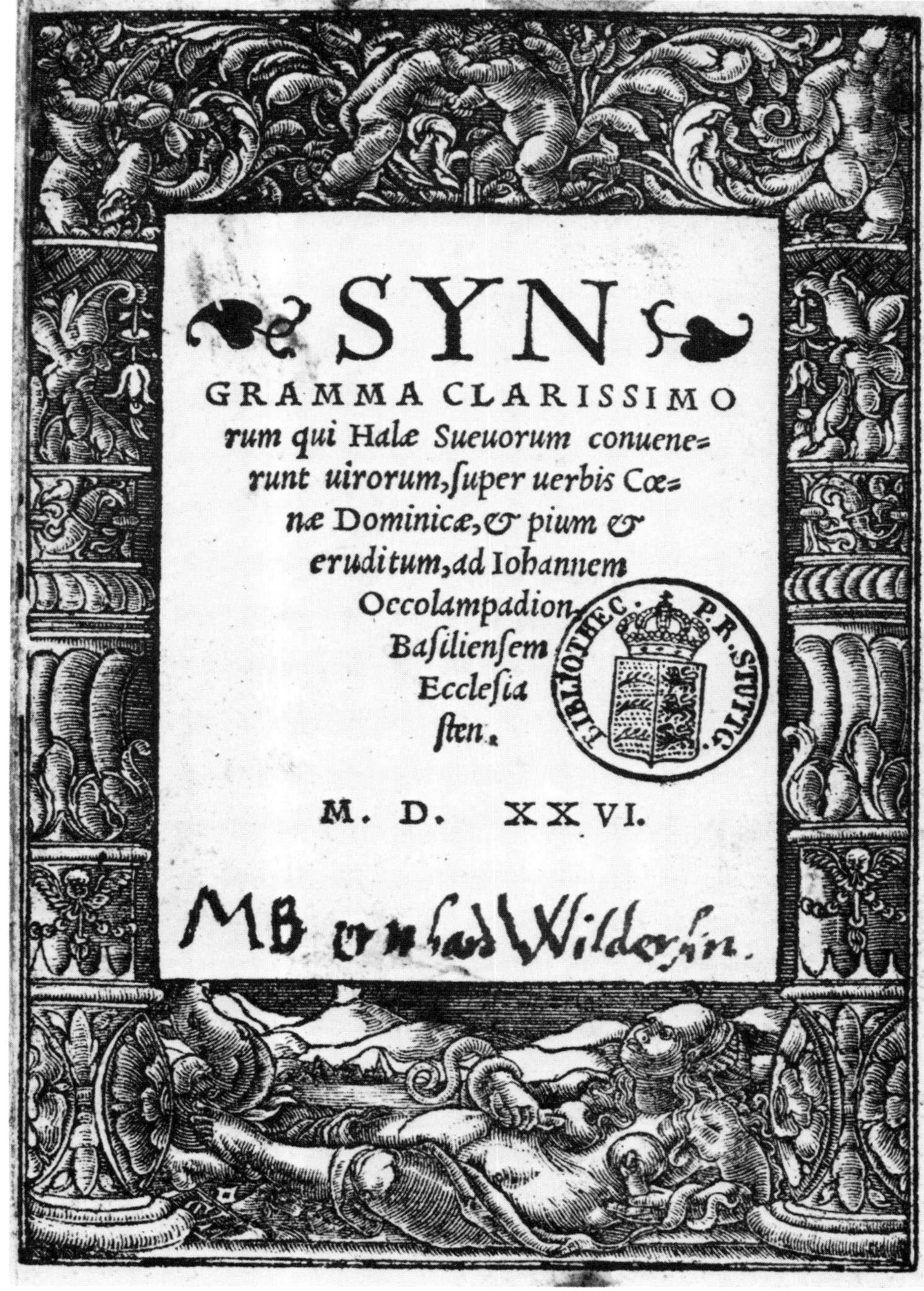

SYN
GRAMMA CLARISSIMO
rum qui Halæ Sueuorum conuene=
runt uirorum, super uerbis Cœ=
næ Dominicæ, & pium &
eruditum, ad Iohannem
Oecolampadion
Basiliensem
Ecclesia
sten.

M. D. XXVI.

H 12

H 11

Sebastian Brant

Narrenschiff.

(Basel) 1509 (:N. Lamparter). CLXIIII gez. Bl. 8° (4°)

Augsburg, Staats- und Stadtbibliothek, 4° LD 49

Die Erstausgabe vom *Narrenschiff* erschien zur Fasnacht 1494 im Verlag des Bergmann zu Olpe in Basel deutsch mit 112 Kapiteln.
Was Brant gesammelt hat, stammt aus einer breiten Gelehrsamkeit, die er moralsatirisch zu einem Narrenkatalog verband.
Eine lateinische Übersetzung erschien 1497 von Jakob Locher, 1505 von Jodocus Badius Ascensius.
Literarisch war der Einfluß des Werkes bis ins 17. Jahrhundert unermeßlich.
Ebenso einflußreich waren die Holzschnitte für die Entwicklung der oberrheinischen, vor allem der Baseler Buchillustration. Hauptmeister war der junge Dürer, der sich 1491/92 in Basel aufhielt. Man schreibt ihm 73 der 105 Holzschnitte zu (erkennbar an der Narren-

SOLI DEO GLORIA. 1

OTHONIS BRVNNFELSII DE VTILITATE
& præstantia Herbarum, &
simplicis Medicinæ
PRAEFATIO.

ALEXANDER
Philippi deuicto in Arbellis Dario, a satrapis
suis compendium sciscitatus, qua ex Persia in
Aegyptum iretur tuto, Mercator quidam, homo quidem multarũ rerum peritus, sed obscurior, Sidonius natione, illi allatus est (nomen
Lucianus, historiæ author non meminit) Ego
Rex, inquit ille, uiam haud longe ex Persis in
Aegyptũ me tibi ostensurum polliceor. Etenim
si quis montana hæc superauerit (transgredietur autem triduo) confestim in Aegypto erit. Et
sane ita res habebat. Verũ Alexander locorum
imperitus, & mercatorem impostorem ratus,
boni uiri salubre consiliũ pertinaciter aspernabatur: nimirum cæco illo amore sui demẽtatus.
Id uitij Plato quondam malorum omnium fontem existimauit. Necq iniuria, mea quidem sententia. Facit enim interdũ personæ uel exilitas,
uel contẽptus, deinde φιλαυτία illa, qua nemo non
sibi placet ipsi, ut quãtumuis etiam sana & recta
consilia non admittamus, amplectamur uero
quæ pessima sunt.

Vereor itacq, ne quod Mercatori cum Alexandro, idem mihi cum Seplasiarijs, Agyrtis,
& Pharmacopolis eueniat: uidelicet, si ego Methodum aliquã præmonstrauero, qua non mo-

H 13

kappe mit einer Reihe Schellen). Abhängig von ihm schuf ein weiterer Künstler, der sog. Haintz-Narr-Meister, 15 Holzschnitte (statt der Schellen meist mit Hahnenkamm am Narren). Der Rest verteilt sich auf weitere Reißer.

H. Rosenfeld, in: NDB 2 (1955), S. 534–536; U. Gaier, Studien zu Sebastian Brants Narrenschiff, Tübingen 1966; B. Könneker, Wesen und Wandlung der Narrenidee im Zeitalter des Humanismus, Wiesbaden 1966; U. Gaier, Satire, Tübingen 1967; H. Homann, Studien zur Emblematik des 16. Jahrhunderts, Utrecht 1971; A. Gendre, Humanisme et folie chez Sébastien Brant, Erasme et Rabelais, Basel, Stuttgart 1978; D. Möller. Untersuchungen zur Symbolik der Musikinstrumente im Narrenschiff des Sebastian Brant, Regensburg 1982; K. Manger, Das „Narrenschiff". Entstehung, Wirkung und Deutung, Darmstadt 1983; E. Panofsky, Albrecht Dürer. 3. ed. Princeton 1948; F. Winkler, Dürer und die Illustrationen zum Narrenschiff, Berlin 1951. *W.S.*

H 12

Johannes Brenz

Syngramma clarissimorum qui Halae Sueuorum conuenerunt uirorum, super uerbis Coenae Dominicae, & pium & eruditum …

(Augsburg) 1526 (: S. Ruff). 36 Bl. 8°
Titeleinfassung: Metallschnitt von CV nach Entwurf Hans Holbeins d.J.

Stuttgart, Württembergische Landesbibliothek, Theol. oct. 17741

Mit dem anonym erschienenen Werk entschied sich der Abendmahlsstreit für das nördliche Schwaben und für Franken zugunsten der Lehre Luthers, nachdem Brenz (Weil der Stadt 1499 – 1570 Stuttgart) die von ihm verfaßte Schrift mit dreizehn Theologen im Oktober 1525 zu Schwäbisch Hall unterzeichnet hatte.
Die Schrift ist 1526 in Wittenberg nachgedruckt worden.
Der Titeleinfassung liegt ein Entwurf Hans Holbeins d.J. zugrunde (nach einem italienischen Stich der Ariadne-Statue aus der Sammlung Maffei und später im Belvedere von Papst Julius II.): Die sterbende Kleopatra mit zwei Schlangen in den Händen vor einer hügeligen Landschaft zwischen einer grab- oder triumphbogenartigen Architektur aus ornamentierten Säulen, oben in jeder Ecke ein Putto, in der Mitte zwei miteinander ringende Putti. Nachzuweisen ist der Entwurf zuerst als Holzschnitt bei dem Frobendruck von Erasmus, *Paraphrasis in Evangelium secundum Ioannem,* Basel, Februar 1523 in Folio. Mit Änderungen – teils nach Urs Graf – wird er von dem Metallschneider CV kopiert und so unter anderm in Augsburg 1524 von Simpert Ruff verwendet, außerdem von Alexander Weissenhorn in Augsburg und Ingolstadt, bei dem es die häufigst verwendete Einfassung ist.

H. Hermelink, in: NDB 2 (1955), 598f.; H. A. Schmid, Holbeins Tätigkeit für die Baseler Verleger, in: Jahrbuch der Kgl. Preußischen Kunstsammlungen 20 (1899), S. 233–262; Holbein-Katalog, Basel 1960, Nr. 386; D. Stemmler, Deutsche architektonische Titeleinfassungen in der ersten Hälfte des 16. Jahrhunderts, Berlin 1962. Diss.; F. Bächtiger, Zum „Kleopatra"-Titel Hans Holbeins d.J., in: Neue Zürcher Zeitung, 1962, 26. 10., S. 52; I. Eiden/D. Müller, Der Buchdrucker Alexander Weissenhorn in Augsburg 1528–1540, in: Archiv für Geschichte des Buchwesens 11 (1971), Sp. 527–592; F. Hieronymus, Oberrhein. Buchillustr. 2 (Basel 1984), Nr. 418ff. *W.S.*

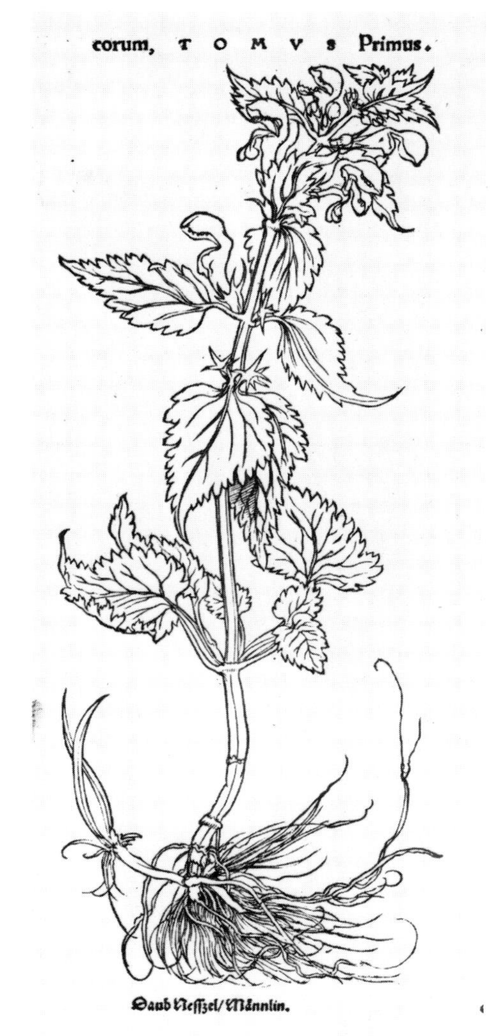

H 13

H 13

Otho Brunfels

Herbarum vivae eicones ad naturae imitationem … editae. T. 1–3.

Argentorati: J. Schott 1532–36. 4° (2°)
Holzschnitte von Hans Weiditz, in T. 3 auch von I. K. u. a.

Tübingen, Universitätsbibliothek
Bi 139. 2° R

Dürers Schüler, Hans Weiditz, zeichnete für das Brunfelssche Werk als erster genau nach der Natur, wobei auch welke und zerknitterte Teile und Raupenfraß nicht ausgelassen wurden. Deutlich sind die Deck- und Vorblätter, die Blütenformen und Blätter jeweils erkennbar.
Als Originale fanden sich 70 Aquarelle in Bern im Herbar des Basler Arztes und Naturforschers Felix Platter (1536–1614), aquarellierte Bisterzeichnungen, in denen die Einzelheiten für den Holzschnitt herausmodelliert, Adern und Rippen mit der Feder ausgezogen sind. Die vereinfachte Umsetzung in den Holzschnitt geschah in zarten Linien meisterhaft. Brunfels, der wie Bock das Wort für das Wichtigste hielt, war sich nicht bewußt, daß der Naturalismus der Abbildungen als ein Novum dem Werk seine überragende Bedeutung in der Botanik gab.
Brunfels (geb. Mainz, um 1488) wurde Ende 1533 als Stadtarzt nach Bern berufen, wo er 1534 starb. Auch Weiditz scheint um 1536 nicht mehr für das Werk tätig gewesen zu sein. Im dritten lateinischen Band und im zweiten deutschen treten nach 1534 weitere Künstler, Weiditzschüler, auf, vor allem I. K., den man im Wappenbuch Jakob Kölbls 1545 bei Cyriacus in Frankfurt als Künstler der Fahnenschwingerfiguren findet.

H. Grimm, in: NDB 2 (1955), S. 677f.; F. W. E. Roth, Otho Brunfels, in: ZGO, N. F. 9 (1894), S. 284–320; H. Röttinger, Hans Weiditz der Petrarcameister, Straßburg 1904; W. Rytz, Das Herbar Felix Platters, in: Verhandlungen der Naturforschenden Gesellschaft in Basel 44, I (1933), S. 83ff.; Pflanzenaquarelle des Hans Weiditz aus dem Jahre 1529, hrsg. v. W. Rytz, Bern 1936; A. Schmid, Zwei seltene Kräuterbücher, in: Schweizerisches Gutenbergmuseum 1936, S. 160–180; H. Röttinger, Hans Weiditz, der Straßburger Holzschnittzeichner, in: Elsaß-Lothringisches Jahrbuch 16 (1937), S. 75–125; C. Nissen, Die botanische Buchillustration, Bd. 1. 2. Nebst Suppl, Stuttgart 1951–66; W. L. Schreiber, Die Kräuterbücher des 15. und 16. Jahrhunderts, München 1924. *W.S.*

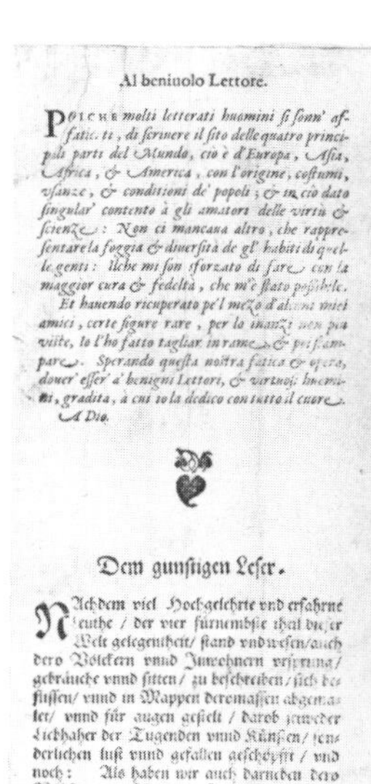

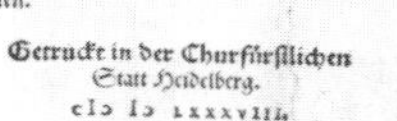

H 14

H 14

Abraham de Bruyn

Sacri Romani imperii ornatus, item Germanorum diversarumque gentium peculiares vestitus. Quibus accedunt Ecclesiasticorum habitus varij.

Heidelberg 1588 : C. Rutz. 2°

Karlsruhe, Badische Landesbibliothek, 62 C 20

De Bruyn (Antwerpen um 1538/40 bis 1587? Köln) war ein bedeutender Kupferstecher, der für Plantin in Antwerpen gestochen hat. Seit 1577 finden wir ihn meist in Köln, wo er in Tafelwerken die Trachten der verschiedenen Standespersonen publizierte. *W.S.*

H 15

Martin Bucer (Butzer)

De vera et falsa caenae Dominicae administratione Libri II. Altera aduersus B. Latomum responsio.

Neuburgi Danubii 1546, 6. Apr. (: J. Kilian). 313 S. 8°

Tübingen, Universitätsbibliothek, Gf 151. 4° ang.

Butzer war in Schlettstadt, wo er 1491 geboren wurde, mit seiner berühmten humanistischen Schule aufgewachsen, dort in den Dominikanerorden getreten und dann 1518 zu Heidelberg Weltgeistlicher geworden. In dem Sickingischen Landstuhl wurde er Pfarrer, verheiratete sich und zog nach Sickingens Untergang nach Straßburg, wo er die Reformation durchführte, wie er auch in anderen süddeutschen Reichsstädten als Reformator wirkte.

Seine politische Begabung versuchte innerhalb des Protestantismus den Ausgleich und die Einigung zu erreichen, wodurch er mit dem Landgrafen von Hessen, der ebenfalls im Abendmahlsstreit vermitteln wollte, in Kontakt kam (vgl. Briefwechsel von 1529 bis 1534). Die Wittenberger Konkordie von 1536 wurde dann aber von den Schweizern nicht akzeptiert. Butzers Schrift von 1546 greift dieses Problem erneut ausführlich auf. 1548 wurde Butzer im Interim aus Straßburg vertrieben und ging als Professor der Theologie nach Cambridge, wo er 1551 starb.

Das Werk stammt aus der Druckerei von Hans Kilian, der als Rentmeister des Pfalzgrafen in seinem Auftrag eine Druckerei in Neuburg betrieb, die vor allem im Dienste der Reformation stand und im Schmalkaldischen Krieg von den Kaiserlichen verwüstet wurde. Das Druckersignet zeigt als Nachbildung (vielleicht durch Matthias Gerung) aus der Plakettenserie von Valerio Belli (Habich, Taf. V 8) in einem Oval eine antik gewandete Frau, die leichtfüßig nach links geht und (nach Art einer Fruchtbarkeits- oder Glücksgöttin) aus einem Sieb – im Vorbild eine flache Schale – Buchstaben schüttelt, aus denen sich der Spruch FELIX... bilden läßt. Die Typographie ist nach dem Vorbild von Aldus klassisch in Antiqua mit einer Kursive gestaltet.

R. Stupperich, in: NDB 2 (1955), S. 695–697; R. Stupperich, Bibliographia Buceriana, Gütersloh 1952; E. Bizer, Studien zur Geschichte des Abendmahlsstreites, Gütersloh 1940; Nachdr. Darmstadt 1962; E. Bizer, Die Abendmahlslehre in den reformatorischen Bekenntnisschriften, München 1955; Bucer und seine Zeit, Wiesbaden 1976; J. Lebeau und J.-M. Valentin, L'Alsace au siècle de la Réforme 1482–1621, Paris 1985; G. Habich, in: Münchner Jahrbuch der Bildenden Kunst N.F. 5 (1928), S. 261–266. *W.S.*

H 15

M. BVCERI
DE VERA ET FALSA CAENAE
DOMINICAE ADMINISTRATIONE.
LIBRI II.
In Priori libro refutatur mutilatio Eucharistiæ, & docetur. Qua Religione seruanda sint præcepta Dei de Ceremonijs.
In altero, De ueris & falsis sacrificijs & oblationibus Ecclesiæ, Vitijs Missarum, Cura mortuorum, Purgatorio.
ALTERA aduersus B. Latomum Responsio.

Præfatio ad Patres qui Deum in Synodo Tridentina timent, de causis quæ pios homines ab ea Synodo absterrent.
Neuburgi Danubij.
VI. Aprilis. Anni Domini. M. D. XLVI.

H 16

Martin Crusius

Annalium Suevicorum dodecas 1–3.

Francoforti 1595–96: N. Bassaeus. 8° (4°)

Der 3. Band enthält die handschriftliche Widmung an die Universitätsbibliothek Tübingen vom 8. Mai 1596. Im Einband ein Exlibris der Universitätsbibliothek.

Tübingen, Universitätsbibliothek, L I 24. 2° (1. Ex.)

Crusius (Grebern b. Bamberg 1526–1607 Tübingen) verbrachte seine Schulzeit in Ulm, studierte in Straßburg und war seit 1554 Rektor an der Lateinschule in Memmingen, wo er eine lateinische und eine griechische Schulgrammatik verfaßte. 1559 bekam er eine Professur an der Universität Tübingen. Berühmt war er als Gräzist: Er verfaßte einen Homerkommentar. Auch hatte er den Plan zu einer Einigung zwischen der orthodoxen und der evangelischen Kirche.

Er war ein schreibseliger Gelehrter – auch ein Tagebuch (Diarium) ist überliefert – und mußte deshalb häufig auf die Suche nach einem Verleger gehen (am 10. 4. 1602 schreibt er im Diarium, daß die Drucker nur noch druckten, was sie voraussichtlich sofort absetzen könnten, sonst müsse der Autor für jeden Bogen 1 1/3 fl. bezahlen oder einen Mäzen für die Unkosten haben, denn es gäbe eine zu große Anzahl von Autoren).

MARTINI CRVSII, GRAE-
CÆ ET LATINÆ LINGVÆ, CVM
ORATORIA, IN ACAD. TYBING.
PROFESSORIS.

ANNALIVM SVEVICORVM
Dodecas tertia,

AB ANNO CHRISTI cIↃ CCXIII.
vſque ad cIↃ IↃ XCIIII. annum perducta.

ADIECTO PARALEIPOMENO VARIARVM PLVRI-
marumque rerum libro: in quo hodiernum quoque TVRCICVM BEL-
LVM, à 1590. vſque ad 1596. Domini annum,
diligenter deſcribitur.

Cum gratia & priuilegio Caſareæ Maieſtatis [illegible]ciali
ad decennium.

FRANCOFORTI,
Ex Officina Typographica Nicolai Baſſæi.

M. D. XCVI.

H 16 a

Sein Hauptwerk sind die *Annales Suevici,* die Johann Jakob Moser unter dem Titel *Schwäbische Chronick* 1733 ins Deutsche übersetzt und bis auf seine Zeit fortgeführt hat, weil das Werk damals rar und gesucht war. Es bietet eine nicht kritisch bearbeitete Sammlung (ein Zugang zum herzoglichen Archiv in Stuttgart wurde Crusius verwehrt), die jedoch dem Landeshistoriker eine Fülle an Material gibt. Nach der Zensur in Tübingen an der Universität und in Stuttgart durch die herzoglichen Räte – „Schleifmühl" nennt Crusius sie mit Unmut – kam der dritte Band mit der Bemerkung zurück, ob er überhaupt einen Verleger finden werde, ob er seine Zeit nicht besser hätte anwenden können, was Crusius mit einem κύριε ἐλέησον im Diarium vermerkt. Immerhin hatten die drei Bände zusammen an die 5000 Seiten in Folio. Basse (Bassaeus) in Frankfurt druckte schließlich das Werk mit drei Pressen, und Crusius konnte das Gott für die Fertigstellung gelobte Almosen von 5 fl. an die armen Tübinger Bürger, Studenten und alten Weiblein auszahlen.
Der dritte Teil der Annales wurde in einer Auflagenhöhe von 1000 gedruckt. Der Ladenpreis des Gesamtwerkes betrug 6 fl. Davon mußte Crusius 25 Exemplare fest abnehmen zu je 4 fl.
Crusius' Handexemplar wurde vor kurzem von der Universitätsbibliothek Tübingen erworben (Sign.: 22 C 49). Es enthält auf dem Vorsatz und Titelblatt außer dem Exlibris des „Comes ex Solms" verschiedene handschriftliche Eintragungen vom Autor sowie ältere Besitzvermerke:

Coepit Bassaeus hoc opus excudere .28. Maii. 1595. – Septemb. 25. accipio exemplaria primae et secundae Dodecadis 30. – Tertiam Dodecadem idem imprimere .3. octob. 95. coepit. – April. 17. accipio .33. Exempl. tertiae Dodecadis. 1596.

M. Martini Crusii Auctoris afferente Bibliopega Ioanne Gerstenmaiero .1. die Iun. 96. Quo .1. die Iunii ego .1559. Me(m)migâ cum Studio Christoph. Dietmaiero Tybinga(m) versus proficiscens, postea ibi Profeßor ἀὐτομάτωσ receptus fui. Laus Deo. – Ab illo .1. Jun. usque ad hunc .1. Jun. die(m), sunt .37. a(n)ni.

Chronologia Krausiorum. (Hs., Universitätsarchiv Tübingen: XV, 26); Diarium Martini Crusii. Hrsg. v. R. Stahlecker u. a., 4 Bde. Tübingen 1927–61; J. H. Jäck, Pantheon der Litteraten und Künstler Bambergs, Bamberg 1812–15, Sp. 181 ff.; H. Widmann, in: NDB 3 (1957), S. 433 f. – W. Göz, Martin Crusius und das Bücherwesen seiner Zeit, in: Zentralblatt für Bibliothekswesen 50 (1933), S. 717–737.

W.S.

H 16 b

H 17

Conrad Dasypodius

Wahrhafftige Außlegung des Astronomischen Vhrwercks zu Straßburg.

Straßburg 1578: N. Wyriot. 27 ungez. Bl. 8° (4°)

Augsburg, Staats- und Stadtbibliothek, 4° Math. 37, Beibd.

Er war ein Sohn des Petrus Dasypodius (gest. 1559), dessen in Straßburg erschienenes Dictionarium Latino-Germanicum zu einem Bestseller wurde.
Conrad Dasypodius (Frauenfeld 1531 bis 1600 Straßburg), Professor der Mathematik in Straßburg und in der Mechanik bewandert, wurde 1571 mit der Erfindung und Konstruktion einer neuen astronomischen Uhr im südlichen Querschiff des Straßburger Münsters beauftragt. Die Zeitindikationen in den verschiedenen Geschossen wurden im Auftrag festgelegt (vgl. Kat.Nr. F 37). Im Vertrag wurde besonderes Gewicht auf die Zeitindikationen gelegt: Ein immerwährender Kalender mit Angabe über die beweglichen und unbeweglichen Festtage, weiter die auf die Minute genaueste Anzeige von Sonnen- und Mondfinsternissen sowie die Tages- und Nachtlängen auf dem Sockelgeschoß. Darüber werden durch die beweglichen Planeten die Wochentage angezeigt, im nächsten Geschoß der Planetenverlauf um die Sonne und darüber die Mondphasen. Ganz oben sollten durch automatische Figuren der vier Lebensalter die Viertelstunden geschlagen werden und zuletzt ein Bild des Todes die Stunden schlagen. An der Ausführung arbeiteten die Brüder Habrecht, Schaffhauser Uhrmacher. Die dekorative Malerei besorgte Tobias Stimmer. Das ikonographische Programm entwarfen Stimmer und Dasypodius mit Kollegen der Universität. Dasypodius, der in seinen Vorlesungen Kopernikus' Lehre ablehnte, ließ an der Uhr dessen Bildnis anbringen, das ihm durch Doctor Tideman Gyse zugekommen war.
Die Münsteruhr beschrieb Dasypodius 1578 und 1580 in deutscher, 1580 in lateinischer Sprache, wozu ein Holzschnitt Stimmers auf dem Titelblatt die Uhr zeigt.
Literarisch wurde die Uhr von Johann Fischart *(Eygentliche Fürbildung vnd Beschreibung des Newen Kunstreichen Astronomischen Urwerck zu Straßburg im Münster.* Straßburg 1574) und von Nikodemus Frischlin *(Carmen de astronomico horologio Argentoratensi.* Argentorati 1575) dargestellt.

E. Zinner, Deutsche und niederländische astronomische Instrumente des 11.–18. Jahrhunderts, 2., erg. Aufl. München 1967; 1979; Die Welt als Uhr. Deutsche Uhren und Automaten 1550–1650. Hrsg. v. K. Maurice u. O. Mayr, München, Berlin 1980 (Ausst.Kat.); Spätrenaissance am Oberrhein. Tobias Stimmer 1539–1584, Basel 1984 (Ausst.Kat.)

W.S.

H 18

Johannes Eck

Enchiridion locorum communium aduersus Lutheranos. Ab autore iam quarto recognitum & tribus locis auctum, & ... emunctum.

Tubingae (1527, März: U. Morhard). 85 ungez. Bl. 8°

Tübingen, Universitätsbibliothek, Gi 496 a

Eck (eigentlich May[e]r oder Mai[e]r) kam neunjährig zur Erziehung nach Rottenburg, studierte Artes liberales und Philosophie (via moderna) in Heidelberg (1498) und Tübingen (1499), wo er den

Magistergrad erwarb und theologische Studien begann. Wegen der Pest wechselte er 1501 nach Köln, 1502 nach Freiburg (neben Theologie Studium bei Zasius und Reisch u.a.) und promovierte dort 1510 zum Dr. theol. (Priesterweihe 1508 in Straßburg). Im selben Jahr übernahm er auf die humanistische Empfehlung Peutingers hin, der ihn auch mit Fugger in Verbindung brachte, eine theologische Professur in Ingolstadt. Eck wurde seit 1518 Luthers Hauptgegner, voller Rachsucht gegen die Feinde. Er hatte 1520 bei der Ausarbeitung der Bannandrohungsbulle *Exsurge Domini* in Rom maßgebend mitgewirkt und schon damals in seinen Memoranden ähnlich wie im *Enchiridion* Argumentationspunkte zusammengestellt.
Das *Enchiridion* (erschienen 1525 in Landshut) verfaßte er zwar nach dem Modell von Melanchthons *Loci communes,* die Initiative aber kam vom Legaten Campeggio, der Eck auf Aleanders skizziertes Programm brachte, das Inhalt und Ordnung der Loci beeinflussen sollte. „Erstens, die Loci, die der Nuntius zusammenstellen soll, sind die Themen, um die der Streit geht: das ist mit dem Ausdruck „peculiares loci" gemeint. Zweitens, sie sind so anzuordnen, daß die Grundthemen, aus denen andere abgeleitet oder erklärt werden können, an die Spitze gestellt werden: Das ist, wie Aleander selbst sagt, der Sinn der Anordnung, die wir auch in unserem Enchiridion wiederfinden: Kirche, Sakramente, Kirchenbräuche und andere eher praktische Streitfragen. Drittens geht es wirklich um Texte, d.h. um Aussagen der Hl. Schrift ... und der Kontroverstheologen" (Fraenkel). Breiten Raum nimmt in dem

H 18

ENCHIRIDION LO
corũ cõmunium aduersus
Lutheranos. Ioanne
Eckio autore.
Ephe. 6
In omnibus sumentes scutũ fidei, in quo possitis oĩa tela nequissimi ignea extinguere.
Ab autore iã quarto recognitum & tribus locis auctum, & a pluribus mendis Calcographi emundatũ.
TVBINGAE.

CVNRADI DASYPODII
Warhafftige Außlegung vnd Beschreybung des Astronomischen Uhrwercks zu Straßburg/ welches er Anfänglichs Erfunden vnnd angeben hat. Auch
Ein Altes Lied vom dem Kampff vñ streyt/so enstanden/ Zwischen dem ROKAFFEN (welcher vnder der Orglen im Münster zu Straßburg ist) vnd dem HANEN/ so auff der Alten Uhren war/ vor 200. Jharen Gedicht.

H 17

Werk neben der Häresie die Frage des Kirchenbegriffs und der Autorität der Kirche ein, weiter der Primat des Papstes. Es enthält Materialien zur Argumentation gegen die Thesen der Lutheraner zu Buße, Meßfeier, Fegefeuer, Bilderkult, Heiligenverehrung, guten Werken und den Sakramenten und fordert die Verfolgung der Ketzer, „denn wird das Unkraut nicht vertilgt, leidet der Weizen".
Die Bedeutung dieses polemischen Handbuchs ersieht man aus den über 90 Auflagen und Übersetzungen.

Ausg. mit Komm. u. Bibliogr.: Eck, Enchiridion locorum communium adversus Lutherum et alios hostes ecclesiae (1525–1543). Mit Zusätzen v. T. Smeling. Hrsg. v. P. Fraenkel, Münster 1979 (Corpus Catholicorum. 34.); E. Iserloh, in: NDB 4 (1959), S. 273–275; F. Zoepfl, Johannes Eck, in: Lebensbilder aus dem bayerischen Schwaben 6 (München 1958), S. 186–216; – K. Steiff, Der erste Buchdruck in Tübingen (1498–1534), Tübingen 1881. *W.S.*

H 19

Desiderius Erasmus von Rotterdam

Ludus L. Annaei Senecae, De morte Claudij Caesaris... Erasmis Roterodami Moriae Encomium, cum commentarijs Gerardi Listrij.

Apud Basileam (1515: J. Froben). 84 ungez. Bl. 8° (4°)

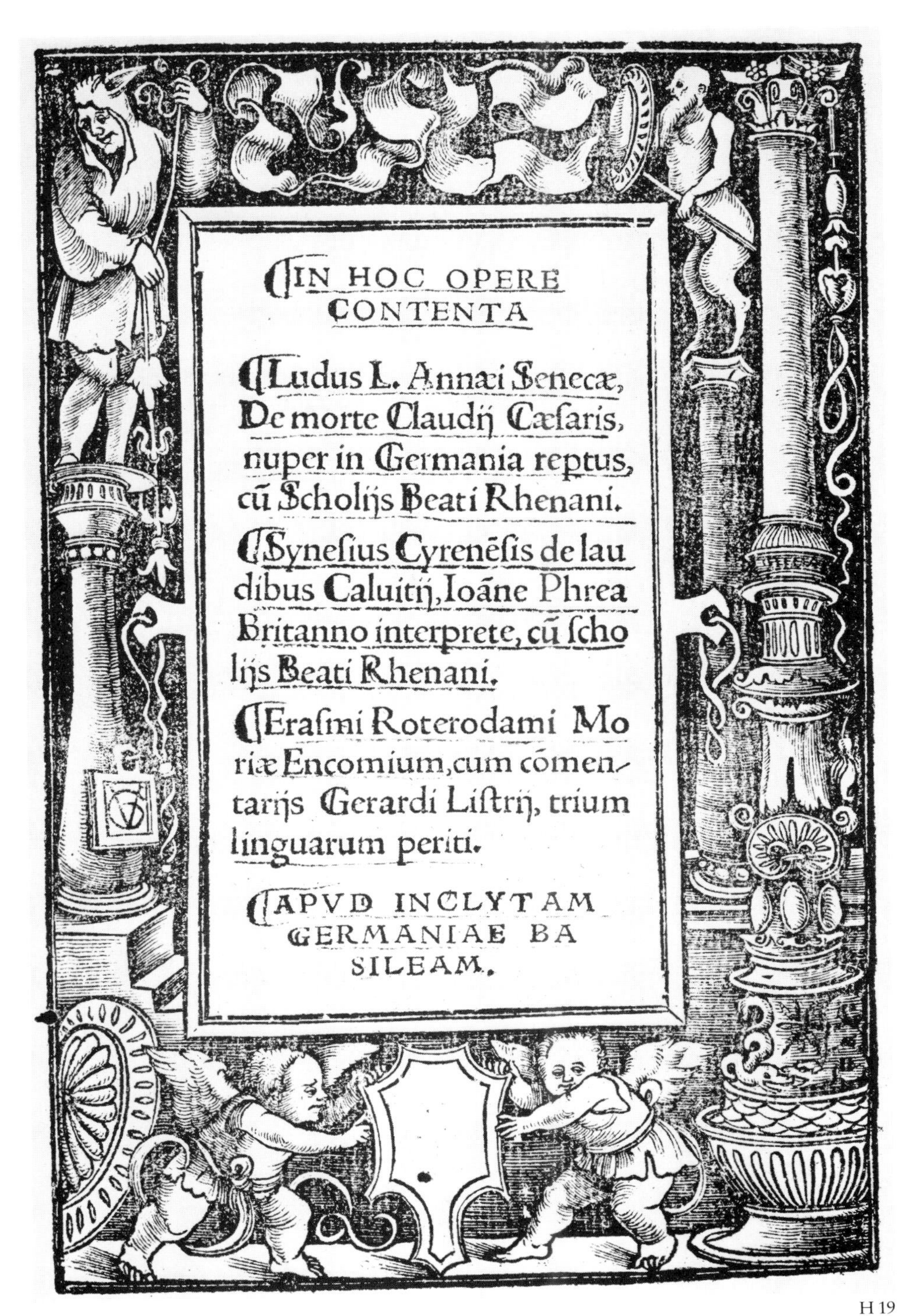

IN HOC OPERE CONTENTA

Ludus L. Annæi Senecæ, De morte Claudij Cæsaris, nuper in Germania reptus, cū Scholijs Beati Rhenani.

Synesius Cyrenēsis de laudibus Caluitij, Ioāne Phrea Britanno interprete, cū scholijs Beati Rhenani.

Erasmi Roterodami Moriæ Encomium, cum cōmentarijs Gerardi Listrij, trium linguarum periti.

APVD INCLYTAM GERMANIAE BASILEAM.

H 19

Freiburg, Universitätsbibliothek, D 8441

Das Werk, übrigens das einzige, das heute von Erasmus' Schriften noch lebendig ist, entstand auf einer Reise von Italien nach England 1509 und wurde bei dem Freund und Gastgeber Thomas Morus – ein Wortspiel bringt ihn in den Titel – niedergeschrieben.
Nur aus der Torheit lebt der Mensch, wie Stultitia als Göttin verkündet und belegt. Sie beherrscht alle und macht sie glücklich. Dahinter steht der Gedanke: Die Torheit ist Weisheit und die eingebildete Weisheit ist Torheit.
Die Illustrationen zu der Schrift schuf Hans Holbein d.J.
Deutsche Übersetzung: Das theür und künstlich Büchlein Morie Encomion ... Von Seb. Franck. Ulm 1534.

J. Huizinga, Europäischer Humanismus: Erasmus. Reinbek b. Hamburg 1962; A. Ruegg, Desiderius Erasmus' „Lob der Torheit" und Thomas Mores „Utopie", in: Gedenkschrift zum 400. Todestage des Erasmus von Rotterdam, Basel 1936, S. 69–88; W. Nigg, Der christliche Narr, Zürich 1956, S. 113–160; E. F. Rice, The Renaissance Idea of Wisdom, Cambridge, Mass. 1958; M. Foucault, Histoire de la folie à l'age classique, Paris 1961; B. Könneker, Wesen und Wandlung der Narrenidee im Zeitalter des Humanismus, Wiesbaden 1966; F. Saxl, Holbein's Illustrations to the „Praise of Folly" by Erasmus, in: Burlington Magazine 83 (1944), 275–279.

W.S.

H 19 A

Desiderius Erasmus von Rotterdam

Eyn gemeyn sprüchwort, Der Krieg ist lustig dem vnerfarnen ... Yetzo durch Vlrichen Varnbülers geteutscht.

Basel 1519, 6. Nov.: A. Cratander. 28 ungez. Bl. 8° (4°)
Titeleinfassung von H.F. (Hans Franck).

München, Bayerische Staatsbibliothek, 4° Hom. 9676/5 Rara 1848

Erasmus hat in mehreren Friedenstraktaten – vor allem in *De querela pacis* – der allgemeinen Zwietracht literarisch entgegenzutreten versucht. Von seiner Zeit spricht er als einem „allerfrevelhaftesten Jahrhundert, dem unglücklichsten und verdorbensten, das man sich denken kann".
Nach einer Anekdote – die so sicher nicht geschehen ist – soll ihn Papst Julius II. haben kommen lassen wegen einer Schrift gegen den Krieg. Er habe ihn im Beisein anderer ermahnt, er solle es lassen, über die Angelegenheiten der Fürsten zu schreiben: Du begreifst diese Dinge nicht (Tu talia non intelligis)! (nach Melanchthon, in: Corpus reformatorum XII, S. 266ff.).
Die Titeleinfassung – vier Leisten mit Indianern im Federschmuck mit exotischen Tieren – wird von Cratander ab 1519 in Basel verwendet. Das Original hierzu besaß jedoch Servatius Kruffter, der 1518 noch mit Cratander in Gemeinschaft stand, dann mit dem Holzstock nach Köln abwanderte (vgl. Claudius Claudianus, De raptu Proserpinae, Köln 1520: S. Kruffter.). Eine weitere Kopie verwendete Mathias Schürer in Straßburg, bei dem Cratander als Setzer gear-

H 19 a

Dulce bellum inexperto.

Eyn gemeyn sprüchwort/ Der krieg ist lustig dem vnerfarnen durch den allergelertesten Erasmū von Roterodam erstlich zů latein gar künstlich außgelegt. Vñ yetzo durch her Vlrichē Varnbüler geteutscht. In welchem die allerheylsamest fruchtbarkeit des fridēs vñ der verderplichest nachteyl des kriegs vnderscheidlich/ auch vyl gůter erbarer precept/lere/ warnūg/ vñ ermanungen angezeigt sein/ menigklich zů leßen nit minder nutz dann notturfftig.

H 20

beitet hatte, und eine dritte ab 1524 der aus Straßburg nach Tübingen übersiedelte Ulrich Morhart.

J. Huizinga, Europäischer Humanismus: Erasmus, Reinbek b. Hamburg 1958; 1962; Ders., Ce que Erasme ne comprenait pas, in: Grotius. Annuaire 1936, S. 13–20; K. von Raumer, Ewiger Friede, Freiburg, München 1953; J. Benzing, in: Archiv für Geschichte des Buchwesens 2 (1960), S. 742–748; F. Hieronymus, Oberrhein. Buchillustr. 2,295. *W.S.*

H 19B

Alphonsus Espina

Fortalitium Fidei contra Iudeos.

Norimbergae 1485: A. Koberger. GW 1576

Supralibros des Pfalzgrafen Ottheinrich, Heidelberg 1553, Buchbinder Jörg Bernhardt (von Görlitz).

Karlsruhe, Badische Landesbibliothek, 73 C 11

Dunkelbraunes Kalbsleder über Holztafeln mit Blinddruck und Vergoldungen. Auf dem Vorder- und Rückdeckel Rollenstempel mit dem Sündenfall, der Kreuzigung und der Auferstehung als äußere Umrahmung; auf der inneren Umrahmung Figuren eines Mannes und einer Frau in zeitgenössischem Gewand. Kleine vergoldete Eckstempel.
Der Vorderdeckel zeigt in der Mitte einen Rhombus aus Rollenstempeln mit Blumenmotiven, darin als Platte vergoldet die Büste Ottheinrichs (reich in Pelz gekleidet mit einem offenen Buch in der Hand) in einem Renaissancerahmen. Darunter steht OTTHAINRICH VON G G // PFALTZGRAVE BEY RHEIN // HERTZOG IN NIDERN VND // OBERN BAIRN (Schnörkel) //; unten im Rhombus: 1553 als das Jahr des Einbandes, oben schwebt ein Engelskopf.
Auf dem Rückdeckel in der Mitte: M. D. Z. (= Mit der Zeit).
Der Band hat acht reich verzierte geschmiedete Messingecken und zwei Schließen.

I. Schunke, Die Einbände der Palatina in der Vatikanischen Bibliothek. 1. Città del Vaticano (1962), S. 47–58: Die Ottheinrichbände. – H. Helwig, Handbuch der Einbandkunde. 2, Hamburg 1954, S. 322f.; F. A. Schmitt, Kostbare Einbände... aus der... Badischen Landesbibliothek, Karlsruhe 1974, S. 36f. *W.S.*

Affentheurlich Naupengeheurliche Geschichtklitterung
Von Thaten vnd Rhaten der vor kurtzen langen vnnd je weilen Vollenwolbeschreiten Helden vnd Herren
Grandgoschier Gorgellantua vnd deß
Etwan von M. Frantz Rabelais Frantzösisch entworffen:
Durch Huldrich Elloposcleron.
Si laxes erepit: Si premas erumpit.
Im Fischen Gilts Mischen.
Getruckt zur Grensing im Gänsserich. 1590.

H 21

H 20

Johannes Fabri

Vrsach warumb der Widerteuffer Patron vnnd erster Anfenger Doctor Balthasar Hubmayer zu Wienn auff den zehendten tag Martij. Anno. M. D. xxviij. verbrennet sey.

[Landshut: J. Weißenburger 1528.] 9 ungez. Bl. 8° (4°)

Augsburg, Staats- u. Stadtbibliothek, 4° Aug 329

Johannes Fabri (Leutkirch 1473–1541 [Baden bei?] Wien), Sohn eines Leutkircher Schmiedes, studierte in Tübingen und Freiburg. Er war mit Erasmus und anderen Humanisten befreundet, zunächst auch mit Zwingli. Als Generalvikar von Konstanz (seit 1518) nahm er an mehreren Disputationen teil, seit 1523 im Dienste des Erzherzogs Ferdinand von Österreich auch an Reichstagen und Religionsgesprächen. 1530 wurde er Bischof von Wien und an den Vorarbeiten für das Konzil von Trient beteiligt. Er stiftete Stipendien für Leutkirch und Freiburg. Seine Bibliothek von 4000 Bänden vermachte er dem von ihm errichteten Collegium trilingue bei St. Nikolaus in Wien. Zunächst gemäßigt, trat er seit 1521 scharf gegen Luther, später auch gegen Oekolampad, Hubmair, Schwenckfeld u.a. in seinen Schriften auf.

L. H. Helbling, Dr. Johann Fabri, Generalvikar von Konstanz und Bischof von Wien (1478–1541), Münster i.W. 1941, (m. Bibliogr. der Schriften Fabris); L. Helbling, in: RGG 2 (1958), Sp. 856; H. Tüchle, in: NDB 4 (1959), S. 728f. *W.S.*

H 21

Johann Fischart

Affentheurlich Naupengeheurliche Geschichtklitterung von Thaten vnd Rhaten der ... Helden vnd Herren Grandgoschier Gorgellantua vnd deß ... Fürsten Pantagruel von Durstwelten, Königen von Utopien ... Etwan von Frantz Rabelais Frantzösisch entworffen: Nun aber ... in einen Teutschen Mohst vergossen ... durch Huldrich Elloposteleron.

Straßburg: B. Jobin 1590. 565 S. 8°

Tübingen, Universitätsbibliothek, Dk XI 507a. R

Johann Fischart (Straßburg um 1546 bis 1590 Forbach) arbeitete nach ausgedehnten Reisen seit 1570 für seinen Schwager, den Verleger und Drucker Jobin. 1574 promovierte er in Basel zum Dr. theol. Er lebte zunächst als freier Schriftsteller, war Advokat am Reichskammergericht in Speyer und dann Amtmann in Forbach.

Diese Moralsatire ist eine freie deutsche Bearbeitung nach Rabelais' *Les horibles et espoventables faices et prouesses du très renommé Pantagruel* (erschienen 1533), und zwar nur vom ersten Buch, das Fischart im Umfang verdreifacht hat. Im Gargantua von Rabelais wird das vitale Bedürfnis ins Ungeheure, Absurde gewendet und mit dem Witz der Sprache die scholastische Methode parodistisch zerfetzt. Fischart geht in der Sprache weiter und bereitet mit seinen lautmalenden Formen die Manier des Barock vor.
Der Erstausgabe (Geschichtschrift, Straßburg 1575) folgten weitere Auflagen von 1582 und 1590 – der letzten zu Lebzeiten des Autors. Hier erscheint der Titel *Geschichtklitterung*. Weitere Ausgaben: 1594, 1600, 1605, 1608, 1617 und 1631. Die Holzschnitte der Ausgaben von 1575 und 1590 sind gleich: 11 Holzschnitte sowie eine Titelvignette von Tobias Stimmer (1539–84), teilweise unter dem Einfluß der Illustrationen zu Sebastian Brants Narrenschiff. Die zweite Auflage von 1582 enthält noch vier weitere Holzschnitte. Die Vorlagen werden in der Emblemsammlung von N. Reusner, Straßburg 1587, erneut verwendet.

G. Bucher-Schmidt, Stimmer als Moralist – Bemerkungen zu einigen Holzschnitten in Fischarts „Geschichtklitterung", in: Spätrenaissance am Oberrhein. Tobias Stimmer 1539–1584, Basel 1984 (Ausst.Kat.), S. 274–286. *W.S.*

H 22

Sebastian Franck

De arbore scientiae boni et malae … Augustino Eleutherio authore
(d.i. Sebastian Franck).

(Mülhusii) 1561 (: P. Faber). 130 S. 8°

Tübingen, Universitätsbibliothek, Gf 268

Das Druckersignet auf der letzten Seite zeigt eine Frau mit Geige und Trompete sowie die Worte *Ut in velabro olearii* (Wie auf dem Marktplatz die Ölhändler) aus den Captivi (3, 1, 29) des Plautus.

Nach Herkunft und Bildung gehört Franck (Donauwörth 1499–1542 Basel) nicht zum Kreise der Humanisten. Er studierte in Ingolstadt – scholastisch –, erwarb dort 1517 sein Bakkalaureat und wechselte zum Dominikanerkolleg in Heidelberg, wo ihn im April 1518 Luther bei der Heidelberger Disputation des Augustinerkonvents beeindruckte – wie auch Butzer, Brenz, Schnepf, Billicanus, Frecht u.a. Er wirkte dann zunächst wohl katholisch als Prediger, dann 1526 als Prädikant in Büchenbach bei Schwabach, 1528 als Geistlicher in Justenfelden, von wo er Kontakte nach Nürnberg – auch zu Täufern – knüpfte.
Seine Werke sind deutsch verfaßt (er machte auch eine Reihe von Übersetzungen): *Vonn dem grewlichen laster der trunckenheit* und umfangreiche Werke historischer Art, denn die Suche des Menschen nach Gott offenbare sich ihm am unmittelbarsten in der Geschichte, 1530 eine *Chronica vnnd Beschreibung der Türkey,* 1531 sein dreiteiliges Hauptwerk *Chronica, Zeytbuch und Geschycht Bibel,* woraufhin er aus Straßburg ausgewiesen wird, *Weltbuch oder Cosmographey* 1534 und *Germaniae chronicon,* 1538, ein Werk nationalen Bekenntnisses,

H 22

GERMANICA-
RVM RERVM SCRIPTO-
RES ALIQVOT INSIGNES,
HACTENVS INCOGNITI.
Qui geſta ſub Regibus & Imperatoribus Teutonicis, iam inde à Karolo M. vſq; ad Fridericum III. Imp. perpetua ferè ſerie, ſuis quique ſeculis, litteris mandatas poſteritati reliquerunt,
TOMVS VNVS.
Nunc primùm editus.
Ex bibliotheca MARQVARDI FREHERI, conſiliarii Palatini.
Auctorum Catalogus, qui hoc volumine continentur, poſt Nuncupatoriam apparebit.
Cum INDICE rerum & verborum in primis memorabilium copioſiſſimo.

FRANCOFVRTI
Apud heredes Andreæ Wecheli,
Claudium Marnium & Ioannem Aubrium.
M. DC.

H 23

PALATINÆ. 29

AD MERIDIEM. | AD OCCIDENTEM.

peratoris rem geſtam denotat: et Mulciber illa opera in aſperrimis locis poſita. Quartam enim figuram mulieris ſtolatæ, cuiſimilem nec in nummis nec in ſtatuis hactenus vidi, cognoſcere adhuc laboro. Non omittam, quod ſimilem huic lapidem quadrum in Vangionum vrbe Borbetomago, in ędibus Silberborniorum, vidiſſe recordor: vbi ſimilis iſti Vulcanus cũ forcipe & marculo: tum Hercules pharetratus & claua armatus: dein Mercurius caducifer & crumeniger: in quarto latere ſcripturâ (proh indignum facinus!) funditus eraſâ.
d 3

H 23 b

sowie eine bedeutsame zweibändige Sammlung deutscher Sprichwörter 1541. Von Erasmus übersetzte er das *Moriae encomion,* das er mit zwei weiteren Übersetzungen und seinem Werk *Von dem Bawm des wissens guts und böses* als sog. *Kronenbüchlein* 1534 herausbrachte im gleichen Jahr wie die *Paradoxa.* Beide bringen seine mystischen Gedankengänge am stärksten; dazu tritt 1538 *Die Guldin Arch.*
Nach Straßburg wird Franck auf Vermittlung des Bürgermeisters Besserer in Ulm aufgenommen, wo er einige Jahre auch eine Druckerei betrieb, bis er durch die jahrelangen hinterhältigen Denunziationen von Frecht ausgewiesen wird und mit der Druckerei nach Basel zieht.
Für Francks Stellung gilt sein Bekenntnis: „Selig ist der Mensch, der im Finstern verborgen liegt. Unter der Bank neidet einen niemand." Er bekennt, weder *Bäpstisch, noch Lutherisch, Zwinglisch oder Täufer* sein zu wollen, sondern er steht zwischen den Fronten und redet als tiefgläubiger Mensch einem vierten Glauben das Wort ohne Predigt, Zeremonie, Sakrament, Bann, Beruf in einer unsichtbaren geistlichen Kirche in Einigkeit und Glauben unter allen Völkern. Das Reich Gottes sei durch Christus im Geist und Herzen der Menschen begründet und die Bibel unvollkommenes Menschenwerk. Und er tritt für unbedingte Religionsfreiheit des Einzelnen ein, auch für die Ketzer („ … ich bin des Irrens und Fehlgreifens an allen Menschen gewohnt, daß ich keinen Menschen darum haß, sondern mich selbst, mein Elend und Kondition in ihnen bewein, erkenn, siehe", *Geschichtbibel).* Er fordert Frieden *(Kriegbüchlin des Friedes,* 1539; Frankfurt a.M. 1550), Toleranz und Gewaltfreiheit. Dogmatismen und Autoritäten steht er kritisch gegenüber (unter anderm auch der Hartnäckigkeit Luthers im Abendmahlsstreit). Die Veränderung seiner Welt erfährt er eschatologisch.
„In hundert Rinnsalen fließen die Ideen Francks der modernen Zeit entgegen", schreibt Dilthey.

Kaczerowsky A39–A42; R. Stupperich, in: NDB 5 (1961), S. 320f.; W. E. Peuckert, Sebastian Franck, München 1943; W. Nigg, Das Buch des Ketzer, Zürich 1949; 1981[6]; H. Körner, Studien zur geisteswissenschaftlichen Stellung Sebastian Francks, Breslau 1935; K. Räber, Studien zur Geschichtsbibel Sebastian Francks, Basel 1952. Diss.; K. von Raumer, Ewiger Friede, Freiburg, München 1953, S. 25–49; G. Müller, Sebastian Francks Kriegsbüchlein des Friedens und der Friedensgedanke im Reformationszeitalter, Münster 1954, Masch. Diss.; F. Heer, Die dritte Kraft. Der europäische Humanismus zwischen den Fronten des konfessionellen Zeitalters, Frankfurt a.M. 1960; M. Barbers, Toleranz bei Sebastian Frank, Bonn 1964. *W.S.*

H 23

Marquard Freher

Originum Palatinarum commentarius …

Heidelbergae 1599: Off. Comeliniana. 144, 77 S. 8° (4°)

Tübingen, Universitätsbibliothek, Fo XIIb 415. 4°

Freher (Augsburg 1565–1614 Heidelberg) war als Jurist und Politiker in kurpfälzischen Diensten tätig, nachdem er eine Professur an der Universität aufgegeben hatte. Seine Schriften bilden den Über-

FR. ACHILL.is
Ducis Würtemberg.
CONSVLTATIO
de principatu inter pro-
vincias Europae
habita
Tubingae in Illustri
COLLEGIO
An. CHR.
CIↃ IↃ CXIII
Orbis captivus
Victa Barbaries

H 24

gang vom Heidelberger Späthumanismus zur Polyhistorie des Barock.
Bedeutend sind seine Bemühungen um die Originale der deutschen mittelalterlichen Literatur zusammen mit Melchior Goldast – den Williram, Otfried von Weißenburg und die Manessische Liederhandschrift – sowie um historische Quelleneditionen, vor allem die *Germanicarum rerum scriptores aliquot insignes* (Francofurti a.M. 1600–02). Für die Pfälzer Geschichte legte er mit seinem *Originum Palatinarum commentarius,* gewidmet dem Pfalzgrafen Friedrich d.J., Herzog von Bayern, den Grundstein.

P. Fuchs, in: NDB 5 (1961), S. 392f.; K. Obser, Zur Lebensgeschichte Marquard Frehers, in: Neues Archiv für die Geschichte der Stadt Heidelberg und der rheinischen Pfalz 4 (1901), S. 143–146; J. Dünninger, Geschichte der deutschen Philologie, in: Deutsche Philologie im Aufriß. Hrsg. v. W. Stammler, 2. Aufl. Bd. 1 (1957), Sp. 105.
W.S.

H 24

Friedrich Achilles Herzog zu Württemberg

Consultatio de principatu inter provincias Europae habita Tubingae in Illustri Collegio An. Chr. M D CXIII.

(Tubingae 1613:) Cellius. 362 S. 8° (4°)
Violetter Samteinband mit württembergischem Wappen; Titelblatt mit Deckfarben und Gold gehöht.

Wien, Österreichische Nationalbibliothek, C. P. i. D 7

Das Werk bietet einzelne Reden, die im Collegium illustre zu Tübingen für und wider die Länder („provinciae" genannt nach antiker Weise) Europas in einem rhetorischen Wettstreit um den Prinzipat gehalten worden sind.
Der Titelkupferstich ist von dem berühmten Augsburger Stecher L(ucas) Kilian (1579–1637) signiert. Den Rahmen bildet eine Prunkarchitektur als Denkmal. Unten auf dem linken Sockel ist abgebildet eine Landschaft mit drei Burgen, auf denen Fahnen wehen – außen neben dem Sockel Waffen; auf dem rechten Sockel in einem Raum ein Setzer – außen neben dem Sockel Bücher. Zwischen den Sockeln in einem mit zwei Füllhörnern geformten Rund Doppeladler mit Bindenschild, über dem Adler eine Krone und links und rechts unten einzelne Putten. Mit der Aufschrift *Orbis captivus* steht über dem linken Sockel ein Lanzenträger, an der Kette hält er den Erdball, mit *victa Barbaries* über dem rechten Sockel eine Frau auf einem liegenden Esel, in der Rechten Licht als Sonne an einem langen Stab und in der Linken ein aufgeschlagenes Buch. Oben links befindet sich eine halb kniende weibliche Gestalt mit Heiligenschein, rechts eine hockende Gestalt, die die Fanfare bläst (daran eine Fahne

H 25

mit Doppeladler und Bindenschild), zwischen ihnen im Lorbeerkranz die gepanzerte Büste mit spanischer Halskrause von dem lorbeerbekrönten Maximilian II. W.S.

H 25

Nicodemus Frischlin

Callimachi Cyrenaei Hymni et epigrammata, quae extant: cum duplici interpretatione & commentariis. Praeterea A. Licinii Archiae Epigrammata quaedam Graeca, cum Latina interpretatione. Accesserunt eiusdem Frischlini aliquot Graeca Epigrammata, cum nonnullis aliis.

Basileae 1589: L. Ostein für W. Homm. 460 S. 8°

München, Bayerische Staatsbibliothek: Rar. 118

Vorderdeckel: In der Mitte ovaler Stempel mit viergeteiltem württembergischen Wappen, Umschrift: VERBVM · MANET · IN · ETERNVM · IM · LXXIII · Jar ·. Reichverzierte Eckstempel mit entsprechendem Rollenstempel zur äußeren Umrahmung.
Frischlin (Ergenzingen bei Balingen 1547 bis 1590 Hohenurach) wurde 1562 als Stiftler an der Universität Tübingen immatrikuliert, 1564 machte er das Bakkalaureat, 1565 wurde er Magister und erhielt mit der Lectio Poetices eine außerordentliche Professur. Rudolf II. krönte ihn zum Dichter und ernannte ihn zum Pfalzgrafen, nur ein Titel. Wegen der Schwierigkeiten mit den Tübinger Kollegen übernahm Frischlin 1582 die Leitung der Landesschule in Laibach. Als er 1584/85 nach Tübingen zurückkehrte, lebte die frühere Zwietracht wieder auf. Einem Gerichtsverfahren wegen Ehebruchs entzog er sich durch ein Wanderleben über Prag, Wittenberg und andere Orte. 1588/89 war er Leiter der Braunschweiger Lateinschule. Wegen Beleidigung württembergischer Räte wurde er in Mainz festgenommen, ausgeliefert und auf der Feste Hohenurach eingekerkert, wo er bei einem Fluchtversuch (1590) zerschellte.
Berühmt wurde er durch seine witzigen, satirischen Komödien.

G. Bebermeyer, in: NDB 5 (1961), S. 620f.; D. F. Strauss, Leben und Schriften des Dichters und Philologen Nikodemus Frischlin, Frankfurt a.M. 1856; G. Bebermeyer, Tübinger Dichterhumanisten, Tübingen 1927.
W.S.

H 26

Leonhart Fuchs

De historia stirpium commentarii insignes ...

Basileae 1542: M. Isengrin. 897 S. 4° (2°)

Tübingen, Städtische Sammlungen, Inv.Nr. 1117

Von den genannten Kräuterbüchern ist das von Fuchs (Wemding bei Donauwörth 1501–1566 Tübingen) das kostbarste. Das lateinische Kräuterbuch hatte allerdings nur einen kleinen Absatzkreis, denn es war vor allem für den Arzt und Apotheker konzipiert. So entschlossen sich der Autor und der Verleger Isengrin 1543 zu einer deutschen Ausgabe unter dem Titel *New Kreüterbuch,* dem außer den 511 Abbildungen noch 9 weitere hinzugefügt wurden. Die teilweise fast wörtlichen Zitate aus antiken Autoren sind nicht übernommen worden, womit Platz gespart wurde. 1545 erschienen dann nur die Pflanzenabbildungen ohne den Begleittext. Fuchs hatte sich mit dem Werk stark verschuldet, arbeitete aber trotzdem an einem zweiten Teil bzw. sogar noch einem weiteren Band. Doch fand er ohne Druckkostenzuschuß keinen Verleger. Die schon gezeichneten Holzblöcke waren noch um 1900 in der Universitätsbibliothek Tübingen und kamen von dort in das Botanische Institut. In der Inflationszeit gelangten fast alle in die Stuttgarter Akademie der Bildenden Künste, wo man sie abhobelte und anderweits verwandte. Nur 25 Tafeln blieben in Tübingen erhalten (heute noch 23).
Die etwa 500 Pflanzen sind nach dem griechischen Namen alphabetisch aneinandergereiht, da Fuchs sich stark an das Werk des Dioskurides angelehnt hat. Die Benennung ist uneinheitlich.
Für die Pflanzenbilder diente das Herbarium des Botanikers Rauwolf, mit dem er befreundet war, als Vorlage. Die nach

H 26a

H 26b

H 26c

den Vorlagen des Rauwolf-Herbariums, das heute in Leiden ist, gezeichneten Pflanzenbilder fanden sich im Wiener Manuskript wieder. Andere Bilder entstanden aus der Naturbetrachtung. „Manchmal ist auch – gewissermaßen im Zeitraffer-Verfahren – der jährliche Entwicklungsablauf der Pflanze in einem Bild konzentriert. So trägt der im Mai blühende Bergahorn neben einem jugendlichen Blütenstand bereits herangewachsene, normal erst im Sept./Okt. reifende Früchte" (Dobat).
Die Abbildungen sind in klaren, einfachen Linien geschnitten, ohne Schraffur. Das Titelblatt zeigt auf der Rückseite das Bild von Leonhart Fuchs im 41. Jahr, auf dem letzten Blatt die Bildnisse der Zeichner Heinrich Füllmaurer und Albert Meyer sowie des Holzschneiders Vitus Rudolf Speckle.
Meyer zeichnet eine in der Vase stehende Pflanze ab, Füllmaurer überträgt die Umrisse und Einzelheiten einer fertigen Zeichnung auf die glattgeschliffene, etwa 2 cm starke Holzplatte aus Birnbaum.

G. Hizler, Oratio de vita et morte L. Fuchsii. Tübingae 1566; H. Marzell, Leonhart Fuchs und sein New Kräuterbuch (1543), Leipzig 1938; E. Stübler, in: Schwäbische Lebensbilder 1 (Stuttgart 1940), S. 208–215; R. Rau, in: Tübinger Blätter Nr. 38 (1951), S. 44f.; K. Ganzinger, Ein Kräuterbuchmanuskript des Leonhart Fuchs in der Wiener Nationalbibliothek, in: Archiv für Geschichte der Medizin und Naturwissenschaften 43 (1959), S. 213–224; Ders., Rauwolf und Fuchs, in: Festschrift z. 65. Geb. v. G. E. Dann ... Stuttgart 1963, S. 23–33; G. Harig, Zur Einschätzung des Kräuterbuchs von Leonhart Fuchs, in: Beiträge zur Geschichte der Universität Erfurt. 14 (1968/69), S. 71–77; Fleischhauer 1971, S. 156f.; K. Dobat, Tübinger Kräuterbuchtafeln des Leonhart Fuchs. Begleitheft. Tübingen 1983; C. Nissen, Die botanische Buchillustration. 1. 2. Nebst Suppl. Stuttgart 1951–66; W. L. Schreiber, die Kräuterbücher des 15. und 16. Jahrhunderts, München 1924. *W.S.*

H 27

Johannes Geiler von Kaysersberg

Das buch Granatapfel, im latin genant Malogranatus. ... Item ain merckliche vnderrichtung der gaistlichen spinnerin. Item etlich predigen von dem hasen im pfeffer. Vnd von siben schwertern, vnd schayden, nach gaistlicher außlegung.

(Straßburg 1511, 13. März: J. Knoblauch.) Bog. A–P_8, a–m_6 4° (2°)

Augsburg, Staats- und Stadtbibliothek, 2° H.V. 104

Geiler von Kaysersberg (Schaffhausen 1443–1510 Straßburg), Schüler vor allem von Heynlin von Stein und Johannes Gerson, galt als der berühmteste Prediger seiner Zeit.
Die Veröffentlichung seiner Predigten kam durch Mitschriften zustande. Einer seiner Herausgeber war Johannes Pauli. 1510 druckte Johann Otmar in Augsburg für den Verleger Jörg Diemer Geilers Predigtsammlung *Das Buch Granatapfel* mit sechs Textholzschnitten von Hans Burgkmair, die Johann Knoblauch in Straßburg 1511 (2. Ausgabe 1516) nachdruckte mit sechs von Hans Baldung Grien frei nach Burgkmair gestalteten Holzschnitten.

D. Wuttke, in: NDB 6 (1964), S. 150f.;
M. C. Oldenbourg, Der Buchholzschnitt des Hans Baldung Grien, Baden-Baden, Strasbourg 1962, Nr. 312–317. *W.S.*

H 27

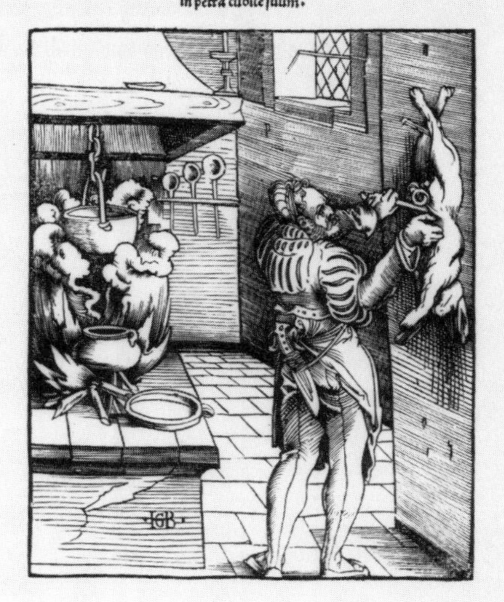
Lepus tametsi ruminet sed vngulā nō diuidit. Et sus que cum vngulā diuidat nō ruminat/ horū carnibus nō vescimini nec cadauera cōtingetis/ quia īmunda sunt vobis/ vt habetur Leuitici. xj. Accipiendum est hoc non ad litteram/ sed figuraliter et mystice/ quia per ista animalia figurantur vicia/ vt pote per porcum Luxuria per leporē/ timiditas ignauie que ab hominibus sunt fugienda. Ideo lepusculus plebs inualida/ ex ignauia et timore collocat in petra cubile suum.

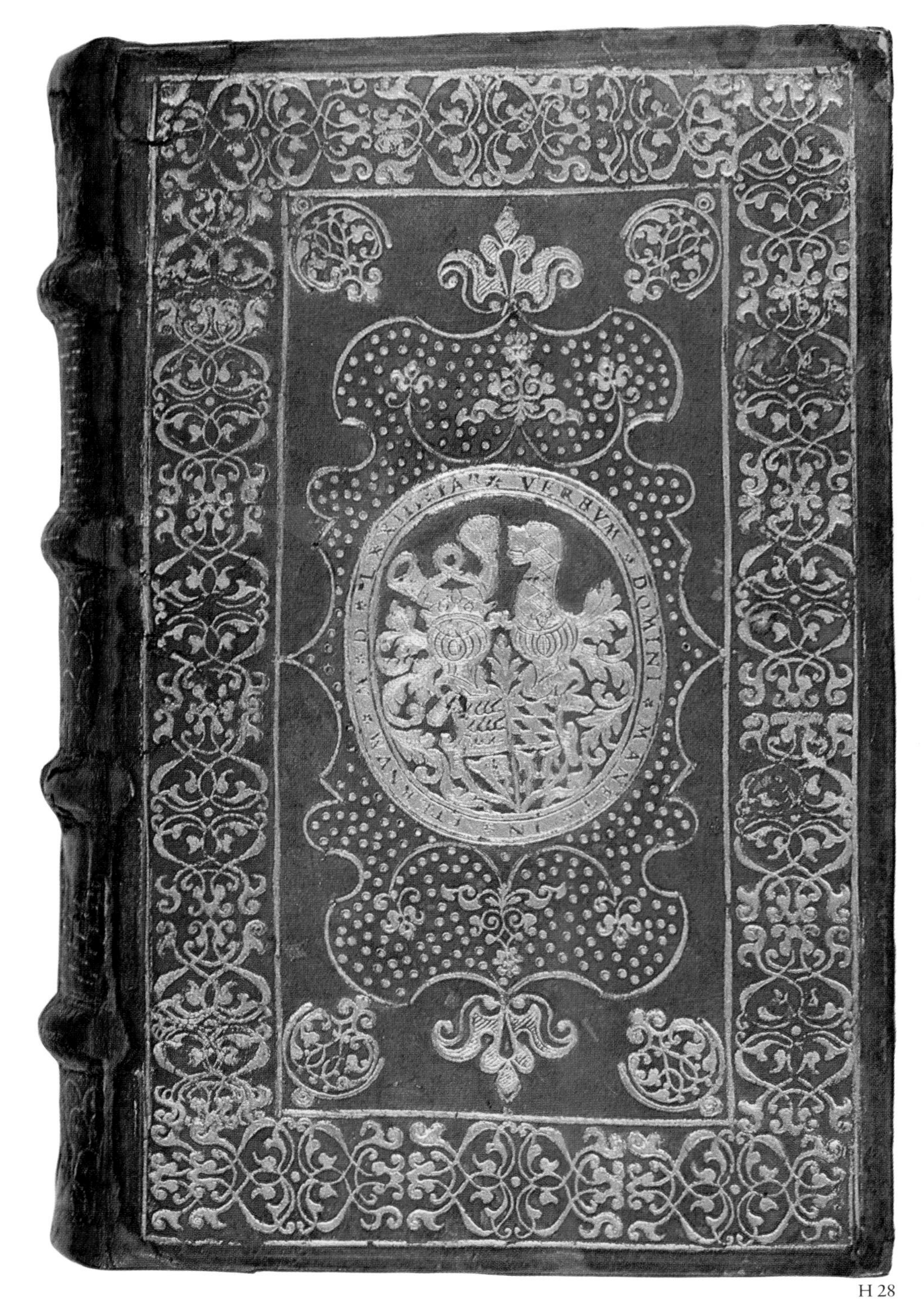

H 28

H 28

H 28

Jacob Heerbrand

Compendium theologiae, nunc paßim auctum & methodi quaestionibus tractatum.

Tubingae 1578: G. Gruppenbach. 1012 S. 8°
Einband mit drei bemalten Buchschnitten, württembergisch (Stempel datiert 1572)

Tübingen, Universitätsbibliothek,
Gf 957 R

Nach dem Schulbesuch in Tübingen und Ulm studierte Jacob Heerbrand (Giengen/Brenz 1521–1600 Tübingen) 1538–43 bei Melanchthon und Luther in Wittenberg. Das Diakonat, das er seit 1543 in Tübingen versah, verlor er 1550 durch das Interim. 1550 wurde er als D. theol. Superintendent in Herrenberg. Er reformierte von Pforzheim aus 1556 die Markgrafschaft Baden-Durlach und im Breisgau. 1557 kam er an die Universität als Professor der Theologie, nach Jakob Andreäs Tod wurde er 1590 Kanzler, herzoglicher Rat und Propst an der Stiftskirche. Heerbrand gehörte zu den führenden Theologen in Württemberg. So war er mit Brenz zusammen im März 1552 auf dem Konzil zu Trient. Sein Hauptwerk ist das *Compendium theologiae;* es schließt sich der Konkordienformel an.

Ledereinband über Holzplatten mit Goldpressung.
Vorder- und Rückdeckel gleich: Breite Umrahmung mit Rollenstempeln von zartem Rankenwerk, vier Einzelstempel mit dem gleichen Motiv in den Ecken.
Gepunktetes geschwungenes Mittelfeld mit je einer stilisierten Blüte nach oben und unten in der Mitte. Darin Oval mit dem viergeteilten württembergischen Wappen, in breitem Rand Umschrift VERBVM · DOMINI · MANET · IN · ETERNVM · M · D · LXXII · IAR ·.
Oberer Schnitt farbig: Büste eines bärtigen Mannes zwischen Ranken.
Mittelschnitt farbig: Ranken mit Phoenix und auferstehendem Christus als Triumphator mit Fahne.
Unterer Schnitt farbig: Kaiserkopf mit Strahlen in aus Ranken gebildetem Medaillon (vgl. antike Münzen).
Die Bemalung der drei Schnitte hat im Stil textilen Charakter.

H. Fausel, in: NDB 8 (1969), S. 194 f.;
H. Hermelink, Geschichte der evangelischen Kirche in Württemberg, Stuttgart, Tübingen 1949. *W.S.*

CHRONICON ALSATIAE.

Edelsasser Cronick vnnd außfürliche beschreibung des vntern Elsasses am Rheinstrom/ auch desselben fürnemer Stätt/ als Straßburg/ Schletstatt/ Hagenaw/ Weissenburg/ vnd anderer der enden gelegener Stätt/ Schlösser/ Clöster/ Stifft/ Märckt/ Flecken vnd Dörffer. Als auch der Landgraffschafft/ vñ Bisthumbs Straßburg gehabter Landgraffen/ Bischoffen/ sampt ermeldten Lands Fürstenthumben/ Graff vnd Herrschafften/ Adenlicher/ vnd Burgerlicher Geschlechter/ jhrer Genealogien/ Stämmen/ geburts Linien/ Wappen vnd Cleinodien.

Darinn jhre her vnd ankunfften / leben/ handlung/ thaten/ auch darinnẽ von anfang dessen biß auff gegenwertiges 1592. Jar gedenckwürdigen vorgangene geschichten/ gründtlich vnd vmbständ, lichen/ auß mancherley bewärten/ glaubwürdigen Scribenten/ Vrbarn/ Brieflichen Vrkunden/ auch andern vermerckungen/ vnd berichten zusamen gezogen/ beschrieben/ vnd meniglichen zu nutz mit sonderm vielfaltigem fleiß/ müh vnd arbeit an tag gegeben worden.

Durch den Ehrnvesten/ Hochachtbarn/ Herrn Bernhart Hertzogen/ dieser zeit Hanaw Liechtenbergischen Amptmann zu Wördt.

Cum gratia & Priuilegio.

Getruckt zu Straßburg/ durch Bernhart Jobin/ Anno 1592.

H 29

H 29

Bernhard Hertzog

Chronicon Alsatiae. Edelsasser Cronik vnnd außfürliche beschreibung des vntern Elsasses am Rheinstrom ... (Buch 1–10).

Straßburg 1592: B. Jobin. Getr. Pag. 4° (2°)

Tübingen, Universitätsbibliothek, Fo XIIb. 162. Fol.

Hertzog (Weißenburg 1537–1596/97 Wörth/Elsaß) studierte in Heidelberg Rechtswissenschaften, wurde 1561 pfalzgräflicher Kanzleisekretär in Zweibrükken, 1570 beim Grafen Philipp von Hanau-Lichtenberg und dann Sekretär und später Amtmann in Wörth im Elsaß. Johann Fischart war sein Schwiegersohn. Seiner Chronik gibt er als Vorwort bei: *... welches alles dem Menschen darzu dienen mag, daß er neben täglicher fleissiger übung vnd lesung Göttlicher geschrifft, sich in Chronicken vnd Historien erlustigen, vnd auß den Verloffenen geschichten sich also erspiegeln, das er in zutragenden fellen sich entweder darnach regulieren, oder darfür verhüten kann, wie dann nichts anmütigers, dann Historien zulesen.* Sein Werk ist eine unkritische Kompilation der historischen Quellen. Da aber vieles, was ihm bekannt war, inzwischen verloren ist, bleibt es für die elsässische Geschichte – vor allem der Familien – wichtig.

J. Fuchs, in NDB 8 (1969), S. 719. *W.S.*

H 30

Balthasar Hubmai(e)r

Von ketzern vnd iren verbrennern vergleichung der gschrifften, zesamenzogen, durch ... Balthazerem Fridbergern ...

[Konstanz: J. Schäffler] 1524. 4 ungez. Bl. 8° (4°)

Augsburg, Staats- u. Stadtbibliothek, 4° Aug 660

Balthasar Hubmaier (geb. um 1485 in Friedberg bei Augsburg), ein Schüler Johann Ecks in Freiburg und Ingolstadt, wo er zum Dr. theol. promovierte und an der Universität sowie als Pfarrer tätig war, wurde 1516 Prediger in Regensburg, auch war er am Judenpogrom dort beteiligt. Er wurde Wallfahrtsprediger an der Kapelle „Zur schönen Maria". 1521 zog er in das habsburgische Waldshut, näherte sich Luthers Lehre und befreundete sich mit Zwingli, mit dem es über die Wiedertaufe 1525 zum Bruch kam. Er wurde Wortführer der Täufer (Ablehnung der Kindertaufe) im Südwesten und später nach seiner Flucht nach Nikolsburg, als der Katholizismus gewaltsam in Waldshut wieder eingeführt wurde, in einer Gemeinde in Mähren. Beim Abendmahl lehnte er die Gleichsetzung von

H 30

Von ketzern vnd iren verbrennern vergleichung der gschrifften/ zesamenzogen/ durch doctor Balthazerem Fridbergern pfarrern zů Waldßhůt zů gefallen brůder Anthonin vicarin zů Costantz dem außerlesnẽ thorwächter on ain Pusaunẽ.

Die warhait ist vntödtlich. Anno. M. D. 24. Jar

Rethorica vnnd Formulare / Teütsch / der gleich nie gesehen ist / bey nach all schreiberey betreffend / von vilerley Episteln / vnder vnnd überschrifften / allen Geistlichen vnnd Weltlichen / vnnd vilerley Supplicationes / Ein gantz gerichtlicher proceß / mit vor vnd nachgenden anhengen / früntlichen vnnd vnfrüntlichen schrifften / anlässen / verträgen / außsprüchen / tagsatzungen / geleitten / klagen / vrteiln / verkündungen / gewälten / kundtschafften / manrechten / vidimus / Appellationen / Commissionen / Rotweilischen vnd Westfälischen schrifften / vrfehden / Testamenten / gemechten / übergabungen / Widem / Pfründ / Stifftungen / Patrimonien / Presentationen / kauff / gült / vnd leibgeding / hinderlegungen / schadloß / manungen / quittantzen / schuld / Eestewr / heirats / vnd verzeihungen / vogtey brieffen / vñ vilerley anders hie nit gemeldet / laut nachuolgenden Registers.

Darauß die jungen / beinach alle schreiberey leichtlich lernen / vñ die erfarnen / die selben on groß sorg vnd arbeit wol vnderweisen mögen.

Diß büch ist von Key. M. gefreit / das niemands soll nachdrucken / bey peen zehen marck golds.

Getruckt zü Tüwingen / von Vlrich Morhart.

H 31

Brot und Leib Christi ab. In der Prädestination war er Semipelagianer. Er sympathisierte mit den Bauern – die „Zwölf Artikel" der Bauern wurden ihm von einigen (wohl zu Unrecht) zugeschrieben: Man muß der Obrigkeit als Dienerin Gottes gehorchen, doch soll man ihren Geist prüfen und das Volk eine nachlässige Obrigkeit kraft Gottes Wort los zu werden versuchen, wenn es in Frieden geschehen kann. Thomas Müntzers Ablehnung von Zins und Zehnt wies er zurück.
Mit der obigen Schrift verteidigte er sich gegen die Gefahr einer obrigkeitlichen Verfolgung. 1527 aber fiel er ihr doch in die Hände. Unter der Anklage des Aufruhrs wurde er nach Wien gebracht und dort 1528 verbrannt.
Die Täuferbewegung ging durch die gewaltsamen Verfolgungen bald zurück, und der Dreißigjährige Krieg brachte das Ende.

B. Moeller, in: NDB 9 (1972), S. 703; J. Hillerbrand, Bibliographie des Täufertums 1520–1630, Gütersloh 1962; Schriften, hrsg. v. C. Westin u. T. Bergsten, Gütersloh 1962; T. Bergsten, Balthasar Hubmaier. Seine Stellung zu Reformation und Täufertum, 1521–1528, Kassel 1961; F. Lau, Luther und Balthasar Hubmaier, in: Humanitas – Christianitas. W. v. Loewenich z. 65. Geb., Witten 1968; W. R. Estep, „Von ketzern und iren verbrennern", a sixteenth century tract on religious liberty, in: The Mennonite Quarterly Review 43 (1968), S. 271 ff.

W.S.

H 31

Alexander Hug

Rethorica unnd Formulare, Teütsch.

Tüwingen (1528): U. Morhart. CCXX gez. Bl. 4° (2°)

Tübingen, Universitätsbibliothek, Hb 10 a. 2°

Hug ist als öffentlicher Notar sowie Stadtschreiber nachweisbar in Calw 1476–86, Pforzheim 1486–1529 und anschließend im Minderen Basel.
Mit den Veränderungen im Rechtsverfahren vom Mittelalter zur Neuzeit bringen die Formelbücher, deutsche Notariatsbücher meist in Verbindung mit der „Ars dictandi", der sog. Rhetorik, mit Titularbuch und Urkundenmuster den Buchdruckern lohnenden Absatz. Von Hugs Werk gibt es für 1528 drei Varianten bei Morhart und bis 1537 noch nachweisbar vier Ausgaben.
Die Titeleinfassung dazu stammt von dem bei Morhart erschienenen Werk Lorenzo Vallas, *Elegantiarum libri sex,* das er noch 1521 in Straßburg drucken ließ, dann aber in Tübingen mit einem neuen ersten Doppelblatt der Lage A versah, so daß der Titel 1522 oder 1523 entstanden sein kann.
Im unteren Feld – handschriftlich bezeichnet mit Eloquentiae Typus – zieht Hercules Gallicus (die Geschichte stammt

H 32

von Lukian) mit einer von seinem Mund ausgehenden Kette eine Gruppe von Männern widerstandslos zu sich oder hinter sich her. Das gleiche Motiv findet sich im *Dictionarium Graecum* bei Cratander in Basel, signiert 1519 H F, d.i. der Basler Maler Hans Franck. Das Blatt bei Morhart lehnt sich eng an diese Komposition an, bietet aber einen veränderten architektonischen Rahmen mit vier Akten (Fortuna, Adulatio, Cupido, Venus) und oben Hercules mit den Kerkopen über der Schulter sowie die Lösung des Rätsels an Ödipus (der Mensch auf vier, zwei und drei „Beinen" im verschiedenen Alter) und die Sphinx. Der Holzschnitt wird Hans Baldung Grien zugewiesen; der Karlsruher Baldung-Katalog von 1959 stellt ihn „den Werken Baldungs nahe".

P.-J. Schuler, Geschichte des süddeutschen Notariats, Bühl 1976 (Veröffentlichung des Alemann. Instituts Freiburg i.Br. Nr. 339); M. C. Oldenbourg, Die Buchholzschnitte des Hans Baldung Grien, Baden-Baden, Strasbourg 1962; F. Hieronymus, Oberrhein. Buchillustr. 2, Nr. 300. *W.S.*

H 32

Ulrich von Hutten

Hoc in volumine haec continentur Vlrichi Hutteni Equ. Super interfectione propinqui sui Ioannis Hutteni Equ. Deploratio. Ad Ludovichum Huttenum super interemptione filij Consolatoria. In Vlrichum Vuirtenpergensem orationes V. In eundem Dialogus, cui titulus Phalarismus. Apologia pro Phalarismo, & aliquot ad amicos epistolae. Ad Franciscum Galliarum regem epistola ne causam Vuirtenpergen̄. tueatur exhortatoria.

[Mainz: J. Schöffer 1519, Sept.]
106 ungez. Bl. 8° (4°)

Stuttgart, Württembergische Landesbibliothek, R 16 Hut 11

Herzog Ulrich von Württemberg hatte 1515 seinen Stallmeister Hans von Hutten meuchlings im Böblinger Wald erstochen, nachdem er alle Knechte weggeschickt hatte. Dieses Verbrechen erregte weites Aufsehen. Der Vetter, Ulrich von Hutten (Burg Steckelberg 1488–1523 Ufenau im Zürichsee), publizierte in seiner Empörung mehrere Schriften, so auch die fünf Reden gegen Ulrich von Württemberg, die in den Jahren 1515 bis 1519 niedergeschrieben worden waren und weithin großen politischen Widerhall fanden. Die sog. Steckelberger Sammlung erschien mit dem Phalarismus-Holzschnitt vom Petrarca-Meister (Musper L 4) – die Ermordungsszene – und dem Brustbild Huttens unter dem Baldachin aus dem gleichen Werk und – mit teilweisem Vorbehalt – ebenfalls dem Petrarca-Meister zugeschrieben.

J. Benzing, Ulrich von Hutten und seine Drucker. Eine Bibliographie der Schriften Huttens im 16. Jh. Mit Beiträgen von H. Grimm, Wiesbaden 1956, Nr. 120; H. Grimm, in: NDB 10 (1974), S. 99–102.
W.S.

H 33

Johannes Kepler

Prodromus dissertationum cosmographicarum, continens Mysterium cosmographicum, ... Addita est ... Narratio Georgii Ioachimi Rhetici, de Libris reuolutionum ... Nicolai Copernici.

Tubingae 1596: G. Gruppenbach. 181 S. 8° (4°)

Tübingen, Universitätsbibliothek, Bd 60. 4° R

Vorbote kosmographischer Abhandlungen, enthaltend das kosmographische Geheimnis von dem bewundernswerten Verhältnis der Himmelsbahnen zueinander und von den wahren und eigentlichen Ursachen der Zahl, Größe und der Bewegungen der Himmelssphären dargelegt mit Hilfe der fünf regelmäßigen Körper.

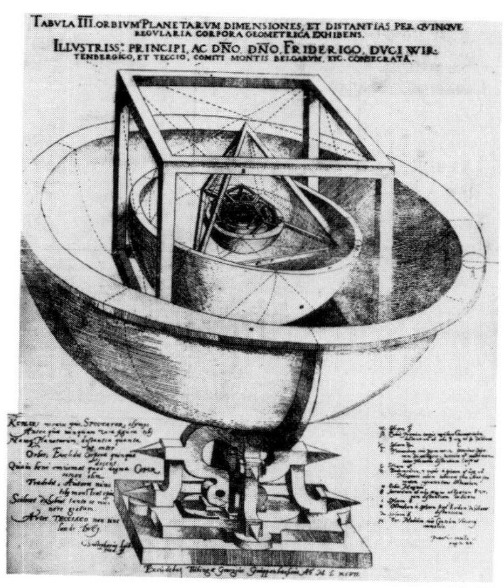

H 33

Das *Mysterium cosmographicum,* Keplers (Weil der Stadt 1571–1630 Regensburg) Erstlingswerk, enthält den Ansatz zu allen späteren Werken von ihm: Die Harmonie des Kosmos wird in geometrischen Formen erkannt, Gott schafft nur das Vollkommenste; die vollkommensten Gebilde sind die fünf regulären – platonischen – Körper. Abwechselnd mit dem vollkommensten Körper, der Kugel, bestimmen die aus regulären Vielecken gebildeten Körper die Abstandsverhältnisse zwischen den sechs (damals bekannten) Planeten.
In der Vorrede beschreibt er es so: Ausgangspunkt für das Maß ist die Erde (d.h. die Erdbahn). Ihr wird ein Dodekaeder umschrieben. Die umspannende Sphäre bestimmt den Mars. Um die Marsbahn wird ein Tetraeder umschrieben: Die umspannende Sphäre ist der Saturn. Legt man nun die Erdbahn in ein Ikosaeder, so ist die einbeschriebene Sphäre die Venus. In die Venusbahn legt man ein Oktaeder: Die einbeschriebene Sphäre ist der Merkur.
Es finden sich auch die Fragen, welche später zu den drei Planetengesetzen führten: Die Zuordnung der Planetenbahnen zur Sonne im Mittelpunkt, das Ungleichförmige der Umläufe in der wechselnden Entfernung zur Sonne und die Proportionen für die Bahnen der Umlaufzeiten.
Der Druck erfolgte unter Aufsicht von Keplers Lehrer Mästlin, der den Anhang von S. 85–181 *(Narratio Georgii Ioachimi Rhetici, de libris revolutionum ... Nicolai Copernici* mit Verbesserungen und dem Nachdruck von Kopernikus' Werk) zugefügt hat.

J. Kepler, Gesammelte Werke, hrsg. v. M. Caspar u. F. Hammer, Bd. 1 ff., München 1937 ff; M. Caspar, Bibliographia Kepleriana, 2. Aufl. besorgt von M. List, München 1968; F. Seck, Johannes Kepler und der Buchdruck, Zur äußeren Entstehungsgeschichte seiner Werke, in: Archiv für Geschichte des Buchwesens 11 (1971), Sp. 609–627. *W.S.*

39

NUMMUS VOTIVUS:

FRANCISCI A SICKINGEN, NOBI-
LIS GERMANI, CUSUS, VENIA IMPERATORIS
Maximiliani primi impetratâ, post diuturnam cum Wor-
matiensibus controversiam, Anno
Christi 1518.

RTA gravi inter Senatum Wormatiensem & plebem seditione, urbe nonnulli Senatorum expulsi fuerunt: allectis eorum in locum dignitatemque, quibus pax & tranquillitas Reipublicæ curæ ma-

H 34

H 34

Johann Jakob Luck

Sylloge numismatum elegantiorum quae diuersi impp., reges, principes, comites, respublicae diuersas ob causas ab anno 1500, ad annum usque 1600 cudi fecerunt ... Opera ac studio Ioannis Iacobi Luckii.

Argentinae: Author 1620: Repp. 383 S. 4° (2°)

Karlsruhe, Badisches Landesmuseum, 6440

Medaille, S. 39: Nachdem die Fehde des Ritters Franz von Sickingen mit der vom Kaiser unterstützten Reichsstadt Worms 1518 in Mainz beigelegt worden war, ließ Sickingen diese Medaille nach einem Entwurf von Hans Burgkmair d. Ä. prägen, ausgeführt vielleicht von Hans Kels d. Ä. (vgl. Kat.Nr. K 103).
Vorderseite: Brustbild Kaiser Maximilians I. nach rechts, im Prunkharnisch, mit Bügelkrone, Zepter in der Linken und Schwert geschultert in der Rechten.
Umschrift: COLE · DEVM · EXIN · PVBLICA · AMA · IVSTVMQVE · TVERE · M · D · XVIII ·
Rückseite: Kaiser Maximilian sitzt nach links gewendet auf einem Thron, in vollem Ornat mit Bügelkrone, Reichsapfel in der Linken und Zepter in der Rechten und mit einer Kette (vom Goldenen Vlies). Vor ihm kniet nach rechts der Ritter Franz von Sickingen (hinter dem Kopf: F · V · S), im Harnisch mit gegürtetem Schwert, aber barhaupt (den Federhut im Rücken), zu Füßen das sickingische Wappen mit fünf Kugeln würfelartig im Feld, aus der Linken aufwärts ein Spruchband, das sich in der Umschrift fortsetzt: ARMIS · MERCVRIUM · SI NON PRAEPONAS · MAXIME · CAESAR · SEMPER · ERIS · VICTOR · FAVSTAQVE · REGNA · TENENS ·.
W.S.

H 35

Martin Luther

Der zehen gebot ein nützliche erklerung.

(Basel 1520: A. Petri.) 116 Bl. 8° (4°)

Augsburg, Staats- und Stadtbibliothek, 4° Th.Pr. 532

Vom Sommer 1516 bis Fasnacht 1517 hält Luther in Wittenberg eine Predigtreihe über die Zehn Gebote, anschließend während der Fasten über das Vaterunser. 1518 erschien dazu – nicht in der Predigtform – ein Druck mit dem Titel *Decem praecepta Wittenbergensi praedicata populo* (WA 1, 294ff.), wo sich vor der Thesenveröffentlichung Kritik unter anderem zur Heiligenverehrung und zum Ablaß findet. Die deutsche Bearbeitung

Luthers ist nicht mehr überliefert. Der Basler Druck von 1520 ist von Sebastian Münster übersetzt, der damals als Korrektor bei Adam Petri arbeitete.
Das Werk hat einen Titelholzschnitt und zu jedem Gebot noch Einzelholzschnitte. Diese zehn Holzschnitte gehören nach Koegler zu einem Gebetbuchzyklus (spätestens) um 1505, zuerst in Lamparters Andachtsbuch *Lobliches Bedechtnysz* um 1509 gebracht, dann hier und 1523 bei Curio in Basel bei demselben Werk verwendet. Koegler spricht von Straßburger Einfluß.
Das Titelbild – Moses am Berg Sinai, wie er die zehn Gebote empfängt, während das Volk vor den Zelten in der Wüste um das Goldene Kalb tanzt, es Manna regnet und rechts zwischen dem Horeb und Sinai Moses' Nachfolger Josue hervortritt – wird im Zusammenhang mit der Postillenfolge bei Wolff um 1520 Hans Herbst(er) zugewiesen. Schmid und Baumgart wollen die Postillenfolge und das Titelblatt Hans Holbein zuschreiben.

J. Benzing, Lutherbibliographie, Baden-Baden 1966, Nr. 197; H. Koegler, Hans Herbst (Herbster), in: Thieme-Becker 17 (1924), S. 327–332; Ders., Die illustrierten Erbauungsbücher, Heiligenleben und geistlichen Auslegungen im Basler Buchdruck der ersten Hälfte des XVI. Jahrhunderts, in: Basler Zeitschrift für Geschichte und Altertumskunde 39 (1940), S. 53–157; H. A. Schmid, Holbeins Tätigkeit für die Baseler Verleger, in: Jahrbuch der Kgl. Preussischen Kunstsammlungen 20 (1899), S. 233–262; F. Baumgart, Hans Holbein der Jüngere als Bibelillustrator, Berlin 1927. Diss., S. 40–44; F. Hieronymus, Oberrhein. Buchillustr. 2,201 *W.S.*

Der Zehen gebot ein nützliche erklerung Durch den hochgelertē D. Martinū Luther Augustiner ordens beschri-ben vnd gepredigt/ geistlichen vnd weltlichen dienende. Item ein schöne predig võ den. vij. todsündē/ auch durch jn beschribē

H 35

H 36

Martin Luther

Von anbetten des Sacraments des heyligen leichnams Christi.

[Basel] 1523 [: A. Petri]. 19 ungez. Bl. 8° (4°)

Basel, Universitätsbibliothek,
Ki. Ar. J VI 30^b Nr. 6

Dieser Druck ist nach Benzing (Nr. 1589) die neunte von zehn Ausgaben des Jahres 1523. Das Buch enthält zwei selbständig gesetzte Traktate: *Von dem leib Christi* und *Von anbetten des Sacraments.* Luther wendet sich damit gegen Gerüchte, er lehne die Verehrung der Eucharistie ab. Er distanziert sich von denen, die *das wortlin „ist" frevelich ohne Grund der Schrift zwingen dahin, es solle so viel heißen als das wortlin „bedeutet"* (WA 11, 434). Das Sakrament ist für ihn der Leib Christi, nicht nur ein Zeichen dafür.

Der reich mit Ornamenten und Figuren im Stil deutscher Frührenaissance ausgefüllte Architekturrahmen auf dem Titelblatt stammt von Hans Holbein, geschnitten von Hans Lützelburger: Eine Art Wanddenkmal mit einem Sockel, auf dem zwei Säulen einen Bogen tragen.

Võ anbet
ten des Sacra-
mẽts des heyligẽ leich
nams Christi.
Mart. Luther
Wittenberg.
Anno. M. D. xxiij.

H 36

Auf dem Sockel halten zwei Putten einen Schild mit dem Signet AP mit Kreuz des Verlegers Adam Petri. Die Basis der Säulen zeigt zwei kniende Knaben, links eine Viola, rechts eine Laute spielend. Im Gewände kämpft links Herakles mit dem Nemäischen Löwen, rechts mit dem Kerberos, den er an der Kette hält. Darüber knien zwei junge behelmte Gestalten, links mit Waffenrock, rechts mit Hellebarde, die einen Feston halten, der vor den Säulen hängt. Im Bogenfeld bläst Orpheus liegend die Flöte, umgeben von weiteren Instrumenten. Am Architrav sind zwei Medaillons mit Frauenbüste links und Männerbüste rechts angebracht. Im Architravbogen nach außen sitzt links ein junger bartloser, rechts ein älterer bärtiger Mann auf einem Delphin. Oben schlängelt sich ein Füllhornfeston als Abschluß des Holzschnitts.
Der Holzschnitt ist für andere Werke weiter verwendet worden.

W. Cohn, Der Wandel der Architekturgestaltung in den Werken Hans Holbeins d.J., Straßburg 1930; A. F. Johnson, The title-borders of Hans Holbein, in: Gutenberg-Jahrbuch 1937, S. 115–120; H. A. Schmid, Hans Holbein der Jüngere, Bd. 1–3, Basel 1945–48; Holbein-Katalog 1960, Nr. 401. H. Reinhardt, Einige Bemerkungen zum graphischen Werk Hans Holbeins des Jüngeren, in: Zeitschrift für schweizerische Archäologie und Kunstgeschichte 32 (1977), S. 229–260; F. Hieronymus, Oberrhein. Buchillustr. 2,428; J. Benzing, Lutherbibliographie, Baden-Baden 1966.
W.S.

H 37

Michael Mästlin

Epitome astronomiae ... Conscripta per Michaelem Maestlinum.

(Heidelbergae) 1582 (: J. Mylius). 495 S. 8°

Tübingen, Universitätsbibliothek, Bd 45 R

Mästlin (Göppingen 1550–1631 Tübingen) war wie sein späterer Schüler Johannes Kepler als Student im Tübinger Stift, an dem er dann eine Repetendenstelle übernahm. 1576 wurde er, der keine Reden halten konnte, Diakon in Backnang. Dort vollendete er sein schon in Tübingen begonnenes Werk, die Ephemeriden für die Jahre 1577 bis 1590. Ende 1580 folgte er dem Ruf auf eine Heidelberger Professur. Hier veröffentlichte er 1582 die *Epitome astronomiae,* einen Grundriß zur Astronomie. In Frage und Antwort werden die wichtigsten astronomischen Begriffe und Sätze behandelt, und zwar überraschenderweise vom geozentrischen Weltbild des Ptolemaeus aus, obgleich Mästlin in seinen Vorlesungen als Anhänger des Kopernikus auftrat.
1584 übernahm er die Professur für Mathematik und Astronomie an der Universität Tübingen. Da er in der Nähe (Burgsteige 7) wohnte, wurde ihm gestattet, das Areal des Schlosses für seine astronomischen Beobachtungen zu benutzen.

V. Kommerell, Michael Mästlin. Astronom und Mathematiker. 1550–1631, in: Schwäbische Lebensbilder 4 (1948), S. 86–100; H. M. Decker(-Hauff), Die Ahnen des Astronomen Mästlin, in: Blätter für württembergische Familienkunde, H. 91 (1940), S. 102–104.
W.S.

H 37

EPITOME
ASTRONO-
MIAE, QVA BREVI
EXPLICATIONE OMNIA,
TAM AD SPHAERICAM QVAM THEO-
RICAM *eius partem pertinentia, ex ipsius scientiae fontibus deducta, perspicue per quaestiones traduntur, Conscripta per*
M. MICHAELEM MAESTLINVM
GOEPPINGENSEM, Matheseos in Academia Heidelbergensi Professorem.
Cum Gratia & Priuilegio Caesareae Maiestatis ad decennium.
M. D LXXXII.

H 38

H 39

H 38

Michael Mästlin

Ephemerides novae ab anno ... 1577 ad annum 1590.

Tubingae 1580: G. Gruppenbach. 268 ungez. Bl. 8° (4°)

München, Bayerische Staatsbibliothek, 4° Eph. Astr. 67

Einband mit dem Bildnis von Herzog Christoph von Württemberg (1515–68; reg. 1533/1550–68), um 1580.
Auf dem Vorderdeckel Platte mit Rollwerk und Brustbild mit der Umschrift in einem Oval: CHRISTOFF · HERTZ · ZV · WIRTENBERG · SEINS · ALT · LIIII · VON · GOTTES · GNADEN.
Das im 54. Jahr gemachte Bildnis ist erst in seinem Todesjahr entstanden und hier für einen späteren Einband verwendet worden.
In den vier Ecken Einzelstempel. Äußere Umrahmung des Vorderdeckels aus Rollenstempeln mit stilisiertem Blumenwerk.
Rückdeckel: Wie Vorderdeckel mit Rollwerk und Rollenstempeln, in der Mitte aber viergeteiltes Wappen von Württemberg mit der Umschrift: VERBVM · DOMINI · MANET · IN AETERNVM · DAS · WORT · GOTTES · BLEIBT ·.

W.S.

H 39

Johannes Marbach

Christlicher Vnderricht vnd wahrhafftige Erweißung auß H. Göttlicher Schrifft vnd den bewertisten h. Vättern vnd Alten Lehrern der catholischen Christlichen Kirchen ...

Straßburg: Ch. Müller 1567. 956, 223 S. 8° (4°)
Einband vermutlich Straßburg 1567. Braunes Leder über Holztafeln.

Tübingen, Universitätsbibliothek, Gf 284. 4° R

Aus der Bibliothek des Straßburger Juristen Ludwig von Grempp zu Freudenstein.
Widmung des Werkes an den *Meister, Raht und Ein vnd zwentzigen der Löblichen Frey vnd Reichsstatt Straßburg.*

Zu Johannes Marbach (Lindau 1521–1581 Straßburg) siehe Kat.Nr. C 61.

Vorderdeckel: Vergoldeter Plattenstempel mit der stehenden Gestalt Luthers unter einem Architekturbogen. Bezeichnung oben MARTI LUTHER. In der Hand ein aufgeschlagenes Buch mit dem Text VER//BVM DOMINI// MANET IN // AETERNVM // .
Rückdeckel: Vergoldeter Plattenstempel mit der stehenden Gestalt Melanchthons unter einem Architekturbogen. In der Hand ein aufgeschlagenes Buch mit den Texten SI DEO // PRO NOBIS QVI // CONTRA // und ORA ET // LABORA PHILI // MELAN // .

H. Strohl, Le protestantisme en Alsace, Strasbourg 1950.

W.S.

H 40

Philipp Melanchthon

Elementa puerilia.

Ettelinge 1530: V. Kobian. 8°

Tübingen, Universitätsbibliothek, Ah I 124 R (unvollst. Ex.) (Auch vh. Zentralbibliothek Zürich)

H 40

Elementa
PVERILIA
PHLIPPI ME
lanchtonis.

Excusum Ettelin
gę per Valenti
num Kobian.
An. 1.5.30.

H.V.

H 41

GEORGIÆ
MONTANEAE,
NOBILIS
GALLÆ,
EMBLEMATVM
CHRISTIANORVM
CENTVRIA,
Cum eorundem Latina interpretatione.

CENT
EMBLEMES CHRESTIENS
DE DAMOISELLE GEORGETTE
DE MONTENAY.

HEIDELBERGAE,
Typis Johannis Lancelloti, Impensis
ANDREÆ CAMBIERI.
M D CIL.

H 42

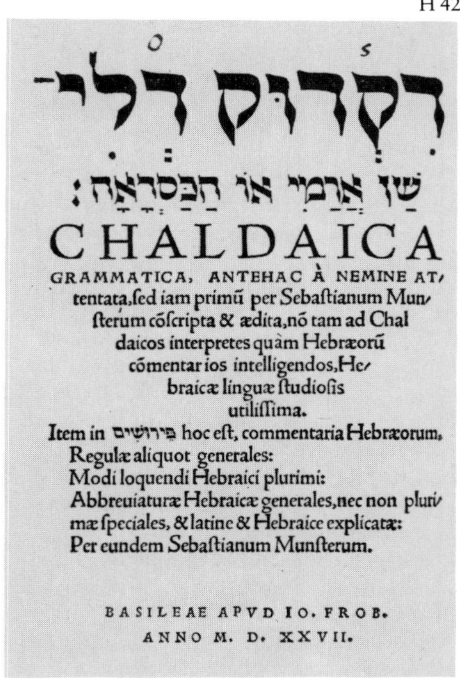

דקדוק דלי־
שון ארמי או הכסראח:
CHALDAICA
GRAMMATICA, ANTEHAC À NEMINE ATtentata, sed iam primũ per Sebastianum Munsterum cõscripta & ędita, nõ tam ad Chaldaicos interpretes quàm Hebræorũ cõmentarios intelligendos, Hebraicæ linguæ studiosis utilissima.
Item in פירושים hoc est, commentaria Hebræorum.
Regulæ aliquot generales:
Modi loquendi Hebraici plurimi:
Abbreuiaturæ Hebraicæ generales, nec non pluri mæ speciales, & latine & Hebraice explicatæ:
Per eundem Sebastianum Munsterum.

BASILEAE APVD IO. FROB.
ANNO M. D. XXVII.

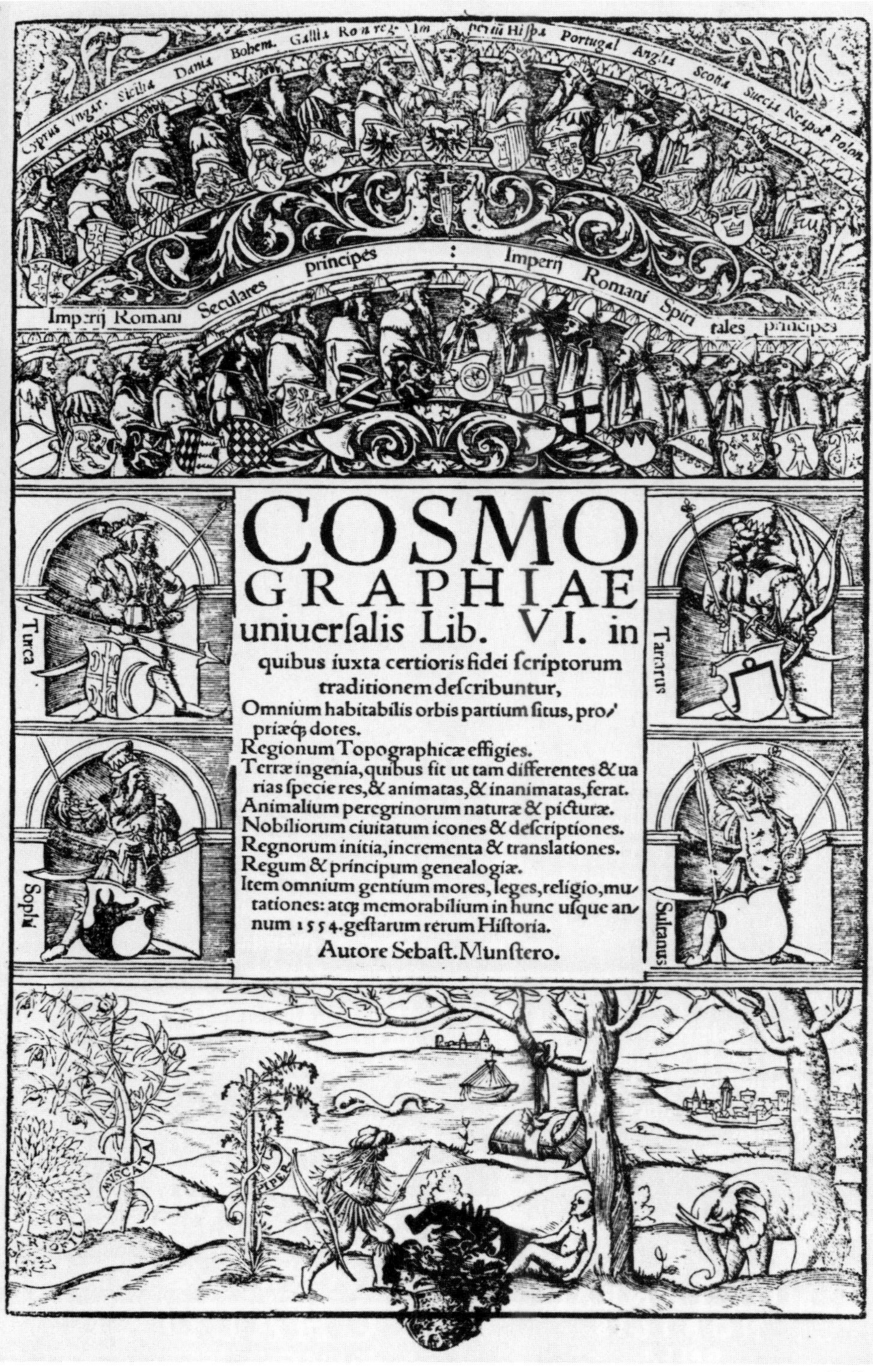
COSMO
GRAPHIAE
uniuerſalis Lib. VI. in
quibus iuxta certioris fidei ſcriptorum
traditionem deſcribuntur,
Omnium habitabilis orbis partium ſitus, pro-
priæq; dotes.
Regionum Topographicæ effigies.
Terræ ingenia, quibus fit ut tam differentes & ua-
rias ſpecie res, & animatas, & inanimatas, ferat.
Animalium peregrinorum naturæ & picturæ.
Nobiliorum ciuitatum icones & deſcriptiones.
Regnorum initia, incrementa & translationes.
Regum & principum genealogiæ.
Item omnium gentium mores, leges, religio, mu-
tationes: atq; memorabilium in hunc uſque an-
num 1554. geſtarum rerum Hiſtoria.
Autore Sebaſt. Munſtero.

H 43 a

Melanchthon (Bretten 1497–1560 Wittenberg), den sein Großonkel Johannes Reuchlin dem sächsischen Kurfürsten für die Professur in Wittenberg empfohlen hatte, besaß neben bedeutender Gelehrsamkeit als Theologe (er formulierte auch den Text der Confessio Augustana) große pädagogische Fähigkeiten.
1522 hatte er in Wittenberg eine Schola privata gegründet als Lateinschule zur Vorbereitung auf die Universität. Dieses Buch, dem das Alphabet vorangestellt ist, sollte die Anfangsgründe vermitteln. Eine kleine humanistisch geprägte Sammlung von Texten aus der Bibel und den Klassikern, Gebeten und Sinngedichten bieten die Grundlage. Selbst ein Kapitel über Körperpflege ist enthalten.
Der sehr nachlässige Druck bei Kobian 1530 erschien zuerst unter dem Titel *Enchiridion elementorum puerilium* 1524 in Wittenberg, außerdem mit einem ähnlichen Text Zwinglis verbunden 1524 in Augsburg und 1534 in Hagenau.

Die Titeleinfassung ist aus vier Elementen zusammengesetzt, rechts signiert H. V., deren Teile Kobian auch bei anderen Drucken verwendet (z.B. bei Johannes Brenz, *Tractatus casuum quorundam matrimonialium,* 1532). Eine Übereinstimmung von Inhalt und Gestaltung fehlt.

Corpus Reformatorum, Vol. 20, Braunschweig 1854; Supplementa Melanchthoniana, Bd 5, 1, Leipzig 1915 S. CXXVI; A. Günther, Die ältesten Denkmäler Ettlinger Buchdruckerkunst, in: Mittelbadischer Kurier (Ettlingen) 1922, Nr. 59 v. 11. 3. 1922; 1926, Nr. 261 v. 11. 11. 1926; F. Kastner, Valentin Kobian und Johann Philipp Spies, zwei vergessene Ettlinger Buchdrucker, in: Gutenberg-Jahrbuch 60 (1985), S. 186–201. *W.S.*

H 41

Georgia de Montenay

Georgiae Montaneae Emblematum Christianorum centuria. Cum eorundem Latina interpretatione. Cent emblêmes chrestiens de Georgette de Montenay.

Heidelbergae: A. Cambieri 1602.

Stuttgart, Württembergisches Landesbibliothek Allg. G. qt. 540

H 42

Sebastian Münster

Dictionarium Chaldaicum.

Basileae: J. Fro(ben) 1527. 434 S. 4° (8°)
Das *Dictionarium Chaldaicum* von 1527 enthält einen Titelholzschnitt, der von Hans Holbein signiert ist.

Freiburg, Universitätsbibliothek, C 2637

Münster (Niederingelheim 1488–1552 Basel) studierte in Heidelberg, wurde dort Franziskaner, war dann im Kloster Rufach, lernte in Pforzheim und schließlich in Tübingen. Seine bedeutendsten Lehrer waren Pellikan und Johannes Stöffler, auf deren wissenschaftlichem Gebiet er später publiziert. 1524 bis 1527 war er Professor für hebräische Studien in Heidelberg, seit 1529 in Basel. Als Hebraist stand er zu seiner Zeit im Ansehen Reuchlin nicht nach. Die Gesamtzahl seiner grammatischen Schriften schätzt man auf etwa 100 000 Exemplare. Er verließ Basel, als es protestantisch wurde, und ging nach Worms, kehrte später als Protestant zurück und heiratete die Witwe des Buchdruckers Petri.
Die Rudimenta Reuchlins – sie wiesen Lücken auf, weil der Buchdrucker Thomas Anshelm in Pforzheim nicht genügend hebräische Typen besaß – nahm er als Grundlage seines 1523 bei Johann Froben in Basel erschienenen hebräischen Wörterbuches *(Dictionarium Hebraicum)* und ergänzte sie.
Das Wörterbuch war für ihn das wichtigste Sprachmittel, dem er die Grammatik, z.B. als Anleitung zum Auffinden der

H 43 b

Wurzelwörter, zuordnete. Der grammatische Stoff sollte nach praktischen, nicht nach sprachlichen Gesichtspunkten möglichst kurz und übersichtlich geordnet werden (zum Teil nach den Endungen). Erst nach der Grammatik folgt die Lektüre.
Die *Institutiones grammaticae* erschienen bei Froben in Basel 1524, die *Chaldaica grammatica* 1527. Es folgte ein *Compendium hebraicae grammaticae* 1527 und öfter.
Münster hat auch die erste vollständige Ausgabe des hebräischen Testaments (2 Bde, Basel 1534/35) publiziert – ein Gegenstück zu der Edition des griechischen Neuen Testaments durch Erasmus.

K. H. Burmeister, Sebastian Münster, Wiesbaden 1964; Ders., Sebastian Münster. Eine Bibliographie, Wiesbaden 1964; Hantzsch 265; Steinschneider, Handb. 1385; F. Hieronymus, Oberrhein. Buchillustr. 2,236 (Der Holzschnitt 1527 von Hans Holbein zuerst verwendet bei H. Glareanus, Isagogen in musicen. Basel, J. Froben 1516); E. P. Goldschmidt, The printed book of the Renaissance, Cambridge 1950, S. 66–70; D. Stemmler, Deutsche architektonische Titeleinfassungen ..., Berlin 1962. Diss., S. 65–67; Holbein-Katalog 1960, Nr. 341. *W.S.*

H 43

Sebastian Münster

Cosmographiae universalis Lib. VI ... in hunc usque annum 1554 ...

(Basileae: H. Petri 1554, Sept.) 1162 S. 2°
Mit rd. 970 Holzschnitten, darunter 14 doppelseitige Vortextkarten, 3 vierseitige und 38 doppelseitige Karten u. Pläne im Text.

Tübingen, Universitätsbibliothek, Fa 14 d. 2°

Im Werk des Sebastian Münster spielt heute die *Cosmographia* die einzige Rolle. Sie bietet eine Art Enzyklopädie landeskundlichen Charakters. Forschungsreisen dazu hat Münster in den deutschen Südwesten und das fränkische Gebiet sowie in der Schweiz selbst unternommen, sonst sich auf Berichte und Quellen (bis zur Antike) gestützt.
120 Fragebogen wurden dazu an Standespersonen, Gelehrte und Künstler verschickt (Burmeister). Entsprechend ungleich ist die Behandlung einzelner Orte.
1544 war die Erstausgabe (659 S.) mit fast 500 Holzschnitten und 24 doppelseitigen Karten vollendet. 1545 bis 1550 erfolgte die wesentliche Redaktion der deutschen und lateinischen Fassung (Zwischendrucke erschienen 1545, 1546 und 1548 [818 S.] mit fast 700 Holzschnitten sowie 28 doppelseitigen Karten).
Da die Kosten für die Abbildungen hoch waren – veranschlagt auf mindestens 600 Gulden –, erbat sich Münster für die Ansichten von den Städten, Fürsten und anderen im voraus einen Beitrag. Das Exemplar von 1550 hatte einen Verkaufspreis von 2 Gulden (der Einkaufspreis für den Buchhändler lag bei umgerechnet 1,6 Gulden). Münster hatte ein Jahresgehalt von 60 Gulden, war allerdings mit der Witwe des vermögenden Druckers Petri verheiratet.
Für die Holzschnitte waren im Laufe der Ausgaben eine Reihe von Künstlern tätig: Von etwa 1520/21 stammen zwei Holzschnitte Holbeins (Holbeinkatalog 359 u. 402), 39 kleinere mit Ständerepräsentanten und Schauspielfiguren werden Niklaus Manuel Deutsch zugeschrieben, einiges stammt vom Meister DS (so 229 der Apfelschuß), von Urs Graf, Hansrudolf Manuel, David Kandel und vor allem von Conrad Schnitt (vgl. Koegler). Übernommen wurden aus anderen Werken wie Reischs *Margarita philosophica* und Petris AT-Folge Holzschnitte unter anderem vom Meister GZ, Schäufelein und Franck. Außerdem als Künstler und Formschneider waren tätig Jakob Clauser in Basel, Martin Hofmann in Straßburg, Kaspar Hofreuter in Eger, Heinrich Holzmüller, der Monogrammist HSD in Worms, Christoph Stimmer in Straßburg und Hieronymus Wyssenbach in Basel.
Die maßgebende Ausgabe von 1550 (mit 1233 S.) enthält fast 870 Holzschnitte und 14 doppelseitige, 3 vierseitige Karten sowie 37 (1553 bis 1558: 38) doppelseitige Karten und Pläne im Text. Weitere Ausgaben davon 1553, 1556 und 1558. In den Ausgaben seit 1561 vermehrte sich zunächst der Text auf 1475 Seiten (Ausg. 1564, 1567, 1569, 1572). Seit 1574 veränderte sich auch die Anzahl der Holzschnitte. Das Werk wächst weiter (vgl. Burmeisters Bibliographie). Neben der lateinischen sind andere fremdsprachige Ausgaben publiziert worden.

K. H. Burmeister, Sebastian Münster, Wiesbaden 1964; Ders., Sebastian Münster. Eine Bibliographie, Wiesbaden 1964; F. Hieronymus, Oberrhein. Buchillustr. 2,479; H. Koegler, Die Holzschnitte des Basler Malers Conrad Schnitt, in: Monatshefte für Kunstwissenschaft 5 (1912), S. 91–94. *W.S.*

H 44

Thomas Murner

Die Mülle von Schwyndelszheim und Gredt Müllerin Jarzeit.

(Straßburg 1515: M. Hüpfuff.)
36 ungez. Bl. 8°

H 44

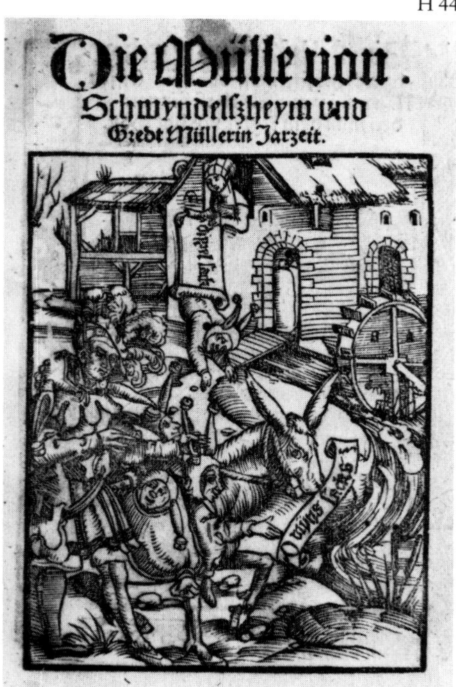

Colmar, Bibliothèque municipale,
XI 9780

„Unweit von Straßburg, bei Brumath an der Zorn, liegt der kleine Ort Schwindratzheim oder Schwingelsheim, wie der Elsässer in heimischer Mundart sagt. In alter Zeit trieb der Volkswitz mit diesem Dorfnamen ein schalkhaftes Wortspiel. Führte sich jemand unmanierlich auf, flog ihm das Scherzwort an den Kopf: hin mit dir nach Schwingelsheim, vom Müller laß dich taufen!" (Bebermeyer).
Murner (Oberehnheim um 1475–1537) nimmt diesen „Müller von Schwyndelszheim" und macht aus seinen Tätigkeiten in allegorischer Ausdeutung eine Zeitsatire.
Das Werk ist mit 15 Holzschnitten versehen, von denen nur neun verschieden sind – eine Sparsamkeit oder Zeitfrage für den Drucker. Neben verschiedenen Formschneidern (die Titelblattillustration und deren Rückseite sowie die Abbildung zu Kapitel V sind in der Schraffur runder als die übrigen sechs) gibt es nur einen Entwerfer, und der könnte Murner selbst gewesen sein, von dessen Hand man noch weitere Illustrationen zu den Lehrkarten und Zeichnungen zu seiner Sabellicus-Übersetzung kennt.

Thomas Murner, Deutsche Schriften mit den Holzschnitten der Erstdrucke, Bd. 4, Die Mühle von Schwindelsheim und Gredt Müllerin Jahrzeit. Hrsg. v. G. Bebermeyer. Berlin, Leipzig 1923; Handzeichnungen von Thomas Murner zu seiner Übersetzung der Weltgeschichte des Sabellicus. Hrsg. v. E. Martin, Straßburg 1892. *W.S.*

H 45

Thomas Murner

Chartiludium Institute summarie ... memorante et ludente.

Straßburg: I. Knoblauch 1518: J. Prüss.
8° (4°)
Mit 141 Holzschnitten.

Basel, Universitätsbibliothek,
A N VI 46 Nr. 13

Kartenspiel: Straßburg: Hupfuff?
1501/02?.

Basel, Universitätsbibliothek, A N VI 45

Seit etwa 1502 hören wir von heftigen Polemiken gegen Murners Methode, die Institutionen spielerisch beizubringen und damit zu profanieren.
In diese Zeit ist auch das in der Universitätsbibliothek Basel erhaltene Kartenspiel zu datieren – ähnliche Holzschnitte finden sich in Reischs *Margarita philosophica,* Freiburg/Straßburg 1503, und Geilers *Passion,* entstanden etwa 1502–06 von Urs Graf. „Urs Grafs erste Holzschnitte für den Buchdruck – hier in einem weiteren Sinne gefaßt – wären dann die für Murners Kartenspiel ...; einer seiner ersten Holzschnitte wäre

CHARTI-
ludiũ Institute sũmarie
doctore Thoma Murner
memorante et ludente.

Justinianus Cesar in prohemio
digestorum.

Discipuli p̄mo quidē anno n̄ras hauriãt instõnes. ex om̄i veterũ pene institutionũ corpore elimatas. et ab omibus turbidis fontibꝰ in vnũ liquidum stagnũ cõiunctas, tam per tribunianũ virũ magnificũ magistrum ꝛ exquestorem, sacri nostri palatĩ ꝛ exconsulem, q̄3 p duos ex vobis, id est. Theophilum ꝛ Dorotheũ facundissimos antecessores. Et fere in principio itaq3 p̄culdubio quidē necesse ē institutiões in omnibus studijs primũ sibi vendicare locũ, vtpote vestigia cuiusq3 sciētie mediocriter tradentes.

Cum priuilegio imperiali. ne quis in decennio imprimat sub pena in principali rescripto contenta.

H 45 a

nicht eine religiöse Darstellung, sondern die „wieste sau" gewesen. Zusammmen mit seinen frühen Kupferstich-Kopien nach Schongauer würde dies – mit der zu Beginn des Spiels recht starken, dann zusehends abnehmenden stilistischen Verwandtschaft der Spielfiguren mit den typischen, Kupferstiche imitierenden Strassburger Holzschnitten vor allem Grüningers neuen Ueberlegungen über Grafs künstlerische Ausbildung und deren Lokalisierung rufen" (F. Hieronymus).
Mit dem Reichsherold auf der Vorderseite der Sau ist der wohl Burgkmair zugeschriebene „Reichsherold Jerusalem" mit leerem Schriftband von 1504 (Burgkmair-Katalog 1973, Nr. 13) verwandt (F. Hieronymus).
Das Spiel enthielt 12 „Farben" mit je 10 Karten sowie einer weiteren überzähligen mit einer Sau, die einen am Boden liegenden Apfel verzehrt. An ihrem Hals hängt eine Glocke („mit der Sauglocke läuten" nach Fischart „unsaubere Reden führen"; auch das Aß wird „Sau" genannt von der Darstellung darauf [Grimm, Dtes. Wörterbuch 14, Leipzig 1893, Sp. 1846f.]).
Von den insgesamt 121 Karten sind in Basel noch 119 erhalten. Ein weiteres unvollständiges Exemplar existiert in Wien aus der Ambraser Sammlung.
Auf den Einern oder Assen sind zu den „Farben" die zwölf höchsten Würdenträger des Heiligen Römischen Reiches Deutscher Nation abgebildet mit ihren Wappen auf der Rückseite: Thronender Kaiser (Maximilian) mit Reichswappen, die 7 Kurfürsten, weiter die 4 Herzöge als die Säulen des Reiches (dazu ist die Darstellung bei Hartmann Schedel, *Liber chronicarum,* Nürnberg 1493, zu vergleichen).
In den Figuren stehen Schlag- und Stichworte, welche den Inhalt der Paragraphen der Institutionen bezeichnen, z.B. Justicia als Eingang des Buches, wo der Begriff

H 45 b

definiert wird: *Justicia est constans et perpetua voluntas jus suum cuique tribuens,* zur Figur des Kaisers. Auf den zwölf Zehnern befinden sich statt der 10 Figuren nur wieder fünf in anderer Anordnung. 6 Stichwörter enthält die überzählige Karte mit dem Reichsherold. Die Reichsfürsten dienten dazu, die Karten in der Reihenfolge zu ordnen. Murner beruft sich später auf das Beispiel bildlicher Darstellungen bei Sebastian Brant.

L. Sieber, Thomas Murner und sein juristisches Kartenspiel, in: Beiträge zur vaterländischen Geschichte. Bd 10 (Basel 1875), S. 273–316; H. Rosenfeld, Das Schwein im Volksglauben und in der Spielkartenillustration, in: Börsenblatt f. d. Dten Buchhandel. Frankfurter Ausg. 27a (1962); Spielkarten, ihre Kunst und Geschichte in Mitteleuropa. Graphische Sammlung Albertina, 242. Ausstellung Katalog v. F. Koreny u.a. Wien 1974 (mit Lit.); F. Hieronymus, Oberrh. Buchillustr. 2, 133c. *W.S.*

H 45 A

Thomas Murner

Logica memoratiua. Chartiludium logice, siue totius dialectice memoria: & nouus Petri hyspani textus emendatus: Cum iucundo pictasmatis exercitio.

(Argentine 1509, 29. Dez.: J. Gruninger.)
61 ungez. Bl. 8°

Murners pädagogischem Versuch mit einem juristischen Kartenspiel zu den Institutionen folgte 1507 zu seinen Vorlesungen an der Universität Krakau ein Kartenspiel, mit dem die Studenten die Logik nach der Dialectica von Petrus Hispanus so überraschend lernten, daß Murner zunächst der Zauberei verdächtigt wurde, dann aber von den Lehrern zu seiner Methode ein *Testimonium magistrale Cracoviensium* angefertigt wurde.

Die Erstausgabe dazu erschien mit Holzschnitten vermutlich nach eigenen Entwürfen in Krakau 1507, die zweite Ausgabe in Straßburg 1509.
Zusammen mit seiner in Freiburg angewandten Methode, die Prosodie auf einem Brettspiel zu lehren *(Ludus studentum Friburgensium,* 1512) wird das *Chartiludium logice* im dritten Brief der zweiten Sammlung der *Epistolae obscurorum virorum* von 1517 verspottet, hat aber bei weitem nicht die Anfeindungen erlebt wie das Chartiludium zu den Institutionen.

Faks. Nieuwkoop 1967. – L. Sieber, Thomas Murner und sein juristisches Kartenspiel, in: Beiträge zur vaterländischen Geschichte 10 (Basel 1875), S. 273–316; Spielkarten, ihre Kunst und Geschichte in Mitteleuropa. Graphische Sammlung Albertina, 242. Ausstellung, Katalog v. F. Koreny u. a. Wien 1974 (mit Lit.) *W.S.*

H 46

Thomas Murner

Vtriusque iuris tituli et regule ... ad vtilitatem eorum qui in inclyta Basiliensi vniversitate Jura suis studijs profitebantur.

Basileae 1518: A. Petri. 8° (4°)

Nürnberg, Germanisches Nationalmuseum, R 3128, b (P.-Inc.)

Im Oktober 1518 brachte Murner, der in Basel an der juristischen Fakultät studierte und als Lizentiat beider Rechte wirkte, ein weiteres Hilfsmittel zur Erleichterung des Studiums heraus, ein Verzeichnis aller Titelrubriken der Institutionen, Digesten und des Codex sowie der Libri feudorum und der Goldenen Bulle Karls IV. mit deutscher Übersetzung zu den Titelüberschriften. Ebenso wird das kanonische Recht verzeichnet. Es folgen die Regulae iuris civilis et canonici in lateinischer und deutscher Sprache. Murner sieht die Angriffe der Rechtsgelehrten voraus, daß er mit der deutschen Übersetzung Perlen vor die Säue werfe *(margaritas porcis devorandas tradidisse).*
Die Titeleinfassung – sie wird sogar in drei Offizinen (Cratander & Kruffter, Furter und Petri bzw. Henricpetri) verwendet – haben Koegler und Hes Ambrosius Holbein zugeschrieben. Die erste und einzige Verwendung durch diesen Drucker scheint in Furters Druck der *Margarita philosophica* Reischs vom 5. März 1517 vorzuliegen. „Sie gehört in das Jahr der Nollhartholzschnitte für Gengenbach und u. a. der (stilistisch verwandten) Einfassung der Knaben mit Passionswerkzeugen für Knoblouch in Straßburg." (F. Hieronymus 2,264).
„Die je zwei Buchstaben in den beiden Medaillons hatte Koegler als lambdaähnliches A und H sowie J und O (seitenverkehrt gezeichnet und geschnitten) gedeutet auf Ambrosius Holbein und

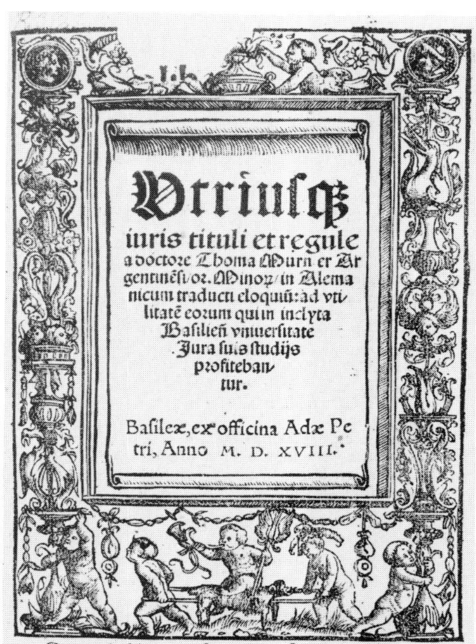
Vtriusq
iuris tituli et regule
a doctore Thoma Murner Ar
gentinē. or. Minor: in Alema
nicum traducti eloquiū: ad vti
litatē eorum qui in inclyta
Basilieñ vniuersitate
Jura suis studijs
profiteban
tur.

Basileæ, ex officina Adæ Pe
tri, Anno M. D. XVIII.

Cum priuilegio Cæsareæ maiestatis decennali.

H 46

Regule
De penitentijs et remissionibus.
Von büß vnd abłaß der sünden.
De sententia excōmunicationis.
Von dem sentenz des bans.
De verbor significatione.
Von bedütung der wörter.
De regulis iuris.
Von den reglen des rechten.
Finis decretaliū.
Sextus decretaliū et Cle
mentine eosdē titulos habent: ideo pretermittunt.
Das sechst büch des decretals vnd die Clementin hat
glich titel mit dem Decretal/ darumb sy hie vnterlas
sen sint.

Regule iuris Ciuilis.
Prima regula est que rem q̄ est/ breuiter enarrat:
non vt ex regula ius sumat sed ex iure qd est regu
la fiat. Per regulā igit breuis rerū narratio tradit.
Et vt ait Sabinus: quasi causa cōiunctio est: que
simul cū in aliquo vitiata est pdit officiū suum.
Ein regel ist geschehener hendel vnd ding ein kurtze vñ
ingezogene red/ nit das vß der regel das recht gezogen
sy/ sunder vß dem rechtē ein regel gemacht werd. Dar
umb geschicht durch ein regel ein ingezogene vñ kurtze
red der ding darvō mā redt/ vnd als Sabinus spricht
thůt ein regel so vil als ein vrsach der geschehenē ding
welche so sy bin dan gethon würdt/ verlüret die regel ir
ampt vnd krafft.
ü. Femine ab oībus officijs ciuilibus vel publicis

H 46

Johannes Oporinus, Hans Herbster, seinen Basler Meister. Hes will deutlich MS und im Gegensinn OK lesen. Links scheint in den frühen Verwendungen eindeutig AH zu lesen, während rechts seitenverkehrtes OK, eher KO eindeutig scheint, der Druck in der Declamatio (von Erasmus, Okt. 1518) aber auch im „K" ein I mit Schnitt- oder Holzfehlern sehen lassen könnte ..." (F. Hieronymus 2,264).
Als weiteres juristisches Werk von Murner folgt im April 1519 eine wörtliche deutsche Übersetzung der Institutionen (mit einer Titeleinfassung von Urs Graf). Murner bemüht sich auch um die Doktorwürde in der Basler juristischen Fakultät, wie aus einem empörten Brief von Zasius an den Basler Kollegen Cantiuncula hervorgeht (1. 3. 1509): „Was Murner betrifft ... Es wäre schändlich und ließe sich niemals wieder gut machen, wenn der ungewaschene Mensch mit seiner Narrenkappe die heiligen Gesetze und gepriesenen kanonischen Vorschriften schänden dürfte, er, der von beiden Rechten so viel versteht, wie der Blinde von den Farben!" (nach Sieber). In der Hutten-Ausgabe bei Böcking (Bd 4, S. 609: „Frag vnd antwort Symonis Hessi vnd Martini Lutheri, newlich mit einander zu Worms gehalten ...") steht dazu die polemisch zusammengebastelte Geschichte: „... Er ist ein Doctor der hayligen Geschrifft ... Nun wolt er zuo Basel Doctor in beyden Rechten werden, vnd da er ein herlichen pomp vnd gespreng haben möcht, hat er Stattpfeyffer von Straßburg mit jm gen Basel pracht, hat wöllen mit großem pracht herumb reytten, daß jn sein Franciscus nit mer kennt hett, ... Aber sein anschlag felet jm, vnd muost on geschrey vnnd pomp als einem münch zugehört Doctor werden ... Sunst waren zwen Doctorandi zuo Basel, gelerte gesellen, die prauchten die Pfeyffer von Straßburg zuo jrem Doctorat ..."

L. Sieber, Thomas Murner und sein juristisches Kartenspiel, in: Beiträge zur vaterländischen Geschichte 10 (Basel 1875), S. 273–316; F. Hieronymus, Oberrhein. Buchillustr. 2 (Basel 1984), 264; W. Hes, Ambrosius Holbein, Straßburg 1911. Diss. Basel. (Rez. C. Glaser, in: Repertorium f. Kunstwissenschaft 35, 1912, S. 471–473); H. Koegler, Ambrosius Holbein Nr. 23; Ders., in: Basler Bücherfreund 2 (1926), H. 4, S. 133. – Nicht im Holbein-Katalog. Basel 1960. *W.S.*

H 47

Ottheinrich Kurfürst von der Pfalz

Mandat gegen den katholischen Gottesdienst in der Kurpfalz.

Altzey, den 16. April 1556. 3 Bl. 2° (Druckschrift)

Amberg, Staatsarchiv, Geistliche Sachen 302/2

Mit dem Tod des Kurfürsten Friedrich II. von der Pfalz trat Ottheinrich in dessen Erbe ein. In der Kurpfalz gab es seit 1546 eine Kirchenordnung, die aber nicht konsequent durchgeführt worden war. Am 16. April 1556 erließ Ottheinrich deshalb ein Mandat gegen *den falschen Gottesdienst,* in dem die päpstliche Messe, das Sakrament und die liturgischen Gesänge verboten wurden; *ferners nit gebrauchen die hungertücher, decke der verbutzten Bilder hinweg thun lassen.* Eine neue Kirchenordnung wird angekündigt, die von dem Hofprediger Diller und den Professoren Surlo und Marbach entworfen

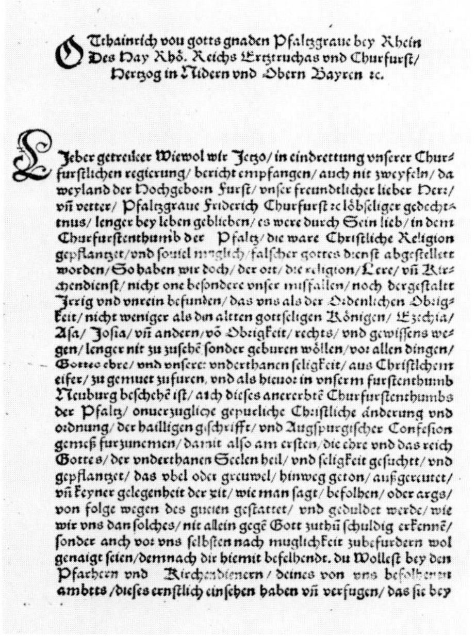

H 47

wurde und sich der Augsburger Konfession anschloß.

B. Kurze, Kurfürst Ott Heinrich. Politik und Religion in der Pfalz 1556–1559, Gütersloh 1956; M. Weigel, Der erste Amberger Buchdrucker (Wolf Guldenmundt 1552), in: Amberger Tageblatt 1931, Nr. 257 v. 6. 11.; Ders., Buchdrucker und Druckschriften in Amberg bis zum Beginn des 30jährigen Krieges, in: Verhandlungen des Histor. Vereins von Oberpfalz und Regensburg 92 (1951), S. 175–185.
W.S.

H 48

Paracelsus (Theophrast Bombast von Hohenheim)

SpittalBuch. Durch Theophrastum von Hohenheim geordnet. Vnnd yetzt durch Adamen von Bodenstein in druck geben.

Mülhausen 1562: P. Schmid. 42 ungez. Bl. 8° (4°)

Mulhouse, Musée Historique

Paracelsus' (Einsiedeln i.d. Schweiz 1493 bis 1541 Salzburg) wissenschaftliche Interessen sind wie bei den meisten der Humanisten verzweigt: Neben medizinischen Schriften gibt es astrologische und religiöse, selbst solche zur Magie. Bahnbrechend war er in der Medizin: *Was mich betrifft, so werde ich – um meine Lehrmethode kurz zu beschreiben – Bücher der praktischen und theoretischen Medizin, deren Verfasser ich selbst bin, erklären. Diese Bücher habe ich nicht, wie andere es machen, aus Hippokrates, Galen oder anderen zusammengeschrieben, sondern ich bin durch Erfahrung, der höchsten Lehrmeisterin der Ding, und durch Fleiß zu ihnen gelangt. Und wenn ich es unternehmen werde, etwas zu beweisen, dann wird Experiment und Überlegung die Stelle der Autoritäten vertreten … Prüft wohlwollend meinen Versuch, die Heilkunde zu erneuern.* (Programm der Basler Vorlesung v. 5. 6. 1527, bei E. Schlevogt, Heilkunde im Wandel der Zeiten, Stuttgart 1950, S. 49f.)
Viele seiner Schriften sind erst nach seinem Tode veröffentlicht worden, so auch das *Spittalbuch*. Der Großteil der Handschriften war zu Husers Zeiten, der die erste Gesamtausgabe begann (Basel 1589–91), im Besitz Herzog Philipp Ludwigs Pfalzgrafen bei Rhein, der sie von dem Pfalzgrafen Ottheinrich und dessen Rentmeister Kilian übernahm. Sie sind heute verschollen.

K. Sudhoff, Versuch einer Kritik der Echtheit der Paracelsischen Schriften. 1. Bibliographia Paracelsica, Berlin 1894; Nachdr. Graz 1958; K.-H. Weimann, Paracelsus-Bibliographie 1932 bis 1960, Wiesbaden 1963; Sämtliche Werke, Hrsg. v. K. Sudhoff u. W. Matthiessen, 14 Bde, München 1922-33; L. G. Werner, La première imprimerie mulhousienne, in: Bulletin du Musée Historique de Mulhouse 49 (1929), S. 59–107 (zu dem Drucker Peter Schmid).
W.S.

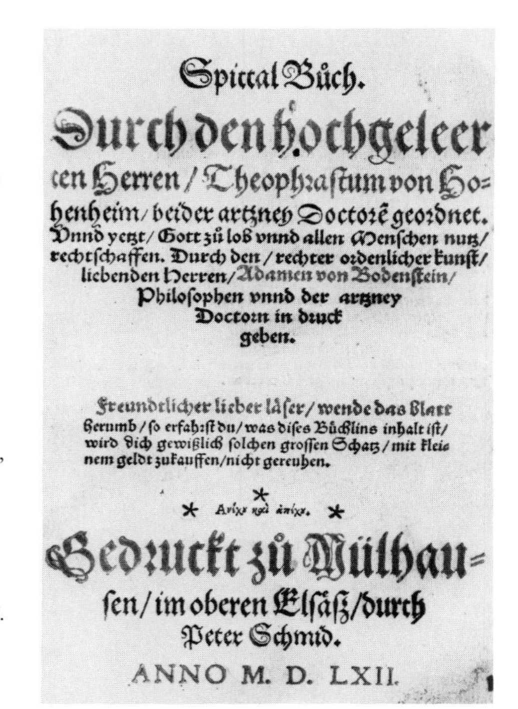
Spital Bůch.
Durch den hochgeleerten Herren/ Theophrastum von Hohenheim/ beider artzney Doctorē geordnet.
Vnnd yetzt/ Gott zů lob vnnd allen Menschen nutz/ rechtschaffen. Durch den/ rechter ordenlicher kunst/ liebenden Herren/ Adamen von Bodenstein/ Philosophen vnnd der artzney Doctorn in druck geben.
Freundtlicher lieber läser/ wende das Blatt herumb/ so erfahrst du/ was dises Büchlins inhalt ist/ wirt dich gewißlich solchen grossen Schatz/ mit fleis nem geldt zukauffen/ nicht gereuhen.
Gedruckt zů Mülhausen/ im oberen Elsäß/ durch Peter Schmid.
ANNO M. D. LXII.

H 48

H 49

Johannes Pauli

Schimpf vnd Ernst heiset das buch mit namen …

(Straßburg 1522, 8. Sept.: J. Grieninger.) CXXXII (vielm. CV) gez. Bl. 4° (2°)

Augsburg, Staats- und Stadtbibliothek, 2° LD 17

Pauli (geb. um 1450/54) war Prediger (Lesemeister) der Franziskaner in Straßburg, Schlettstadt, kurz in Villingen und zuletzt in Thann im Elsaß, wo er nach 1520 starb. Er hörte die Predigten Geilers von Kaysersberg, die er aufzeichnete und in drei Sammlungen *(Evangelibuch* 1515, *Emeis* 1516, *Brösamlin* 1517) veröffentlichte. Hieraus wurden auch in Drucke von *Schimpf und Ernst* Holzschnitte übernommen (F. Hieronymus, Oberrhein. Buchillustr. Nr. 279, 279a).
Seine Schwanksammlung in alemannischer Mundart vollendete er 1519. Es sind 693 prägnant und meist humorvoll gefaßte Geschichten, von denen vieles aus der lateinischen Exemplaliteratur übernommen ist; in der Tendenz Predigten in anderem Gewand und Unterhaltung. Das Werk, das im 16. und 17. Jahrhundert in etwa 60 Nachdrucken verbreitet worden ist, hat einen erheblichen Einfluß auf die allgemeine Bildung sowie auf die Dichtung ausgeübt.
1535 erschien bei Heinrich Steyner in Augsburg ein mit vorzüglichen Holzschnitten aus seinem Repertoire ausgestalteter Nachdruck.

H. Österley, in: ADB 25 (1887), S. 261f.; C. Biehler, Die Laut- und Formenlehre der Sprache des Barfüßermönches Johannes Pauli, Straßburg 1911, Diss.; C. Schröder, Johannes Pauli, der Begründer der deutschen Schwankliteratur, in: Franziskanische Studien 13 (1926), S. 393–397; D. v. Künßberg, Das Recht in Johannes Paulis Schwanksammlung, Heidelberg 1939, Diss.
W.S.

H 50

Von allen Speisen vnd Gerichten etc. Allerhand art künstlich vnd wol zu kochen, einmachen vnd bereytten. Dabei eins ieden Essens wirckung vnd natur, Zu auffenthaltung menschlicher gsundtheit. Durch … Platinam.

(Straßburg 1530: Ch. Egenolph.) 23 gez. Bl. 8° (4°)

Augsburg, Staats- und Stadtbibliothek, 4° Ldw 179

Der Titelholzschnitt wird H. Weiditz zugeschrieben.
Das Werk ist ein Nachdruck der sehr verbreiteten *Küchenmeisterei,* von der im 15. Jahrhundert allein 16 Drucke nachzuweisen sind (frühester Druck bei Peter Wagner in Nürnberg, 10. 11. 1485, Nachdruck mit Titelholzschnitt „Kücheninterieur mit Koch" um 1490, Meister des Pfaffen von Kalenberg). Egenolph hat fälschlich Platinas Namen als Zugpferd hinzugesetzt. Hiervon erschien bei Heinrich Steyner im gleichen Jahr ein Raubdruck mit der gleichen Titelillustration vom dicken Koch; weitere Drucke von ihm folgten 1533, 1536 und 1537. Erst 1542 verlegte Steyner das Originalwerk Platinas in der Übersetzung von Stephanus Vigilius Pacimontanus.
Die *Küchenmeisterei* ist kein Kochbuch für Lehrlinge, sondern sie setzt die Kunst des Meisters voraus.

G. Keil u. M. Weodarczyk, Küchenmeisterei, in: Die deutsche Literatur des Mittelalters. Verfasserlexikon, Begr. v. W. Stammler, 2. Aufl. Bd. 5, Berlin, New York 1985, Sp. 395–400.
W.S.

Schimpf vñ
Ernst heiset
das bůch mit namē
durchlaufft es d' welt handlung mit
ernstlichen vnd kurtzweiligen exem-
plen / parabolen vnd hystorien
nützlich vnd gůt zů besse-
rung der menschen.

Cum priuilegio Im.

H 49 a

H 51

Bartolomeo Sacchi di Platina

Von der eerlichen zimlichen, auch erlaubten Wolust des leibs ... auß dem latein verteütscht durch Stephanum Vigilium Pacimontanum.

(Augspurg 1542: H. Stayner.) LXV gez. Bl. 4° (2°)

Berlin, Staatliche Museen Preußischer Kulturbesitz, Kupferstichkabinett, Nr. 154 (314)

Mit 28 Holzschnitten, zumeist vom Petrarca-Meister und den beiden Burgkmair, Schäufelein und Breu d. Ä..

Platinas *De honesta voluptate et valitudine (Von der ehrbaren Wollust und Gesundheit)* ist mehr als ein Werk zeitgenössischer Rezepte für Küchenmeister.
Der Autor erklärt sich der antiken Tradition vom Hausstand verpflichtet, wie sie ihm aus Cato, Varro, Columella und Apicius bekannt war, und bezieht sich damit auf die literarische Absicht wie auf das Ziel einer maßvollen epikureischen Lebensführung, die nach Celsus eine Harmonisierung der Körpersäfte bewirkt.
Die vier Körpersäfte sind dynamisch nach Jahreszeit und Lebensalter wechselnd, so daß die Kochkunst auch eine Heilkunst darstellt, wie der Titel auch eine ethische und eine medizinische Komponente enthält.
Die Rezepte stammten von einem Martino, der sich als Leibkoch des

Von Schimpff
die thür auff/ da lieff das alt weyb nacket darnon/ vnnd lieffen jr die vier Frawen nach mit den rütten/ vnd überkam die Zimermennin darnon mer lob/ dañ sy nutz von dem reychen man het mögen überkoñen/ das was ain froñe fraw.
Von Malern.

Von Schimpff das cccxcj.
DRey bauren kamen zů ainem maler/ vnd hetten gern ain crucifix/ ain Got an dem creütz auff dem kirchoff gehept/ vnnd da er verdingt was wol für fünffzehen gulden/ Da sprach der maler / wöllen jhr ain lebendigen oder ain todten Gott haben? Sy sprachen wir wöllen zů rath werden/ vnd tratten neben an/ vnnd da der rath auß was/ da sprach ainer. Lieber maister/ wir wöllen ain lebendigen Gott haben/ gefelt er den bauren nit/ so künnen wir jn selber wol zů todtschlagen.
Von Schimpff das cccxcij.
ZWen maister heten ainander außbotten zů malen vmb die maisterschafft/ der ain malet ain roßmärhen/ vnnd da sy auß gemacht was/ da ließ er ain raisigen hengst darzů füren/ vnnd da der hengst die gemalte roßmärhen sahe / da fieng er an zů schreyen vnd zů springen/ das sich alle Herrn die darbey waren darab verwunderten an dem maisterlichen stuck/ Sy giengen inn deß andern maisters hauß/ der füret sy inn Sal / da stůnden vil hübscher bett inn/ Der ander maister saget/ maister wa ist ewer materi die jr gemalet haben? Er sprach / ziehen dort den vmbhang hindersich/ so finden jr es/ Da der maister darnach griff/ da was es kain vmbhang / er was dar gemalt. Nun rathen wölcher das gewonnen hab.
Von Schimpff das cccxciij.
EIn kostlicher maister was in ainer statt/ deß namen weyt außgieng / da wz ain anderer maister/ weyt von jm in ainer andern statt/ der was auch ain berümbter maister/ der het lust den anderen maister zů sehen / wie er doch ain man von person wer/ auch seyn arbait zů sehen/ vnd zohe jm nach / vnd fand jn arbaiten im münster daselbst/ vnnd malet den englischen grůß kostlich von ölfarben / Der ander maister grůßt jhn/ vnd redt mit jhm/ vnnd gab sich nit zůerkennen/ Der maister gieng hinweg vnnd wolt zů mittag essen/ da stige der ander maister auff das gerüst/ vnnd malet dem engel

H 49 b

Patriarchen von Aquileja bezeichnete.
Die Holzschnitte zu der deutschen Ausgabe bei Steiner sind alle von schon vorhandenen Holzstöcken zu anderen Werken übernommen worden, vor allem vom Petrarca-Meister. Übersetzer und wohl auch Berater war Stephanus Vigilius Pacimontanus (d. i. Friedberger).

Faks. (Komm. v. U. Fabian.), München 1979;
E. Strübing, Die Ernährung des Menschen am Ausgang des Mittelalters und Platinas Buch De honesta voluptate et valetudine, in: Ernährungsforschung 4 (1959), S. 548–568.

W.S.

H 52

Gregor Reisch

a. **Margarita philosophica.**

(Friburgi 1503: J. Schott.) 304 ungez. Bl. 8° (4°)

Tübingen, Universitätsbibliothek, Aa 32. 4° R

b. **Margarita Philosophica cum additionibus nouis: ... revisione 4. super additis.**

(Basileae) 1517 (: M. Furter). 296 ungez. Bl. 8° (4°)

Tübingen, Universitätsbibliothek, Aa 35. 4° R

Reisch kam 1487 an die Universität Freiburg und wurde dort 1489 Magister philosophiae. 1496 trat er in die Kartause Johannisberg ein, wo er seit 1502 Prior war. Er starb dort 1525.
Sein enzyklopädisches Hauptwerk, die *Margarita philosophica*, ist für seine Vorlesungen an der Artistenfakultät zusammengestellt. Es leitet von den „septem artes liberales" bis zur Magisterprüfung. In dem Unternehmen, das Wissen in sei-

Von allen Speisen vnd Gerichten ꝛc. Allerhand art künstlich vnd wol/ zukochen/ einmachen vnd bereytten. Dabei eins ieden Essens wirckung vnd natur/ Zů auffenthaltung menschlicher gsundtheit. Durch den hochgelerten vnd erfarnen Platinam/ Babst Pij des II. Hoffmeyster.

Wie man Wein vnd Essig wol erziehen/ behalten vnd widerbringen/ Auch mit allerhand Kreutteren vnd Specerei zů gesundtheit bereytten vnnd gebrauchen sol. Alles new vnd ordenlich zůsamen bracht.

H 50

ner Gesamtheit darzustellen, ist es mittelalterlich, doch in der starken Berücksichtigung der Naturwissenschaften, in den Kenntnissen aus der Antike sowie der Illustrierung durch den Holzschnitt ist es dem Humanismus zuzuordnen. Reisch war ein hochgeschätzter Lehrer vieler Humanisten.
„Die Illustrationen stammen schon in der ersten Ausgabe von verschiedenen Händen; neben zwei Gruppen von Holzschnitten im kupferstich-ähnlichen Strassburger Inkunabelstil Grüningers und Kistlers stehen stilistisch freiere, neuere; beide Gruppen wird Johannes Schott, der Sohn des Straßburger Druckers Martin Schott, ... aus Strassburg nach Freiburg mitgebracht haben ... Srbik führt S. 101, nach Hartfelder, einen *doctum Baccalaureum, Martinum Obermüller, pictorem etiam egregium, et ingeniosum* aus Konrad Pellikans Chronikon (hg. von B. Riggenbach, Basel 1877, S. 22) an, den Reisch dem ihm befreundeten Pellikan ... nach Tübingen geschickt hat, als möglichen Illustrator." (Hieronymus 2,14).
Zwei stilistisch jüngere Holzschnitte und die Weltkarte mit den Windgesichtern werden dem frühen Urs Graf zugeschrieben.
Die Erstausgabe Friburgi 1503 enthält 26 selbständige Holzschnitte, die von 1504 43 Holzschnitte. Weitere Ausgaben: Basel, M. Furter & J. Schott 1508 (39 Holzschn.); Basel, M. Furter 1517 (38 Holzschn.); Straßburg, J. Grüninger 1515 (24 Holzschn.); Basel, H. Petri für C. Resch (38 Holzschn.) und Basel, S. Henricpetri 1583 (27 Holzschn.).

K. Hartfelder, Der Karthäuserprior Gregor Reisch, Verfasser der Margarita philosophica, in: ZGO 44 (1890), S. 170–200; R. v. Srbik, Die Margarita philosophica des Gregor Reisch, in: Denkschriften der Akademie der Wissenschaften in Wien, Math.-nat. Kl. 104 (1941), S. 83–205; G. Münzel, Der Kartäuserprior Gregor Reisch und die Margarita philosophica, in: Zeitschrift des Freiburger Geschichtsvereins 48 (1938), S. 1–87; P. Kristeller, Urs Grafs früheste Arbeiten für den Holzschnitt, in: Die graphischen Künste, Mitteilungen 32 (1909), S. 50; Die erste Enzyklopädie aus Freiburg um 1495, Die Bilder der Margarita philosophica ..., Hrsg. u. erl. v. U. Becker, Freiburg 1970; – F. Hieronymus, Oberrhein. Buchillustr. 2,14 ff. *W.S.*

H 53

Johannes Reuchlin

Liber ... ad Dyonisium, fratrem suum germanum, de rudimentis Hebraicis liber primus.

(Phorce: Th. Anshelm 1506, 6. Apr.)
622 S. 4° (2°)

Tübingen, Universitätsbibliothek, Ci VII 1. °

Johannes Reuchlin (Pforzheim 1455–1522 Bad Liebenzell [oder Stuttgart]; sein Humanistenname ist Capnion bzw. Capnio nach kapnós, griech. Rauch, und der Verkleinerungsform kapnion) war als Jurist und in politischen Missionen tätig. Nachdem die päpstlichen Gesandten in Stuttgart das „Hechinger Latein" des Kanzlers nicht verstanden, wählte Graf Eberhard den jungen Tübinger Gelehrten als Begleiter für seine Italienreise. Von da an war Reuchlin als Anwalt und als Berater am Stuttgarter Hof tätig. Er wurde schließlich einer der drei obersten Richter des Schwäbischen Bundes *(Triumvir Sueviae)*.
Seine Neigungen galten jedoch der Theologie und Philologie, vor allem dem Hebräischen. Schon 1486 vermittelte ihm ein Jude Calman das hebräische Alphabet, doch die judenfeindliche Gesetzgebung Graf Eberhards und seiner Nachfolger, wonach kein Jude in Württemberg geduldet wurde außer herumziehenden Krämern, ließ ihn erst anläßlich einer Gesandtschaft nach Linz zu Kaiser Friedrich III. in dessen Leibarzt Jakob ben Jechiel Loans einen geeigneten Lehrer finden. Der Kaiser überließ ihm auch eine Prachthandschrift aus der Zeit um 1200 von der hebräischen Bibel mit Targum und Masora, die sich heute mit anderen

Margarita Philosophica cū additionibus nouis: ab auctore suo studiosissima reuisione quarto super additis
Anno domini. M. D. XVII.

H 53

Handschriften Reuchlins in der Badischen Landesbibliothek Karlsruhe befindet (Hs. Reuchlin 1).
Mit den *Rudimenta Hebraica* 1506 schuf er ein Lehrbuch über die Anfangsgründe der hebräischen Sprache, womit sich Humanisten die Sprache des Alten Testamentes aneignen konnten. Den Druck hat er selbst finanziert: *Denn soll ich leben, so muß die hebraisch Sprach herfür mit Gotts hilf; stirb ich dann, so han ich doch einen Anfang gemacht, der nit leichtlich wird zergehn. Ich will um gemeins Nutz willen gern und williglich Schaden erleiden* ... (1512 an Anshelm).

Johannes Reuchlin 1455–1522. Festgabe. Hrsg. v. M. Krebs. Pforzheim 1955; H. Widmann, Zu Reuchlins Rudimenta Hebraica, in: Festschrift für J. Benzing, Wiesbaden 1964, S. 492–498. *W.S.*

H 53A

Johannes Reuchlin

De arte cabalistica libri tres.

(Hagenau: Th. Anshelm 1517, März.)
LXXIX gez. Bl. 4° (2°)

Tübingen, Universitätsbibliothek,
Ge 397. 2° R

Bereits 1494 schreibt Reuchlin mit *De verbo mirifico* ein Werk zur jüdischen Zahlen- und Buchstabenmystik. Das Studium der Kabbala (hebr. Überlieferung, seit dem 13. Jahrhundert der Name für die jüdische Mystik) ist für Reuchlin die Fähigkeit, Gott zu begreifen, eine symbolische Theologie.
In einem Gespräch dreier Männer, dem Pythagoreer Philolaus, dem Moslem Marcanus und dem jüdischen Kabbalisten Simon (Bar Jochai) sucht er über das pythagoreisch-neuplatonische Geheimwissen von der Zahlenharmonie und die jüdische Buchstaben- und Zahlenmystik den Weg zu einer christlichen Kabbala, die ihm auch eine Begründung der Inkarnation Jesu über die Gottesnamen bringt: Gott im Zeitalter der Natur offenbarte sich in einem Trigrammaton, im Zeitalter des Gesetzes verborgen und unaussprechbar im Tetragrammaton JHWH, im Zeitalter der Gnade und Erlösung als Messias JHSUH, einem Wort, das aus dem Tetragrammaton durch Hinzusetzen des Buchstabens für den Logos entstanden ist.
Diese Spekulationen haben die befreundeten Humanisten nicht „angelächelt" (Erasmus), aber Reuchlin gewann damit ein neues Verständnis für die hebräische Überlieferung.
Gewidmet hat er sein Werk dem Mediceerpapst Leo X.

G. Scholem, Bibliographica Kabbalistica, Leipzig 1927; Ders. in: Encyclopaedia Judaica 9 (Berlin 1932), Sp. 630–732; L. W. Spitz, Reuchlin's Philosophy, Pythagoras and Cabala for Christ, in: Archiv für Religionsgeschichte 47 (1956), S. 1–20; Ders., Religious Renaissance of the German Humanists, Cambridge, Mass. 1963; F. Secret, Les kabbalistes chrétiens de la renaissance, Paris 1964; Johannes Reuchlin 1455–1522. Festgabe. Hrsg. v. M. Krebs. Pforzheim 1955; J. Benzing, Bibliographie der Schriften Johannes Reuchlins im 15. und 16. Jahrhundert, Bad Bocklet, Wien usw. 1955; E. zu Solms, Der Meister DS, in: Zeitschrift für Kunstwissenschaft 15 (1962) S. 63–80 (schreibt das Titelblatt mit der Ara Capnionis dem Meister DS zu, der viel für den Pforzheimer Drucker Jacob Wolff in Basel gearbeitet hat). *W.S.*

H 54

Johannes Reuchlin

Warhafftige entschuldigung gegen und wider ains getaufften iuden genant Pfefferkorn, vormals getruckt ußgangen unwarhaftigs schmachbüchlin Augenspiegel.

[Tübingen: Th. Anshelm 1511.]
XLI gez. Bl. 8° (4°)

Tübingen, Universitätsbibliothek,
Ci VII 28. 4° R

H 54

Doctor Johannsen Reuchlins der K. M. als Ertzhertzogen zů Osterreich auch Churfürsten vnd fürsten gemainen bundtrichters inn Schwaben warhafftige entschuldigung gegen vnd wider ains getaufften iuden genant Pfefferkorn vormals getruckt vßgangen vnwarhaftigs schmachbüchlin
Augenspiegel
Am end dißes büchlins findt man ain correctur etlicher wörter so inn dem truck verschen sind im teutschen vnnd latin/bezaichnet durch die zal der bletter

IOANNIS REVCHLIN PHORCENSIS LL. DOC.
DE ARTE CABALISTICA LIBRI TRES LEONI X. DICATI.
ARA CAP NIONIS
Cum Priuilegio Imperiali.

H 53a

Zu den Dominikanern in Basel, darunter Jakob Sprenger (mit Heinrich Kramer Verfasser des *Malleus maleficarum,* des Hexenhammers) hielt Reuchlin lange Zeit freundschaftliche juristische Beziehungen – er war ihr Rechtsberater um Gotteslohn. Das Dominikanerkloster in Basel war während des Konzils in den Besitz von griechischen Handschriften als Erbe gekommen, wovon sich Reuchlin ein griechisches Testament auf Lebenszeit leihweise erbat und erhielt.
Dann aber wird Reuchlin über die Kölner Dominikaner in einen jahrelangen zermürbenden Kampf hineingezogen, als durch deren Schützling, den getauften Juden Johann Pfefferkorn, in einem Druck die Forderung laut wurde, das jüdische Schrifttum (ausgenommen das Alte Testament) dem Feuer zu überantworten. Dem widersprach Reuchlin, ein Freund der Juden, aber als Christ Gegner ihres Glaubens, aus wissenschaftlichem Gewissen. Im Auftrage des Kaisers Maximilian arbeitete er ein fachliches Gutachten aus, in dem er die Forderung verwarf. Die Gegenseite brachte illegal Material daraus an die Öffentlichkeit – ein grober Verstoß gegen die Rechtsgewohnheiten. So entspann sich eine heftige Polemik, in der Reuchlins *Augenspiegel* eine Hauptrolle spielte.
Reuchlins allgemeiner Standpunkt war humanistisch: „Wer könnte es wagen, und wäre er eine Säule der Kirche, die heiligen Schriften zu erklären ohne

Hebräisch und Griechisch? Lächerlich machen würde sich der Mann!“
Auch dem Griechischen gegenüber gab es teilweise kirchliche Vorbehalte (vgl. die Basler Universitätsgeschichte); immerhin hatte sich die griechisch-orthodoxe Kirche von Rom getrennt.
Zum *Augenspiegel* (1511) erhob Jakob van Hoogstraeten (mit Unterstützung von Ortwin Gratius und Arnold van Tongeren) als Vertreter der Inquisition in Köln Anklage wegen Ketzerei. Reuchlin wurde im Prozeß vor dem bischöflichen Gericht in Speyer schuldlos gesprochen, doch die Gegner appellierten an Papst Leo X. Dieser, ein Mediceer und humanistisch gesinnt, verschleppte den Prozeß, so daß erst 1520 der *Augenspiegel* mit der Minderheit als ketzerisch verurteilt wurde.
In der Zwischenzeit hatten Freunde aus dem Erfurter Humanistenkreis mit Crotus Rubeanus 1515 bei Heinrich Gran in Hagenau durch dessen Korrektor Wolf Angst *Epistolae obscurorum virorum* anonym erscheinen lassen (als Aldusdruck deklariert), in denen sie mit Küchenlatein die Kölner Gegner der Lächerlichkeit preisgaben. Eine zweite Auflage mit Appendix von sieben Briefen erschien 1516. Es folgte ein zweiter Teil, verfaßt vor allem von Ulrich von Hutten, 1517 bei Heinrich von Neuss in Köln.

Faks. München 1961. G. Kisch, Zasius und Reuchlin. Konstanz, Stuttgart 1961. – Zu den „Epistolae obscurorum virorum“: Ausgabe, hrsg. v. A. Bömer (mit Kommentar), Heidelberg 1924; W. Brecht, Die Verfasser der Epistolae obscurorum virorum, Straßburg 1904; H. Grimm, Alte und neue Probleme der „Epistolae Obscurorum Virorum“, in: Börsenblatt für den Deutschen Buchhandel. Frankf. Ausg. 41 (1965).
W.S.

H 55

Beatus Rhenanus

Rerum Germanicarum libri tres … ab ipso autore diligenter revisi & emendati … Quibus praemissa est Vita Beati Rhenani, a Ioanne Sturmio eleganter conscripta.

Basileae 1551, Mai: Offic. Froben (per H. Frobenium & N. Episcopium). 406 S. 4° (2°)
Einband des Buchbinders Carle oder Carlin Acker, Straßburg 1551

Tübingen, Universitätsbibliothek, Fo XIIa. 59a. 2°

Aus der Bibliothek des Straßburger Juristen Ludwig von Grempp zu Freudenstein.
Erstauflage: Basileae 1531: Froben.
Die Widmung an König Ferdinand nennt als Anlaß, daß die Deutschen zwar über das römische Altertum Bescheid wüßten, nicht aber über die eigene Geschichte in Vorzeit und neuerer Zeit.
Dem Werk liegt reiches Quellenmaterial zugrunde, das Beatus Rhenanus (Schlett-

H 55

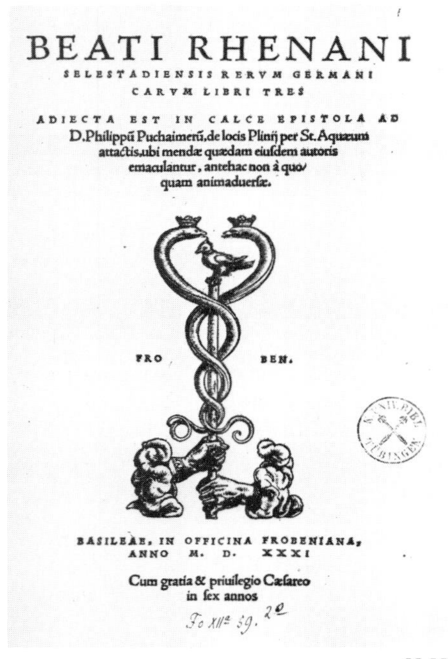

BEATI RHENANI
SELESTADIENSIS RERVM GERMANICARVM LIBRI TRES
ADIECTA EST IN CALCE EPISTOLA AD D. Philippũ Puchaimerũ, de locis Plinij per St. Aquarum attactis, ubi mendæ quædam eiusdem autoris emaculantur, antehac non à quoquam animaduersæ.
FRO BEN.
BASILEAE, IN OFFICINA FROBENIANA, ANNO M. D. XXXI
Cum gratia & priuilegio Cæsareo in sex annos
Fo XIIa 59. 2°

H 55 a

stadt 1485–1547 Straßburg) aus Privatbibliotheken seiner Freunde (u.a. Peutinger und Erasmus) sowie aus Klosterarchiven und Klosterbibliotheken heranziehen konnte. Neu ist, daß die Quellen unter ihren jeweils zeitbedingten Voraussetzungen ausgewählt und kritisch geprüft worden sind – mit Ablehnung mönchischer Geschichtsschreibung und scholastischer Spekulationen –, so daß das Werk als ein Vorläufer einer Monumenta Germaniae gelten kann.
Brauner Ledereinband. Auf dem Vorder- und Rückdeckel rahmenbildende Strichlinien, dazwischen äußere Umrahmung durch vergoldeten Rollenstempel mit ornamentalem Blattwerk, darin Christuskind mit zwei Putten; innere Umrahmung durch vergoldeten Rollenstempel mit ornamentalem Blattwerk; zwischen den beiden Umrahmungen vergoldete Einzelstempel mit Blüten- und Blattmotiven, oben geflügelter Engelskopf.
Vorderdeckel mit vergoldeter Platte: In einem Architekturbogen eine orientalische Stadt im Hintergrund (Bethulia), vorn Zelte, in einem der liegende tote Holofernes, Judith mit einer Frau, darunter im Feld ohne Worttrennung: HOLEFERNIS NECE BETHVLIA ABOB. Über der Platte: HISTORIA // RERVM GERMANI // CARRVM (sic)· // (darunter ein Blatt); unter der Platte datiert: 1·5·5·1.

Auf dem Rückdeckel vergoldete Platte, bezeichnet CAROLVS ACKER, mit Wappenschild: zwei Pferdeprotome gegenständig nach außen, darüber geschlossenes Visier mit Helmzier und Zackenkrone, aus der die Halbfigur eines Mannes mit Mütze mit Federbusch wächst, rechts und links Tuba, oben flatterndes Spruchband mit der Jahreszahl 1550. Das Feld ist mit verzweigtem ornamentalem Blattwerk ausgefüllt. Über und unter der Platte je drei Blätter als vergoldete Einzelstempel.
Carlin Acker, der Sohn des ehemaligen Freiburger Stadtboten, erhielt am 25. Juni 1543 von dem Rat der Stadt Freiburg einen Abzugsrevers über seine eheliche Abstammung und seine Führung, da er „seines besseren Nutz und Nahrungs“ willen an einen anderen Ort ziehen will (nach A. Schmidt). Er hatte in Straßburg im Gaden am Münsterplatz seine Werkstatt. Buchbinder des 16. Jahrhunderts waren häufig als Buchführer (Buchhändler) tätig. Acker ist damit im Meßkatalog für Sigmund Feyerabend 1565 für 7 fl. 3 Batzen eingetragen, 1557 bis 1563 ist er für Froben & N. Episcopius in Basel nachgewiesen.

R. Newald, in: NDB 1 (1953), S. 682f.; P. Joachimsen, Geschichtsauffassung und Geschichtsschreibung in Deutschland unter dem Einfluss des Humanismus, T. 1, Leipzig, Berlin 1910; – L. Pfleger, Elsässische Historiker, in: Elsaßland … 12 (1932), S. 302–306. – J. Rest, Freiburger Buchbinder des 15. und 16. Jahrhunderts, in: Schau-ins-Land 1934, 61 u. 68; A. Schmidt, Zur Geschichte deutscher Buchbinder im sechzehnten Jahrhundert, in: Beiträge zum Rollen- und Platteneinband im 16. Jahrhundert, hrsg. v. I. Schunke, Leipzig 1937, S. 66 (Sammlung bibliothekswissenschaftlicher Arbeiten. H. 46 [Ser. 2, H. 29]); H. Helwig, Handbuch der Einbandkunde, 2. Hamburg 1954; J. Benzing, Die deutschen Verleger des 16. und 17. Jahrhunderts, in: Archiv für Geschichte des Buchwesen 18 (1977), Sp. 1084.
W.S.

H 56

Mathias Ringmann

Grammatica figurata

(Deodate 1509: E. Lud & Philesius.)
32 gez. Bl. 8° (4°)

München, Bayerische Staatsbibliothek, Rar. 131

Mathias Ringmann (Oberelsaß 1482–1510 Schlettstadt), ein Bauernsohn aus den Vogesen – humanistisch nannte er sich später Philesius Vogesigena – besuchte das berühmte Gymnasium in Schlettstadt, studierte in Heidelberg und Freiburg (bei Wimpheling und Reisch) und ging dann nach Paris, wo er Faber Stapulensis, dessen pädagogische Versuche mit Karten und Brettspiel auch Murner beeinflußt hatten, zum Lehrer hatte. Nach der Rückkehr wurde er Korrektor in der Offizin des Johann Prüß und kurze Zeit Schulmeister in Kolmar (bei den „Kolbnarrhensibus quibusdam").
Am 7. März 1507 beendete Grüninger den Druck seiner Caesar-Übersetzung, bei der sich der Autor mit dem Problem des verschiedenen Satzbaus und dem richtigen Maß zwischen freier und wörtlicher Übersetzung beschäftigte *(dann wer weiss nit daz latin vnd tutsch nit glyche ordnung hat?)*.
Ringmann wurde von Herzog Renatus II. (1473–1508) von Lothringen an das Gymnasium von St. Dié berufen, wo er in einer humanistischen Gemeinschaft zusammen mit Walter und Nikolaus Lud und Martin Waldseemüller wirkte. Das Gymnasium förderte auch naturwissenschaftliche Studien.
Von angestrengten Studien erschöpft befaßte sich Ringmann zur Erholung damit, die Regeln der lateinischen Sprache (nach Donat und Remigius) in einem Kartenspiel für Schüler unterzubringen. Seine *Grammatica figurata* wurde in der dem Gymnasium angegliederten Druckerei gedruckt.

Faks. hrsg. v. R. v. Wieser, Strassburg 1905. – R. Newald, Elsässische Charakterköpfe aus dem Zeitalter des Humanismus, Kolmar i. Elsaß 1944; K. Klement, Zur Geschichte des Bilderbuchs und der Schülerspiele, in: Jahresberichte des K. K. Staatsgymnasiums im 19. Bez. Wiens, Wien 1903. Progr.; Ders., Neue Belege für das Lebensbild des Philesius Vogesigena, in: Jahrbuch für Geschichte, Sprache und Literatur Elsaß-Lothringens 20 (1904), S. 298–301; – A. Ohl, Mathias Ringmann dit „Philesius" Graveur en bois, in: Bulletin de la Société Philomatique Vosgienne 59 (1933), S. 27–42. *W.S.*

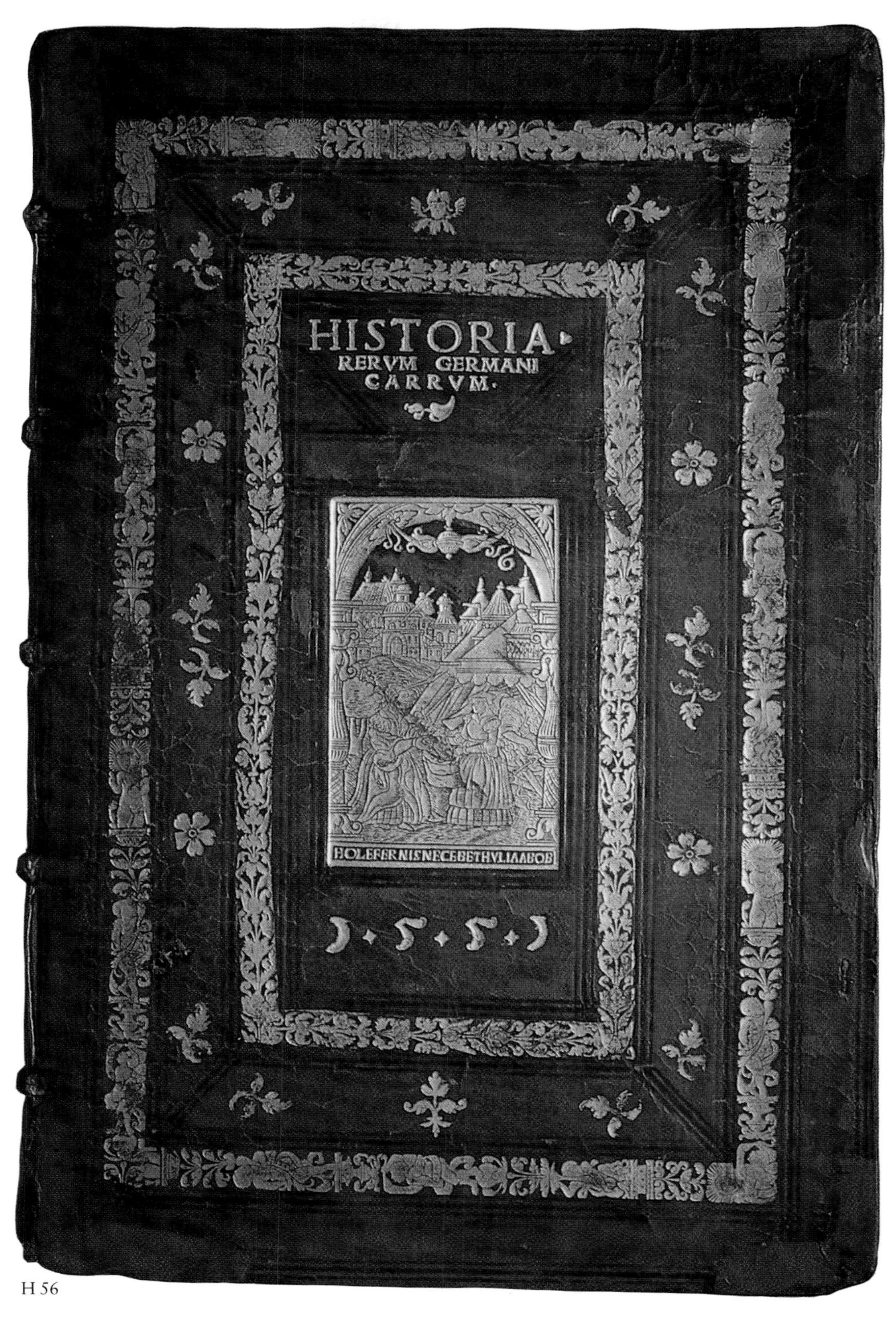

H 56

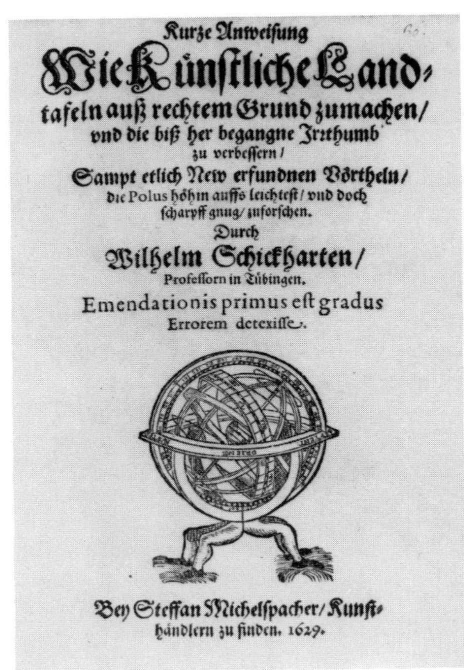
Kurtze Anweisung
Wie Künstliche Land-
tafeln auß rechtem Grund zumachen/
vnd die biß her begangne Irrthumb
zu verbessern/
Sampt etlich New erfundnen Vörtheln/
die Polus höhin auffs leichtest/ vnd doch
scharpff gnug/ zuforschen.
Durch
Wilhelm Schickharten/
Professorn in Tübingen.
Emendationis primus est gradus
Errorem detexisse.

Bey Steffan Michelspacher/ Kunst-
händlern zu finden. 1629.

H 57

H 57

Wilhelm Schickard

Kurze Anweisung wie künstliche Landtafeln auß rechtem Grund zu machen, vnd wie biß her begangene Irrthumb zu verbessern, samt etlich new erfunden Vörtheln,die Polus höhin auffs leichtest, vnd doch scharpff gnug zuforschen. Durch Wilhelm Schickharten.

o. O.: S. Michelspacher 1629. 22 S.
8° (4°)

Augsburg, Staats- und Stadtbibliothek, 4° Math. 512

Schickard (Herrenberg 1592–1635 Tübingen), ein Neffe des Baumeisters Heinrich Schickhardt, war zunächst Professor für biblische Grundsprachen an der Universität Tübingen und wurde nach Mästlins Tod 1631 dessen Nachfolger als Professor der Mathematik und Astronomie.
Seine bedeutendsten Erfindungen sind 1623 die der Rechenmaschine und die Entwicklung kartographischer Methoden für die württembergische Landvermessung.

B. Baron von Freytag-Löringhoff, Über die erste Rechenmaschine, in: Physikalische Blätter 14 (1959); Ders., Wiederentdeckung und Rekonstruktion der ältesten Rechenmaschine, in: VDI-Nachrichten 14 (1960); A. Egerer, Die mathematischen Grundlagen des württembergischen Kartenwerks, in: Württembergische Jahrbücher für Statistik und Landeskunde 1930/31, S. 287–420; E. Zinner, Deutsche und niederländische astronomische Instrumente des 11.–18. Jahrhunderts, 2., erg. Aufl. München 1967; 1979, S. 500 f.; Wilhelm Schickard 1592–1635, Astronom, Geograph, Orientalist, Erfinder der Rechenmaschine. Hrsg. v. F. Seck, Tübingen 1978.

W.S.

H 58

H 58

H 58

Jakob Schrenckh von Notzing

Augustissimorum Imperatorum, serenissimorum Regum, atque Archiducum, illustrissimorum Principum, necnon Comitum, Baronum, Nobilium, aliorumque clarissimorum virorum ... verissimae imagines, & rerum ... gestarum succinctae descriptiones. Quorum arma, aut integra, aut horum partes... in celebri Ambrosianae arcis armamentario ... conspiciuntur. Opus ... Archiducis iussu in vita inchoatum, & ab ... Iacobo Schrenckhio a Notzingen continuatum & absolutum.

Oeniponti 1601: J. Agricola. 130 ungez. Bl. gr.-2°

Heidelberg, Universitätsbibliothek, T 3037

Das Werk, welches die Waffen der berühmtesten Kriegshelden seiner und der unmittelbar vorangegangenen Zeit mit ihren Bildern darstellt, wurde von Erzherzog Ferdinand auf seine Kosten begonnen und nach seinem Tode (1595) von seinem Rat Schrenckh von Notzing fortgesetzt und vollendet. Zu den Waffen wurde die Rüstkammer von Schloß Ambras herangezogen.
Die Stiche stammen von D. Custos nach Giovanni Battista Fontana, etwa 1582 bis 1587.
W.S.

H 59

Caspar von Schwenckfeld(t)

Auff das Wirttenbergische, jüngst im 1558. Jare durch den Truck außgangne Mandat, in der Religion, Caspar Schwenckfeldts entschuldigung, so vil jhne darinnen belanget. Mit bekanntnus seiner Lehre vnnd glaubens ...

o. O. 1558. 30 ungez. Bl. 8° (4°)

Tübingen, Universitätsbibliothek, Gf 701. 4° ang.

Schwenckfeld studierte in Köln, Frankfurt a.d. Oder, vielleicht auch in Erfurt. Dann tritt er in den Hofdienst beim Herzog Friedrich II. von Liegnitz ein, den er 1521 für das neue Bekenntnis gewinnt. Er wird Geheimer Rat.
1525 begab sich Schwenckfeld aus Anlaß des Abendmahlsstreites selbst mit seinen Vorstellungen nach Wittenberg, wurde aber abgewiesen. Er erläutert seinen Glauben: „Der Geist Gottes waltet so unendlich frei und überlegen in menschlichen Herzen und Dingen, daß er durch nichts und niemanden je gebunden werden kann. Denn alles Menschliche ist nur ein schattenhaftes Abbild dessen, was Gott durch seinen Geist wirkt. So bleiben auch im Abendmahl Brot und Wein unvollkommene Gleichnisse, sie werden

aber nie zu geweihten und heiligen Elementen." 1529 wurde er infolge des Abendmahlsstreites von seinem Gut und aus seiner Heimat gedrängt. Er geht zunächst nach Straßburg, später – nach einem Kolloquium mit Blarer und Butzer – nach Ulm und Tübingen. In Württemberg wird er von 1540 an den Täufern zugeordnet und verfolgt.
Sein Glaube, den er verteidigt, ist teilweise der eines Mystikers („gläubig ist nur der, den Gott besucht hat"), teilweise spricht er urchristlich von einer reinen und heiligen Bruderschaft, in welcher einer des anderen sanftmütiger und liebevoller Diener ist. Er sucht eine innere Erneuerung des religiösen Lebens.
Erst nach seinem Tode bildet sich eine Anhängerschaft, die Schwenckfeldianer, in Schwaben und Schlesien mit eigenen Gemeinden. Sie wanderten unter der Bedrückung durch die Jesuiten 1730 aus Schlesien nach Pennsylvanien aus.

E. Lohmeyer, Caspar Schwenckfeld von Ossig, in: Schlesische Lebensbilder 4 (1931), S. 40–49; Corpus Schwenckfeldianorum, New York & Leipzig 1907 ff.; G. Maron, Individualismus und Gemeinschaft bei Kaspar von Schwenckfeld, Stuttgart 1961; F. M. Weber, Schwenckfeld und seine Anhänger in den freybergischen Herrschaften Justingen und Üpfingen, Stuttgart 1962. W.S.

H 60

Lazarus Frh. von Schwendi

Kriegs Discurs. Von Bestellung deß gantzen Kriegswesens, vnnd von den Kriegsämptern.

Frankfurt a.M.: Wechels Erben, C. de Marne & J. Aubri 1593. 8°

Zweibrücken, Bibliotheca Bipontina, Mi. 1

Schwendi (Mittelbiberach 1522–1584 Kirchhofen i.Br.) stand nach einem Studium (Basel) 1546 als Kriegskommissar und in politischen Missionen im Dienst Kaiser Karls V., dessen Interessen er rigoros und mit politischem Geschick vertrat. Er war schließlich oberster Kriegskommissar des Kaisers und des Reiches. Er wirkte auf eine Verbesserung der Kreisverfassung hin. Für den Kaiser verfaßte er verschiedene Denkschriften, die handschriftlich erhalten sind, wie die Denkschrift über die politische Lage des deutschen Reiches von 1575 an Kaiser Maximilian II. (Haus-, Hof- und Staatsarchiv Wien: R. K. Berichte aus dem Reich, fasc. 6d fol. 178–309), in der er auf die Gefahren durch spanisches und katholisches Vorgehen hinwies und dazu riet, im Inneren durch Ausgleich Frieden zu halten.
Der *Kriegsdiscurs* ist eine Neubearbeitung des alten Ämterbuches (vgl. *Forma vnd ordnung eines Kriegsbueches,* 1558). Gedruckt wurde er erst etwa zwei Jahrzehnte nach seiner Entstehung 1593 in

Vff das Wirtebergische jüngst im 1558. Jare durch den Truck außgangne Mandat in der Religion Caspar Schwenckfeldts entschuldigung so vil jhne darinnen belanget.
Mit bekanntnus seiner Lehre vnnd glaubens, das jn auch die jrrigen verdampten Puncten, oder Item, im Mandat begriffen, gar nichts angehn, vnnd sein Namen derhalb vnbillich mit eingemengt, diffamiert vnd beschwärdt werde.
Psalm. xxvij.
Herr gib mich nicht in den willen meiner Feinde, denn es stehn falsche Zeugen wider mich, vnnd thun mir vnrecht ohne schew.
M. D. LVIII.

H 59

Frankfurt a.M. in Quart, 1594 dort in Oktav (Hrsg.: Hans Lewenklaw von Amelbeurn). Es folgten Publikationen von Lobrinus Dresden 1676 und Frankfurt a.M. 1705. Manuskripte bewahrt die Universitätsbibliothek Heidelberg (Palat. germ. 133) und die Österreichische Nationalbibliothek in Wien (Nr. 10893). Schwendi bringt Eigenes vor allem in der Einleitung und in den taktischen Kapiteln, wobei ihm Macchiavellis Gedankengut nicht fremd ist, wenn er statt eines Söldnerheeres, das mehr koste und unzuverlässig sei, die Volksbewaffnung vorschlägt. Zum Krieg schreibt er einleitend: *Zwey Ding hat Gott der Allmächtig geordnet, die der Menschen Leben und Wesen vnd all jhr Thun fürnemblich regieren: nemblich die Vernunfft vnd die Zeit*

H 60 A

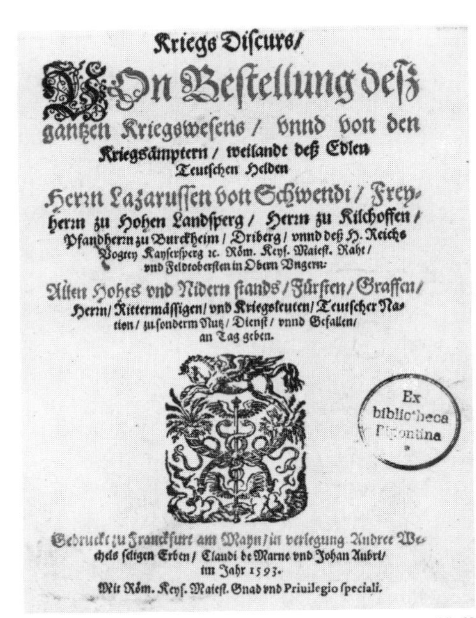

Kriegs Discurs, Von Bestellung deß gantzen Kriegswesens, vnnd von den Kriegsämptern, weilandt deß Edlen Teutschen Helden Herrn Lazarussen von Schwendi, Freyherrn zu Hohen Landsperg, Herrn zu Kilchoffen, Pfandherrn zu Burckheim, Oriberg, vnnd deß H. Reichs Vogtey Kaysersperg etc. Röm. Keys. Maiest. Raht, vnd Feldtobersten in Obern Vngern:
Allen Hohes vnd Nidern stands, Fürsten, Graffen, Herrn, Rittermässigen, vnd Kriegsleuten, Teutscher Nation, zu sonderm Nutz, Dienst, vnnd Gefallen, an Tag geben.
Getruckt zu Franckfurt am Mayn, in verlegung Andree Wechels seligen Erben, Claudi de Marne vnd Johan Aubri, im Jahr 1593.
Mit Röm. Keys. Maiest. Gnad vnd Priuilegio speciali.

H 60

... Der Anfang des Krieges stehet wol in des Kriegsherrn Willen vnd Gewalt; aber er kan des Krieges nicht wider mit Vortheil loß werden, wann er wil, vnd stehet der glücklich Außgang bei Gott. – Ein gewisser leidlicher Friede ist besser als ein hoffentlicher Sieg.

M. Jähns, Geschichte der Kriegswissenschaften vornehmlich in Deutschland, Abt. 1, München, Leipzig 1889, S. 535–542. (Geschichte der Wissenschaften in Deutschland. Bd. 21,1.) W.S.

H 60 A

Johannes Sturm (Hrsg.)

M. Tullius Cicero: Orationum vol. 2.

Argentorati (15)74 (: J. Rihel). 8°
Einband von dem Straßburger Buchbinder Philipp Hoffott, um 1574/82.

H 60 A

Tübingen, Universitätsbibliothek,
Ce 277 R

Johannes Sturm (Schleiden 1507 – 1589 Straßburg) war Leiter des Straßburger Gymnasiums und hat mit seinen Reformplänen die meisten Gymnasien beeinflußt. Sein Gegenspieler war der orthodoxe Theologe Johannes Marbach, auf dessen Wirken hin er sein Rektorenamt aufgeben mußte. Das Porträt schließt sich weder dem von Tobias Stimmer noch dem von Nikolaus Mauckler (Mauclertius) an, – trotz Ähnlichkeit.
Einband gebleichtes Schweinsleder über Holzplatten. Blindpressung. Vorder- und Rückdeckel mit einer Umrahmung aus Rollenstempeln – vier Köpfe in Medaillons zwischen Ranken.
Vorderdeckel: Plattenstempel in Blindpressung mit Architekturbogen und darunter Brustbild von Johannes Sturm, dem berühmten Pädagogen und Humanisten Straßburgs, mit einem langen Bart und bekleidet mit einem reichen Pelz mit hochgeschlagenem Kragen. In den Händen hält er ein Buch. Darunter VERA · EFFIGIES · CLARISSIMI · //VIRI · IOANNES · STVRMII · AETA//TIS · SVAE · 63 · PHILIPPVS · HOFOTT · //. Über den Schultern stehen die Initialen F. K. (möglicherweise für den Stempelschneider).
Rückdeckel: Plattenstempel in Blindpressung mit Architekturbogen und darunter weibliches Halbbild in zeitgenössischem Gewand mit Zirkel in der rechten und Winkel in der linken Hand, eine Darstellung der Geometrie. Darunter FLEXILIS · IN · DEXTRA · STAT // CIRCINVS · OMNIA · TERRAE · ME // SIGNARE · MANV · DVLCIS · IMAGO · D(eae) //. Über den Schultern steht PHILIPPVS HOFF//OTT.
Ob in dem Rollenstempel Einflüsse von Tobias Stimmer zu finden sind, der ebenfalls Kontakte zu Josias Rihel hatte, wäre zu untersuchen.
Im Straßburger Bürgerbuch wird zu 1565 „Philipp Hoffardt, Buchbinder“ verzeichnet. Zwei Jahre später steht bei der Taufe seiner Tochter Maria zu St. Thomas Josias Rihel, der Buchdrucker, Pate. Hoffott übte Nebentätigkeiten aus als Wasserzoller am Weickhäussel 1572–86 und später – nach längerem Bitten um Beförderung – als Stadtbote.

F. Eichler, Der Straßburger Renaissance-Buchbinder Philippus Hoffott, in: Jahrbuch der Einbandkunst 1927, S. 76–79 (u. Tafel 23. 24); A. Morgenthaler, Notes sur la reliure Strasbourgeoise au XVIe siècle, particulièrement sur Philippe Hoffott, in: Archives Alsaciennes d'histoire de l'art 5 (1926), S. 79–93; E. Ph. Goldschmidt, Gothic and Renaissance-Bookbindings, London 1926–27, Vol. 1, S. 305–306 u. Vol. 2, Pl. XCIII; K. Haebler, Rollen- und Plattenstempel des XVI. Jahrhunderts. 1, Leipzig 1928, S. 195 f.; A. Kolb, Zur Straßburger Einbandgeschichte des 16. Jahrhunderts. Ein unsignierter Hoffott, in: Archiv für Buchbinderei 29 (1929), S. 1–4. – J. Berenbach, Hoffottiana aus der Universitäts-Bibliothek Heidelberg, in: Archiv für Buchbinderei 33 (1933), S. 9 f.; E. Kyriss, Beiträge zur Einbandforschung des 15. und 16. Jahrhunderts, in: Zentralblatt für Bibliothekswesen 50 (1933), S. 319 f.; H. Schreiber, Zu Philippus Hoffott, in: Zentralblatt für Bibliothekswesen 51 (1934), S. 527–529; A. Schmidt, Zur Geschichte deutscher Buchbinder im sechzehnten Jahrhundert, in: Beiträge zum Rollen- und Platteneinband im 16. Jahrhundert, hrsg. v. I. Schunke, Leipzig 1937, S. 71 f. (Sammlung bibliothekswissenschaftlicher Arbeiten. H. 46 [Ser. 2, H. 29]). *W.S.*

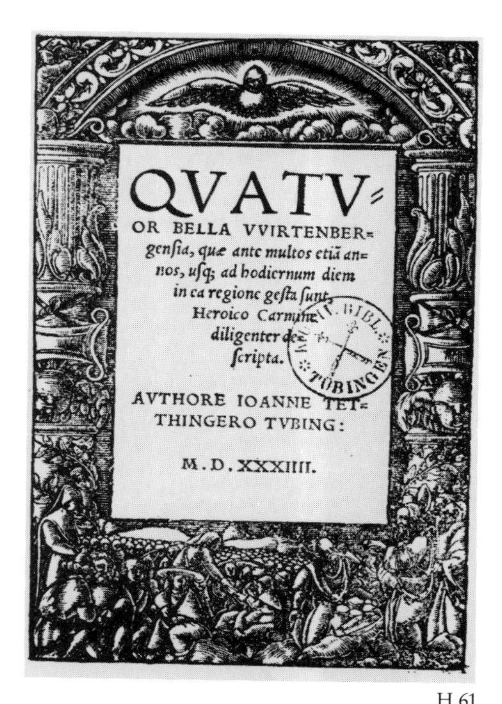
QVATVOR BELLA VVIRTENBERgensia, quæ ante multos etiā annos, usq; ad hodiernum diem in ea regione gesta sunt, Heroico Carmine diligenter descripta.
AVTHORE IOANNE TETTHINGERO TVBING:
M.D.XXXIIII.

H 61

H 61

Johann Tetthinger

Quatuor bella Wirtenbergensia … heroico carmine diligenter descripta.

o. O. [Augsburg?] 1534. 23 Bl. 8°
Titeleinfassung: Metallschnitt durch CV nach Hans Holbein d.J.

Tübingen, Universitätsbibliothek,
L XIV 88. 8° R

Widmung an Franz Sonnenberg, Pfarrherrn zu Konstanz, und Georg Ziegler aus Ettingen, Schreiber zu Pfullendorf. Johann Tettinger (Tübingen um 1490 – nach 1553 wohl Freiburg i. Br.) war von 1535–1553 an der Freiburger Lateinschule tätig (1537 vorübergehend in Pfullendorf), wo er 1553 mit lebenslänglichem Ruhegeld verabschiedet wird.
In Hexametern werden die vier Kriege Herzog Ulrichs von Württemberg dargestellt.
Die Titeleinfassung ist nach einem Entwurf Hans Holbeins in Metall geschnitten durch CV: Christus und die Menge der Fünftausend vor einer bergigen Landschaft im Hintergrund; illusionistische Säulenarchitektur mit Taube (Hl. Geist) im Bogenfeld. Die gleiche Änderung findet sich in dem Druck von M. Luther, *Ayn sermon ausz dem iij. capittel mathei, Von der tauff Christi.* o. O. [Augsburg: Simprecht Ruff] 1526 in 8°. Vorbild zur Umgestaltung der Architektur war wohl der Kleopatra-Schnitt. Als Druckort für den Tettinger-Druck käme ebenso Augsburg in Betracht.

F. Bauer, Die Vorstände der Freiburger Lateinschule, Freiburg 1867, S. 38–44; zugl. Progr. 1866/67; G. Franz, Huberinus – Rhegius – Holbein, Nieuwkoop 1974; F. Hieronymus, Oberrhein. Buchillustr. 2, 432 b (dort nicht verzeichnet). *W.S.*

H 62

Primus Truber

a. **Katechismus. Edna ma lahna kniga, u koi esu vele potribni i prudni nauki i Artikuli prave Krstianske Vere, skratkim istomačenem, za mlade i priproste ljudi … Der Catechismus, mit kurtzen außlegungen, Symbolum Athanasij, vnnd ein Predig von der krafft vnd würckung des rechten Christlichen Glaubens, in der Crobatischen Sprach.**

Utubingi 1561 [: U. Morhart].
56 ungez. Bl. 8°

Tübingen, Universitätsbibliothek,
Gi 171 R

Dieses Werk ist bei der Witwe von U. Morhart in Tübingen gedruckt, aber das erste in Urach verlegte kroatische Buch. Die Schrift ist glagolitisch, ein vor allem für kirchliche Texte verwendetes Alphabet. Das Buch ist Maximilian (II.) gewidmet.
Der von Truber in Anlehnung an Luthers Kleinen Katechismus verfaßte Text wurde von Stephan Konsul und Anton Dalmata übersetzt.

b. **[Glag.:] Tabla za dicu: Edne malahne knižice iz koih se ta mlada predraga ditca … Abecedarium, Vnd der gantze Catechißmus, ohne außlegung, in der Cyrulischen [übergekl.: Crobatischen] Sprach.**

Utubingi 1561 [: U. Morhart].
12 ungez. Bl. 8°

Tübingen, Universitätsbibliothek,
Ck XII 61 R

Das Lehrbüchlein bringt das glagolitische Alphabet, Silben und Wörter, dann die Zehn Gebote u.a. Stephan Consul hat es aus dem Slowenischen in die serbokroatische Sprache übertragen, Anton Dalmata durchgesehen.

c. **Katechismus. Edna malachna kniga … Der Catechismus mit außlegung, in der Syruischen Sprach.**

Utubingi 1561 [: U. Morhart].
56 ungez. Bl. 8°

Tübingen, Universitätsbibliothek,
Gi 172 R

Trubers Katechismus ist nach Luther, Brenz, Flacius Illyricus und anderen zusammengestellt worden. Es ist das

Catechismus / mit außlegung / in der Syrischen Sprach.

H 62 a

ABECEDARIVM, Vnd der gantze Catechismus / one außlegung / in der Crobatischen Sprach.

H 62 b

erste serbokroatische Buch aus Urach. Anfang September 1561 erhielt Urach seine Druckerpresse.

d. **Enedvhovne peisni, ka tere soskusi Primosha Truberia uta slauenski yesik istolmzhene ... Geistliche Lieder in der Windischen Sprach ... auß der teütschen Sprach in die Windische verdolmetscht ...**

vTubingae 1563: U. Morhart. 205 S. 8°

Tübingen, Universitätsbibliothek, Gi 170 R

Truber (Rassica in Slowenien 1508–1586 Derendingen), Kanonikus in Laibach, wurde, da er zur evangelischen Lehre überging, ausgewiesen. Er wurde Prediger in Nürnberg, seit 1542 in Rothenburg ob der Tauber. 1550 erscheint von ihm bei Morhart in Tübingen die Übersetzung des Katechismus in windischer Sprache. Auf Anregung von Vergerio begann er in den fünfziger Jahren mit der Übersetzung von Luthers Bibeltext ins Slowenische. Seine Bemühungen um slowenische Texte wurden dann durch Hans Ungenad, Freiherr von Sonnegg, vorher Landeshauptmann der Steiermark und persönlicher Berater König Ferdinands, unterstützt. Dieser war ebenfalls aus Glaubensgründen emigriert und kam über Wittenberg nach Württemberg, wo Herzog Christoph ihm in Urach den Mönchshof zur Verfügung stellte. Unter der fachlichen Leitung von Morhart-Gruppenbach errichtete er dort eine Druckerei für südslawische Drucke, in der Trubers Übersetzungen erschienen. Nach Ungenads Tod 1565 verlegten die Söhne die Druckerei. Das weitere Schicksal ist unerforscht (jedenfalls gelangte sie nicht über die Jesuiten in den Vatikan).

Truber war zuletzt Pfarrer in Derendingen, nachdem er kurz wieder in seiner Heimat gewirkt hatte. Seine Bemühungen um die Reformation vernichtete die Gegenreformation, doch blieb ihm der Ruhm, die slowenische Schriftsprache geschaffen zu haben.

P. H. Vogel, Slavischer Buchdruck, in: Libri 9 (1952), S. 31–37; M. Rupel, Primož Trubar. Življenje in delo. Ljubljana 1962; dt. Primus Truber. Leben und Werk. München 1965; E. Kyriss, Württembergische Renaissance-Einbände mit slawischen Drucken des Primus Truber, in: Gutenberg-Jahrbuch 1970, S. 371–181; A. Durstmüller, Begründung und Zerstörung des slowenischen Buchwesens im 16. Jh., in: Die berufsbildende Schule Österreichs 7 (1972/73), H. 1; R. Vorndran, Südslawische Reformationsdrucke in der Universitätsbibliothek Tübingen, Tübingen 1977; Protestantismus bei den Slowenen ... (Wien 1984.) W.S.

H 63

Heinrich Vogtherr

Ein Frembdes vnd wunderbarliches Kunstbüchlin.

Straßburg 1572: Ch. Müller. 30 ungez. Bl. 8° (4°)

Heinrich Vogtherr (latinisiert Satrapitanus) – wohl aus Wimpfen – erwarb am 17. Mai 1526 zu Straßburg das Bürgerrecht und ist dort bis 1542 nachweisbar. Er war sowohl Künstler als auch Schriftsteller. Außerdem wirkte er als Buchdrucker und Verleger (sein Kunstbüchlein erschien zuerst 1538 bei ihm, dann 1539 und 1540 erneut zweimal mit lateinischem und einmal mit deutschem Text). 1545, 1559 und 1572 wurden von den alten Holzstöcken Nachdrucke gemacht. In der Einleitung klagt er, daß *Gott auß sonderer schickung seines Heyligen worts jetz zu vnsern zeiten in gantzer Teutscher nation allen subtilen vnnd freyen Künsten ein merckliche verkleynerung vnnd abbruch mitgebracht hat. Dardurch vil verursacht, sich von sollichen Künsten abzůziehen vnd zu andern hantierungen zu greiffen. Derhalben es sich wol ansehen lasset, als ob in kurtzen jaren wenig deren handtwerck, als Moler vnd Bildschnitzer, in Teutschem land gefunden werden solten.*

Das Kunstbüchlein will eine Vorlage sein für Maler, Bildschnitzer, Goldschmiede, Steinmetzen, Waffen- und Messerschmiede; eine Vorlage für aufgeputzte Köpfe, zu Händen und Füßen in verschiedenen Stellungen, Rüstungen und Waffen, Wappenschilden, Kapitellen und Basen, Säulen und Kandelaber.

Faks. der Edition Straßburg 1572: Ch. Müller, Zwickau 1913. (Zwickauer Facsimiledrucke. No. 19.); Thieme-Becker 34 (1940), S. 499–504; K. Schorbach, in: ADB 46 (1896), S. 192–194. W.S.

H 64

Martin Waldseemüller

Cosmographiae introductio cum quibusdam geometriae ac astronomiae principiis ad eam rem necessariis. Insuper quatuor Americi Vespucij nauigationes.

(Argentorati 1509: J. Gruninger.) [2. Ausg.] 8° (4°)

1. Ausg.: S(ancti) D(eodate) 1507, 25. Apr.: G & N. Lud.

Universalis cosmographia secundum Ptolomaei traditionem et Americi Vespucci aliorumque lustrationes.

Argentorati 1507: J. Gruninger. (4°) 2°

Die *Cosmographiae introductio,* die übrigens auch Mathias Ringmann zugeschrieben wird, bringt die erste Beschreibung der Neuen Welt mit der Bezeichnung *America* nach Amerigo Vespucci, der Ent-

H 63

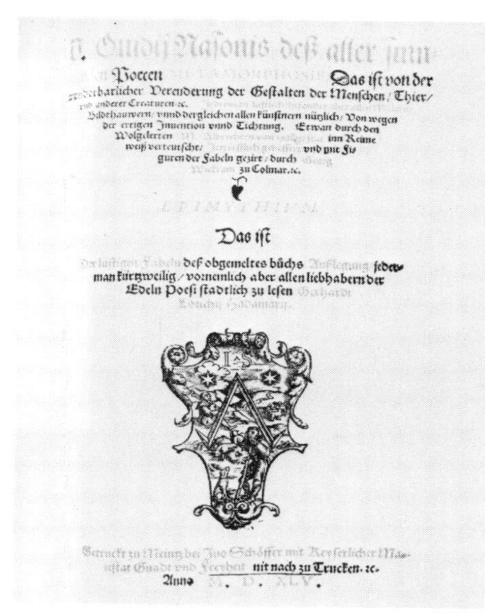
Poeten Das ist von der
wunderbarlicher Verenderung der Gestalten der Menschen/ Thier/
Bildthauwern/ vnnd dergleichen allen künstnern nützlich/ Von wegen
der artigen Inuention vnnd Dichtung. Etwan durch den
Wolgelerten inn Reime
weiß verteutscht/ vnd mit Figuren der Fabeln geziert/ durch
zu Colmar. rc.
Das ist
deß obgemeltes bůchs jeder-
man kurtzweilig/ vornemlich aber allen liebhabern der
Edeln Poesi stadtlich zu lesen
nit nach zu Trucken. rc.
Anno M. D. XLV.

H 65*

deckungsreisen nach Honduras und Südamerika mit Brasilien sowohl in spanischen als in portugiesischen Diensten unternommen hatte. Waldseemüller (Radolfzell um 1470 – um 1518/21 St. Dié) verwendete für dieses Gebiet auf seiner Karte den Namen America, der rasch auf den ganzen Kontinent als Bezeichnung angewandt wurde.

Die Cosmographiae introductio des Martin Waldseemüller (Ilacomilus) in Faksimiledruck. Hrsg. mit einer Einleitung v. Fr. R. v. Wieser, Straßburg 1907; F. Laubenberger, Ringmann oder Waldseemüller, in: Erdkunde 13 (1959). *W.S.*

H 65

Jörg Wickram

Das Rollwagenbüchlin.

[Straßburg] 1555. 8°
Basel, Universitätsbibliothek, A.m.II.22.8°

Wickram (Colmar um 1505 – um 1560 Burgheim/Rhein) war Ratschreiber und Buchhändler in Colmar, wo er 1549 eine Meistersängerschule gründete, seit 1554 Stadtschreiber in Burgheim.
Vom *Rollwagenbüchlein* erschienen wegen seiner Beliebtheit noch zu Lebzeiten des Autors von ihm erweiterte Auflagen, zuletzt 1565 mit 111 Schwänken „für alle, die sich auf Reisen zu Wasser und zu Lande (d.h. im Rollwagen) oder etwa in Wirts-, Barbier- und Badestuben langweilen".
Die Geschichten spielen meist im elsässischen Kleinbürgermilieu. Als Vorläufer kann man Poggios *Facetien* und Paulis Sammlung *Schimpf und Ernst* ansehen. Von Wickram erschien auch 1545 eine Übersetzung von Ovids Metamorphosen (Stuttgart, Württembergische Landesbibliothek, HB b 537).

E. Schmidt, in: ADB 42 (1897), S. 328–336; H. Tiedge, Jörg Wickram und die Volksbücher, Göttingen 1904. Diss; H. Kindermann, Die deutschen Schwankbücher des 16. Jahrhunderts, Danzig 1929; W. Metz, Jörg Wickram, Heidelberg 1945. Masch. Diss.; M. Meucelin-Roeser, Studien zum Prosastil Jörg Wickrams, Basel 1955. Diss.; K. Stocker, Die Lebenslehre im Prosawerk von Jörg Wickram und in der volkstümlichen Erzählung des 16. Jahrhunderts, München 1956. Diss. *W.S.*

H 66

Jakob Wimpheling

Declamatio Philippi beroaldi de tribus fratribus, ebrioso, scortatore et lusore. Germania Jacobi wimpffelingij ad Rempublicam Argeñ. ...

[Straßburg] 1501, 13. Jan.: J. Prüss.
44 ungez. Bl. 8° (4°)

Augsburg, Staats- und Stadtbibliothek, 4° NL 49

Wimpheling (Schlettstadt 1450–1528) besuchte das berühmte Schlettstadter Gymnasium unter der Leitung von Dringenberg, studierte Jura und Theologie in Freiburg (bei Geiler von Kaysersberg), Erfurt und Heidelberg. In Heidelberg wurde er 1471 Professor, 1481 Rektor. 1484 ist er als Domprediger in Speyer, kommt dann 1498 wieder als Professor der Poesie nach Heidelberg. 1500 bis 1515 wirkt er als Pädagoge in Straßburg und geht dann nach Schlettstadt zurück. Wimpheling gehörte dem älteren Elsässer Humanistenkreis an, der zwar Kritik an kirchlichen Verhältnissen übte, jedoch katholisch blieb. Er war ein berühmter Pädagoge („praeceptor Germaniae"), u.a. der Lehrer von Ringmann. Im zweiten Teil der *Germania* fordert er eine städtische Lateinschule, die auf die Hochschule vorbereite und nicht nur zu kirchlichen, sondern auch zu weltlichen Berufen führe. Deshalb müßten Geschichte, Haus- und Staatswissenschaft, Moral, Kriegswissenschaften, Baukunst und Landwirtschaft gelehrt werden.
Er tat den ersten Schritt zur Wiederbelebung des lateinischen Dramas in

Das Rollwagenbüchlin.
Ein neüws/ vor vnerhörts Büchlein/ Darin vil gůter schwenck vnd Historien begriffen werdẽ/ so man in schiffen vñ auff den rollwegen/ deßgleichen in scherheüseren vnnd badstuben/ zů langweiligen zeiten erzellen mag/ die schweren Melancolischen gemüter damit zů ermünderen/ vor aller menigklich Jungen vñ Alten sunder allen anstoß zů lesen vnd zů hören/ Allen Kauffleüten so die Messen hin vñ wider brauchen/ zů einer kurtzweil an tag bracht vnd zůsamen gelesen durch Jörg Wickrammen/ Stattschreiber zů Burckhaim/ Anno 1555.

H 65

Deutschland, als er 1480 als Vizekanzler der Universität Heidelberg in der offiziellen Promotionsrede das Spiel vom stolzen *Stylpho* einfügte, der mit Überheblichkeit aus Rom zurückgekehrt war und schließlich als Sauhirt endete, während sein bescheidener Gegenspieler Bischof wird. Literarisch bedeutender sind allerdings Reuchlins Komödien *Henno* und *Sergius*, die 1496 und 1497 ebenfalls in Heidelberg aufgeführt worden sind.
Angesichts der Bedrohung des Elsaß durch den französischen König – der Kaiser und Habsburger war im Burgunderkrieg ein mangelnder Schutz gewesen – verstärkte sich das im Elsaß immer vorhandene deutsche Nationalgefühl, das Wimpheling als erster Humanist als Thema aufnahm in seiner *Germania*. Sie geht auf eine Schrift von Enea Silvio Piccolomini (später Papst Pius II., gest. 1464) zurück. Mit teilweise verfehlten

H 66a

H 66b

Declamatio Philippi be
roaldi de tribus fratrib⁹.
ebrioso: scortatore: lusore.
Germania Jacobi wimpffe-
lingij ad Rempublicã Argeñ.
Ad vniuersitatẽ heydelbergeñ
Oratio Ja. wimpfe. S. de an
nũtiatione angelica.
Distichon ad Lectorem.
Dulcis ephębe tibi placeat labor hic Beroaldi
Ne te corrumpant ocia: vina: venus.

Verg. ... Demosth. Hom.

EXCELLENTISSIMI uiri Vdalrici Zasij LL. Doct. earundemq; in percelebri Friburgensiũ Academia professoris ordinarij lucubrationes aliquot sanè quàm elegantes, nec minus eruditæ.

Videlicet,

In legem secundam ff. de ori. iur.
In l. frater à fratre ff. de condi. indeb.
In §. Cato. ff. de uerb. oblig. Scholia in quibus præter stili nitorem, raraquædam, iucunda & grata inuenias.

Præter hæc

Antinomiarum aliquot acutissimæ simul & eruditissimæ dissolutiones.

Item

Orationes aliquot uario genere.
Panegyrica una.
Funebris una.
Legales duodecim perquam doctæ.

APVD INCLYTAM BASILEAM.

H 67

Argumenten versucht er zu beweisen, daß der Kamm der Vogesen, nicht der Rhein die Grenze zu Gallien gewesen war. Im zweiten Teil entwickelt er Vorschläge über die Verwaltung der Stadt und die Gestaltung des Schulunterrichts. Durch die *Germania* entspann sich eine heftige Fehde mit Murner, bis der Rat von Straßburg schließlich dessen Traktat verbot. Während dieser Auseinandersetzung ließ Wimpheling ein weiteres historisches Werk, die *Epitoma rerum Germanicarum* 1505, drucken, eine erste allgemeine deutsche Geschichte im Humanismus. Auf den historischen folgt ein kulturhistorischer Teil mit Erfindungen u.a.

Wimpheling publizierte außerdem einen Straßburger Bischofskatalog, *Argentinensium episcoporum cathalogus* (Argentine 1508, 29. Aug.: J, Grieninger), in dem er wahrheitsgemäß von dem Leben, Charakter und den Taten der Bischöfe berichten will. Dem Werk steht ein Dedikationsbild voran, in dem Wimpheling in mittelalterlicher Weise dem Bischof seine Schrift überreicht, wobei die Personendarstellung dem Stil der Renaissance entspricht.

Pädagogische Schriften, hrsg. v. H. Freundgen, Paderborn 1892; P. Bahlmann, Die lateinischen Dramen von Wimphelings „Stylpho" bis zur Mitte des 16. Jhdts, 1480–1550, Münster 1893; J. Knepper, Jakob Wimpheling. Sein Leben und seine Werke, Freiburg i.Br. 1902; P. Joachimsen, Geschichtsschreibung und Geschichtsauffassung in Deutschland unter dem Einfluß des Humanismus, Leipzig 1910; E. v. Borries, Wimpheling und Murner im Kampf um die ältere Geschichte des Elsasses, Heidelberg 1926; R. Newald, Elsässische Charakterköpfe aus dem Zeitalter des Humanismus, Kolmar 1944; Ders., Probleme und Gestalten des deutschen Humanismus, Berlin 1963; P. Adam, L'humanisme à Sélestat. 2. éd. Sélestat 1967. *W.S.*

H 67

Ulrich Zasius

Lucubrationes aliquot sane quam elegantes, nec minus eruditae.

Apud Basileam (: J. Froben 1518). 122 S. 8° (4°)

Titelholzschnitt von Urs Graf.

Karlsruhe, Badische Landesbibliothek, 72 B 125 RH

Von Zasius (Konstanz 1461–1536 Freiburg i.Br.), dem berühmten Freiburger Rechtsgelehrten, erschienen 1518 unter dem Titel *Lucubrationes aliquot* Scholien, Festreden und historische Arbeiten.
Das Titelblatt ist aus einer Architektur mit 4 Zierleisten gebildet, die seit 1513 (Erasmus Roterodamus, *Adagiorum Chiliades tres ...)* bei Froben in Basel verwendet wurden, signiert unten auf einer kleinen Tafel VG, d.i. Urs Graf. Oben: Vergil, Homer, Cicero und Demosthenes schieben und ziehen den Triumphwagen der Humanitas, die in einem Buch liest, dazu rechts und links geflügelte Putten, die einen Baldachin über den Triumphzug spannen und vor sich links einen Schild mit dem Reichsadler, rechts mit dem Baslerstab halten. An den Wangenköpfen Engelsköpfe, die ein ornamentales Gehänge im Mund halten. Links darunter nackt Kairos, der Gott der günstigen Gelegenheit, mit dem Haarschopf und Schermesser, rechts Nemesis, die Göttin des vergeltenden Schicksals, mit rechtem Winkel und Zaumzeug.

E. Wolf, Ulrich Zasius, in: Große Rechtsdenker der deutschen Geistesgeschichte, 4. Aufl. Tübingen 1963, S. 59–101; G. Schneeli, Renaissance in der Schweiz, München 1896; E. His, Urs Graf, Goldschmied, Münzstempelgraveur und Formschneider von Basel, in: Jahrbücher für Kunstwissenschaft 5 (1872), S. 257–262; Ders., Beschreibendes Verzeichnis des Werks von Urs Graf, in: Jahrbücher für Kunstwissenschaft (1873), S. 145–187; F. Hieronymus, Oberrhein. Buchillustr. 2, 148. *W.S.*

H 67A

Ulrich Zasius

Nüwe Stattrechten vnd Statuten der loblichen Statt Fryburg im Pryßgow gelegen.

([Basel] 1520: A. Petri.) XCVII gez. Bl. 4° (2°)

Tübingen, Universitätsbibliothek, Ha III 5. 2° (2. Ex.)

Nüwe Stattrechten und Sta
tuten der loblichen Statt Fryburg im
Pryßgow gelegen.

Stemmata Brisgoi longo ordine tracta Friburgi
Expressa ingenua gnauiter arte uides.
Candida libertas, fidei inconcussaq; uirtus
Clauduntur tacitis sic bene iuncta notis.

H 67 a

Zum Jubiläum des Zähringer Stadtrechts von 1120 wurde am 1. Januar 1520 das neue Stadtrecht in Kraft gesetzt, an dem der Jurist Ulrich Zasius achtzehn Jahre lang gearbeitet hatte, „das vorzüglichste Stadtrecht jener Zeit" (nach Wieacker). Das Werk bringt zwei Holzschnitte, die wiederholt sind, und einen Faltholzschnitt. Die Titelseite zeigt unter dem Titel einen etwa quadratischen Holzschnitt mit dem Wappen von Freiburg, das von zwei aufrechtstehenden großen Löwen gehalten wird. Darüber hängt zwischen Festons der österreichische Bindenschild für den Landesherrn. Auf der Rückseite des Titelblattes sitzt in einer Art Renaissance-Seitenkapelle unter einem Baldachin die gekrönte Madonna mit dem nackten Jesusknaben, ihr zur Seite links der heilige Georg mit Schild und Fahne, rechts Bischof Lambert, die beiden Stadtheiligen. Vorn ein Portal, Pfeiler und Kapitelle mit Tierschädeln, Masken und Krabben geschmückt. Darüber ein Stichbogen mit Porträtmedaillons in den Zwickeln, außerdem Festons. Rechts und links von einer Früchteschale Knaben, von denen je zwei den Wappenschild Freiburgs und den Bindenschild und die Bogenzwickel halten. Der Holzschnitt ist an dem Thronsockel signiert HH, d.i. Hans Holbein, in den Medaillons seitenverkehrt datiert mit 1519. Die beiden Holzschnitte stammen aus den Jahren 1519/1520 nach Holbeins Rückkehr aus Luzern. In dem Madonnenbild sind Anregungen Grünewalds und Baldung Griens – über den Meister DS ? – verarbeitet. Der dritte Holzschnitt – er zeigt als Faltblatt eine Karte von Verwandtschaftsverhältnissen im Stammbaum – ist ebenfalls von Holbein gezeichnet.

H. Knoche, Ulrich Zasius und das Freiburger Stadtrecht von 1520, Karlsruhe 1957; – H. Thieme, Die „Nüwen Stattrechten und Statuten der löblichen Stadt Fryburg" von 1520, in: Veröffentlichungen des Alemannischen Instituts Nr. 29: Freiburg im Mittelalter, 1970, S. 96–108; Kunstepochen der Stadt Freiburg, Ausstellung zur 850-Jahrfeier, Freiburg 1970 (Ausst.Kat.), Nr. 295 AB (C); Holbein-Katalog, Basel 1960, Nr. 346–348. W.S.

H 68

Huldrych Zwingli

Von erkiesen vnd fryheit der spysen. Von ergernus vñ verboeserung. Ob man gwalt hab die spyse(n) zu etlichen zyten verbieten, meynung Huldrichi Zuinglij zu Zürich geprediget jm M.D.XXII. Jar.

Zürich 1522: Chr. Froschouer.
28 ungez. Bl. 8° (4°)

Basel, Universitätsbibliothek,
F.M. XI 7, Nr. 1,4°

Im März 1522 kam es in Zürich zu mehreren Übertretungen der kirchlichen Fastengebote. In der Werkstatt des Buchdruckers Christoph Froschauer fand ein Wurstessen statt. Unabsichtlich war Zwingli anwesend, aß aber nicht mit, so daß er als Nichtbeklagter später sich leichter der Verteidigung annehmen konnte. In die öffentliche Erregung griffen Bürgermeister und Kleiner Rat mit Strafen ein. Es folgte ein Mandat des Bischofs von Konstanz, Neuerungen zu vermeiden. Der Große Rat, in dem Zwingli eine größere Anhängerschaft hatte, erließ lediglich ein Mandat, in dem das Volk zur Einhaltung der überlieferten Ordnung gehalten wurde bis auf weitere Bescheide, verbot jedoch zugleich das Verketzern der evangelischen Predigt. Drei Tage später folgte Zwinglis Predigt *Von erkiesen vnd fryheit der spysen. Von ergernus vnd verbösrung ...*, die in mehreren Drucken mit geringen Varianten 1522 in Zürich bei Froschauer erschien.
Es ist das erste reformatorische Druckwerk Zwinglis und wird theologisch auch mit Luthers Schrift *Von der Freiheit eines Christenmenschen* verglichen. Er beruft sich auf die paulinische Gnadenlehre mit ihrer Verwerfung allen Heilsstrebens aus menschlicher Anstrengung. Die Zeremoniefrage, die für Luther untergeordnet ist, sieht Zwingli im Zusammenhang mit der Gemeinde. Die Frage: „Reguliert das Evangelium oder ein Menschengebot?", beantwortet er mit dem Gehorsam gegenüber Christus, der von menschlichen Ansprüchen frei macht.
Auf dem Titelblatt ist ein Holzschnitt mit dem Schmerzensmann in der Auferstehung von dem Meister GZ aus Seuses Betbüchlein bei Wolff (nicht bei Koegler). Diesen Holzschnitt hat Froschauer später noch häufiger als Titelschmuck verwendet.

Von erkiesen und
fryheit der spysen.
Von ergernus vñ
verbösrung.
Ob man gwalt hab die spyse zů
etlichen zyten verbieten/ mey=
nung Huldrichi Zuing
lij zů Zürich gepredi=
get jm. M.D.XXII. Jar.

Christus Mathei. XI.
Kumend zů mir alle die arbeitend
vnd beladen sind/vnd ich
wil üch rüw machen.

Deß walt Got.

H 68

G. Finsler, Zwingli-Bibliographie, Zürich 1877; G. W. Locher, Die zwinglische Reformation im Rahmen der europäischen Kirchengeschichte, Göttingen, Zürich 1979; E. Hieronymus, Oberrh. Buchillustr. 2, 169. W.S.

H 69

Huldrych Zwingli

De vera et falsa religione commentarius.

Tiguri: Ch. Froschouer 1525, März.
446 S. 8°
Titeleinfassung: Metallschnitt durch CV nach Hans Holbein d.J.

Tübingen, Universitätsbibliothek,
Gf 1160. 8 8°

Diese Zusammenfassung – entstanden Ende 1524 bis März 1525 – diente den eigenen Anhängern und der Widerlegung anderer Lehrmeinungen: Wahre Religion besteht in der Hoffnung auf Gott durch Christus und ein unschuldiges Leben, falsche Religion baut allein auf menschliche Erkenntnis.
Die Ablehnung der Realpräsenz im Abendmahl leitet zur Kontroverse mit Luther über. Auch betont der Autor Vorherbestimmung und Vorsehung gegen die 1524 von Erasmus erschienene Schrift *De libero arbitrio.*
Die Titeleinfassung beruht auf einem Entwurf Hans Holbeins d.J. von etwa 1523/24 (Metallschnitt vom Meister CV): Christus, der die Mühseligen und Beladenen zu sich ruft vor einer hügeligen

Landschaft mit Zentralbau (Grabeskirche zu Jerusalem). Links seitlich Trophäen (Rüstung und Waffen), rechts seitlich Musikinstrumente (Blas-, Zupf- und Streichinstrument), nach oben beiderseits Ranken und am Kopf eine nackte Frau und ein Faun um einen Renaissancebrunnen.
Die Einfassung wurde früher verwendet bei Oswald Myconius, *Ad sacerdotes Helvetiae … Suasoria,* Zürich, Febr. 1524, in einem Quartdruck, für den sie nicht geschaffen worden ist. Die eigentliche Erstverwendung ist in Zwinglis Schrift *Der hirt,* Zürich, März/April 1524. Zur weiteren Verwendung vgl. F. Hieronymus Bd. 2, Nr. 433.

P. Wernle, Der evangelische Glaube nach den Hauptschriften der Reformatoren, Bd. 2, Tübingen 1919, S. 143–245; G. W. Locher, Die Theologie Huldrych Zwinglis im Lichte seiner Christologie, Bd. 1, Zürich 1952; Ch. Gestrich, Zwingli als Theologe, Zürich, Stuttgart 1967; H. F. Schmid, Holbeins Tätigkeit für die Baseler Verleger, in: Jahrbuch der Kgl. Preuß. Kunstsammlungen 20 (1899), S. 233 bis 262; P. Leemann-van Elck, Der Buchschmuck der Zürcher-Bibeln bis 1800, Bern 1938; Ders., Die zürcherische Buchillustration von den Anfängen bis um 1850, Zürich 1952; F. Hieronymus, Oberrhein. Buchillustr. 2, 433.
W.S.

DE VE
RA ET FALSA RELIGIONE
Huldrychi Zuinglij Com=
mentarius.

Indicem capitum totius operis
nies in fine libri.

TIGVRI in ædibus Chriſtophori Fro=
ſchouer. Anno M. D. XXV.
Menſe Martio.

Venite ad me omnes qui laboratis & one
rati eſtis, & ego requiem uobis
præſtabo. Matt. 11.

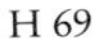
H 69

Propheten
Alle groſʒ vnd klein.
Haſtu Läſer yetʒ gar jm Teütſchē.

Regiſter der Propheten.

Die iiij.	Jeſaia	Jeremia
	Jeheskiel	Daniel

Die zwölff kleynen Propheten

j.	Hoſea.	vij.	Nahum.
ij.	Johel.	viij	Habakuk
iij.	Amos.	ix.	Zephania
iiij	Obadia.	x.	Haggai.
v.	Jona.	xj.	Secharia
vj.	Micha.	xij.	Malachi.

Straßburg bey Wolff Köphl.
An. M. D. XXX.

H 70

H 70

Straßburg-Durlacher deutsche Bibel

Die gantz Bibel Alt vnnd Neüw Testament.

Straßburg: W. Köphl 15(29–)30. 4° (2°)

Davon sind in Durlach gedruckt:

Das dritte theyl des Alten Testaments. Durlach 1529 (: V. Kobian für W. Köpffel). 69 Bl. 4° (2°)

Propheten Alle groß vnd klein. Straßburg: W. Köphl 1530 (Durlach 1530: V. Kobian für W. Köpffel). 128 Bl. 4°(2°)

Karlsruhe-Durlach, Pfinzgaumuseum

Luther schloß seine Bibelübersetzung 1534 ab und publizierte im gleichen Jahr die Septemberbibel in Wittenberg.
Doch schon vorher wurden die fertigen Teile verbreitet. Zu einer Vollbibel kombinierte man mit ihnen die Propheten entweder in der Übersetzung der Züricher Prädikanten oder der Wormser Wiedertäufer Hetzer und Denck und die Apokryphen in der des Züricher Theologen Leo Jud.
Solche Bibeln erschienen 1527/29 und 1530 bei Christoph Froschauer in Zürich, 1529 die sogenannte „Wiedertäuferbibel" bei Peter Schöffer in Worms und 1529/30 die Straßburg-Durlacher Bibel bei Wolf Köpfl (Köphl) und Veltin Kobian, die Köpfl 1530/32 in Straßburg nachdruckte, sowie 1535/36.
Sie enthält außer der Lutherübersetzung (mit den Propheten Jesaja, Jona, Habakuk und Sacharia) die weiteren Propheten in der Wormser Fassung sowie die Apokryphen nach Leo Jud.
Der Druck ist in Straßburg und Durlach erfolgt. Aus Durlach stammen im *dritten theyl des Alten Testaments* 1529: das Buch Hiob, der Psalter, die Sprüche Salomons, der Prediger Salomo, Das Hohelied und die Propheten. Das Renaissancetitelblatt ist jedoch in Straßburg gedruckt. Veltin Kobian hat in Durlach *auß verlegung Wolff Köpffels, burgers zu Straßburg* gedruckt auf Straßburger Papier (nach dem Wasserzeichen).

Köpfl, ein Neffe des Reformators Capito, hat vorwiegend reformatorische Schriften gedruckt. Sein Signet mit dem Eckstein findet sich auch auf dem *Ortenauer Vertrag* (Kat.Nr. H 78).
Als Illustrator der Bibel gilt (nach Ritter) Heinrich Vogtherr der Ältere (Dillingen 1490–1556 Wien), was teilweise zu überprüfen wäre. Zum Text der Offenbarung findet man 21 Holbeinbilder von stark abgenutzten Holzstöcken gedruckt.

L. Langenfeld, Die Straßburg-Durlacher Bibel von 1529–30 und ihre Drucker Wolf Köpfl und Veltin

H 71

Catechiſmus
Oder
Chriſtlicher Vnderricht/
wie der in Kirchen vnd Schu-
len der Churfürſtlichen
Pfaltz getrieben
wirdt.

Gedruckt in der Churfürſtlichen Stad Heydelberg/ durch
Johannem Mayer.
1563.

H 72

CATECHISMVS
ROMANVS,
Ex decreto Concilij Tridentini,
AD PAROCHOS,
PII QVINTI
PONT. MAX. IVSSV
EDITVS, NVNC VERO PRI-
mùm in Germania cum Maiorum auto-
ritate, & permiſſu Pauli Ma-
nutij recuſus.
Acceßit Præfatio ampliſſ. Domini Cardinalis
& Epiſcopi Auguſtani &c.

SIC HIS QVI DILIGVNT

DILINGÆ
Apud Sebaldum Maye[r]
1567.

Kobian, in: Veröffentlichungen des Karlsruher Stadtarchivs, Bd. 3: Das Pfinzgaumuseum in Karlsruhe-Durlach, Karlsruhe 1976, S. 42–55: F. Ritter, Histoire de l'imprimerie alsacienne aux XVe et XVIe siècles, in: Revue d'Alsace. 95 (1956), S. 63 ff.; M. Geisberg, Heinrich Satrapitanus und Heinrich Vogtherr, in: Buch und Schrift 1 (1927), S. 96–100.
W.S.

H 71

Catechismus oder christlicher Vnderricht, wie der in Kirchen vnd Schulen der Churfürstlichen Pfaltz getrieben wirdt.

Heydelberg 1563: J. Mayer. 56 S. 8°

Heidelberg, Universitätsbibliothek, J 3775

Um die Streitigkeiten in der Pfalz zwischen den Lutheranern, Philippisten (den Anhängern Philipp Melanchthons) sowie Calvinisten zu beenden und die kirchlichen Verhältnisse zu festigen, veranlaßt Kurfürst Friedrich III. einen Katechismus, der dann offiziell in die Kirchenordnung von 1563 aufgenommen wird.
Dazu wurden zwei von Ursinus verfaßte lateinische Entwürfe nacheinander beraten und diskutiert. Die deutsche Endredaktion war vermutlich das Werk von Olevian. Der Katechismus ist Bekenntnis und Unterrichtsbuch zugleich.
„Die meisten reformierten und indirekt auch lutherischen Gebiete verdanken seinem Erscheinen die Errichtung ihres Dorfschulwesens" (Graffmann).
Auf der Dordrechter Synode 1618/19 wurde er in den Niederlanden eingeführt (von dort gelangte er später nach Amerika und Südafrika). Er galt in den reformierten Ländern und Gemeinden Deutschlands (vor allem Kurpfalz, Hessen, am Niederrhein, in Bremen und Anhalt), Polens, Böhmens und Mährens, Ungarns sowie in den Schweizer Kantonen Schaffhausen, Aargau, St. Gallen und Bern.

H. Graffmann, in: RGG³, Bd. 3, Tübingen 1959, Sp. 127 f.; K. Barth, Die christliche Lehre nach dem Heidelberger Katechismus, Zollikon-Zürich 1948; Handbuch zum Heidelberger Katechismus, hrsg. v. L. Coenen, Neukirchen-Vluyn 1963.
W.S.

H 73

H 72

Catechismus Romanus, ex decreto Concilij Tridentini, ad parochos, Pii Quinti Pont. max. iussu editus, nunc ... primum in Germania ... recusus.

Dilingae: S. Mayer 1567. 935 S. 8°

Tübingen, Universitätsbibliothek, Gc 186. 8°

Dem *Catechismus Romanus* kommt eine zentrale Bedeutung für die Erneuerung des katholischen Lehrgebäudes im 16. Jahrhundert zu.
Nach mehreren Anstößen wurde 1564 von Papst Pius IV. unter seinem Neffen, dem Kardinal Carlo Borromeo, von vier Theologen des Dominikanerordens die

HIS QVI DILIGVNT
HIS QVI DILIGVNT

Missale secundum
ritum Augustensis ecclesie di
ligenter emendatum z locupletatum:
ac in meliorem ordinem q̃z antehac digestum.

Mandato z impensis Reuerendissimi ac illu-
strissimi Principis ac Dñi / Domini Othonis
tituli sancte Sabine presbyteri Cardinalis:
Episcopi Augustani: prepositi ac domini in
Elvvangen: ad Dei honorem: Ecclesie
sue/ suorumq3 clericorum profectum
nouis typis q̃z fieri potuit
elegantissime ex-
cusum.

Anno salutis
1555.

·S·AFFRA· ·S·DIONISIVS· ·S·HILARIA ·S·NARCISSVS· ·S·DIGNA·

H 73

1. Fassung fertig. Die Humanisten G. Poggiano und P. Manuzio übertrugen sie in die lateinische Form. 1566 erschienen in Rom die lateinische und die italienische Ausgabe.
Der *Catechismus Romanus* dient nicht den Gläubigen, sondern den Pfarrern als den Lehrern in der dogmatischen Unterweisung. Um der klaren Norm willen löste er sich von vielen katechetischen Formeln des Spätmittelalters und behielt allein die Erklärung des Apostolicum, Sakraments, der Gebote und des Vaterunser.
Im Zuge der Gegenreformation wird der *Catechismus Romanus* über die Jesuitenuniversität Dillingen und ihre Druckerei in Deutschland verbreitet als Leitfaden für Prediger und Katecheten. Hier erschien 1568 die erste deutsche Übersetzung.

S. L. Stzibniewski, Geschichte des römischen Katechismus, Rom 1903. *W.S.*

H 73

Missale secundum ritum Augustensis ecclesie diligenter emendatum et locupletatum ... Mandato et impensis ... Othonis tituli sancte Sabine presbyteri Cardinalis: Episcopi Augustani ... excusum.

(Dilinge) 1555 (S. Mayer). 471 ungez. Bl. 2°

Mit Holzschnitten von Matthias Gerung.

Augsburg, Staats- und Stadtbibliothek, 2° Aug 226

Der reich ausgestattete Druck eines neuen Augsburger Meßbuchs durch die Druckerei Sebald Mayer beim Jesuitenkolleg in Dillingen ist als eine politische Demonstration des Augsburger Bischofs Otto Truchseß von Waldburg anzusehen zu einem Zeitpunkt, als nach dem Schmalkaldischen Krieg (1546–47) die katholische Seite erstarkte, jetzt aber mit dem Feldzug Karls V. gegen Frankreich (seit 1552) um den Reichsbesitz Metz, Toul und Verdun die Parteien auf einen Ausgleich hin verhandelten, der im September 1555 als Reichsabschied (Augsburger Religions- und Landfriede) kam.
Das Missale ist eine erweiterte Ausgabe des Druckes von 1510. Die Schrift, eine altertümlich wirkende Rotunda, geht ebenso auf den Augsburger Drucker Erhart Ratdolt zurück wie die Auszeichnungstypen und die Noten zum Ordinarium. Der Kanonteil ist auf Pergament gedruckt.
Das Buch ist illustriert mit zahlreichen bebilderten Initialen, 8 großen Titelbordüren und drei ganzseitigen kolorierten Holzschnitten von Matthias Gerung unter dem Einfluß von Christoph Amberger, zwei davon Kopien nach ihm. Beson-

H 74

dere Umrahmungen haben die Textanfänge zu hohen Feiertagen und den Messen für die Heiligen des Bistums Augsburg sowie für den heiligen Otto als den bischöflichen Namenspatron und den heiligen Hieronymus als den Patron des Jesuitencollegiums in Dillingen.
Matthias Gerung, der früher für seinen Landesherrn in Neuburg a.D. auch mit Pamphleten für die evangelische Seite tätig war, wechselte nach dem Sieg des Kaisers zur katholischen Partei über.

O. Bucher, Bibliographie der deutschen Drucke des XVI. Jahrhunderts, Bd. 1: Dillingen, Bad Bocklet 1960, S. 61f. (Nr. 39); – Hollstein 10, Nr. 73–77; Welt im Umbruch, Bd. 1. Augsburg 1985 (Ausst.Kat.), S. 214 (J. Bellot); F. Siebert, Zwischen Kaiser und Papst. Kardinal Truchseß von Waldburg und die Anfänge der Gegenreformation in Deutschland, Berlin 1943; Ders., Bibliographie der Lauinger Drucke 1472–1619, in: Archiv für Geschichte des Buchwesens 8 (1967), Sp. 1461–1598; R. H. Seitz, Beiträge zur Geschichte der Lauinger und Neuburger Druckereien des 16./17. Jahrhunderts. Mit Nachtrag zur Bucher-Bibliographie der Lauinger Drucke, in: Neuburger Kollektaneenblatt. Jahrbuch 133 (1980), S. 187–221.

W.S.

H 74

Ordnung so ein Ersame Statt Basel den ersten tag Apprilis in irer Statt vnd Landtschafft fürohyn zehalten erkant.

[Basel] 1529 [: Off. Frobeniana]. 4° (2°)

Basel, Universitätsbibliothek, AG II. 5. Nr. 5

Am 6. Januar 1529 wird in Basel ein erster Entwurf zur Reformation angenommen *(Befelch eins Ersamen Rats zu Basel, alle Verkünder des worts gots belangend, allein die Biblische gschrifft, alten und nüwen testaments, an den kantzlen zu predigen.* Basel 1529: Th. Wolff.). Der Rat, in dem die Altgläubigen größeren Einfluß haben, bemüht sich jedoch wenig um die Durchsetzung, so daß das reformierte Volk mit Nachdruck nun auch politische Forderungen stellt: Entfernung der Altgläubigen aus dem Rat, Wahl des Rates nicht aus sich selbst, sondern durch die Zunftvorstände, die wiederum durch die Zunftgemeinden gewählt werden sollen. Weiter verlangt man die Abschaffung der Messe und die Entfernung der Bilder. Am 9. Februar stürmt das Volk das Münster und dann die übrigen Kirchen und zerstört die Bilder. Der Bürgermeister Meltinger und andere werden aus dem Rat entfernt und die Wahlen neu festgelegt. Am 1. April wird die neue Kirchenordnung beschlossen.
Das Titelblatt der Publikation ziert ein Entwurf von Hans Holbein: ein Blockaltar – für den neuen Glauben – mit antikem Eierstab an der Konsole zeigt in einem verschnörkelten Schild den Baselstab, darum einen Medaillonring mit dem Glaubensbekenntnis: *ich scheme mich des euangelii von christo nit denn es ist ein krafft gotes die da selig macht alle die dran glaubenn.*

Das Buch der Basler Reformation, hrsg. v. E. Staehlin, Basel 1929; F. Hieronymus, Oberrhein. Buchillustr. 2, 444.

W.S.

H 75

Kirchenordnung, wie es mit der Lehre vnd Ceremonien in der löblichen Graffschafft Hohenloe &c. soll gehalten werden. …

(Nürnberg) 1578 (: K. Gerlach & J. vom Berg Erben). 234 ungez. Bl. 8° (4°)

Die Grafen von Hohenlohe führten die Reformation nach der reichsrechtlichen Absicherung in Augsburg unter dem Einfluß von Württemberg durch. 1556 wurde die Messe abgeschafft. Nach dem Vorbild der Hanau-Lichtenbergischen Ordnung von 1573, der Nürnbergischen Ordnungen und der Agende Württembergs von 1553 entwarfen hohenlohische Pfarrer eine lutherische Kirchenordnung, die nach den zustimmenden Gutachten von Nürnberger und Württemberger Theologen am 14. September 1577 erlassen wurde.
Der Titelholzschnitt stammt von Jost Amman(n) (Zürich 1539 – Nürnberg 1591).

Reformation in Hohenlohe: 400 Jahre Hohenlohische Kirchenordnung 1578–1978. Hrsg. v. G. Franz, Stuttgart 1979; Reformation in Württemberg, Ausstellung zur 400-Jahr-Feier der Evang. Landeskirche, Württ. Landesbibl. Stuttgart 15. Mai bis 22. Juli 1984, Stuttgart 1984 (Ausst.Kat.; 450 Jahre Evangelische Landeskirche in Württemberg. T. 1.)

W.S.

H 76

H 76

Karsthans.

[Straßburg 1520?: R. Beck?.]
Bog. aa – dd (16 ungez. Bl.). 8° (4°)

Augsburg, Staats- und Stadtbibliothek, 4° Th H 1481

Vom Karsthans sind verschiedene Drucke bekannt, alle um 1520 (vgl. U. v. Hutten, Schriften, hrsg. v. E. Böcking, Leipzig 1860–62, Bd. 3, S. 566 und Bd. 4, S. 616ff.)

Die Flugschrift wird von einigen Forschern Joachim Vadianus (St. Gallen 1484 oder 1483–1551; dort Stadtarzt und wiederholt Bürgermeister, auch als Reformator tätig) zugeschrieben. Sie erschien in zehn Ausgaben.
An einem Gespräch nehmen fünf Personen teil: Mercurius, ein Gelehrter, Thomas Murner (auf dem Holzschnitt mit Katzenkopf dargestellt), Karsthans (Karst = Hacke) und sein Sohn Studens. Im Laufe des Gesprächs kommt Luther dazu, dessen Sache Karsthans und sein Sohn vertreten. Karsthans wurde davon der Name für den Bauern, der der evangelischen Lehre anhing. Die Unterredung findet wohl in Straßburg statt, denn Murner empfiehlt dem Studenten, sich zwei seiner Schriften zu Papsttum und Luthers falscher Lehre über die Messe beim Drucker Grüninger zum Studium zu besorgen.
Der Holzschnitt mit den vier Personen Mercurius, Murner, Studens und Karsthans wird dem malerisch-faserigen Stil Erhart Schliczors zugewiesen. (Hieronymus 2, 280b).

Hohenemser, Flugschriftensammlung Gustav Freytag Nr. 3897. J. Franck, in: ADB 15 (1862), S. 431 bis 435; J. Fuchs, in: NDB 11 (1977), S. 308; Flugschriften aus den ersten Jahren der Reformation. Hrsg. v. O. Clemen, Bd. 4, Leipzig 1911, S. 1–133; F. Hieronymus, Oberrhein. Buchillustr. 2, 280b.

W.S.

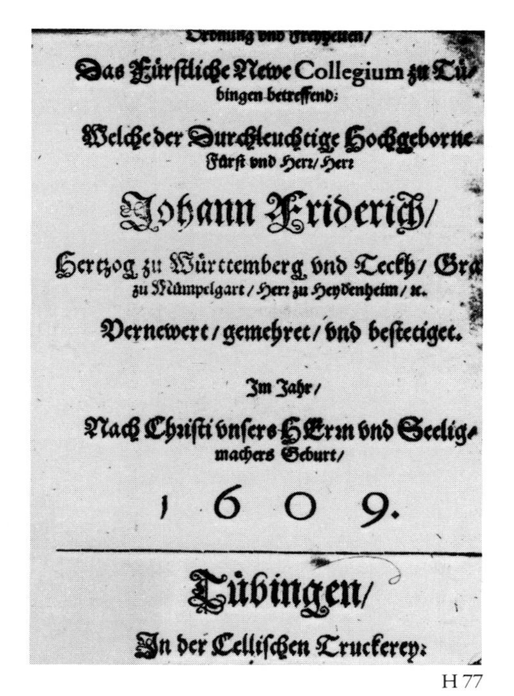

Ordnung vnd Freyheiten/

Das Fürstliche Newe Collegium zu Tübingen betreffend;

Welche der Durchleuchtige Hochgeborne
Fürst vnd Herr/ Herr

Johann Friderich/

Hertzog zu Würtemberg vnd Teckh/ Gra[f]
zu Mümpelgart/ Herr zu Heydenheim/ etc.

Vernewert/ gemehret/ vnd bestetiget.

Im Jahr/

Nach Christi vnsers HErrn vnd Seelig-
machers Geburt/

1609.

Tübingen/

In der Cellischen Truckerey.

H 77

H 77

Ordnung vnd Freyheiten, das Fürstliche Newe Collegium zu Tübingen betreffend; Welche ... Johann Friderich Hertzog zu Württemberg ... Vernewert, gemehret vnd bestetiget. Im Jahr 1609.

Tübingen 1609: Cellius. 42 S. 8° (4°)

Tübingen, Universitätsbibliothek, L XV 19c. 4° ang. 1.

Weitere Ausg. Tübingen (1614): Cellius

Das Collegium illustre in Tübingen sollte nach dem Willen Herzog Christophs und seines Nachfolgers, Herzog Ludwigs, die weltliche Entsprechung zum Evangelischen Stift werden. Nachdem zunächst an die Söhne des Landadels gedacht worden war, war nach dem Landtagsabschied vom 19. Juni 1565 und im Testament Herzog Ludwigs vom 6. Mai 1587 beabsichtigt, es für die Ausbildung aller Landeskinder als zukünftige Staatsdiener zu nutzen.
Im Gegensatz hierzu schloß Herzog Friedrich (1593–1608) 1596 Bürgerliche aus – die Statuten von 1609 teilen den Adel noch in drei Klassen mit z.B. getrennter Tafel – und machte so das Collegium illustre, das 1592 an der Stelle des Barfüsserklosters ein neues Gebäude erhielt, zur ersten Ritterakademie Deutschlands. Vergeblich legten die Landstände Widerspruch ein. Als die neuen Statuten 1609 bei Cellius gedruckt worden waren, berief sich jedoch die Universität auf das herzogliche Zensurstatut von 1601, nach dem für Tübinger Drucke sowohl die Genehmigung des Landesherrn als der Universität eingeholt werden mußte, und sperrte die Auslieferung.

A. Willburger, Das Collegium illustre zu Tübingen, in: Tübinger Blätter 13 (1911), S. 1–33; H. Hermelink, Geschichte der evangelischen Kirche in Württemberg, Stuttgart, Tübingen 1949, S. 92ff.; A. Dehlinger, Württembergs Staatswesen ... Bd. 1, Stuttgart 1951, S. 554f.1; H. Widmann, Zur Geschichte der Zensur in Tübingen, in: Gutenberg-Jahrbuch 1969, S. 170f. W.S.

H 78

H 78

Abrede vnnd entlicher Vertrage zwischen den Samlungen zweyer hauffen in Orttnaw vor Offenburg, vnd zwischen Bühel vnd Steinbach, vffgericht zu Renchen vff Ascensionis domini Anno etc. xxv.

Straßburg 1525: W. Köpphel.
11 ungez. Bl. 8° (4°)

Karlsruhe, Generallandesarchiv, Cv 2222

Es gibt zwei verschiedene Drucke (Weller 3254 und 3255).
Durch den *Ortenauer* (auch *Renchener) Vertrag* wurde am Himmelfahrtstag (25. Mai) 1525 im bischöflichen Schloß zu Renchen der Bauernkrieg in der Markgrafschaft Baden und in der Ortenau zunächst beendet. Es war ein Versuch, auf der Grundlage der Zwölf Artikel der Bauern den Ausgleich zu schaffen, ohne daß die Herren ihre Rechte aufgaben. Neben Einzelverträgen (Kloster Allerheiligen 29. Mai und Kloster Schwarzach 9. August) folgten Verhandlungen vom 29. bis 31. Mai in Straßburg, die mit dem *Offenburger Vertrag* am 13. Juni und später in Basel auch für den Breisgau Frieden bringen sollten.
Doch wenig später vernichtete Herzog Anton von Lothringen im Elsaß zahlreiche Bauern, und im Odenwald, am Bodensee und im Hegau erlitten Bauern Niederlagen. Bei der veränderten Situation fühlten sich die Herrschaften nicht mehr an die Verträge gebunden.
Das Druckersignet mit dem „Eckstein" stammt von Hans Baldung Grien, vielleicht auch im Zusammenhang mit der Werkstatt Köpphels (Köpfels) „am Roßmarkt zur Steinburck".

Text ohne Einleitung bei G. Franz, Deutsches Bauerntum. 2, Weimar 1939, Nr. 7; G. Franz, Die Entstehung der „Zwölf Artikel", in: Archiv für Religions-Geschichte 36 (1936), S. 193–213; Quellen zur Geschichte des Bauernkrieges. Ges. u. hrsg. v. G. Franz, Darmstadt 1963; K. Klein, Der Bauernkrieg in der Ortenau und das Elsaß, in: La guerre des paysans 1525, Saverne 1975, S. 129–132; Ders., Land um Rhein und Schwarzwald, Kehl 1980, S. 82f.; M. C. Oldenbourg, Die Buchholzschnitte des Hans Baldung Grien, Baden-Baden, Strasbourg 1962, Nr. 367 (L 218–220). W.S.